Hans Küng
Erkämpfte Freiheit

Hans Küng

Erkämpfte Freiheit

Erinnerungen

Piper
München Zürich

ISBN 3-492-04444-1
2. Auflage 2003
© Piper Verlag GmbH, München 2002
Layout und Satz: Stephan Schlensog, Tübingen
Druck und Bindung: GGP Media, Pößneck
Printed in Germany

INHALT

VII. Kampf um die Freiheit des Konzils 357

VIII. Macht gegen Freiheit 434

Den beiden Städten Sursee und Tübingen
in herzlicher Dankbarkeit
für die Verleihung der Ehrenbürgerwürde.

Warum ich von meinem Leben erzähle

Es hätte alles auch ganz anders kommen können. Aber ich bin dankbar, daß es so und nicht anders kam. Dankbar den vielen sehr verschiedenen Menschen, die mich durch die bisweilen stürmischen sieben Jahrzehnte begleitet, gestützt, gestärkt haben. Dankbar gleichzeitig jener verborgen haltenden Macht, deren gnädige Fügung ich in meinem Leben selbst in bitteren Zeiten im Nachhinein meine erkennen zu können. *Dankbarkeit* also ist die Grundstimmung, in der ich mich an diesen Lebensbericht mache.

Aber durchaus auch *Kampfesgeist*, mit Streitsucht nicht zu verwechseln. Ging es doch in all den Auseinandersetzungen, die ich zumeist nicht gesucht, aber auch nicht vermieden habe, nicht um etwas Beliebiges, das ich leicht hätte aufgeben können. Vielmehr um eine große Sache, an die ich glaube, für die zu kämpfen sich lohnt und die in diesen Erinnerungen hoffentlich ebenso deutliche Konturen gewinnen wird wie die Person, die ihr zu dienen versucht: die wahre Gestalt von katholischer Kirche, der Ökumene, ja, des Christentums überhaupt. Davon möchte ich erzählen. Meine »letzte Kampfschrift« würde meine Lebensbeschreibung sein, sagte ich scherzhaft denen, die mich schon vor Jahren dazu drängten. Ob es wirklich die »letzte« sein wird? Jedenfalls habe ich weitere Bücherpläne zurückgestellt, weil mir klar wurde, mein Lebensbericht sollte jetzt und nicht erst später erscheinen. Aus persönlichen Gründen: Wie lange werde ich noch schreiben können? Und auch aus politischen: Werden nicht jetzt die Weichen für eine neue Welt- und Kirchenepoche gestellt? Lange gelebt und vieles erlebt habe ich ohne Zweifel, so daß meine Erinnerungen, die ja oft noch Lebende mitbetreffen, nicht als Anmaßung erscheinen werden.

Natürlich weiß ich: Jede Geschichte, auch die meines Lebens, ist gedeutete Geschichte. Doch als Autobiographie ist sie von mir selber gedeutete Geschichte und hat so ihre eigene Authentizität. Zwar bin ich nicht der Meinung von Oscar Wilde, jeder Mensch habe seine Jünger, doch sei es gewöhnlich der Judas, der die Biographie schreibt – kann es doch auch der Lieblingsjünger Johannes sein. Doch möchte ich selber noch zu Lebzeiten, so weit ich kann, Legendenbildungen wehren, übelwollenden und wohlwollenden. Entgegentreten will ich, da ja bei mir Lebens- und Kirchengeschichte ineinanderfließen, zugleich jenen harmonisierenden Geschichtsschreibern, die in neuester Kirchen-, Theologie- oder Konziliengeschichte (Vatikanum II!) Unwillkommenes verschweigen und Konflikte verharmlosen. Eine Selbstbiographie mit Informationen aus eigener Hand kann Hypothesen, Mutmaßungen und Fehlinterpretationen vermeiden helfen – auch wenn man auf meinem schwierigen Fachgebiet weniger als in Politik und Showbusiness biographische Scharlatane und Schakale fürchten muß.

Strukturalisten, französischer Provenienz vor allem, wollten eine Zeitlang in der Geschichte nur Strukturen und Prozesse sehen, meinten gar den »Tod des Subjekts« proklamieren zu können. Gewiß nimmt jedes Selbst als Antwort auf das soziale und intellektuelle Klima Gestalt an. Doch hat auch die »neue Geschichtsschreibung« (»nouvelle histoire«), sich schließlich korrigierend, ihre Verachtung des Ereignisses, der Faktengeschichte, der erzählenden Geschichtsschreibung und der Biographie aufgegeben. An welthistorischen Figuren wie König David und Martin Luther habe ich es auch selber aufgezeigt: Es gibt überall in der Geschichte eine wirksame Dialektik von Strukturen und Personen, Institutionen und Mentalitäten.

Bei solchem Erzählen muß es immer um die *historische Wahrheit* gehen, die es nicht zuläßt, daß Realität und Erfindung, Faktum und Fiktion verwischt werden. Es bedeutete für mich freilich eine Versuchung, als der australische Schriftsteller Morris West, Autor von Weltbestsellern wie »In den Schuhen des Fischers«, in den 80er Jahren eigens nach Tübingen kam, um mich zu überzeugen, daß ich mich auf meinem zunehmend schwierigen Weg nicht mehr selber verteidigen könne und er dies gerne für mich tun möchte – durch einen »Roman vrai«. Aber ich hatte kein Interesse an einer Romanexistenz, in welcher Wahrheit und Dichtung ständiger Sichtung bedürfen, und konnte Morris West die Einsicht in die für ihn allein mengenmäßig kaum übersehbare Aktenlage nicht gewähren. Und ich bin auch das Gegenteil eines Umberto Eco, der als »Philosoph der Vernebelung« seinem Romanhelden »Baudolino« den bischöflichen Ratschlag auf den Weg gibt: »Willst du ein Mann der Schrift werden, so mußt du auch lügen und Geschichten erfinden können, sonst wird deine Historia langweilig«. Die interessantesten Geschichten schreibt, weil sie wahr sind, vielleicht noch immer das Leben selbst. Meine Historia wird sich aufs Ganze an die Chronologie halten, doch keineswegs chronistisch Fakten einfach nacheinander wegerzählen, vielmehr Chronik und Thematik ineinander verweben, damit sichtbar werde, wie alles mit allem zusammenhängt.

Als betroffener Zeitzeuge und Christenmensch versuche ich, die Intensität des Erlebnisses und die Klarheit der Analyse zu verbinden, um aus der Gegenwart heraus die Vergangenheit besser zu verstehen. Wie jeder Biograph muß ich die Fakten auswählen, deuten, werten. Doch bei aller Leidenschaftlichkeit, die ich weder ablegen kann noch will, möchte ich mich um größtmögliche Sachlichkeit bemühen – auch meinen Gegnern gegenüber. Wichtiger als alle möglichen Privatissima ist mir die Schilderung selbst miterlebter politischer und zeitgeschichtlicher Ereignisse; persönliche Lebens- und Krisenerfahrungen spare ich dabei nicht aus. Wenn in meine ersten vier Jahrzehnte so etwas wie ein roter Faden eingewirkt scheint, dann ist das die *Freiheit:* der *Kampf* um die Freiheit in Nation wie Kirche, in Theologie wie persönlichem Leben. Erkämpfte Freiheit.

Wohlwissend, wie leicht Erinnerung täuscht, habe ich mir die Mühe gemacht, in den Quellen zu überprüfen, was zu überprüfen war, und habe dann die einzelnen Kapitel von mehreren Zeitzeugen lesen und korrigieren lassen. Ein besonderes Glück bedeutete es für mich, daß zwei außerordentlich kompetente Kollegen und Freunde, mit denen ich seit Jahrzehnten verbunden bin, das Manuskript mehrfach gelesen und mir unschätzbare stilistische wie inhaltliche Ratschläge und Anregungen gegeben haben: der Rhetorikprofessor und Schriftsteller Dr. Dr. h. c. Walter Jens und der Spezialist für Theologie und Literatur Prof. Dr. Dr. h. c. Karl-Josef Kuschel. Das Manuskript wurde aber auch intensiv gelesen und überprüft von Dr. Günther Gebhardt, Dr. Thomas Riplinger, Marianne Saur, Dipl.-Theol. Stephan Schlensog, Bettina Schmidt M. A., Dr. Wolfgang Seibel SJ. Mehrere Familienangehörige, Freunde und Bekannte haben Teile des Manuskripts gelesen. Für die technische Realisierung der ungezählten Fassungen dieses Manuskripts war Anette Stuber-Rousselle M. A. zuständig, je nach Bedarf unterstützt von meinen bewährten Sekretärinnen Inge Baumann und Eleonore Henn. Layout und Gestaltung des Buches lagen wie bei allen meinen letzten Büchern wieder in den Händen von Stephan Schlensog.

Ihnen allen möchte ich meine herzliche Dankbarkeit ausdrücken. Sie stehen für die Ungezählten und Ungenannten, die mich auf meinem langen Lebensweg begleitet haben und denen ich diese Erinnerungen widme.

Die seit dreißig Jahren bewährte Zusammenarbeit mit dem Piper Verlag gestaltete sich auch dieses Mal wie immer reibungslos, kollegial und sachbezogen: unter der Ägide des Verlagsleiters Viktor Niemann für das Lektorat Ulrich Wank und für die Produktion Hanns Polanetz, nicht zu vergessen für die Publizität Eva Brenndörfer und für die Werbung Ingrid Ullrich. Auch ihnen allen meinen herzlichen Dank.

Und ein Letztes: Intensives Nach-Denken über Vergangenes hilft unverdrossenem Vor-Denken auf Zukünftiges. Bei allen Erinnerungen – mein Blick bleibt, Deo bene volente, auch weiterhin nicht nach rückwärts, sondern nach vorn gewandt, voll der Neugier auf das, was da kommen mag. Der zweite (und letzte) Band meiner Biographie wird hoffentlich mehr davon erzählen können.

Tübingen, 1. August 2002   *Hans Küng*

I. Wurzeln der Freiheit

»Man kann nicht verlangen, daß wir
unsere ursprünglichen Bindungen aufgeben
müssen, um Weltbürger zu werden.«

UN-Manifest für den Dialog der Kulturen 2001

Heimat?

Unsere von UN-Generalsekretär KOFI ANNAN berufene »Group of Eminent Persons«, zu der auch Richard von Weizsäcker, Jacques Delors, Nadine Gordimer, Prinz Hassan von Jordanien, Amartya Sen und ein weiteres Dutzend Persönlichkeiten gehören, hat in ihrem Manifest »Brücken in die Zukunft« zu Händen der UN-Vollversammlung festgestellt: »Es ist unangebracht, die ursprünglichen Bindungen als notwendigerweise schädlich für den weltbürgerlichen Geist anzusehen. Wir wissen, daß unsere starken Gefühle, unsere stolzen Bestrebungen und unsere immer wiederkehrenden Träume sehr häufig mit einer bestimmten Gruppe zu tun haben, in einer Muttersprache artikuliert werden, mit einem bestimmten Ort zusammenhängen und an Menschen desselben Alters und Glaubens gerichtet sind. Wir erkennen auch, daß Geschlecht und gesellschaftliche Einordnung in unserem Selbstverständnis eine wichtige Rolle spielen. In unseren ursprünglichen Bindungen sind wir tief verwurzelt, und sie verleihen unserem Alltagsleben Sinn. Sie können genausowenig nach Belieben ignoriert werden, wie man sich einfach bewußt dafür entscheiden kann, eine ganz andere Person zu sein.«

Zurück also zu den Wurzeln? Kein leichtes Unterfangen. Ein ganzes Wurzelgeflecht: historische, natürliche, kulturelle, geistige Wurzeln – Land, Geschichte, Natur, Familie, Gemeinwesen, Kirche … Will ich nicht nur Impressionen, Episoden und Anekdoten erzählen, will ich verständlich machen, warum vieles so und nicht anders gekommen ist, so wird dies wohl kein ganz kurzes Kapitel werden.

Zurück also zu den Wurzeln! Mein Verhältnis zu meiner Heimat, der Schweiz, ist bis heute kritischer als das der Katholisch-Konservativen und konservativer als das der linksintellektuellen Kritiker. Es ist bei allen Kämpfen unverkrampft geblieben. Anders als etwa mein fast eine Generation älterer großer Zeit- und Landsgenosse MAX FRISCH, der noch mit 55 Jahren (nach fünf Jahren Rom, sehr verschieden von meinen sieben) in geistreicher Zwiespältigkeit ein reichlich gequältes »Symposion in einer Person« abhält über die Frage: »Muß ich mich mit der Schweiz beschäftigen?« Als Alternativen werden da erwogen: »Vorsatz, über die Schweiz zumindest öffentlich keine Äußerung mehr zu machen«, »Keine Äußerungen zur Schweiz überhaupt – auch nicht im Gespräch«, »Keine Beschäftigung mit der Schweiz, auch nicht wenn ich allein bin«, »Sollte man auswandern?«, »Also bleibe ich im Land?«, »Ich frage mich, ob ich hochmütig bin …«

So veröffentlicht posthum erst im Jahre 2001, im Briefwechsel mit Uwe Johnson, der Frisch zu Recht von der Veröffentlichung dieses rhetorisch leicht überzogenen Essays abgeraten hat. Er halte es für »unabdingbar«, »daß ein Schreibender immer wieder sich befassen muß mit dem Land, dessen Sprache er gelernt hat, das ihm die ersten Modelle von Lebensart aufgenötigt hat«. Auch Frisch gibt ja zu: »Heimat ist unvertauschbar. Infolgedessen gilt es dazu ein hygienisches Verhältnis zu finden. Das ist mir nicht gelungen …«.

Ob mir das gelungen ist? Dies erinnert mich an ein langes Gespräch mit WALTER JENS und MARCEL REICH-RANICKI in meinem Tübinger Haus in den 70er Jahren, als die beiden noch Freunde waren. Angesichts sich zuspitzender Auseinandersetzungen mit Rom, in meiner weiteren und engeren Heimat gespannt verfolgt, bemerke ich, wie es mir gar nicht gleichgültig ist, ob meine Landsleute hinter mir stehen oder nicht. War es doch die Zeit, da ein neuer Stadtpfarrer in meinem Heimatstädtchen Sursee mit seiner Clique mich sozusagen geistlich auszubürgern versuchte. Wie lang und steinig war doch der Weg des Erdenbürgers dieser kleinen Stadt Jahrgang 1928 zu ihrem Ehrenbürger Jahrgang 1998.

Reich-Ranicki fand es ganz natürlich, daß ein Schriftsteller um die Anerkennung seiner Heimat ringt. Thomas Mann etwa habe sein ganzes Leben lang um die Anerkennung seiner Vaterstadt Lübeck gekämpft, in der er sich bekanntlich durch seine »Buddenbrooks« unbeliebt gemacht hatte. Walter Jens erinnerte an die von unserem Kollegen und Nachbarn, dem Lübecker Patrizier-Sohn THEODOR ESCHENBURG, mehr als einmal erzählte Geschichte: Beim Essen im Haus seines Großvaters habe er gewagt, seiner Kusine von den »Buddenbrooks« zu erzählen, worauf der Großvater kategorisch erklärte, seine Frau und er hätten das Buch dieses »bösen Vogels, der sein eigenes Nest beschmutzt hat«, nie gelesen. Titel des Buches und Name des Autors durften im Kreis der Familie Eschenburg fürderhin nie wieder genannt werden.

Niemand denke also, ich würde in diesem ersten Kapitel so ausführlich von meinen schweizerischen Wurzeln erzählen aus schierer Lust am Fabulieren, um etwa das bei Frischs Schweizer Reden oft vermißte Gotthelfsche oder Kellersche nachzuliefern. Nein, mir geht es darum, die mir bisweilen gestellte Frage zu beantworten, wie denn aus dem (freilich keinesfalls weltfremden) Schweizerknaben ein (keineswegs schweizentfremdeter) Weltbürger wurde. Deshalb also mitten hinein in die Geschichte:

Bedrohte Freiheit

Nicht nur persönlich-private, auch politische Ereignisse können das Gemüt eines Kindes erregen und erschüttern. Meine Kindheit fällt in die Zeit von Adolf Hitlers Machtergreifung und *Bedrohung unserer nationalen und personalen Freiheit.* Mehr als alles andere prägt dies meine frühen Jahre.

In unserer Familie im Schweizer Städtchen Sursee wird ständig »politisiert«. Später höre ich: In vielen deutschen Familien müssen die Eltern seit 1933 mit politischen Äußerungen gegenüber ihren Kindern vorsichtig sein. An unserem Familientisch, nicht anders als an ungezählten anderen in der Schweiz, wird ständig offen, frei und oft leidenschaftlich diskutiert, was sich da alles in zunehmend dramatischen Jahren in unserem Lande abspielt in lokaler, kantonaler, nationaler und internationaler Politik. Bei uns fühlt sich jedermann als »Politiker« und hat aufgrund direkter Demokratie, sofern männlichen Geschlechts, mannigfache Möglichkeiten, sich politisch zu betätigen.

Weder mein Vater (»Papa«) noch meine Mutter (»Mutti«) sind große Bücherleser, aber dafür um so begierigere Zeitungs- und Zeitschriftenleser. Und wie man mittags und abends gemeinsam ein Tischgebet spricht, so hört man auch regelmäßig mittags und abends die Nachrichten des deutsch-schweizerischen Landessenders Beromünster. Seine Sendetürme stehen etwa 5 km von meinem Heimatstädtchen im Kanton Luzern entfernt, im Herzen der Schweiz sozusagen.

Während des Krieges bringt Radio Beromünster als die Stimme eines freien Landes stets die Verlautbarungen von deutscher wie von alliierter Seite, freitags ruhig und sachlich kommentiert durch die »Weltchronik« des Historikers J. R. VON SALIS, für uns eine intellektuelle Instanz und

Integrationsfigur. »Beromünster« wird deshalb, wiewohl in Deutschland wie die BBC bald verboten, im Geheimen auch von vielen Deutschen gehört. Und es sind nun bestimmte schockierende politische Ereignisse meiner frühen Jahre, die mich in einer neuen Weise – wenn man will »politischer« – hören, lesen und handeln lassen.

Schockdatum I: 25. Juli 1934

Ausgestrahlt wird an diesem Tag eine *Radiomeldung*, die sich mir als *erste* tief in mein Gedächtnis eingräbt: die Ermordung des österreichischen Bundeskanzlers und Außenministers ENGELBERT DOLLFUSS – Opfer eines nationalsozialistischen Putsches! Ich bin sechs Jahre alt. Aus der erschreckten Reaktion meiner Eltern schließe ich, daß etwas höchst Bedrohliches geschehen sein muß. Natürlich weiß ich nicht, daß dieser christlichsoziale Politiker nicht nur die nationalsozialistische und die kommunistische Partei verboten, sondern sogar die Sozialdemokratie ausgeschaltet hat, um einen autoritären katholischen »Ständestaat« zu errichten, der sich vom totalitären Nazi-Staat freilich wesentlich unterscheidet.

Nur das eine spüre ich: den Schock. Da wird in unserem Nachbarland mitten in Friedenszeiten ein antinazistischer Regierungschef von Nazis ermordet – ein Sturmsignal auch für die Schweiz! Von da an erscheint mir das »Dritte Reich« als freiheitsbedrohende Macht. Und mit höchstem Mißtrauen betrachte ich sogar harmlose Photos von zwei lachenden deutschen Soldaten am Grenzzaun bei Basel, die meine Tante mitgebracht hat. Wie wird das, so fragt man sich an unserem Familientisch besorgt, alles weitergehen, mit Deutschland, mit Österreich, mit der Schweiz?

Als ich fast fünf Jahrzehnte später vom sozialdemokratischen österreichischen Bundeskanzler BRUNO KREISKY zu einem Vortrag in die Wiener Hofburg eingeladen werde, bitte ich ihn vorher in seinem Amtszimmer am Ballhausplatz, mir die Stelle zu zeigen, wo Dollfuss tödlich verwundet zusammengebrochen ist. Sie ist bis heute würdig markiert und mit Blumen geschmückt.

Schockdatum II: 12. März 1938

Der Tag, an dem ich *täglich Zeitung* zu lesen beginne. Es kommt zum Einmarsch der deutschen Wehrmacht in Österreich! Es ist dies die Woche vor meinem zehnten Geburtstag. Wir Schweizer sind zutiefst beunruhigt: Das mit uns befreundete Nachbarland leistet keinen Widerstand. Es verteidigt seine Freiheit nicht. Es begrüßt die deutschen Soldaten sogar mit stürmischem Jubel, und das österreichische Bundesheer schließt sich an. Schon am 14. März kann der (in Österreich geborene) Adolf Hitler höchstpersönlich nach einer Triumphfahrt auf dem Wiener Heldenplatz mit Hunderttausenden die »Befreiungsfeier« zelebrieren.

Uns ist schlagartig klar: Unser Land könnte sehr wohl Hitlers nächstes Opfer sein. Nur, davon ist man in meiner Familie und in meiner ganzen Umgebung überzeugt: Bei uns in der Schweiz würde Hitler auf erbitterten Widerstand stoßen – unbekümmert um die Opfer! Hitlers österreichischer Vertrauensmann und aufgezwungener Innenminister Arthur Seyss-Inquart, der Hitler um militärische Hilfe gebeten hat und jetzt die Kapitulation vor »Großdeutschland« unterzeichnet (derb »Scheiß-im-Quadrat« genannt), erscheint uns als Prototyp des Landesverräters, faktisch Vorgänger jenes Vidkun Quisling, der im Jahr darauf Hitler die Besetzung Norwegens vorschlägt und dessen Name als Synonym für Nazikollaborateur steht.

Anders damals Dollfuss' Nachfolger als österreichischer Bundeskanzler, der kluge und liberale KURT VON SCHUSCHNIGG. Unter massivem Druck Hitlers hatte er auf dem Obersalzberg bei Berchtesgaden ein diskriminierendes Abkommen abgeschlossen, es aber sofort durch eine Volksabstimmung über Österreichs Unabhängigkeit zu unterlaufen versucht. Dies nimmt Hitler zum Vorwand für die Besetzung Österreichs. Er läßt Schuschnigg nach dem Einmarsch sofort verhaften und ins Konzentrationslager stecken. Diesen tapferen Schuschnigg werde ich nach Kriegsende in der Aula meines Gymnasiums in Luzern mit Respekt und Anteilnahme sehen und hören: eine große Rede, die mich seine umfangreiche Rechtfertigungsschrift mit dem traurigen Titel »Requiem in Rot-Weiß-Rot« kaufen läßt. Den leutseligen Wiener Kardinal THEODOR INNITZER dagegen, der die Kapitulationserklärung des österreichischen Episkopats vom 18. März 1938 auch noch mit einem Brief und einem handgeschriebenen »Heil Hitler« begleitet, werde ich mir wenige Jahre später bei seiner Tischrede im Collegium Germanicum et Hungaricum zu Rom mit verständlicher Skepsis und Mißtrauen anhören.

Die Zeiten im März 1938 sind so dramatisch geworden, daß ich tagtäglich begierig auf die Zeitung bin, das »katholisch-konservative Zentralorgan« mit dem patriotischen Namen »Vaterland« (Luzern). Allerdings auch wegen des Liebesromans (mein erster), der sich um die Schlacht bei Sempach von 1386 dreht, und dessen Fortsetzungen ich

mit gleichem Eifer verschlinge wie die Berichte über die weltpolitischen Ereignisse. Diese verdüstern den politischen Horizont Europas
zunehmend. Und dies nicht zuletzt wegen der unbegreiflichen Untätigkeit und leeren Protestnoten jener Westmächte, mit denen wir in der
Schweiz offen sympathisieren. Eine Spottfigur war für uns der britische
Premier Neville Chamberlain mit seinem Regenschirm, Exponent der
»Appeasement-Politik«. So folgt dann wenige Monate nach der »Heim-
holung« Österreichs der von Hitler erzwungene »Anschluß« des Sudeten-
landes samt Vertreibung der Tschechen. Dann trotz oder besser wegen
der Appeasement-Konferenz der vier Großmächte Deutschland, Großbritannien, Frankreich und Italien in München (September 1938) im
März 1939 die von Hitler angedrohte »Zerschlagung« der Tschechoslowakei: überraschender Einmarsch der deutschen Truppen in Prag
und Errichtung des deutschen Protektorats Böhmen und Mähren. Und
wenige Tage später schließlich die gewaltsame Annexion des litauischen
Memelgebietes. Nicht einmal eine Protestnote der Schutzmacht Großbritannien folgt.

Wir Schweizer fragen uns: Wer würde uns beistehen, wenn unser
Land an die Reihe käme? Schon wird der deutsche Vers kolportiert:
»Und die Schweiz, die Schweiz, das Stachelschwein, die nehmen wir
auf dem Rückweg ein!« Oder vielleicht schon auf dem Hinweg – nach
Paris?

Schockdatum III: 1. September 1939

Ausbruch des Zweiten Weltkriegs und Generalmobilmachung. Ich
werde zum *aktiven Patrioten*. Mit meinen gut elf Jahren gehöre ich
selbstverständlich nicht zu den 400.000 einberufenen Soldaten, unter
ihnen auch der aus Deutschland ausgewiesene protestantische Theologe
Karl Barth, der in Basel lehrt. Die bereits mit Uniform, Karabiner und
Munition (traditionsgemäß zu Hause aufbewahrt) versehenen Mobili-
sierten überfluten innerhalb dreier Tage auch Sursee – als Amtshauptort
mit großem Zeughaus Sammelplatz des Luzerner Regiments 19 der
8. Division.

Ich bin in meiner Freizeit bereits in der patriotisch gesinnten katholischen Jugendbewegung (»Jungwacht«) engagiert, zu deren »Gesetz«
auch »liebt seine Heimat« gehört und wo man mich nach Prüfung bald
zum »Hilfsführer« befördert. Einige Zeit später werde ich der jüngste,
ebenfalls mit Gewehr bewaffnete Ortswehrsoldat, selbstverständlich

entschlossen, die Freiheit unseres Landes und mein Heimatstädtchen gegen jeden Angriff zu verteidigen. Später mache ich noch in zwei Wintern außerdienstliche Funkerkurse mit, so daß ich erfreulicherweise nicht zur Infanterie, die ich wegen ihres Drills gar nicht mochte, sondern zu den Flieger- und Flab-Übermittlungstruppen rekrutiert werde, deren Dienst ich nach dem Zweiten Weltkrieg wegen ständigen Auslandsurlaubs nicht anzutreten habe. Auf diese Weise bleibt mir freilich auch jene »persönliche Frustration« durch Militärerlebnisse erspart, die beim »Dipl. Arch.« Max Frisch zugegebenermaßen bis ins Alter nachwirkende »Ressentiments« gegen die Schweizer Armee erzeugen.

Der in vier Wochen absolvierte »Blitzkrieg« der deutschen Wehrmacht gegen Polen sowie die Abtretung Ostpolens an die Sowjetunion, dann die rasche Besetzung Norwegens und Dänemarks lassen folgern, daß sich Hitler nun gegen Frankreich wenden würde. Dieses hatte als Schutzmacht Polens zusammen mit Großbritannien Deutschland den Krieg erklärt, ohne aber an der von deutschen Truppen weithin entblößten Westfront eine Entlastungsoffensive zu wagen. Die uns alle bedrückende Frage: Würde der deutsche Angriff zur Umgehung der schwerbefestigten Maginot-Linie ins ungeschützte Hinterland über Belgien und Holland oder aber über die Schweiz erfolgen? 1939 ist die Schweizer Armee noch kaum imstande, der Invasion einer hochgerüsteten deutschen Wehrmacht zu widerstehen. Die meisten Truppen werden einfach an die Grenzen beordert, um deutlich zu machen, daß man einen Durchmarsch so wenig wie im Ersten Weltkrieg hinnehmen würde.

Der Erste Weltkrieg hatte damals zu einer angespannten Versorgungslage geführt. Jetzt ist man besser vorbereitet: Rechtzeitig waren Lebensmittellager angelegt worden, auch jede Familie hat ihren Notvorrat (der unsere beinhaltet unter anderem einen großen Sack Zucker auf dem Dachboden). Auf einen Schlag wird die kriegswirtschaftliche Schattenorganisation ins Leben gerufen: ein umfassendes Rationierungssystem von Milch und Kaffee bis zu Kleidern und Schuhen, zugleich Preiskontrolle und Umstellung der Landwirtschaft auf vermehrten Ackerbau und Ertragssteigerung. Auch ich habe in den Ferien in den »Landdienst« – erfreulicherweise bei meinen bäuerlichen Verwandten! – einzurücken.

Als Fünftklässler schreibe ich 1940 den längsten Schulaufsatz meines Lebens, 32 Seiten. Meinen Lehrer ärgert sichtlich, daß ich immer wieder vierseitige Papierbögelchen an seinem Pult abhole; aber keinesfalls will er mir mehr als eines geben. Das mich faszinierende Thema ist: »Wie der Zweite Weltkrieg ausbrach«. Genauestens beschreibe ich da, was sich in jenen dramatischen Tagen zwischen Berlin, Paris, London und Rom abgespielt hat. Ich nenne nicht nur die Namen der Regierungschefs, sondern auch die Namen von verschiedenen Botschaftern und Generälen ... »Woher weiß Ihr Bub das alles?«, fragt beim Examenstag die Nachbarin meine Mutter, nachdem sie in meinem ausgelegten Aufsatzheft gelesen hat. Sie erzählt mir das anschließend, nicht ohne wie so oft später hinzuzufügen: »Jetzt nur nicht stolz werden!«. Die Zeiten sind ernst genug, und unsere früher hell erleuchteten, jetzt auf deutsche Forderung hin total verdunkelten Städte erinnern uns jeden Abend daran, daß wir, wiewohl bisher unbehelligt, doch vom Krieg mitbetroffen sind.

Anpassung oder Widerstand?

Die Grundproblematik, mit der ich später in meinem Leben so oft konfrontiert werden sollte, wird mir von der hohen Politik sozusagen in die Wiege gelegt: Sichanpassen und Mitmachen – oder Standhalten und Widerstehen? Es geht in den 30er und 40er Jahren des 20. Jahrhunderts um einen innen- wie außenpolitischen Konflikt um Freiheit und Knechtschaft, der mich wie alle in unserem Lande aufs äußerste erregt. Freiheit ist für mich nicht etwas nachträglich in meinem Leben Entdecktes, und es ist nicht wie für manche andere »die Suche« nach Freiheit, die mein Leben prägt, sondern es ist die Bewahrung und Bewährung der Freiheit. Und so in diesem Sinn immer wieder eine neu *»erkämpfte Freiheit«*.

In all den Jahren der nationalsozialistischen Herrschaft in Europa lerne ich keinen einzigen Schweizer Nazi kennen, und ich bin immerhin 17 Jahre alt, als der Krieg zu Ende geht. Im Gegenteil: In meiner ganzen Verwandtschaft und Bekanntschaft ist man entschieden antinazistisch. In Luzern, in einer Villa am Vierwaldstätter See, ist schon vor dem Krieg durch junge Offiziere jene halbprivate Informationszentrale unter Hauptmann Hans Hausammann (»Büro Ha«) mit besten Nachrichtenkanälen bis in höchste Berliner Stellen gegründet worden. Sie wird bei Kriegsbeginn in die Nachrichtenorganisation der Armee eingegliedert – zum Kampf gegen die starke deutsche Untergrundorganisation aus Agenten, Spionen, Propagandisten, Kollaborateuren, Mitläufern. In der ganzen Schweiz werden in den Kriegsjahren 283 Schweizer, 142 Deutsche und 40 andere Ausländer wegen Spionage zu Tod oder langen Zuchthausstrafen verurteilt. Neben zwei Ausländern werden auch 15 Schweizer standrechtlich erschossen, zwei davon aus Luzern am Fuße des Pilatus. Ihre Begnadigung wird von der Vereinigten Bundesversammlung abgelehnt, verdientermaßen, meint man allgemein.

Allerdings gibt es in der Schweiz verschiedene »Fronten« (gegen Bolschewismus, Judentum, Freimaurertum, Profitgier, Verknöcherung), die direkt von Hitlers Deutschland abhängen oder in schweizerisch-nationalem Rahmen die Demokratie durch das Führerprinzip ersetzen wollen. Es gibt auch Organisationen der rund 130.000 Auslandsdeutschen, die von Deutschland aus ferngesteuert sind; nationalsozialistische Parteiversammlungen können offen stattfinden. Keine der einheimischen Gruppen verfügt unter meinen Landsleuten über einen politisch wirksamen Anhang. Aber vor dem Hintergrund der schreckenerregenden deutschen Militärmacht und einer aggressiven deutschen Diplomatie bilden sie eine kaum zu unterschätzende Bedrohung. Und welche Strategie da die richtige sein soll, ist keineswegs von vornherein klar: mehr Entschlossenheit oder mehr Toleranz und Konzilianz – das ist die Frage.

Helden der Freiheit

Meine Heroen (und die des Großteils unseres Volkes) sind in der Kriegszeit ohne allen Führer-Kult die beiden historischen Gestalten des demokratischen Widerstandes gegen den Nazismus, die lange im Schatten der Geschichte standen. In erster Linie WINSTON CHURCHILL: Ein ganzes Jahrzehnt war er wegen seiner Kritik an Chamberlains Appeasement-Politik in seiner eigenen Tory Party verfemt. Aber am 10. Mai 1940, dem Beginn des deutschen Westfeldzuges, wird er unter öffentlichem Druck zum Premierminister und Verteidigungsminister ernannt und ist jetzt Symbol des britischen Durchhaltewillens. Seine Botschaft hören wir auch in der Schweiz: »Ich habe nichts zu bieten außer Blut, Mühsal, Schweiß und Tränen«.

Und dann CHARLES DE GAULLE: Zunächst mahnte auch er als Offizier viele Jahre vergebens zur Aufrüstung und Zusammenfassung der französischen Panzer zu geschlossenen Einheiten und gezieltem Einsatz. Die Kapitulation Frankreichs zwang ihn zur Flucht nach England, wo er zur Fortsetzung des Widerstandes ein Nationalkomitee freier Franzosen gründete. In seiner auch bei uns vernommenen Londoner Rundfunkrede vom 18. Juni 1940 ruft er zur Fortführung des Krieges auf: »Dieser Krieg ist durch die Schlacht um Frankreich nicht entschieden. Dieser Krieg ist ein Weltkrieg!«

Symbol des Widerstandes bei uns in der Schweiz ist weniger die auf öffentliche und versteckte deutsche Einschüchterungen oft allzu angepaßt reagierende Bundesregierung, der siebenköpfige Bundesrat. Es ist vielmehr der zwei Tage vor dem Überfall auf Polen für die Dauer des nationalen Notstandes in feierlicher gemeinsamer Sitzung von National- und Ständerat mit überwältigendem Mehr gewählte Oberbefehlshaber der Armee, der als einziger den Titel General tragen darf: HENRI GUISAN, ein eher ruhiger, zurückhaltender 65-jähriger Gutsbesitzer aus liberaler Waadtländer Familie, Kommandant des ersten Armeekorps, Milizsoldat und Staatsmann in einer Person. Zwar haben ihm linke Kritiker positive Äußerungen über Mussolini und Neigungen zum Autoritarismus vorgehalten; Mussolini kam ja bei uns im Vergleich zu Hitler ganz allgemein erheblich besser weg, wurde mehr belächelt als gefürchtet. Doch Guisan ist als Oberkommandierender – und dies eint ihn mit Churchill und de Gaulle (von den Historikern ebenfalls in manchem kritisiert) – ein überzeugter Demokrat, dem Hitlerismus ebenso fern wie dem Stalinismus. Guisans Widerstandswille und seine wachsende Entschiedenheit kommen aus tiefer moralischer Überzeugung, und seine Menschlichkeit gewinnt rasch das Herz auch der Deutschschweizer.

Hocherfreut bin ich, als ich diesen sympathisch-unautoritären Mann in Sursee bei einer Fahnenübergabe aus nur wenigen Schritten Entfernung genau beobachten kann. »Wenn ein Mann vor mir strammsteht und mir in die Augen blickt, dann sehe ich hinter ihm sein Heim, seine Familie, seine Sorgen«, ist eines seiner Worte. Vor allem der souveräne, humane General Guisan, französischsprechend, ist neben der allgemeinen Abneigung gegenüber Nazideutschland dafür verantwortlich, daß es jetzt, anders als unter dem deutschsprachigen General Ulrich Wille im Ersten Weltkrieg, zu keiner neuen Spaltung des Landes zwischen franzosenfreundlichen Romands und reichsfreundlichen Deutschschweizern kommt.

Anders dagegen unser Außenminister und 1940 auch Bundespräsident MARCEL PILET-GOLAZ, den ich in Luzern beim großen Festzug anläßlich des Schweizerischen Schützenfestes 1939 unmittelbar vor dem Ausbruch des Zweiten Weltkrieges zusammen mit den übrigen sechs Bundesräten beäugen und beklatschen darf. Pilet-Golaz, ebenso aus der welschen Schweiz, ist gewiß kein Nazi oder auch nur Nazisympathisant. Aber er bejaht die Anpassung an das übermächtige nationalsozialistische Deutschland. Gegen diesen anpasserischen Politiker mit den ganz unschweizerischen weißen oder grauen Gamaschen hat mir mein Vater die Abneigung von Anfang an mit einem Wortspiel eingeimpft: »Man sollte den Pilet go lah (= gehen lassen)«. Tatsächlich muß er, als der Nazistern zu sinken beginnt, zurücktreten. Unser Mann im Bundesrat ist Guisans Freund RUDOLF MINGER, ein uriger, hochintelligenter, energischer Berner Bauer, über den ungezählte Witze kursieren, der aber in der Regierung der kompetente Exponent des Freiheitswillens und des energischen Widerstandes ist. Im Festzug wird ihm mit besonderer Sympathie applaudiert.

Anpasser und Unbeugsame

Am größten ist die militärische Bedrohung im Sommer 1940: Der deutsche Blitzkrieg – vorangetrieben nun doch nicht über die kampf-bereite Schweiz, sondern über die rasch kapitulierenden Niederlande und Belgien – zwingt Frankreich nach wenigen Wochen ebenfalls zur Kapitulation. Durch neu entdeckte Dokumente wird es nach dem Krieg bestätigt werden: Hitler gedenkt, die Schweiz gleich nach dem Frank-reichfeldzug im Unternehmen »Tannenbaum« zu liquidieren. Beinahe über Nacht ist ja ganz Europa außer unserem winzigen Land, vom Nordkap bis nach Sizilien und Kreta, nazistisch-faschistisch geworden: Frankreich zusammengebrochen (»Vichy«). Der Balkan, Jugoslawien und auch Griechenland besetzt. Italien und Spanien treue Bundes-genossen Deutschlands.

In der Schweiz sehen wir uns jetzt total eingekreist und erpressbar: eine *Insel der Freiheit*, gewiß, aber ein Volk ohne Kohle, Eisen, Stahl und Öl und auf Weisung von Reichsmarschall Göring am 2. Juli 1940 mit der Sperre der Kohlelieferungen bedroht. Eine Politik direkter Konfrontation mit dem übermächtigen, gefährlichen und hinterhältigen Gegner? Kaum ratsam. Aber wie weit kann man gehen bei dem labilen Gleichgewicht von Verweigerung und Kooperation? Zuvorkommende Liebedienerei kann auch zu weit gehen.

Der Bundesrat ist der Meinung, daß bei allem Widerstandswillen der Schweiz in dieser verzweifelten Lage nur *Konzessionen* helfen: bezüglich des Transitverkehrs nach Italien, Lieferungen der Maschinen- und Uhrenindustrie, Finanzkredite (»Clearing«) und Überweisungen der Guthaben der französischen Regierung an Deutschland. In diesem Zusammenhang kommt es zu der dem Volk verheimlichten allzu gefü-gigen Zusammenarbeit von Nationalbank und Großbanken mit dem nationalsozialistischen Regime. Über Außenhandels-, aber auch über

Flüchtlingspolitik lesen wir wenig in der Schweizer Presse. Unser kleines Land soll für Flüchtlinge (etwa 300.000) Durchgangsland sein; über 20.000 Flüchtlinge, hört man im nachhinein, wurden abgewiesen oder ausgewiesen. Hin und wieder kommt es auch zu Protesten gegen die harte Abweisungspolitik des Bundesrates, und das hat dann auch Folgen. Doch auch kein Schweizer Bischof kritisiert die offizielle Flüchtlingspolitik …

Lebensnotwendige wirtschaftliche Kooperation sehen die meisten als unvermeidbar an, nur keine politische Kollaboration! Dies wird 2002 die Unabhängige Expertenkommission Schweiz-Zweiter-Weltkrieg unter dem (auch von mir hochgeschätzten) Professor JEAN-FRANÇOIS BERGIER in einem vielbändigen Bericht bestätigen: Es fahren keine Züge mit deportierten Juden oder »Sklaven«-Transporte durch die Schweiz. Aber allgemein wird darüber gemunkelt, daß sich in den plombierten deutschen Eisenbahnzügen auch Waffen befinden könnten; die mangelnde Kontrolle wird man später als Verletzung des Neutralitätsrechts brandmarken.

Vor allem General Guisan ist überzeugt, daß auch umgekehrt Deutschland auf die Schweiz angewiesen bleibt. Im Zentrum der Alpen in Kontrolle der Verkehrswege ist *Widerstand sinnvoll*. Ein rasch aufgebautes Zerstörungssystem würde dafür sorgen, daß Alpenstraßen und Tunnel, insbesondere Gotthard und Simplon, unpassierbar gemacht werden können. Ohne Wissen des Bundesrates führt der General Verhandlungen mit dem französischen Armeekommando, was nach der anderen Seite hin das Neutralitätsrecht verletzt – Anlaß für eine Intrige hoher Offiziere gegen ihn.

Keine Frage, die eingekreiste Schweiz ist 1940 auf der Höhe der Krise keineswegs »ein einig Volk von Brüdern«. Die *Anpasser* in Bundesrat, Armeeführung und Wirtschaft sind mit Pilet-Golaz vom deutschen Endsieg überzeugt; die Schweiz sollte zu ihrem eigenen Nutzen die Beziehungen zu Nazi-Deutschland positiv gestalten. Deshalb: Demobilisierung und eine freundliche Koexistenz mit Hitlers »neuem Europa«. Die *Unbeugsamen* aber – und das ist mit den (in Deutschland verbotenen) Leitmedien der deutschen Schweiz (NZZ, »Tages-Anzeiger«, »Vaterland«) die große Mehrheit, zu der alle meine Verwandten und Bekannten zählen – sind überzeugt, daß der deutsche Endsieg keineswegs sicher sei; daß Neutralität der Außenpolitik nicht Neutralität der Gesinnung gegenüber einem Regime der Gewaltherrscher mit Staatspartei, Gestapo, Terror und KZ sein könne; daß eine freundliche Koexistenz mit Hitlers neuem totalitären Europa nur zu totaler Unterwürfigkeit und Verlust der Freiheit führen würde. Deshalb: keine Demobilisierung, sondern Kampf und Widerstand gegen jeden Angriff von außen wie gegen die nazistische Ideologie und Agitation im Inneren.

Frei sein, wie die Väter waren

Gerade in der verworrenen Stunde höchster Gefahr demonstriert nun General HENRI GUISAN für In- und Ausland den unbedingten Willen zum *Widerstand*. Am 12. Juli 1940 legt er den geheimen Plan für ein »Alpen-Réduit« dem Bundesrat vor und findet Zustimmung: Grenztruppen nur als Alarmorganisation. Im Mittelland wenige Truppen, um den Feind aufzuhalten, unterstützt durch die Ortswehren in jeder Stadt und jedem Dorf. Der harte Kern der Armee aber im »Réduit«, in der für Panzer und Flugzeuge (wie sich bald in den jugoslawischen Bergen zeigt) kaum zugänglichen Alpenfestung – mit den schwerbefestigten Felsriegeln von St. Maurice im Westen, Sargans im Osten und Gotthard im Süden.

Schon am 25. Juli 1940 ruft der General alle höheren Offiziere vom Bataillonskommandanten aufwärts *auf das Rütli zum Rapport*. Dies aus späterer Perspektive als »unvorsichtig« zu bezeichnen, übersieht die überragende Bedeutung dieser Aktion. Hier auf der berühmten Bergwiese über dem Urnersee, wo nach der Sage jener (im Bundesbrief von 1291 für »Anfang August« eindeutig dokumentierte) Bund der Schweizer Urkantone Uri, Schwyz und Unterwalden beschworen wurde, versammelt er die Armeeführung: im Zeichen traditioneller Freiheit, Unabhängigkeit, Demokratie. Ohne den Gegner zu nennen, fordert Guisan entschieden Widerstand gegen jeden Angriff von außen wie gegen Zweifel, Defätismus und Unterwerfung im eigenen Land. Schon wenige Wochen nach seiner Wahl hatte er an alle Soldaten den klaren Befehl erteilt, daß Rückzug oder Kapitulation ausgeschlossen sei, daß vielmehr bis zur letzten Kugel gekämpft werden müsse und wer keine Munition mehr besitze, den Kampf mit Bajonett und Messer fortzusetzen habe.

Am folgenden Tag wird der Rütli-Rapport in Wort und Bild breit publiziert. Mit ihm macht sich »Guisan zur Integrationsfigur einer ganzen Generation«, wird der Zürcher Historiker Jakob Tanner später feststellen, »er bündelt in einem kritischen Moment die Ängste und Hoffnungen der Bevölkerung«. Der General wird denn auch im Land sofort verstanden. »Wir wollen sein ein einig Volk von Brüdern, in keiner Not uns trennen und Gefahr«: Dieser Rütlischwur nach den Worten

Friedrich Schillers ist nun keine hohle Phrase mehr. In der Tat: »*Wir wollen frei sein, wie die Väter waren, eher den Tod als in der Knechtschaft leben.*« Es geht hier nicht nur um Leben, sondern um *Überleben*, und zwar *in Freiheit und Würde!*

Diese geschichtlichen Erfahrungen der Schweiz prägen mich. Wie könnte es anders sein? Ich erfahre die Gemeinschaft einer Nation in Not mit ganz bestimmten Freiheiten und geistigen Werten. Und dieser Schweiz werde ich mich zugehörig fühlen! Will sie im jetzt faschistisch gewordenen Europa überleben, kann sie sich nicht nach außen orientieren, wo die Diktatoren Hitler, Mussolini, Franco, Salazar und Stalin herrschen, *sondern nur nach innen.* Aus späterer Perspektive läßt sich leicht von Abschottung und Einigelung reden, verbunden mit Distanzierung von allem Fremden, Unschweizerischen, Defätistischen. »Feind hört mit!« – das steht in der Tat auf einem der überall warnenden Plakate. Aber kann man es uns verübeln, daß wir uns jetzt auf das eigene schweizerische Wesen besinnen, die althergebrachten Werte kultivieren, das urschweizerische demokratische Bewußtsein stärken und unsere geistige Eigenart profilieren?

Politische Freiheit – ohne Führer und Geführte

Ebenso programmatisch wie sinnenhaft wird dies zum Ausdruck gebracht auf der *Schweizerischen Landesausstellung* am Zürichsee 1939 unmittelbar vor Kriegsausbruch. Für viele der zehn Millionen Besucher ist die Landi »das bleibende Ausstellungserlebnis« ihres Lebens (so wird nach 50 Jahren der Zürcher Historiker Peter Stadler formulieren). Für mich persönlich gilt dies besonders, weil ich es mir beinahe selber verdorben hätte. In den Wochen zuvor ist es nämlich aus irgendwelchen Rivalitäten in meiner Surseer Schule zu einem großen Klassenkrach gekommen, so daß wir in den Schulpausen statt alle zusammen jetzt in zwei Parteien nebeneinander »Völkerball« spielen. Und da erdreistet sich doch einer der anderen Partei, unseren, meinen Ball (und ich bin der einzige Besitzer eines Lederballs) in einem hohen Bogen über den ganzen Schulplatz zu kicken, um dann sofort aus Angst davonzurennen. Auf und nach und eingeholt am Drahtzaun, wo ich den Bösewicht voller Zorn mit meinem Arm um seinen Hals festhalte ...

Ich hätte ihn beinahe erwürgt, behauptet man, was ich bestreite. Jedenfalls ist der Skandal groß. Untersuchung in der Schule, Besuch des Lehrers bei meinen Eltern. Auch sie verurteilen meine Missetat und verkünden als Strafe: »Du darfst nicht an die Landi!«. Erst wenige Tage vor der Reise wird die Strafe umgewandelt: Ich dürfe statt dessen nicht mit meinem Papa zur Feier der Schlacht von Sempach.

Gott sei Dank für diese Wende, denn in der Tat, wie ich es in meinem zweitlängsten Schulaufsatz (26 Seiten) schreibe: Die Landi bedeutet auch für mich ein unvergeßliches Erlebnis schon vom äußeren Eindruck her: vom Landidörfli angefangen, dann die Schwebebahn über den Zürichsee, der Schifflibach durch die große Ausstellung, die hochmoderne Industrieschau bis hin zum Höhenweg mit den tausend Gemeindewappen. Daß von bestimmten Problemfeldern wie Armut oder Alkoholismus in der Schweiz nicht die Rede ist, fällt uns weiter nicht auf. Andere Probleme stehen von der emotionalen Stimmungslage her im Vordergrund: Moralische Aufrüstung zur geistigen und militärischen Landesverteidigung ist 1939 die Forderung der Stunde. Dafür steht eine überlebensgroße Statue des wehrhaften freien Schweizers, der da mit trotziger Geste den Waffenrock anzieht. Und Hunderttausende von Schweizern müssen dies – mitten in der Landesausstellung wegen des Ausbruchs des Zweiten Weltkriegs – auch tun.

Und so hat es denn durchaus einen politischen Sinn und Zweck, daß unsere Schulen ein Jahr nach dem Rütli-Rapport 1941 allesamt zum 650. Geburtstag der Eidgenossenschaft zum *Rütli* reisen. Ich bin 13 Jahre alt. Auch die Schulen von Sursee fahren von Luzern in einem großen Raddampfer über den See der »vier Waldstätte« (Uri, Schwyz, Unterwalden und Luzern) zwischen der Oberen Nase (Rigi) und der Unteren (Bürgenstock) hindurch zur Rütliwiese unter dem Seelisberg. Und mir, jetzt schon in der ersten Klasse des Gymnasiums, ist aufgetragen, jene entscheidenden Sätze des Schillerschen Rütlischwurs pathetisch und zugleich nüchtern vorzusprechen, damit sie alle Schüler in heiligem Ernst wiederholen: »Wir wollen sein ein einig Volk von Brüdern, in keiner Not uns trennen und Gefahr. *Wir wollen frei sein, wie die Väter waren, eher den Tod als in der Knechtschaft leben.*«

Und wer das von Deutschland her betrachtet ein übertriebenes Pathos findet, bedenke: Schillers »Wilhelm Tell«, in den ersten Jahren der Nazi-Herrschaft von Hitler als National- und Führerdrama hoch geschätzt, wird von ihm im selben Jahr aus Angst vor einem immer möglichen Tellenschuß durch eine streng vertrauliche Anweisung für deutsche Theater und Schulen verboten. Und während etwa Rossinis Tell-Oper in der Schweiz nie populär wurde, war Schillers Tell-Drama schon längst zum Nationalepos geworden. Bereits 1859 hat man dem über 25 m aus dem Wasser ragenden Felsobelisken im Vierwaldstätter See mit goldenen Lettern die Worte eingraviert »Dem Sänger Tells, Friedrich Schiller. Die Urkantone.« Der Schwabe Schiller, wiewohl er nie in der Schweiz war, hat vieles vom schweizerischen Wesen besser erfaßt als manche deutsche und bisweilen auch schweizerische Intellektuelle.

Unser Ideal ist und bleibt nun einmal bei allen Defekten die *politische Freiheit ohne Führer und Geführte*, ohne Herren und Knechte. Drei Jahrzehnte später werde ich den mit einer schönen Intarsiengestalt verzierten Tell-Sekretär meines Großvaters, ein Erbstück, nach Tübingen kommen lassen: kein Heiligenbild, aber auch nicht nur »Conversation Piece«, sondern eine Darstellung des in der Tellsage (wohl mit historischem Kern) ausgedrückten *Freiheits- und Selbstbestimmungswillens* gegen alle Fremdherrschaft. Tell – so etwas wie ein Archetyp im kollektiven Unbewußten der Schweizer. Nein, nicht das hochmütig herausfordernde und mit der Schießkunst prahlende Kriegertum des sagenhaften dänischen Schützen Toko (angeblich Tells Vorbild) kommt hier zum Ausdruck. Vielmehr das tief im mittelalterlichen Denken verankerte *Widerstandsrecht* des Urschweizers. Wie oft werde ich mich später darauf berufen: kein Respekt vor Gesslerhüten – weder weltlichen noch geistlichen!

Leben aus einer Freiheitsgeschichte

Die Schweiz – eine freie multikulturelle Gemeinschaft unter Wahrung der Identität der verschiedenen Volksgruppen, Sprachen, Kulturen und Konfessionen. Wir sind Patrioten, aber keine Nationalisten. Wir feiern unseren 1. August – den Gedenktag an die legendären Ereignisse von 1291 – ohne nationalen Pomp und Prunk, ohne Defilee und Parade. Doch immer werde ich gern an diesem Abend das Glockengeläut rund um unseren See hören und die Höhenfeuer auf den Bergen betrachten – und dazu einiges Feuerwerk und rote Lampions mit dem weißen Kreuz – bei einfachem guten Essen mit St. Saphorin oder Dôle.

»Die Eidgenossenschaft ist eine Hausordnung, als solche vortrefflich«, gibt auch MAX FRISCH zu. Aber warum ist vortrefflich nicht auch das, was Frisch leugnet: ein eidgenössisches »Projekt, durch Engagement an eine Zukunft«? Ein Vorbild für Europa? Der tschechische Freiheitskämpfer und Staatspräsident VÁCLAV HAVEL will bei seinem Staatsbesuch in der Schweiz am 29. Juni 2001 unbedingt das Rütli besuchen – warum? Nein, Mythen sind nicht künstlich zu konservieren, aber, kritisch durchleuchtet, in ihrer Potenz fruchtbar zu machen. Mythen der Freiheit zur Selbstbestimmung vor allem.

Versteht man jetzt vielleicht besser meinen durchaus realistischen Stolz auf eine – trotz allen Versagens gerade auch in dieser Zeit des Nazismus und trotz aller immer wieder gegebenen Zwänge und Niederlagen – zutiefst prägende Freiheitsgeschichte? Ich komme nicht aus einer Tradition Schweizer Großbanken und Großbetriebe, die das Image der Schweiz durch allzu große Willfährigkeit gegenüber dem Naziregime in Sachen Devisen und Rüstungsgüter im Ausland so sehr belasten werden und uns alle ins moralische Zwielicht rücken. Mit dem genannten Bericht des Genfer Historikers Bergier werde ich mich später identifizieren können, nicht aber mit den tendenziösen, ja unseriösen Publikationen des Genfer Soziologen Jean Ziegler, die gerade mit ihren grotesken Verzeichnungen – als ob die Wirtschaftsbeziehungen den Krieg verlängert und die Schweizer Banken ihren Erfolg auf Hinterlassenschaften von Nazi-Opfern aufgebaut hätten – in Deutschland begierig gelesen werden. Ja, ich bin stets stolz darauf, ein Schweizer zu sein. Und warum man selbst im Jahr 2002 als Deutscher nicht darauf stolz sein darf, ein Deutscher zu sein, kann ich auch angesichts des katastrophalen Zivilisationsbruches in der deutschen Geschichte nicht verstehen. Stolz auf Deutschland zu sein heißt ja nicht, ein stolzer Deutscher zu sein. Das lernen wir schon als Schüler von unserem Nationaldichter Gottfried Keller: »Achte eines jeden Menschen Vaterland, das deine aber liebe!«

Ja, ich komme aus einer Tradition bürgerlichen Freiheitsbewußtseins und werde es nie verleugnen: Zu unserem nationalen »Projekt« und meinem schweizerischen Wesen gehört nun einmal eine fast instinktive Abneigung gegen alle Diktatur in Staat, Kirche und Gesellschaft, gegen allen staatlichen Totalitarismus und kirchlichen Integralismus. Eine Widerständigkeit gegen die Anbetung auch kirchlicher Führer und die Vergötzung von Institutionen, ob Partei oder Kirche. Und ein Engagement, wenn es sein muß gegen rechts oder links, für Demokratie, Föderalismus, Toleranz und die Freiheit und Würde des einzelnen Menschen und der kleineren Gemeinschaften. Und von daher ein Gefühl für Verantwortung – mit Realitätsbezug, Bodenhaftung und Gemeinsinn.

Gemeinsinn ist für mich von Jugend auf symbolhaft verbunden mit dem Städtchen *Sempach* direkt an unserem See – für alle Schweizer *Ort der zweiten Freiheitsschlacht* in einem langen Krieg gegen die Habsburger. Dort hat das Bauern- und Bürgerheer aus der Innerschweiz das stolze Ritterheer des Herzogs Leopold III. von Österreich am 9. Juli 1386 vernichtend geschlagen. Die mit kurzen Hellebarden und Morgensternen Bewaffneten kamen freilich zunächst nicht an gegen die gepanzerten

Ritter, die mit ihren Langspeeren eine Front gebildet hatten – bis eben, so die Sage (erst die Zürcherchronik von 1476 erwähnt die Heldentat eines einzelnen), jener ARNOLD WINKELRIED aus dem nidwaldischen Stans sich entschloß, ein Bündel der Lanzen zu umgreifen und den Seinen »eine Gasse zu bahnen«. Ein Mann, der sich furchtlos und rückhaltlos einsetzt für die gemeinsame Sache.

CARL FRIEDRICH VON WEIZSÄCKER, Physiker und Philosoph mit viel Schweizer Erfahrung, wird anläßlich der Verleihung des Theodor-Heuss-Preises 1998 (Heuss ist der erste Bundespräsident der Bundesrepublik Deutschland) in seiner Laudatio zu meiner Rechtfertigung oder vielleicht auch Entschuldigung erklären: »Wer harte Gegensätze zu überwinden sucht, der wird bei deren Vertretern auch Widerspruch finden. Wenn Sie es mir erlauben, Herr Küng, sage ich: Ihre Rolle in der Debatte hat mich manchmal an Ihren Schweizer Landsmann Winkelried erinnert, der 1386 in der Schlacht von Sempach die Speere einer ihm gegenüberstehenden Ritterfront ergriff und in seiner Brust versammelte. So entstand eine Lücke in der Front und die Schweizer siegten.« Meine Antwort war: »Sie haben Recht, lieber Carl Friedrich von Weizsäcker, mit dem Hinweis in Ihrer Laudatio auf Winkelried und die Schlacht von Sempach 1386: Ich wohne am Sempachersee, dem Schlachtfeld quasi gegenüber. Von Winkelried heißt es in der Schweiz: ›Einer für alle‹, aber auch umgekehrt: ›Alle für einen‹ – und auch das habe ich erfahren.«

Doch nun Schluß mit historischen Betrachtungen, ich wurzle ja nicht nur in der Geschichte. Geschichtserinnerungen und Naturerfahrungen gehen für mich ohnehin ineinander über. Und diese prägen mich ebenso wie jene und werden mir immer wieder eine Quelle von Kraft und Freude sein, von der reine Stadtmenschen wenig ahnen. Zu den Wurzeln meiner Existenz gehört die Natur, in der ich aufgewachsen bin und die ich immer wieder suche.

Leben mit der Natur: von See und Bergen

Der Mensch sei nicht frei, sagen manche. Er sei umweltgesteuert, sagen die einen, geradezu präformiert durch Umwelteinflüsse. Umgekehrt die andern: Er sei genetisch vor-programmiert, von ererbten Programmen geprägt und angetrieben. Ich weiß, daß ich beides bin: von der Umwelt konditioniert und von der Erbmasse vorprogrammiert. Und weiß zugleich, daß ich beides nicht total bin: In den Grenzen des Angeborenen

und des Umweltbestimmten bin ich frei und deshalb nicht einfach vor-
aussagbar. Kein Tier und kein Roboter. Aber es lohnt sich schon, über
beides ein wenig nachzudenken. Über die Umwelt zuerst, die mich
und meinen Willen formt, die ich aber auch meinerseits forme.

In *Sursee* am Sempachersee also, der vor der Schlacht Sursee hieß
und von dem aus unser kleiner Fluß, die Sure, ihren Lauf ins Surental
nimmt, in dieser kleinen Stadt bin ich am 19. März 1928 geboren, im
Zeichen der Fische. Keine Sorge: ich glaube nicht an die von Menschen
eingebildeten Sternbilder, deren Einzelsterne vielfach Millionen Licht-
jahre hinter- und auseinander liegen. Wohl aber werde ich auch später
in Tübingen selten zu Bett gehen, ohne vorher den Sternenhimmel
oder zumindest die Wolken betrachtet zu haben.

Ein »Fisch« bin ich zweifellos, insofern ich fürs Leben gerne schwim-
me, dafür aber kein Bergsteiger. Gewiß besteige ich in meinen jungen
Jahren viele *Berge* in der Zentralschweiz, in Graubünden und besonders
rund um Zermatt: mit langem Anmarschweg aus Randa viele viele
Stunden zu Fuß etwa aufs Gornergrat, zu Schwarzsee und Hörnlihütte
am Fuß des Matterhorns und wieder zurück, todmüde. Aber was mir
später als Entschuldigung dienen wird in bezug auf weitere Bergaben-
teuer: Ich habe den höchsten ganz auf Schweizer Boden stehenden
Berg mit dem imposanten Namen »Dom« bestiegen, dem Matterhorn
direkt gegenüber, sogar ein paar Dutzend Meter höher, 4.454 m über
dem Meer.

Für mich 17-jährigen, zwar immer hoch aufgeschossen und in Sursee
der größte der Klasse, aber (erst Jahrzehnte später wird es ein Arzt her-
ausfinden) unter niedrigem Blutdruck leidend und rascher als andere
ermüdet, bedeutet dies eine Herausforderung. Der vielstündige Aufstieg, früh um vier Uhr von der Domhütte auf etwa 3.400 m begonnen, fordert mir, besonders auf den letzten 200 Metern bei jedem
Schritt tief in den Gipfelschnee einsinkend, die letzte Kraft ab. Für den
dritten in unserem Dreierteam mit Bergführer, meinen späteren Bischof
Otto Wüst, wird daraus ein beinahe tödliches Abenteuer; stürzt er doch
plötzlich in einer Steilwand unter mir ins Seil über einem Abgrund von
mehreren hundert Metern, am nackten Felsen mit beiden Händen nach
einem Halt suchend; glücklicherweise hatten wir unser Seil gesichert.
Doch dann, gegen Mittag, geschafft! Endlich oben. Ein traumhaft
schöner Blick auf die anderen Walliser Viertausender und Dutzende
kleiner Gipfel. Aber eisig pfeifen die Winde, nur unterhalb des Gipfels
im Windschatten können wir uns verpflegen. Und dann geht es schon
bald bergab, nicht weniger mühsam über eine ewig lange Eisdecke.

Jeder kommt abwechselnd immer wieder an die Spitze, um mit dem Pickel Stufe um Stufe mühselig ins Eis zu schlagen. Ausgleiten wäre tödlich ...

Alles geht schließlich und endlich gut aus. Mit einem Gefühl von Stolz und zugleich total erschöpft schlafe ich ein. Aber nichts drängt mich zur Wiederholung solcher Abenteuer. Skilifts und Schwebebahnen, die etwa wie beim kleinen Matterhorn auf rund 4.000 Meter führen, werden mir in meinen späteren Jahren dieselbe gloriose Aussicht und dann *Skiabfahrten* schenken, die in weißer Landschaft und Winterluft, bei einigermaßen guter Kondition und Technik, ein unvergleichlich größeres Vergnügen bereiten. Ich werde diesen Sport auch noch in meinem achten Jahrzehnt genießen – nicht zuletzt, weil ich dabei für einige Stunden wenigstens mein Gehirn »durchlüften« und die ganze Wissenschaft vergessen kann, oft Kälte, Wind, Schnee und Sturm trotzend, am liebsten natürlich im Wintersonnenschein über der Nebeldecke des Mittellandes.

Doch Skifahren kann ich nur wenige Wochen im Jahr, *schwimmen* aber je nach Umständen das ganze Jahr hindurch. Unser See, in kaum 20 km Distanz dem großen Alpenwall vorgelagert, hatte sich in der Vorzeit gebildet, nachdem sich die Zunge des eiszeitlichen Reussgletschers zurückgezogen und sich vor dem Moränenhügel eine große Mulde gebildet hatte. Wenn wir da als Schüler – dies gilt als Rekordleistung – quer über den See allein bis weit hinaus zur Gamma-Insel schwimmen (benannt nach meinem Biologielehrer und Präsidenten der Schweizerischen Naturforschenden Gesellschaft), dürfen wir nicht zu sehr an die Seetiefe denken, die durchschnittlich 45 m, maximal aber fast 90 m beträgt. Erst 1806 war der See um 2 m abgesenkt worden. Auf diese Weise ließ sich mit der Zeit das Zellmoos trockenlegen, wo der Sage nach eine frühmittelalterliche Kirche im See versunken ist, die denn auch tatsächlich im Jahr 1941, beim Bau eines Fischerhauses, mit ihren Fundamentmauern aus karolingischer Zeit wiederentdeckt wird. Nur ein paar hundert Meter davon entfernt werde ich am See bald mein kleines Haus bauen, für dessen Fundamentierung im Seekreideboden eine ganze Reihe 8 m langer Pfähle erforderlich ist. Pfahlbauer in moderner Zeit – mit der immer wieder wechselnden wunderbaren Aussicht in die Welt der Berge, wenn sie sich nicht hinter Wolken oder Nebel verbergen.

Unser See zwischen den sanften grünen Hügeln des Luzerner Mittellandes ist immer um ein paar Grade wärmer als der nahe, direkt von Gletscherwasser gespeiste Vierwaldstätter See, wird aber wegen Überdüngung auch mehr durch Algen bedroht, ein Prozeß, der erfreulicher-weise durch entschiedene Umweltmaßnahmen gebremst werden konnte. Schwimmen lernen wir früh als Autodidakten unter Gleichaltrigen. Mich beeindruckt zutiefst, daß ich eines Tages die Erfahrung machen kann: »Das Wasser trägt mich«. Strahlend komme ich nach Hause: »Ich kann schwimmen!« Dieses Erlebnis bleibt für mich eine Illustration für das Wagnis des Glaubens, das sich ja auch nicht durch einen »Trocken-kurs« zuerst theoretisch beweisen läßt, sondern das einfach versucht sein will: ein durchaus vernünftiges Wagnis, dessen Vernünftigkeit sich aber erst im Vollzug erweist.

Glücklicherweise kauft mein Vater für die ganze Familie ein schönes, solides Mahagoni-Ruderboot (meine Geschwister und ich hätten natür-lich lieber ein Motorboot gehabt). Auf ihm fahre ich, größer geworden, ungezählte Male ganz allein hinaus auf den See oder lege irgendwo an, lese dort und schreibe. Und auf dem See werde ich zu einem schönen Teil mein Buch zum Konzil (1960) schreiben.

Naturmystik?

Mutterseelenallein weit draußen im See schwimmend verspüre ich ganz am Anfang, besonders bei bedecktem Himmel, doch ein klein wenig Unbehagen beim Gedanken an die gewaltige Tiefe des Sees. Nein, ich bin kein Naturmystiker, der »Gott im Wald« oder auf dem See findet. Und für mich ist »Sursee« nicht der mit Lyrismen zu preisende Ort metaphysischer Erfahrung – wie für den Philosophen Theodor W. Adorno das Odenwaldstädtchen Amorbach oder für Martin Heidegger der »Feldweg« –, was auch mir die Gotteserfahrung ersetzen könnte. Aber ich kann es sehr wohl erleben, daß ich mich auf »meinem« See ganz und gar vergesse. Nirgendwo kann man so wie hier diese Erfah-rung machen: daß das Ich in einem größeren umfassenden Ganzen auf-geht und doch nicht zu einem Tropfen Wasser wird, sondern sich selber bleibt. Ungezählte Ideen, Gedanken, Einfälle sind mir, mich verges-send, im See gekommen. Und auch Gebete der Dankbarkeit: »Du hältst mich hinten und vorn umschlossen und hast Deine Hand auf mich gelegt« (Psalm 139,5).

Und so werde ich denn in diesem See all die Jahrzehnte und zu allen Jahreszeiten schwimmen und oft gleichzeitig meditieren und reflektie-ren. Am liebsten am Morgen früh im Sonnenlicht bei glattem, unbe-rührtem Wasser. Aber auch bei grauem Himmel, oft in Regen und

Sturm, wo der See gekräuselt giftgrün mit weißen Schaumkrönchen zornig aufgepeitscht erscheint. Ja, einmal in einem Forschungssemester werde ich einen ganzen Winter hindurch, auch zwischen Weihnachten und Neujahr, in meinem See schwimmen. Rasch durch den Schnee und möglichst bald eingetaucht, sonst schmerzen die Wadenmuskeln zu sehr! Und nach zwei Dutzend Zügen wieder zurück zum Ufer und über den Schnee, der jetzt beinahe wie Feuer brennt, hinein ins Haus unter die warme Dusche. Da ich oft alle Stunden des Tages bei wenig Schlaf von früh bis spät am Schreibtisch sitze, brauche ich solche Abwechslung und manchmal auch körperliche Herausforderung.

Doch steht die Herausforderung für mich mit der Zeit weniger im Vordergrund, vielmehr die immer wieder neue Ertüchtigung und die Betrachtung, ja Bewunderung der Natur. Mein kleines Haus mit zweiseitiger Terrasse wird sie ermöglichen: links der massige Bergblock der Rigi und rechts der schroff aus dem Mittelland aufsteigende Pilatus und dazwischen Titlis, Stanserhorn und Bürgenstock. Bei klarem Wetter die ganze Alpenkette von den Glarner- bis zu den Berneralpen mit Eiger, Mönch und Jungfrau. Der See am Morgen im Gegenlicht silbern schimmernd, nur vom Gegenufer aus im Abendrot glühend. Seine Farben und Stimmungen richten sich stets nach dem Himmel. Und am geheimnisvollsten ist er bei Vollmond, im Winter oft ganz klar und weiß im Hintergrund die Alpen. Im Sommer in der Ferne die Warnlichter auf den Gipfeln und am anderen Ufer die sich spiegelnde Lichterkette der Dörfer. Oft werde ich da bis weit über Mitternacht auf meiner Terrasse schauen, lesen und schreiben: über mir die Milchstraße, besser zu sehen als in den Städten. Mein Haus genau in Nord-Süd-Richtung, durch die Dachluke meiner kleinen Schlafkoje der Polarstern.

Dafür, daß ich als Kind kaum Haustiere haben darf, werde ich später am See entschädigt: genug Tiere rund ums Haus. Und bisweilen auch unterm Haus: Füchse und Dachse, von denen jeder es auch mit drei Jagdhunden aufnimmt. In unserem ruhigen Vogelschutzgebiet, mit der Schweizerischen Vogelschutzzentrale am anderen Seeufer, gibt es keinen Mangel an Vögeln, vom Bachstelzenpärchen im Garten bis hin zum großen hin und her patrouillierenden Fischreiher, der oft stolz auf dem Bug des Bootes unseres Fischers thront. Große Schwärme von Möwen und Staren und die akrobatischen Flugkünste der Schwalben, die im Tiefflug das Gewitter ankünden, das dann über unseren See rast, doch zumeist nur näher bei den Alpen Schaden anrichtet.

Manchmal, wenn ich ins Wasser steige, zieht in seiner ganzen Majestät mit makellos weißem Gefieder ein friedliches Schwanenpaar vorbei, das mich freilich nicht nur an Saint-Saëns »Carnaval der Tiere« erinnert. Dann später einmal in einem Frühjahr: ein sonniger Tag, und das eisblaue Wasser lockt. Auf meinem Grundstück hat ein Schwanenpaar im Schilfgürtel sein Nest aus Gras und Binsen gebaut und brütet Junge aus. Doch herrscht dort völlige Ruhe, wie ich in den kalten See hinausschwimme. Erst wie ich zurückschwimmen will, sehe ich die Schwanenmutter in größter Eile behend durch das Schilf zum Nest schwimmen, während der Schwanenvater von der weit entfernten Halbinsel mit gestrecktem Hals und hinten angelegten Beinen knatternd mit den riesigen Flügeln herangeflogen kommt, um unmittelbar vor mir hochaufgerichtet in Drohhaltung zu landen. Sich erstaunlich rasch hin und her bewegend, mit beiden Füßen rudernd, versucht er mich wütend an der Rückkehr zu hindern: den Schnabel, so lang wie sein Kopf, genau auf meine Augen gerichtet; die Flügel, zum Schlag bereit, aufgeplustert, um mich aus der Nestnähe zu vertreiben. Meine alte erfahrene Oldenburger Hausdame Charlotte Renemann, die, beunruhigt über mein Ausbleiben, mit Brot zum Nest läuft, wird glücklicherweise den Schwan von mir weglocken, so daß ich rasch ans Land schwimmen kann. Wiederholung wird nicht angestrebt.

Sehr viel lieber sind mir die friedlichen Haubentaucherpärchen; geräuschlos leben sie auf Sichtweite ebenfalls in ruhiger Dauerehe wie die Schwäne. Zwar sind sie keine guten Flieger wie die Schwäne oder die gemütlich schwimmenden, oft im halben Dutzend gemütlich auf das Land watschelnden, schöngefiederten zutraulichen Stockenten. Aber Haubentaucher schwimmen und tauchen fabelhaft. Immer wieder versuche ich am Anfang, mit ihnen um die Wette zu schwimmen oder sie voneinander zu trennen, aber immer verliere ich. Im entscheidenden Moment tauchen sie weg, und wo sie wieder auftauchen, ist nicht zu berechnen. Ganz entzückend, wenn sie mit ihren Küken im Huckepack in ihrem dichten Gefieder vorbeischwimmen.

Die Haubentaucher sind die beständigsten Bewohner unseres Seereviers, wo sie ihre Nahrung tauchend finden, großenteils kleine Oberflächenfischlein. Große Fische, Balchen, Seeforellen, wenige Karpfen und auch Hechte, finden sich in größerer Tiefe. »Es braucht auch einen Hecht im Karpfenteich«, wird der weise Luzerner Theologe und Mystikfachmann Otto Karrer sagen, um die besondere Funktion seines jungen Kollegen im Bereich der Schultheologie verständlich zu machen. Ich bin indessen nicht direkt am Seegestade auf die Welt gekommen, sondern mitten in unserer kleinen Stadt, im Schatten von Rathaus und Pfarrkirche.

Drei Generationen

Zurück zu den Wurzeln: *die Familie?* Lange habe ich mir überlegt, ob ich hier meine Familiengeschichte – im Vergleich zur später zu erzählenden Geschichte von Kirche, Theologie und Konzil von geringer Bedeutung – ausbreiten soll. Aber wer die Lebenserinnerungen eines Autors in die Hände nimmt, der möchte ja nicht nur einige Lebensdaten von seiner Jugend vorgesetzt bekommen, sondern möchte erfahren: Wer ist dieser Mensch? Woher kommt er? Wie ist er zu dem geworden, was er ist? Deshalb jetzt etwas von meiner Familie.

Geboren bin ich in einem stattlichen Haus mit mächtigen Quadersteinen, welches das Datum 1651 trägt, aber schon zu Beginn des 15. Jahrhunderts bezeugt ist. Sehr schön zu erkennen auf meinem Sursee-Kupferstich des berühmten Basler Kupferstechers Merian. Heutzutage ist es das Lieblingsobjekt aller Fotografen wegen seines doppelten Schmuckes: Einmal der mächtige schmiedeeiserne Schild mit Surseer Wappen: Ein mit Akanthus und naturalistischen Blumen gebildeter Arm endet in einem Greifenkopf, der einen Lorbeerkranz mit einer schwebenden, rundum vergoldeten Krone trägt – ein Zeichen dafür, daß es sich hier ursprünglich um das Gasthaus zur Krone handelt. Dann unmittelbar daneben an der Hausecke unter Baldachin auf einer Konsole die fast lebensgroße Marienstatue mit Kind vor einer Flammenmandorla, das Gewand lebhaft gefältelt: ein Werk des weit bekannten Surseer Bildhauers Hans Wilhelm Tüfel. Es erinnert daran, daß der Großbrand, von dem unser Städtchen mehr als andere heimgesucht worden war, um das Jahr 1650 genau hier am Übergang von der Ober- zur Unterstadt gestoppt werden konnte, laut der Legende durch die Fürbitte Mariens. In diesem schönen Eckzimmer mit Ausblick nach zwei Seiten, beschützt von der Madonna, bin ich all die Jahre zuhause, bis unser Papa mir und meinen Schwestern ein dreigeteiltes Grundstück am See kaufen wird und ich anfangs der 60er Jahre darauf mein »Seehüsli« bauen kann.

Schon 100 Jahre, jetzt in der dritten Generation, werden in unserem Haus am Rathausplatz Schuhe verkauft, in günstiger Marktlage, im Zentrum eines großen regionalen Einzugsgebietes unter dem Namen »*Küng*«. In Deutschland ungewohnt, doch vom mittelhochdeutschen »Künec« und althochdeutschen »Kuni(n)g« stammend. Der Name gehe – so lese ich als Gymnasiast im vielbändigen Schweizerdeutschen Wörterbuch (im 19. Jahrhundert mit dem griechischen »Idiotikon« betitelt) – wie »König«, »King«, »Koning« (holländisch), »Konung« (schwedisch) vermutlich auf das Wort »kühn« zurück. Wie auch immer: Dies wird von mir nie als Verpflichtung empfunden.

Ahnenforschung habe ich nie betrieben. Aber weil einer der beiden bedeutendsten Baumeister des Berner Münsters »Küng« (Erhart) hieß, gestattet sich einer meiner Onkel den Spaß, dessen Wappen zu übernehmen mit der Vermutung, die Küngs seien aus dem Bernischen über das Entlebuch nach Sursee gekommen. Aber dies alles ist völlig unwichtig angesichts der historisch unbestreitbaren Tatsache, daß mein Großvater JOHANN KÜNG buchstäblich mit nichts angefangen hat – außer mit einer soliden Ausbildung. Als 24-jähriger Schuhmachermeister aus dem Luzerner Land, aber als Geselle zuvor im Bernbiet und der Westschweiz, ging er in den ersten Jahren rund um Sursee auf die »Stör« (als freier Handwerker die Zunftordnung »störend«) und reparierte auf Bauernhöfen zu einem Taglohn von drei »Fränkli« alles Schuhwerk von Familie und Gesinde.

Schon 1901 richtete er im Gasthaus »Zur Krone« eine kleine Schuhwerkstatt ein. Oft erst spät abends reparierte er die Schuhe, die dort tagsüber von der Kundschaft abgegeben worden waren. Doch von Anfang an betrieb er auch einen kleinen Schuhhandel: Holz- oder Rindlederschuhe für die Bauern. Mit dem Bezug des neuen Werkstattlokals in der »Krone« dehnte er diese Geschäftstätigkeit aus, mietete sukzessive Räume an, und 1916, mitten im Ersten Weltkrieg, kaufte er zum Erstaunen unseres Städtchens die ganze »Krone«. Viel später ließ er noch einen großen Anbau errichten mit Lagerräumen, zwei Wohnungen und zwei wunderbar großen Terrassen. Auf der einen nehmen wir im Sommer die Mittagessen ein, und ich verbringe dort einen großen Teil meiner Jugend. Von daher wohl mein Hunger nach Sonne, Licht und Wärme und meine Vorliebe für das Arbeiten im Freien. »Nichts Schöneres unter der Sonne als unter der Sonne zu sein« (Ingeborg Bachmann).

Mein *Großvater?* Ich verehre ihn: ein tatkräftiger, leicht erzürnbarer und zugleich bescheidener und leutseliger Mann, der unter den aufstrebenden Geschäftsleuten bald viele Freunde gewann. Mit dreien von ihnen trifft er sich sonntags regelmäßig zum Mittagsjass, dem populären schweizerischen Kartenspiel. Immer dabei unser Nachbar von gegenüber, der Tuch- und Kleiderhändler SIEGMUND HEIMANN, aus der einzigen jüdischen Familie in unserem Städtchen. Als ihr zweiter Sohn, der 17-jährige Werner, beim Schlittschuhlaufen auf dem See ertrinkt, weil er einen Kameraden retten will, trauert jedermann. Die freundschaftlichen Beziehungen zu dieser Familie in drei Generationen lassen unser

Verhältnis zum Judentum als völlig unproblematisch erscheinen. Von den Auswirkungen eines »Judenstempels« für die aus Nazi-Deutschland Flüchtenden und gewissen Finanztransaktionen unserer Großbanken weiß man in unserer Familie nichts, und vom Ausmaß der nazistischen Judenvernichtung hören wir erst gegen Ende des Krieges. Der Holocaust war ja hochgeheim ins Werk gesetzt worden, und als vereinzelt Informationen über die Grenze in die freie Welt drangen, überstieg dies jegliches Vorstellungsvermögen. Erst mit Bildern aus den befreiten KZ wird auch für uns das schlechthin Unvorstellbare zur schaurigen Realität werden.

Der Großvater und Taufpate (»Götti«) beobachtet die Fortschritte seines Enkels und Lieblings, der jetzt in den Kindergarten geht, aufmerksam. Als dieser Vor- und Nachnamen mit Kreide auf dem Parkettboden zu schreiben vermag (nur das »s« war verkehrt), erhält er von ihm einen Fünffränkler mit Tellenkopf. Großvaters Geschenke zu Weihnachten und anderen Festtagen sind oft größer als die meiner Eltern: Skis, Handharmonika, der Große Herder und von der Basler Mustermesse ein sechssitziges Karussell, das auf unserer Terrasse, schnell gedreht, alle Schulkameraden, die uns besuchen kommen dürfen, zum Erbleichen und manchmal auch zu Schlimmerem bringt – ein Riesenspaß. Aber in Erinnerung bleibt mir auch der Tag, wo vom oberen Stockwerk Großvaters Klavier hinuntertransportiert wird. Seine drei Söhne und seine Tochter hatten allesamt Klavierunterricht genossen, aber spielen will niemand. Wozu also ein Klavier? Er verkauft es kurzentschlossen. Meine Mutter erwirbt dann später ein anderes, aber für mich ist es jetzt zu spät, systematisch Klavier spielen zu lernen – was angesichts anderer intensiver Beschäftigung vielleicht ganz gut ist.

Großvaters Tragik ist der Autounfall 1934 auf der Rückreise von einer Wallfahrt nach Einsiedeln, wenige Kilometer vor Sursee, wo sich aufgrund eines Motordefekts sein Auto überschlägt. Meine *Großmutter* ist tot. Mit einem roten Punkt auf der Stirne, aber sonst ohne sichtbare Verletzung liegt sie friedlich da, sie, die mich so oft mit Süßigkeiten verwöhnte. Der erste tote Mensch, den ich mit meinen sechs Jahren in starker Erinnerung behalten habe. Um meinem Großvater, der nicht mehr heiraten will und sich von einer treuen, aber etwas schrulligen Haushälterin betreuen läßt, die Einsamkeit erträglicher zu machen, darf ich in einem eigenen Bett in seinem großen Schlafzimmer schlafen und mit ihm vor dem Schlafengehen im Wohnzimmer etwas plaudern. Aber ich schmuggle regelmäßig ein Buch ins Schlafzimmer und kann so unerlaubterweise noch spät lesen, bis auch er kommt. So verschlinge ich von »Robinson Crusoe« und »Onkel Toms Hütte« neben vielen Fahrten- und Abenteuerbüchern fast alle Bände von Karl May und bald auch historische Romane wie »Ben Hur« und »Quo vadis« und natürlich Krimis, mit Vorliebe Edgar Wallace. Als mein Großvater mit 76 Jahren stirbt, hatte er jedem seiner drei Söhne ein lukratives Schuhgeschäft ermöglicht: in Sursee, Zofingen und Aarau. In unserer Familie scheint sein oft zitiertes Wort »die erste Generation baut's auf, die zweite baut's aus und die dritte vertut's!« erfreulicherweise nicht in Erfüllung zu gehen.

Wieviel liegt an den Genen?

Mein *Vater?* Auch Johann Küngs ältester Sohn HANS KÜNG, mein Vater, braucht am Anfang Mut. In schwieriger Zeit 1936 hat er das jetzt schon stattliche Schuhgeschäft übernommen, mitten in der großen Rezession infolge der Weltwirtschaftskrise. Die Geschäfte gehen schlecht – welche Anstrengung, um in diesen Jahren durchzuhalten! Und es sollte noch schlimmer kommen, als 1939 der Zweite Weltkrieg ausbricht. Leder und Schuhe werden rar und teuer, die Verkäufe streng kontrolliert – welche Mühen, die benötigte Ware in der gewünschten Qualität zu beschaffen! Und wie oft habe ich zu helfen, all die Hunderte von »Rationierungsmarken« auf große Bögen aufzukleben.

Meine *Mutter?* Unser aller großes Glück war meines Vaters Heirat mit EMMA GUT, einer selbstbewußten Bauerstochter aus einem zähen, aufstrebenden Geschlecht vom nahen Kaltbach, meine Mutter. Lange hat sie ihn werben lassen und ihn erst mit 27 Jahren geheiratet (sie will nicht wie ihre Mutter zu früh und zu viele Kinder haben, gesteht sie mir erst spät im Zusammenhang mit der auch von ihr abgelehnten päpstlichen Pillenenzyklika). Aufgewachsen war sie unter zahlreichen energiegeladenen Brüdern und Schwestern, die es alle im Leben zu etwas bringen sollten. Von Haus aus war die Familie Gut freisinnig-liberal, und zwei Gut waren in der Nachbarschaft Gemeindepräsidenten. Aber der Großvater von Mutters Seite – eine Sensation im ganzen Umkreis – hatte »gekehrt«: Er war entschlossen zur katholisch-konservativen Partei übergetreten. Denn als er 1918 während einer gefährlichen Grippewelle ernsthaft erkrankte und seine große Familie in erhebliche finanzielle Schwierigkeiten geraten war, hatten die liberalen Verwandten ihn und seine dreizehn Kinder im Stich gelassen, nur katholisch-konservative Verwandte seiner Frau halfen. Er, groß und hager mit Bart, der als erster auf einem Fahrrad durchs Dorf fuhr, blieb in der Gut-Familie der unbestrittene und nicht immer bequeme Patriarch.

Nach der Heirat war es für meine Mutter eine Selbstverständlichkeit, mit der ganzen Energie in unser Geschäft miteinzusteigen. Den langen Tag über also Geschäftsfrau, aber auch Hausfrau mit schließlich drei Söhnen, nach mir Georg und Rudolf, und den fünf Mädchen Marlis, Rita, Margrit, Hildegard und Irene. Immer freilich unterstützt von einer Köchin und manchmal auch noch einem Kindermädchen, bei uns Kindern meist sehr beliebt. Je größer und komplexer das in schwieriger Zeit übernommene Geschäft wird – jetzt das größte weit und breit –, desto wichtiger wird für den ganzen Betrieb ihr sicheres ästhetisches Gefühl bei jeder der saisonalen Halbjahresbestellungen, die für ein Schuhgeschäft über Erfolg oder Mißerfolg entscheiden. Sie ist eine kluge, ja gescheite Frau, der mehr als eine Primarschulbildung und die Frauenschule in Luzern nicht vergönnt war und die ihre ureigene Bildung durch unermüdliches Lesen und auch Fortbildungskurse erwirbt. Auf diese Weise bleibt sie geistig wach und dem Neuen aufgeschlossen.

»Frohnatur« ist Vater und Mutter eigen, und die »Statur« kommt von selbst. Unser Vater, jetzt doch hin und wieder am Klavier, spielt mit uns Spiele wie »Lotto«, wozu er Preise aussetzt, lehrt uns rechtzeitig am Sonntag mäßig Wein trinken, ist der Stadtmusik zugetan und liebt Feste über alles. Rasch zornig, ist er auch rasch wieder versöhnt. Unsere Mutter bleibt mir als jugendliche Frau in Erinnerung, die viel Sinn für Humor, Spaß und auch Gerangel hat. Eine starke Frau, die Probleme nicht schafft, sondern löst, und mit deren Wohlwollen jedermann rechnen kann. Beide führen ein offenes Haus, ihre Gastfreundschaft wird noch nach Jahrzehnten gelobt. Am Sonntag kommt der Großvater aus Kaltbach auf seinem Zweispänner oft nach der Frühmesse zum Frühstück. Nach dem Hauptgottesdienst aber findet immer der von meinem Vater offerierte Aperitif statt, wo all die vielen Onkel und Tanten unsere Wohnung füllen und bei Fendant und Kleingebäck mit oft erheblicher Lautstärke über Gott und die Welt diskutieren. Mein Vater verfolgt die Politik genau, meidet jedoch politische Ämter.

Fröhlichkeit, Tatkraft, Fürsorge, Güte, aber auch Lebensernst kennzeichnen vor allem meine Mutter. Dramatische persönliche Einbrüche für sie zweifellos der Tod, nach langer Lungenentzündung, ihres erst einjährigen Sohnes Rudolf im Jahr der Geschäftsübernahme 1936. Und dann noch mehr der Tod ihres zweiten Sohnes Georg nach 23 Jahren. Dieser Bruder war der wildere von uns beiden und zu jedem Scherz, Streich und Streit bereit. Nach seiner Banklehre und einer Fortbildung in der Pariser Morgan Bank als Geschäftsinhaber der dritten Generation vorgesehen, stirbt er, der Lebensfrohe, schon 1955 nach langem Leiden an einem Gehirntumor; es wird davon noch die Rede sein müssen.

Man fragt ja so oft: Wieviel liegt in den Genen, wieviel an der Erziehung? Mir, der ich zwei Jahre nach der Heirat meiner Eltern als der Erstgeborene das Licht der Welt erblicke, wird Küng-Gut immer als glückliche Synergie vorkommen. »Küng« allein wäre wohl etwas allzu leichtfüßig und lebenslustig gewesen, »Gut« allein aber etwas allzu ernsthaft und angestrengt. Als cholerisch-sanguinisch bestimme ich nach der populären Lehre mein Temperament, mit einem Schuß Melancholie bisweilen, aber ohne alles Phlegma. Nicht eigenem Bemühen, sondern mitbekommenem Erbe werde ich jedenfalls die nicht ganz gewöhnliche physisch-psychische Leistungs- und Strapazierfähigkeit zuschreiben, derer ich später so sehr in allen möglichen Situationen und Krisen bedarf. »Wenn man der unbestreitbare Liebling der Mutter gewesen ist«, schreibt Sigmund Freud (ich meinerseits weiß es nur von meinen Schwestern), »so behält man fürs Leben jenes Eroberungsgefühl, jene Zuversicht des Erfolges, welche nicht selten den wirklichen Erfolg nach sich zieht.« Die Gefühle und Affekte gegenüber Mutter und Vater werden für mein ganzes Lebens zweifellos grundlegend bleiben. Von einem Ödipuskomplex allerdings keine Spur.

Natürlich gibt es auch bei uns wie in jeder Familie Spannungen und Streit, was mich belastet, Streit zwischen den Eltern, mit den Eltern und zwischen den Geschwistern erst recht, besonders zwischen meinem Bruder und mir, den älteren und den jüngeren Schwestern. Meine Mutter geht uns gelegentlich mit ihren religiösen Forderungen auf die Nerven. Mein Vater kann sehr ungeduldig und ungerecht reagieren. Auf ungerechte Behandlung aber, ob von Eltern oder Lehrern, reagiere ich höchst empfindlich. Ist doch eine Zeitlang mein Wahlspruch: »Fiat justitia, pereat mundus!«: »Es möge Gerechtigkeit geschehen, und sollte die Welt zugrunde gehen!« Den ausgesprochenen Sinn für Gerechtigkeit werde ich behalten, doch mich später noch auf bessere Wahlsprüche besinnen und mir das Schicksal eines Michael Kohlhaas ersparen. Grundsätzliche Konflikte mit meinen Eltern – gar Briefe an den Vater à la Kafka oder Hesse – gibt es zwischen uns nicht.

Frohnatur und Lebensernst, kaufmännischer Unternehmergeist und bäuerische Vitalität, naturgegebene Intelligenz und pragmatischer Realitätssinn, alles in anerzogener Bescheidenheit, innerer Demut und selbstverständlicher Freundlichkeit: in dieser Mischung vielleicht keine ganz schlechten Voraussetzungen für natürliche Souveränität, gewachsen in einer Familie, die wohlhabend, aber nicht reich, die gescheit, aber nicht akademisch, die Ansehen genießt, aber nicht Elite ist. »Was willst du einmal werden?«, fragt der langjährige italienischstämmige Schuhmacher Enrico Erbini das Kind, das ihm immer wieder gerne zuschaut, weil er dabei so viel Interessantes zu erzählen weiß. Auf die Antwort »Wohl auch Schuhhändler«, sagt er ruhig lächelnd: »Du wirst nie ein Schuhhändler werden.« Das Kind weiß mit dieser rätselhaften Prophezeiung nichts anzufangen.

Bürgerehre und Ehrenbürger

Zurück zu den Wurzeln: *unser Gemeinwesen.* Tagtäglich höre ich in unserem Haus am Rathausplatz die Glockenschläge der Kirche gegenüber, und sie stören mich nicht, vielmehr freue ich mich, wenn an Festtagen auch die siebte, die »große« Glocke läutet. Tagtäglich schaue ich auf das große Zifferblatt der Kirchenuhr und brauche kaum meine eigene, mir zur Firmung geschenkte Armbanduhr. Angetan hat es mir indes die schöne Sonnenuhr am Rathaus uns gegenüber mit dem Fresco von Sensenmann und Stundenglas, die an die Vergänglichkeit aller Dinge erinnern. Doch buddenbrooksche Dekadenz und Sterbesehnsucht wäre nun freilich das allerletzte, was mich bewegt.

Unser *Rathaus,* ein allseitig freistehender Baukörper, der umfangreichste und bedeutendste mittelalterliche Amtsbau des Luzernerlandes, zeugt vom *Bürgerstolz* unserer Stadt. Kaum zu glauben: Eine Stadt von vielleicht 800 Seelen leistete sich da 1539-46 – die Warenmenge des Gotthardtransports erreichte in diesen sieben Jahren einen Rekord – ein solches bis heute imposantes Rat- und Markthaus. Gebaut vom Luzerner Werkmeister und Steinmetz Jakob Zumsteg, der als Romanheld in »Der Rathausbaumeister« des Surseer Heimatdichters Otto Helmut Lienert verewigt wird. Bei der Renovation des Rathauses anfangs der 70er Jahre, als man nach Sponsoren sucht, werde ich es mir nicht nehmen lassen, die Kosten für die Renovation gerade der Sonnenuhr zu übernehmen.

Zum Rathaus habe ich ein enges Verhältnis. So oft gehe ich da für meinen Großvater zum Stadtschreiber Randegger, um Dokumente beglaubigen zu lassen oder um im ersten Stock bei der Kantonalbank Kleingeld abzugeben, manchmal auch meine eigenen kleinen Ersparnisse. Hin und wieder gehe ich auf der sich frei tragenden Rundtreppe des Schneckenturmes bis hinauf in das zweite Obergeschoß zum großen

Rathaussaal. Da erblicke ich eines Tages die schwere Kassettendecke aus Eichenholz, hergestellt vom selben Bildhauer Tüfel, der unsere Madonna geschnitzt hat, vom Sonnenlicht vergoldet. Überwältigt denke ich, irgendwann irgendwo irgendwie möchte ich auch eine Eichendecke im Zimmer haben; später im Seehaus wird sie, keine Kassettendecke natürlich, meinen ausgebauten Dachstuhl verkleiden und ähnlich golden strahlen, wenn Licht darauf fällt.

Aber weniger um das Rathaus herum als vielmehr in den Gassen, die zur Sure abfallen, diskutieren und schwätzen wir, spielen Ball, kämpfen und schreien. Die geschlossene Gassenstruktur und die teilweise erhaltene Befestigung unserer Stadt geben den romantischen Rahmen für alle möglichen lärmigen Spiele, nicht nur Ball- und Radspiele, sondern oft auch recht rüde Kämpfe zwischen zwei Parteien oder Quartieren. Gekämpft wird hier meist um das Taschentuch am Gürtel und geprügelt wird bisweilen auch, aber nie jemand ernsthaft verletzt und nie, ohne uns auch immer wieder zu vertragen. Beim Kampf um das Taschentuch selbst in den Pausen beim Schulhaus St. Georg kommt es darauf an, das feindliche »Lager« zu »erobern«. Ich gehe zumeist davon aus, daß ich es mit meiner Größe und Körperkraft im Sturmangriff aufs Lager mit neun Gegnern aufnehmen könne, weil bei meinem Anlauf die ersten drei ausweichen, die zweiten drei keinen ernsthaften Widerstand leisten und nur die letzten drei wirklich überwunden werden müssen.

Auf alles dies und vieles mehr wird die *Klassenvereinigung 1928 St. Georg Sursee* anspielen, wenn sie bei ihrem Jubiläumsklassentreffen vom 24. Oktober 1998 für ihr »dank Geburtsjahr und -ort zwangsweise zugeordnetes Gründungsmitglied Professor Hans Küng« (er war zu dieser Zeit in Sachen Weltethos gerade in Kyoto) feierlich »die Ehrenmitgliedschaft auf Lebzeit« beschließt und mit der Unterschrift aller Anwesenden besiegelt, und dies mit der humorig-ernsthaften Begründung: »in Verdankung seiner Verdienste um das Ansehen unserer Klassenvereinigung und seines im primarschulischen Klassenverband erlernten streitbaren Wirkens und eingedenk seiner Zivilcourage«.

Im Blick auf diese Jugendjahre kann man verstehen, warum die Verleihung der *Ehrenbürgerschaft* meines Heimatstädtchens für mich etwas ganz Besonderes sein wird. Unvergeßlich, wie mir als bisher erstem und einzigem der Stadtpräsident von Sursee auf einstimmigen Beschluß der Gemeindeversammlung zu meinem 70. Geburtstag im großen Rathaussaal die Urkunde verleihen wird. Das festliche Abendessen – begleitet von Mozarts Harmoniemusik zum »Figaro« – wird nicht nur im Kreise der »Honoratioren« stattfinden. Es wird mir eine Freude sein, Familie und Verwandte, Freunde und Schulkameraden, Nachbarn und Hilfen wiederzusehen. Und pünktlich zum selben Anlaß werden mir meine Schwester Rita und mein Schwager Bruno Frei, die zur großen Erleichterung der Familie das Geschäft zu übernehmen bereit waren, unser großes Elternhaus, jetzt in der dritten Generation, in wunderbarem Toscanarot samt Madonna und Krone renoviert präsentieren. Meine und unseres Städtchens Festfreude wird dies ganz wesentlich erhöhen.

Immer wieder werde ich es in all den Jahren zu meiner Genugtuung von meinen früheren Spiel- und Klassenkameraden hören: »Du hast dich eigentlich nicht verändert«. Und wie ich mich verändert habe – und bin doch derselbe geblieben. Identitätsprobleme à la Frischs »Gantenbein« waren meine Sache nicht. Auch nicht, wo mir jetzt ein Abschied zugemutet wird.

Aus geschlossener katholischer Welt

Zurück zu den Wurzeln: *die Kirche?* Der *Katholizismus* meiner Großeltern und Eltern und auch meiner eigenen frühen Jahre ist im Grunde *mittelalterlich-barock* geblieben. Mit all seinen Sitten, Gebräuchen und Gewohnheiten ein vielfältig und bunt gelebtes kirchliches Leben: keineswegs nur überflüssiger und schädlicher Ballast aus der Vorzeit, sondern auch durchaus religiös wertvolle Substanz. Nicht etwas Düsteres, sondern eher Sinnenfrohes. So wie unsere *Pfarrkirche*, die unserem Stadtpatron, St. Georg, geweiht ist. Daß man gerade diesen mythischen Kämpfer gegen das inkarnierte Böse in der nachkonziliaren Zeit aus dem allgemeinen Kalendarium der Kirche entfernen wird, nur weil der tapfere Offizier aus Kappadokien oder zumindest sein Drache nicht historisch sei und man so das starke Drachentötermotiv Richard Wagner und seinem Siegfried überläßt, will mir nicht einleuchten.

Unsere Pfarrkirche symbolisiert in treffender Weise, was ich erst viele Jahrzehnte später tiefer analysieren werde: wie sich im religiösen Bereich ganz anders als im naturwissenschaftlichen eine ganz bestimmte, hier mittelalterliche, »Konstellation von Überzeugungen, Werten und Verfahrensweisen«, eben ein »Paradigma« durchhalten kann – unter entsprechenden Anpassungen natürlich. Die erste Vorgängerin unserer Pfarrkirche, auf dem höchsten Punkt und im ältesten Teil der Stadtanlage erbaut, stammt aus dem Frühmittelalter, vielleicht dem 7. Jahrhundert. Die heutige Kirche ist eine der wenigen Zeugen sakraler

Renaissancearchitektur in der Schweiz, in der Zeit des gegenreformatorischen Triumphalismus jedoch barockisiert und jetzt in meinen eigenen jungen Jahren renoviert und aus pastoralen Gründen – zum Ärger mancher puristischer Kunstexperten – erweitert. Über toscanischen Säulen tragen rundbogige Arkaden die Hochwände des Mittelschiffs, dessen Tonne mit Bildern der vier Evangelisten und zierlich eleganten Rokoko-Stukkaturen geschmückt ist. Eine aufs ganze gesehen frohe, frohmachende Kirche, besonders am Abend bei voller Ausleuchtung.

Hier als *Ministrant* zu »dienen«: für mich und viele meiner Kameraden (Mädchen sind nicht zugelassen) weniger Pflicht als Ehre und Freude. Daß unsere hübschen rot-weißen Gewändchen möglicherweise ihren Ursprung im Collegium Germanicum zu Rom hatten, kann ich natürlich nicht wissen. Jedenfalls hätten die kunstvoll bestickten schweren Brokatgewänder unserer Geistlichen, wie besonders an Festtagen getragen, auch im barocken Rom gute Figur gemacht. Ebenso die vielen kostbaren Kelche und die beiden Monstranzen, die ich in der Sakristei so oft genau inspizieren kann: die feingliedrige spätgotische Turmmonstranz aus der beginnenden Reformationszeit (1523) und vor allem die mit großen Edelsteinen besetzte Barockmonstranz aus der Hand des weit herum berühmten Hans Peter Staffelbach, Hauptzeuge der vor allem vom 17. bis 19. Jahrhundert blühenden Surseer Goldschmiedekunst.

Spannend für mich, wenn ich an Werktagen hin und wieder einmal den Sakristan ersetzen darf und dann die stille Zeit während der heiligen Messe benütze, um ganz rasch den hohen Kirchturm zu besteigen und von der offenen Laterne (»Känzeli«) unter der schön geschweiften Haube aus auf unser Haus, die ganze Stadt, ja die weite Landschaft bis in die Berge hinein zu schauen. So oft werde ich später auf Reisen in aller Welt auf die Frage, was ich in dieser oder jener Stadt am liebsten sehen möchte, antworten: »den höchsten Punkt« – um so Ausblick, Überblick und Einblick zu erhalten.

Dies ist das Mittelalterliche an unserem Katholizismus: Das ganze christliche Leben in unserer kleinen Stadt ist ganz selbstverständlich *von der Kirche dominiert*, die im Bund ist mit der katholisch-konservativen Volkspartei. Schon akustisch ist die Kirche präsent mit jedem Glockenschlag, der die Zeit und wichtige Ereignisse ansagt, das Angelus-Läuten am frühen Morgen, mittags und am Abend, das besondere Läuten vor den großen Festtagen und die immer aufmerksam beachtete Sterbeglocke bei Ankündigung eines Todesfalles oder bei einer Beerdigung. Optisch ist die Kirche nicht weniger dominant, alle Gebäude, auch unser Rathaus klar überragend; auf einer monumentalen Stiege geht man zur Kirche »hinauf«. Ja, noch dominiert die Kirche auch weithin geistig das Leben: Unser lokales Schulwesen, wiewohl in den Händen von Laien, ist ohne Präsenz der Geistlichen nicht denkbar: Schulinspektor, Rektor des Progymnasiums, Religions-, Latein- und Griechischlehrer – alles Kleriker, unterstützt von den Patres des anfangs des 17. Jahrhunderts gegründeten Kapuzinerklosters, das auch den »Stadtprediger« (einmal im Monat) stellt.

Der *Gottesdienst* ist noch immer konkurrenzlos mit seiner barocken Farbenpracht, seinen goldenen Gefäßen und seiner unüberbietbaren Feierlichkeit, den Prozessionen, Gesängen und mächtigem Orgelspiel. An Festen sogar eine Orchestermesse von Mozart oder Haydn und eine Motette von Bruckner. Die großen Festtage des Kirchenjahres – ein Gemeinschaftserlebnis, das den ruhig dahinfließenden Alltag in erfreulicher Weise unterbricht. Keine Frage aber auch: Der obligatorische Sonn- und Feiertagsgottesdienst ermöglicht eine Sozialkontrolle, die jeden Menschen sanft in das Kollektiv einfügt, dem er sich in jener Zeit noch beschränkter Mobilität kaum entziehen kann. Die eine Stunde kirchlicher Katechismus-Unterricht am Donnerstag und die unbeliebte halbstündige Christenlehre am Sonntag, beides für Jugendliche, sind in diesem Rahmen zu sehen. Kirche und Gesellschaft sind noch mittelalterlich ungetrennt.

Kollektive Freude vermischt sich dabei oft mit kollektiver Angst. Sie kommt zum Ausdruck in manchen Formen frommen Aberglaubens und in den frommen Werken der vielen Segnungen, Bittgänge, Wallfahrten. Und vor allem der Ohrenbeichte, verbunden mit willkürlichen Gesetzen (gegen Mischehen), kasuistischen Vorschriften (Nüchternheit vor dem Kommunionempfang) und vielen abstrusen Vorstellungen von Himmel, Hölle und Fegefeuer. Alle Kinder werden, bevor sie gegen Ende der ersten Schulklasse die Kommunion empfangen dürfen, der Beichte zugeführt, damit sie da ihre kleinen und kleinsten »Sünden« dem Priester bekennen. »Ich habe gestohlen«, so bekenne ich in einer meiner ersten Beichten und erschrecke zutiefst, als der Beichtvater zurückfragt: »Was und wieviel?« Meine stockende Antwort: »Ein paar Trübeli (Johannisbeeren), am Gartenzaun, auf dem Rückweg von der Badeanstalt«. Zu diesem nachfragenden Beichtvater, es war der Herr Stadtpfarrer, bin ich nie mehr zurückgekehrt.

An der Spitze des katholischen Establishments in Sursee (die reformierte Gemeinde und ihren Pfarrer nahmen wir damals nur am Rande wahr) steht eben er, der Stadtpfarrer Dr. theol. ROBERT KOPP, ein ehrenwerter, herablassend-freundlicher und musikalischer »Pfarr-Herr«, der uns Buben die Hand immer nur von oben mit den Fingerspitzen gibt. In seinen letzten Jahren darf er den römischen Titel eines Apostolischen Protonotars tragen (wir spotten über den »apostolischen Protomotor«), der natürlich mit den Aposteln nichts zu tun hat, wohl aber mit der Mitra, dem Bischofshut, den er nun bei der Liturgie an hohen Festtagen trägt – zur Freude der ganzen Gemeinde, die jetzt so etwas wie einen Quasi-Bischof ihr eigen nennen darf. Das ist für uns »die Kirche«: aufgebaut wie eine Pyramide stufenförmig, zuunterst die Priester und Ordensleute, dann die Bischöfe, Erzbischöfe, Kardinäle und ganz zuoberst fern und doch nahe der über aller Kritik stehende »Heilige Vater«. Sie, der Klerus, die Hierarchie *sind* die Kirche. Wir, die Laien, *gehören* zur Kirche.

Das Bild wird mir bleiben: wie dieser »hochwürdige Herr Stadtpfarrer« Dr. Kopp mit dem »hochwürdigen Herrn Kustos« Eduard Pfister durch die Stadt geht, beide in schwarzem Gehrock und breitrandigem Hut, freundlich begrüßt und freundlich zurückgrüßend. Welch eine Verschiedenheit der Zeiten – welch eine äußerlich geschlossene katholische Welt! Nein, nach dem Vorbild dieser Geistlichen wäre ich nie Geistlicher geworden. Warum also doch?

Einer war anders

In einem Gespräch zu Beginn der 60er Jahre zwischen den beiden damals jüngsten Professoren der Universität Tübingen wird mir der Soziologe RALF DAHRENDORF unumwunden erklären: Theologe sei doch einer wie ich sicher geworden, weil er einmal Prälat, Bischof oder Kardinal werden wolle, also um des Amtes, um des Prestiges, der Macht willen. Ich bestreite dies, weiß aber nicht, ob ich meinen Gesprächspartner, der wohl schon an seinen eigenen steilen Weg in die Politik (bis hin zum EU-Kommissar) dachte, überzeugt habe. Kann ich ihm ja nicht die lange Geschichte erzählen, die ich hier erzähle, um verstehen zu lassen, warum ich ohne alles Karrieredenken den Beruf des »Geistlichen« gewählt habe.

Einer ist anders als die sonstigen »hochwürdigen Herren« von Sursee, ist auch kein Repräsentant des katholisch-konservativen Establishments, das in harten Wahlschlachten seine Prädominanz gegen Liberale und künftige Sozialisten durch Verhinderung der Industrialisierung zu wahren weiß. Es ist der als 29-jähriger Pfarrhelfer und Jugendseelsorger 1937 nach Sursee gekommene Franz Xaver Kaufmann, 1954 dann, wie in der Schweiz üblich, demokratisch von der Kirchengemeinde (genauer »Korporationsgemeinde«) zum 65. Stadtpfarrer von Sursee gewählt. Er wird mein Leben begleiten, zuerst ganz aus der Nähe, dann mehr aus der Ferne, bis zu seinem Tod als Spitalpfarrer mit 78 Jahren im Jahr 1986. Ich erzähle hier nicht etwas, was exklusiv für mich gilt, sondern was viele meiner Generation in ähnlicher Weise erfahren haben. Ohne diesen Mann und sein verständnisvolles Wesen hätten manche von uns die Probleme von Pubertät und Adoleszenz nicht so leicht bewältigt, wären mehr als ein Dutzend, die ich kenne, den Weg zum Priestertum nicht gegangen. Dabei hat er keinen einzigen von uns eingeladen, aufgefordert, gar gedrängt. Es ergab sich vielmehr sozusagen stillschweigend, was nach den Gründen dieser Ausstrahlung fragen läßt.

Was verbirgt sich wohl hinter all den seelsorglichen Aktivitäten dieses Menschen, der doch kein Aktivist ist, hinter den Manifestationen, Prozessionen und Renovationen eines Pfarrers, der doch kein politischer Demonstrant, kein liturgischer Darsteller und kein verhinderter Kirchenbauer ist? *Was*, so fragt man sich später vielleicht noch mehr als zu seinen Lebzeiten, *ist das Geheimnis dieses einzigartigen Seelsorgers*, der von vielen von uns einfach »der Präses« genannt wird und der doch kein Präsident und kein Prälat und zugleich mehr als beides ist; der dann für alle in Sursee, wirklich für alle, einfach »der Pfarrer« ist, und den man doch nie als Pfarrherrn oder Herrn Pfarrer empfindet.

Will man sich an das Geheimnis dieses Menschen mit seinen Aktionen und Passionen, Stärken und Schwächen herantasten, dann darf man ganz ruhig von außen, beim Alleräußerlichsten, anfangen: »Kleider machen Leute«, vielleicht; aber sicher »macht nicht der schwarze Rock und das römische Kollar den Pfarrer«, davon ist Franz Xaver Kaufmann überzeugt und trägt bis zu seinem Ende gerne normale Kleidung. Nur wer ihn mit jenen anderen hochwürdigen »Herren vom Herrenrain« vergleicht, kann ermessen, was es uns Jungen bedeutet, daß der junge Präses, mehr verehrt und geliebt als respektiert, in Hemd und Hose in den Wäldern ringsum im Geländespiel mitkämpft und nachher am Lagerfeuer auch kundig mitabkocht.

Einmal macht ein halbes Dutzend von uns auf Fahrrädern in vier Tagen gar eine Sechs-Pässe-Fahrt (Oberalp – Lukmanier – Gotthard – Furka – Grimsel – Brünig), übernachtet in Disentis und Gletsch im kalten Zelt und in Airolo im Wartesaal ... Was für ein Unterschied zur gutbürgerlichen Gemütlichkeit, die wir alle von Haus aus gewohnt sind. Ein *anderer Lebensstil* wird uns so ermöglicht, geprägt von der Jugend-

bewegung, die bei uns glücklicherweise nicht von den Nazis verein-
nahmt werden kann.

Ein Phänomen – dieser Jugendpräses, der vielwöchige Ferienlager in
den Bergen organisiert, die manche Surseer zu ihren schönsten Jugend-
erlebnissen zählen werden. Der das ganze Leben einer manchmal hun-
dertköpfigen Bubenschar von früh bis spät abends mitgestaltet, strengste
Bergtouren ebenso wie Küchendienst und Unterhaltungsabende. Der
selber Kasperlitheater spielt, gruselige Gespenster- und Räubergeschich-
ten erzählt und zugleich als Samariter für alle Schrammen und Wunden
Erste Hilfe zu bringen vermag. Wahrhaftig: ein Seelsorger, der in vielem auch ein Leibsorger, der nicht nur ein Mann der Ferien und Fahrten, sondern ein »Mann für alle Jahreszeiten« ist. Der auch das ganze
liebe lange Jahr hindurch sein Erdgeschoß an Sonn- und Werktagen bis
in die Nacht offenhält: ein »Lokal«, in welchem sich die Jugend treffen
kann und in welchem Gedanken an andere Vergnügungsstätten gar
nicht aufkommen. Der im Dezember packende Waldweihnachten und
im Februar köstliche Fasnachtsumzüge inspiriert und gar als Theater-
regisseur amtet. Der nie um Finanzierungsideen für die zahlreichen
Unternehmungen mit Hilfe von Papiersammlungen und Krippenbauten
verlegen ist und der zugleich eifersüchtig selber die Kasse verwaltet und
durch eine karge Informationspolitik, die einer Schweizer Großbank
Ehre machen würde, uns ärgert, aber so dafür sorgt, daß das mühselig
gesammelte Geld nicht wieder allzu mühelos ausgegeben wird. Wahrhaftig: ein Präses, der auch noch gleich Aktuar und Kassierer ist und der
dann auch als Pfarrer altmodisch alles im Ein-Mann-Betrieb ohne
Sekretariat und Pfarreikartei erledigt, so sparsam und billig, wie es die
Kirchgemeinde von Sursee gewiß nie mehr erleben wird.

Deshalb nochmals: Was ist das Geheimnis dieses Pfarrers, dessen un-
gewöhnlicher äußerer Einsatz sich doch nicht in betriebsamer Äußer-
lichkeit erschöpft? Der kein geistlicher Routinier oder Funktionär,
sondern durch und durch Seelsorger ist, der nicht gerne Hausbesuche
abstattet und doch in der Begegnung von Mensch zu Mensch wirkt, in
der Jugendgruppe, in der Schulklasse, höchst diskret auch im Beichtstuhl, am Krankenbett, im seelsorglichen Gespräch. Kein doktrinärer
Verteidiger alter Bastionen, sondern ein bescheidener Vorläufer einer
weltoffenen Pastoral, der die quälenden Probleme der Jugend ernst-
nimmt und nicht zuletzt die sexuellen Nöte der Reifezeit versteht. Der
in gewinnender Menschlichkeit für den Einzelnen wie für die Gruppen, für Jüngere und Ältere in den verschiedenen frohen wie weniger
frohen Situationen den rechten Ton und das rechte Wort findet. Der

Autorität verkörpert ohne versteckten Autoritarismus, ganz paulinisch nicht Herr unseres Glaubens, sondern Diener unserer Freude. Der seine unauffällige Frömmigkeit in Aussprachen und Ansprachen, in Gottesdienst und Menschendienst glaubwürdig weiterzugeben vermag, der in allem das Vertrauen der Kleineren und Größeren, der Stärkeren wie der Schwächeren genießt und der bei all seinem weltlichen Treiben ein echter »Geistlicher« bleibt.

Wahrhaftig: ein Seelsorger für alle und jeden, nicht für einen Kreis der Frommen und Superfrommen, sondern auch für die weniger Frommen; nicht nur für die »Konservativen«, sondern auch für die »Liberalen«; nicht nur für die Strenggläubigen, sondern auch für die Weltläufigen; nicht nur fürs erwachsene Kirchenvolk, sondern für die immer wieder neue Generation der Heranwachsenden. Und in allem ein gar nicht sehr Wundergläubiger, der aber in den Herzen vieler unauffällige kleine Wunder wirkt, von denen vielleicht nur diejenigen sichtbar werden, die in seiner Zeit – so zahlreich wie sonst kaum irgendwo und nie mehr nachher – den Priesterberuf ergreifen, weil er ihnen in seiner Existenz ein mitreißendes Bild von diesem Beruf, dieser Berufung zu vermitteln vermag. Dabei ist er keineswegs immer bequem. Er hat seine Schwächen, schmollen und grollen kann er, sich ärgern und aufbrausen im »Streß« der Seelsorge. Es gibt auch Spannungen und Streit, als wir selbständiger werden und unsere eigenen Vorstellungen durchsetzen wollen. Aber doch nie auf Dauer ...

Kirchliche Anerkennung »von oben« wird unser Pfarrer nicht finden, er, der gewiß eher ein Inspirator als Organisator, eher ein Cunctator (Zögerer) als Agitator, eher ein geistlicher Vermittler als ein gewiefter Kirchenpolitiker ist, der zu den »Stillen im Klerus« gehört und sich in Klerusversammlungen, wo andere das Wort führen, einsam fühlt, der, unten beliebt, sich oben kaum beliebt zu machen weiß. Weder Domherr noch Dekan, weder bischöflicher Kommissar noch päpstlicher Monsignore wird er je werden, wiewohl alle, die ihn näher kennen, sein kluges abgewogenes Urteil in kirchlichen wie politischen Dingen schätzen. Ehrenposten angestrebt hat er nie, aber leiden wird er doch unter der fehlenden kirchlichen Anerkennung und der Isolierung seiner letzten Dutzend Jahre unter einem traditionell römisch ausgerichteten Stadtpfarrer, der den Spitalpfarrer von Kanzel und Gemeinde fernhält.

Deshalb noch ein letztes Mal gefragt: Was ist das Geheimnis dieses zweifellos charismatischen Jugendführers, Beichtvaters, Predigers, Seelsorgers, von dem man nur wünschen möchte, es gäbe ihrer in unserem Klerus mehr? Das Geheimnis – ich werde dies alles später besser verstehen – dieses durchaus menschlichen und manchmal allzu menschlichen Seelsorgers ist: In ihm wirkt Geist von dessen Geist, der da schon vor 2.000 Jahren auf geistliches Gewand und klerikales Getue kein Gewicht legte. Der jeden Menschen nahm, wie er nun einmal ist in seiner Schwäche und Gebrechlichkeit, und ihn ganz und gar ernst nahm als der, der er ist, Gottes so gewollte Kreatur. Der keinen einfach zu einem anderen machen wollte, ihn nicht verdammte, ihm vielmehr eine neue Chance gab. Der niemand inquisitorisch nach seinem Glaubensbekenntnis befragte und beurteilte, sondern der ins Herz zu schauen vermochte. Der, aller übertriebenen Frömmigkeit abhold, keine sakrale Machtposition aufbaute, sondern im Dienst an den Menschen voranging.

So könnte man weiterfahren, aber es dürfte schon deutlich geworden sein: Es ist schlicht der Geist dieses Jesus, von dem der Jugend-, Stadt- und am Ende Spitalpfarrer bis zu seinem Ende so ungekünstelt, direkt und ansprechend zu reden und predigen weiß. Ja, bei seiner Totenfeier werde ich dies ganz klar aussprechen: Es ist Jesu Geist, der in diesem Geistlichen unauffällig und sanft am Werke ist: das befreiend *Jesuanische*, das hinter allem menschlichen Charme und aller allzu menschlicher Grenze dieses Seelsorgers Geheimnis ist! Und die Tiefe dieses Jesuanischen ist es, was mich als jungen Menschen auf den Weg des »Geistlichen« ruft und mir Leitbild bleiben wird, so daß meine Schilderung hier besonders ausführlich sein mußte. Ob dies auch ein »Weltlicher« verstehen kann? Aber oft folgt dann die Frage, wann ich mich denn zum geistlichen Beruf entschlossen habe …

Eine frühe Entscheidung

In dieser Frage schwingt meist das ungläubige Staunen mit, daß einer wie ich – ausgerechnet – katholischer Priester werden wollte. Darüber haben sich damals auch schon manche gewundert. Nun ist ja dieser Beruf nicht so etwas wie ein Job, den man annimmt, zum Lebensunterhalt vor allem, und den man wieder aufgibt, wenn er einem nicht mehr gefällt. Bei diesem Beruf geht es um eine wirkliche *Berufung*, bei der man so etwas wie eine innere Stimme hört, nicht direkt vom Himmel normalerweise, aber im eigenen Herzen. Es geht um eine Lebenswahl, welche die ganze Existenz umkrempelt und umgreift und bei der die (ohnehin nicht sehr splendide) Entlöhnung das Allernebensächlichste ist.

So verstehe ich meine Entscheidung: eine Lebenswahl, die aber faktisch so etwas wie eine »*Standeswahl*« ist. Während der Adel mit dem Ende des Ersten Weltkriegs seine Standessymbole und Standesprivilegien weithin verlor, hat sie der »geistliche Stand« noch weithin bewahrt. Und die »geistlichen Herren« in Sursee und anderswo erscheinen noch immer von der sonstigen Bevölkerung deutlich abgehoben – mit bestimmten Rechten (in der Schweiz befreit etwa vom Militärdienst) und besonders Pflichten, der Zölibatspflicht vor allem.

Für mich ereignet sich diese Berufung sehr früh und erstaunlich einfach, wohl gegen Ende der fünften Schulklasse, in meinem 12. Lebensjahr. Mit meinen Eltern hat diese Wahl nichts zu tun. Sie hatten weder mit mir noch ich mit ihnen darüber geredet. Direkt auch nicht mit meinem Jugendpräses, wenngleich ohne sein Vorbild diese Wahl völlig unmöglich gewesen wäre. Im Gespräch mit einem älteren Freund, HANS ZURKIRCHEN, damals unser bewunderter Scharführer, frage ich nach seiner eigenen Berufswahl: »Ich möchte Priester werden wie unser Präses«, ist seine Antwort. Und da schießt es mir blitzartig durch Kopf und Herz: Das wäre doch eine große Aufgabe auch für dich! Und ich sage Ja. Und habe so *meine erste grundlegende Lebensentscheidung* getroffen, die mir vieles abfordern wird, in der ich aber nie schwankend werden sollte: für das *geistliche Amt*.

Für mich ist dies der »Ruf Gottes« – natürlich nicht in übernatürlich-mirakulöser Weise direkt von oben, sondern in der sich aufdrängenden realen Situation vermittelt durch die Stimme meines Freundes. Eine Berufung, die sich im inneren Drang, im innerlichen Sich-Befähigt-Erkennen, im Getriebensein zu diesem konkreten Dienst Ausdruck verleiht. Weder ein Prälat noch ein Bischof hat damit das geringste zu tun, wiewohl von vornehrein klar ist, daß die Kirchenleitung das Recht hat, einen Kandidaten, der sich als geeignet ansieht, auch zu überprüfen. Meiner Mutter und meinem Präses offenbare ich diese Berufswahl nachträglich – ohne viele Worte. Beide freuen sich, drängen aber zu nichts. Bis zu meiner definitiven Entscheidung wird es ohnehin nochmals zwölf Jahre dauern: Wer weiß schon, wie alles weitergeht?

Später, als ich – für ein Jahr Wissenschaftlicher Assistent im fernen Münster/Westfalen – meine einsamen Sonntagnachmittage damit verbringe, das schönste Spiel meines Lebens zu spielen, nämlich bei klassischer Musik auf Millimeterpapier ganz präzise die Grundrisse meines zukünftigen kleinen Seehauses zu berechnen und einzuzeichnen, die dann mein Architekt und Freund Josef Suter genau übernimmt, um sie in einen ganz anders interessanten Aufriß umzusetzen: da denke ich,

Architekt hätte auch ein schöner Beruf sein können. Oder, aufgrund meines immensen Interesses an Geschichte, Weltgeschichte vor allem: Historiker. Oder, als meine Führungsqualitäten in der Jugendbewegung Anerkennung finden und ich es rasch zum erfolgreichen Gruppen-, Schar- und Kreisführer bringe: irgendein Führungsposten in Politik oder Wirtschaft ...?

Aber das sind alles pure Gedankenspiele und keine ernsthaft erwogenen Optionen. Ich fühle mich – unbekümmert um Fragen von Geld und Macht – zu anderem berufen, was mir persönlich durchaus als das bei weitem Höhere, freilich auch Schwierigere erscheint. Denn diese Entscheidung für das geistliche Amt ist ja nun einmal mit der höchst schwerwiegenden Entscheidung zur Ehelosigkeit gekoppelt. Und der *Zölibat* gilt in dieser Zeit als zwar menschliches, aber faktisch unumstößliches Kirchengesetz, das man um der großen Lebensaufgabe willen schlicht in Kauf zu nehmen hat: ohne Zölibat kein Priesterberuf. Daß die Ehelosigkeit, Jesus und auch Paulus zufolge, eine frei ergriffene Berufung (»Charisma«) sein müßte (nur »wer es fassen kann, fasse es«), die nicht zu einem allgemein verpflichtenden Gesetz für Amtsträger gemacht werden kann (die Apostel und die ersten Bischöfe waren fast ausnahmslos verheiratet), sagt uns damals in der katholischen Kirche niemand. Die Unterscheidung von Gesetz und Charisma wird uns allen erst in der Konzilszeit aufgehen.

Zölibat – damals also kein Problem? Nein, so einfach ist es nicht. Verliebtsein war mir nicht fremd, schon als Gymnasiast, und mehr als einmal. Ich weiß sehr wohl um das unvergleichliche Glücksgefühl, das Friedrich Schiller mit »errötend folgt er ihren Spuren und ist von ihrem Gruß beglückt« ausgedrückt hat. Und wie mancher auf diesem Weg wiege auch ich mich, verzaubert, in der Hoffnung, es gäbe vielleicht doch irgendeine Möglichkeit, das Priestertum mit einer, dieser Frau zu verbinden. Ich frage nach ein paar Wochen meinen Präses um Rat, der das hübsche Mädchen auch kennt und schätzt. Doch was kann er mir denn anderes sagen als: Entscheide Dich. Und so entscheide ich mich – zur Distanz, wiewohl ich jeden Tag denselben Zug nach Luzern besteige, behalte meine Tränen über solche Grausamkeit für mich und küsse sie, das einzige Mal, zum Abschied.

Doch habe ich das unschätzbare Glück, neben der Jungen-Gemeinschaft in der »Jungwacht« in *Gemeinschaft mit Mädchen* aufzuwachsen, in einem unverkrampften Verhältnis zum »anderen« Geschlecht. Da sind meine fünf Schwestern – alle jünger als ich, alle hübsch, intelligent und temperamentvoll. Ich bin stolz auf meine Schwestern: Marlis, Rita,

Margrit, Hildegard und Irene sind mir, jede auf ihre Weise, ans Herz gewachsen. Später werde ich das Meine dafür tun, daß wir den Platz am See auch unter Berücksichtigung der drei noch unmündigen aufteilen, so daß wir im Sommer gemeinsame Monate in unseren drei Seehäusern haben werden und ich das Heranwachsen auch der nächsten Generation miterleben darf. Als es sehr viele Jahre später zum großen Konflikt mit Rom kommt, setzen sich alle meine Schwestern tapfer in mich bewegender Weise öffentlich für mich ein.

Hahn im Korb? Nein, lange Zeit ist ja auch mein Bruder Georg noch da. Und da sind meine vielen Cousinen: Mit einer von ihnen, Liselotte, darf ich für zwei Wochen schon lange vor der Matura nach Paris reisen. Und dann sind da die Ferienkinder aus Deutschland und Frankreich, die besonders meine Mutter gerne in den notvollen Nachkriegszeiten in die Familie aufnimmt. Wir seien privilegiert und sollten etwas für die anderen tun, ist ihre Argumentation, wie sie uns ja auch regelmäßig mit irgendwelchen Lebensmitteln zu armen Familien in die Surengasse und anderswo hinschickt. Später beherbergen wir Austauschstudenten und -studentinnen, die uns früh internationale Kontakte nach Holland, Frankreich und Italien verschaffen. Ja, es geht oft laut und wild her in unserem großen Haus, und Eltern wie besuchenden Verwandten ist es gerade recht, wenn wir uns an Festtagen statt in den oberen Stockwerken in den Räumen des Geschäfts und der Magazine austoben.

Abschied vom Getto-Katholizismus

Nachdem ich die sechs Klassen der Volks- oder Elementarschule ohne allzu große Anstrengungen bestens – außer in Disziplin und Schönschreiben – hinter mich gebracht habe, trete ich in Sursee in die erste Klasse *Gymnasium* ein. Dieser ist im Sommer ein »Vorkurs« vorgelagert mit Akzent auf Latein, zehn Stunden pro Woche! Ich finde die Lehrer, jetzt »Professoren«, erheblich interessanter als früher, besonders unseren Klassenlehrer Dr. Paul Cuoni, der uns zu schreiben gestattet, wie wir wollen, wenn es nur geordnet und schön aussehe. So schreibe ich denn zunächst steil nach hinten, oppositionell gesinnt wie ich bin zu vielem, doch geordnet und schön, so daß ich zum ersten Mal in Kalligraphie die Note 6 = sehr gut erhalte.

Aber dann konfrontiert uns der Rektor unseres Progymnasiums (es umfaßte die ersten vier Klassen) mit der Neuregelung, daß in Zukunft der »Vorkurs« wegfalle und deshalb die untere Klasse, von uns ohnehin nicht sehr estimiert, mit der unseren zusammengelegt werde. Allgemeine Empörung: Das wird uns ja faktisch um ein Jahr zurückwerfen! Organisation des Widerstandes. Konferenz der Rebellen, unerhört, mit dem Klassenlehrer. Unser Vorschlag: Wer von uns eine Aufnahmeprüfung besteht, möge in die für uns obere Klasse aufsteigen dürfen. Ein vernünftiger Vorschlag. Doch vom Rektor abgelehnt. Was nun?

Schließlich bin ich der einzige, der beschließt, die Schule zu verlassen. Meine Eltern sperren sich nicht, meinen aber: »Du kannst wie alle aus katholischen Familien in ein katholisches Internat gehen, ein von Benediktinern oder Kapuzinern geleitetes Kollegium, am besten nach Appenzell, wo auch dein Vater studiert hat.« Doch diesbezüglich bin ich grimmig entschlossen: »In einen solchen ›Kasten‹ gehe ich bestimmt nicht!« Unterstützt von meinem Jugendpräses kann ich es schließlich durchsetzen: Ich darf an das im katholischen Milieu als »liberal« und »freisinnig« verdächtigte Gymnasium der Kantonsschule nach *Luzern*, wo schon zwei unserer Jungwachtführer studieren.

Jeden Tag fahre ich also nun mit dem Zug dreiviertel Stunden in unsere Kantonshauptstadt, sechs Jahre lang, von 1942 bis 1948. Faktisch bedeutet dies für mich die Absage an das katholische Bildungsgetto, wie man es auch in der Schweiz im 19. und ersten Drittel des 20. Jahrhunderts defensiv-reaktionär mit einem System katholischer Schulen und Kollegien aufgebaut hat – zur Abwehr des »liberalen« Zeitgeistes und Verbreitung des katholischen Gedankengutes in Staat und Gesellschaft. Es ist nach der Entscheidung zum geistlichen Amt meine *zweite schwierige Entscheidung*: Abschied vom intellektuellen, terminologischen, religiösen Getto-Katholizismus und Zuwendung zu einer offenen *humanistischen Kultur*.

Freilich mache ich gleich beim Übergang den vielleicht einzigen schwerwiegenden *Fehler* meiner Gymnasialausbildung: Auf Anraten meiner älteren Freunde überspringe ich die zweite Klasse; ein solches »Überspringen« gilt als Zeichen besonderer Begabung. Doch erst als ich die Aufnahmeprüfungen bestanden habe, nach ungefähr drei Wochen, darf ich in die dritte Klasse überwechseln. So bin ich nun in praktisch allen Fächern im Rückstand und habe besonders in Algebra und Griechisch, zwei neuen, am Anfang besonders schwierigen Fächern, den Anschluß verpaßt. Das alles zumeist autodidaktisch nachzuholen (nur in Französisch erhalte ich Privatstunden) und nur hin und wieder einen Mitschüler zu fragen, ist nicht einfach. Und lange Zeit brauche ich, bis ich mich aus der Nachhut wieder in die Vorhut der Klasse vorgearbeitet habe. Das Positive ist nicht so sehr das gewonnene Jahr an sich, sondern sind die vielen Kameraden und bald auch Kameradinnen, die ich gerade in diesem Jahrgang gefunden habe.

Während meine Jahrgangsgenossen in Deutschland in den Kriegsjahren nur eine lückenhafte klassische Gymnasialbildung mitbekommen, werde ich mit dem *humanistischen Bildungsideal* in seiner ganzen Breite konfrontiert – von hervorragenden Lehrern der klassischen Sprachen wie Josef Vital Kopp, der sogar Romane schreibt und veröffentlicht, »Sokrates träumt« und »Die schöne Damaris« heißen sie. Besonders er vermag uns zu begeistern für das Ideal der griechischen »kalokagathía«, das »Schöne und Gute«, das Humane, das wahrhaft Menschliche. Humanität durch die Entfaltung der physischen wie der geistigen Kräfte! Keine Frage, daß ich in diesem Gymnasium angeregt werde, nach einer möglichst universalen Bildung zu streben, die man nicht als »Bildungsbürgertum« abtun sollte. Hätten wir doch mehr davon ...

Die schönsten beiden Jahre am Gymnasium sind die beiden letzten, »Lyceum« genannt. Neue Professoren und *Mädchen*. Daß wir jetzt mit den Mädchen des bisher getrennten Mädchengymnasiums zusammen sind, beeinflußt die Atmosphäre höchst positiv. Wir leben ja in Zeiten, wo schwärmen normal, Erotik erlaubt, aber Sex unüblich ist. Ein unverkrampfter Umgang zwischen den Geschlechtern. Es geht uns nicht schlecht dabei, und ich denke mit Freuden vor allem an die erlebnisreichen mehrtägigen Schulreisen zurück. Selbstverständlich sind gegenseitiger Respekt, Vertrauen, Ehrlichkeit, Treue. Freundschaften für das Leben sind daraus entstanden, und mindestens jedes Jahr einmal wird sich später unser »Club« (André, Dora, Madeleine, René und Trudy) treffen – meist an unserem See, mit gemeinsamen Reisen ins Wallis, Elsaß oder nach Griechenland.

Unsere Lehrer – von Physik und Chemie abgesehen – gestalten den Unterricht souverän, zumeist ohne Lehrbücher, uns zum Mitschreiben einladend. Wir werden gut auf die Universität vorbereitet. Begeisternd die Einführung in die *deutsche Literaturgeschichte* von Heinrich Bühlmann, ursprünglich promovierter Jurist, jetzt eine Mischung aus Goethe und Jeremias Gotthelf: Auf jede Stunde kann man sich freuen, wie er da ohne Manuskript die verschiedenen Epochen und Tendenzen und die repräsentativen Figuren der Prosa, des Dramas und der Lyrik darstellt.

Nicht weniger spannend der Unterricht von Adolf Hüppi in *Geschichte und Kunstgeschichte*, der uns die Dramatik geschichtlicher Entwicklungen erahnen und große Zusammenhänge sehen läßt. Anhand von Lichtbildern, die wir zu skizzieren haben, führt er uns in die Geschichte der

Kunst ein, in die moderne und die ägyptische und griechische zuerst; die Kunst des Mittelalters und der Renaissance könnten wir uns leicht selber aneignen, meint er. Meine Vorliebe für die klassische Moderne stammt von daher, und ich werde es in der Folge sogar wagen, meine Mitstudenten in Rom durch eine Ausstellung von Henri Matisse im Palazzo Barberini zu führen. Intensiv ist unsere Beschäftigung mit der zeitgenössischen Sakralkunst, besonders dem Kirchenbau, der nach dem Krieg in der Schweiz eine einzigartige Blüte erlebt. Der anregende, wenn auch etwas lebensferne *Philosophie-Unterricht* Joseph Rüttimanns – meine erste Beschäftigung vor allem mit griechischer Philosophie, aber auch »Tao te ching« – ist eine gute Vorbereitung auf das spätere Philosophiestudium. Schlechte Erinnerungen habe ich nur an den von der praktischen Konversation abgehobenen *Französisch-Unterricht* des launisch-tyrannischen »Joly«. Besonders unfreundlich geht dieser mit einem unserer beiden allgemein beliebten jüdischen Mitschüler um. Als dieser »Joly« mich später als angehenden Professor bittet, ihm Vorträge über Paul Claudel in Deutschland zu vermitteln, bleibe ich freundlich und untätig.

Mein Geschichtslehrer Hüppi fragt mich einmal in der Pause, was ich denn studieren wolle. Meinen Mitschülern und Mitschülerinnen gebe ich immer nur vielsagend lächelnd die symbolisch-zweideutige Antwort: »Tiefbauingenieur«. Ihm antworte ich unverschlüsselt: »Theologie«. »Gut, gut«, bemerkt er, »aber – offen bleiben, offen bleiben«. Ich: »Ja, sicher«, und frage mich nachher, worauf sich das Offenbleiben eigentlich beziehen soll.

Die Schweiz und Europa

Sommer 1947: zum ersten Mal in *Deutschland*, noch vor der Währungsreform. Das ganze Land infolge des von ihm angezettelten und verlorenen Weltkriegs auf dem absoluten Tiefpunkt. Doch ich will es kennenlernen. Mit einem guten Dutzend Luzerner Gymnasiasten melde ich mich, um auf Einladung der britischen Militärregierung an einem Ferienzeltlager deutscher Jugendlicher aus dem Ruhrpott im Weserbergland bei Warburg teilzunehmen. Dort sollen wir zur »Demokratisierung« der deutschen Jugend einen Beitrag leisten.

Den stärksten Eindruck auf der ganzen Reise macht mir im weithin zerstörten Deutschland – nur die schönen Städtchen am Rheindurchbruch waren unversehrt – die Stadt *Köln*. Da fährt unser Zug in großem

Bogen rund um die Stadt zum Hauptbahnhof: außer dem erstaunlicherweise erhalten gebliebenen, jetzt noch größer erscheinenden Dom praktisch nichts als zerstörte Häuser! Wo wohnen denn hier die Menschen, fragen wir uns entsetzt, bevor wir vom Hauptbahnhof Köln auf einem englischen Militärtransporter Richtung Osten transportiert werden.

So lebe ich dort zwei oder drei Wochen wie alle anderen in Zelten. Hungere wie alle anderen, mit dem einen Unterschied, daß ich genügend Nescafé und Saccharin mitgenommen habe, um mir durch im Ovomaltinebecher geschüttelten, kalten Kaffee den Hunger zu vertreiben, den uns merkwürdige Gerichte wie eine rosarote Griesgrütze und wenige Kartoffeln nur bedingt nehmen können. Einmal auf einem Ausflug zu zweit ins Städtchen Warburg können wir, obwohl wir über Geld verfügen, in einem Restaurant rein nichts zum Essen kriegen. Aber mir, selber aus der Jugendbewegung kommend, gefällt es durchaus, mit den deutschen Jugendlichen zu spielen, zwanglos zu diskutieren, am Abend, jetzt ohne alle Naziideologie, mit Begleitung zu singen und einmal auch im benachbarten Kloster Hardehausen am Violinkonzert eines Künstlers teilzunehmen. Niemand zeigt irgendwelche Sehnsucht nach Hitler und seinem Regime, und für Demokratisierungsbemühungen scheint wenig Bedarf zu bestehen. So richtig sättigen können wir uns erst wieder auf der Rückfahrt im Hauptbahnhof Frankfurt, wo wir als Schweizer das Recht haben, bei den Amerikanern Orangensaft und Berliner Pfannkuchen zu essen, bis uns beinahe übel wird.

Ja, was wird aus Deutschland werden, was wird aus *Europa* werden? Dieser Frage kann man sich ja doch auch auf unserer schweizerischen »Insel der Seligen« nicht verschließen. Die erste Rede für ein *vereinigtes Europa* ist ein Jahr zuvor an der Universität Zürich gehalten worden, am 19. September 1946, von Winston Churchill. Warum sollte nicht gerade unser vom Krieg verschontes Land, Heimat des Völkerbundes und des Roten Kreuzes, als erstes Land diese Idee aufgreifen? Aber wie England, das (Churchill inklusive) vor allem an das Commonwealth der englischsprachigen Völker glaubt, so wählt auch unsere Schweiz, die jetzt selbstherrlich vor allem an sich selber glaubt, die »Splendid Isolation«. Vor allem in der deutschsprachigen Schweiz bleiben gerade bei denen, die keine Deutschen kennen, manche Ressentiments gegen »die Deutschen« noch lange virulent, wiewohl wir unter keiner deutschen Besatzung zu leiden hatten wie etwa Holländer und Belgier.

Und so merkt man denn nicht, daß das, was während des Krieges für unser Land im Prinzip richtig war, jetzt faktisch falsch geworden ist – warum? Bei meiner Gedenkrede zur 700-Jahr-Feier der Eidgenossenschaft 1991 ebenfalls in Zürich, direkt neben der Universität an der Eidgenössischen Technischen Hochschule (ETH), werde ich es einmal deutlich aussprechen: weil sich die *Gesamtsituation der Welt und Europas verändert hat* – mit Konsequenzen auch für die Schweiz. Denn – was die *äußere Situation* betrifft – ist die Schweiz nicht mehr die von feindlichen Militärmächten bedrohte »Alpenfestung«. Vielmehr ein bedrohlich sich selber abgrenzendes Land inmitten eines grundsätzlich friedlichen, immer mehr politisch kooperierenden und wirtschaftlich ständig stärker werdenden Europa. Die Schweiz ist aber auch – was die *innere Situation* betrifft – bald nicht mehr die vielbeneidete »Musterdemokratie«, nicht mehr das Land ohne Skandale. Vielmehr eine durchschnittliche Normaldemokratie mit Schwächen und Versagen, deren Image sich im Ausland vor allem wegen der genannten Zugeständnisse an Nazi-Deutschland, der Abweisung vieler Juden und der zwiespältigen Aktivitäten ihrer Banken und Konzerne während des Krieges in der Nachkriegszeit eher verschlechtert als verbessert. Erst nach 1995, unter dem Druck der Vorwürfe, die der Schweiz (und dann freilich auch anderen Ländern) für ihr Versagen während und nach dem Krieg gemacht werden – zum Teil zu Recht, zum Teil zu Unrecht – wird es zu einer allgemeinen Gewissenserforschung kommen.

Am 19. März 1948 feiere ich in Sursee meinen 20. Geburtstag. Erst jetzt bin ich *Vollbürger* mit dem Recht, an allen Wahlen und Volksabstimmungen teilzunehmen, auf kommunaler, kantonaler und nationaler Ebene. Ich bleibe davon überzeugt: Mehr direkte Demokratie (durch Referendum und Volksinitiative), ein integres Justizsystem (wo Schuldige sich nicht »legal« freikaufen können), ein Föderalismus mit angewandtem Subsidiaritätsprinzip (kein Überwachungsstaat) und ein hohes Maß an Selbständigkeit von Gemeinden und Kantonen, dies alles könnte auch der sich bildenden Europäischen Union, wo zunehmend an den Menschen vorbeiregiert wird, als Vorbild dienen. Die Schweiz – nicht »das Land der unbegrenzten Möglichkeiten«, wohl aber »der begrenzten Unmöglichkeiten«, wie es der Zürcher Literaturprofessor Adolf Muschg geistreich formuliert hat. Und dies ist schon viel.

Ich werde allerdings am politischen Leben meines Landes in den nächsten sieben Jahren kaum teilnehmen können, da ich mich ab jetzt fast ständig im Ausland aufhalte. Aber gerade auf diese Weise werde ich früher als manch andere in meinem Verwandten- und Bekanntenkreis realisieren, daß auch *die Schweiz* wieder, wie schon 1798 (Abschaffung des Ancien Régime) und 1848 (Bundesstaat), *in einem politischen Paradigmenwechsel* großen Stiles begriffen ist und daß ein guter Schweizer

Patriot auch ein guter Europäer sein sollte. Wenn schon »Neutralität« (in der Zeit des Kalten Krieges überbetont), dann nicht mehr eine passive, gar parasitäre, sondern eine aktive und solidarische.

Und nun erlebe ich bei der letzten Durchsicht dieses Kapitels über meine Schweizer Wurzeln am 3. März 2002 die nicht geringe Genugtuung, daß meine Landsleute schließlich doch in einer Volksabstimmung (in der direkten Demokratie dauert alles etwas länger) für den *Beitritt zur UNO* votieren: 12 Kantone pro, 11 Kantone kontra, und mein eigener Kanton Luzern, das Zünglein an der Waage, mit der höchst knappen Mehrheit von nur 4.563 Stimmen. Ob meine Fernsehauftritte vielleicht auch einige UNO-Skeptiker überzeugt haben? Jedenfalls hat man mir schon vorher aus dem Berner Bundeshaus für mein entschiedenes Votum pro UN-Beitritt gedankt.

Entscheidung für Rom

Wir feiern anfangs Juli 1948 unsere Matura (Abitur) auf dem Bürgenstock, im schönen großen Hotel, die ganze Nacht hindurch. Im Morgengrauen marschieren wir hinunter nach Stansstad, um das Frühschiff nach Luzern zu nehmen, wo wir fröhlich im Bahnhofbuffet erster Klasse erwartungsgemäß unseren dort jeden Morgen anzutreffenden Deutschlehrer Bühlmann begrüßen können.

Völlig verblüfft aber sind meine Mitschüler und besonders Mitschülerinnen, als ich ihnen bei dieser Gelegenheit unverschlüsselt sage, was »Tiefbauingenieur« wirklich meint: katholische Theologie und zwar in *Rom!* Diesen meinen *dritten schicksalsschweren Entschluß* hatte ich schon rund drei Jahre zuvor gefaßt, kurioserweise in der Luzerner Oper. Ob es bei Nicolais »Lustige Weiber von Windsor«, Donizettis »Regimentstochter«, Verdis »Rigoletto« oder Beethovens »Fidelio« war, weiß ich nicht mehr. Jedenfalls sitze ich da mit meinem Freund Otto Wüst und Präses Kaufmann in der Mitte des ersten Ranges. Dieser weist uns in der Pause auf den links vorne sitzenden Professor Schenker hin. Er sei Moraltheologe an der hiesigen Fakultät und habe in Rom studiert: am *Pontificium Collegium Germanicum*, sieben Jahre im roten Talar, alle Vorlesungen in Latein und am Ende zwei Doktorate, in Philosophie und Theologie. »Das wäre auch etwas für euch«, meint er.

Zuhause lese ich im Großen Herder zu meiner Information den Artikel über das Collegium Germanicum und bin beeindruckt von seiner Geschichte und Bedeutung. Schon kurze Zeit später gehen OTTO

Wüst und ich zu Professor ALOIS SCHENKER und erkundigen uns eingehend über das Leben in diesem Kolleg und über die Vorlesungen an der Päpstlichen Universität Gregoriana. Es imponiert uns, wie kundig und lässig zugleich er als Insider sich über manches Römische äußert. Jedenfalls verspricht er, unsere Aufnahme gegebenenfalls zu empfehlen. Der erzkonservative Germaniker Schenker sollte später in der Konzilszeit als Chefredaktor der Schweizerischen Kirchenzeitung zu meinem grimmigsten Gegner in Sachen Kirchenreform werden.

Meine Entscheidung für Rom steht jetzt fest. Und mir ist wohl bewußt, daß ich den schwierigeren Weg gewählt habe. Aber nun habe ich ja in aller Honorigkeit das freie Leben in Sursee und am Luzerner Gymnasium genossen. Kann es da schaden, wenn ich mich für einige Jahre in strenge Disziplin begebe, mich der berühmten und bewährten jesuitischen Erziehung aussetze? Wenn ich eben gerade im Zentrum der katholischen Christenheit, sozusagen unter den Augen des Papstes, studiere und die klassische römische Theologie auf Latein profund kennenlerne? Wenn ich so in Philosophie und Theologie promovieren und mich exzellent auf meine seelsorgliche Tätigkeit vorbereiten würde? Ich schiele nicht nach einem hohen kirchlichen Amt und erst recht nicht nach einer Professur. Ich will Jugendseelsorger und später womöglich Stadtpfarrer werden, wofür mir ein Doktorat angemessen scheint.

So zögere ich denn nicht lange. Wie auch Otto Wüst schreibe ich an den Rektor des Collegium Germanicum und lege ihm meine Gründe dar, warum ich gerne da studieren möchte. Dieser ist etwas erstaunt, daß sich zwei Studenten von sich aus melden und nicht über den Bischof. Uns war gar nicht in den Sinn gekommen, den Bischof zu fragen. Als freie Schweizer Bürger meinen wir selber darüber bestimmen zu können, wo wir zu studieren wünschen. Erfreulicherweise fällt die Antwort aus Rom positiv aus. Otto Wüst, mir ein Jahr voraus, dann auch ich werden angenommen.

Nach der Matura lerne ich ein weiteres Land Europas kennen. Ich fahre einige Wochen allein nach *England*, nach London und Cornwall, um Englisch zu lernen, was ich zugunsten von Französisch, Latein und Griechisch zurückgestellt hatte. Ich mache die erste Bekanntschaft mit der faszinierenden Weltstadt London, ihren klassischen Sehenswürdigkeiten. Aber auch mit zwei klassischen Filmen des Jahres 1948, die mich mein Leben lang begleiten: Sir Laurence Oliviers grandios inszenierter und gespielter »Hamlet« und David Leans Verfilmung von Charles Dickens' »Oliver Twist«, des ersten sozialen Romans, dessen

Anprangerung sozialer Mißstände Anlaß gab zu sozialen Reformen. Ich lerne auch zwei Schweizer Mädchen kennen, mit denen ich mich bestens verstehe und den einen oder anderen Ausflug mache. Erst gut zwanzig Jahre später sehe ich die eine von ihnen wieder nach einem Vortrag in der Riverside Church in New York. Ich muß sie zwar ständig ansehen, aber bringe ihr früheres natürliches hübsches Gesicht in keiner Weise mit dem kosmetisch perfekt aufgemachten jetzigen zusammen. Aus der netten Schweizerin war eine elegante New Yorkerin geworden. Und was ist unterdessen aus mir geworden? Ob auch ich mich so stark verändert habe?

Ich kehre aus England in die Schweiz zurück und weiß: Die Zeit des *Abschieds* von meiner bisherigen Welt ist gekommen. Abschied von meinen Eltern und Geschwistern, Abschied von meinen Freunden, Kameraden und Kameradinnen, Abschied von meinem Städtchen, vom See, von den Bergen, meinem kleinen liebenswerten Land. Für sieben lange Jahre. Ich nehme Abschied mit frohen Augen und tiefer Melancholie im Herzen. Oktober 1948 – Herbststimmung. Die in Luzern gekaufte satirische Wochenzeitschrift »Der Nebelspalter« vermag mich auch nicht aufzuheitern. Da treten – mir bisher unbekannt – EDUARD ACKERMANN und JOSEF FISCHER ins Abteil. Sie, vor allem der zweite, sollten meine beiden treuen Jahrgangsgenossen werden in all den römischen Jahren. Ein neuer Lebensabschnitt beginnt mit dieser langen Bahnfahrt in die »ewige Stadt«.

II. Erziehung zur Freiheit?

> *»Es gibt keinen Determinismus,*
> *der Mensch ist frei,*
> *ja, der Mensch ist Freiheit.«*
>
> Jean-Paul Sartre

Freigewählte babylonisch-römische Gefangenschaft?

»Alle Wege führen nach Rom«: Das stimmte, als noch alle großen Straßen des Imperiums vom Goldenen Meilenstein Null auf dem Forum Romanum aus gezählt wurden. Heute stimmt das nur noch für Leute wie mich, die, sozusagen »stockkatholisch«, im Zentrum der katholischen Christenheit ausgebildet sein wollen, um von dort her wieder den Weg in die Welt zurückzufinden.

»Da nimmt man nun diese jungen Leute aus ihrer Welt heraus«, meint nach einem Besuch im Collegium Germanicum Bundeskanzler KONRAD ADENAUER zu Monsignore Bruno Wüstenberg vom päpstlichen Staatssekretariat, »steckt sie für sieben Jahre in einen roten Talar, um sie dann wieder auf die Menschen loszulassen …« Des Vatikandiplomaten diplomatische Antwort: »Das kann man von zwei Seiten sehen, Herr Bundeskanzler.« Und Adenauer, man müßte seinen rheinischen Akzent mithören: »Na, jetzt tun Sie doch nicht so klug, Monsignore.« Die »First Lady«, seine Tochter Libet, mußte er übrigens im Empfangssalon des Kollegs zurücklassen; zum Mittagessen im Refektor sind prinzipiell nur Personen männlichen Geschlechts willkommen.

Eine babylonisch-römische Gefangenschaft also? Nein: Ich habe diese *sieben römischen Jahre nie so erfahren.* Ich habe sie so intensiv gelebt und genützt wie irgend möglich. Mit 20 Jahren bin ich als freier Bürger gekommen, als derselbe und doch als ein völlig anderer freier Mensch werde ich mit 27 weggehen. »Sie wollen also jetzt zur Promotion nach Paris?«, wird mir mit recht skeptischem Unterton der Sozialexperte Pius' XII., Professor GUSTAV GUNDLACH, beim Abschied sagen. »Das scheint Ihnen nicht zu gefallen, Pater Gundlach«, werde ich ihm sagen, »aber ich habe in diesen sieben Jahren Rom alles gelernt, was man lernen kann und habe immer beste Prädikate erhalten.« Darauf Gundlachs erfreulich unzweideutige Antwort: »Dann habe ich keine Angst um Sie, dann können Sie ruhig nach Paris gehen.«

In den ersten Tagen des Oktobers 1948 also – für mich der schönste römische Monat – trifft unser Schweizer Trio in Rom ein, bestrahlt von der nicht mehr heißen Herbstsonne, begrüßt vom Rotbraun der vielen Ziegelbauten und der Bauwerke antiker und moderner Provenienz, so verschieden vom nordischen Grau. Aus der noch nicht ganz fertigen supermodernen Stazione Termini geht es über die Piazza Esedra (mit einem der schönsten Springbrunnen Roms) zum modernen Viertel der Fluggesellschaften und Banken. Da mittendrin, Via San Nicolò da Tolentino 13, meine künftige Residenz, auf dem Travertinportal groß eingemeißelt: »Collegium Germanicum et Hungaricum«.

Mich überwältigt immer wieder der Blick oben von der riesigen Dachterrasse des neunten Stocks, dem »höchsten Punkt« des Kollegs. Zu Füßen die Ewige Stadt, die »ab urbe condita«, seit der sagenhaften Gründung durch Romulus und Remus, alle ihre Jahrhunderte in sich bewahrt hat. Das große *historische Panorama* verändert sich in all den Jahren kaum. Links unser Nachbar, der Palazzo Barberini, das von Bernini erbaute Hauptwerk barocker Palastarchitektur. Weiter vorn der Quirinalspalast, früher Sommerresidenz der Päpste, dann Sitz des italienischen Königs und jetzt des Staatspräsidenten; an ihm entlang der eine mögliche »Schulweg« zu unserer Pontificia Universitas Gregoriana. Neben dem Turm des Kapitols kolossal im weißen Zuckerbäckerstil des 19. Jahrhunderts der italienische Gegenvatikan, das Nationaldenkmal für Vittorio Emanuele II. an der Piazza Venezia, Platz von Mussolinis Massenveranstaltungen. Und dann vor dem Hintergrund des Gianicolo-Hügels mit der Statue des italienischen Freiheitshelden Garibaldi die ganze Folge von Kuppeln: wichtig für uns die Jesuitenkirche Al Gesù, die erste Barockkirche der Welt, wo unser Kolleg an den Vigilien vor den hohen Festtagen liturgisch Spalier bildet, Sant' Ignazio, wo viele von uns die Weihen empfangen werden, und San Andrea della Valle, wo wir in der Weihnachtszeit singen. Dazwischen die flache Kuppel des Pantheons, des allen Göttern gewidmeten Rundbaus, früher im Marsfeld, jetzt inmitten der zahllosen Gassen und Gäßchen der mittelalterlichen Hauptstadt, durch die auch wir an der prachtvollen Fontana di Trevi vorbei meist den zweiten »Schulweg« zur Gregoriana nehmen. Und dann rechts vom Gianicolo im Hintergrund thronend die Petersbasilika und der Vatikan.

Ein glorioser Blick wahrhaftig, den ich nun jeden Tag vor mir haben werde. Auf der anderen Seite der Terrasse rechts der Blick hinüber zum großen Stadtpark des Pincio mit der Villa Borghese, zu der die breite Via Vittorio Veneto hinaufführt, durch Fellinis Film »La Dolce Vita« bald in aller Welt bekannt. Und dann ganz rechts etwas unter uns die amerikanische Botschaft. In meinen ersten römischen Jahren muß sie mehr als einmal durch starke römische Polizeikräfte gegen kommunistische Demonstranten geschützt werden. Unsichere Zeiten.

Demokratie oder Kommunismus?

Die *weltpolitische Situation* hat sich in den drei Jahren nach dem Zweiten Weltkrieg total verändert: Nicht nur das »Tausendjährige Reich« des Nazismus in Schutt und Asche. Das faschistische Imperium Romanum Mussolinis ebenfalls zusammengebrochen. Doch auch die Anti-Hitler-Koalition Westmächte-Sowjetunion auseinandergefallen: Kalter Krieg mit Berliner Blockade und später der Koreakrieg. Die übrigen europäischen Länder mitbetroffen.

Italien ist seit 1946 aufgrund einer Volksabstimmung (gegen den unausgesprochenen Willen Pius' XII.) Republik. Die größte kommunistische Partei Europas unter Palmiro Togliatti im Kampf gegen die christdemokratische Regierung Alcide de Gasperis, eines aufrechten Demokraten, der während des Krieges als Bibliothekar im Vatikan arbeitete, aber vom Papst weder damals noch jetzt je empfangen wird. Im April 1948 eine Wahlschlacht sondergleichen, von der bei unserer Ankunft in Rom im Oktober noch zahllose Plakate zeugen, mit knappen 48,5 Prozent von der Democrazia Cristiana gewonnen, doch zum Regieren immer auf Splitterparteien angewiesen. Durchschnittliche Amtszeit der italienischen Regierungen nach 1945: zehn Monate.

Die Situation bleibt angesichts der Bedrohung durch den stalinistischen Kommunismus labil. Es ist die Zeit der Schauprozesse gegen den ungarischen Kardinal Mindszenty, dessen römische Titelkirche Santo Stefano Rotondo, Roms größte Rundkirche auf dem Monte Celio, im Besitz des Collegium Germanicum et Hungaricum ist. Auch unser Mitgermaniker Erzbischof Stepinac von Zagreb war 1946 unter Tito zu 16 Jahren Zwangsarbeit verurteilt worden. 1951 wird er freigelassen, in seinem Heimatort interniert und an der Ausübung seines Amtes gehindert. 1953 wird er zum Kardinal erhoben werden. Von seinem Schweigen zu den Verbrechen der kroatischen Ustaschas in Kollaboration mit den Hitler-Truppen will man freilich im Kolleg ebensowenig reden wie vom Schweigen Pius' XII. zu den kroatischen Massakern an Serben und von den vatikanischen Sympathien für Hitlers Panzerdivisionen, die als Gottes starker Arm die Fatima-Prophezeiung von Rußlands Bekehrung erfüllen würden.

In Italien hat Innenminister MARIO SCELBA die Polizeikräfte in »nuclei celeri« organisiert, mit Polizei besetzte rasche, wendige Jeeps, die auch gegen bedrohliche kommunistische Massenveranstaltungen ankommen. Wir bekommen die italienische Politik normalerweise nur aus der täglichen Lektüre des römischen »Messaggero« und (mit Verspätung) der »Frankfurter Allgemeinen Zeitung« und des Luzerner »Vaterland« mit. Später entdecke ich allerdings eines Tages von meinem einsamen Studienplatz auf der Terrasse des sechsten Stockes auf dem Balkon unmittelbar gegenüber keinen anderen als Mario Scelba, jetzt Ministerpräsident, und dann das unverwechselbare scharfe Profil Alcide de Gasperis. Man will es mir nicht glauben. Ein Mitbruder aus Trient, Piergiorgio Piechele, Sohn eines Senators, wettet. Und verliert. Durch seine Visitenkarte, unser Beweisstück, bedankt sich der Presidente del Consiglio dei Ministri für unseren österlichen Blumenstrauß, den mein Freund Josef Fischer und ich den beiden Carabinieri, die uns im Haus unten am Lift stoppten, für den Förderer des neuen Europa abgegeben haben.

Wir beide sind es auch, die einige Zeit nach jener Senatssitzung neugierig in unseren roten Talaren an einer großen kommunistischen Wahlversammlung auf der Piazza Dodici Apostoli teilnehmen. Kopfreihe um Kopfreihe dreht sich erstaunt diesen beiden »frati rossi« zu, die sich am Rande langsam nach vorne bewegen: Der Vize-Generalsekretär des Partito Communista Italiano PIETRO SECCHIA wettert gegen das »gobierno clerico-fascista«. Damit bestätigt er ungewollt Papa Pacellis Strategie, daß es nur die Alternative römischer Katholizismus oder kommunistischer Atheismus gebe. Dabei wenden sich immer mehr Menschen der politischen Linken zu, während der Vatikan seine Interessen zunehmend mit denen der konservativen Rechten identifiziert.

Nur die Angst vor einem Foto auf der Titelseite der kommunistischen »Unità« läßt uns nach längerem Zuhören den ungehinderten Rückzug antreten. Nicht allzu lange zuvor war nämlich ein Professor der Gregoriana, P. Tondi, zur kommunistischen Partei übergetreten, ein Angehöriger auch noch der Gesellschaft Jesu. Ein ungeheurer Skandal, der die römischen Blätter tagelang beschäftigt. Für mich steht indes fest: Ich werde mich eingehend mit der kommunistischen Ideologie befassen.

Ablegen des alten – Anziehen des neuen Menschen

Unsere *Zimmer* im Germanikum sind einfach, aber groß genug und mit fließendem Wasser. Eisenbett mit hellen Holzmöbeln: Schreibtisch, Schrank, Büchergestell und Betschemel, später noch ein Schreibmaschinentischchen. Auf meinem ersten Zimmer im fünften Stock der »Erstjährigen« fehlt die Bettvorlage auf dem Linoleumboden. Es ginge auch ohne, meine ich, bereit, auch jeden Mangel in meiner neuen Lebenssituation in Kauf zu nehmen.

In den nächsten zwei bis drei Tagen erfolgt nun, was man nach einem Paulus-Wort das Ablegen des alten und Anziehen des neuen Menschen nennen kann. Dies zunächst ganz äußerlich verstanden, aber durchaus mit einem innerlichen Sinn. Abgelegt die Zivilkleidung – wir werden sie erst für unsere Rückfahrt in einigen Jahren wiedersehen. Abgegeben auch die Unterwäsche – sie wird uns in Zukunft samstags frisch aufs Zimmer gebracht. Deponiert beim P. Minister das Geld – bis auf ein immer wieder abzuholendes Taschengeld für Autobus-Fahrten und ähnliches. Angemessen und anprobiert dafür der bereits vorbereitete *rote Talar*, mit schwarzem Zingulum (Gürtel), Hut und Birett. Dazu für das Haus eine hübsche rote »Domestica« und für den Ausgang ein ebenfalls roter ärmelloser römischer Mantel, »Scholastica« genannt, alles sittsam bis zum Boden reichend.

Es waren die Kardinalprotektoren, die sich bei der Gründung des Kollegs für *Rot*, ihre Farbe, entschieden hatten, die selbst für die bunte römische Welt des 16. Jahrhunderts sensationell wirkte und manchmal Zurufe und Spötteleien von Römern zur Folge hatte. Auf ihre Bitte, dagegen etwas zu tun, erhielten die ersten deutschen Alumnen von den Kardinälen die gut römische Antwort: »Pazienza!« Rasch gewöhnte man sich in Rom an das Rot der Germaniker, die man nun eher zärtlich »gamberi cotti«, »gekochte Krebse« oder »cardinaletti«, »Kardinälchen« nennt und auf manchen farbigen Bildern und Postkarten festhält.

Ich bin der Meinung: Solange die anderen Kleriker im tristen schwarzen Talar durch die Straße gehen (»Schwarz haben sie ihre Leichen ausgeschlagen«, dieses böse Nietzsche-Wort fällt mir immer wieder ein), dürfen wir uns in unserem munteren, frohen Rot auch recht gut zeigen. »Sie sind die letzten, die den roten Talar tragen«, sagt uns der spätere Rektor des Kollegs, P. Graf Franz von Tattenbach, »deshalb tun Sie es mit Würde.« Die Tage nicht nur des Adelsstandes, sondern auch des Klerikerstandes scheinen ihm gezählt zu sein. Eine erstaunliche Voraussicht.

Die römische Kaderschule

Der bedeutendste katholische Reformationshistoriker, der Germaniker Professor Joseph Lortz, mit dem ich anläßlich der 400-Jahr-Feier 1952 des Germanikums engen Kontakt habe, hat in seinem epochalen Werk »Die Reformation in Deutschland« (Bd. I-II, 1948) dargelegt, wie auf dem Höhepunkt der lutherischen Reformation das Ende der römisch dominierten katholischen Kirche nur eine Frage der Zeit schien. Doch als Luther 1546 starb, gab es die eine katholische Kirche des Westens zwar nicht mehr, das Zusammenbrechen des römischen Systems aber war ausgeblieben. Unter PAUL III. (1534-49) kam es in Rom zu einer Wende. Drei Faktoren führten zur innerkatholischen Reform: die Ernennung bedeutender Reformkardinäle (1535), die Zulassung der neuartigen »Gesellschaft Jesu« (1540) und die Eröffnung des Reformkonzils von Trient (1545).

Die Idee eines Collegium Germanicum hatte noch zu Luthers Zeiten einer der Führer der römischen Reformpartei, Kardinal GIOVANNI MORONE. Als päpstlicher Legat auf den Reichstagen von Speyer und Augsburg wußte er nur zu gut um die völlige *Zerrüttung der katholischen Kirche in Deutschland:* das Versagen der Theologie, die Dekadenz des Klerus und das Ausbleiben von Neuberufenen. Morone überzeugt den Mann, der hier vielleicht als einziger helfen kann: den baskischen Ritter und früheren Offizier Iñígo oder IGNATIUS VON LOYOLA, Gründer des straff organisierten Eliteordens der Jesuiten. Auch diesem erscheint die Reform des Katholizismus in Deutschland als vordringliche Aufgabe. Morones Idee zufolge soll dies geschehen durch in Rom ausgebildete *Kader:* durch Weltgeistliche (Nichtjesuiten!), die sich in ihrer Heimatdiözese bewähren sollen als Seelsorger, Pfarrer, Professoren oder Bischöfe, geistlich hochmotiviert und wissenschaftlich bestens ausgebildet.

Papst JULIUS III. gründet 1552 das Collegium Germanicum als päpstliche Stiftung. 1580 wird aus finanziellen Gründen das zwölf Jahre zuvor gegründete Collegium Hungaricum in das Collegium Germanicum integriert. Seither heißt es Pontificium Collegium Germanicum et Hungaricum und steht faktisch Studenten des ganzen Römischen Reiches Deutscher Nation unter der Habsburger Krone offen, von den Niederlanden bis zum Balkan, von Skandinavien bis nach Südtirol.

Kein »Völkerkerker« ist dieses Kolleg, wie man das Habsburger Reich bisweilen genannt hat. Aber außer Zweifel steht, daß Spiritualität und Disziplin unseres Kollegs wie die des Jesuitenordens von der Unbedingtheit, Radikalität und Praxisbezogenheit ihres Gründers IGNATIUS

VON LOYOLA geprägt sind. Auf das Chorgebet der traditionellen Orden verzichtete dieser bekanntlich um des tätigen Einsatzes willen und setzte dies auch bei den Päpsten durch. Gründet die Spiritualität der Benediktiner mit ihrer Pflege von Liturgie und Kultur (»Bete und arbeite«) historisch im 6. Jahrhundert der Kultivierung Nordeuropas, so die Spiritualität der Dominikaner im 12. Jahrhundert der Kreuzzüge, Dome und theologischen Summen, die Spiritualität der Jesuiten aber im 16. Jahrhundert des Humanismus und der missionarischen Welteroberung.

Kirchenpolitische Bedeutung hat die Kollegsordnung des Germanikum dadurch erhalten, daß sie dem Reformkonzil von Trient, dessen Präsident damals derselbe Kardinal Morone ist, als Grundlage dient für sein Studiendekret von 1563. Dieses macht die Errichtung solcher Seminarien allen Diözesen der katholischen Kirche zur Pflicht. Im Gegensatz zum protestantischen Christentum Nord- und Westeuropas (und später Nordamerikas) bildet sich so nicht zuletzt mit solchen Seminarien ein mediterraner Katholizismus italienisch-spanischer Prägung, der auch in Zentral- und Südamerika Einzug hält.

1928 – 1948 – 1968

Am 10. und 11. Oktober 1948, den Tagen von Priesterweihe und Primiz, ist es nun auch für uns Neue so weit. Kriegsbedingt sind es nur acht Diakone, deren Priesterweihe wir in Al Gesù, der Jesuitenkirche, beiwohnen. Die »Primiz«, die erste Eucharistiefeier am folgenden Tag, kann jeder Neupriester in einer Kirche seiner Wahl feiern, wozu meist Angehörige aus der Heimat und Freunde aus der Nähe kommen. Für uns in der Kollegskirche zelebriert der Ungar Ludwig Kada, später päpstlicher Diplomat und Nuntius in Bonn, mit dem ich all die Jahre seit seiner Primiz trotz sehr verschiedener Wege freundschaftlich verbunden bleibe.

Ebenfalls kriegsbedingt sind wir zunächst nur sieben Neu-Rote, *Neorubri*, die jetzt zum ersten Mal völlig umgewandelt im Talar erscheinen und in die Kommunität aufgenommen werden. In der Erwartung natürlich, daß wir uns auch innerlich in die neue Lebensform fügen werden. Bald werden es achtzehn sein, zum ersten Mal wieder ein voller Jahrgang, von dem nach sechs Jahren immerhin sechzehn zu Priestern geweiht werden sollten.

Wir sind fast alle *Jahrgang 1928:* in Deutschland der Jahrgang der Flak-Helfer, der erste, der nicht im Krieg dezimiert wurde. Welches

Glück, unmittelbar nach jener im Juni 1948 erfolgten Währungsreform, die das deutsche Wirtschaftswunder einleitet, gerade zwanzigjährig ins Berufsleben eintreten zu können; viele bedeutende Wirtschaftsführer zählen dazu. In der neuen Bundesrepublik Deutschland ist das der Beginn einer Periode, in der die neue Generation den Sinn des Lebens vor allem in unermüdlicher Arbeit sieht: ein ungeheurer Einsatz von Männern und Frauen für Wiederaufbau und Lebenssicherung zuerst und dann für steigenden Lebensstandard. Eine *Arbeits- und Leistungsgesellschaft*, welche die Probleme von Schuld und Sühne in bezug auf die beispiellosen deutschen Verbrechen gegen die Menschlichkeit leider weithin verdrängt und dann vor der fordernden Generation der 68er sich selber rechtfertigen soll.

Zwischen Festgottesdienst und Festessen werden wir Neuen im Gregorius-Saal des Kollegs feierlich begrüßt und umarmt. Damit sind wir nun auch ganz in die Kollegsordnung eingebunden. Im Anschluß an den Festgottesdienst folgt das *Festmahl*, ein richtiges »Pranzone«. Im Germanikum ißt man alle Tage gut italienisch: nach der Suppe die Pasta (Teigwaren, Reis) und dann Fleischgang mit Dessert oder Früchten. Bei einem Festessen aber gibt es überdies ein Antipasto oder einen zweiten Fleischgang mit großem Dessert und »vino secondo«, italienischem Süßwein.

Gewöhnlichen Wein gibt es übrigens alle Tage, mittags und abends, eine Karaffe für vier Alumnen, die immer reicht. Ein einfacher Landwein von den Landgütern des Kollegs, der mir, an Schweizer Weißweine und französische Rotweine gewöhnt, erst mit der Zeit zu schmecken beginnt. In der langen heißen Zeit trinkt man den Wein seit jeher modo Romano mit Wasser gemischt, was ja noch bis heute (mit tiefer mystischer Begründung) auch in der katholischen Meßfeier vorgeschrieben ist.

Ein durchreguliertes Leben

Ignatius von Loyola höchstpersönlich hatte eine ebenso kurze wie präzise Konstitution verfaßt, die Frömmigkeit und Studium harmonisch verbinden sollte, um durch einen geregelten Tageslauf spirituell und wissenschaftlich geformte Priester heranzubilden. Diese kurze *Kollegsregel*, ganz auf Isolierung von der Welt ausgerichtet, wurde indes, wie es so der Gang des Rechts ist, immer mehr präzisiert und umfaßt jetzt über 40 Seiten. Eingeschärft werden vor allem zwei Grundregeln:

Studium per totum diem: Studium den ganzen Tag hindurch. Vorgeschrieben also nicht die Studien-, sondern umgekehrt die Erholungszeiten: eine gute halbe Stunde nach Mittag- und Abendessen, unten im Cortile, im Gregoriussaal oder besonders abends auf der Terrasse des neunten Stocks. Dies geschieht in spontan gebildeten Gruppen aus drei bis fünf Alumnen, wobei einer oder zwei – um eine Unterhaltung von Angesicht zu Angesicht zu ermöglichen – einfach rückwärts gehen. Vielleicht 70 Meter bis zum Ende der Terrasse, wo die Vorwärtsgehenden zu Rückwärtsgehenden werden. An diese seltsame Art alternierenden Promenierens gewöhnt man sich rasch.

Silentium religiosum: strenges Stillschweigen nach der Abendrekreation um 21 Uhr bis morgens nach dem Frühstück um 8 Uhr. Mir nicht unangenehm, das gibt die nötige Ruhe für die religiösen Übungen (»allein mit der allerheiligsten Dreifaltigkeit« sei man da, meint, fromm übersteigernd, der Präfekt unserer Philosophenkammer Josef Stimpfle, später Bischof von Augsburg). Während des Mittag- und Abendessens wird ohnehin – außer an Sonn- und Festtagen und bei Besuchen von Bischöfen und Alt-Germanikern – eine *Tischlesung* gehalten.

Von der Kanzel des Refektors aus liest, vom Lesepräfekten oben im Refektor bei Fehlern sofort laut korrigiert (»altius!«, »lauter!« oder »repetas, domine«, »wiederholen Sie«), jede Woche ein anderer Alumnus, und zwar »in tono recto«, auf gleichbleibendem Singeton rezitierend. Am Abend wird vor allem Ludwig Freiherr von Pastors »Geschichte der Päpste« gelesen; man ist jetzt gerade beim Barberini-Papst Urban VIII. angekommen, wobei Probleme irgendeiner Fürstenhochzeit oder der Prozeß gegen Galilei sich über mehrere Abendessen hinziehen können. Auch Alessandro Manzonis klassischer italienischer Roman »I promessi sposi« wird im selben »Leierton« gelesen. In späteren Jahren bemüht man sich dann um etwas spannendere Lektüre: C. W. Cerams »Götter, Gräber und Gelehrte« oder des Feldarztes Peter Bamm »Die unsichtbare Flagge«, Thor Heyerdahls »Kon-Tiki« oder des Ex-Kommunisten Douglas Hyde »Anders als ich glaubte«. Oder aber lebendig geschriebene Biographien vom Seelsorger Augustinus, von der großen Mystikerin Teresa von Avila oder dem tapferen Münchner Jesuiten Rupert Mayer. Eher langweilig (für die Fastenzeit!) der lateinische Pilgerbericht der Eteria von Kontantinopel ins Heilige Land um das Jahr 400 …

Zentral sind natürlich die *Frömmigkeitsübungen.* Meistens mit laut schallendem Glockenzeichen auf allen Gängen angekündigt, strukturieren sie unseren ganzen Tag. Schon morgens um 5.30 Uhr – für mich eine gewohnte Zeit – der Weckruf für jeden Einzelnen »Deo gratias et Mariae«. Um 6 Uhr ein kurzes stilles Morgengebet in der Kapelle. Anschließend jeder auf seinem Zimmer eine halbe Stunde Meditation. Dann gemeinsame Eucharistiefeier, meistens deutsche Bet-Sing-Messe oder lateinisches Choralamt. Mittags vor dem Essen »Angelus«-Gebet in der Kapelle, auch nachher eine kurze »Adoratio« (Anbetung). Schließlich vor dem Abendessen Andacht, oft mit Allerheiligenlitanei (niemand kann so rasch vorbeten wie die Ungarn), nachher wieder Adoratio in der Kapelle. Um 21 Uhr nach der Rekreation und den Ankündigungen des Präfekten Beginn des Silentium religiosum. Eine halbe Stunde für Gewissenserforschung, geistliche Lesung und Vorbereitung der morgendlichen Meditation. Schließlich gemeinsam stilles Nachtgebet in der Kapelle, dann absolute Nachtruhe. Man hat sie ja jetzt auch nötig. Aber – was bleibt da für zwischenmenschliche Beziehungen?

Keine Partikularfreundschaften

Zunächst ungewohnt sind für uns ganz bestimmte Verhaltensregeln. Die *»Sie-Regel«* vor allem: »Sie, Herr Fischer, können Sie bitte …«. Freilich war bekannt und stillschweigend geduldet, daß Schweizer, wenn sie untereinander in ihrer ohnehin unverständlichen Sprache reden, das verbotene »Du« mit Vornamen gebrauchen. Dann die »Regula liminis«, die *»Schwellenregel«:* keine Gespräche im Zimmer, gar mit geschlossener Tür, sondern an der Zimmerschwelle, leise und in gebotener Kürze. Und schließlich die »Regula tactus«, das *»Berührungsverbot«:* Man gibt sich nicht einmal die Hand, nur bei bestimmten festlichen Gelegenheiten den liturgischen Friedensgruß (»Amplex«).

Hinter diesen Regeln steht offensichtlich die *Angst vor homosexuellen Bindungen*, von denen ich in den sieben Jahren im selben Haus kaum etwas feststellen kann. Man warnt uns ja ausdrücklich vor »Partikularfreundschaften«. Natürlich gibt es immer Mitbrüder, die man sympathischer findet als andere und mit denen man sich besonders gut versteht. Tiefe Freundschaften, die aber nicht zwangsläufig mit Erotik, gar Sexualität verbunden waren. In Dankbarkeit für die Jahre der Freundschaft erwähne ich hier – neben meinen Jahrgangs- und Landsgenossen – Peter Lengsfeld, Otto Riedel, Wolfgang Seibel und Donato Vanzetta.

Die Befürchtungen von Homosexualität erscheinen mir jedenfalls weit übertrieben, besonders auch weitere Vorbeugemaßnahmen gegen »Partikularfreundschaften« und überhaupt das »Haften an den Dingen«:

Jedes Jahr ein anderes Zimmer und Umräumen sämtlicher Bücher und Habseligkeiten. Jeden Monat eine andere Vierergruppe für den Gang zur Universität, wiewohl bei starkem Verkehr etwa quer über die Piazza Barberini bestenfalls zwei miteinander gehen können. Jeden Monat auch eine andere Sitzordnung im Refektor, am Schwarzen Brett angeschlagen. Ich ärgere mich, wenn ich wieder einmal, wohl absichtlich, mit einem weniger sympathischen Zeitgenossen zusammengesetzt werde; da ziehe ich oft die Tischlektüre dem mühsamen Gespräch vor. Doch all diese Gebote und Verbote haben nicht verhindert (und wollten es auch nicht), daß in diesen sieben Jahren sehr stabile Freundschaften fürs Leben entstanden sind und daß selbst diejenigen, die innerkirchlich höchst verschiedene Wege gehen, sich doch immer wieder miteinander verbunden fühlen. Germaniker sprechen sich nach der Kollegszeit, ob Kardinal oder Kaplan, mit Du und Vornamen an.

Noch gründlicher, ja umfassend sind die »Abwehrmaßnahmen« gegenüber dem *weiblichen Geschlecht:* Weder im Germanikum noch an der Universität werden Frauen geduldet. Durch die roten Talare sind wir ausgezeichnet und ausgegrenzt zugleich. »Unmööglich«, ruft mir Rektor Vorspel entgegen, als ich, zu ihm bestellt, in sein Zimmer trete. Ich hatte am Kollegsportal, direkt unter dem Rektorzimmer, mit zwei adrett gekleideten Mädchen geredet. »Unmöööglich«, ruft er noch lauter, als ich ihm erkläre, ich hätte meine lieben Schwestern Marlis und Rita verabschiedet, die ohnehin nur im düsteren Besucherzimmer geduldet waren. Unmöglich in der Tat, von Verwandten- und Bekanntenbesuchen aus dem Norden abgesehen, war jeglicher Kontakt mit Frauen.

Ich kann mich nicht erinnern, daß ich mich in den allerersten Jahren auch nur in eine der zahlreichen römischen Espressobars gewagt hätte, von Restaurants gar nicht zu reden. Für uns ist ja gesorgt: Es steht am späten Vormittag wie mitten am Nachmittag vor unserem Refektor stets Kaffee für eine »Merenda« bereit. Beziehungen zu italienischen Familien aber – die gibt es nicht. So lerne ich denn in all den sieben Jahren zwar Italienisch, aber ich lerne keine einzige Italienerin und keine einzige italienische Familie kennen. »La forza del destino – die Macht des Schicksals«? Nur auf unserer Sommervilla San Pastore gibt es die Familie des Pächters Angelino und seiner Frau Bice, die man stets freundlich grüßt und für deren einzige Tochter ich nun mit dem besten Willen nicht hätte schwärmen können wie ein Mitbruder aus der Diözese Trient, der dann später heiratet – eine Deutsche. Kein »Matrimonio segreto«.

Wer diese Isolation im klerikalen Milieu nicht aushält, hat keine andere Möglichkeit als sich zu verabschieden. Das tun aus unserem Eintrittsjahr immerhin nur zwei. Wir anderen hatten unsere Gründe, bei unserer ursprünglichen Entscheidung für das Priestertum zu bleiben, wenngleich auch im päpstlichen Rom jeder seinen eigenen Weg zu suchen hatte. Nicht zuletzt in seinem Verhältnis zum Papst.

»Unser« Papst: Pius XII.

Dunkle Schatten lägen über der Welt, erklärt uns in seiner Tischrede am Tag der Priesterweihe 1948 der neue Apostolische Visitator für Deutschland, ALOIS MUENCH, Bischof von Fargo/USA. Aber niemals habe der Fels Petri so unerschüttert gestanden wie gerade heute. Dies beweise die große Anhänglichkeit und Anerkennung, die dem Heiligen Vater von allen Seiten entgegengebracht werde. Mit Ergriffenheit hören wir sein Glückwunschtelegramm für unsere Neupriester, unterzeichnet von Giovanni Battista Montini, Substitut, der wichtigste Mann des Staatssekretariats.

Für unsere geistige Formung ist die *Ergebenheit gegenüber dem Papst* von kapitaler Bedeutung: Ich bin erst wenige Tage in Rom, da fahren wir zusammen mit den Neupriestern und ihren Angehörigen in die päpstliche Sommerresidenz Castel Gandolfo, um dort von PIUS XII. persönlich empfangen zu werden: 13. Oktober 1948. Ein großes Erlebnis, keine Frage. Selbst Protestanten und Sozialdemokraten sind von diesem Papst begeistert. Eine hohe schlanke Gestalt, ein vergeistigtes Gesicht, sprechende Hände. Mit seiner perfekten Gestik, seinen Sprachkenntnissen, seiner Rhetorik erscheint Pius XII. allgemein als Idealbild eines Papstes schlechthin.

Für uns Deutschsprachige ist er überdies *»der Papst der Deutschen«*: ausgesprochen germanophil vor, während und nach der Nazizeit. Seit seiner Zeit in Deutschland ist er von einer fast gleichaltrigen, fähigen deutschen Klosterfrau, seiner höchst einflußreichen Vertrauten »Madre« Pasqualina Lehnert, betreut und von deutschen Mit- oder Zuarbeitern umgeben, zumeist Jesuiten, die unsere Professoren an der Gregoriana sind. Noch wird in dieser Zeit keine öffentliche Kritik an Pacellis hochdiplomatischer »Judenpolitik« laut, noch ist seine diktatorische »Innenpolitik« nicht ruchbar geworden. Er erscheint als der *»Pastor angelicus«* – so lautet der Sinnspruch in der »Prophezeiung« des irischen Bischofs Malachias für ihn, den 106. Papst. Bis zum Weltende sollen es insgesamt

111 Päpste sein; bald werden wir in der Basilika von San Paolo fuori le mura die 111 Medaillons mit den Papstportraits (damals noch fünf leere) samt ihren Sinnsprüchen bestaunen. Freilich wissen wir inzwischen: diese »Prophezeiung« ist eine Fälschung von 1590. Viele glauben sie trotzdem.

Wichtig für uns auch: Eugenio Pacelli ist unverkennbar ein Sympathisant unseres Kollegs. Kaum war der frühere Nuntius in München und Berlin, der die Konkordate mit Bayern und Preußen abzuschließen vermochte, von Pius XI. zum *Kardinalsstaatssekretär* ernannt worden, machte er schon einen offiziellen Besuch im Collegium Germanicum. Das war am 12. Januar 1933. Nicht bekannt ist im Kolleg, daß derselbe Pacelli in diesen Tagen seinen Vertrauten und Vorsitzenden der katholischen Zentrumspartei, Prälat Ludwig Kaas, einen Altgermaniker, zu einer Koalition mit Hitler drängt. Am 30. Januar 1933 wird Hitler zum Reichskanzler ernannt, und bereits am 20. Juli desselben Jahres schließt er mit Pacelli das »Reichskonkordat« ab. Ein unschätzbarer Prestigegewinn für den deutschen Diktator.

Aufschlußreich, was Pacelli damals als Kardinalstaatssekretär im Germanikum erklärt. Die Erfahrungen seiner Mission jenseits der Alpen hätten ihm »die providentielle Bedeutung« des Kollegs in überzeugender und greifbarer Form vor Augen geführt«. *Drei Vorzüge* habe das römische Studium: »*Rom macht weltweit!* Ohne den Sinn für die Heimat verkümmern zu lassen, gibt die Ewige Stadt Verständnis für den Mitmenschen anderer Länder und Zonen, Ehrfurcht vor seiner Art, Verbundenheit mit ihm durch das wunderbare Einheitsband derselben Liebe zu Christus und damit auch jene brüderliche Gesinnung, aus der die wahre Völkerversöhnung und der ersehnte Friede erschießen. *Rom gibt Liebe zur Kirche und zum Stellvertreter Christi!* Nicht als ob diese Liebe dem anderen Klerus der Heimat fehlte. Aber die eigene Erfahrung unterbaut die Festigkeit der Liebe noch stärker und verleiht ihr den köstlichen Beigeschmack der persönlichen Vertrautheit. *Rom, die Erziehung in diesem Hause, schafft einen hochwertigen Nährboden für Ihr späteres priesterliches Wirken!* Ich glaube, wir können den Geist Ihres Heims am besten mit zwei Worten bezeichnen: Selbstzucht und Übernatürlichkeit.« Pacelli schließt mit dem Satz »Wenn Priestertum Gnade ist, dann ist der Weg zum Priestertum am Grabe des Felsenmannes unter der segnenden Hand des Papstes doppelte Gnade und doppelte Verantwortung«. Das war die ganze katholische Rom-Ideologie in nuce. Und die Germaniker applaudierten begeistert.

Freilich: Als am 2. März 1939 auf der Piazza San Pietro weißer Rauch aus der Sixtina aufsteigt, erzählt mir der spätere Augsburger Bischof Stimpfle, rechneten die Germaniker keinesfalls damit, daß derselbe Pacelli zum Papst gewählt werden könnte. Schon immer galten die Kardinalsstaatssekretäre als politisch zu exponiert und deshalb für das Papstamt ungeeignet. Aber als das »Habemus Papam« auf den Namen »Eugenium Pacelli« geht, jubeln die Germaniker noch mehr als alle anderen. Sie wissen schon 1939, was wir 1948 erst recht wissen: Dieser Papst ist aufgrund von Werdegang, Ausrichtung und Sympathie in ganz besonderer Weise »unser« Papst. Selbstzucht und Übernatürlichkeit! Pacellis Schlüsselworte werden uns noch beschäftigen.

Und in der Tat werden denn auch nie so viele *Germaniker zu Bischöfen ernannt* wie unter Pius XII.: von Luxemburg bis Brixen, auch Speyer, Freiburg, Eichstätt, München, Limburg, Würzburg ... Der neue Bischof von Würzburg, JULIUS DÖPFNER, mit dem ich später als dem Kardinal von München und Präsidenten der Deutschen Bischofskonferenz einiges auszufechten habe, besucht uns als Deutschlands jüngster Bischof in unserem ersten Kollegsjahr. Einmalig in der Kollegsgeschichte: Er findet hier noch fünf Alumnen vor, die mit ihm das rote Gewand getragen haben und 1939 auf dem Petersplatz dabeiwaren. Aber während Döpfner vom Kaplan zum Vizeregens des Priesterseminars und schließlich zum Bischof avancierte, mußten die anderen, weil zum Militärdienst eingezogen, zuerst hier ihre Studien abschließen, darunter der genannte Josef Stimpfle.

Zurück nach Castel Gandolfo, 13. Oktober 1948: Pius XII. sehe ich also zum ersten Mal »leibhaftig«, wie er unseren Neupriestern viel Erfolg in ihrem Apostolat und uns Neorubri Mut und Ausdauer im Studium wünscht. Ist es nicht erhebend, den Summus Pontifex so ganz nah zu erleben und seine Sympathie zu erfahren? Mit dem Apostolischen Segen versehen, fahren wir in froher Stimmung nach Rom zurück, wo nun nach all den Feiern der Ernst des Lebens beginnt. Schon zwei Tage darauf, am 15. Oktober, gehen wir zum ersten Mal an unsere Universität, die Päpstliche Universitas Gregoriana, wo vom Rektor in feierlicher Inauguration das neue Schuljahr eröffnet wird. Sie wird im Jahr 2001 ihren 450. Geburtstag feiern und 21 Heilige, 10 Päpste und mehr als ein Drittel der gegenwärtigen Kardinäle unter ihren früheren Studenten zählen.

Zuerst der philosophische Unterbau

Ich habe drei Jahre Philosophiestudium an dieser Universität vor mir, gefolgt von vier Jahren Theologiestudium – beides abgeschlossen nicht mehr wie vor der Studienreform der Gregoriana mit einem Doktorat, sondern mit zwei Lizentiaten, dann eventuell ein Doktorat. Diese *klare Trennung von Philosophie und Theologie* entspricht der von Thomas von Aquin durchgeführten Unterscheidung zwischen den beiden Erkenntnisvermögen (natürliche Vernunft – übernatürlicher Glaube) und Erkenntnisebenen (natürliche Vernunftwahrheit – übernatürliche Offenbarungswahrheit). Also durchgängig zwei Stockwerke: Philosophie und Theologie, wiewohl klar unterschieden jedoch keineswegs im Widerspruch, vielmehr das untere, die Philosophie, klar auf das obere, höhere ausgerichtet. Philosophie – »ancilla theologiae«, »Magd der Theologie«.

Ignatius selber hat die Gesellschaft Jesu, sein Collegium Romanum (später die Päpstliche Universität Gregoriana genannt) und unser Kolleg (ein Jahr darauf gegründet) auf die Lehre jenes THOMAS VON AQUIN festgelegt, der zu seinen Lebzeiten im 13. Jahrhundert in Paris als Neuerer verschrien war, verurteilt wurde und erst im 15./16. Jahrhundert in Spanien und Frankreich sich kirchlich durchsetzte. Sehr viel mehr als Thomas selber aber arbeiteten unsere neothomistischen Professoren ständig in einer logisch-rationalen Beweisstruktur. Das heißt: Alles möglichst in Syllogismen gegossen: Aus zwei bewiesenen oder evidenten Vordersätzen (Prämissen) wird nach ganz bestimmten Regeln die Schlußfolgerung (conclusio) abgeleitet. Der Syllogismus bildet ja schon in der *Logik* oder Denklehre des Aristoteles das Kernstück, und genau darin werden wir nun zuerst ausgebildet, um »richtig« denken und Trugschlüsse und alle Unlogik entlarven zu können. Eine höchst trockene Wissenschaft, alles in Latein vorgetragen, und mühselig dem Gedächtnis einzuprägen. Doch gerade solch formales Training, sagt man uns, wird uns künftig die schlagfertige Klarheit geben, die alle Debatten siegreich bestehen läßt. Wirklich?

Ich liebe die Philosophie. Den Uni-Betrieb finde ich zunächst durchaus befreiend: endlich nicht mehr jeden Tag abgefragt, einfach einmal »Hörer« sein. Aufgrund meines Latein- und Philosophieunterrichts am Gymnasium bin ich auf diese Vorlesungen besser vorbereitet als die meisten meiner deutschen Kommilitonen, die in diesen Wochen völlig mittellos aus Deutschland eintreffen. So brauche ich auch weniger Angst zu haben vor unserem ersten öffentlichen Examen, dem berüchtigten *»Actus publicus«*, bereits anfangs Dezember.

Da sitzen wir Erstjährige nun alle brav – die Stühle auf farbenprächtigem Teppich – im Gregoriussaal mit Blick auf die versammelte Kommunität. Einer nach dem andern hat vorzutreten und dem Logikprofessor FRANCESCO MORANDINI und dem Psychologieprofessor GEORGES DELANNOYE auf Latein Rede und Antwort zu stehen. Zum Vergnügen all derer natürlich, die diese Pein schon hinter sich haben und die uns allesamt neugierig und schadenfroh mustern, wie wir uns mit den Definitionen, Schlüssen und Trugschlüssen herumschlagen. Aber bei jedem beendet der Rektor nach rund sieben Minuten die Tortur mit einem »optime«, »bene« oder »satis«. So sehen wir uns jedenfalls von allem Anfang an zu intensivem Denk- und Lernsport angespornt.

Die Logik ist ja nur Vorbereitung auf die allgemeine *Metaphysik* oder Seinslehre, in die wir vom Rektor der Gregoriana, P. PAOLO DEZZA, in perfektem Latein und großer Klarheit eingeführt werden; er sollte später im Zweiten Vatikanischen Konzil mein Kollege als Peritus sein. Im Laufe der drei Jahre folgen nun auf der »natürlichen« Ebene Erkenntnistheorie, Psychologie, Kosmologie und Ethik, die weniger befriedigen, und schließlich die streng rationale Gotteslehre des Franzosen RENÉ ARNOU, den ich nicht weniger hochschätze.

Gewiß: der römische Thomismus, der uns da entgegentritt, will nicht einfach die Summen des Thomas von Aquin exegieren. Er betrachtet sie nicht als zeitübergreifendes Orakel für sämtliche Fragen von Philosophie und Theologie. Wir werden auch nicht, wie auf dem Höhepunkt der Antimodernismus-Kampagne üblich, im Haß auf alles Moderne erzogen, wie mir dies später Yves Congar von sich erzählen wird. Im Gegenteil, wir werden eingeladen – vor allem in der Philosophiegeschichte des exzellenten Kenners ALOIS NABER und in Spezialkursen etwa von Arnou für heutige Fragen – uns auch mit modernen und zeitgenössischen Denkern auseinanderzusetzen. So belege ich bei Naber einen Sonderkurs über Hegelsche Philosophie und schreibe bei ihm, der für alle modernen Strömungen Verständnis hat, später auch meine philosophische Lizentiatsarbeit über den existentialistischen Humanismus Jean-Paul Sartres. Doch – an der Gregoriana wickelt sich nur ein Teil unserer Ausbildung ab, der in mancher Hinsicht wichtigere spielt sich im Collegium Germanicum ab.

Wer sagt hier, wann Zeit ist?

Die Vorlesungen finden am Vormittag statt, am Nachmittag die Seminare und im Kolleg die wenig beliebten *Repetitionen,* in denen das Gelehrte nochmals den lateinischen Thesen entsprechend deutsch durchgekaut wird. Gerade hier zeigt sich uns, daß dieses scholastische Philosophieren, Disputieren und Distinguieren leicht zum realitätsfernen Begriffsspiel entarten kann. Unser Repetitor in Philosophie ist ein nur wenig älterer kenntnisreicher, intelligenter und strebsamer, aber humorloser, leicht verklemmter Jesuitenscholastiker, Frater PETER GUMPEL. Er beschert mir meinen ersten Konflikt, weil er übereifrig zum Mißvergnügen aller in Repetitionen regelmäßig die Zeit überzieht. Nun war ich gleich am Anfang zum *Bidellus scholae,* zum Schulbidell ernannt worden, das einzige Amt, das im ersten Jahr vergeben wird, während in späteren Jahren im Sinne der Selbstverwaltung des Kollegs jeder ein Amt bekommt, von den Präfekten und Bidellen der Philosophen- und Theologenkammer angefangen.

Zu den bescheidenen Aufgaben des Schulbidells ganz unten in der Kollegshierarchie gehört es, in der Repetition ein Zeichen zu geben, wenn die *Zeit abgelaufen* ist. Dies tue ich durch ein freundliches Handzeichen, das der Frater Repetitor jedoch gerne übersieht. Ich wiederhole auch schon mal das Handzeichen. Fr. Gumpel schließlich einmal sichtlich gereizt: »Hier sage ich, wann Zeit ist!« Darauf ich: »Nein, Frater Repetitor, hier sage ich, wann Zeit ist!« Der kann sich kaum fassen angesichts solcher Kühnheit. Der Eklat ist da. Alle meine zumeist in blindem Gehorsam erzogenen Jahrgangsgenossen erschrecken über solchen Freimut zutiefst. »Wenn Sie so weitermachen, Herr Küng«, sagt mir anschließend der Münsteraner Josef Kötter, »so fliegen Sie, das garantiere ich Ihnen, aus diesem Kolleg, bevor das Jahr zu Ende ist.«

Mal sehen. Ich denke nicht daran nachzugeben, sondern wende mich an meine »Vorgesetzten«: den Duktor unseres ersten Jahres Otto Wüst und wir beide uns dann an den stets verständnisvollen Oberduktor, Hermann-Josef Weisbender (später Domherr und Apostolischer Protonotar in Dresden). Ich beschwere mich über den Repetitor Gumpel, hätte ich doch nur meine Pflicht getan. Der Oberduktor stimmt zu und legt den Fall dem Rektor P. Brust vor. Dessen Bescheid: Herr Küng hat Recht gehandelt. Also: man darf in diesem Kolleg auch als Student ein offenes Wort wagen. Doch mit diesem Fr. Gumpel, der nach einem Jahr durch den Wiener P. EMERICH CORETH und dann den Deutschen P. WALTER KERN (beide allgemein beliebt, gescheit und diskussionsfähig) abgelöst wird, aber in späteren Jahren in der Gestalt des Theologenrepetitors zurückkommt, sollte es zu einem noch viel ernsteren Konflikt kommen.

Drei Jahre Philosophie: Für keine andere Prüfung in all meinen Studienjahren werde ich so angestrengt arbeiten müssen wie für das *philosophische Lizentiat* im Sommer 1951. Genau hundert Thesen sind vorzubereiten: zu Erkenntniskritik, Metaphysik, Kosmologie, Psychologie, Theologia naturalis und Ethik. Die meisten von ihnen umfassen ein oder mehrere Dutzend Seiten. Dies alles sich auf Latein einprägen? Wahrhaftig keine einfache Angelegenheit: bei jeder These zuerst die Fragestellung (status quaestionis), dann die Definition der gebrauchten Begriffe, weiter die Gegner der These, im Hauptteil die Argumente dafür und schließlich noch die Antworten auf Einwände. Im Examen an der Gregoriana ist kein Drumherumreden möglich, wie das die Muttersprache an deutschen Universitäten eher erlaubt. Entweder man weiß es oder weiß es nicht. »Nescio« stottern nicht wenige, »ich weiß es nicht«.

Eines freilich lerne ich in diesen philosophischen Jahren gründlich fürs Leben, was ich nie missen möchte: intellektuelle Selbstzucht. Ich liebe seit jeher die Ordnung der Gedanken. Jetzt aber lerne ich terminologische Präzision, transparenten Aufbau, kohärente Beweisführung, die Kunst des Unterscheidens, kurz, eine *lateinische Klarheit des Denkens*. Und vieles mehr:

Ein früher »dritter Weg«

Neben der Philosophie läuft im Germanikum auch für uns Philosophen viel Informatives und Attraktives. Etwa die Vorträge des Rektors des päpstlichen Bibelinstituts und Papstbeichtvaters AUGUSTINUS BEA, der den Papst von der Notwendigkeit einer progressiven Bibelenzyklika (»Divino afflante Spiritu« 1941) – von den katholischen Exegeten als eine wirkliche Befreiung begrüßt – und einer neuen Psalmenübersetzung zu überzeugen vermochte; er steht auch für uns als Beichtvater zur Verfügung und führt uns milde in die Propheten des Alten Testaments ein. Ebenso der feurige Neutestamentler KARL PRÜMM, Autor von »Das Christentum als Neuheitserlebnis«, der uns immer wieder lebendig die Briefe des Apostels Paulus deutet. Dazu kommen ganz verschiedene Vorträge von Besuchern aus aller Welt.

Schon früh gewöhne ich mir an, die Textbücher der Gregoriana möglichst am Anfang des neuen Unterrichtsjahres rasch und unterstreichend intensiv durchzustudieren, um zu sehen, was da wichtig sein würde. Auf diese Weise bleibt mehr Zeit zur Verbreiterung meiner Allgemeinbildung. In der ganz nahen prächtigen Villa Maraini, der Schweizerischen Eidgenossenschaft als Kulturinstitut geschenkt, findet sich eine moderne Bibliothek, wo ich mich nicht nur begeistert mit moderner Kunst, sondern auch mit der Psychologie C. G. JUNGS und vielem anderen beschäftige.

Ein neuer Schwerpunkt wird für mich schon früh die *Sozialphilosophie*, verbunden mit der kirchlichen Soziallehre, die wir in dem (schon 1904 gegründeten) soziologischen Zirkel oder *»Sozialzirkel«* diskutieren – unter der Moderation des uns mit Wissen, Scharfsinn, Witz und Angriffslust beeindruckenden Sozialwissenschaftlers GUSTAV GUNDLACH, Schüler des großen Nationalökonomen Werner Sombart und päpstlicher Sozialexperte. Er ist es, der mir zum ersten Mal bewußt macht, daß es einen *»dritten Weg«* gibt zwischen Individualismus und Kollektivismus, Kapitalismus und Sozialismus: der »Solidarismus« reguliert durch das Persönlichkeits-, das Solidaritäts- und das Subsidiaritätsprinzip.

Eine Konzeption, Jahrzehnte vor allem »Kommunitarismus« (und Tony Blair, der im Jahr 2000 für die erste Weltethos-Rede nach Tübingen kommen wird!) wissenschaftlich begründet von Heinrich Pesch SJ, Oswald von Nell-Breuning SJ und eben Gustav Gundlach SJ. Sie wird für die Soziale Marktwirtschaft Ludwig Erhards und schließlich auch für meine Arbeiten später zur Problematik von Weltethos und Weltwirtschaft wichtig werden. Aufgrund gründlich erarbeiteter Referate werden vorgetragen und ernsthaft kritisiert: 1949/50 die Staatsidee im Wandel der Zeiten von Aristoteles und Thomas bis Frantz und Jellinek; 1951/52 die verschiedenen Sozialismen von Proudhon, Bernstein, Lassalle, Natorp; 1952/53 die »berufständische Ordnung«; 1953/54 die Demokratie.

Ich erarbeite für die zweite Jahresserie ein zeitaufwendiges Referat über den revolutionären Syndikalismus des französischen Sozialphilosophen Georges Sorel. Für die dritte Jahresreihe ein Referat über die Interdependenz der drei Funktionsträger jeder sozialen Ordnung, Familie, Eigentum und Staat, die Wirkung ihrer hyper- und hypotrophen Fehlentwicklungen. Für die Demokratie-Reihe schließlich eine theologische Spekulation über das ontische Verhältnis von Staat und Kirche, die Christologie, Anthropologie und Soziologie zu verbinden versucht und mit der ich mich heute nicht mehr identifizieren könnte.

Doch gleichzeitig interessiert mich angesichts des starken Kommunismus in Italien und Frankreich der Sowjetmarxismus. So organisiere ich selber einen Arbeitskreis über die *Sowjetphilosophie*, vor allem Lenins und Stalins. Als Moderator gewinne ich den Rektor des päpstlichen Collegium Russicum, P. GUSTAV WETTER, der gerade anhand russischer Originalquellen ein Buch über die Sowjetphilosophie veröffentlicht hat. Ich selber erarbeite in dieser Arbeitsgemeinschaft ein Referat über die Marxsche und Stalinsche Geschichtsauffassung, verglichen mit der christlichen. 1968 brauche ich dies alles nicht neu zu studieren. An des jungen Marx Thesen und am kommunistischen Manifest von 1848 leuchtet mir zumindest theoretisch vieles ein, aber für das kommunistische System Stalins (er stirbt erst 1953) empfinde ich nur Abscheu.

Hoher Besuch

Der Leser darf sich das alltägliche Leben im Germanicum nicht allzu mönchisch vorstellen – als ob wir da die ganze Zeit nur für Wissenschaft und Frömmigkeit lebten. Von der Welt total isoliert? Jedenfalls nicht von der katholischen Welt. Wer lernt schon die Spitzen der Gesellschaft Jesu kennen? Seit der Wiedererrichtung des Collegium Germanicum nach den napoleonischen Kriegen ist der *Jesuitengeneral* Träger der Rechte und Pflichten der Kardinalprotektoren. »Seine Paternität« General J. B. JANSSENS, ein Flame von großer Einfachheit und Sachlichkeit, erklärt uns in seiner Tischrede, das Collegium Germanicum sei für die Gesellschaft Jesu »una opera di prima importanza«. Ihn begleiten der »deutsche« Assistent P. van Gestel, ein Holländer (zuständig für alle deutschsprachigen, niederländischen und skandinavischen Provinzen), Delegat für unser Kolleg, und der slawische Assistent P. Prešeren, ein Altgermaniker (zuständig für alle ungarischen und slawischen Provinzen).

Und wer lernt schon im Lauf der Jahre auch alle deutschen *Kardinäle, Erzbischöfe und Bischöfe* kennen? Bei ihren Rom-Besuchen steigen sie gern im Germanikum ab oder nehmen eine Einladung zum Essen an. Sie halten entweder eine Tischrede oder sprechen zu uns im Gregorius-Saal. Aber auch die (in jeder Hinsicht) schwergewichtigen Kurienkardinäle Tisserant (Dekan des Heiligen Kollegiums), Micara (Papstlegat bei der Kölner Dom-Einweihung), Piazza, Aloisi Masella, Valeri und einige andere. Große Ereignisse sind natürlich die Besuche der *Staatsmänner:* des deutschen Bundeskanzlers Adenauer und des österreichischen Bundeskanzlers Figl, aber auch die der Ministerpräsidenten Arnold (Nordrhein-Westfalen) und Ehard (Bayern) sowie des jungen

Bundesministers Franz-Josef Strauß. Daß Sozialdemokraten, weil ja auch nicht an der Regierung, kaum den Weg in unser Kolleg finden, fällt uns nicht weiter auf.

Ebensoviel Aufmerksamkeit wie manche *Professoren* aus dem Norden (Cullmann, Heer, Lortz, Schmaus ...) findet ein *Dichter* wie Werner Bergengruen. Autor eines schönen »Römischen Erinnerungsbuches«, trägt er uns seine römischen Gedichte vor und liest aus seiner Novelle »Die Sultansrose«. Von ihm hatte ich mir schon als Gymnasiast in Luzern das Buch »Der Großtyrann und das Gericht« signieren lassen, mein erstes mit Autorennamen versehenes Buch. Auch der berühmte Paul Claudel, der Dramatiker des »Seidenen Schuhs«, kommt in die Stadt als »Pèlerin de l'année sainte«, und ich darf ihm nach seinem Vortrag dankbar die Hand drücken.

Und die *Musik?* Nicht zu viel des Guten und Schönen! Auf Radio und Grammophon müssen wir auf unseren Zimmern verzichten. Es gibt im ganzen Kolleg ein einziges Radio und eine kleine Plattensammlung – beides in einem winzigen Zimmer, wo ich öfters, gerade während der Abendessenszeit, etwas Musik zu erlauschen versuche. Hin und wieder dürfen wir aber in die Accademia di Santa Cecilia, wo ich im Laufe der Jahre großartige Konzerte mit Böhm, Jochum, Karajan, Knappertsbusch, Krips, Scherchen, de Sabata und anderen erlebe. Noch mehr als von Wilhelm Backhaus oder Arthur Rubinstein bin ich beeindruckt von Edwin Fischer, der wie ein zweiter Beethoven dessen Klavierkonzerte Nr. 1, 3 und 4 spielt und gleichzeitig dirigiert.

Im Kolleg selber ist die Musik meist auf die Liturgie ausgerichtet, wobei die allzu zahlreichen Proben für den *gregorianischen Choral* nicht zu meinen Lieblingsstunden gehören. Ich singe ohnehin Baß und liebe nicht die vom französischen Benediktinerkloster Solesmes beeinflußte relativ hohe, schwebende, »engelgleiche« Art der Gregorianik, die alle Männlichkeit vermissen läßt. Da singe ich schon lieber einmal mit bei einer russischen Liturgie, wo Königsbässe die Hauptrolle haben. Unsere Gäste – besonders die vielen Altgermaniker – werden im Refektor stets mit einem mächtigen vielstimmigen, nie eingeübten, allein durch Praxis tradierten Chor »Salve in Domino« und an hohen Festtagen gar mit der alten Laudes des Hinkmar von Reims und einem Stück unseres Orchesters begrüßt. Bei solchen außerordentlichen Gelegenheiten gibt es nur eine kurze Tischlesung mit dem Martyrologium Romanum vom Tag. Dann ruft der Rektor »Deo gratias«, wir erwidern »Deo gratias«, und munteres Tischgespräch ist nun erlaubt.

Sehnsucht nach Höherem?

All der hierarchische »Pomp and circumstance« wird mich vielleicht doch auf den Weg zum bischöflichen Amt oder zur päpstlichen Diplomatie locken? Gerade nicht. Denn natürlich beäugen wir Jungen die hohen Besucher durchaus nicht unkritisch. So witzeln wir etwa über einen theologisch unbedarften Kurienkardinal, er hätte in einer Bibliothek die vielen Dutzende von Migne edierten Bände der lateinischen Kirchenväter besichtigt und kommentiert: »ha scritto molto, questo Migne«, »der hat aber viel geschrieben, dieser Migne«. Um bei der Patrologia graeca, den griechischen Kirchenvätern noch hinzuzufügen: »Ah, er hat auch noch Griechisch geschrieben.« Se non è vero, è ben trovato, wenn's nicht wahr ist, ist's doch gut erfunden.

Natürlich freue ich mich, als der um die Kranken sehr besorgte Rektor Brust in meinem ersten Jahr auf unserer Sommervilla den Kardinal-Bischof von Palestrina, BENEDETTO ALOISI MASELLA, in mein Krankenzimmer führt; mit ein paar Worten und einem näselnden »Bravo, bravo« spricht er mir Mut zu. Er wird Papabile der Konservativen sein, der Armenier Agagianian, in Rom unserem Kolleg gegenüber residierend, ein Papabile der (relativ) Fortschrittlichen. Nachfolger Pius' XII. wird 1958 weder der eine noch der andere, sondern der Patriarch von Venedig, Angelo Roncalli.

Doch hat dies alles den Effekt, daß ich mich recht frühzeitig an Purpur- und Violettträger gewöhne und mich nicht allzu sehr von ihnen beeindrucken lasse. Keinesfalls sehne ich mich danach, meinen Lebensweg in Rom zu beschließen, wie dies unterdessen zwei wohlbekannte deutsche Theologieprofessoren, beide dem einheimischen Klerus schon früh entfremdete Nicht-Germaniker, angestrebt und – glücklich?– erreicht haben. Nicht nach römischen Posten sehne ich mich, sondern nach der Heimat.

Fern der Heimat gibt es ja auch manche Stunde der Traurigkeit und des Heimwehs. Regelmäßig am Weihnachtsabend. Die lange Zeit zwischen Abendessen und Mitternachtsmesse verbringe ich wie alle allein auf meinem Zimmer. Da kommt schmerzliches Heimweh hoch und Sehnsucht nach einem Ende dieses siebenjährigen Exils, das ich mir selber gewählt habe. Ich gehe dann gerne zur Mitternachtsmesse nach Sankt Peter oder nach Santa Maria Maggiore, wo wir bei Festbeleuchtung unter der mit dem ersten Gold aus Amerika geschmückten Kassettendecke vor dem wunderbaren Mosaik mit der Krönung Mariens vom Ende des 13. Jahrhundert den Gottesdienst miterleben.

Ferien in der römischen Campagna

Natürlich gibt es noch andere Seiten des Kollegslebens: Da gibt es die regelmäßigen *Unterhaltungsabende*. Es bedurfte da gar nicht des »Jetzt sind wir bewußt fröhlich!« des Rektors Vorspel, der anschließend sofort wieder in Selbstzucht mit strengem Gesicht und ohne das geringste Lächeln den Saal verläßt. Da gibt es in den drei Monaten Sommerferien – während der ersten drei Jahre dürfen wir gar nicht nach Hause fahren – das freiere Leben auf unserer Sommervilla *San Pastore*, inmitten von riesigen Ölgärten circa 30 Kilometer von Rom entfernt an der Straße nach Palestrina mitten in der römischen Campagna: genügend Platz für Sport und – mir noch lieber – ein hübsches ellipsenförmiges Schwimmbad. Sogar ein in Deutschland anerkanntes Lebensretter-Brevet für Schwimmer kann ich hier erwerben.

Da gibt es das *Theater* – ein von den Jesuiten seit der Barockzeit sehr gefördertes Mittel zur Volksbelehrung und Volksbelustigung. Für uns Erstjährige jedenfalls ein Riesenspaß, ganz aus uns herauszugehen (»Ekstasis«) und in eine völlig andere Rolle hineinzuschlüpfen. Unserem Jahrgang schlage ich das Drama des Schweizer Volksschriftstellers F. H. Achermann »Die Kammerzofe Robespierres« vor; mich will man in der Rolle Robespierres sehen. Ein Riesenerfolg, nicht zuletzt, weil wir statt der fünf Akte nur drei spielen. Am Ende des dritten Aktes: Robespierre in der Conciergerie richtet die Pistole auf den Gefängnisdirektor, der die beiden Schweizer Gardisten (einer davon seine »stumme« Kammerzofe) entfliehen ließ: »Ich spreche dich los von deinen Sünden – im Namen der Freiheit, Gleichheit und Brüderlichkeit«. Schuß. Schluß. Vorhang. Erschossen und geklatscht. Echt »existentialistisch«, findet das Publikum.

Da gibt es jede Woche einen *Ausflugstag:* Doch in roten Talaren die Campagna durchstreifen und alle möglichen kahlen Hügel besteigen? Und dies nach meinen Erfahrungen in den Schweizer Bergen – da reut mich die Zeit. Außer etwa die Nachtwallfahrt auf die Mentorella oder die Exkursion zum antiken Tusculum im Albanergebirge, wo Cicero, Lucullus, Brutus und Cäsar auf rund 600 m Höhe ihre Villen hatten ... Doch nützen wir die Neuerung eines *Vier-Tage-Ausflug*s in Dreier- oder Vierergruppen, freilich in einem klar begrenzten Gebiet. Also nicht etwa ins gefährlich lebensprühende Neapel, sondern nur bis zum langweiligen Gaeta. Unsere Dreiergruppe verkürzt den Aufenthalt dort – zugunsten einer geheimen Fahrt von Pozzuoli auf einem Gemüsedampfer zur Insel Ischia, wo wir »in piena libertà« zwei wunderschöne Tage verbringen.

Da gibt es schließlich die regelmäßigen *Sommerkurse:* etwa die Einführung in die Kirchenväter durch den Patrologen HUGO RAHNER, Bruder des bekannten Dogmatikers Karl Rahner, der, weil in Rom unbeliebt, sich hier die ganze Zeit nie blicken läßt. Anlaß zu vielen Kontroversen der Sprecherziehungskurs des früheren Opernsängers und Autors eines 500-Seiten-Buches über »Stimmliche Ausdrucksgestaltung im Dienst der Kirche« (1946), Professor FRITZ SCHWEINSBERG von Walberberg: Nicht vom Kopf, womöglich noch mit Kopfstimme, sollen wir reden, singen, predigen, sondern vom Zwerchfell her, den ganzen Leib als Klangkörper nutzend. Bei den meisten – nicht aber bei Zeremoniären und Choralmagistern – findet Schweinsberg Anklang mit seiner Polemik gegen die eunuchoid-überhöhte Art des Choralsingens und gegen den Tonus rectus im Refektorium. Nach heftigen Diskussionen wird dieser abgeschafft.

Mein liebster Ort auch in San Pastore ist der »höchste Punkt«: die kleine Dachterrasse auf dem Turm unserer über hundert Zimmer zählenden Villa. Da genieße ich bei eifrigem Studium nach eigenem Gusto ganz allein besonders in den morgendlichen und abendlichen Stunden die Sonne und oft auch etwas Wind. Dabei den Blick über unsere Ölgärten und die ganze Campagna, das nächste Dorf weit weg jenseits der Schlucht. Im intensiven Abendrot die Sonne oft erstaunlich groß, und die Kuppel von Sankt Peter ganz klein am Horizont.

Dem Papst ganz nahe

1950 ist in Rom ein besonderes, ein »heiliges« Jahr! Zum ersten Mal können zahllose deutsche Pilger nach Rom kommen. Großer Bedarf an *Pilgerführern* – warum nicht auch Germaniker? Dies ist das Argument von Don Carlo Bayer, Altgermaniker, Leiter des deutschen Pilgerkomitees. Der Rektor stimmt zu. Bald sind wir, weil in unseren wehenden roten Soutanen überall leicht sichtbar, unter Pilgern und Pilgerinnen besonders beliebt. Wir sind ja auch keine gewöhnlichen Touristenführer, sondern junge Theologen, die den Menschen neben äußeren Daten und Fakten den inneren Geist der traditionellen Stätten des Christentums zu vermitteln trachten. Außer der willkommenen Tagesvergütung erhalten wir von unserer Pilgergruppe am Ende jeweils eine respektable Summe Trinkgeld. Ich deponiere das Geld beim P. Minister, um so etwas Kapital anzuhäufen für die Rückreise in den Heimaturlaub nach drei Jahren, wofür ich schon früh einen größeren Umweg über Wien plane.

Der Höhepunkt der Romfahrt ist für die meisten Pilger: die *Papst-audienz*, jetzt wegen der großen Scharen meist in der Peterskirche. Meine Gruppen zeigen sich dort jeweils nicht wenig erstaunt, wenn sie ihren Pilgerführer plötzlich vorn neben dem Papstthron vor der großen Confessio Berninis stehen sehen. Ich weiß nicht mehr, wer mich da zuerst durch die hinteren Eingänge in die Basilika geführt hat, damit ich als Sprecher der Deutschsprachigen das »Vater unser« vorbete und »Großer Gott, wir loben Dich« anstimme. Jedenfalls sehe ich so, direkt unter der Kuppel Michelangelos, wie plötzlich die ganze Basilika im Licht erstrahlt und der Summus Pontifex auf der Sedia gestatoria in die Peterskirche getragen wird, wie er absteigt, wie er die Ehrengäste begrüßt, wie er sich von Begeisterten die Hände küssen läßt. Aber auch, wie er anschließend zur Confessio kommt und sich neben mir vom Leibarzt seine Hände desinfizieren läßt. Verständlich und menschlich. Unser Mikrophon wird jetzt vor seinen Thron gestellt. Von dort aus hält er seine offizielle Begrüßung und eine Ansprache. Abgeschlossen alles mit dem feierlichen Apostolischen Segen. Natürlich schreibe ich mit Freuden nach Hause, wie nahe ich dem »Heiligen Vater« gekommen bin.

Ein anderer Germaniker hat nicht dasselbe Glück. Wir führen nämlich vorwiegend die zahlreicheren *Frauen- und Mädchengruppen* durch Rom; noch heute habe ich Spaß an den mir damals zugesandten hübschen Fotos. Selbstverständlich bleiben jene Roten, die nicht wie ich einen Platz an der Confessio haben, auch in Sankt Peter inmitten ihrer Gruppen. Dies aber gefällt dem Heiligen Vater gar nicht. Und wie sein Vorgänger Pius X. ins Kolleg telefonieren ließ, weil er von seinem Fenster aus auf dem Petersplatz einen Roten allein sah, so winkt eines Tages Pius XII. von seinem Thron aus mit großen Gesten einen Germaniker aus seiner Mädchenschar heraus. Offensichtlich sieht der Papst hier des Priesteramtskandidaten *»Selbstzucht« in Gefahr*. Ja, er wartet mit der Ansprache, bis der Arme, jetzt auch der Kopf hochrot, ganz vorn, von seiner Gruppe getrennt, Aufstellung genommen hat.

Doch dies genügt dem Pastor Angelicus nicht. Prompt läßt er durch seinen Privatsekretär, P. Robert Leiber, unseren Rektor wissen, Seine Heiligkeit wünsche nicht, daß Germaniker Frauen- oder Mädchengruppen führen. Wir sind perplex. Große Diskussion. Doch dem »Wunsch« des Papstes wird Folge geleistet. In der zweiten Jahreshälfte können wir nur noch wenige Pilger führen. Ich finde dies völlig unverständlich und frage unseren Exerzitienmeister P. JOHANNES HIRSCHMANN aus Frankfurt / St. Georgen, einen bekannten Moraltheologen. Dieser öffnet mir für alle Zukunft die Augen mit der entwaffnenden Erklärung: auch Päpste seien nun einmal vor Sexualkomplexen nicht gefeit. »Selbstzucht« kann also auch *innere Unfreiheit* bedeuten.

Doch auch von seiten der Kollegsleitung hat man Angst, die stramme Kollegsdisziplin könne unter den Pilgerführungen leiden. Jedenfalls erklärt uns eines Abends der Präfekt der Philosophenkammer, JOSEF STIMPFLE, bei der abendlichen Ankündigung – diese macht immer der »oberste« Germaniker in der Eigenverwaltung des Kollegs – vor dem Silentium religiosum tiefernst: Er habe heute in der Stadt einen Mitbruder gesehen, »einfach so, einfach so«. Und mit strenger Miene streicht er mit seinen Händen von oben nach unten über seinen Talar, wie wenn dieser Mitbruder nackt durch Roms Straßen gegangen wäre. Doch das »einfach so« – es wurde unter uns sprichwörtlich – bezieht sich lediglich darauf, daß jener Mitbruder in der römischen Bruthitze ohne die fußlange Scholastika, einfach so nur im Talar, durch die Stadt gegangen war. Was draußen keinem Menschen auffällt, kann die innerkirchliche Ordnung ernsthaft erschüttern. Einfach so.

Alle Pilgerführer erhalten nach dem Heiligen Jahr, vom Kölner Kardinal Frings überreicht, eine bronzene Verdienstmedaille am grünen Ordensband. Neben Kardinal Valerio Valeri auch der neu kreierte Kardinal von München, der Germaniker JOSEPH WENDEL. Eine volle Woche erleben wir von ganz nahe, welche höfischen Zeremonien fällig sind, wenn der Papst einen seiner »Söhne« (Kardinäle sind ganz und gar »Kreaturen« des Papstes, während Bischöfe als seine »Brüder« zu respektieren sind) installiert: Überbringung des Ernennungsbigliettos, »Visite di calore« der Kardinäle und des diplomatischen Corps, Festbankett, eine heilige Aufregung, alles bei uns im Kolleg. Dann im Vatikan halböffentliches Konsistorium, gefolgt vom öffentlichen Konsistorium, schließlich die Besitzergreifung der römischen Titelkirche Santa Maria Nuova. SCV ist auf den Limousinen die Abkürzung für »Stato e Città del Vaticano« – von den spöttischen Römern übersetzt mit »Se Cristo vedesse – Wenn dies Christus gesehen hätte«. Was hat dies alles mit Jesus Christus zu tun? Doch glücklicherweise gibt es noch andere als hierarchische »Übungen«.

Geistliches Exerzitium

Meine Erwartungen bezüglich spiritueller Schulung werden nicht enttäuscht, und ich möchte sie – gerade im Hinblick auf das heute meist eher dürftige geistliche Training insbesondere evangelischer Theologie-studenten – wahrhaftig nicht missen. Ich betone: spirituelles und nicht einfach asketisches Training, das ich schon als Gymnasiast in Luzern bisweilen in der Fastenzeit mit bis zu zwölfstündigen Hungerkuren durchexerziert habe. Nein, solche Askese um der Askese willen wird uns in Rom im allgemeinen nicht empfohlen. Aber sonst an geistlichem Training extensiv wie intensiv ein Maximum, von dem man annimmt, es sei ein Optimum. Anhand meines »Geistlichen Tagebuchs« (und des »Korrespondenzblatts« des Germanikums) kann ich mir im nachhinein darüber sehr gut Rechenschaft abgeben.

Wenn man es sich nur rein quantitativ vorstellt: in den sieben Jahren weit mehr als 2.500 morgendliche *Meditationen* und ungefähr gleich viele halbe Stunden am Abend zur Gewissenserforschung, geistlichen Lesung und Vorbereitung der morgendlichen Betrachtung. Dazu jedes Jahr am Ende der San Pastore-Ferien acht volle Tage ignatianische »Übungen« oder *Exerzitien,* immer unter strengem Stillschweigen. Die ersten Exerzitien, die uns nach einer Generalbeichte sehr entschieden in die Nachfolge Jesu rufen (Gebet des Ignatius), für uns Erstjährige schon in den letzten drei Tagen des Jahres 1948. Ebenso mehrtägige Exerzitien vor der »Tonsur« (»Scheren«), wo uns zur rechtlichen Aufnahme in den Klerikerstand ein kreisrundes Büschel Haar herausgeschnitten wird, das wir freilich rasch wieder zuwachsen lassen (abgeschafft 1973). Mehr-tägige Exerzitien auch vor den vier »niederen Weihen«. Exerzitien dann erst recht vor den drei höheren Weihen: vor dem Subdiakonat, wo man Zölibat und regelmäßiges Breviergebet verspricht, dem Diakonat und (mit den großen Exerzitien zusammenfallend) vor der Priesterweihe.

Zur täglichen Meditation kommen jeden Tag hinzu: *gemeinsame Messe,* gemeinsames Morgen- und Abendgebet, die Adoratio vor und nach dem Mittag- wie Abendessen – zuerst noch in der Krypta, dann bald in der neuen dunklen Kollegskirche aus roh behauenem braunem Tuff-stein und rotem Marmorboden mit großem Apsismosaik. Erwartet wird auch der tägliche Rosenkranz und schon vor dem Subdiakonat das kleine »Stundengebet« (»Brevier«), nach der Priesterweihe das große von etwa einer Stunde Dauer über den Tag verteilt.

An den Vigiltagen vor bestimmten Festen nehmen große Teile des Kollegs an den *Kardinalsbenediktionen* in der Jesuitenkirche al Gesù teil, wo die Kurienkardinäle es schätzen, wenn sie von mehreren Dutzend Roten im weißen Chorrock mit langen großen Kerzen an den Altar geleitet werden. Wir unsererseits begucken uns den jeweiligen »Emi-nentissimus Dominus« in der Sakristei in seiner Geduld oder Ungeduld vor dem Einzug in die Kirche aufmerksam. Keiner sagt zu uns je mehr als »grazie«. In Gesù singen wir auch die Karwochenmetten. Liturgische Höhepunkte schließlich die Papstmessen bei der Eröffnung des Heiligen Jahres, bei Heilig- oder Seligsprechungen oder anderen Gelegenheiten, wo wir erfreulicherweise oft sehr schöne Plätze erhalten – nicht zu vergessen der Ostersegen »Urbi et orbi«.

Aber dies alles ist natürlich nur das Quantitative, Äußerliche, das man bisweilen als Belastung empfinden kann. Ich gewöhne mich mit der Zeit daran, eine Stunde vor den anderen aufzustehen, um Meditation und andere Gebetspflichten in aller Frühe zu vollziehen und statt an der Kommunitätsmesse an der stillen »Frühmesse« für Jesuitenbrüder und italienische Angestellte teilzunehmen. Bis heute habe ich mir die Abneigung gegen allzu lange und pompöse Liturgien bewahrt, für die ja auch Ignatius von Loyola wenig übrig hatte.

Bleibende Einsichten

Entscheidend ist jedoch alles das, was wir *innerlich* mitbekommen und was uns fürs Leben prägen soll. Den *Geistlichen Übungen* (nicht: geistigen Theorien) des Ignatius verdanke ich viel für meine Besinnung auf die Grundlagen eines Christenlebens. Vom nicht mehr nachvollziehbaren geistesgeschichtlichen Kontext mancher ignatianischer Betrachtungen muß man freilich abstrahieren, etwa von den »zwei Bannern« oder Lagern: des Satans und seiner Hölle und des Königs Christus und seines Reiches. Andererseits geht es nicht um ein »Entleeren« des Geistes, wie ich es später in der bildlosen buddhistischen Meditation üben werde. Es geht um höchste Konzentration auf Gott, auf Szenen und Worte aus dem Leben Jesu, um die ganz praktische Ausrichtung auf seine Nachfolge. Entscheidende Grundeinsichten aus diesen Exerzitien sind mir bis heute wichtig. Hohe Ideale, die freilich geerdet und in ganz konkrete Situationen hineinübersetzt werden müssen.

Wofür leben? *»Ad maiorem Dei gloriam«*, »zur größeren Ehre Gottes«: AMDG habe ich in meiner Agenda immer wieder über den Jahresanfang geschrieben. Zur Erinnerung, was der Sinn des Menschenlebens ist: nicht nur für sich zu leben, sondern für seinen Schöpfer und Vollender, Ursprung und Ziel. Gott allein als das Absolute, alles andere auf Erden relativ. Ihm und nicht einfach sich selber zur Ehre zu leben: sich nicht in sich verkrampfen, sondern, der eigenen Geschöpflichkeit, Gebrechlichkeit und Sündhaftigkeit bewußt, seinen Weg gehen.

Wonach entscheiden? *»Fiat voluntas tua«:* »Dein Wille geschehe!« In der konkreten Entscheidungssituation zu erkennen versuchen, was für mich ganz persönlich Wille und Wunsch Gottes ist und zu diesem Zweck die Regeln zur »Unterscheidung der Geister« anwenden. Hier wird grundgelegt, was für mich später entscheidend sein wird: Letzte Norm für mich, mein Gewissen, ist nicht ein Gesetz oder eine Autorität des Staates oder der Kirche. Sondern es ist der Wille Gottes, der in komplexen Situationen freilich nur durch kritische Gewissenserforschung und differenziertes Abwägen der Alternativen herausgefunden werden kann. Bis heute ist mir in schwierigen Fragen die Gegenprobe wichtig: ob ich bei einer bestimmten Personal- und Sachentscheidung etwas für mich ganz persönlich gewinne oder ob es mir wirklich rein um »die Sache« geht.

Wie mit den Gütern dieser Welt umgehen? *»Tantum quantum«:* »Soviel wie« mir Geld und Gut, Beruf und Ehre auf meinem Weg zu Gott helfen, darf ich sie in Freiheit nutzen. Nichts Geschaffenes, auch nicht der menschliche Leib und die Sexualität, sind schlecht, gar »dämonisch«. Sie sind gut, dürfen nur nicht verabsolutiert werden. *Freiheit* also, Gelassenheit, aktive Indifferenz.

Wonach streben? *»Magis«:* »immer mehr«, immer vollkommener sich richten, angeregt von der Meditation des Lebens, Leidens und Sterbens Jesu, nach diesem Vorbild und sich ihm angleichen. Das zentrale Gebot: *Aus Liebe zu Gott Liebe zum Nächsten.* Die Nächstenliebe als Gradmesser der Gottesliebe. »Vollkommenheit« biblisch nicht durch den Gang ins Kloster, sondern durch den Gang in die Welt. Eine weltoffene aktive Religiosität, die Gott nicht nur in der Kirche, sondern in allen Dingen findet. Soll ich an diesen Idealen nicht für mein Leben festhalten können und wollen? Trotzdem – wie sieht die Realität aus?

Drohende Unfreiheit

Im Rückblick werde ich feststellen können, daß ich in all den sieben römischen Jahren in meinem geistlichen Training kaum etwas leichtgenommen habe. Im Gegenteil, immer wieder neue Monatsvorsätze wie »ich lebe und studiere in der Gegenwart Gottes«, »bin immer froh«, »bin hilfsbereit und liebevoll«, »bekämpfe jede Regung meines Stolzes« ... Und jeden Abend in der Gewissenserforschung verzeichne ich in einer entsprechenden Tabelle in genauer geistlicher Buchführung Erfüllung der Regel oder Versagen, über lange Zeit beichte ich täglich.

Tagtäglich gedenke ich auch im Gebet aller Lieben in der Ferne, mich je nachdem auf meine Eltern oder Geschwister, meine früheren Freunde oder Freundinnen, diese oder jene Mitbrüder oder Bekannte konzentrierend. Es ist auch, aber wahrhaftig nicht nur sublimiertes Heimweh.

Keine Frage: Solch geregeltes Leben kann zu Verkrampfung, Ängstlichkeit, ja *Unfreiheit* führen. Man stelle sich vor: Immer froh? Keine Bitte abschlagen? Jeden Tag jemandem etwas Gutes tun? Und gegen alle Zerstreuungen im Gebet und alle »unreinen Gedanken« ankommen? Wie soll das möglich sein? Und bei jeder Mahlzeit irgendetwas weniger zu essen, wie schon vom ersten Exerzitienmeister Vorspel empfohlen? Dies führt zu ständigen kasuistischen Überlegungen, ob man sich bei der Pasta, beim Hauptgang oder beim Dessert zurückhalten soll. Erst mit der Zeit werden mir Zweifel kommen: Ist die Erfüllung des Willens Gottes – im Geiste Jesu! – identisch mit totaler Regeltreue, penibler Selbstkontrolle und völliger Unterordnung?

Nun kann ja ernsthaftes Reflektieren auf den Willen Gottes durchaus kritische *Überlegungen in Richtung Freiheit* auslösen. Etwa bezüglich des streng vorgeschriebenen *Vorlesungsbesuches*. Da schreibe ich in mein »Geistliches Tagebuch«: »Wenn fruchtbar, Vorlesung mitschreiben! Wenn unnütz, nicht aufpassen, sondern Stoff gleich am Anfang des Jahres durcharbeiten!« Also die Vorlesungen einfach schwänzen? Gerade an diesem Punkt sollte ich mich später in einen schweren Konflikt mit dem früheren Exerzitienmeister, P. Fritz Vorspel, verwickeln, der nach dem schmerzhaften Krebstod des mir sympathischen P. Karl Brust am 1. November 1949 bereits im Dezember aus Deutschland als Rektor in unser Kolleg zurückgerufen wird. Eine problematische Entscheidung der Jesuitenkurie angesichts der sonstigen klaren Trennung von Forum externum (äußerer Bereich) und internum (Gewissensbereich).

Doch verdanke ich es demselben gestrengen Exerzitienmeister P. Vorspel, daß ich *nicht Jesuit* geworden bin (im Gegensatz etwa zu Wolfgang Seibel, Anton Rauscher, Franz-Josef Steinmetz, Vladimir Kos). An sich sollten wir als Alumnen einer päpstlichen Stiftung gerade nicht dem Jesuitenorden, sondern unseren Heimatdiözesen zur Verfügung stehen und dies nach dem Willen des Papstes sogar während des ersten Jahres in einem »juramentum« förmlich beschwören.

Freilich ist uns bekannt, daß man sich von diesem Eid über den Jesuitengeneral relativ leicht vom Papst dispensieren lassen kann. Soll ich also, so überlege ich es mir in den ersten Jahresexerzitien, im Sinne des »magis« und Strebens nach Vollkommenheit Jesuit werden? Dies frage ich im persönlichen Gespräch den Exerzitienmeister. »Keineswegs«, meint P. Vorspel mit erstaunlicher Unzweideutigkeit, »dafür brauchen Sie nicht Jesuit zu werden, nach ›Vollkommenheit‹ können Sie auch als Weltpriester streben!« Imponierende Antwort eines Jesuiten. Damit ist für mich die Frage ein für allemal erledigt. Am 11. April 1949 lege auch ich mit meinen Kursgenossen das Jurament ab, nicht Jesuit zu werden, sondern mich satzungsgemäß in den Dienst meiner Heimatdiözese Basel zu stellen. Nun werde ich von den »alten Insassen« als »Voll-germaniker« begrüßt, der ab jetzt nicht mehr unter der Obhut eines Oberduktors und zweier Duktoren steht.

Ein erstes Aufbegehren

Daß ich nun aber in allen anstehenden schwierigen persönlichen Fragen meinen Weg finde, verdanke ich nicht dem Rektor, sondern jenem Altgermaniker, der mit uns im Oktober 1948 ins Kolleg zurückkommt und hier mit seinen bald 60 Jahren das überaus wichtige Amt des Spiri-tuals, des geistlichen Führers, übernimmt: P. WILHELM KLEIN, als Divi-sionspfarrer 1918 schwer am Kopf verwundet, ein hochintelligenter, weitgereister, vielerfahrener früherer Philosophieprofessor und ausge-zeichneter Hegelkenner, Rektor und Provinzial der norddeutschen Provinz in Köln während der Nazizeit, Visitator der Gesellschaft Jesu in Japan und China und einiges mehr. Wie der Rektor für das Forum externum zuständig ist, so der Spiritual für das Forum internum. Mit ihm kann man unter dem Siegel der Verschwiegenheit auch über ganz persönliche Fragen sprechen, ohne Furcht vor Konsequenzen. Als ich schon früh irgendetwas in der Kollegsregel weniger gut finde, meint er, ich solle eine Änderung vorschlagen. »Kann man in diesem Kolleg wirklich etwas ändern?«, frage ich erstaunt. »Alle menschlichen Rege-lungen können Menschen auch ändern«, war seine Antwort.

Die problematische Seite des Exerzitienbüchleins sind für mich die achtzehn Regeln zum »Sentire cum ecclesia«: ein »*Fühlen mit der Kirche*«, das nach Ignatius in der 13. Regel so weit gehen soll zu glauben, »daß das Weiße, das ich sehe, schwarz ist, wenn die hierarchische Kirche es so definiert«. Wilhelm Klein erklärt mir, der Titel heiße nicht »sentire cum ecclesia (= mit der Hierarchie)«, sondern »sentire in ecclesia (= in der Kirchengemeinschaft)«. Und was tat Ignatius selber, merkt er pragmatisch an, als der fanatisch-restaurative Papst Paul IV. Caraffa die Gesellschaft Jesu unterdrücken wollte? Er hat sich nicht gefügt, sondern mehrere Kardinäle aufgesucht und für sein Werk gekämpft, bis der

Papst vier Jahre nach seiner Wahl stirbt. *Widerstand* kann also *erlaubt* sein.

Leichtsinnig bin ich den Weg in die Opposition wahrhaftig nicht gegangen. Ein Beleg? In diesen frühen Jahren schreibe ich nach einer Meditation über den Streit zwischen Paulus und Petrus in Antiochien im zweiten Kapitel des Galaterbriefes des Apostels Paulus in mein geistliches Tagebuch: »Herr, laß mich in *allen* Dingen immer zum Papst stehen« (18.9.49) – mit Gebet für Pius XII. und P. Rektor! Und in der Tat: Abgesehen vom Anfangskonflikt mit dem Repetitor Gumpel komme ich in den ersten drei philosophischen Jahren *ohne ernste Konflikte* durchs Kolleg – bis auf einen im dritten Jahr. Nachdem ich im zweiten Jahr das harmlose Amt eines Redaktionsassistenten des Korrespondenzblattes für die Altgermaniker innehatte, werde ich für das dritte Jahr zum *Bidellus der Philosophenkammer*, also Nummer zwei nach dem Philosophenpräfekten, ernannt. Ich nehme die kleinen Obliegenheiten dieser Vertrauensstellung genau und bewundere übrigens meinen Präfekten Stimpfle, der, so anders als ich, immer gütig und freundlich ist, nie zornig wird, nie kritisch redet über Mitbrüder, wahrhaftig erheblich vollkommener als ich, der ich leider kein Lamm bin. Ihm, dem Präfekten, habe ich meine eigenen kleinen Regelverstöße, wie nach der Regel gewünscht, in den ersten Jahren jeweils am Abend nach der Adoratio vor der Kapelle treu »angemeldet«: »Ich habe zu lange mit einem Mitbruder geredet« oder »habe mit einem Theologen geredet« (gegenüber denen die Philosophen die »separatio« zu beachten hatten) oder … Und habe von Stimpfle immer ein gütiges Lächeln als »Lossprechung« erhalten.

So lebe ich denn in meinen ersten drei römischen Jahren außerordentlich »*regeltreu*«. Dazu habe ich mich am Anfang ein für alle Male entschlossen. Darin werde ich in den Exerzitien ständig bestärkt. Darum bemühe ich mich tagtäglich in allen Kleinigkeiten gegen Zerstreuungen im Gebet, unnötige Gespräche, Spott über Mitbrüder, Murren gegen die Choralproben und anderes mehr. Keine Übertreibung: Ich bin in meinem dritten Jahr zu so etwas wie einem »*Mustergermaniker*« geworden, den Rektor Vorspel zwei jungen Schweizer Erstjährigen als Vorbild hinstellt: »So wie Küng sollten Sie sein!«, erzählen sie mir.

Ja, wenn ich mir dies im nachhinein überlege: Was hätte damals noch alles aus mir werden können, wenn ich weiterhin einfach im »heiligen Gehorsam« die Regel beachtet und in Kolleg wie Universität die vorgeschriebene Linie eingehalten hätte, von gern verziehenen Ausnahmefällen abgesehen. Eine rasche römische Karriere (in Rom oder in der

Heimat) wäre diesem Mustergermaniker sicher gewesen, wenn er sie denn gewünscht hätte.

Aber nun fordert eines Tages derselbe Philosophenpräfekt Stimpfle den Philosophenbidell Küng auf, am nächsten Morgen seine Mitbrüder auf den Zimmern bei der Meditation zu überprüfen – durch unangemeldetes Türeöffnen und Inspizieren. Der Bidell: »*Das mache ich nicht*; ich kontrolliere meine Mitbrüder nicht beim Gebet!« Der Präfekt: »Das müssen Sie aber machen.« Der Bidell: »Das mache ich trotzdem nicht.« Der Präfekt: »Das war aber immer so.« Der Bidell: »Das ist mir egal, ich tue es trotzdem nicht.« Der Präfekt: »Dann muß ich dies dem Rektor melden.« Der Bidell: »Dann tun Sie's eben.« Der Präfekt tut es und verkündet am nächsten Tag des Rektors Urteil: »Wenn Herr Küng das nicht tun will, so braucht er es nicht zu tun.« Auch das war P. Vorspel.

Freiheit ohne Grenzen?

Aufs Ganze gesehen bin ich mit meinen drei ersten römischen Jahren höchst zufrieden. Auch mit meiner bestens benoteten Lizentiatsarbeit: Während damals einige von uns von Martin Heideggers »Sein und Zeit« angetan waren, war ich mehr von JEAN-PAUL SARTRE, dem Hauptvertreter des französischen Existenzialismus, und seinen radikalen Positionen fasziniert. Der deutsche Existenzphilosoph, ursprünglich Theologiestudent, verschleiert die Gottesfrage in der Seinsfrage – und bleibt kirchlich unzensuriert. Der französische Existentialist aber, den religiösen Bindungen schon früh entfremdet, greift die Gottesfrage direkt auf, bekennt sich zu einem humanistischen Atheismus – und wird 1948 mit all seinen Werken vom Sanctum Officium auf den Index der verbotenen Bücher gesetzt.

Sartres theoretisch-philosophische Schriften (das Hauptwerk »L'être et le néant«, »Das Sein und das Nichts«) wie seine Dramen und Romane setzen sich alle mit einem existenziellen Problem auseinander: der *menschlichen Freiheit*. Ein Thema, bei dem sich nun für mich der Akzent vom staatsbürgerlichen zum *persönlich-existentiellen Begriff* verschiebt. Steht nicht auch die Philosophie der Gregoriana wie Sartre in Frontstellung gegen die Verleugnung der Freiheit in Materialismus und mechanistischer Naturwissenschaft? Betont nicht auch sie das »Liberum arbitrium«, die Willensfreiheit des Menschen? Gewiß, doch von einer allfälligen Unterdrückung der menschlichen Freiheit in einem bestimmten Gottesverständnis ist an der Gregoriana wenig die Rede. Gerade dies ist jedoch Jean-Paul Sartres Anliegen: Dem Menschen, oft von Wissenschaft und Leben zum Objekt erniedrigt, oft aber auch durch die Religion gedemütigt, soll seine »dignité«, seine »Würde« zurückgegeben werden. Und die *Würde des Menschen* liegt – das ist des Atheisten Sartre zentrale These – *in seiner Freiheit*. Freiheit macht das Sein oder die Existenz des Menschen aus. Freiheit ist vom Erfolg nicht abhängig, sondern wird durch reale Hindernisse sogar noch gesteigert.

»Ich *bin* meine Freiheit! Kaum hast du mich geschaffen, habe ich aufgehört, dir zu gehören«, das schleudert in Sartres Drama »Die Fliegen« (»Les mouches«) Orest, der Mensch, dem Jupiter, Gott, entgegen. »Es gibt keinen Determinismus, der Mensch ist frei, ja, *der Mensch ist Freiheit*«, so heißt es in Sartres programmatischer Schrift »Der Existentialismus ist ein Humanismus«. Eine herausfordernde Konfrontation mit Gott also – mit der Lösung, daß der Mensch, atheistisch auf sich selbst gestellt, die Haltlosigkeit und Absurdität seiner Existenz zu ertragen habe.

Ich äußere den Wunsch, daß wir im Kolleg »Die Fliegen« aufführen. Eine Provokation zur Diskussion. Theaterstücke wie Filme stehen ja – auch die römische Ketzerbekämpfung ist hinter der Zeit zurückgeblieben – nicht auf dem Index; man darf anhören und ansehen, was man nicht lesen darf. Aber gerade Sartres »Fliegen« in einem päpstlichen römischen Kolleg? Dies scheint nun dem Rektor doch ein allzu kühnes Unterfangen zu sein. Was ich verstehe.

Natürlich ist auch mein Einwand gegen Sartre, daß man die Existenz des Menschen nicht ausschließlich als Freiheit definieren darf. Geht die frei entworfene Existenz, wie Sartres Freiheitsthese lautet, wirklich jeglicher menschlicher Essenz oder Natur voraus? Nein, diese meine Existenz ist nicht wirklich unbestimmt. Meine Freiheit ist nicht völlig unbeschränkt. Meine Verantwortung ist deshalb auch nicht total. Ich bin nicht freier Erfinder und Schöpfer aller Werte, der Moral und des Lebenssinnes. Sartres Alternative in »Das Sein und das Nichts« überzeugt mich nicht: »Der Mensch ist entweder ganz und immer frei, oder er ist es nicht.« Wirklich? Von Jugend auf habe ich es ganz anders erfahren: Wir sind frei und doch nicht frei. Wir sind genetisch vorprogrammiert und sind von der Umwelt konditioniert und sind doch – in diesen bestimmten Grenzen – frei.

Aber gegenüber jedem philosophischen, physiologischen, psychologischen oder soziologischen Determinismus ist Sartre im Recht: In bestimmten Grenzen des Menschlichen, die schließlich auch er in der Form einer unveränderbaren »menschlichen Bedingtheit« (»condition humaine«) anerkennen muß, hat Orest recht: »Ich bin ein Mensch,

Jupiter, und jeder Mensch muß seinen Weg erfinden.« Gegen alle falsche Selbstsicherheit und bürgerliche Sattheit, scheint mir, hat Sartre recht: Der Mensch, der nicht ist, was er ist, ist sich aufgegeben. Und *er wird das sein, als was er sich entworfen hat.* Mit anderen Worten: Er muß sich selber verwirklichen. Erst in der Verwirklichung erfüllt sich seine Freiheit. Selbstverwirklichung: »Der Mensch ist das, was er aus sich macht.«

Und es stimmt auch, wenn Sartre die einzelnen Taten als Ausdruck einer *ursprünglicheren Wahl* sieht: »Ich kann einer Partei zugehören, ein Buch schreiben, mich verheiraten wollen: dies alles ist nur Manifestation einer ursprünglicheren Wahl.« Einer »Urwahl« (»choix originel«, »choix fondamental«): Wahl meiner selbst in der Welt und so zugleich Entdeckung der Welt.

Ich hatte diese Wahl getroffen und ahne es nicht: Bald werde ich selber genug Gelegenheit haben, diese Freiheit, statt sie auf der Bühne darzustellen, im Leben zu erkämpfen: zu erkämpfen im Raum von Kolleg und Kirche, aber auch in der Einsamkeit meiner subjektiven Existenz – konfrontiert mit Gott. Es geht tatsächlich um eine freie Grundwahl angesichts von Mensch und Welt, um eine freie Stellungnahme zur Wirklichkeit überhaupt. Aber: meine *Grundentscheidung* wird anders aussehen als die Sartres. Es waren Fragen offen geblieben.

Ein unerschütterliches rationales Fundament?

Schließlich und endlich bestehe ich plangemäß nach sechs Semestern mein *philosophisches Lizentiat,* so daß mir bei der großen Inaugurationsfeier zu Beginn des kommenden Semesters der Großkanzler der Universität und Präfekt der vatikanischen Studienkongregation, Kardinal GIUSEPPE PIZZARDO, eine Silbermedaille mit dem Portrait Pius' XII. an einem blauen Ordensband überreicht. Das Photo, wie ich, nach dem Protokoll kniend, die Auszeichnung vom Kardinal entgegennehme, zeigt mir im nachhinein, daß ich nach drei Jahren Rom nahe daran war, mich ins römische System einzufügen. Wie kostbar solche vatikanischen Auszeichnungen von anderen eingeschätzt werden, wird später ein Einbrecher in mein Tübinger Haus zeigen, der nur gerade jenen bronzenen und diesen silbernen Orden mitgehen ließ.

Unendlich wichtiger als diese Auszeichnungen: Ich habe mir in den ersten drei Jahren eine gründliche Kenntnis der klassischen »Philosophia perennis« angeeignet, in Auseinandersetzung mit den Modernen, vor allem Kant, Hegel, Sartre und den Marxisten in West und Ost. Und somit kann ich überzeugt sein: Ich habe mir auf diese Weise, mühselig genug, ein sicheres, ja *unerschütterliches rationales Fundament* erarbeitet. So spaziere ich denn nun nach meinem Lizentiat im Juni 1951 vor unserer Abreise in die Ferien befreit mit meinem Freund Josef Fischer auf der Via Vittorio Veneto vom Kolleg hinauf zum Pincio, und frohlockend bringe ich ihm diese Überzeugung zum Ausdruck: »Jetzt müssen wir in den nächsten vier Jahren nur auf diesem Fundament aufbauen und uns eine seriöse Theologie aneignen. Dann sind wir für unsere Seelsorgeaufgabe wissenschaftlich aufs beste vorbereitet.« An eine wissenschaftliche Karriere jedoch denken wir beide in keiner Weise. Wie Kinder freuen wir uns jetzt auf die erste Rückreise in die Heimat nach drei langen, langen Jahren.

In fröhlicher Stimmung fahren wir so mit dem akademischen Grad eines lic. phil. in Zivilkleidung nach Norden. Im Schnellzug nach Florenz können wir endlich als »normale« Menschen wieder »normale« Gespräche mit »normalen« Mitmenschen führen. Übermütig lassen wir uns am Abend in einer Kutsche zum Giardino dei Boboli, dem großen Stadtpark von Florenz, fahren. Dort wird unter freiem Sternenhimmel Carl Maria von Webers romantische Feenoper »Oberon« aufgeführt. Welch eine Musik, welch eine Nacht! Am nächsten Tag weiter nach Bologna, dann, nach Aufenthalten in Ferrara und Padova nach Venedig und schließlich nach Triest, wo wir von der Familie des slowenischen Germanikers Viljem Zerjal freundlich aufgenommen werden. Der ursprünglich österreichische Freistaat Triest ist nach dem Zweiten Weltkrieg der große Zankapfel zwischen Tito-Jugoslawien und Italien, wo es riesige nationalistische Triest-Demonstrationen gibt.

Von Triest geht es dann in einer ewig langen Bahnfahrt auf Holzbänken ohne Armlehnen hinauf zum Semmering-Paß. Dort können wir nur mit Mühe die russischen Paßkontrolleure überzeugen, daß wir als Schweizer Bürger keinen »Stempel«, »Stempel«, »Stempel« brauchen – noch war Österreich, bis zum Staatsvertrag 1955, in Besatzungszonen aufgeteilt. Total durchgeschüttelt treffen wir endlich in Wien ein: dort am Burgtheater Schillers »Räuber«, in der Staatsoper Verdis »Troubadour« und im Theater an der Wien Franz von Suppés »Boccaccio«. Schließlich fahren wir nach ebenfalls intensiv genutzten Aufenthalten in Linz, Salzburg und Innsbruck über Zürich nach Sursee.

Mein Städtchen kommt mir, als ich durch das Untertor zum Rathaus hinaufgehe, sehr viel kleiner vor, als ich es im Gedächtnis hatte. Doch bin ich selig, wieder mit meinen Eltern und Geschwistern zusammenzusein und mein altes Eckzimmer am Rathausplatz zu beziehen. Alles ist nach drei Jahren noch, wie es früher einmal war: »die alten Straßen noch, die alten Gassen noch« und – anders als im schönen Lied des Tübingers Friedrich Silcher – auch »die alten Freunde noch«? Ja, auch sie sind noch da. Ich genieße die Wochen zu Hause, mache nur eine kleine europäische Erkundungsfahrt ins Elsaß, nach Mulhouse, Straßburg und Colmar: zum ersten Mal Grünewalds einzigartiger Isenheimer Altar.

Die Tage fliegen dahin. Allzu früh ist wieder die Zeit zum Abschied gekommen. Erneut Wehmut im Herzen. Was wird die zweite römische Periode bringen? Nach drei Jahren Philosophie vier Jahre Theologie. Ob sie auch so friedlich und aufs ganze so harmonisch sein werden wie die ersten drei?

III. Durchbruch zur Gewissensfreiheit

>*»Die Katholiken sind die Untertanen des Papstes*
>*und die Gefangenen eines kirchlichen,*
>*klerikalen Systems,*
>*wo die Gewissen geknechtet werden,*
>*die Beziehungen der Seele mit Gott*
>*aber abgeleitet und kontrolliert erscheinen.«*

Yves Congar OP (1937)

Erstarrte Fronten

Zurück in Rom: am 13. Oktober 1951 beendet Pius XII. in aller Form die Feierlichkeiten des Heiligen Jahres 1950. Und wie? Mit einer Rundfunkansprache an eine Million Pilger im portugiesischen Wallfahrtsort Fatima. Kardinallegat Tedeschini teilt der Öffentlichkeit mit, daß der Papst – o Wunder – im vergangenen Jahr in Rom die gleichen Erscheinungen am Himmel beobachtet habe, die seit 1917 als das Sonnenwunder von Fatima bezeichnet werden. Bei uns im Germanikum haben selbst intensive Marienverehrer zu dieser Zeit keine derartigen Erlebnisse.

Eine kritische Sicht der Amtsführung Pius' XII. setzt sich auch bei mir höchst langsam durch. Seine frühe Enzyklika »Divino afflante Spiritu« (1943), wesentlich vom Rektor des Bibelinstituts, Augustin Bea, inspiriert, bedeutete für die Bibelwissenschaft eine wahre Befreiung: moderne Methoden erlaubt, Archäologie, Paläontologie, Studium der semitischen Sprachen und der Alten Literatur erwünscht, die Bedeutung der verschiedenen literarischen Formen der Texte zu beachten ... Aber schon die Instructio »Ecclesia catholica« der Inquisitionsbehörde, des Sanctum Officium, vom 20. Dezember 1949, gegen die ökumenische Bewegung, welche die von der katholischen Kirche verweigerte Teilnahme an dem im Vorjahr in Amsterdam gegründeten Weltrat der Kirchen unterstreicht, befremdete mich.

Aber vieles wußte oder verstand ich damals nicht. Etwa daß der Jesuit Pierre Teilhard de Chardin schon 1926 seinen Lehrstuhl am Institut Catholique verloren hatte und seither von der römischen Inquisition verfolgt wird; daß er zu seinen Lebzeiten kein einziges seiner theologischen Werke gedruckt sehen darf; ja, daß er nun im Lauf der Säuberung im Gefolge der Enzyklika »Humani Generis« 1951 irgendwo aufs Land im Staat New York verbannt wird, wo seinem Sarg am Ostersonntag 1955 ein einziger Mensch folgen wird. Als Gastprofessor in New York werde ich 1968 eines Tages 160 km am Hudson entlang zu seiner Grabstätte fahren und es wird mich schmerzen, daß das Grab des großen Paläontologen und Theologen in keiner Weise ausgezeichnet ist, so daß ich es nur mit Mühe finden kann. »Damnatio memoriae – aus dem Gedächtnis auslöschen«: eine alte römische Sitte!

Kein Zweifel: Im Vatikan hat 1950 die letzte, reaktionäre Phase des Pontifikats Pius' XII. begonnen, die in der Theologie Friedhofsruhe einkehren läßt und für die Arbeiterpriester in Frankreich eine Katastrophe bedeutet. Aber auch in der großen Politik zwischen Ost und West scheint sich wenig zu bewegen. Der Kalte Krieg ist zum Stellungskrieg erstarrt, der bestenfalls Stellvertreterkriege wie in Korea zuläßt. In Moskau ist Stalins Herrschaft ebenfalls in die Endphase eingetreten. Präsident Truman wird bald von General Eisenhower abgelöst. Gegenüber der Sowjetunion verfolgt er eine »Politik der Stärke«, deren Exponent sein Außenminister John Foster Dulles ist, Onkel des zum Katholizismus konvertierten Jesuitentheologen Avery Dulles, der es unter Johannes Paul II. noch zum Kardinal bringen sollte.

In der Bundesrepublik Deutschland folgt dem Wiederaufbau die Westintegration. 1951 beenden die Westmächte den Kriegszustand mit Deutschland. Trotz päpstlichen Einspruchs wird am 10. April das Gesetz über die Mitbestimmung der Arbeitnehmer in den westdeutschen Unternehmen des Bergbaus und der eisenschaffenden Industrie verabschiedet. Am 10. September schließt die Bundesrepublik einen Wiedergutmachungsvertrag mit dem Staat Israel, während der Vatikan dem Judenstaat die diplomatische Anerkennung aus ideologischen Gründen nach wie vor versagt. Der Vatikan spielt immer mehr die Rolle der weltpolitischen Nachhut. Bezüglich des Kommunismus gilt nach wie vor das Decretum des Sanctum Officium vom 1. Juli 1949: Wer der kommunistischen Partei beitritt, sie fördert, kommunistische Bücher oder Zeitschriften herausgibt, liest oder in ihnen schreibt, ist ipso facto exkommuniziert. Doch im Land von »Don Camillo und Peppone« – dieser vergnügliche Film mit Fernandel wird auch uns in San Pastore gezeigt – nimmt man es nicht so genau. In Rom werden die Gesetze gemacht und (nur) in Deutschland gehalten.

Eine Disputatio publica

Das *erste Jahr Theologie*, das Mitte Oktober 1951 beginnt, habe ich in bester Erinnerung. Es wird mir buchstäblich wohl ums Herz, als ich nach drei Jahren Philosophie in der Vorlesung wieder einmal ganz selbstverständlich den Namen »Jesus Christus« höre. Da werde ich plötzlich daran erinnert, warum ich eigentlich nach Rom gekommen war.

Die Vorlesungen des jovialen Holländers SEBASTIAN TROMP in *Fundamentaltheologie*, ganz logisch und transparent aufgebaut, begeistern mich zunächst wie die meisten von uns: über die Möglichkeit einer Offenbarung, über das Faktum der Offenbarung in Christus (Wunder, Prophezeiungen, Auferstehung) und über die Angemessenheit der Offenbarung ... Tromp gilt allgemein als der eigentliche Autor der Enzyklika Pius' XII. »Mystici corporis« von 1943, über die Kirche als mystischen Leib Christi. Bei Tromps häufigen Sprüchen lachen wir. »Scioccezze« (dumme Sprüche) flicht er manchmal auf italienisch in seine perfekt lateinischen Vorlesungen ein, wenn er auf kritische moderne Autoren wie Reimarus oder David Friedrich Strauss zu sprechen kommt.

Erst später wird mir aufgehen, daß er seine Gegner nie wirklich ernst nimmt, sondern als von vornherein auf falschem Weg befindliche Feinde des wahren Glaubens traktiert, die er mit seinen Argumenten leicht erledigen kann. Einiges sei ja auch selbstverständlich, meint er, nach dem von ihm erfundenen »Principium Helveticum«, gemäß dem »in der Schweiz alle Flüsse abwärts fließen«. Das ist die ewige Ordnung der Dinge. »Was soll ›geschichtlich denken‹?«, erklärt er einem deutschen Theologieprofessor, »meine Studenten wissen gar nicht, daß es Geschichte gibt.« Insofern steht diese Fundamentaltheologie ganz im Dienst einer *antimodernen Apologetik*, die nichts so sehr fürchtet wie eine historisch-kritische Untersuchung der Bibel und der Kirchen- und Dogmengeschichte.

Nur halbglücklich macht mich wegen der zu erwartenden »schrecklichen Arbeit« eine besondere Ehre: Schon im ersten Jahr Theologie soll ich – am 29. April 1952 zu Ehren des heiligen Thomas von Aquino – vor den Professoren und Studenten der Theologischen Fakultät im halbrunden Auditorium maximum der Gregoriana in einer *scholastischen Disputatio publica* Tromps zehn Thesen »De revelatione« (über die Offenbarung) exponieren und verteidigen. Ob ich dies mit eigenen Worten tun oder mich genau an seinen Wortlaut halten soll? So frage ich meinen Professor in einer Vorbesprechung. Ich hatte ja auch noch deutsche Theologen wie Karl Adam, Michael Schmaus und Matthias

Joseph Scheeben studiert. Tromp leicht unwirsch: »Wenn Sie es selber besser können, so tun Sie's«. Woraufhin ich mich natürlich getreu an Tromps Text halte.

Die Disputation soll rein rational und völlig unemotional ablaufen. Doch sowohl bei meiner Erklärung der These wie bei meiner Antwort auf die Objektionen der beiden Opponenten – ein italienischer Jesuit und ein Mexikaner – lächle ich manchmal verschmitzt, was die Aufmerksamkeit des Auditoriums, wie mir mein Freund Robert Trisco aus Chicago anschließend sagt, steigerte. Hätte man doch den Eindruck gehabt, ich würde alles letztlich nicht ganz ernst nehmen. Hinsichtlich der scholastischen Form, die mir mit ihren starren Syllogismen überholt vorkommt, stimmt das. Doch distinguiere ich nach allen Regeln der Kunst und widerlege die Einwände. Der Defensor der Thesen bleibt Sieger – wie vorgesehen. P. Tromp ist sehr zufrieden und trinkt mit mir anschließend ein Gläschen Sherry, für einen Studenten der Gregoriana ein höchst seltenes Privileg. Es hätte sich wieder einmal gezeigt, meint er, daß diese Art scholastischer Disputation doch noch nicht überlebt sei.

Wie kann ich ahnen, daß derselbe Tromp nur wenige Jahre später der einflußreiche Sekretär der Theologischen Kommission eines ökumenischen Konzils sein wird und gerade sein Verständnis von Offenbarung Gegenstand heftiger Debatten, in denen ich ihn nun mit bestem Willen nicht mehr verteidigen kann? Einen Sherry mit Tromp, der sich zum reaktionären Exponenten einer erstarrten römischen Theologie entwickelt, wird es nie mehr geben …

Das »ordentliche« Lehramt: für alle Tage

Die *Lehre über die Kirche* (Ekklesiologie) wird vom Spanier Timotheus Zapelena, einem von Tromp wegen zweitrangiger Fragen befehdeten Autor eines zweibändigen Lehrbuches, so präzis zusammengefaßt, daß ich sie auf Latein genau mitschreibe – wie immer in kleiner Schrift mit eigenen Kürzeln, alles ganz systematisch, zwei Ringhefte voll, die ich noch heute besitze. »Tempus currit velociter«, »Die Zeit rennt uns davon«, bemerkt er oft mit dem Blick auf seine Taschenuhr. Jedenfalls lerne ich die Thesen der römischen Ekklesiologie, die ich später scharf kritisieren sollte, unendlich viel gründlicher als jene deutschen Theologen, die mir später »Übertreibungen« der römischen Lehre meinen vorwerfen zu müssen – was mir die römischen Instanzen nie vorhalten werden. Kirche wird von Zapelena ganz und gar römisch präsentiert: als das auf Erden beginnende Reich Gottes, von Christus selber eingesetzt als eine von allem Anfang an hierarchisch-monarchische und keinesfalls demokratische oder charismatische Kirche.

Über den *Primat des Papstes* schreibe ich 45 Seiten in mein Ringheft. Diese sind sehr viel leichter unauslöschlich in mein Gedächtnis einzuprägen als die entsprechenden 190 Druckseiten von Zapelenas Handbuch mit seinen zahllosen Zitaten. Die eine, heilige, katholische und apostolische Kirche sei nur in der römisch-katholischen Kirche, der einzig wahren und legitimen, verwirklicht! Nicht nur der Papst, wenn er ex cathedra redet und damit sein »außerordentliches Lehramt« (»Magisterium extraordinarium«) ausübt, sei *unfehlbar.* Unfehlbar sei auch das *Bischofskollegium,* wenn es mit dem Papst eine bestimmte Glaubens- oder Sittenlehre definitiv zu halten lehrt (»Magisterium ordinarium«, das alle Tage ausgeübte Lehramt): dies wird uns lang und breit bewiesen und in Rom von keinem Menschen bestritten.

In den späteren Auseinandersetzungen über dieses »Magisterium ordinarium«, welches die Unfehlbarkeit der römischen Lehre von der Empfängnisverhütung, der Unmöglichkeit der Frauenordination und vielem mehr garantieren soll, werde ich mich oft wundern, zu welchen Verrenkungen sich sogar Germaniker, die mit mir im selben Hörsaal gesessen haben, veranlaßt sehen werden wegen dieser für sie unbequemen römischen Lehre! Kardinal Ratzinger, kein Germaniker, wird sie sich in Rom total zu eigen machen: Die Erklärung der Glaubenskongregation vom 11. Dezember 1995 erklärt das angeblich göttliche Verbot der Frauenordination aufgrund dieses »Magisterium ordinarium« lapidar als »unfehlbare Lehre«. Nichts Neues. Römisch. Aber christlich?

Am faszinierendsten sind für mich indessen die Vorlesungen in *Moraltheologie,* wie sie souverän und klar der Deutsche FRANZ HÜRTH gibt. Seine traditionelle römische Lehre über die Tugenden und die verschiedenen Gebote unterbricht er immer wieder mit spannenden Fallbeispielen aus dem gelebten Leben. Eine Lösung gibt er oft nicht; wir sollen uns selber eine Meinung bilden. Doch: »Cauti sitis!«, »Seid vorsichtig!«, wiederholt er immer wieder. Hürths Vorlesungen haben besonderes Gewicht: Jedermann weiß, daß er der päpstliche Moralexperte und so ein eminenter »Holy-Ghost-Writer« des »ordentlichen«, alltäglichen päpstlichen Lehramtes ist. So etwa für die Papstansprache an den italienischen Hebammenverband. Darin vertritt Pius XII. die Lehre, eine direkte Tötung eines Fötus sei immer unmoralisch; folglich sei eher das Leben der Mutter oder gar das von Mutter und Kind zu opfern als eine Abtreibung vorzunehmen. Eine Rede, die in aller Welt viel Empörung auslöst.

Derselbe P. Hürth versteht es kurz darauf – im (angeblich ganz anders liegenden) Fall der von schwarzen Soldaten vergewaltigten weißen Nonnen im Kongo – Abtreibungen zu rechtfertigen. Die Richtigkeit dessen, was nun auch der Papst für erlaubt erklärt, versucht Hürth uns in seiner Vorlesung in gewundener Argumentation zu beweisen. Für mich der einzige eklatante Fall von »Jesuitismus«, jener raffinierten doppelbödigen Moralkasuistik, den ich an der Gregoriana erlebe. Etwas weniger feierlich, aber ebenso traditionell lehrt der humorige amerikanische Moraltheologe P. Healy, bei dem wir Sexualmoral hören. Wenn in seiner Vorlesung mit deutlich amerikanischem Akzent »Stella, puella pulcherrima, etsi pessima«, das wunderhübsche, aber höchst verdorbene Mädchen Stella, auftritt, wissen wir schon: wir haben es jetzt wieder mit einem üblen Fall zu tun, in den zumeist ein übler »Sigismundus« mit verwickelt ist ... Alles auf die Beichte ausgerichtet. »Cauti sitis!«

Kritische Rückfragen

Das Sympathische an der Gregoriana ist: Wer immer den Mut aufbringt, kann einen Professor zu jeder Zeit auf seinem Zimmer aufsuchen. Wohnen doch alle auf dem dritten Stockwerk, und zwar wahrhaftig nicht besser als wir Studenten: spartanisch in einem einzigen Zimmer, das für sie zugleich Arbeits-, Schlaf- und Empfangszimmer ist, was ihnen gerade in der römischen Sommerhitze einiges zumutet. Das habe ihnen, meint P. Gundlach, der Jesuitengeneral Wladimir Ledochowski, Pole, aber Germaniker, eingebrockt.

So gehe ich denn eines Tages auch zu P. FRANZ HÜRTH. Immer sehr aufrecht sitzend, gibt er pontifikal und freundlich zugleich Auskunft, macht aber im persönlichen Gespräch nicht die geringsten Konzessionen. Meine Fragen drehen sich allesamt um das »ordentliche« (alltägliche) Lehramt des Papstes, wie es Pius XII. durch eine wachsende Flut (an sich nicht unfehlbarer) Enzykliken, Ansprachen und anderer Dokumente ausübt. Von Hürth inspiriert ist auch eine komplizierte »Neuordnung« (statt schlichter Abschaffung) des Fastens vor dem Kommunionempfang (»ieiunium eucharisticum«), für deren Interpretation Hürth eine eigene Spezialvorlesung hält.

Unter Gundlachs Einfluß aber hatte sich der Papst in seiner Botschaft an den Katholikentag von Bochum 1949 in scharfer Form gegen die in

Deutschland geplante betriebliche Mitbestimmung ausgesprochen, gegen die Gundlach bei uns im Germanikum drei Vorträge hielt. Ist das für Katholiken verbindlich? Auch dem ordentlichen Lehramt müsse man, hat uns Hürth in seiner Vorlesung eingebleut, in jedem Fall zumindest ein »gehorsames Schweigen« (»silentium obsequiosum«, »assensus externus«), dies verlange schon die Höflichkeit, entgegenbringen, aber auch eine »innere Zustimmung« (»assensus internus«). Dazu habe ich – allmählich mit Rom vertraut – so meine Fragen.

Eine erste: Muß ein deutscher katholischer Professor der Sozialwissenschaften in Sachen Mitbestimmung die Lehre des Papstes vertreten, die er für falsch hält, oder vielmehr seine eigene, für die er gute Gründe hat? Hürths Antwort: Zuerst soll er objektiv die päpstliche Lehre darlegen, dann ohne Polemik seine Einwände und sich schließlich eines endgültigen Urteils enthalten (ich denke: also braucht er keineswegs zu schweigen).

Eine zweite: Darf ich eine »innere Zustimmung« geben zu einer Lehre, die ich als Irrtum ansehe? Hürths Antwort: Eine innere Zustimmung darf nur einer Wahrheit gegeben werden. Aber man soll anders als viele deutsche Professoren den päpstlichen Lehräußerungen nicht von vornherein kritisch-negativ, sondern wohlwollend begegnen (ich denke: also muß man keineswegs in jedem Fall innerlich zustimmen).

Eine dritte: Können Experten des Papstes ihre Stellung nicht ausnützen, indem sie ihre eigene Lehrmeinung in päpstliche Dokumente hineinschreiben? Hürths Antwort: »Soweit ich den Summus Pontifex kenne, setzt er unter nichts seinen Namen, was er nicht vorher genau studiert hat. Natürlich steht es ihm dann frei, sich einer bestimmten Lehrmeinung anzuschließen« (ich denke: wenn dem Papst nicht überzeugend eine alternative Meinung vorgelegt wird, hat er gar keine Wahl).

So erarbeite ich mir langsam und »caute« in Studium und Gespräch mit Professoren und Kommilitonen eine differenzierte kritische Auffassung zu umstrittenen Problemen, nicht zuletzt zum päpstlichen Lehramt. Im Kolleg wird über solche Fragen ständig offen diskutiert. Sogar als wir auf einem Ausflug den Hügel von Tusculum bei Frascati emporstapfen, diskutieren wir heftig über die päpstliche Unfehlbarkeit. Johannes Demmeler, mit Otto Wüst unser Duktor im ersten Jahr (später Direktor des Studienseminars in Kempten), vertritt die Meinung, die manche Katholiken noch heute verfechten: der Papst sei theoretisch zwar nur unfehlbar, wenn er ex cathedra spreche, aber faktisch sei er es immer.

In persönlichen Gesprächen mit jüngeren Professoren wie etwa dem Moraltheologen JOSEF FUCHS, einem Altgermaniker, kann ich sehr wohl

Zweifel bestätigt sehen, etwa bezüglich des berüchtigten Axioms »In sexto mandato non datur parvitas materiae«: Im sechsten Gebot (im merkwürdigen Gegensatz zum achten über Wahrhaftigkeit!) sei jede Sünde, sofern mit voller Einsicht und vollem freien Willen vollzogen, ein »peccatum grave«, eine »Todsünde«, weil sexuelle Impulse nun einmal immer aufs Ganze zielten. Also jeder »unreine«, »unschamhafte«, »unkeusche« Gedanke an sich schon schwere Sünde? Das kommt mir unlogisch und vor allem unmenschlich vor. Und P. Fuchs auch. Doch was das päpstliche Lehramt »unfehlbar« kann, sollte ich bald erleben.

Das »außerordentliche« Lehramt: Mariendogma 1950

Am 1. November 1950 erblicke ich meine Professoren Bea, Hürth, Tromp und andere Mitglieder des Sanctum Officium direkt vor mir auf dem Petersplatz. Sie sitzen zusammen mit dem französischen Außenminister Robert Schuman – einem Europäer der ersten Stunde – auf den Ehrenplätzen bei einem Großereignis des »außerordentlichen« päpstlichen Lehramtes: der *Definition eines neuen Dogmas – über Maria.* »Die unbefleckte Gottesmutter und immerwährende Jungfrau Maria ist«, so erklärt Pius XII. feierlich und für alle Katholiken verbindlich, »nach Vollendung ihres irdischen Lebenslaufes mit Leib und Seele in die himmlische Herrlichkeit aufgenommen worden« (ob sie gestorben ist, läßt der Papst bewußt offen).

Ein *unfehlbarer Spruch ex cathedra* des obersten Lehrers und Hirten der katholischen Kirche unter dem besonderen Beistand des Heiligen Geistes: zum ersten Mal seit der Definition der päpstlichen Unfehlbarkeit durch das I. Vatikanum 1870! Und dies jetzt gegen allen Widerspruch von Protestanten, Orthodoxen und nicht zuletzt Katholiken, die über diese »von Gott geoffenbarte Glaubenswahrheit« in der Bibel schlichtweg keinen Beweis finden. Mein eigener Basler Diözesanbischof, Franziskus von Streng, ist prominent dabei als päpstlicher Thronassistent mit Kerze. Warum? Weil unser Bistum die sündhaft teure neue Bronzetür des Heiligen Jahres zwar bezahlen durfte, auf deren gewaltigen Türflügel aber nicht etwa der Name unseres Bischofs eingegossen wurde, sondern der des früheren deutschen Zentrumsvorsitzenden und Papstfreundes Prälat Ludwig Kaas, jetzt Direktor der vatikanischen Fabbrica di San Pietro. Auch dies ist alte römische Tradition: für die eigenen Lorbeeren andere bezahlen lassen. Doch was hat Kaas davon? Kaum zwei Jahre später muß er »das Zeitliche«, das ihm so sehr am Herzen lag, »segnen«.

Ob wir denn mit diesem unfehlbaren Dogma gar keine Probleme hätten? So fragen uns deutsche Theologiestudenten aus Bonn, die in unserem Refektor zu Gast sind. War doch gerade ein langer Artikel des führenden deutschen Patrologen Berthold Altaner erschienen, der mit vielen Belegen aufzeigt, daß dieses *Dogma keine historische Grundlage in den ersten Jahrhunderten* hat, sondern auf die Legende einer wundersüchtigen apokryphen Schrift aus dem fünften Jahrhundert zurückgeht. Wir Germaniker – unter dem Einfluß von Männern wie Tromp und Hürth – wollen von diesen Einwänden nichts hören. Wir meinen, die deutschen Theologiestudenten seien durch ihre »rationalistischen« Professoren von der an der Gregoriana verbreiteten Erkenntnis abgehalten worden, daß sich ein solches Dogma nun einmal langsam, quasi »organisch« im Lauf der Dogmengeschichte »entwickelt« habe, daß es aber schon in biblischen Sätzen wie »Maria voll der Gnade« angelegt sei, »implizit« enthalten.

In meiner Surseer Zeit praktizierten wir auch in der Jungwacht eine recht selbstverständliche *Marienverehrung,* vor allem Maiandacht und Waldweihnacht – ohne Probleme. Aber in Rom wird jetzt Marienverehrung von Pius XII. wie schon von Pius IX. bewußt strategisch eingesetzt, nicht zuletzt mit Hilfe des großen italienischen Volkspredigers P. RICCARDO LOMBARDI SJ. Zum triumphalen Abschluß seines »Kreuzzugs der Güte« in der Stadt Rom hält man schon am 8. Dezember 1949 – natürlich immer mit den Kommunisten im Visier – unter Beteiligung Hunderttausender eine riesige Prozession ab, bei der wir Germaniker mit anderen Seminaristen abwechselnd stolz das Gnadenbild von Santa Maria Maggiore nach Sankt Peter tragen dürfen. Die Abschlußveranstaltung des »Kreuzzugs« findet dann nachts in Santa Maria Maggiore statt mit einer in Roms Pfarrkirchen übertragenen gewaltigen Predigt P. Lombardis, die, bezeichnend für diese Frömmigkeit, endet mit: »Evviva Gesù! Evviva la Madonna! Evviva l'Italia!«

Solche Marienverehrung verbindet sich für uns freilich mit einer zunehmend kritischen Einstellung gegenüber neuen *Marienerscheinungen,* wie etwa denen im bayrischen Heroldsbach in den 40er und 50er Jahren. Über deren kirchliche Nicht-Anerkennung wird unser Mitbruder, der zuständige Bamberger Weihbischof und Erforscher der Frühscholastik, Arthur Michael Landgraf, uns bald eingehend berichten. Nach dessen nüchternen Kriterien wären sicher auch die Erscheinungen von Fatima kirchlich nie anerkannt worden.

Auf dem Petersplatz nun an diesem strahlenden 1. November des Heiligen Jahres 1950 bin ich mit Begeisterung bei der *Definition des*

Dogmas dabei. Ich vollziehe auch in aller Stille jene Weihe der vollständigen Hingabe an Maria und durch Maria an Jesus, wie sie der französische Volksmissionar und Ordensstifter Grignion de Montfort († 1716, von Pius XII. 1947 heiliggesprochen) propagiert hatte. Sie ist mir empfohlen worden vom sonst so kritischen P. Klein, unserem Spiritual, der, ein glühender Marienverehrer, in »geistiger Exegese« freilich sogar in den Paulusbriefen Maria (als »geschaffene Gnade«) zu finden trachtet, wovon ich mich mit zunehmender Kenntnis der kritischen Exegese immer mehr distanzieren werde.

Dogmatik römisch

Brav und gründlich studiere ich nun alle Traktate der *Dogmatik*, die ich später einmal selber dozieren sollte: These um These, von der Gottes- und Trinitätslehre über die Schöpfungs-, Gnaden- und Sakramentenlehre bis zur Lehre von den »letzten Dingen«. Die Lehrer und ihre Lehrbücher haben eine kaum angefochtene Autorität. Diese Theologie ist auswendig zu lernen, nicht etwa kritisch zu hinterfragen. Thomas von Aquin hatte vor jede These zuerst eine Verneinung gestellt: »Videtur quod non – es scheint nicht, daß ...«. Die Thomisten aber sehen darin nur schon von Thomas beantwortete Objektionen, Einwürfe.

Mit den interessanteren Professoren halte ich auch persönlichen Kontakt. Den alten P. Filograssi, der die »Begründung« des Mariendogmas aus der Tradition aufgrund »organischer« Entwicklung geliefert hat, höre ich nicht mehr. Aber viel lerne ich vom Spanier JUAN ALFARO, mit dem ich sehr konstruktiv über Christi Präexistenz und das »Übernatürliche« diskutieren kann und der mich auf meinem eigenen Weg stets ermutigt. Ebenso vom Franzosen HENRI VIGNON, der sich für meine Fragen bezüglich Natur und Gnade aufgeschlossen zeigt. Und schließlich vom Italiener MAURIZIO FRICK, mit dem ich lange über die Problematik einer »übernatürlichen Ordnung« spreche und den ich dann um die Betreuung meiner theologischen Lizentiatsarbeit bitte. Weniger von dem in Amerika bekannten Kanadier BERNARD LONERGAN, der, philosophisch orientiert, uns mit seiner trocken-traditionellen Vorlesung über Christologie langweilt und mich im persönlichen Gespräch vergebens davon zu überzeugen versucht, Thomas von Aquin habe die Einsteinsche Relativitätstheorie vorausgenommen.

Am Angelikum, der Dominikaner-Hochschule, setzen sich Josef Fischer und ich einfach einmal im roten Talar in eine Vorlesung des berühmten Thomisten RÉGINALD GARRIGOU-LAGRANGE. Da stellen wir fest: Hier ist man sogar noch konservativer. Dieser erklärte Gegner der französischen »Nouvelle Théologie« und vor allem seiner Ordensbrüder Chenu und Congar, dieser Konsultor des Sanctum Officium kommentiert einfach die Summa des Thomas! Demgegenüber kommen uns die Thesen der Gregoriana geradezu modern vor. Recht lebhaft verläuft bei anderer Gelegenheit die Diskussion mit einem jüngeren Dominikaner, JÉRÔME HAMER, ein Thomist und Barth-Spezialist und später mein Gegenspieler als Sekretär des Sanctum Officium. Doch ich liebe das Fechten mit dem Florett – auch à la française.

Am Angelikum bereitet sich in diesen Jahren auch ein gewisser KAROL WOJTYLA aus Krakau auf sein theologisches Doktorat vor. An der Gregoriana, Roms erster Adresse, war er abgewiesen worden wegen ungenügendem Abschluß seiner Studien in Polen. So mußte er sich mit der römischen Dominikaner-Universität begnügen (im Gegensatz zur erstklassigen französischen Dominikaner-Hochschule Le Saulchoir ein Hort traditioneller Theologie). An der Gregoriana, wird berichtet, besuchte er heimlich eine Vorlesung über Spiritualität, vermutlich beim Jugoslawen P. Truhlar, den wir eher langweilig fanden. Die Abweisung an der Gregoriana muß gerade für den ehrgeizigen Wojtyla einen ziemlichen Schlag bedeutet haben. Daß er sich dann als Papst, im Gegensatz zu all seinen Vorgängern, statt den Jesuiten dem Opus Dei zuwandte, wird in Rom als späte Rache des Studenten Wojtyla angesehen. Ob wahr oder nicht, für die Kirche wichtiger ist bis heute: Dieser polnische Student hat sich zwar einiges in Philosophie angeeignet, verfügt aber offenkundig über ein recht dünnes theologisches Fundament – von moderner Exegese, Dogmen- und Kirchengeschichte ganz zu schweigen. Ob er damals schon – an der Gregoriana oder am Angelikum – einen bestimmten Schweizer Germaniker im roten Talar erspäht hatte?

Manche Gregoriana-Professoren, etwa in der Sakramentenlehre ein Amerikaner, lesen freilich auch nur ihr Textbuch vor. Dort findet man all die Definitionen, Begriffseinteilungen, Argumente und Erklärungen, mit zwingender Logik wie in der Geometrie (»more geometrico«, Spinoza) dargeboten. Da drängt sich die Frage auf: Warum also ihre Vorlesung besuchen? Genau an diesem Punkt sollte ich nun – ich bin jetzt bereits in meinem fünften römischen Jahr und 25 Jahre alt – in meine erste ernsthafte Autoritäts-Krise gestürzt werden.

Krise des Gehorsams

Mit dem Beginn des Jahres 1952 ziehen sich für mich langsam dunkle Wolken über dem Kolleg zusammen. P. FRIEDRICH VORSPEL, der, als Rektor zunächst freudig begrüßt, zu Beginn Reformen angekündigt und durchgeführt hatte (Geldverwaltung in eigener Regie, viertägige Ausflüge, Güterreform), vermag auf die Dauer in seiner zwar jugendbewegten, aber doch steifen Art die Herzen vieler nicht zu gewinnen. Sicher spürt er, der Pfarrer und Jugendseelsorger aus dem Ruhrgebiet, der gerne für alle möglichen Beschwerden kalte Duschen und Kneippmethoden empfiehlt, die wachsende Opposition.

Am Neujahrstag 1952 meint der Rektor – eine Silvesterfeier (nach der feierlichen Segensandacht mit einem Kardinal in al Gesù) hat er uns verboten – im Gottesdienst gerade zum Jahresbeginn eine *Gehorsamspredigt* halten zu müssen. Scharf mahnt er bestimmte Regeln an und predigt gegen weltbewegende Unsitten wie lautes Lifttüreschließen, Pfeifen auf Fluren und Stiegenhinunterrennen (sein Wort »Der flötet, und ein solcher will Priester werden« war schon zuvor in San Pastore kolportiert worden). Und dies alles unter dem Paulus-Wort (Gal 4,4f): »Er (Christus) war unter dem Gesetz«, wobei der Rektor, und besonders dies finde ich skandalös, den Zielpunkt des Paulus-Satzes einfach verschweigt: »damit er (Christus) die, die unter dem Gesetz stehen, davon *erlöse*«.

Erlösung, Befreiung vom Gesetz – hier nicht vorgesehen. Im Gegenteil, bereits fünf Tage später beginnt die *Visitation* des Kollegs im Auftrag des Jesuitengenerals durch seinen gestrengen Delegaten, den Holländer P. PETRUS VAN GESTEL: ein großer, leicht gebückter Mann, dessen eines Augenlid ständig zittert und der als ehemaliger Insasse des KZ Dachau von uns sehr respektiert wird. Eine autoritäre Persönlichkeit freilich, mit verdeckt antideutschen Ressentiments, angesichts des eher schwachen flämischen Generals der eigentliche Befehlshaber der Compania. Er kommt nun von der Jesuitenkurie im Borgo beim Vatikan ganze Wochen zu uns herüber, um mit jedem einzelnen der hundert Alumnen ausführlich über deren Auffassungen und das Kolleg zu sprechen. »Il Collegio Germanico – una opera die prima importanza«.

Zwar habe ich schon in meinem ersten römischen Jahr eine solche Visitation erlebt, aber diese wurde durchgeführt durch den milden P. Augustinus Bea, Rektor des päpstlichen Bibelinstituts, und wurde von uns »Visitatio beatifica« genannt, weil sie uns nichts Böses brachte. Damals habe ich in einer langen freundlichen Unterhaltung sogar den

Rektor P. Karl Brust verteidigt gegen die ständige, oft überzogene Kritik und Satire jener »Vorsehungsgermaniker«, die direkt aus dem deutschen Italienfeldzug ins Kolleg kamen und von ihrem wilden Soldatenleben her sich mit unserer römischen Seminarordnung begreiflicherweise schwertaten.

Aber den Rektor Vorspel kann ich nun bei P. van Gestel nicht gegen eine Kritik verteidigen, die ich teile. Im Gegenteil: ich mache beim Gespräch mit dem P. Visitator sehr konkrete Vorschläge zur Reform der Repetitionen, zum Heimaturlaub und zu anderen Fragen. P. Vorspel seinerseits versteht unser Kolleg als Eliteinstitut, das nur geistig und körperlich voll leistungsfähige Alumnen ausbilden soll. Als mein Surseer Freund Otto Wüst, schon mehr als einmal krank, eine einjährige Kur in Samaden im Bündnerland machen muß, bedarf es einer richtigen Kampagne seiner Freunde im Kolleg beim Rektor und auch beim Bischof von Basel, daß er überhaupt wieder ins Kolleg zurückkehren darf; der damalige Theologenpräfekt Alois Wagner (später Weihbischof von Linz und schließlich Kurienerzbischof) hat entscheidend mitgeholfen.

Bei P. van Gestel rede ich nun sehr deutlich über die autoritäre Erziehungsmethode und den Legalismus in unserem Kolleg. Dem Ignatius von Loyola hätten noch zwei Seiten Kollegsregeln genügt (darüber hatte mich der Kollegsarchivar Josef Fischer informiert), der jetzige Rektor, P. Vorspel, aber brauche zweiundvierzig Seiten. Der P. Delegat, dieser im Kolleg mächtigste Mann, macht zuerst noch Notizen. Dann aber legt er den Stift beiseite und hört nur noch wortlos zu, was ich da alles an Kritik vorbringe. Nach dieser Unterredung gehe ich gleich zu Josef Fischer: »Wenn die mich jetzt nicht rauswerfen, verdienen sie allen Respekt.« Sie werfen mich nicht hinaus und verdienen so allen Respekt.

»Das heilige Experiment«

Bei P. Vorspels verschärftem Kurs und P. van Gestels Visitation spielt, ebenfalls im Januar 1952, ein dritter Krisenfaktor mit: Man hatte sich entschlossen, im Kolleg das weltweit erfolgreiche Bühnenstück des Österreichers FRITZ HOCHWÄLDER aufzuführen über den Untergang des indianischen Jesuitenstaates in Paraguay: »Das heilige Experiment«. Und dies verleiht nun unseren Diskussionen über den Gehorsam in der Kirche eine geradezu historische Dimension. Geht es doch bei Hochwälder um die dramatische Präsentation des *Gehorsamskonflikts* der Jesuiten, die auf Geheiß des spanischen Königs und des Papstes ihre Enklave sozialer Gerechtigkeit für die Indianer den neuen weißen Herren des Landes aus Spanien opfern sollen.

Mir wird die Rolle des spanischen Visitators Don Pedro de Miura übertragen, der den königlichen Befehl im Geist der Staatsraison durchführt. Georg Zur (später Vatikandiplomat, Nuntius, Präsident der päpstlichen Diplomatenakademie) die Rolle Querinis, des verkleideten Legaten des Ordensgenerals, der die Interessen der von Spanien bedrohten Gesellschaft Jesu zu wahren hat. Und Johannes Singer (später Professor und Bischofsvikar in Linz) die des Jesuitenprovinzials Fernandez, der am Gewissenskonflikt zwischen Rettung des Indianerstaates und Gehorsam gegenüber Jesuitengeneral und Papst zerbricht. Der Provinzial stirbt, die Anführer der Revolte gegen den Visitator werden erschossen, die Patres deportiert. Vorhang zu – und alle Fragen offen.

Während Wochen wird im Kolleg über die Gehorsamsproblematik heiß diskutiert. Am Sonntag, dem 20. Januar 1952, findet endlich im neuen Festsaal vor der Kommunität und vielen Ehrengästen die erste Aufführung statt. Trotz des Rampenlichts sehe ich, wie in der ersten Reihe P. Delegat van Gestel und der slawische Assistent Prešeren schon während der Aufführung erregt Bemerkungen austauschen. Aber der Beifall ist groß.

Am nächsten Tag treffe ich P. van Gestel zufällig auf dem Gang. Er spricht mich sofort an mit seinem holländischen Akzent, den ich jederzeit nachahmen kann: »So, Sie waren es, der gestern den spanischen Visitator gespielt hat.« »Ja«, antworte ich, »das scheint Ihnen nicht gefallen zu haben, P. Delegat. Aber ich habe mich genau an den Text gehalten.« Darauf er: »Gewiß, doch der Thooon macht es, der Thooon …« Tatsächlich hatte ich mir Mühe gegeben, den ganzen Zynismus dieser spanisch-römischen Unternehmung (»weil ihr Recht habt, müßt ihr vernichtet werden!«) sprachlich und mimisch deutlich zum Ausdruck zu bringen, welcher die Jesuiten in Paraguay an der Alternative von Widerstand und Gehorsam zerbrechen ließ. Den Vertretern Spaniens und Roms ging es nun einmal weniger um einige hunderttausend Menschenleben als um ihre eigenen ewigen Prinzipien und Machtansprüche.

Für den nächsten Sonntag war auch Seine Paternität, der Jesuiten-General, zu unserer Aufführung angemeldet. Aber – P. Janssens kommt nicht, und wir meinen den Grund zu kennen. Es ist ein unbequemes Stück, gerade für Rom und den Ordensgeneral (wohl nach van Gestels Urteil) allzu provokativ. Das hindert unsere Theatertruppe freilich nicht, im Anschluß an die ebenso begeistert applaudierte zweite Aufführung wiederum bis weit nach Mitternacht hinter der Bühne ein illegales Fest mit viel Wein zu feiern... Der beliebte Jesuitenbruder Wilhelm Dankl, Chef der Küche, hatte stets für uns Verständnis.

Die Reaktion von P. van Gestel – nein, nicht auf unser Stück, aber auf seine Visitationserfahrungen – bleibt nicht aus: Er zieht daraus höchst unerfreuliche Konsequenzen, weniger für unser Leben in Rom, wo einige Verbesserungen der Tagesordnung eingeführt werden, als für das Leben auf unserer Sommervilla. Das freiere Leben dort wird stark eingeschränkt: auch in der römischen Bruthitze statt des aufgeklappten Hemdkragens jetzt das römische Kollar, beim Schwimmbad Einschränkung der Badezeiten und strikte »Separation« von Philosophen und Theologen. Weitere Maßnahmen im Sinne einer »Planwirtschaft«, was P. van Gestel sofort den Übernamen »Malik« einträgt – nach dem Sowjetbotschafter bei der UNO Jakob Malik, einem notorischen Neinsager.

Die Erregung ist allgemein. Einige von uns sind so erzürnt, daß wir uns im Silentium religiosum in den Ölgärten außerhalb des eigentlichen Kollegsterritoriums treffen, um unserer Empörung freien Lauf zu lassen und zu beschließen, eine Zeitlang überhaupt keine Regel mehr einzuhalten. Passiver Widerstand also und aktive Gegenpropaganda. Mir kommen van Gestels Maßnahmen völlig irrational vor. Selbst unser Spiritual kann mir keine Erklärung dafür geben. Nur P. Gundlach, bei einem Besuch von unserer kleinen Gruppe Getreuer aus dem Sozialzirkel im Park der Villa befragt, klärt uns auf: Das alles sei eben der »*Sulpizianismus in der Priestererziehung*« (von der Ordensgemeinschaft in St. Sulpice zu Paris). Ungefähr so: »Wir haben nun einmal unsere hohen geistlichen Prinzipien, die sich nicht ändern mit den sich ändernden Sitten der Welt; die Weltlichen mögen nackt herumlaufen, wir aber tragen unseren Talar und unser römisches Kollar.« Voilà, c'est ça.

Freiheit des Gewissens

In mir rumort schon lange das Problem des *Vorlesungsbesuches*, für heutige Studenten eine eher lächerliche Frage. Aber mein Dilemma ist leicht zu verstehen. Ehrlich war ich die ganze Zeit bemüht, die Kollegsregel zu befolgen. Diese aber schreibt nun einmal den Vorlesungsbesuch strikt vor (außer es schneit in Rom, und das kommt in sieben Jahren vielleicht ein Mal vor). Andererseits sind bestimmte Vorlesungen für manche von uns todlangweilig und zumeist in einem Lehrbuch nachzulesen. Sollte ich also um des »Gesetzes« willen meine für andere Studien dringend benötigte Zeit vertrödeln?

Es geht jetzt *nicht* mehr wie in meinen jungen Jahren um unsere *politische* Freiheit, *sondern* um meine *existentielle* Freiheit. Ich frage schließlich meinen Spiritual. Seine Antwort ist grundsätzlich: Die Gehorsamsforderung mache meine *Gewissensentscheidung* nie, wirklich nie überflüssig. Und diese könne nicht abstrakt, sondern nur in einer bestimmten Situation getroffen werden. Entscheiden müsse ich mich selber! Entscheidung in meinem *Selbst*, das mein *Gewissen* ist, das aber auf eine andere Instanz hin durchsichtig wird. Ich fühle mich an Sartre erinnert, aber Freiheit nicht gegen Gott, sondern vor Gott, vor Gottes »Angesicht«.

Ich solle also unter ernstem Abwägen der Gründe pro et contra den *Willen Gottes* zu erforschen suchen. Dieser sei ja mit dem Willen des Oberen nicht von vornherein identisch, sagt mir der Spiritual. Wäre der Wille Gottes identisch mit dem Willen des Rektors, so müßte dies konsequent auch von allen anderen »Oberen« gesagt werden, vom Papst angefangen bis zum letzten Bidellen oder Polizisten. *Blinder Gehorsam* jedoch führe zu Absurditäten, ja, sei eine Absurdität. Würden alle so gehorchen, so würde die ganze Welt zu einer einzigen preußischen Armee, mit den bekannten Folgen. Schließlich gäbe es nur die eine Inkarnation Gottes, in Jesus Christus; und schon der Zwölfjährige habe im Tempel gegenüber den Eltern keineswegs einen blinden Gehorsam geübt.

Gut, aber wenn nun nach ruhiger Abwägung die Gründe contra Vorlesungsbesuch stärker sind? Dann bräuchte ich sie nicht zu besuchen. Nur dürfe ich nicht erwarten, daß der Rektor, der möglicherweise mehr die Unannehmlichkeit der Absenzen als die Zeitverschwendung sieht, gleicher Meinung sei. Würde ich erwischt, würde ich bestraft. Was ich dann tapfer zu ertragen hätte. Fazit? Meine Gewissenserforschung, die nicht nur mein »bonum proprium«, sondern auch das »bonum commune« und das »bonum professoris« einbezieht, führt zur Wahl der *Freiheit*: Vorlesungen nur besuchen, wenn sie sich lohnen. Diese werden indes leider zunehmend weniger.

Nun bin ich so unvorsichtig, meine Auffassung offen dem neuen Theologenpräfekten, dem freundlichen Slowenen Janez Zdešar, kundzutun, mit dem ich gerne diskutiere; er wohnt auf dem sechsten Stock bei der soziologischen Bibliothek mit Anton Rauscher und mir zusammen. Nicht bedacht habe ich, was ich vorher selbst bei unserem an sich vernünftigen Basler Mitbruder (und späteren Dompropst) Anton

Cadotsch als Theologenpräfekt festgestellt habe: wie sehr doch ein *Amt, und sei es noch so gering, einen Menschen verändert*: Der Beförderte sieht nun alle Probleme plötzlich amtlich »von oben«. So auch Zdešar. Ich solle mich an die Regel halten, meint er. Der Wille Gottes? Gott allein unbedingten Gehorsam entgegenbringen? Was soll solche Freiheit? An was ich mich eigentlich konkret halten wolle? Meine Antwort: »*An mein Gewissen!*« Klar. Freiheit im Vollzug. Womit ich nun aber nicht rechnete: Der an sich gutmütige, eben nur gehorsame Theologenpräfekt Zdešar meint, P. Rektor Vorspel von meiner freien Entscheidung Mitteilung machen zu müssen.

Der Rektor hat die zunehmend kritische Entwicklung seines früheren »Mustergermanikers« ohnehin mit Mißtrauen verfolgt. Zwar drückt er mir, als ich in seinem Homiletikkurs eine Probepredigt über die Verklärung Jesu aus der Retrospektive des ersten Petrusbriefes, ganz geistig verinnerlicht, zu halten verstehe, unumwunden seine Bewunderung aus: »Was für vielfältige Fähigkeiten Ihnen Gott doch gegeben hat!« Grund zu Dankbarkeit und Fügsamkeit. Am 8. November 1952 aber erhalte ich von ihm die Weisung, nicht mehr vom Abendessen wegzubleiben, wiewohl dies nach der Kollegsregel gestattet ist; mich langweilt Pastors Papstgeschichte, und vor allem kann ich die Zeit des Abendessens (und manchmal auch die der Rekreation) für meine Studien nützen. Ferner gestattet mir der Rektor nicht, eine Einladung des Schweizerischen Militärattachés zum Mittagessen anzunehmen; als Senior der Helvetia Romana (mehr ein akademischer Schweizer Klub als die übliche Studentenverbindung) habe ich ihn zu einem Vortrag über die strategische Lage der Schweiz eingeladen. Des Rektors Verbot hat uns freilich nicht gehindert, ohne allen studentischen Komment fröhlich beim Frascati wie immer in der Kantine der Schweizergarde zu tagen.

Dann will der Rektor mich bald darauf unbedingt zur Übernahme der Leitung des Sozialzirkels überreden, was ich aber – weil eine »Wahl von oben« – nicht tun will. Der um ein Jahr ältere Anton Rauscher wird denn auch, wie immer in geheimer Wahl, von den rund 50 Mitgliedern gewählt (und ich dann im Jahr darauf als sein Nachfolger). Ob der Rektor mir deshalb den wegen der Tromp-Disputation versprochenen mehrtägigen Erholungsaufenthalt in San Pastore versagt? Kein Gespräch mit mir, nur indirekt läßt er mir dies durch den Theologenrepetitor mitteilen. Ob sich da irgendetwas zusammenbraut?

Ein lautloser Zweikampf

Nein, dieser Rektor sucht nicht das offene Gespräch, vielmehr schreibt er mir jetzt, reichlich ungewöhnlich im selben Haus, einen *Brief*. Am 28. Januar 1953 steckt er an meiner Tür. Zwei Seiten Vorwürfe, abgesehen vom Vorlesungsschwänzen alle unbegründet oder lächerlich (ich sähe bei der Tischlesung im Refektor oft so unzufrieden und finster aus). Doch alles gipfelnd im Verdikt über den früheren »Mustergermaniker«: mein Verhältnis zu Gott sei nicht in Ordnung! Ich bin empört. Und diesen Brief soll ich unterschrieben zurückbringen?

Gleich zum Spiritual: P. Rektor habe bisweilen Anfälle von Verantwortungsbewußtsein, meint dieser, ich solle den Brief nicht so ernst nehmen und unterschreiben. Doch darf ich ignorieren, daß solches von mir selber unterschriebenes Urteil jederzeit ein »Consilium abeundi« (»Rat wegzugehen«) unwiderlegbar begründen könnte? Nach Beratung mit meinem Freund Josef Fischer entschließe ich mich zum Widerstand und gehe schnurstracks zum Rektor.

»Habe ich mir doch gleich gedacht, Herr Küng kann nicht warten!«, begrüßt mich dieser. Ich nicht weniger scharf: »Wäre ich nicht gleich gekommen, P. Rektor, hätten Sie gesagt: Habe ich mir doch gleich gedacht, Herr Küng meint warten zu dürfen.« So der Beginn einer endlosen unerquicklichen Diskussion über einzelne Punkte und über seine ungeheure Anmaßung, über mein Verhältnis zu Gott urteilen zu können. Aber von seiner Unterschriftsforderung will der Rektor nicht abgehen. »Gut«, sagt er schließlich, »gut«, und klopft mit seinem rechten Mittelfinger auf seinen linken Handrücken, »gut« … Das uns wohlbekannte Zeichen, sich zu verabschieden.

Ich aber bleibe sitzen − mit leicht gesenktem Blick, wie ich ihn später in der buddhistischen Meditation üben werde. Ich schweige und schweige und schweige, eisern entschlossen, das Zimmer des Rektors nicht zu verlassen, wenn dieser nicht zuvor auf meine Unterschrift unter seinen Brief verzichtet. Aber auch er schweigt und schweigt und schweigt. Ein Zweikampf, lautlos, wie ich ihn vorher und nachher nie erlebt habe. Mir scheint er eine Ewigkeit zu dauern. Ich weiß nur eines: Wer jetzt wieder zu reden anfängt, hat verloren. So halte ich durch. Und − *er* fängt wieder an. Das Resultat ist: Ich muß den Brief nicht unterschreiben. An diese Szene werde ich mich erinnern, mehr als zwanzig Jahre später, wenn der Kultusminister von Baden-Württemberg mich nach dem Entzug meiner kirchlichen Lehrbefugnis zu einer sofortigen Reise nach Stuttgart ins Ministerium zwingen will, bevor ich meine Position in der Universität und Fakultät Tübingen geklärt und abgesichert habe. Das habe ich früh in Rom gelernt: zu widerstehen.

Doch bin ich nie verbissen: Mit P. van Gestel unterhalte ich mich später anläßlich eines Empfangs unseres Kollegs im Oktober 1953 auf der herrlich gelegenen Sommervilla des Jesuitengenerals (»Villa Cavaletti«) bei Frascati freundlich über »Das heilige Experiment« und die Jesuitenfrage in der Schweiz und habe mit ihm auch im folgenden Jahr nochmals eine ausführliche Diskussion. P. Vorspel aber wird, man hat es nicht erwartet, schwer krank und eines Tages, ohne sich verabschieden zu können, im Flugzeug nach Deutschland transportiert. Vermutlich bin ich einer der wenigen, der ihm einen herzlichen Dankesbrief ins Krankenhaus sendet. Er erholt sich nach vielen Monaten einigermaßen, hat aber längst einen Nachfolger. Wenn ich wenige Jahre später als junger Professor vor dem Konzil im großen neuen Auditorium Maximum der Hamburger Universität einen Vortrag halten werde, wird mir der alte Mann eigens zwei Patres schicken, um mir seine Grüße und Anerkennung auszurichten, was ich mit großer Freundlichkeit erwidere. Ich mag keine Feindschaften.

Krise der Theologie

Auf Fritz Vorspel folgt im Herbst 1953 als mein dritter Rektor FRANZ GRAF VON TATTENBACH, der letzte Sproß eines alten bayerischen Geschlechtes. Auf den ersten Blick ein »schicker Typ«, der auf seinen Adelstitel keinen Wert legt, natürlich, liebenswürdig, weltoffen, klug. Ich mag ihn von Anfang an und habe nicht die geringste Ahnung, daß ich gerade mit ihm die schwersten Konflikte meiner sieben römischen Jahre durchstehen muß.

In den ersten Monaten hat P. von Tattenbach denn auch kaum Probleme mit der »Kommunität«, so nennt man unsere Kollegsgemeinschaft. Er, der zuerst als zweiter Spiritual in unser Kolleg gekommen war, hält sehr viel weniger penetrant moralisierende Sonntagsexhorten als sein Vorgänger. Und seine Einführungen in die Beichtpraxis und in die liturgischen Amtshandlungen – unser Jahrgang geht jetzt rasch auf die »höheren Weihen« zu – sind bis hinein in Wort und Gestik delikat und frei von moralischer Kasuisterei und liturgischer Bombastik.

Daß sich der neue P. Rektor schon bald statt des bis dahin üblichen italienischen »Fiat« einen deutschen »*Mercedes*« anschafft, sehen wir ihm gerne nach. Nur beim Unterhaltungsabend spötteln wir mit dem Song

»Mercedes nostra in coelis est« (statt wie in dem Schriftwort: »Merces nostra – unser Lohn ist im Himmel«). Ich selber darf wegen meiner von Kind auf bestehenden Magenprobleme in Autobussen – schon früh Gegenstand des Spottes in einem Unterhaltungsabend – gelegentlich mit ihm in seinem Mercedes nach San Pastore fahren. Ja, in der Tat: P. von Tattenbach ist von meinen drei Rektoren als der letzte auch der beste – wäre da nur nicht die Theologie gewesen. Und die ist nun leider Tattenbachs Stärke nicht, wiewohl er mit dem bekannten Jesuitentheologen Alfred Delp – als Mitglied des antinazistischen Kreisauer Kreises kurz vor Kriegsende vom Volksgerichtshof verurteilt und in Berlin hingerichtet – bis zum bitteren Ende die Freundschaft pflegte.

Unterdessen hat sich nämlich die kollegsinterne Diskussion von Fragen der Disziplin in brisanter Weise auf Probleme der *Theologie* verlagert. Während unsere oberen Jahrgänge – repräsentiert etwa durch die späteren Dogmatikprofessoren Helmut Riedlinger (Freiburg) und Johannes Singer (Linz) – sich mit einer mehr äußerlich-oberflächlichen Kritik des Schulbetriebs der Gregoriana und der neuscholastischen Thesen begnügen, konzentriert sich die Kritik in den mittleren Jahrgängen auf deren Grundansatz: die scharfe Trennung von Philosophie und Theologie, »natürlicher« Vernunftwahrheit und »über-natürlicher« Glaubenswahrheit, Natur und Gnade. Wir sind gegen ein »Stockwerk-Denken«, das Gottes Gnade als bloß schönen, aber eigentlich nicht notwendigen Überbau der menschlichen Natur erscheinen läßt. Sowohl in den Repetitionen wie den Rekreationen deshalb leidenschaftliche Diskussionen!

Wir sind ja wahrhaftig nicht die einzigen, die dieses neuscholastische Stockwerk-Denken kritisieren. Das geschah vor allem durch die Schule der *»Nouvelle théologie«*, die französischen Theologen HENRI DE LUBAC und HENRI BOUILLARD, die Pius XII. in seiner Enzyklika »Humani generis« von 1950 verurteilt und zugleich von ihren Lehrstühlen vertrieben hatte. Angeblich würden sie und andere die volle Ungeschuldetheit der Gnade nicht wahren und die »ungeschuldete« übernatürliche Ordnung »korrumpieren«. Sie würden nämlich annehmen, der menschlichen Natur sei eine »Sehnsucht« (»desiderium«) nach der glückseligen Gottesschau eingepflanzt; eine rein natürliche Ordnung (»natura pura«) ohne Gnade sei gar nicht möglich.

Für uns im Germanikum einflußreicher sind allerdings die ersten Aufsätze des deutschen Jesuitentheologen KARL RAHNER, der, dialektisch gewandter und für Rom schwerer greifbar, der menschlichen Natur nur ein »übernatürliches Existential« zuschreiben will (mein erster Band von Rahners »Schriften zur Theologie« mit dem Aufsatz über »Natur und Gnade« trägt die Widmung von Otto Wüst »Zu Deiner Weihe und Primiz«). Für mich noch wichtiger wird die geistvolle Darstellung und Deutung der Theologie des bedeutendsten protestantischen Theologen des 20. Jahrhunderts, Karl Barth, durch den Schweizer Ex-Jesuiten HANS URS VON BALTHASAR, der die Gesamtproblematik von Natur und Gnade sehr differenziert behandelt. Mein ganz persönlicher Anreger, theologischer Berater und Mentor freilich bleibt WILHELM KLEIN, den ich jederzeit aufsuchen kann.

Ein Versammlungsverbot

Zum Studium dieser Probleme bildet sich nun aus einem Dutzend Gleichgesinnter ein *theologischer Studienkreis*. Dieser »Dogmatikzirkel« ist gewiß nicht »linientreu«, stellt er doch die Thesen der Neuscholastik in Frage. Aber er ist alles andere als »häretisch«, spekuliert er doch nicht wild drauflos. Er studiert vernachlässigte kirchliche Lehräußerungen, besonders die unter dem Einfluß der augustinischen Gnadentheologie stehenden Konzilien von Karthago (im 4./5. Jahrhundert) und Orange (Arausicanum II im 6. Jahrhundert) und das von Trient gegen die Reformatoren (im 16. Jahrhundert).

Ich selber arbeite während mehrerer Wochen beinahe bis zur Erschöpfung an einer Neuinterpretation des Konzilsdekrets von Trient über die *Rechtfertigung des Sünders*. Dreißig engbeschriebene Schreibmaschinenseiten über Geschichte, Methode und Inhalte des Rechtfertigungsdekrets sind das Ergebnis. Sie zielen allesamt auf eine einheitliche »übernatürliche« (christologisch strukturierte) Gesamtsicht der Wirklichkeit. Eine rein natürliche Ordnung wird nur als bloße Hypothese akzeptiert (mit Rahner gegen de Lubac). Aber auch mit einem »übernatürlichen Existential« (Rahner) oder einer »natürlichen Sehnsucht der Gottesschau« (de Lubac) können wir nicht zufrieden sein. In vier Sitzungen des Dogmatikzirkels wird mein Referat Abschnitt um Abschnitt diskutiert und weitgehend akzeptiert.

Die Diskussionen in unserem Kreis finden das ganze Wintersemester 1953/54 über statt, ohne einen Moderator, den wir wohl auch kaum gefunden hätten, aber auf hohem Niveau. Nicht wenige aus unserem Kreis werden in ein paar Jahren Universitätsprofessuren oder andere wichtige Positionen einnehmen: Bernhard Casper (Religionsphilosoph in Freiburg), Josef Fischer (Gymnasialprofessor und Erziehungsrat in

Luzern), Peter Hünermann (Dogmatiker in Münster und Tübingen), Peter Lengsfeld (Ökumeniker in Münster), Oswald Loretz (Alttestamentler in Münster), Wolfgang Seibel (Chefredakteur der »Stimmen der Zeit« in München) ...

So tagen wir denn unter uns, aber durchaus nicht geheim; kein Interessierter wird abgelehnt. Trotzdem gelten wir als elitärer Kreis und provozieren Neugierde, Eifersucht und Ketzerriecherei. Aber nachdem wir nun wirklich nichts zu verbergen haben, beschließen wir, im kommenden Sommersemester 1954 zur Abwehr falscher Verdächtigungen kollegsöffentlich zu tagen. Was denn auch unter beträchtlichem Publikumsandrang geschieht. Sogar P. Rektor von Tattenbach ist bei der ersten Sitzung anwesend.

Vermutlich wäre alles friedlich abgelaufen, wäre da nicht ein alter Bekannter wieder aufgetaucht, der unterdessen seine theologische Ausbildung abgeschlossen hatte und aus dem Frater zum ordinierten Pater geworden war: unser ehemaliger Philosophen- und jetzt Theologenrepetitor PETER GUMPEL SJ. Deutlicher wirkt sich jetzt aus, daß Gumpel, der, aus halbjüdischer Familie stammend, fast alle Angehörigen im Holocaust verloren hat, zum katholischen Glauben konvertiert ist. Während sein spitzer Zeigefinger, seine leicht überzogene Logik und seine Unsensibilität für neue Fragestellungen in der Philosophie wenig Schaden stifteten, wirken sie jetzt in der Theologie, wo es ihm penetrant um römisch-katholische Rechtgläubigkeit geht, »gemeingefährlich«.

Es kommt zum *Eklat*. Gewiß nicht aus persönlicher Ambition, sondern aus Sorge um den Glauben der Kirche fällt Gumpel über den armen Herbert Biesel (später Studentenpfarrer in Düsseldorf) her, der optima fide ein möglicherweise nicht zu Ende gedachtes Referat über Natur und Gnade hält. Gumpel argumentiert und agiert wie ein geborener kleiner Inquisitor. Gehört er doch zu jenen, von denen Spiritual Klein sagt, sie würden das ganze dogmatische Gebäude einstürzen sehen, wenn da einer an einem einzigen Stein rüttelt. Heftig jedenfalls ist die Auseinandersetzung, ein Hin und Her, Drunter und Drüber der Argumente. Eines der ganz wenigen Ereignisse in meinen sieben römischen Jahren, wo man das sonst 12.45 Uhr auf die Sekunde erschallende Klingeln der Glocke hinausschiebt und das Mittagessen mit einer fast halbstündigen Verspätung beginnt. In gedrückter Stimmung.

Was werden die Konsequenzen sein?, fragen wir uns. Wir hoffen auf die Unterstützung von Rektor Tattenbach, der doch sehr auf unseren Spiritual Klein hört und den wir im Prinzip auf unserer Seite wissen. Doch wir täuschen uns. Er hört auf den Repetitor Gumpel, denn dieser ist, wie jedermann weiß, der Schützling und Aufpasser des mächtigen Delegaten P. van Gestel, der den Rektor als seinen Exekutor betrachtet. Des Rektors alle überraschender Entscheid: Der theologische *Studienzirkel* wird *verboten!* Man mache sich klar: Uns rund 25jährigen Lizentiaten der Philosophie und mehrsemestrigen Studenten der Theologie wird verboten, uns im eigenen Haus zur Diskussion von Fachfragen zu versammeln. Ein Skandal, der heftig diskutiert wird. Aber wir hätten noch Glück gehabt, erklärt mir später Hans Urs von Balthasar in Basel: wären wir Jesuitenstudenten gewesen, hätte man uns als gefährliche »Dissenters« über ganz Europa verteilt und so unschädlich gemacht.

Das also ist nun meine erste ganz persönliche Erfahrung mit der *Inquisition* – ohne daß deren Sanctum Officium auf der anderen Seite des Tibers auch nur eingeschaltet werden mußte. Erbost und verletzt sind wir, die Betroffenen. Aber jeder arbeitet nun mehr für sich weiter, und persönliche Kontakte lassen sich nicht verbieten. Natürlich bleibt es P. von Tattenbach nicht verborgen, daß er durch sein Versammlungsverbot sein bisher gutes Verhältnis gerade zu den Aufgewecktesten zutiefst erschüttert hat.

Einige Wochen später läßt er mich kommen: Wir könnten unseren Theologenzirkel weiterführen. Wirklich? Ja, unter der Bedingung, daß wir die Thesen der Gregoriana als Grundlage unserer Diskussionen nehmen. Dies lehne ich höflich, aber bestimmt ab. Es ginge doch gerade um die ganz und gar fragwürdige Grundlage dieser Thesen in Bibel und Tradition, über die wir diskutieren möchten. Alle neuscholastischen Definitionen und Explikationen, Argumenta und Responsa erscheinen weithin vorgestanzt und nicht letztlich begründet. Das aber will oder darf nun der Rektor seinerseits nicht zugestehen. So bleibt es beim Verbot. Kein »Dogmatikzirkel« mehr bis zu meinem Abschied. Keine Freiheit in der Theologie. Ich konzentriere mich auf meine persönliche Arbeit, bleibe aber im Gespräch mit den engsten Gesinnungsgenossen. Widerstände dämpfen meine Energien meist nicht, sondern steigern sie, wenn ich von meiner Sache überzeugt bin. In die Theologie, zuerst recht akademisch betrieben, knie ich mich jetzt erst recht hinein.

Heil für Nichtchristen?

Mit Leidenschaft arbeite ich jetzt wochenlang an einer Frage, die mit der »Rechtfertigung des Sünders« zusammenhängt: das katholische Extra-Dogma »Extra ecclesiam nulla salus – Außerhalb der Kirche kein Heil«.

Die römisch-katholische wirklich die »einzig wahre«, die »alleinselig-machende Kirche«? Eine Frage, die ich schon als Gymnasiast in Luzern entdeckt hatte und in meine römischen Jahre mitnahm. An der Gregoriana bietet das Seminar von P. Domenico Grasso über das Heil der Nicht-Christen (»Infideles«, »Ungläubigen«) viel Interessantes aus der Theologiegeschichte, doch keine mich überzeugende Lösung.

So wage ich denn jetzt meinen ersten völlig eigenständigen theologischen Essay, bestehend aus 16 eng maschinengeschriebenen Seiten mit dem Titel *»Über den Glauben. Ein Versuch«*, den ich bis heute gehütet habe. Er beginnt mit den Worten: »Das Heil der Ungläubigen ist seit den Anfängen des Christentums ein Kreuz der Theologie: Der allgemeine Heilswille Gottes – die absolute Notwendigkeit des Glaubens: beides undiskutierbare Offenbarungswahrheiten! Und doch gleicht ihre Verbindung im Geheimnis der Heiden mehr einem Kontradiktorium als einem Mysterium ... Über den allgemeinen Heilswillen Gottes herrscht heute – nach vielen Häresien der Kirchengeschichte – relative Klarheit. Aber die Notwendigkeit des Glaubens? Was für ein Glaube ist notwendig? Was ist überhaupt Glaube? ... In diesem kurzen Versuch – mehr kann es nicht sein – soll schlicht diesem Geheimnis des Glaubens nachgegangen werden, in der Hoffnung, daß von ihm her auch etwas Licht fällt auf das für uns so dunkle Heil der Ungläubigen.«

Meine *Frage* genauer präzisiert: Welches Minimum an »Glauben« ist notwendig und ausreichend für einen »Heiden« in Zentralafrika oder im »christlichen Europa«, um das Heil zu erlangen? Meine *Antwort*, lang und breit exegetisch, dogmengeschichtlich und systematisch entwickelt:
Wenn nach dem Römerbrief des Apostels Paulus die Heiden Gottes unsichtbares Wesen und ewige Kraft aus den Werken der Schöpfung erkennen können, wenn sie wollen (Röm 1);
wenn Juden und Christen sich nichts einbilden sollten auf ihre besondere Offenbarung, da die Heiden die in ihr Herz geschriebene Gesetzesforderung nach ihrem Gewissen erfüllen können und nicht »die Hörer, sondern die Täter des Gesetzes« von Gott »gerechtfertigt werden« (Röm 2);
wenn auch nach den paulinischen Reden der späteren Apostelgeschichte sich Gott den Heiden in seinen Wohltaten bezeugt (Apg 14), ja, die Heiden den unbekannten Gott suchen sollten, der ihnen nahe ist, in dem sie leben, sich bewegen und sind und dessen Geschlecht sie sind (Apg 17);
und wenn alle diese Schriftzeugnisse auch noch durch kirchliche Lehrdokumente und Thomas von Aquin bestätigt werden:

dann, ja dann muß es doch so etwas wie eine ganz primitive *»niederste Stufe des Glaubens«* geben, die im Prinzip jedem Menschen, auch Nichtchristen, zugänglich ist – und dies »vor« allem ausdrücklichen Gottes-, gar Christusglauben! Eine vertrauende Vernunft (»ratio fidelis«) oder ein vernunftgemäßer Glaube (»fides rationabilis«): diesen also durchaus nicht irrational-unvernünftigen »Glauben« werde ich später zur Unterscheidung vom ausdrücklichen Gottes- und Christusglauben Ur- oder *Grundvertrauen* nennen.

Aber wer dieses recht anstrengende theologische Elaborat (am 21. März 1954 begonnen und am 1. Mai abgeschlossen) liest, hat keine Ahnung, daß sich dahinter eine *spirituelle Erfahrung* verbirgt, von der hier berichtet werden muß. Auslösender Faktor: ein Seelsorgegespräch mit einem Nichtchristen in Berlin, in welchem ich um eine Antwort ringe und keine finde. Im Sommer 1953 wird uns nämlich – eine der in der Zwischenzeit eingeführten Reformen von P. Vorspel – nach dem zweiten Jahr Theologie ein *zweiter Heimaturlaub* für ein »Feriendiakonat« gestattet.

Welche Freude, als ich am 28. Juni 1953 nach langer Nachtfahrt um 8 Uhr morgens meine Eltern am Bahnhof Sursee und auch alle meine Geschwister gesund und munter begrüßen kann. Ein Familienspaziergang und Gespräch mit meinem Bruder Georg bis morgens um drei Uhr, dann Wiedersehen mit Präses Kaufmann, alten Freunden und vielen Verwandten. Aber schon am 9. Juli trete ich eine mehrwöchige *Erkundungsreise* quer durch Europa an, die kulturelle, wissenschaftliche und seelsorgliche Interessen verbindet und die mich schließlich nach Berlin führen wird. Zuerst wieder nach Paris (einvernehmliche Gespräche mit Anton Cadotsch über pastorale Probleme, dann mit verschiedenen Professoren über ein mögliches theologisches Doktorat, worüber in einem eigenen Kapitel berichtet werden soll). Weiter nach Brüssel (JOC: christliche Arbeiter- und Frauenbewegung) und mit Stopps in Brügge, Gent und Antwerpen nach Amsterdam, wo ich mehr als eine dauernde Freundschaft schließe. Von meinem Standquartier in Amsterdam aus in andere niederländische Städte, wo ich mich intensiv über den höchst aktiven holländischen Katholizismus von der Gemeinde- und Jugend- bis zur Rundfunk- und Ökumenearbeit orientiere und eine Reihe interessanter Theologen und kirchlicher Funktionäre kennenlerne. Schließlich über Nijmegen nach Essen (Besuch P. Vorspels im Krankenhaus und Einfahrt in eine Kohlegrube und auf dem Rücken ein mühseliges Hinunterrutschen über ein Kohleflöz) und von Essen über Hannover im Flugzeug nach Berlin.

Elternhaus »Zur Krone« (1651) mit Rathaus und Pfarrkirche St. Georg

Mein Eckzimmer mit Marienstatue des Bildhauers Tüfel

Emma und Hans Küng-Gut

Häuser der Geschwister Küng am Sempachersee mit Blick auf die Alpen
zwischen Rigi und Pilatus

Der Zweijährige

Der Vierjährige

Der Elfjährige   Pfarrer Franz Xaver Kaufmann

Familie Küng an der Surseer Fastnacht 1948

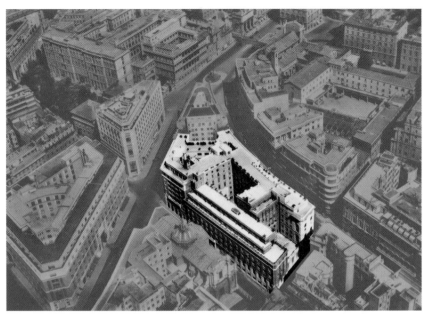

Pontificium Collegium Germanicum et Hungaricum, Rom

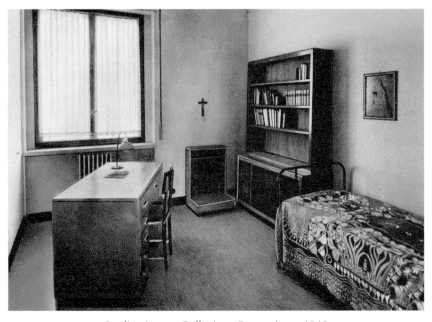

Studierzimmer Collegium Germanicum 1948

Pius XII. Pacelli: Verkündigung des Mariendogmas 1950
mit Bischof v. Streng (Basel)

»Studium per totum diem«

Mitgermaniker Otto Wüst,
später Bischof von Basel

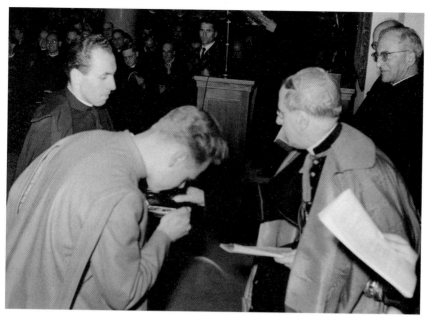

Kardinal Pizzardo überreicht Silbermedaille für das philosophische Lizentiat 1951
(rechts Jesuitengeneral Janssens)

Papstaudienz Pius' XII.: 400 Jahre Collegium Germanicum 1952

Sommervilla San Pastore in der römischen Campagna

Spiritual Wilhelm Klein SJ

Rektor Franz v. Tattenbach SJ

Vom 7. bis zum 28. August mache ich dort das vorgesehene *Berliner Feriendiakonat* in der sehr lebendigen Pfarrei St. Laurentius in Moabit. Dem sympathischen Pfarrer JOHANNES KURKA, seinem Kaplan und seiner Pfarrsekretärin helfe ich in jeder möglichen Weise: beim Gottesdienst, bei der Kartotheksarbeit, beim schwierigen (in Randstunden angesiedelten) Religionsunterricht, mit Lichtbildervorträgen und Hausbesuchen. Oft problematische Situationen: Mischehe, Heirat Geschiedener, Kindertaufe ...

Unter anderem treffe ich da auf einen jungen Künstler, der mich in ein langes, tiefes Gespräch über den Sinn des Lebens verwickelt. Nie ist mir vorher so deutlich geworden, daß meine scheinbar unerschütterliche philosophische Basis letztlich nicht trägt: daß ein Sinn des Lebens und meiner Freiheit sich rational offensichtlich nicht begründen läßt. Wenn ich ehrlich mit mir selber sein will, so stellt das den ganzen als sicher angenommenen rationalen Unterbau meines Glaubens in Frage. Hatte ich meine ureigenen Fragen womöglich weithin verdrängt oder zumindest »auf Eis gelegt«?

Sinn meiner Freiheit?

In der Tat: Einen letzten Zweifel, zunächst nicht sehr ernst genommen, hatte ich nie ausgeräumt. Auf der rein intellektuellen Ebene schien ja alles kristallklar. Aber auf der existentiellen Ebene blieb eine Ungewißheit, die sich während der ersten theologischen Semester erneut aufdrängte und mir zeigte, daß letztlich doch nicht alles so einleuchtend, beweisbar und abschätzbar ist, wie in der uns gelehrten Philosophie angenommen. Das sind auch die Fragen jenes Künstlers in Berlin-Moabit:

Was ist der Sinn meines *Lebens?* Ist es evident, daß mein Leben einen Sinn hat? Warum bin ich so, wie ich bin? Warum soll ich mich so annehmen, wie ich nun einmal bin, mit meinen Stärken und Schwächen? Annahme meiner selbst allein aufgrund vernünftiger Argumente? Höchst fraglich.

Und was ist der Sinn meiner *Freiheit?* Warum ist sie nicht einfach auf das Gute ausgerichtet? Was treibt mich? Warum ist Schuld möglich? Und fällt die Möglichkeit des Versagens, Verfehlens, Schuldigwerdens nicht auf den zurück, der den Menschen so gewollt hat, so daß ich selbst entlastet bin? Bejahung meiner Freiheit also allein aufgrund rationaler Einsicht? Mehr als fraglich.

Sartres Frage nach der Freiheit, die eine unausweichliche Notwendigkeit ist und einen Gott ausschließt, aber gerade so die Haltlosigkeit und Absurdität der menschlichen Existenz sichtbar macht. Schon am 11. September 1949 hatte ich in mein geistliches Tagebuch (nach einer Meditation über Galaterbrief 1,4) geschrieben: »Ich kann einfach nicht begreifen, warum Gott dem Menschen den Willen zum Schlechten gegeben hat. Wie vieles wäre doch einfacher und schöner!« Ein naiver Gedanke?

Angesichts solcher Fragen und Bedrängnisse helfen mir die angeblich evidenten Seinsprinzipien der griechisch-thomistischen Metaphysik nicht weiter. Aber auch nicht der von mir intensiv studierte moderne Ansatz RENÉ DESCARTES' und sein angeblich evidenter Ausgang bei der menschlichen Subjektivität. Nein, sein »Cogito« verschärft die Frage eher: »Ich denke, also bin ich?« Ist mein Ich mir wirklich zugänglich? Bin ich nicht ein mit Verstand *und* Willen, Gemüt *und* Triebstruktur, Kopf *und* Herz, Bewußtem *und* Unbewußtem ausgestattetes Wesen? Ein in vieler Hinsicht recht widersprüchliches Ich, wie Descartes' Gegenspieler BLAISE PASCAL deutlich macht?

Und möchte nicht manch einer in seinem Herzen gerne etwas besser, ein ganz klein wenig intelligenter, begabter, reicher, schöner sein? Vermutlich gibt es mehr Menschen, als man denkt, die sagen: »Ich will nicht so sein, wie ich bin.« Viele Neurosen gründen hier. Oft nimmt man leichter die Welt an als sich selbst, wie man nun einmal ist oder durch andere gemacht wurde. »Das Einfache aber ist immer das Schwierigste«, so lese ich in C. G. JUNGS Schriften zur Psychologie und Religion: »In Wirklichkeit ist nämlich Einfachsein höchste Kunst, und so ist das Sich-selbst-annehmen der Inbegriff des moralischen Problems und der Kern einer ganzen Weltanschauung.«

Was ich damals empfinde, werde ich wenige Jahre später bei einem katholischen Theologen, der in Tübingen ein gutes Jahrzehnt vor mir ebenfalls außerhalb der Katholisch-Theologischen Fakultät doziert, unter dem Titel »Die Annahme seiner selbst« treffend beschrieben sehen, bei ROMANO GUARDINI: »Die Aufgabe kann sehr schwer werden. Es gibt die Auflehnung dagegen, man selber sein zu müssen: Warum soll ich es denn? Habe ich denn verlangt, zu sein? … Immer stoße ich an die nämlichen Grenzen. Immer begehe ich dieselben Fehler, erfahre dasselbe Versagen … Aus alledem kann eine unendliche Monotonie kommen; ein furchtbarer Überdruß.«

Wie aber kann ich, ohne in Irrationalität zu verfallen, zu einer positiven Grundeinstellung angesichts dieser ambivalenten Wirklichkeit der Welt und meiner selbst gelangen? Das ist meine Grundfrage: Auf welchem Weg kann ich zu einer bewußten konstruktiven Entscheidung und Einstellung (Grundwahl, »choix originel«) kommen, wie sie nun einmal des Menschen ganzes Erleben, Verhalten, Handeln umgreift, einfärbt, prägt? Angesichts der Tatsache, daß sich diese höchst ambivalente Wirklichkeit der Welt und meiner selbst gerade nicht zwingend mit Evidenz als sinnvoll aufdrängt? Wie kann ich angesichts drohender Absurdität einen festen Standpunkt gewinnen, sozusagen einen archimedischen Punkt, von dem aus ich meine Wirklichkeit grund-legend bestimmen, bewegen, verstehen, verändern kann?

Ich habe die Wahl

Offensichtlich geht es in dieser Grund-Frage um eine *freie* und gerade so *verantwortete* Stellungnahme. Hier einfach auf meine zweifellos gegebene vielfältige Determiniertheit zu rekurrieren, erschiene mir als demoralisierendes Alibi, das mich von aller moralischen Verpflichtung und Verantwortung entlastete. Ich habe es doch so oft erlebt: Ich bin weder total von meiner Erbmasse oder meinem Unbewußten vorprogrammiert, noch bin ich total von meiner Umwelt konditioniert. Nein, ich bin weder Tier noch Roboter. Ich bin in den Grenzen des Angeborenen und Umweltbestimmten frei: Freiheit verstanden als *Selbstbestimmung und Selbstverantwortung*. Wenn ich diese Wahl- und Entscheidungsfreiheit auch nicht »beweisen« kann, ich kann sie doch in jedem Augenblick, wann immer ich will, unmittelbar *erfahren*: Ich kann jederzeit auch anders! Eine grundsätzliche *Alternative* tut sich mir auf:
– Ich kann mehr oder weniger bewußt *Nein* sagen zu einem Sinn meines Lebens und meiner Freiheit, zur Wirklichkeit überhaupt. Das ist die nihilistische Alternative, aktiv oder passiv, philosophisch oder pragmatisch, (»Alles eh egal«, um trivialere Worte zu vermeiden), die immer wieder genügend Negatives findet, um eine Absurdität und Leere zu behaupten, eine Wert- und Sinnlosigkeit des Lebens, ja, die Nichtigkeit der Wirklichkeit überhaupt.
– Ich kann allerdings auch mehr oder weniger bewußt *Ja* sagen, und sei es auch nur in einer scheinbar passiven Hingabebereitschaft: Ja zum Grund und Sinn meines Lebens und meiner Freiheit trotz allen Unsinns, zur Wirklichkeit überhaupt trotz aller Nichtigkeit. Zweifellos ein Wagnis angesichts des offensichtlichen Risikos der Enttäuschung und des immer wieder möglichen Scheiterns in diesem lastenreichen, leidvollen Leben.

Aber *warum* soll ich Ja sagen? Ich erinnere mich genau, wie ich schon meinen ersten Exerzitienmeister, P. Vorspel, mit dieser Frage in Verlegenheit brachte. Er verweist mich auf Gott. Aber: die Frage nach meinem eigenen Standpunkt, nach dem Sinn meines Lebens, meiner Freiheit, der Wirklichkeit überhaupt scheint mir grundlegender und deshalb vordringlicher zu sein als die Frage nach Gott, die logischerweise in zweiter Linie zu überlegen wäre. Er hält mir vor, meine Frage sei letztlich Rebellion gegen Gott. Aber: wie soll ich Gott annehmen, wenn ich noch nicht einmal mich selber annehmen kann? Er: ich müsse eben »glauben«. Aber: »glauben«, so wurde ich erzogen, gilt doch nur auf der »oberen« Ebene der eigentlichen, christlichen Offenbarungswahrheiten. Glauben hat doch auf der »unteren«, natürlichen Ebene der Vernunft nichts zu suchen. Da soll doch allein das Wissen herrschen, die Einsicht, die Evidenz.

In meinen letzten römischen Jahren nun zeigt sich mir, daß auch die evangelische Theologie, wie ich sie damals durch die Lektüre von Karl Barths so eindrücklichen Schriften langsam kennenlerne, sich diesbezüglich in einer Verlegenheit befindet: In dieser Grundfrage sich von vornherein auf Gottes Wort verlassen? Einfach die Bibel lesen? Und wie ist es mit denen, welche die Bibel nicht lesen aufgrund ihrer Herkunft, Bildung, Haltung …? Können vielleicht alle diese Nichtchristen gar keinen festen Standpunkt in ihrem Leben finden, kein Lebensvertrauen erreichen? Ist der Glaube an den christlichen Gott wirklich Voraussetzung für jegliches Ja zur Wirklichkeit und für jegliches Ethos, das darauf aufbaut? Fragen, welche auch die evangelische Theologie bis auf den heutigen Tag kaum genügend reflektiert hat.

Schon während jenes Gesprächs in Berlin-Moabit, bei dem ich mit meiner ganzen philosophischen und auch schon zweijährigen theologischen Bildung mich als unfähig erweise, meinem Gesprächspartner eine überzeugende Antwort zu geben und auch Ausflüge in die Ästhetik wenig nützen, beschließe ich, nach meiner Rückkehr aus dem Norden in Rom meinen spirituellen »Meister« aufzusuchen, Wilhelm Klein.

Grundvertrauen wagen

Natürlich erhalte ich wieder die Antwort, auf die ich, dagegen schon längst allergisch, gefaßt bin. Sie zu attackieren hatte ich mir fest vorgenommen, um endlich eine Lösung des Konflikts zu erzwingen: »Man muß eben glauben!« Glauben? Immer nur glauben? Doch plötzlich –

mitten in diesem Gespräch – durchzuckt mich eine Erkenntnis. Ich spreche ungern von einer »Erleuchtung«. Es war eine *spirituelle Erfahrung*. Jedenfalls kommt diese intuitive Erkenntnis nicht einfach von meinem Gegenüber. Kommt aber auch nicht durch mein eigenes begriffliches Bemühen. Kommt plötzlich tief aus meinem Selbst. Oder von außen, von oben?

»Glauben?« Die Lösung bietet gewiß *nicht* der Glaube im katholischen Sinn des intellektuellen Annehmens übernatürlicher Glaubenswahrheiten und Dogmen. Allerdings auch *nicht* Glauben im evangelischen Sinn des rechtfertigenden Annehmens von Gottes Gnade in Christo. Damit hat meine Erkenntnis vielleicht zu tun, doch ist sie einfacher, elementarer, grundlegender. Geht es doch zunächst einmal um die bewußte Begründung der *menschlichen Existenz*, nicht nur der christlichen. Geht es doch überhaupt um eben jene Frage, die sich für Christen wie Nichtchristen schon »vor« aller Lektüre der Bibel stellt: Wie kann ich einen festen Standpunkt gewinnen? Wie mein eigenes Selbst mit all seinen Schattenseiten annehmen? Wie meine eigene, auch für das Böse offene Freiheit akzeptieren? Wie bei allem Unsinn einen Sinn in meinem leidvollen Leben bejahen? Wie zur Wirklichkeit von Welt und Mensch trotz ihrer Rätselhaftigkeit und Widersprüchlichkeit Ja sagen?

Was mir jetzt plötzlich aufgeht: daß mir eine elementare Wahl zugemutet wird, ein *Wagnis des Vertrauens!* Dies ist die Herausforderung: Wage ein *Ja!* Statt eines abgründigen Mißtrauens wage ein grundlegendes Vertrauen zu dieser ambivalenten Wirklichkeit! Statt eines Grundmißtrauens ein *Grundvertrauen*: zu dir selbst, zu den anderen Menschen, zur Welt, zum Leben, zur fraglichen Wirklichkeit überhaupt! Und Sinn scheint auf, macht hell, wird Licht …

Ob man es mir nachfühlen kann, daß diese seltsame Erfahrung mich mit unbändiger Freude erfüllte? Das ist gelebte, *realisierte Freiheit:* Ja sagen, Grundvertrauen wagen, Lebensvertrauen riskieren. So kann ich tatsächlich eine bestimmte Grundeinstellung einnehmen, so kann ich weitermachen und einen aufrechten Gang bewahren. Nein, meine Gewissensfreiheit ist nicht ein für alle Male vorgegeben, sondern muß sich auf meinem Lebensweg stets neu herausbilden.

Mit Vertrauensseligkeit, einem unkritischen Optimismus, hat solches Grundvertrauen und solche Grundüberzeugung nicht das Geringste zu tun. Die Wirklichkeit der Welt und meiner selbst hat sich ja nicht verändert, nur meine Grundeinstellung zu ihr. Sie ist keineswegs zur heilen Welt geworden, sie bleibt von Widersprüchlichkeit geprägt und von Chaos und Absurdität bedroht. Und auch mein Ich hat seinen Schatten keineswegs verloren. Es bleibt undurchschaubar, fehlbar, schuldbedroht, sterblich. Meine Freiheit ist nach wie vor zu allem fähig, und die der Mitmenschen auch. Bei allem *Lebensvertrauen* wird von mir also zugleich *Lebensklugheit* erfordert: eine Balance zwischen berechtigten Vorbehalten und Vertrauen, im Einzelfall auch durchaus Skepsis, gar Mißtrauen. Ja, auch die Möglichkeit eines grundsätzlichen Mißtrauens gegenüber der Wirklichkeit ist nicht ein für alle Male ausgeräumt.

Doch ich weiß nun und es bleibt mir wichtig: Dieses mein Grundvertrauen ist *keineswegs irrational,* es ist überprüfbar. Zwar läßt es sich – wie auch Grunderfahrungen der Liebe oder Hoffnung – nicht durch eine Argumentation im voraus beweisen, und auch nicht erst im nachhinein. Das Grundvertrauen läßt sich nicht als Prämisse *vor* meiner Entscheidung aufweisen, und auch nicht erst als Konsequenz *nach* meiner Entscheidung. Nein, es läßt sich nur mitten *im Vollzug* meiner Entscheidung, im Akt des Vertrauens selbst, *als durchaus sinnvoll, ja, vernünftig erfahren.* Dies erinnert mich an meinen See: Daß das Wasser meinen Körper, auch meinen, trägt, läßt sich nicht durch einen noch so gescheiten Trockenschwimmkurs, das läßt sich nur im Schwimmen erfahren. Ohne das Wagnis, mich der Wirklichkeit des Wassers anzuvertrauen, werde ich es nie erfahren, daß es mich, auch mich, hier und jetzt, trägt.

Meine allererste Vorlesung in Tübingen (nur sechs Jahre später, stelle ich mit Erstaunen fest) werde ich wie in der Fundamentaltheologie üblich ankündigen unter dem Titel »Die Offenbarung«, aber für manche reichlich rätselhaft beginnen mit »Die Frage nach der menschlichen Existenz«. Die Antwort liegt im Grundvertrauen, ich habe es erfahren. Ohne dieses Grundvertrauen hängt jeglicher christlicher Glaube in der Luft. Ohne Lebensvertrauen kein wahres Leben. Wäre es nicht gut gewesen, diese spirituelle Erfahrung und ihre Konsequenzen in einem theologischen Zirkel zu diskutieren? Doch unter der »Herrschaft« Pius' XII. ist dies nicht willkommen.

Krise der Kirche

Noch im August 1950, nach meinem zweiten Jahr Philosophie, nehme ich die *Enzyklika »Humani Generis«* so, wie sie uns von römischen Professoren und auch von romhörigen Kommentatoren in Deutschland und Frankreich präsentiert wird: als eine angeblich notwendige Korrektur höchst gefährlicher Auffassungen bezüglich des gnadenhaften Wesens der »Übernatur«, des Werts dogmatischer Formulierungen, der Beweisbarkeit der Existenz Gottes, der Evolution und der Erbsünde, der christlichen Philosophie und der Lehre des Thomas von Aquin (Thomismus). Daß die bedeutenden Köpfe der Theologenschule von Lyon, ihr Spiritus rector HENRI DE LUBAC, aber auch andere Jesuiten wie Henri Bouillard, Henri Rondet und Gaston Fessard allesamt abgesetzt werden (vom wendigen Jean Daniélou, der es schließlich noch zum Kardinal bringen wird, abgesehen), wird damals in der katholischen Presse möglichst übergangen.

Wie schmählich die besten Theologen Frankreichs zum Schweigen gebracht wurden, wird mir später aufgehen, als mir Henri de Lubac auf die Zusendung eines Manuskripts, in dem ich von der »Diskussion« über sein »Surnaturel« schreibe, unmißverständlich antwortet: »Il n'y avait pas de discussion.« Gab es wirklich »keine Diskussion«? In der Tat gab es nur die Unterdrückung jeder Diskussion durch Rom mit Absetzung sowie Publikations- und Redeverbot für die Betroffenen. Aber – alle Jesuitenprofessoren unterwerfen sich schweigend im Gehorsam. Wo bleibt da der Protest, wo bleibt die Freiheit?

Noch am 12. März 1952 nehme ich höchst beeindruckt – durch die Vermittlung des mir stets wohlgesinnten Kaplans der Schweizergarde, Msgr. Paul Krieg, auch Germaniker – in der Sixtinischen Kapelle an der *Papstkrönungsfeier Pius' XII.* teil. Welch ein sakrales Spektakel: sämtliche Kurienkardinäle und Diplomaten aus aller Herren Länder in Gala, ein Hochamt unter Assistenz Seiner Heiligkeit – vor Michelangelos erschütternd kontrastierendem Jüngsten Gericht … Relativiert für mich persönlich dann durch einen Vortrag des französischen Existenzialisten GABRIEL MARCEL am Nachmittag in der Stadt über »Philosophie et théâtre«, in welchem er das Ideentheater (J.-P. Sartre!) grundsätzlich, aber kaum ganz überzeugend, ablehnt.

Das *400jährige Kollegsjubiläum* vom Herbst 1952 wirft schon lange Schatten voraus. Im Rahmen einer Festwoche soll auch eine Papstaudienz in Castel Gandolfo stattfinden. Es sickert durch, daß unser Rektor P. Vorspel als Redeschreiber gefragt worden war und er nun dabei ist, seine rigorosen Vorstellungen von Kollegsdisziplin und Gehorsam in die Papstrede hineinzuschreiben. Große Empörung unter uns »Reformern«. Wir beklagen uns bei P. Klein. Dieser interveniert bei seinem Freund, dem päpstlichen Privatsekretär P. Robert Leiber, so daß nun eine »gemäßigte« Ansprache erwartet wird. Zu Gunsten P. Vorspels spricht, daß er die Selbstverwaltung des Kollegs im Prinzip beibehalten will. P. van Gestel dagegen will zur Straffung der Disziplin statt der Germaniker-Präfekten Jesuiten einsetzen. Das will P. Vorspel verhindern und schreibt in den Entwurf der Papstansprache einen Passus über die Selbstverwaltung, der bis zu der vom Papst vorgetragenen Fassung erhalten bleibt: »Die Kollegsdisziplin, die keine geringen Anforderungen an euch stellt«, sagt Pius XII., »ist nach einer alten und lobenswerten Tradition eures Hauses erleichtert, insofern ihr selbst an ihrer Handhabung beteiligt seid. Selbsterziehung ist halbe Mühe, und das Vertrauen, das man in euch setzt, verpflichtet.« Damit sind die Pläne van Gestels von höchster Stelle vereitelt – aber gleichzeitig das Schicksal Vorspels als Rektor besiegelt; die Ablösung wird denn auch bald anläßlich seiner Erkrankung erfolgen.

400 Jahre Germanikum: Viele Germanikerbischöfe und weitere Germaniker haben sich angemeldet. Lieber als mit dem Luzerner Moraltheologen Schenker unterhalte ich mich mit dem Mainzer Kirchenhistoriker Joseph Lortz, dem Autor der beiden berühmten Bände über »Die Reformation in Deutschland«, den ich auch nach Stazione Termini begleite und der mir zum Dank seine »Geschichte der Kirche in ideengeschichtlicher Betrachtung« schickt. Er erzählt uns auch, daß das Erziehungssystem des Germanikums zwei Arten von Germanikern hervorbringe: plattgewalzte und kantige. Germaniker waren ja auch der Berliner Großstadtseelsorger Carl Sonnenschein, der führende Kopf des katholischen Volksvereins August Pieper und der Gründer des Deutschen Caritasverbandes Lorenz Werthmann.

Ich erschrecke, als ich Pius XII. am 9. Oktober 1952 ganz aus der Nähe in den Audienzsaal treten sehe, von einer fast tödlichen Krankheit gezeichnet, das Gesicht grün-gelblich. Zum ersten Mal liest der Papst, der bisher alle Reden in seinen Gärten auswendig lernte, seine Rede Wort um Wort vom Papier ab und verteidigt dabei die Ernennung so vieler Germaniker zu Bischöfen. Nachher spricht er mit vielen von uns. Aber bei mir hat bereits eine deutliche *Entmystifizierung des Papstes* und seiner Verlautbarungen eingesetzt. Anschließend sind wir auf der Sommervilla des amerikanischen Kollegs in Castel Gandolfo zu Gast, und ich habe Gelegenheit, mit meinem Freund aus Chicago, Robert Trisco, ein langes Gespräch über alles dies zu führen. Am nächsten Tag erhalte ich anläßlich der Priesterweihe meiner Mitbrüder die dritte und vierte niedere Weihe. Beim anschließenden Empfang sind nicht nur die deutschsprachigen Bischöfe und Vatikanbotschafter, sondern auch der römische Oberbürgermeister Rebecchini und Signora Francesca de Gasperi zu sehen.

Kirchenreform – von oben oder unten?

Im Jahr darauf, am 18. Mai 1953, mache ich als Redaktionsassistent für das »Korrespondenzblatt« des Germanikums (zusammen mit Peter Lengsfeld und Georg Zur) ein Interview mit dem großen Volksprediger P. RICCARDO LOMBARDI SJ. Nach dem Zweiten Weltkrieg hatte dieser in verschiedenen italienischen Städten höchst populäre »Radiokreuzzüge« durchgeführt – deshalb »il microfono di Dio« tituliert – und dann »il Movimento per un Mondo Migliore«, »die Bewegung für eine bessere Welt« ins Leben gerufen. Am 3. Mai hatte Lombardi bei uns im Kolleg (wie zu anderer Zeit auch der in Deutschland wirkende Massenprediger P. Johannes Leppich SJ) gesprochen: über seine neue Konzeption einer *Reform der Kirche von unten*. Einige seiner Predigten, die Klerus und Volk zu christlichem und sozialem »Rinovamento« aufrufen, haben wir gehört. Die erste kirchliche Erneuerungsbewegung, mit der ich es leibhaftig zu tun bekomme und die mich zunächst, trotz ihrer deutlich marianischen, papalen und nationalen Begleittöne, begeistert.

Es gehe um ein Doppeltes, erklärt uns Lombardi, »eine Bewegung der Gewissen und des persönlichen Eifers zu schaffen« und »systematisch alle unsere Positionen zu überprüfen und alle unsere Kräfte zu mobilisieren«. Mit der Unterstützung des Papstes, die dieser ihm am 10. Februar 1952 durch eine große Ansprache an die Gläubigen von Rom zum Ausdruck gebracht hat, soll zuerst die Stadt Rom und dann die Kirche und die Welt überhaupt auf breiter Front erneuert werden. Was für die Diözese Rom unter der Oberleitung des Kardinalvikars Clemente Micara geschehen soll, hat Pius XII. etwas später von allen Diözesen Italiens gefordert (12. 10. 52). P. Lombardi, scheint uns, hat den Papst ganz und gar hinter sich. Noch am selben Abend schreibe ich bis gegen Mitternacht Lombardis Interview nieder, das wir im »Korrespondenzblatt« des November 1953 an prominenter Stelle veröffentlichen.

Das ist ungewöhnlich: Lombardi erkennt hinter der von Pius XII. und seinen Macht- und Prachtmanifestationen glänzend dargestellten römischen Fassade die tiefe *Krise der Kirche*. Was wir freilich nicht wissen und was erst nach Lombardis Tod 1979 durch den »Vaticanista« Giancarlo Zizola aufgrund von Lombardis Privataufzeichnungen bekannt werden wird: daß Lombardi es zunächst mit der direkten *Reform der Kirche von oben* versuchte – aber damit *gescheitert* ist. Schon 1948 nämlich, am Tag nach dem mit seiner Hilfe errungenen großen Wahlsieg der Democrazia Cristiana über die Kommunisten (5. 5. 1948), hatte Lombardi

Pius XII. in einer Privataudienz in geradezu apokalyptischen Tönen beschworen, der Kirche in ihrer Krise einen umfassenden Plan von Reformen sowohl der vatikanischen Behörden wie der Bischöfe, des Klerus und der Orden und schließlich des Laientums zu verordnen.

Tatsächlich beauftragte der Papst Lombardi mit der Ausarbeitung eines umfassenden »Projekts zur Erneuerung der Kirche«. Abgesprochen mit dem Jesuitengeneral und anderen Beratern, wurde dem Papst schon im August 1948 ein 60seitiger Vorschlag sehr konkreter Reformvorschläge übermittelt, gipfelnd in einem *Konzil*. Doch führende Kurienkardinäle hatten verständlicherweise wenig übrig für Begrenzung ihrer Amtszeit, De-Italianisierung der Zentralverwaltung und Maßnahmen gegen Karrierismus und Bürokratismus. Auch hatten sie wenig übrig für Ökumenismus, Seminarienreform, Neueinteilung der italienischen Diözesen und vieles mehr. Und der Alleinherrscher Pius XII.? Er zögerte. Auch er vielleicht letztlich doch ein Gefangener der Kurie?

Fünf Jahre später nun, da P. Lombardi in unserem Kolleg über die *Reform der Kirche* »von unten« spricht, haben sich seine Beziehungen zu »oben« bereits stark abgekühlt – besonders nachdem der sendungsbewußte Jesuit vom Papst mit allzu großer Insistenz die Entlassung eben jenes Kardinalvikars Clemente Micara gefordert hatte, ihm zufolge das Haupthindernis für eine Erneuerung der römischen Diözese. In der Tat ist Micara, der beleibte Stellvertreter des Papstes, für seine ureigene Diözese ein wenig effizienter, gutmütig träger Bonvivant; nach einem relativ einfachen Abendessen in unserem Kolleg etwa (mittags hatte es ein Festpranzo gegeben) sagt er beim Hinausgehen unverfroren laut zu seinem Sekretär: »E adesso, Monsignore, dove andiamo mangiare? – Und jetzt, wohin gehen wir essen?« Aber dieses »kuriale Schwergewicht« soll der Papst einfach absetzen? Nein, da sitzt der Jesuitenpater am kürzeren Hebel, und es nützt ihm wenig, daß er jede Predigt mit »Viva Maria, Viva il Papa« beschließt. Auch die deutschen Jesuiten um Pius (ich merke es an Gundlachs Reaktion) stehen dem enthusiastisch-apokalyptischen Massenprediger und seinen Reformvorschlägen reserviert gegenüber.

Reform der Kirche hin oder her, im Vatikan hat man im Jahr 1953 ohnehin andere Sorgen: Nicht mehr Italien, wo die Herrschaft der Democrazia Cristiana solide etabliert erscheint, ist das Sorgenkind. *Frankreich* mit seiner ebenfalls großen kommunistischen Partei, starken Gewerkschaften und zahllosen Streiks entwickelt sich zum eigentlichen Krisenherd der katholischen Kirche.

Die Arbeiterpriester – ein Testfall

Frankreichs Bischöfe waren alarmiert worden durch die religionssoziologische Untersuchung der Abbés Godin und Daniel »France, pays de mission?«: in Frankreich ein fast totaler Verlust der Arbeiterschaft, von der gerade noch zwei Prozent religiös aktiv sind! Es ist vor allem der Kardinal-Erzbischof von Paris EMMANUEL SUHARD, der, wiewohl auch er wie die Mehrzahl der französischen Bischöfe durch die Kollaboration mit dem autoritären Pétain-Regime kompromittiert und zunächst recht konservativ, jetzt entschieden auf diesen Befund reagiert. Schon früh lese auch ich seinen weit über Frankreich hinaus bekannten, genau analysierenden Hirtenbrief »Essor ou déclin de l'Église? – Aufschwung oder Verfall der Kirche?« Im März 1953 spricht bei uns im Germanikum der Sekretär der »Semaines Sociales de France«, Professor Folliet aus Lyon, über Frankreichs Arbeiterbewegung und seine sozial-katholische Bewegung.

Dem Vatikan ist die Religionssoziologie – von Gabriel Le Bras an der Sorbonne etabliert – verdächtig, da sie gegenüber dem herrschenden Triumphalismus ein realistisches Bild von der zum Teil desolaten Lage der Kirche an der Basis zeigt. Verdächtig natürlich auch die »Rückkehr zu den Quellen«, da so von Schrift und Kirchenvätern her eine andere Theologie und ein weniger juristisches Bild der Kirche entwickelt wird als in der herrschenden Neuscholastik. Verdächtig natürlich auch jeglicher »Ökumenismus«, der in den anderen christlichen Kirchen Wahres und Gutes und sogar Kirche zu finden vorgibt. Verdächtig unter all diesen Umständen natürlich ganz besonders die *Arbeiterpriester*.

Mit großer Anteilnahme verfolge ich so das unter Suhards Protektorat nach dem Krieg gestartete Experiment der »Mission de Paris«, später »Mission de France«, welche die Arbeiterschaft zurückzugewinnen sucht: durch *Priester als Arbeiter* (»prêtres ouvriers«). Was man schon während des Krieges unter den französischen Zwangsarbeitern in deutschen Rüstungsfabriken ausprobiert hatte, soll jetzt auch in Frankreich realisiert werden: Priester als Arbeiter in die Fabriken zu schicken, damit sie dort als Seelsorger unter den Arbeitern wirken. Eine fast unmögliche Aufgabe angesichts der seit den Revolutionen von 1789 und 1848 anhaltenden Entfremdung der jetzt meist sozialistisch-kommunistischen Arbeiterschaft von der verbürgerlichten, »kapitalistischen« Kirche. Kommen da die Arbeiterpriester darum herum, sich die berechtigten Forderungen der Arbeiterschaft zu eigen zu machen? Gar der Gewerkschaft, oft auch der kommunistischen, beizutreten? Von sieben Millionen

Lohnempfängern in Frankreich verdienen 1953 mehr als eine Million weniger als 30 Dollar im Monat. Als besser Gebildete werden Arbeiterpriester vereinzelt in Betriebsräte oder gar als Gewerkschaftssekretär gewählt. Mit heißem Herzen lese ich den auf persönlichen Erfahrungen beruhenden Roman von Gilbert Cesbron »Les saints vont en enfer – Die Heiligen gehen in die Hölle«.

Und in die »Hölle« kommen die Arbeiterpriester jetzt tatsächlich. Doch nicht in die des totalitären Kommunismus, sondern in die der totalitären römischen Inquisition. Diese kann zwar Abweichler nicht mehr physisch, wohl aber psychisch verbrennen. Es ist jener Kardinal Pizzardo, Sekretär der vatikanischen Kongregation für die Seminare, dem ich meine Silbermedaille für das philosophische Lizentiat verdanke, der unter der Direktive des Sanctum Officium und in Zusammenarbeit mit dem Pariser Nuntius Marella im August/September 1953 die breit angelegte *römische Repression* anrollen läßt: Allen französischen Seminaristen ist ab sofort Ferienarbeit in den Fabriken untersagt. Alle Arbeiterpriester sind aus den Fabriken zurückzurufen in die religiösen Häuser der Orden und Diözesen. Das Seminar der »Mission de France« wird geschlossen. Die Professoren werden nach Hause geschickt. Alles selbstverständlich immer auf Wunsch des Heiligen Vaters persönlich ...

Neunzig Arbeiterpriester sind es (mehr waren von Rom ohnehin nicht toleriert worden). Und die sollen unter fast 50.000 Weltpriestern und Ordensleuten für die Kirche eine so ungeheure Gefahr darstellen? Die Weltpresse verfolgt die Ereignisse aufmerksam, und überall, auch in unserem Kolleg, wird die Frage leidenschaftlich diskutiert. Zum ersten Mal bin ich fest überzeugt, daß *Pius XII. im Unrecht* ist. Das Ende der Arbeiterpriester ist eine Tragödie! Und mit dem Ende der Arbeiterpriester ist ja auch das Ende der sie unterstützenden Theologie gekommen.

Theologen-Säuberung: Yves Congar

Eine *zweite Säuberung* (und beabsichtigte Einschüchterung auch der nicht direkt Betroffenen) setzt jetzt ein, nicht mehr gegen die Jesuiten, die sich nach der Enzyklika »Humani generis« (1950) als gebrannte Kinder rechtzeitig aus der Mission de France zurückgezogen hatten, sondern gegen die *Dominikaner*. Genau wie in totalitären Regierungssystemen werden führende Mitglieder ohne irgendein legales Verfahren und ohne Möglichkeit der Verteidigung aus ihren Ämtern entfernt. Von Menschenrechten redet kein Mensch und erst recht kein Papst.

Mit allen Mitteln sollen die Orden, die sich dank ihrer aus dem Mittelalter stammenden Verfassung einen Rest von Autonomie gegenüber der römischen Zentrale bewahrt haben, zur politischen Unterordnung unter den Willen des vatikanischen Machtkartells gezwungen werden.

Nicht nur der Papst, auch das Sanctum Officium bleiben bei solchen Aktionen gerne im Hintergrund. Der Dominikanergeneral, der Spanier Emanuel Suárez, wird im Februar 1954 angewiesen, die drei Provinziale von Paris, Lyon und Toulouse, die Patres Avril, Belaud und Nicolas, ihrer Ämter zu entheben. Tragischerweise kommt Suárez am 29. Juni, nachdem er in Rom am Fest von St. Peter und Paul teilgenommen und die ganze Nacht hindurch selber sein Auto gesteuert hatte, zwischen Perpignan und der spanischen Grenze ums Leben. Die Elite des Ordens ist lahmgelegt. Denn vier weitere berühmte Dominikanertheologen, die ich später kennenlerne, werden aus Paris verbannt: Boisselot (Leiter der Éditions du Cerf), Féret (Lehrstuhl für Katechetik), Chenu (der große Anreger, exzellenter Thomaskenner und Theologiehistoriker, zeitkritischer Verfasser einer Theologie der Arbeit und Hauptstütze der Arbeiterpriester) und vor allem YVES CONGAR. Dieser wird aus seinem Heimatkonvent Le Saulchoir bei Paris im Februar 1954 ausgeschlossen und nach Jerusalem verbannt, bevor er nach Cambridge abgeschoben und generell mit Rede- und Publikationsverbot belegt wird. Fehlt nur noch, daß man ihn (wie in der Sowjetunion) in eine Nervenheilanstalt steckte: Denn wer gegen das System (»Kirche« oder »Partei«) ist, der kann doch nur verrückt sein ...

Zu meiner Überraschung treffe ich Yves Congar, diesen bedeutendsten Ökumeniker und Ekklesiologen unserer Kirche, jetzt aber ein gemiedener »auteur suspect«, im Winter 1954/55 in Rom, wo er sich zwischen seinem Exil in Jerusalem und Cambridge aufhält. Erst später höre ich, daß er vom Sanctum Officium dringend nach Rom gerufen worden war, ohne aber je vorgelassen zu werden. So martert man die Menschen. Er darf in Rom weder predigen noch Vorträge halten, ja, nicht einmal im Sprechzimmer Studenten empfangen. Als Mitglied eines kleinen internationalen Ökumenischen Zirkels, geleitet in Nachfolge von P. Boyer vom hervorragenden holländischen Liturgiewissenschaftler Herman Schmidt SJ, dessen Vorlesungen ich eifrig besuche, bin ich gut zwei Stunden mit ihm zusammen. Gastgeber das Centro »Unitas« an der Piazza Navona, das von den bewundernswert engagierten holländischen Damen des Gral-Laienordens geführt wird.

Congar, 1904 in Sedan in den Ardennen geboren, hatte den Ersten Weltkrieg als Kind und den Zweiten als Soldat mitgemacht. Und obwohl in harter deutscher Kriegsgefangenschaft von 1940-1945, hat er sein mehr als verständliches Ressentiment gegen die Deutschen überwunden. Er ist mit ganzem Herzen Dominikaner: kein Mystiker und kein Kontemplativer, sondern zutiefst der Predigt (»OP: Ordo praedicatorum – Predigerorden«), der Verkündigung, der Theologie verpflichtet. Das tagelange Stillschweigen bei den Exerzitien fand er langweilig. Unter dem Einfluß seines nur neun Jahre älteren Lehrers Chenu hat er sich schon früh für eine geschichtliche Betrachtung aller Dinge interessiert und auch die Theologie des Thomas von Aquin in den historischen Kontext gestellt. Deutsche Theologie aber, Luther, Möhler, Barth und vor allem historische Werke hat er intensiv studiert, ist so zugleich Dogmatiker und Historiker. Schon 1937, unter Chenus Einfluß und aufgrund seiner Begegnung mit Protestanten, veröffentlicht er mit seinen »Conférences« in Sacré Coeur von Montmartre unter dem Titel »Chrétiens désunis« (»Christen uneins«) ein bahnbrechendes Werk (aus dem das Motto für dieses Kapitel stammt). Untertitel »Prinzipien eines katholischen Ökumenismus«. Sein noch kühneres Buch über »Wahre und falsche Reform in der Kirche« von 1950 aber – schon 1952 verbietet das Sanctum Officium jede Neuauflage oder Übersetzung – kann ich trotz aller Bemühung nirgendwo mehr auftreiben. Auch Congar kann mir kein Exemplar vermitteln.

Wir Studenten können uns kaum vorstellen, was in dem ruhig und freundlich in unserer Runde sitzenden, verketzerten und zur öffentlichen Untätigkeit verurteilten Dominikaner vor sich geht. Er spricht hier über sein der Zukunft zugewandtes Kirchenverständnis, das auf die Laienschaft baut und auf die Ökumene ausgerichtet ist. Erst im Jahr 2000 – sechs Jahre nach seiner Erhebung zum Kardinalat, fünf Jahre nach seinem Tod! – wird sein erschütterndes »Journal d'un théologien 1946-1956« veröffentlicht: Congars dunkelstes Jahrzehnt im Kampf gegen die »römische Hydra« (»l'hydre romaine«). Aufgrund seiner grausamen Erfahrungen mit der unheiligen römischen Inquisition – das Wort »Heiliges Offizium« setzt er immer in Anführungszeichen – hat er längst sehr viel tiefer als wir kritische römische Studenten dieses kranke religiöse System und dessen Symptome durchschaut: die römischen Methoden, die behaupten, *Gott zu dienen*, indem sie die *Freiheit des Evangeliums unterdrücken*. Congar bereits 1937 über dieses »kirchliche, klerikale System, wo die Gewissen geknechtet werden, die Beziehungen der Seele mit Gott aber abgeleitet und kontrolliert erscheinen«: »eine Religion durch Bevollmächtigung (›procuration‹) zugunsten des Klerus, ein kirchliches Imperium, dessen Autokrat der Papst ist«.

Aber Congar hat die Hoffnung nicht aufgegeben. Denn er ist überzeugt, daß diese Kirche sich reformieren muß, wenn sie nicht verfallen
soll. Man solle mit denen diskutieren, die sie verlassen haben, nicht sie
bekämpfen: »débattre plutôt que combattre!« Und was die Arbeiterpriester angeht, hat er den vielzitierten Satz geschrieben: »On peut
condamner une solution si elle est fausse, on ne peut condamner un
problème. – Man kann eine Lösung verurteilen, wenn sie falsch ist;
man kann kein Problem verurteilen« (»Témoignage Chrétien« 1953).

Nie wollte Congar austreten, nicht aus dem Orden, nicht aus dem
geistlichen Amt, nicht aus der Kirche, gar ein Schisma provozieren.
Aber zutiefst verabscheut er das System, das er mit dem stalinistischen
vergleicht (und das »Heilige Offizium« mit der Gestapo), weil es mit
Denunzierung und Geheimhaltung in der Kirche eine Atmosphäre der
Verdächtigung und der Gerüchte schafft und letztlich auf Angst beruht,
auf der Angst nicht nur vor dem Kommunismus, sondern vor jeglicher
Veränderung des Status quo. Ernsthaft ringt Congar mit der Frage, ob
er sich nicht zum Komplizen mache, wenn er seinem Ordensgeneral, in
dem er immer den Nachfolger seines Ordensgründers, des heiligen
Dominikus, sieht, unbedingt gehorche. Einem General, der ihn zwar
gegenüber dem Heiligen Offizium verteidige, aber doch immer nur
innerhalb eines Systems, ohne je die diesem System inhärenten Lügen
zurückzuweisen: »Ich habe heute Angst, daß das Absolute und die Sim-
plizität des Gehorsams mich in eine Komplizenschaft hineinzieht mit
diesem abscheulichen System der geheimen Denunzierungen, welches
die wesentliche Bedingung des ›Heiligen Offiziums‹ ist, Zentrum und
Scheitelpunkt für den ganzen Rest. Denn, tatsächlich, wenn der P. General Chenu, Féret, Boisselot und mich ohne Grund – ich meine ohne
einen anderen Grund als die Unzufriedenheit des ›Heiligen Offiziums‹
und seiner Schriftgelehrten vom päpstlichen Hof – mit Sanktionen
belegt, so arbeitet er für die Verdächtigungen und die Lügen, die verlo-
generweise auf uns lasten.« Congars Schlußfolgerungen: »Es ist das
System und seine Lügen, die ihm inhärent sind, die man ganz und gar
zurückweisen müßte« (Journal, 23. 3. 1954).

Ob ich selber andere Entscheidungen bezüglich meines Lebensweges
getroffen hätte, wenn mir Congar das, was er damals nur seinem »Journal« anvertraute, verraten hätte? Die Gefährlichkeit eines unbedingten
Gehorsams, selbst gegen sein eigenes Gewissen, war mir ja auch schon
vorher schmerzhaft deutlich geworden, und ich habe mir diesbezüglich
meine Meinung gebildet. Glaube ist nicht Unterwerfung unter eine
menschliche Autorität, sondern unbedingtes Vertrauen auf Gott selbst.

Im Geist des Gehorsams unterworfen

De Lubac und die Jesuiten haben sich äußerlich der kirchlichen Autorität unterworfen – und schweigen. Die Kirche sei »quand-même notre Mère – trotzdem unsere Mutter«, wird mir Henri de Lubac während des Konzils unter der Kuppel von St. Peter tadelnd sagen, nachdem ich meinen ersten kritischen Vortrag über »Wahrhaftigkeit in der Kirche« gehalten hatte. Auch Yves Congar und die Dominikaner haben sich äußerlich der kirchlichen Autorität unterworfen – und schweigen. Insofern ist es nicht richtig, wenn man im Jahr 2000 Yves Congars ganz privates »Journal« der Jahre 1946-1956 mit »La révolte d'un théologien« anpreist. Alle französischen Priester und Theologen, so kann man in den 50er Jahren triumphierend in Rom verkünden, hätten sich den römischen Maßnahmen im Geist des Gehorsams »unterworfen«: »Humiliter se subiecerunt – demütig haben sie sich unterworfen« ist die traditionelle Formel. Alle? Außer vierzig (von neunzig) Arbeiterpriestern, die sich weigern, die Fabrikarbeit aufzugeben und sich zu unterwerfen! Man hat nicht mehr viel von ihnen gehört. Damnatio memoriae. Ihre Namen sind vergessen. Ob vielleicht irgendwann einmal jemand ihre Geschichte schreiben wird?

Mitten in den Auseinandersetzungen um die Arbeiterpriester am 5. November 1953 fliegen die drei französischen Kardinäle Feltin (Suhards Nachfolger in Paris), Gerlier (Lyon) und Liénart (Lille) nach Rom, um persönlich bei Pius XII. zu intervenieren. Ohne allen Erfolg. Drei Jahre später in Paris werde ich bei einem kleinen Abendessen auf Einladung des aufgeschlossenen Msgr. Lalande, Chef von »Pax Christi« und früher Sekretär von Kardinal Suhard, Gelegenheit erhalten, Kardinal PIERRE GERLIER bezüglich dieser Unterredung zu befragen. Der Papst sei nicht zu überzeugen gewesen, meint der Primas von Gallien. Am Ende habe er gesagt: »Ma conscience de pape m'oblige d'agir ainsi – mein Gewissen als Papst verpflichtet mich so zu handeln«. Und, jetzt zu mir gewandt, Kardinal Gerlier: »Et alors, qu'est-ce que vous voulez faire – was wollen Sie da machen, cher Monsieur l'Abbé?« Ich zucke die Schultern und ärgere mich nachträglich darüber, daß mir die Antwort nicht einfiel: »Démissionez, Eminence«. Oder noch besser: »Résistez! – Widerstehen Sie!« Doch »Résistez« war die Parole der französischen Hugenotten gegen Kardinal Richelieu. Und hätte sich angesichts eines solchen bischöflichen Gewissens (»conscience d'évêque«) und der angedrohten Demission der drei Führer der »Église de France« das Gewissen gerade dieses Papstes wirklich noch geändert?

Ich weiß es bis heute nicht. Damals war die Stellung des ebenso selbstbewußten wie selbstgerechten Pius XII. noch unangefochten. Freilich weiß man bereits: Weder der italienische Überfall auf Albanien am Karfreitag 1939 noch die Auslösung des Zweiten Weltkriegs durch den deutschen Überfall auf Polen im September 1939 noch der schon seit 1942 dem Papst bekanntgewordene Holocaust konnten Papa Pacelli, den »Stellvertreter«, zu einer öffentlichen Verurteilung veranlassen. Doch Hochhuths »Trauerspiel« wird erst 1963 erscheinen.

Das Versagen jeglichen prophetischen Protestes angesichts all der Verbrechen gegen die Menschlichkeit durch die totalitären Machthaber einerseits und desselben Papstes autoritäres Einschreiten gegen die Erneuerer in der eigenen Theologie und Kirche andererseits haben im Grunde dieselbe Wurzel: Es ist die unübersehbare *Affinität zwischen des Papstes autoritärem*, das heißt: antiprotestantischem, antiliberalem, antisozialistischem, antimodernem *Kirchenverständnis und einem autoritären*, das heißt: faschistischen *Staatsverständnis*. Deshalb ja auch Konkordate Pacellis mit Hitler-Deutschland, Salazar-Portugal und Franco-Spanien. Bezeichnenderweise hat Pius XII. die von Pius XI. 1926 verbotene nationalistisch-faschistoide Action Française (für die das absolute Übel die Demokratie und das absolute Heilmittel die Monarchie ist) schon wenige Wochen nach seiner Wahl wieder zugelassen. Aber die bereits vorbereitete Enzyklika seines Vorgängers gegen Nazismus und Antisemitismus – Gustav Gundlach einer der drei Redakteure – läßt er liegen. Aus dem harten Kern der Action Française rekrutierten sich 1940 Marschall Pétains katholische Anhänger, während sich die Katholiken in der Résistance (de Gaulle, Bidault, Schuman, Abbé Pierre ...) oft gegen die Hierarchie auf den Primat ihres Gewissens berufen mußten.

Das Schlimme an diesem autoritären, quasi faschistischen Kirchenverständnis ist, daß es von den *Bischöfen* weithin mitgetragen wird, wie es wiederum Yves Congar schon damals sehr klar erkannt hat: Für die Bischöfe (die sich übrigens zum schönen Teil auf die Seite des Regimes von Marschall Pétain gestellt hatten) seien die Dominikaner »eine Résistance, das heißt wir sind die einzige organische Kraft, die denkt, die eine Unabhängigkeit hat und die sich nicht damit begnügt, wann immer der römische Götze (l'idole romaine) gesprochen hat, auszurufen, ›es ist nicht ein Mensch, es ist ein Gott, der gesprochen hat‹ (Apg. 12,22: so wurde damals König Herodes, der das königliche Gewand angezogen und sich auf den Thron gesetzt hatte, nach seiner Rede vom Volk gefeiert, bevor ihn der Engel des Herrn schlug, weil er Gott nicht die Ehre gab, und er von Würmern zerfressen den Geist aufgab)«.

Und Congar fährt in seinem Journal vom 9. Februar 1954 fort: »Die Bischöfe sind ganz und gar gekrümmt in Passivität und Servilität; sie haben für Rom eine aufrichtige, kindliche Ehrerbietung. Sogar eine kindische, infantile. Für sie ist dies ›die Kirche‹ ... Rom konkret, das ist der Papst, das ist das ganze System der Kongregationen, die erscheinen, als ob sie diese Kirche seien, die Jesus auf den Felsen gebaut hat. Und es ist das ›Heilige Offizium‹. Das ›Heilige Offizium‹ regiert konkret die Kirche und beugt jeden unter die Furcht oder die Interventionen. Es ist diese oberste Gestapo, unbeugsam, deren Entscheidungen man nicht diskutieren kann ... Der Grund der Debatte ist also eine neue Konzeption der Kirche, die man uns auferlegen will und deren Basis ist erstens eine Reduktion von allem auf den Gehorsam und auf eine Beziehung Autorität – Untertanen; zweitens eine neue Konzeption des Gehorsams, von einem ›style super jésuitique‹.«

Congar hat damals ein Dossier über »Papolatrie«, »Papstvergötzung« von Pius IX. bis Pius XII. angelegt. Darin finden sich so schöne »Trouvailles« wie die von den »drei weißen Dingen« in der katholischen Kirche: Hostie, Maria, Papst. Leider hat er dies nie veröffentlicht. Er war schließlich zufrieden, daß er sich auf Einladung des mutigen Erzbischofs Weber in Straßburg niederlassen und dort in bescheidenem Rahmen sogar wieder predigen und Vorträge halten durfte.

»Wenn ich einen eliminieren könnte«

Mitten in den großen Auseinandersetzungen über die Arbeiterpriester gehe ich zu P. GUSTAV GUNDLACH, zu dem ich als Präsident des Sozialzirkels ein gutes persönliches Verhältnis habe und der als Sozialexperte Pius' XII. zweifellos über die Aktion gegen die Arbeiterpriester informiert ist. Mit Nachdruck erkläre ich ihm, daß ich seine und des Papstes Ablehnung des stalinistischen Kommunismus teile, aber für die generelle Aktion gegen die Arbeiterpriester kein Verständnis aufbringen könne. Der große Sozialwissenschaftler, übrigens ein überzeugter, in Deutschland schon 1934 untragbar gewordener Antinazi, antwortet auf alle Argumente gereizt. Wir kommen im Gespräch kaum voran. »Man hätte zuwarten können«, meine ich. »Im Gegenteil«, seine Antwort, »wir haben zu lange gewartet, wir hätten sehr viel früher eingreifen sollen!« Schließlich spiele ich meinen letzten Trumpf aus: »Auch im Vatikan denken doch nicht alle wie Sie, P. Gundlach.« Er erregt: »Wer denn nicht?« Und ich: »Zum Beispiel Msgr. GIOVANNI BATTISTA MONTINI im

Staatssekretariat!« Wie von einer Tarantel gestochen dreht sich der schwergewichtige Mann brüsk auf seinem Schreibtischstuhl um, kehrt mir den Rücken zu und ruft mir über die Schulter, wie immer wenn er hocherregt ist, mit Kopfstimme zu: »Wenn ich einen im Vatikan eliminieren könnte, so wär's der Montini!«

Tatsächlich werden sie ihn schon im folgenden Jahr eliminieren, Ottaviani, Pizzardo und die ihren, zusammen mit den deutschen Jesuiten um Pius. Montini, der aufgrund von Herkunft und Lektüre Sympathien für den französischen Sozialkatholizismus hegt, der dem doktrinären Antikommunismus reserviert gegenübersteht und aufgrund seines täglichen Kontaktes mit dem Papst über nicht geringen Einfluß verfügt, stört immer wieder ihre Kreise. Über Kardinal Suhard und die Mission de Paris etwa plaziert Montini auf Anregung des Pariser Nuntius Roncalli einen lobenden Artikel im »Osservatore Romano«. So wird er schließlich unter viel Lob als Erzbischof nach Mailand »befördert«, aber in all den Jahren von Pius nicht zum Kardinal gemacht: promoviert, um amoviert zu sein! Denn eines ist sicher: keinesfalls darf er Papst werden! Als Erzbischof von Mailand werde ich ihn später persönlich kennenlernen. Erst Johannes XXIII. wird ihm den Kardinalspurpur verleihen. Gustav Gundlach aber muß es noch erleben, wie der, den er gerne »eliminiert« hätte, 1963 zum Papst gewählt wird. Ein Unglück für die Kirche, davon ist Gundlach überzeugt. Zwei Tage später stirbt er.

Für mich aber bedeutet die römische Unterdrückung der Arbeiterpriester, deren Apostolat ein wichtiger Bestandteil innerhalb des großen Apostolats zur Wiedergewinnung der christlichen Massen war, eine weitere gründliche *Entmystifizierung des Papstes*. Natürlich wäre es besser gewesen, wie mir P. Klein schon am Anfang der Auseinandersetzung sagte, Fabrikarbeiter – unter bestimmten Voraussetzungen – zu Priestern zu machen, als umgekehrt Priester zu Fabrikarbeitern; Priestertum sei schließlich kein »Stand«. Aber daran dachte Pius XII. natürlich noch weniger.

Auf einer Fahrt von Tunis nach Bône (Hippo, Bischofsstadt Augustins) in Algerien im Frühjahr 1955 werden mein Mitgermaniker Franz Knapp und ich, aus Rom kommend, rein zufällig den ebenfalls exilierten Superior der Mission de France, Msgr. LOUIS AUGROS, treffen, der uns lange, lange erzählt von den Arbeiterpriestern (ein bewegendes »Dossier confidentiel« von fast 800 Seiten über die Verurteilung der Dominikaner hat 1989 François Leprieur OP vorgelegt unter dem Titel »Quand Rome condamne«). Mit deren Ende ist jedenfalls auch das definitive *Ende des »Renouveau catholique«* gekommen, jener hoffnungsvollen religiös-literarischen Erneuerungsbewegung, die angesichts eines starren römischen Dogmatismus zur Rechten und eines positivistisch-deterministischen Laizismus zur Linken die Werte eines authentischen Katholischseins zu verwirklichen suchte. Repräsentiert am Anfang durch so glänzende Namen wie Léon Bloy, Charles Péguy und Paul Claudel, fortgesetzt dann durch Georges Bernanos und Julien Green, schließlich in anderer Weise aufgegriffen durch die theologische Avantgarde der Jesuiten und Dominikaner, die sich ja auch in der Résistance engagieren, die Jesuiten Chaillet, Fessard und de Lubac mit der Untergrundzeitung »Témoignage chrétien«.

Wenn ich kaum zwei Jahre nach der Unterdrückung der Arbeiterpriester nach Paris umsiedeln werde, kann ich von dieser großen Generation öffentlich nur noch die (stark angegriffene) Stimme von François Mauriac hören, der nach seinem Kampf gegen Franco und Vichy zum Anhänger de Gaulles geworden ist und 1952 den Nobelpreis für Literatur erhalten hat. Die römische Intervention – eine *Tragödie* auch für die vorher so lebendige *französische Theologie*, von der sie sich nie mehr erholen wird. Die gesamte biblische, liturgische, patristische, pastorale, ökumenische Erneuerung ist davon mitbetroffen. Auch im deutschsprachigen Raum hat man sie seit dem 19. Jahrhundert von Rom aus ständig gebremst, im französischen Raum aber hat man sie total blockiert, wenn nicht definitiv gestoppt. »Quand-même notre Mère«? Noch kein Papst und kein Episkopat hat diesbezüglich ein »Mea Culpa« abgelegt.

»Going my way«: kritische Katholizität

»Going my way« ist in den frühen fünfziger Jahren ein berühmter Film, in dem der damals beliebteste amerikanische Entertainer Bing Crosby einen jungen Kaplan spielt, der auch gegen den Widerstand seines konservativen Pfarrers »seinen Weg geht«, fröhlich und entschieden. Man zeigt uns diesen Film auch im Germanikum; Jahre später werde ich anläßlich eines Vortrags das Bing-Crosby-Museum in seiner Heimatstadt Spokane im Staat Washington besuchen. »Meinen Weg gehen« ist jetzt auch für mich so etwas wie eine Maxime geworden. In meiner Treue zur katholischen Kirche bin ich keineswegs erschüttert. Aber meine kritische Einstellung zum mittelalterlich-antimodernen römischen System habe ich in Rom gewonnen, als römischer Insider. Der Leser dürfte jetzt sicher verstehen: Es ist das *katholische Rom*, das mich zum *romkritischen Katholiken* gemacht hat.

Bevor wir am 3. April 1954 zu Subdiakonen ordiniert werden und uns zum Zölibat verpflichten, haben wir traditionsgemäß am Faschingsdienstag ein *Abschiedstheater* aufzuführen. Unsere Wahl fällt diesmal auf die von Schiller übersetzte und bearbeitete Komödie des Franzosen Louis Picard »Der Neffe als Onkel«. Warum immer so ernst sein? Mir macht es durchaus Spaß, bei diesem heiteren Verwechslungsspiel in molièreschem Stil in französischer Uniform und Perücke die Hauptrolle zu spielen. Anderthalb Jahre zuvor freilich ließ ich mir für ein Weihnachtsspiel in moderner Aufmachung, Karl Krämers »Die Tür der Gnade«, die Rolle des Innenministers im Smoking im Dienst des Königs Herodes eher gegen meinen Willen aufdrängen; mich reute die Zeit. Immerhin großer Beifall für das eine wie für das andere Stück und jetzt bereits traditionsgemäß eine fröhliche Nachfeier der Theatergruppe hinter der Bühne bis nach Mitternacht.

Wir Germaniker besuchen aber auch Theatervorstellungen anderer Kollegien. Mit Begeisterung etwa im nordamerikanischen Kolleg Patrick Hamiltons »Gaslight«, in dem mein Freund Robert Trisco sehr überzeugend die Hauptrolle spielt. Wenig später im lateinamerikanischen Kolleg auf spanisch T. S. Eliots »Mord im Dom«. Man sieht: Ob beim Theater oder beim Sport (Fußball in San Pastore), ob im Ökumenischen Zirkel oder in den Pausen an der Gregoriana, ob mit Studenten, Professoren oder Besuchern: Wir stehen in unserem multi-nationalen Kolleg, aber auch außerhalb in mannigfachem *inter-nationalem Austausch*.

Nachdem wir durch quasi tägliches Passieren und Besuchen der historischen Stätten des alten, mittelalterlichen und barocken Rom, aber auch durch Museumsbesuche und natürlich die traditionsbetonte Theologie der Gregoriana das leben und erleben, was ich später *Katholizität in der Zeit* nennen werde, so leben und erleben wir durch das Studium im Kontakt mit Studenten, Professoren und Besuchern aus aller Welt eine *Katholizität im Raum*. Beides unterscheidet mich von Anfang an vom noch immer verbreiteten Provinzialismus und Partikularismus mancher protestantischer Kirchenmänner und Theologen, deren Horizont die Landeskirche oder bestenfalls die Nation ist. Warum katholisch sein und bleiben? Eine Frage, die ich dann später oft zu beantworten habe, aber auf die ich jetzt schon die Antwort weiß: Ich bin und bleibe katholisch, weil mir an der *ganzen*, allgemeinen, umfassenden, eben katholischen Kirche gelegen ist. Und bis heute ist mir gelegen: an der in allen Brüchen sich durchhaltenden *Kontinuität* und an der alle Gruppen, Nationen und Regionen umfassenden *Universalität* von Glauben und Glaubensgemeinschaft.

Aber diese Katholizität verbindet sich für mich von Anfang an, doch mit wachsenden Erfahrungen – Krise des Gehorsams, der Theologie, der Kirche und der Entdeckung und Bewährung der Gewissensfreiheit in der Kirche – immer radikaler mit der Ausrichtung am *Evangelium*. Und besonders seit der Auseinandersetzung um die Arbeiterpriester mit der Forderung einer *Kirchenreform*. Am Papstkrönungstag des 12. März 1954 drängt mich nichts mehr in die Sixtina wie zwei Jahre zuvor. Vielmehr lese ich an diesem vorlesungsfreien Tag eifrig Henri de Lubacs Büchlein über den »Geistigen Sinn der Schrift«. Anschließend ein Gespräch bei P. Spiritual über Arbeiterpriester und die Folgen für die Seminarausbildung. Die Kirche sei ebenso wie auf dem Felsen auf dem Meer gebaut, meint er.

Am folgenden Tag dann beim holländischen Liturgiker Herman Schmidt ein langes Gespräch, über das ich in meinem »geistlichen Tagebuch« knapp protokolliere: »vollste Übereinstimmung in bezug auf Liturgie und allgemeine Reform in der Kirche«. Die in dieser Zeit erscheinenden kühnen kirchenkritischen Artikel des deutschen Jesuiten Karl Rahner bestärken mich auf diesem Weg. So werden denn in mir schon in Rom die Grundlagen für das gelegt, was ich später unter *ökumenisch* verstehe. Beides: katholische Weite und Tradition, aber konzentriert auf das Evangelium und die Kirchenreform – eine *evangelische Katholizität*.

In den Grotten von Sankt Peter

Mit Ernst und Freude zugleich bereite ich mich nun, nachdem ich am 9. Mai 1955 die Diakonatsweihe empfangen habe, auf meine *Priesterweihe* vor. Auch jetzt wieder achttägige Exerzitien. Dann am Tag davor die Beichte, in welcher mir der Spiritual ein tröstliches Wort für die Weihe mitgibt, das sich meiner Seele einprägt, als ich schließlich am 10. Oktober 1954 in der Kollegskirche mit dem Gesicht nach unten auf dem Boden liege: »In spiritu humilitatis et in animo contrito suscipiamur a te, Domine – Im Geist der Demut und mit zerknirschtem Herzen mögen wir bei Dir Aufnahme finden, Herr«. Ich bin ergriffen, ich habe mein Ziel erreicht.

Die Priesterweihe – im Kolleg immer das Großereignis des Jahres: Auch meine Eltern, mein Bruder und meine fünf Schwestern sind nach Rom gekommen. Ich bin glücklich, und wir alle strahlen gemeinsam auf dem Foto, das im Hof des Kollegs aufgenommen wird. An diesem

Tag dürfen nach dem Gottesdienst nun doch auch die Damen – ich bin nicht wenig stolz auf meine Familie – ausnahmsweise am festlichen Mittagessen im Refektor teilnehmen.

Am nächsten Tag feiert jeder der sechzehn Neupriester seine *Primiz* in der Kirche seiner Wahl. Die tiefe Enttäuschung über Pius XII. hat meine Loyalität zum Petrusamt in der Kirche nicht beeinträchtigt: Ich feiere meine erste Eucharistie in den Grotten der Petersbasilika, in der Unterkirche unter Berninis Confessio, am dort vermuteten, wenngleich keineswegs bewiesenen Grab des Apostels Petrus, der nach sicheren frühen Zeugnissen in Rom als Märtyrer hingerichtet worden war. In diesem schlichten, stillen Raum kann ich ganz konzentriert ohne Pomp meine erste »Messe«, besser »Eucharistie- oder Dankesfeier« in Erinnerung an das Abschiedsmahl und die Hingabe unseres Herrn zelebrieren. Zusammen feiere ich mit meiner Familie und wenigen Freunden, unter der Assistenz meines »geistlichen Vaters« Franz Xaver Kaufmann und mit meinem Surseer Freund Otto Wüst als Zeremoniar, als Prediger der Benediktiner P. Günthör in Vertretung des im letzten Moment verhinderten Abtprimas Kälin.

Die Freude wird getrübt durch einen kleinen Zwischenfall, von dem ich aber erst nach der Feier erfahre: Mein 22jähriger *Bruder Georg* erleidet auf der Fahrt zum Vatikan im Autobus einen Ohnmachtsanfall. Wegen Übermüdung und Erschöpfung, so sind wir alle überzeugt, nicht ernst zu nehmen. Nach drei Wochen Erholung bei unseren Freunden in Ferrara wird er zu einer Weltautorität in Sachen Gehirnchirurgie, Professor Krähenbühl, nach Zürich gebracht. Befund: *Gehirntumor* zwischen Kleinhirn und Gehirnstamm, *inoperabel*. Es folgen noch Krankenhausaufenthalte mit Bestrahlungen und Chemotherapie – alles umsonst. Schließlich wird er, der immer so kraftstrotzend und geistsprühend war und sich durch seine Banktätigkeit in Sursee und Paris bestens auf die Übernahme des väterlichen Geschäfts vorbereitet hatte, als unheilbar entlassen. Sein Zustand wird immer schlimmer. Ein Glied ums andere, ein Organ nach dem anderen versagt den Dienst. Ein fürchterlich langsamer Sterbeprozeß: immer stärkere Belastung von Herz, Kreislauf und Atmung durch Wochen hindurch – ständig bei klarem Bewußtsein. Schließlich tagelanges Keuchen, bis er letztendlich – fast auf den Tag genau ein Jahr nach dem ersten Anfall – durch das steigende Wasser in der Lunge erstickt. Als Motto für das Totenbildchen meines Bruders habe ich den Satz aus dem Buch der Weisheit (4,13) gewählt: »Wer in kurzer Zeit zur Vollendung gelangt ist, hat lange Zeiten erfüllt.«

Und doch: Mußte das sein? Ist dies wirklich der »von Gott gegebene«, »von Gott verfügte« Tod? So frage ich mich. Nein, der Mensch muß nicht unbedingt alles dies bis zum Ende als »gottgegeben«, »gottgewollt«, gar »gottgefällig« in »Gottergebenheit« hinnehmen. Diese Überzeugung wird sich im Lauf der Jahrzehnte verfestigen, so daß ich schließlich mit meinem Tübinger Freund und Kollegen Walter Jens im Studium generale der Universität Tübingen unter dem Titel »Menschenwürdig sterben« in mehreren Vorlesungen »Ein Plädoyer für Selbstverantwortung« halten werde.

Auf mein Primizbildchen für Rom 1954 aber habe ich (auch für die festliche Heimatprimiz im folgenden Jahr in Sursee) den Satz aus dem Kolosserbrief (4,3) drucken lassen: »Betet auch für mich, daß Gott mir die Tür für das Wort auftue, damit ich das Geheimnis Christi verkünde.« Ich kann nicht ahnen, in welch unerwarteter Weise dieses Beten in Erfüllung gehen wird. Nicht nur meine erste Eucharistiefeier, sondern auch meine erste Predigt halte ich im *Vatikan*, im Sonntagsgottesdienst der päpstlichen Schweizergarde. Die Gardisten samt ihrem Oberst Pfyffer von Altishofen und Major von Balthasar, Bruder von Hans Urs, alles Luzerner, horchen auf, als ihnen am Christkönigsfest ein Neupriester deutlich macht: Sie, die in neuester Zeit mehr Ex-Könige als früher zum Papst zu geleiten hätten, könnten vom gekreuzigten König Christus die christliche Umwertung aller Werte ablesen: Die Monarchie Christi bedeute Demokratie (1 Petr 1,9: »Ihr seid ein königliches Priestertum«), und Herrschen in Christi Reich heiße Dienen (»der Höchste sei der Diener aller«). Im Vatikan ungewohnte Töne. Aber ich meine es ernst.

Dienerkaplan

Nach meiner frühen »Karriere« in der Kollegshierarchie – Bidell des ersten Jahres, Bidell der Philosophenkammer, Präsident des Sozialzirkels, meine Arbeit für das Korrespondenzblatt und meine regelmäßige, im Refektor gelesene Zeitschriftenschau – hätten mir vielleicht noch »höhere« Kollegsämter offengestanden. Aber »Oberzeremoniär« werden nur absolut Liturgiebegeisterte und zu »Höherem« Geborene, zu meiner Zeit Lajos Kada (später Nuntius), Adalbert Kurzeja (später Abt von Maria Laach) und Friedrich Wetter (später Erzbischof und Kardinal von München). Als »Präfekten« der Philosophen- und Theologenkammer aber kommen nur Linientreue in Frage.

Doch solche Ehren sind nach wie vor nicht Ziel meines Sehnens. Ich meine meiner ursprünglichen Berufung treu zu bleiben, wenn ich mich schon am 9. November 1952 als *Vorbeter* für die »Dienermesse« anbiete, dem durchaus traditionellen Sonntagsgottesdienst der italienischen Angestellten, »Famigliari« oder »Diener« genannt. Schon immer fühlte ich für die Italiener im Haus eine natürliche Sympathie und sprach gerne Italienisch mit ihnen. Dem steifen deutschen oder lateinischen Kollegsgottesdienst ziehe ich seit langem die kleine italienische Missa mit ihren melodiösen Liedern vor. Da kann ich nun die liturgischen Lesungen halten, Lieder proben und Gebete vorsprechen. So übe ich mich schon vor meiner Ordination in diesem kleinen »pastoralen« Dienst.

Was liegt da näher, als daß ich nach meiner Priesterweihe zum »*Dienerkaplan*« (»Cappellano dei famigliari«) ernannt werde. An meiner Seite mein Vorarlberger Freund Oswald Loretz, der sich ganz auf alttestamentliche Exegese konzentriert, ständig das päpstliche Bibelinstitut besucht und mir manches aus der modernen Bibelkritik beibringt, wenngleich ich dies in meinen italienischen Katechesen der ersten Kapitel der Bibel für unsere Diener nur sehr elementar verwerten kann. Mit ihm bereite ich auf seinen Wunsch hin zur selben Zeit auch die hundert Thesen für das *theologische Lizentiat* vor, meistens auf der Terrasse des siebten Stockes, wo wir jetzt wohnen. Diese hundert theologischen Thesen sind – von einigen Ausnahmen wie der über Vorherbestimmung und Willensfreiheit abgesehen – weniger schwierig als die hundert philosophischen. Dafür aber sehr viel mehr Gedächtnisballast: all die Texte aus Bibel, Konzilien, Kirchenvätern, päpstlichen Verlautbarungen, und immer alles auf Latein.

Doch gehe ich auch jetzt wieder vergnügt, ja, zum Ärger meines Luxemburger Jahrgangsgenossen André Lesch ein wenig ausgelassen, in die schriftliche und mündliche Prüfung. Weil ich ja jetzt die Berge von Stoff, mühselig genug, abgetragen habe und, nüchtern betrachtet, kaum durchfallen kann: Warum also nicht fröhlich sein? So bestehe ich denn alles mit gutem Erfolg. Die 220 Seiten zählende *Lizentiatsarbeit über die Rechtfertigungslehre Karl Barths* (und des Konzils von Trient), von der noch die Rede sein wird, freut allerdings unseren Repetenten PETER GUMPEL gar nicht. Es sei ganz unbegreiflich, so sagt er mir, wie man als Student eine solch große theologische Synthese in Angriff nehmen könne. Doch an der Gregoriana, werden wir sehen, läßt man sich von einem P. Gumpel von der guten Meinung über meine Arbeit nicht abbringen.

P. Gumpel aber, zum Professor an der Gregoriana prädestiniert, wird später von seinen Oberen wohlweislich zur Bearbeitung von Selig- und Heiligsprechungsprozessen abgeordnet. Denn unterdessen war mit dem neuen Jesuitengeneral, dem Spanier Pedro Arrupe, auch ein neuer deutscher Assistent gewählt worden; P. van Gestel, Gumpels Gönner, hat sich selbst in seiner holländischen Heimatprovinz so unbeliebt gemacht, daß ihn niemand will und ihm nichts anderes übrig bleibt, als in einem unbedeutenden kleinen römischen Kolleg, bald vergessen, seinen Tod zu erwarten. Im Jahr 2000 aber werde ich den Namen Pater Gumpels zu meiner Überraschung in der Presse lesen: Er verteidigt als »Postulator«, vergebens, die Seligsprechung Pius' XII. und greift dabei auch noch die Pius kritisierenden Juden an. Was den Seligsprechungsprozeß von Pius XII. – leider zu Gunsten des erheblich »schlimmeren« Pius IX. – auf unbestimmte Zeit verschieben läßt. Dabei hatte Gumpel doch auch vom engsten Mitarbeiter (neben Sr. Pasqualina) Pius' XII., P. Leiber, gehört, was unsere ganze Kommunität hörte: »Nein, ein Heiliger ist Pius XII. nicht. Er ist ein großer Mann der Kirche, das ist er.«

Ein unbequemes Memorandum

Ich hatte mir vorgenommen, mein siebtes und letztes römisches Jahr ohne alle leidigen Kontroversen über Disziplin und Gehorsam, Natur und Gnade, Papst und Kirche zu verbringen – zurückgezogen und konzentriert auf das Studium der monumentalen Kirchlichen Dogmatik Karl Barths und der Thesen für das theologische Lizentiat. Dazu meine seelsorgliche Aufgabe im Dienst an unseren »Dienern«, die mich nicht wenig Zeit kostet: Jeden zweiten Sonntag eine Predigt auf Italienisch, dazu die Bibelkatechesen über die Erschaffung der Welt und des Menschen, über Versuchung und Fall … Doch je mehr ich nun gerade in diese Aufgabe hineinwachse und mir die *Klagen unserer Famigliari* anhöre, um so mehr drängt sich mir auf, daß ich auch über Gottesdienst und Katechese hinaus etwas für sie tun muß. Oder soll ich um meiner eigenen Ruhe und Bequemlichkeit willen kneifen?

Auf *dreierlei* beziehen sich die Klagen unserer »Diener«: einmal den zu geringen Lohn (für eine Familie keinesfalls ausreichend); zweitens das Heiratsverbot (wer heiraten will, muß das Kolleg verlassen) und drittens die unwürdige Unterbringung. Tatsächlich konnten wir beobachten, wie die vorher meist zu zweit oder zu dritt in einem Zimmer Wohnenden jetzt im Dutzend in der früheren Kollegsschneiderei untergebracht wurden: Zellen mit eingezogenen mannshohen Mauern und Vorhängen, mit Blick auf einen Hinterhof bei schlechter Entlüftung. Wenn ich dorthin zur Katechese komme, öffne ich als erstes immer das Fenster.

Lange genug habe ich es mir überlegt. Eines Tages gehe ich zu meinem Mitkaplan und Zimmernachbarn Loretz: »Wenn wir nicht schon bei unserer ersten Seelsorgsaufgabe Versager sein wollen, müssen wir etwas für die armen Kerle tun.« Er ist einverstanden, daß ich ein *Memorandum* zu Händen des Rektors ausarbeite. Ich tue es mit der an der Gregoriana gelernten Systematik und Gründlichkeit: Auf vielleicht vierzehn engbeschriebenen Schreibmaschinenseiten (gerne hätte ich sie 2002 im Kollegsarchiv eingesehen) entwickle ich, aufgrund päpstlicher Sozialenzykliken und Moralhandbüchern, die *moralischen Prinzipien* bezüglich gerechten Lohns, anständiger Unterkunft und Recht auf Heirat. Daraus leite ich unwiderleglich klare, konkrete Forderungen ab, sogar mit einem Anhang über die finanziellen Folgen für das Kolleg.

In der Vorahnung, daß dieses Memorandum uns eine unangenehme Konfrontation bescheren kann, bitte ich auch noch unsere beiden Vorgänger, Bernhard Lammers und Alois Wagner, das Memorandum zu lesen und mitzuunterschreiben. Sie tun es ohne Zögern, so daß das Memorandum nun mit vier Unterschriften an den Rektor FRANZ VON TATTENBACH geht. Schon bald werden wir alle vier zu ihm bestellt. Er hat unser Dokument offensichtlich sehr ungnädig aufgenommen. In der Tat war er in einer nicht ganz einfachen Lage: Nachdem er sich selber einen Mercedes bewilligt hat, kann er schwer behaupten, es sei im Kolleg kein Geld da für Sozialmaßnahmen. Trotzdem versucht er, in jeder Weise gegen das Memorandum anzugehen, wobei der sonst so freundliche Mann immer mehr in Zorn gerät. Es wird ungemütlich. Am Anfang antworten ihm noch alle vier, dann noch zwei, am Ende nur noch ich allein.

Tattenbachs heftiger Vorwurf gilt den Zahlen: »Alles am grünen Tisch gemacht!« Zum Beispiel Elektrizitäts- und Wasserverbrauch und ähnliches seien nicht einkalkuliert. Doch pariere ich dies höflich mit dem Hinweis auf die betreffende Rubrik, wo diese Kosten offensichtlich einbezogen sind. Meine Zahlen sind in der Tat hieb- und stichfest. Denn was ich P. Rektor nun freilich nicht verraten kann: Um unrealistische Vorschläge zu vermeiden, welche die Kollegsfinanzen in unerträglicher Weise belasten könnten, habe ich mein Memorandum vorher dem Jesuitenbruder JOHANN KAUFMANN unterbreitet, einem Schweizer aus St. Gallen, der seit Jahren für die komplexe Buchhaltung des Kollegs und der Kollegsgüter zuständig ist. Ein selbstloser, kluger und gerecht denkender Mann, den ich zusammen mit dem Küchenchef, Bruder Dankl, eher als Pius XII. und gar Pius IX. zur Heiligsprechung postuliert hätte – auch ohne Wunder. Unter Zusicherung von Diskretion hat er mich mit dem notwendigen Zahlenmaterial versorgt. Dagegen kann jetzt auch der Rektor nicht ankommen, was ihn, den sonst so freundlichen, aber nur noch mehr erzürnt. Zum ersten Mal in meinem Leben sehe ich leibhaftig, daß das Wort »Stielaugen machen« einen ganz realen Sinn hat: die Augen eines Menschen können im Zorn so sehr hervortreten, daß sie wie an Stielen zu hängen scheinen.

In Ungnade werden wir nach vielleicht einer Stunde entlassen. Ich hatte gefochten und bis zum Ende, schließlich allein, standgehalten. Aber auf meinem Zimmer angekommen und allein, bin ich mit meinen Kräften am Ende. Ich lege mich im Talar aufs Bett und weine mich aus, ich weiß nicht wie lange. Nach dem großen Streit um Gehorsam und Kollegsdisziplin und dann dem noch größeren um Theologie und Wahrheit nun auch noch diesen heftigsten um Gerechtigkeit und Fairness. Dies also war nun mein siebtes römisches Jahr, das ich so ruhig wie möglich verleben wollte? Ich bin erschöpft, ausgelaugt, total frustriert.

Ich schäme mich meiner Tränen nicht, und vernehme es erst fast fünf Jahrzehnte später, wie fast zur gleichen Zeit ein anderer Theologe sich in noch erheblich schlimmerer Weise vereinsamt und frustriert fühlte, kein geringerer als eben YVES CONGAR, der unterdessen aus Rom in einer weiteren Phase seiner Verbannung in Cambridge eingetroffen war. 5.-7. September 1956: »Ich habe hier ein unauslotbares Gefühl der Leere und der Abwesenheit durchlitten. Niemand. Nichts. Gewiß ist das Wetter auch mitschuld ... Draußen vom Regen überrascht und unter einem Baum auf eine Aufhellung wartend, fange ich an, bitter zu weinen. Werde ich also immer ein ›pauvre type‹ ganz allein sein, werde ich ohne Ende überall Koffer mitschleppen, werde ich also immer ohne jemand und ohne etwas sein wie eine Waise? ›Domine autem assumpsit (Ps. 18,17: Der Herr aber ergriff mich und zog mich aus großen Wassern, entriß mich meinem mächtigen Feinde, meinen Hassern ...): diese Tränen, wird Gott sie nicht erhören? Wird er sich gar nicht als Vater erweisen? Ich weine so lange, eine Stunde vielleicht, und noch zu wiederholten Malen, wie am Ende des Monats Juli (1956) und vor allem am 25. und 26., angesichts der Evidenz, die sich mir nun aufgedrängt hat, daß ich mein Leben verfehlt und weiß nicht welchem Fluch ausgesetzt bin.«

Aber nein, so weit bin ich selber noch lange nicht. Ich habe ja eine

Zukunft in der Schweiz. Ich bleibe nicht in Rom, und die Stunde des Abschieds rückt näher. Ein paar Tage später kommt P. von Tattenbach auf mein Zimmer: »Ich sehe, es geht Ihnen schlecht, Herr Küng.« Meine Antwort ist kurz: »Ja, mir geht es schlecht, P. Rektor.« Ob ich nicht mit Loretz für zwei Wochen nach San Pastore fahren wolle, um mich zu erholen und mich dort weiter auf mein Lizentiat vorzubereiten? Dieses Angebot nehme ich sofort an. Aber der Frieden ist damit nicht wieder hergestellt. Von unseren Forderungen für unsere Famigliari wird, solange ich im Kolleg bin, keine einzige verwirklicht. Tant pis, denke ich.

Abschied von Rom

Nach dem gut bestandenen theologischen Lizentiat ist endlich die Stunde des Abschieds gekommen. Nur keine weitere Diskussion mit dem Rektor. Schluß jetzt. Mein Spiritual WILHELM KLEIN hatte mir schon vor längerer Zeit einmal gesagt: »Es ist gar nicht schlimm, wenn es Ihnen im Kolleg immer weniger gefällt. Das ist normal: Sie sollen ja nicht im Kolleg wirken, sondern draußen in der Welt!« Von ihm, dem bereits 66jährigen Mann, der aber bei vollen geistigen Kräften fast 102 Jahre alt werden sollte, verabschiede ich mich mit einer gewissen Wehmut. Ein-, zweimal werde ich ihn in Rom – zwei-, dreimal später in Bonn besuchen, wo er als geistlicher Berater unzähliger Menschen wirkt. Zu seinem hundertsten Geburtstag 1989 werde ich ihm, der mich »die Hoffnung bewahren« lehrte, unter diesem Titel meine »Schriften zur Reform der Kirche« widmen – »in steter herzlicher Dankbarkeit«.

Am Nachmittag gehe ich ein letztes Mal an die Gregoriana, um mich vor allem von GUSTAV GUNDLACH zu verabschieden. Nachdem ich ihm zugesichert habe, wie bereits berichtet, daß ich in Rom alles gelernt hätte, was zu lernen war, läßt er mich gern nach Paris ziehen. Doch kann ich mir die Bemerkung nicht verkneifen, daß im Kolleg zumindest der Rektor ganz froh sei, daß ich endlich »addio« sage. Nein, meint er, das würde ich zu schwarz sehen; dies sei bestimmt nicht der Fall, und verabschiedet mich herzlich mit allen guten Wünschen. Anläßlich seines 70. Geburtstags wird er als einen der Präsidenten des Sozialzirkels auch mich nennen, wie er mir schreibt: »auch dieser unter Ihren Lorbeerkränzen nicht gering zu schätzen«.

Zu FRANZ VON TATTENBACH gehe ich zur Vermeidung weiterer Diskussion erst am Vorabend der Abreise, im allerletzten Moment, um

20.50 Uhr, zehn Minuten vor dem Silentium religiosum: »Bitte nehmen Sie Platz!«, meint er freundlich. »Nein, P. Rektor, es ist schon spät, und ich muß noch fertig packen!« Aber er nötigt mich, bis ich mich schließlich und endlich setze – vor denselben Schreibtisch, an welchem ich seinem Vorgänger Vorspel gegenüber mein Verhältnis zu Gott zu verteidigen hatte und dann mit ihm zuerst über das Verbot des Dogmatikzirkels und schließlich über die soziale Situation der Diener gestritten habe. Mein einziger Gedanke: Was jetzt?

»Ich muß Ihnen sagen, Herr Küng«, erklärt P. von Tattenbach ruhig, »*Sie hatten Recht!*« Ich ganz verblüfft: »Ihre Einsicht kommt spät, P. Rektor!« Er wieder: »Ja, sie kommt spät, und ich bedaure das auch.« Mit dieser Einleitung beginnt nun eine Diskussion über das Kolleg und über unsere theologischen Kontroversen, wo ich vieles zurechtrücken und meiner Freunde Standpunkt erläutern und verteidigen kann. So drei volle Stunden lang bis Mitternacht. Wie wäre doch alles anders gekommen, wenn ein Gespräch im selben Geist der Offenheit vor einem Jahr oder früher stattgefunden hätte? So verabschiede ich mich schließlich auch von meinem dritten Rektor in Frieden und Freundlichkeit. Ich mag keine Feindschaften.

Die *Dienerfrage* will er übrigens ausgeklammert haben. Aber kaum bin ich aus dem Haus, werden die Reformen in Gang gesetzt und die Situation der Famigliari verbessert. Dario und Silvano dürfen heiraten und eine Familie gründen. Sie begrüßen dann jedes Mal mit strahlenden Augen den »Signor King«, wenn ihr alter Dienerkaplan wieder einmal in sein altes Kolleg kommt.

Ein kleines Nachspiel

Der erste Gast in meinem Haus in Tübingen aber, als ich mich dort fünf Jahre später 1960 als junger Ordinarius für Fundamentaltheologie etabliert habe, wird kein anderer als P. VON TATTENBACH sein. Ein Zufall. Er kommt nach Tübingen, und ich lade ihn zum Mittagessen ein. Wir unterhalten uns angeregt. Später höre ich von ihm mit Bewunderung, daß er, jetzt in seinen 60ern, seine Tätigkeit nach Zentralamerika verlegen will, um in Costa Rica, dann auch in Honduras und Guatemala mit Hilfe eines Instituts für Erwachsenenbildung (ICER), einer Radioschule und mehreren Hilfskräften, tätig zu werden für die Alphabetisierung der Indios. Beinahe so etwas wie ein »heiliges Experiment« im kleinen, für das er in Europa erhebliche Finanzmittel auftreibt.

In Guatemala City werden wir uns später treffen, und noch einige Male in Tübingen bis zu seinem Tod 1992. Es geht ihm in seiner Unterrichts-, Bildungs- und Erziehungsarbeit um die Indios in ihrer natürlichen Umwelt und in ihrer gewachsenen Kultur, um die Erhaltung menschlicher Substanz gegenüber äußerlicher wirtschaftlicher, sozialer, kultureller Bedrohung. Im Unterschied zum großen Vorreiter für Bildungsarbeit in Lateinamerika, dem Theologen Paolo Freire, arbeitet er ohne marxistischen Hintergrund für eine Erziehung zu einem selbständigen Handeln in Politik und Gesellschaft. Von Tattenbachs tröstlicher Reaktion auf den Entzug meiner kirchlichen Lehrbefugnis wird später einmal zu berichten sein.

Ein dreifaches »Vale in Domino« singen die Mitbrüder uns kraftvoll vielstimmig im Refektor, auch »Hans Küng, unserem Autodidakt«, wie es mit Blick auf Vorlesungsbesuch und Spezialstudien im Abschiedssong heißt. Ich habe das gute Gefühl, daß ich die sieben schwierigen römischen Jahre honorig bestanden habe und durch alle Krisen hindurch mit gestärktem Selbstbewußtsein und Selbstdisziplin auf meine spätere Aufgabe vorbereitet wurde. Nein, ich werde die sieben römischen Jahre nie bedauern. Meine Freiheit habe ich mir bewahrt und vertieft: *ererbte Bürgerfreiheit wurde zu erworbener Gewissensfreiheit.*

Ich habe mich völlig verändert, und ich bin doch ich selber geblieben, unverbogen und geradeheraus. Ein Kosmopolit durch all die vielen Kontakte, Reisen, Sprachen und doch verwurzelt geblieben in meiner Schweizer Heimat. Und so freue ich mich denn unaussprechlich auf mein Städtchen, meinen See, meine Familie, meine Freunde.

IV. Freiheit eines Christenmenschen

>*»Gleich Noah vom Fenster meiner Arche aus begrüße ich*
>*Ihr Buch als ein weiteres deutliches Symptom dafür,*
>*daß die Sündflut der Zeiten, in denen katholische*
>*und protestantische Theologen nur entweder*
>*polemisch gegeneinander oder in unverbindlichem Pazifismus,*
>*meistens gar nicht, miteinander reden wollten,*
>*zwar noch nicht vorbei, aber immerhin im Sinken ist.«*

Karl Barth

Auf der Suche nach einem Thema

»Strategisches Denken«, wenn man schon so hoch greifen will und damit ein langfristiges und zielgerichtetes Planen meint, war mir schon früh selbstverständlich: Theologie zu studieren und nach Rom zu gehen war ebenso eine frühe Entscheidung, die dann alles im einzelnen bestimmte, wie die jetzige, nach Paris umzuziehen und dort in Theologie zu promovieren. Nicht nur im Gymnasium, auch in Rom hat man uns oft gesagt: »Quidquid agis, prudenter agas et respice finem – Was immer du tust, tue es klug und bedenke das Ende.«

Allerdings habe ich unter dem Eindruck der sozialwissenschaftlichen Sommerkurse der Professoren Johannes Hirschmann und Hermann Josef Wallraff und natürlich auch Gustav Gundlachs ernsthaft überlegt, ob ich nicht in *Sozialwissenschaften* promovieren soll. Gundlach rät mir, an die Universität Münster/Westfalen zu gehen. Dort leitet der Germaniker Joseph Höffner als Professor für christliche Soziallehre an der Katholisch-Theologischen Fakultät ein großes Institut für christliche Sozialwissenschaft. Dorthin geht zum Beispiel der hochbegabte Sauerländer Willy Weber, zwei Jahre über mir im Germanikum und ebenfalls ständiges Mitglied unseres Sozialzirkels. Als Höffner 1962 Bischof von Münster wird, sieht man Weber als dessen Nachfolger auf dem Lehrstuhl und im Institut. Ähnlich der Bayer Anton Rauscher, der sich zu unserem Amusement für einen zweiten Gundlach hält und es über Münster schließlich nach einigem Hin und Her zum – jetzt recht konservativen – Professor für christliche Gesellschaftslehre an der Universität Augsburg und Berater der deutschen Bischofskonferenz bringt.

Mich aber zieht es schließlich doch zur *Theologie* und – nach Paris. Frühzeitige sorgfältige Planung und natürlich konsequentes Arbeiten führen dazu, daß meine Doktordissertation bereits fertig sein wird, bevor ich in Paris die erforderten fünf Spezialkurse in Altem und Neuem Testament, in Patrologie, moderner Kirchengeschichte und Dogmatik auch nur anfange. Alles keine Hexerei, aber nur möglich aufgrund eines klaren Konzeptes für den Gesamtzusammenhang und täglichen unermüdlichen Hineinkniens ins Detail. Oft stehe ich im Sommer schon um 4.30 Uhr auf und meditiere allein auf- und abgehend auf der Terrasse des neunten Stockes. Kollegen, die ein anderes Tempo gewöhnt sind, werden sich später oft darüber wundern, wie ein einzelner in verhältnismäßig kurzer Zeit solche Bücher schreiben kann und werden dies manchmal – vielleicht zur eigenen Entschuldigung – Assistenten-Hilfe zuschreiben. Doch ich habe nicht nur meine Dissertation, sondern überhaupt meine allerersten Bücher ohne Assistenten geschrieben; was mir gute Assistenten an Hilfe, Korrektur und menschlicher Unterstützung bedeuten, wird erst später deutlich werden.

»Zielgerichtet« heißt für mich freilich nicht stur, und »geplant« nicht verkrampft. Bereits am 3. November 1952 eröffne ich meinem Spiritual (und erst ein halbes Jahr später, nachdem alles abgemacht ist, dem Rektor) den Plan: nach meinem theologischen Lizentiat im Herbst 1955 möchte ich nach Paris übersiedeln. Er findet das gut, überzeugt mich jedoch, daß ich meine Dissertation nicht der Geschichtstheologie (über diese Thematik hatte ich gerade eine gut aufgenommene Probepredigt gehalten), sondern der Theologie meines Landsmannes Karl Barth widmen solle.

Noch im selben November 1952 schreibe ich an das Institut Catholique, die katholische Universität von Paris, die seit der Trennung von Kirche und Staat allein über eine theologische Fakultät verfügt, und bitte um Informationen. Zugleich bereite ich mich durch die Lektüre seines Buches über das letzte Lebensziel (»De fine ultimo vitae humanae«) auf das Gespräch mit jenem Dogmatikprofessor vor, der semesterweise sowohl an der Gregoriana wie am Institut Catholique doziert: GUY DE BROGLIE SJ, Vetter des Nobelpreisträgers für Physik und Mitglied der Pariser Hocharistokratie. Ihn suchen Josef Fischer, der mit mir auch das Pariser Abenteuer bestehen möchte, und ich am 1. Dezember 1952 an der Gregoriana auf. Er empfängt uns freundlich, verspricht uns Hilfe, verweist mich jedoch an seinen Ordensbruder HENRI BOUILLARD, der schon lange an einem großen Werk über Karl Barth arbeite. An ihn schreibe ich nach längerem Überlegen. P. Bouillard antwortet und schlägt als vorläufiges Thema »Die Natur der Kirche bei Karl Barth« vor. Zugleich verweist er, der seit der Enzyklika »Humani generis«

(1950) ebenfalls Lehrverbot hat, auf den Oratorianer Louis Bouyer, einen Konvertiten aus dem Luthertum und hervorragenden Kenner der christlichen Spiritualität, der als Professor am Institut Catholique meine Dissertation als »Directeur de thèse« betreuen könnte. Ihm schreibe ich anfangs Februar, erhalte aber erst im April 1954 den Brief, in welchem er mich als Doktoranden annimmt.

Im selben Monat fragen Josef Fischer und ich unseren Bischof von Basel, Franziskus von Streng, unter dessen Jurisdiktion wir jetzt stehen, um seine Zustimmung für Paris. Der »gnädige Herr« (so spricht man höflich-höfisch einen Bischof selbst in der Schweiz an) gestattet dies unter der einen Bedingung, daß wir in spätestens zwei Jahren fertig würden. Für mich kein Problem. Ende April schreibe ich an die Professoren de Broglie, Bouyer und Bouillard, daß nun alles in Ordnung sei.

Einige Zeit später suche ich mit Josef Fischer in der dem Kolleg nahen Redaktion der römischen Jesuitenzeitschrift »Civiltà Cattolica« P. Jean Daniélou SJ auf, der mit P. de Lubac die große wissenschaftliche Reihe der Kirchenväter, die »Sources chrétiennes«, herausgibt. Einen recht harmlosen Vortrag über »Die Jungfrau Maria in der Spiritualität Frankreichs« hatten wir zuvor von diesem Theologen gehört, der ebenfalls der »Nouvelle théologie« verdächtigt war, sich aber jetzt vor »Neuerungen« offensichtlich hütet. Daniélou ist einverstanden, daß Fischer als Thema seiner Dissertation »Das Geheimnis des Christen beim griechischen Kirchenvater Gregor von Nyssa« wählt. Doch sollte mein Freund auf dieses schwierige Thema später verzichten zugunsten einer historischen Untersuchung über die verschiedenen Reformkonzeptionen der Kardinäle Reginald Pole und Gianpietro Caraffa am Beginn der Gegenreformation. Ich werde auf dieses auf den ersten Blick antiquarische, in Wirklichkeit aber höchst folgenreiche Thema noch zurückkommen.

Für mich beginnt nun ernsthaft das *Barth-Studium*, wobei ich mit den kleineren Schriften insbesondere über Kirche und Theologie beginne, natürlich in Barths berühmtem »Römerbrief« lese, dann aber mit ausgewählten Kapiteln (etwa über die natürliche Gotteserkenntnis) der monumentalen, bereits zehnbändigen Kirchlichen Dogmatik anfange, soweit mir dies neben meinen Examensvorbereitungen (und Studien der biologischen Evolutionslehre) möglich ist. Intensiv studiere ich gleichzeitig Schlüsselwerke bisheriger katholischer Barth-Rezeption: Während ich Hans Urs von Balthasars Interpretation meisterhaft finde, kommt mir die Arbeit des Dominikaners P. Jérôme Hamer, der Barth auf »Okkasionalismus« festzulegen versucht, als scholastisch voreingenommen vor. Ich konnte damals natürlich nicht ahnen, welche Rolle dieser Pater Hamer in meinem Leben noch spielen sollte.

Der Laienordensmeister: Hans Urs von Balthasar

Auf meinem zweiten Heimaturlaub Anfang Juli 1953 lerne ich HANS URS VON BALTHASAR erstmals persönlich kennen. Geboren 1905, stammt er aus einer jener Luzerner Patrizierfamilien, die ihre »Aristokratie« zumeist durch französische Söldnerdienste oder -vermittlung begründet oder aufgewertet hatten (sein Bruder ist Major der vatikanischen Schweizergarde). Doch zog er anders als ich dem Luzerner staatlichen Gymnasium die Klosterschule der Benediktiner in Engelberg und das Jesuitenkolleg in Feldkirch vor. Nach Studien in Wien, Berlin und Zürich (hier Promotion) wurden die ignatianischen Exerzitien 1927 zu seinem Schlüsselerlebnis. Eintritt in den Jesuitenorden und theologische Studien. In München vor allem Schüler des Religionsphilosophen Erich Przywara SJ und dann vier Jahre in Lyon Henri de Lubacs SJ, leider ohne je historisch-kritische Exegese zu studieren. Seit 1940 als Studentenpfarrer und Autor in Basel. Dort lernte er die Ärztin und Konvertitin ADRIENNE VON SPEYR kennen, Ehefrau des Basler Historikers Professor Kägi, und fühlte sich mit seiner geistigen Freundin zur Gründung eines Laienordens (»Säkularinstituts«) berufen. Dies führte 1950 zum Bruch mit dem Jesuitenorden. Deswegen wird Ende der 50er Jahre von Rom seine Berufung auf jenen Tübinger Lehrstuhl blockiert, den schließlich ich bekommen sollte.

Balthasar ist ein umfassend gebildeter Geist, im Platonismus wie bei den griechischen Kirchenvätern beheimatet. Theologie weiß er mit klassischer Literatur zu verbinden, um die christliche Wahrheit an einzelnen christlichen Gestalten und geistesgeschichtlichen Strömungen in philosophisch-ästhetischer Sicht verständlich zu machen. Außerdem ist er ein Meister der deutschen Sprache, einfühlsamer Übersetzer aus dem Französischen (Claudel!) und Spanischen (Calderon, Loyola!) sowie unermüdlicher Herausgeber vor allem mystischer und theologischer Auswahlbändchen und Werke (auch Adrienne von Speyrs und seines Lehrers Przywara). Mir imponiert seine reiche Bibliothek, in der die großen Theologen, Philosophen und Dichter friedlich nebeneinander Platz gefunden haben – ein Vorbild für meine eigene Bibliothek, die jetzt Gestalt anzunehmen beginnt und für die ich keine Kosten scheue.

In seiner Wohnung in Basel – er wohnt am Münsterplatz 5 im Haus der Kägis – sprechen wir intensiv über Karl Barths Theologie, die er wie kein zweiter Katholik kennt. Er zeigt mir die großen Manuskriptstöße des Barth-Buches von Henri Bouillard. Doch menschlich wirkt der hochgewachsene Mann im römischen Kollar intellektuell distanziert, und die Atmosphäre zwischen uns ist eher kühl. Balthasar, im Schweizer Klerus wegen seines aristokratischen Gebarens nicht gerade beliebt, findet mich vermutlich allzu selbstbewußt-bürgerlich. Richtig herzlich werde ich mit ihm nicht, so anregend und freundlich unsere Gespräche sind und auch in Zukunft immer sein werden. Zwar wird er mich – zumeist auf knappen Briefkarten in schöner, eleganter Handschrift – stets als »lieber Freund« anreden. Aber nie hätte ich Lust verspürt, ihm freundschaftlich mein Herz zu öffnen. »Mir läuft es kalt den Rücken runter, wenn Balthasar von der Liebe redet«, höre ich eine junge Dame sagen nach einer der Predigten Balthasars in der Luzerner Hofkirche. Sicher überspitzt formuliert, aber eine verständliche Reaktion auf das Intellektuell-Stilisierte in Verhalten, Reden und Schreiben dieses Mannes.

Nicht nur über Theologie sprechen wir, sondern auch über Balthasars Pläne für einen *Laienorden*, der mit einer Gruppe von Frauen schon weit gediehen ist. Mit den vorgesehenen Männern aber, jungen Akademikern, führend dabei mein Cousin, der Jurist und Staatsanwalt Walter Gut, der mich nach Basel begleitet, geht es nicht richtig voran. Balthasar schreibt mir ein Jahr später, am 7. Mai 1954: »Schon jetzt bange ich vor dem Tag, wo ich der Aufgabe rein physisch nicht mehr gewachsen sein werde und wo ich, so fürchte ich, mich vergeblich nach Hilfe aus den Reihen des Klerus umsehen werde. Es gibt auch in einer Bewegung und Gruppe von Laien so vieles, was einzig der Priester tun kann – und je eifriger die Leute sind, umso anspruchsvoller werden sie auch.« Daß dieser Meister eines Laienordens in statu nascendi indes nicht bereit war, seinem Männerbund irgendein juristisches Verfassungsstatut zu geben, hing mit etwas anderem zusammen, das ihm wichtiger war.

Erst sehr viel später erfahre ich, wie sehr Hans Urs von Balthasar fasziniert war von der Gestalt des hohepriesterlichen Dichters Stefan George, Stifter eines »Neuen Bundes« von mythisch-aristokratischen Menschen fern der Politik. Balthasar hatte zu ihm während seiner Münchner Studienzeit Zugang gefunden und betrachtete zweifellos Georges literarischen Kreis als Vorbild für seinen eigenen. Zwar sind bei ihm das Ästhetisch-Narzißhafte und die fast sakrale Verehrung seiner Person durch die christliche Grundhaltung gebrochen. Aber auch er erwartet unbedingten Gehorsam von seinen Schülern, die er – wie der

Schweizer Schriftsteller Kuno Raeber, lange Zeit Mitglied dieses Kreises, berichtet – beinahe magisch anzog. Balthasar soll einmal zu ihm gesagt haben: »Vielleicht bin ich eine Boa constrictor«, eine Schlange also, die ihr Opfer mit dem eigenen Körper umwickelt und erdrückt, bevor sie es verspeist … Jedenfalls läßt er später meinen Cousin, der ihm treu ergeben ist, als er nach langen Jahren seine Frau kennenlernt und heiratet, gnadenlos fallen mit der Begründung, nicht Einsamkeit und Liebe zu seiner Frau sei seines treuen Gefolgsmannes Problem, sondern der Gehorsam. Und Gehorsam ist dem Ordensmeister wichtiger als menschliche Beziehungen und juristische Regelungen für seine Gemeinschaft.

Wie wenig ich meinerseits die von Haus aus mitgegebene und in Rom hart genug erkämpfte Freiheit zu Gunsten eines solchen Personenkults und Gehorsams gegenüber einem Ordensmeister preiszugeben bereit bin, spürt Balthasar vermutlich schon früh. Und daß ich aufgrund meines eigenen Lebensweges mich schließlich doch nicht für diese »Pläne und Ideen« eines Laienordens engagieren kann, wird später zur Entfremdung zwischen Balthasar und mir beitragen. Noch mehr wohl mein völliges Ignorieren der Mystik ADRIENNE VON SPEYRS: Balthasar schenkt mir mehrere ihrer über dreißig Bücher. Aber so hoch ich seine eigenen schätze, so wenig kann ich mit den frei gesprochenen und von Balthasar an der Bettkante aufgezeichneten Gedankenflüssen seiner Seelenfreundin, Konvertitin und Antiprotestantin, etwas anfangen.

Nie äußere ich deshalb den Wunsch, sie kennenzulernen, wiewohl sie im selben Haus wohnt: Worüber soll ich mit ihr reden? Balthasar aber hält sie für die größte Mystikerin des Jahrhunderts: Das protestantische Mädchen hatte schon mit sechs Jahren eine Erscheinung des Ignatius von Loyola und später der Gottesmutter mit Engeln! Auf ihre Weisung tritt er aus dem Jesuitenorden aus, notiert alle ihre mystischen Reden auf das sorgfältigste und redigiert sie anschließend, wie er mehr als einmal klagt, unter vielen Mühen. Er wird ihr gar eine bewundernde Biographie widmen (»Erster Blick auf Adrienne von Speyr« 1968), die Joseph Ratzinger in gemeinsamer Tübinger Zeit zu der Bemerkung mir gegenüber veranlassen wird, jetzt sei es aber »aus mit Balthasar«. Was die beiden freilich an einem späteren kirchenpolitischen Zweckbündnis nicht hindern wird.

Warum gerade Karl Barth?

Wenige Tage nach dem Gespräch in Basel, am 10. Juli 1953, bin ich in Paris bei HENRI BOUILLARD. Persönlichen Kontakt mit ihm zu finden ist schwer. Er taut erst auf, als ich meine Kritik an bestimmten Gregoriana-Thesen über Natur und Gnade offen formuliere. Er seinerseits scheint seine Auffassungen trotz der Enzyklika »Humani generis« nicht geändert zu haben und fragt mich schließlich: »Würden Sie sagen, daß Sie de Lubacs ›Surnaturel‹ einleuchtender finden als die Thesen der Gregoriana?« Als ich dies bejahe, kann ich mit ihm besser über meine Barth-Dissertation reden. Er macht mir jetzt drei Themenvorschläge: 1. Rechtfertigung des Sünders, 2. Der Mensch als Abbild Gottes, 3. Christliche Ethik. Bouillard seinerseits rechnet damit, daß sein Buch in zwei Jahren erschienen sein wird, 1955, in dem Jahr, in dem ich definitiv nach Paris kommen werde.

Mein künftiger Doktorvater LOUIS BOUYER kommt gerade eben aus den USA zurück, und erst nach zwei fehlgeschlagenen Versuchen treffe ich ihn schließlich am 12. Juli kurz vor meiner Abreise. Er ist nun sehr freundlich. Als Thema zieht er unbedingt die Rechtfertigung vor, was mir, nachdem ich schon so intensiv über das Rechtfertigungsdekret von Trient gearbeitet habe, sehr recht ist. Er empfiehlt mir die Lektüre von Luther, Calvin und Newman. Nach erneuter Aussprache mit Balthasar soll ich ihm im September endgültigen Bescheid geben. Und so geschieht es denn auch: Also wurde die *Rechtfertigung des Sünders* mein Thema. Und mein Schicksal, wie ich im nachhinein weiß.

Warum gerade KARL BARTH, wird man sich fragen. Ein erstes, rein äußerliches Argument hat mir ja schon Spiritual Klein gegeben: Karl Barth ist mein *Landsmann* und wohnt wie Balthasar in Basel, eine knappe Stunde Fahrt von Sursee entfernt. Schon am Gymnasium hatten wir auf die Frage unseres Geschichtslehrers, welches denn heute weltbekannte Schweizer seien, neben C. G. Jung, Arthur Honegger, Le Corbusier, Friedrich Dürrenmatt, Max Frisch auch Karl Barths Namen genannt. Vor allem der Kirchenkampf gegen die Nazis mit Barth an der Spitze hatte ihn, der seit der Vertreibung von seinem Bonner Lehrstuhl im November 1934 eine Professur in Basel hat, auch in der Schweiz sehr populär gemacht, ohne daß er allen gepaßt hätte.

Aber ein zweites Argument ist für mich, daß dieser Schweizer ein glänzendes *Deutsch* schreibt. Das jahrelange Latein hat unser Deutsch so sehr verdorben, daß wir uns in theologischen Dingen ohne lateinische Worte, Floskeln und Konstruktionen fast nicht ausdrücken können.

Auch im Alltag sprechen wir ständig von »per se«, »per accidens«, »nego«, »concedo« ... Es ist ein richtiges Erlebnis, nicht einfach nur theologisches Deutsch, wie etwa das Karl Rahners, sondern Theologie in gutem Deutsch zu lesen. Auf andere Weise als Balthasar ist auch Karl Barth ein Meister der Sprache.

Doch am wichtigsten für meine Wahl Karl Barths ist seine *Theologie*. Ich weiß: Kein protestantischer Theologe dieses Jahrhunderts verfügt aufgrund seines Kampfes gegen den Nazismus über eine größere Autorität, keiner aufgrund seines Ingeniums und seiner unermüdlichen Arbeit über ein weiteres und tieferes Œuvre. Nach seinem epochemachenden »Römerbrief« (1919, völlig verändert 1922) und vielen weiteren Schriften veröffentlicht er nun seit 1932 Band um Band seiner *»Kirchlichen Dogmatik«* (KD): Nach der Lehre vom Wort Gottes (»Prolegomena««: KD I,1-2) drei große Themen: die Erwählung (KD II,1-2), die Schöpfung (KD III,1-4) und die Versöhnung (KD IV). Als ich beginne, zu meinem Thema die Kirchliche Dogmatik Band IV,1 (faktisch der elfte Band) zu lesen, schreibe ich in mein Tagebuch: »einfach großartig«.

Was finde ich denn so großartig an Barths Theologie? Nicht nur die gedanklich-sprachliche Formulierungskraft. Vor allem die kunstvolle Architektonik, die mich an Thomas von Aquin erinnert, bei Barth aber von Calvins »Institutio« und vor allem Schleiermachers »Glaubenslehre« inspiriert ist. Dabei eine durchgängige Christozentrik, welche eine von mir schon lange gewünschte neue Verhältnisbestimmung von Glauben und Erkennen, Natur und Gnade, Schöpfung und Erlösung ermöglicht. Und von dieser radikalen christologischen Grundlegung her die großen Zusammenhänge originell bis ins Detail neu durchdacht. Und zwar in drei parallelen Gedankengängen (jedem ist ein Band gewidmet): Zuerst der Herr als Knecht (Jesu Christi priesterliches Amt) – des Menschen Stolz, doch Rechtfertigung durch den Glauben und Sammlung der Gemeinde. Dann der Knecht als Herr (sein königliches Amt) – des Menschen Trägheit, aber Heiligung in der Liebe und Auferbauung der Gemeinde. Schließlich Jesus als wahrhaftiger Zeuge (sein prophetisches Amt) – des Menschen Lüge, doch Berufung zur Hoffnung und Sendung der Gemeinde. Nach Betonung der Göttlichkeit Gottes, des ganz Anderen, der Transzendenz, des unendlichen qualitativen Unterschieds zwischen Gott und aller Kreatur in Barths frühen Jahren ist so immer mehr die Bejahung der Menschlichkeit Gottes und des Menschen im Licht der Menschwerdung Gottes in Christus wichtig geworden.

Bei meinem zweiten Heimaturlaub 1953 besuche ich Karl Barth in Basel nicht, obwohl es von Balthasars Haus nicht weit gewesen wäre.

Noch zu wenig habe ich die Kirchliche Dogmatik studiert. Welche Anmaßung, den berühmten Mann zu besuchen, ohne sein Hauptwerk durchgearbeitet zu haben! Empfinde ich doch bis heute eine Abneigung, unorientierten Besuchern (Briefeschreibern, Journalisten) gegenüber Dinge zu erklären, über die ich mühselig ein ganzes Buch geschrieben habe. Aber aus der Schweiz im Herbst 1953 nach Rom zurückgekehrt, benütze ich die beiden letzten Jahre, um mir nun die bald 9.000 Seiten des Barthschen Gesamtkunstwerks gründlich anzueignen. Keine Anstrengung, ein intellektuelles Vergnügen und spirituelles Erlebnis! Kann ich doch auf diese Weise Barths großräumige und durchkomponierte Gedankengänge nachvollziehen und zugleich über die großen christlichen Traditionen, insbesondere die lutherische und reformierte, sowie über bedeutende theologische Kontroversen des 20. Jahrhunderts grundlegende Informationen und Orientierungen bekommen. Barths »Geschichte der protestantischen Theologie im 19. Jahrhundert« samt Vorgeschichte hilft mir dabei. Mir imponiert, wie Barths Theologie, im biblischen Zeugnis gegründet, sich ständig vor der Geschichte verantwortet und sich zugleich energisch und manchmal polemisch konfrontiert mit der Gegenwart. Weit gespannt ihr Horizont und zugleich ganz konzentriert. Keine römische Thesentheologie, welche die Schrift nur als Steinbruch benützt. Vielmehr eine ganz von der Schrift durchdrungene Theologie, ausgerichtet auf die eine Mitte Jesus Christus.

Vom Barth-Buch Balthasars, ohne das meine eigene Arbeit über Barth kaum denkbar gewesen wäre, lerne ich: Das Katholische und das Evangelische werden gerade dort versöhnbar, wo beide am folgerichtigsten sie selbst sind. Ich kann Balthasar beistimmen, daß Karl Barth, gerade weil er die konsequenteste Durchbildung der evangelischen Theologie verkörpert, so auch der katholischen am nächsten kommt: evangelisch ganz und gar ausgerichtet auf die Christus-Mitte und gerade deshalb katholisch universal ausgreifend. Hier erkenne ich die Möglichkeit einer neuen schrift- und zeitgemäßen ökumenischen Theologie!

Natürlich studiere ich nicht nur Barth, auch nicht nur katholische Autoren wie Möhler und Newman, sondern auch Barths großen Antipoden in Deutschland, den Neutestamentler RUDOLF BULTMANN, dem Barth eine kritische Analyse unter dem Titel »Ein Versuch ihn zu verstehen« gewidmet hat. Ich lese Bultmanns Buch »Jesus« und Teile seines Johanneskommentars. Hilfreich dabei ein langes Gespräch mit Bultmanns berühmtem Schüler Professor HEINRICH SCHLIER, der aufgrund seiner neutestamentlichen Forschungen über Kirche und Amt, wie ich noch erzählen werde, in unserem Kolleg am 24. Oktober 1953 zum katholischen Glauben konvertiert – zum Entsetzen der evangelischen Theologenschaft Deutschlands und der Bultmannschule insbesondere. Der Ansatz Barths und Bultmanns bei Offenbarung und Glaube sei richtig, sagt mir Schlier, aber mit Bultmann müsse man berücksichtigen, daß jeder Mensch, auch der Theologe, mit einem bestimmten »Vorverständnis« an die Texte der Bibel herangehe. Dies stimmt nicht zuletzt für Konvertiten wie Schlier (den ich später in einer Inquisitionssitzung auf seiten der katholischen Bischöfe wiedersehen werde).

Einen anderen bemerkenswerten Konvertiten lerne ich mit seiner Frau bei einem Abendessen näher kennen: den evangelischen Pfarrer RUDOLPH GOETHE, einen Nachfahren des Dichters. Durch eine Spezial-Erlaubnis Pius' XII. darf er als erster evangelischer Pfarrer nach seiner Konversion mit vollen Rechten und Pflichten verheiratet bleiben. Ein ehrlicher und sympathischer Mann. Doch – warum gestattet man evangelischen Pfarrern, dies ist unsere Frage, was man katholischen verbietet?

Ein an- und aufregendes Resultat

In diesem Kontext gehe ich nun an Barths Lehre von der *Rechtfertigung des Sünders* heran, nachdem ich vorher schon so intensiv über das Rechtfertigungsdekret des Konzils von Trient, aber auch andere kirchliche Dokumente gearbeitet habe. Es ist mir von vornherein klar, was auf dem Spiele steht: Ich habe es zu tun mit dem »Articulus stantis et cadentis ecclesiae«, dem Glaubensartikel, mit dem nach Luther die Kirche steht und fällt. Und bin somit konfrontiert mit dem grundlegenden Hindernis für eine Verständigung zwischen Katholiken und Protestanten. Daß es mir gelingen könnte, über eine Annäherung (Konvergenz) hinaus gar eine Übereinstimmung (Konsens) zwischen Trient und Barth aufzuzeigen, wage ich nicht zu hoffen. Noch bin ich ganz am Anfang.

Eine Konvergenz aufzuweisen scheint mir ohnehin nur möglich, wenn mir zweierlei gelingt: Barths eigene Intentionen und Perspektiven noch deutlicher zu machen, ohne mich im Kleingestrüpp der Fragen zu verirren. Und andererseits auf katholischer Seite eine »große Wolke von Zeugen« (Heb 12,1) aufzutreiben, die dokumentiert, daß es sich in umstrittenen Lehren wie etwa der Rechtfertigung »durch den Glauben allein« oder das »gleichzeitig Gerechter und Sünder« um auch in der katholischen Theologie vertretene Lehren handelt. Wie aber in fast zwei Jahrtausenden Theologiegeschichte solche Zeugen finden?

Man kann erahnen, vor welchem Abenteuer ich stehe, weithin allein auf mich gestellt.

Ermutigung von meinen Professoren bekomme ich wenig, am meisten vom präzis argumentierenden Spanier Juan Alfaro, der einzelne meiner Texte kritisch durchliest. Als ich einmal einen anderen, als informiert und aufgeschlossen geltenden jüngeren Gregoriana-Professor, den Ungarn P. Zoltan Alszeghy, in San Pastore nach möglichen Zeugen frage, gibt er mir zur Antwort: »Wenn Sie für bestimmte Barthsche Lehren keine katholischen Zeugen finden, dann ist das ein klares Zeichen dafür, daß Karl Barth auf der falschen Fährte ist« – kein hilfreicher Ratschlag. Aber er hält mich nicht davon ab, rastlos unsere ganze Bibliothek zu durchstöbern. Zeugen, die ich in Rom nicht finde, werde ich später in der Bibliothèque Nationale in Paris oder im theologischen Seminar der Universität Freiburg im Breisgau ausfindig machen, wo ich mich nach meiner Rückkehr in den Norden mehrere Tage von morgens bis abends auf Spurensuche begeben werde und noch Zeit habe für lange Gespräche mit meinem Mitgermaniker Helmut Riedlinger, jetzt hier Assistent für Dogmatik.

Was von vornherein nicht zu erwarten war, das tritt nun doch ein: Am Ende einer mühseligen Recherche und denkerischen Bewältigung, die schließlich zu einem dicken und durchgestalteten Manuskript von rund 220 Seiten mit viel Kleindruck führt, kann ich schon in Rom im Sommersemester 1955 als Resultat meiner theologischen Lizentiatsarbeit formulieren: »In der Rechtfertigungslehre besteht, aufs Ganze gesehen, eine *grundsätzliche Übereinstimmung* zwischen der Lehre Barths und der Lehre der katholischen Kirche.« Von dort her bestünde also kein Grund zu einer Kirchenspaltung. Ihr theologischer Kern und Grundmotiv entfallen. Von katholischer wie evangelischer Seite könne bejaht werden: Die Rechtfertigung des Menschen geschieht durch Gottes Gnade allein aufgrund des vertrauenden Glaubens, der aber durch Werke der Liebe tätig sein soll! Ich beginne zu begreifen, welch für die Ökumene folgenreiches Ergebnis ich hier 1955 in den Händen habe.

Kein Wunder, daß diese Lizentiatsarbeit – ich habe es berichtet – meinen früheren Philosophen- und jetzigen hyperorthodoxen Theologenrepetitor P. PETER GUMPEL ungeheuer aufregt: wie ich als junger Mann in einer einzigen Studie so viele Themen behandeln könne, daß man beinahe über jede meiner Seiten ein Buch schreiben könnte! Ich antworte, man müsse doch alle diese Probleme im großen Zusammenhang behandeln, wenn man eine Gesamtlösung bieten wolle. Er jedoch weiß es besser und ist der festen Überzeugung, diese Arbeit dürfe so von der Gregoriana gar nicht akzeptiert werden. Aber dort läßt sich mein »Lizentiatsvater« Maurizio Flick, Professor für Dogmatik, ein erfreulich sachlicher und sachlich freundlicher Norditaliener, nicht davon abbringen, sie anzunehmen.

Am 9. Juni 1955 schreibe ich noch aus Rom an KARL BARTH, daß ich über die Rechtfertigung in der kirchlichen Dogmatik ein Manuskript fertiggestellt habe, das ich ihm gerne zuschicken würde, um dann mit ihm in Basel darüber zu sprechen. Barth antwortet mir durch ein Versehen erst am 14. Juli auf einer Postkarte nach Rom, die mich in Sursee erreicht. Es sei seiner Erfahrung nach »viel einfacher, sich, auch wenn es um Gegensätze geht, Auge in Auge auszusprechen«: »Aber wenn das Manuskript leserlich und nicht zu umfangreich ist, so mögen Sie es mir gerne schicken und ich will dann sehen, ob ich Ihnen etwas dazu sagen kann.«

Wie wird der große Meister reagieren? Ich werde mich immer genau an meinen ersten Telefonanruf nach Basel erinnern. Ich bin überrascht, als ich ohne jegliche Vermittlung höre: »Karl Barth«. In breitem Baseldeutsch fragt er mich zum eben gelesenen Manuskript als erstes: »Sagen Sie mal, sind Sie eigentlich alt oder sind Sie jung?« Meine Antwort, ich sei 27, läßt ihn sagen: »Da kann aber noch etwas daraus werden.« Ich solle ihn bald in Basel besuchen. Das werde ich auch tun, und dies wird der Beginn einer echten Freundschaft werden.

»Wenn Sie Lob ernten wollen ...«

Doch noch bin ich in Rom. Ob meine Lizentiatsarbeit an der Gregoriana auch als Doktordissertation akzeptiert würde? Das ist mehr als zweifelhaft. Ich kann der Versuchung, dies zu testen, nicht widerstehen. Noch vor meiner Abreise aus Rom besuche ich den Studienpräfekten der Gregoriana (Nr. 2 unter dem Rektor), P. CHARLES BOYER SJ, einen hervorragenden Augustinus-Spezialisten. Er ist mir wohlbekannt aus seinen mit dünner Stimme vorgetragenen langweiligen Vorlesungen über die Trinitätslehre und als freundlicher Moderator jenes kleinen ökumenischen Zirkels, der in Rom hinter der Zeitschrift »Unitas« steht. Bei aller französischen Verbindlichkeit weicht er um keinen Zoll von der römischen Parteilinie ab. Und mich zwickt der Teufel, gerade von ihm wissen zu wollen, was man an der Gregoriana mit so einer Arbeit angefangen hätte, im Falle, daß ...

P. Boyer kennt mein Manuskript und erklärt mir freundlich, P. Flick habe mir zwar eine sehr gute Note gegeben, aber meine »*Methode*« sei doch sehr zweifelhaft. Warum? Ich sei mit zuviel Verständnis an den Protestanten Barth herangegangen. Solches hätte ich vielleicht am Ende zeigen dürfen, aber zuerst hätte ich doch die völlig entgegengesetzten Lehren Barths und der katholischen Kirche miteinander *konfrontieren* sollen (an seinen Konfrontationsgestus erinnere ich mich noch besser als an den genauen Wortlaut)! Auch hätte ich französische Theologen wie Henri de Lubac, Henri Bouillard, Henri Rondet und andere zitiert, die in Rom, wie ich doch wüßte, Personae non gratae seien. Solche verdächtigen Autoren soll ein katholischer Theologe höchstens »lesen, aber nicht zitieren«. Mir ist klar, was er meint: eben jene in Rom von alters her geübte »damnatio memoriae«, das Auslöschen aus dem Gedächtnis der Zeitgenossen, die mit der Feigheit der Kollegen rechnet und die auch mir einmal drohen sollte! Durch Verschweigen und Nichtzitieren werden Theologen aus der Erinnerung verbannt. Und dann Boyers entscheidendes Wort: »Si vous voulez avoir de louange, vous ne devez pas faire comme ça«, sagt er liebenswürdig, »wenn Sie Lob ernten wollen, dürfen Sie es nicht so machen.«

Ich bin betroffen: Nie wäre ich auf die Idee gekommen, eine bestimmte Theologie zu schreiben um der »louange«, des »*Lobes*« willen. Geht es in der Theologie nicht allüberall zuallererst um die *Wahrheit*? Aber ich begreife: Das ist offenbar ein Kriterium, um nicht zu sagen *Erfolgsrezept* für eine bestimmte Theologie, mit der man in der Kirche vorankommen kann. Nüchtern gefaßt heißt der Satz: »Wenn Sie *Karriere* machen wollen, dürfen Sie es nicht so machen.« Ob man denn diese Lizentiatsarbeit erweitert als Doktordissertation an der Gregoriana passieren lassen würde, frage ich unschuldig. »Nein«, ist die milde Antwort, »ich glaube es nicht.« Aber ich hätte doch schon einen positiven Gutachter? »Ja, cher Monsieur, Sie haben *einen* Gutachter«, dann jedoch lächelnd: »aber es braucht dafür zwei.« Und die würde ich nicht finden. So weiß ich denn, woran ich bin, und verabschiede mich, ebenfalls lächelnd, mit einem »je vous en remercie infiniment, cher Père«. Habe ich mich doch schon längst für Paris entschieden – heureusement.

Paris: ein Studentenleben

45 Jahre später: Wieder sitze ich anno 2000 in Paris in einem kleinen Zimmerchen. Und schreibe wieder an einem winzigen Tischchen, das

ich um des Tageslichts willen gerade zwischen Bett und Fenster rein-
zwängen konnte. Wiederum sehe ich nur die gegenüberliegende Häuser-
wand und nicht den Himmel, wenn ich mich nicht aus dem Fenster
lehne. Ich bereite in meinem Hotelzimmer den morgigen »Débat« vor,
den ich bei den »*Rencontres de la Sorbonne*« mit der langjährigen Rekto-
rin der Sorbonne, Hélène Ahrweiler, und dem früheren französischen
Botschafter in Washington, Jacques Andréani, führen soll über »Les
temps forts de l'imagination dans l'histoire des hommes«.

Ich habe gerade wieder die alten geheiligten Hallen dieser wohl
traditionsreichsten Universität der Welt besucht, die ich vor 45 Jahren
zum ersten Mal kennengelernt hatte. Das Amphithéâtre Richelieu erinnert mit drei großen Gemälden daran, daß neben Richelieu, dem ersten
Praktiker der Staatsraison, und Descartes, dem ersten Philosophen der
autonomen Vernunft, auch Pascal, der große Philosoph des Herzens,
nicht zu vergessen ist: Er war es, der auf die Bedeutung des Willens, des
Gefühls, der Emotionen und Passionen und so eben der Imagination
aufmerksam gemacht hat. Mit diesen Beobachtungen werde ich meinerseits den Débat eröffnen und mit der Idee des Weltethos enden.

Das Zwei-Sterne-»Hotel de la Sorbonne«, dessen Zimmer immerhin
über minimale sanitäre Einrichtung verfügt, erinnert mich daran, wie
ich damals als Doktorand in Paris zu meinem *kleinen Zimmer* ohne
Waschbecken, Toilette und Schrank kam. Von einer vornehmen Dame
im XVI. Arrondissement war mir nämlich ein schönes Zimmer wegen
»Eigenbedarf« unvermittelt gekündigt worden. Die Priester von der
nahen spanischen Nationalkirche an der Rue de la Pompe nehmen den
unbehausten Monsieur l'Abbé im kalten November 1956 auf. Doch
stecken sie ihn in eine unbenutzte ungeheizte kleine Kapelle – mit
nicht zu öffnenden billigen farbigen Gotikfenstern ohne jede Aussicht.
Kein einziges Mal laden sie ihn auch nur zu einem Frühstück ein, so
daß der junge Abbé oftmals um den Häuserblock rennt, um etwas Wärme zu bekommen. So ist er denn froh, daß er nach zwei Wochen von
einer Freundin jener Dame (auf deren unverschämtes Drängen hin)
schließlich ein leeres Zimmer in der nahen kleinen Rue Lekain erhält.
Die Tochter der Vermieterin ist so freundlich, mit dem Monsieur
l'Abbé, der den Kragen hochgeschlagen hat, einen französischen Bett-
rost zehn Minuten durch die Straßen zu tragen. Nachher folgten ein
Marmortischlein und eine Matratze, die freilich den Rost nur gut zur
Hälfte bedeckt. Aber für mich allein genügt das ja.

Nein, mir kann niemand sagen, ich, stets wohlbehütet, hätte nicht
erlebt, was *Studentenleben* auch bedeuten kann. Das war ja nur eines

meiner Erlebnisse im Nachkriegs-Paris mit seiner Wohnungsbewirtschaftung, und ich will nicht noch ausführen, wie schon zuvor Josef Fischer und ich zunächst ein anderes Zimmer in der Rue de Rennes fluchtartig verlassen haben, als alle schönen Versprechungen der Wirtin nicht einmal bezüglich der Benützung ihres Bades eingehalten wurden; wie wir daraufhin beim Secours Catholique, bei der Caritas in der Rue de la Comète, landeten; wie wir dann froh waren um die Résidence von Pax Christi im VII. Arrondissement in der Rue Barbet de Jouy, unter dem Dach der Archevêché de Paris, die studierenden Priestern offeriert wurde; wie wir zwar zu zweit in einem Zimmer, aber mit Blick auf die Dächer von Paris – wenn nicht an der Sorbonne, der »Catho« (Institut Catholique) oder in der Nationalbibliothek – an unserer Dissertation arbeiten können, die Josef Fischer dann erst im nachhinein in der Schweiz zum Abschluß bringen wird.

Natürlich genießen wir von Anfang an die *neue Freiheit:* Unser Leben in Paris ist so ganz anders als in Rom. Köstlich amüsieren wir uns – wir waren schon bald nach unserer Ankunft zufällig auf das Kino gestoßen – über den Film »Roman Holiday« (»Ein Herz und eine Krone«), in welchem die entzückende Audrey Hepburn als britische Prinzessin, in Rom auf Staatsbesuch, sich in einen italienischen Journalisten (ebenfalls unvergeßlich: Gregory Peck) verliebt und – ihn schließlich wieder vergessen muß.

Die frivolen »Gaités parisiennes« im Sinne von Jacques Offenbach lernen wir allerdings kaum kennen. Doch liebe ich bis heute die »*Gentillesse*«, die Liebenswürdigkeit und Eleganz der alltäglichen französischen Umgangsformen. Im Ohr noch immer jene melodiöse Stimme der Baguette-Verkäuferin, die mich jeden Morgen in der kleinen Bäckerei begrüßt mit ihrem hellen »Bonjour, Monsieur l'Abbé« (auf dem Schluß-é eine Fermate), so daß dann mein »Merci, mademoiselle, vous êtes bien gentille!« durchaus von Herzen kommt. Ganz ähnlich auch der Umgang mit der alten Madame la Cuisinière in unserer Theologenresidenz. Später wird mich immer wieder der spritzige, leicht selbstironische »Esprit de finesse« bezaubern, wie ich ihn besonders in Gesprächen mit Verlegern und Vertretern der Medien kennenlerne – vom kultivierteren französischen Essen ganz abgesehen.

Mein Leben als Doktorand spielt sich freilich nicht in Pariser Salons ab – von einem Diner in der Schweizer Botschaft und einem Tee im Pariser Stadtpalais eines französischen Studienkollegen und Verwandten P. de Broglies abgesehen. An der nahen Residenz des Premierministers an der Rue de Varenne gehe ich zwar oft vorbei, ebenso an den großen vornehmen Bogenfenstern des Hotel Lutétia (Boulevard Raspail), dessen Name an den kleinen Hauptort der keltischen Parisii erinnert, den die Römer eroberten und als »Lutetia Parisiorum« ausbauten, mir aus dem täglich im Refektor des Germanikum vorgelesenen Martyrologium Romanum wohlbekannt. Daß ich da einmal wohnen könnte, wäre mir nicht im Traum eingefallen. Auch den nahen Bon Marché und andere Grand Magasins besuche ich nur, wenn ich dringend etwas brauche.

Aber gerade so lerne ich die *Stadt kennen:* viel zu Fuß (etwa die nahen Invalides, den Eiffelturm, den Jardin du Luxembourg), oft in der Metro und vor allem im Autobus. Unvergeßlich die beinahe täglichen Autobusfahrten von der Rue de Babylone über den Boulevard St. Germain zum Boulevard St. Michel und zur Sorbonne. Oder aber am Louvre vorbei in die Rue Richelieu zur Bibliothèque Nationale, wo ich jeden Morgen zuerst eine Stunde um die riesigen Kataloge renne, um mir die Literatur des Tages samt Bibliographien zusammenzu-suchen. Meist auf der offenen Plattform hinten im Autobus stehend, kann ich das Pariser Publikum und Leben beobachten und habe meinen Spaß am raschen Pariser Verkehr, wo mir die Autos vor den roten Ampeln der großen Boulevards wie Jagdhunde auf der Lauer zu stehen scheinen, um bei Grün sofort mit Vollgas loszuschießen, von den ele-ganten Flics mit ihren wirbelnden Schlagstöcken zur Eile angetrieben.

Mein Vergnügen dann am Abend, nach der Rückkehr todmüde, un-mittelbar vor meiner Nachtschicht: mich aufs Bett zu legen und »Le Monde« zu lesen. Denn *Frankreich* steckt *in der Krise:* Zwar war der Indochina-Krieg unter der Regierung Mendès-France 1954 nach der verheerenden Niederlage bei Dien Bien Phu beendet worden, und unter der Regierung Mollet sind Tunesien und Marokko 1955 in die Unabhängigkeit entlassen worden. Aber die Algérie Française will man nicht aufgeben, und der Krieg dort treibt mit Massakern von beiden Seiten dem Höhepunkt entgegen. Generalangriff der algerischen Unter-grundbewegung auf die französische Kolonialmacht und Armeeputsch in Algier – eine Entwicklung, die schließlich zur Präsidentschaft de Gaulles und zur Aufgabe Algeriens durch Frankreich (wie fast gleich-zeitig die Ägyptens durch Großbritannien) führt.

Die Chambre des Députés habe ich freilich nur immer von außen gesehen. »C'est où l'on dispute, das ist wo man zankt«, hatte mir mein Pariser Freund Philippe Dubost abschätzig schon 1948 erklärt. Anders die großen Pariser Museen, die mit den römischen konkurrieren können und die ich ebenfalls schon als Gymnasiast kennengelernt habe, wie auch die große Oper und die Opéra comique, denen Rom kaum

Adäquates entgegensetzen kann. Ich besuche so viele Vorstellungen, wie ich mir leisten kann. »Carmen« in der Opéra comique oder »Der Geizige« (Molières »L'avare«) in der Comédie Française bleiben unvergessen, in anderer Weise auch die Impressionisten im Jeu de Paume. Ich gestehe, daß Paris als Lebensraum, in dem sich stärker als in irgendeiner anderen europäischen Großstadt politische, administrative, kulturelle, geistige und wirtschaftliche Aktivitäten des Landes bündeln, für mich noch heute die Metropole ist, in der ich auf Dauer am liebsten gelebt hätte – wenn meine Arbeit mich nicht eben doch in eine kleinere und gemütlichere deutsche Universitätsstadt verschlagen hätte.

Die faszinierende Zeit des *Renouveau Catholique*, der die Literatur aus dem Glauben erneuern will, ist, ich berichtete es, in Paris ohnehin vorbei, nachdem Pius XII. die bedeutendsten Theologen Frankreichs aus der Öffentlichkeit verbannt hat. Der große Paul Claudel, dessen neuartiges christliches Welttheater »Der seidene Schuh« Balthasar ins Deutsche übersetzt hat und dessen »Mariä Verkündigung« ich in der Comédie Française sehen darf, stirbt im Februar 1955 (wenige Monate danach Thomas Mann). Immer weniger sind die Debatten im »Centre des Intellectuels Catholiques«, denen ich beiwohne, oder die berühmten Fastenpredigten in Notre-Dame die großen Ereignisse wie in den früheren Jahren. Aber immerhin kann ich noch den kirchenkritischen Nobelpreisträger für Literatur FRANÇOIS MAURIAC – auch mit stark beschädigter Stimme ein feuriger Geist und mit Georges Bernanos der bedeutendste katholische Schriftsteller Frankreichs – in einer Debatte miterleben.

Auch JEAN-PAUL SARTRE und mit ihm der Existentialismus haben ihre große Zeit hinter sich. Für mich ist der Sartre der 50er Jahre eher uninteressant geworden. Blind auf dem linken Auge, sympathisiert er wie so viele französische Intellektuelle mit dem Kommunismus und läßt es sogar zum Bruch mit Freunden wie Raymond Aron, Albert Camus, André Gide und André Malraux kommen. Er reist in diesen Jahren in die UdSSR und nach China – welche Verirrung eines großen Intellektuellen.

Doch mit dem 20. Parteikongreß der KPdSU und einer Rede von Generalsekretär Nikita Chruschtschow im Februar 1956 beginnt in Moskau die *Entstalinisierung* und die Politik der Koexistenz. Sie hat Auswirkungen in der Tschechoslowakei, Polen und besonders in *Ungarn*, wo man eine wirkliche Unabhängigkeit von der Sowjetunion will: Im Oktober 1956 kommt es zum *Volksaufstand*. Er wird von den sowjetischen Panzern zum Entsetzen aller zivilisierten Menschen brutal niedergewalzt, während Frankreich und Großbritannien zusammen mit Israel in das unglückliche Suez-Abenteuer verwickelt sind, bis es von den USA gestoppt wird. Erst angesichts des Ungarn-Aufstands bequemt sich Sartre endlich zur Kritik an der kommunistischen Sowjetunion. Alle diese dramatischen Ereignisse verfolge ich mit Leidenschaft; ich kann sie von der Theologie nicht einfach abtrennen.

Eine Defensio und eine kleine Lüge

Der Kühnheit meines Unterfangens in Sachen Rechtfertigung bewußt, hatte ich schon das Vorwort meiner römischen Lizentiatsarbeit 1955 eröffnet mit einer »Captatio benevolentiae«: »Ruhig gewordener, lang gelagerter, alter Wein ist köstlicher zu genießen als der junge, nicht ausgegorene, stürmische Neuwein. Es wäre besser, diese Arbeit noch etwas ruhen und lagern zu lassen, bis alles an ihr rein, geklärt und kraftgeladen geworden ist. Vor allem hätten wir sie gerne noch tiefer in das fruchtbare Erdreich katholischer Tradition eingesenkt; doch weiteres Graben muß auf später verschoben werden. Es sind dem Menschen nun einmal Fristen gesetzt, und auch das theologische Lizentiat ist eine solche. Der junge Wein hat auch sein Gutes: vor allem – er darf auf Nachsicht hoffen.«

Mein Pariser Doktorvater LOUIS BOUYER liest die 220 Seiten meiner römischen Lizentiatsarbeit und findet, im Gegensatz zu P. Gumpel und in unbewußter Übereinstimmung mit Karl Barth, daß es eine sehr gelungene Arbeit sei: Sie würde auch als Doktordissertation durchaus ausreichen; ich könne sie gleich bei der Fakultät einreichen! Aber aufgrund meiner römischen Erfahrungen bin ich vorsichtig geworden: Ich möchte unbedingt noch ein Jahr daran arbeiten, sage ich ihm, eben um jene »Wolke von Zeugen« zu vermehren und meine Aussagen biblisch und theologiegeschichtlich abzustützen sowie systematisch nochmals durchzudenken. Schon nach meinem allerersten forschen Manuskript über das Trienter Rechtfertigungsdekret hatte mich ja nach P. Klein auch Hans Urs von Balthasar gemahnt, ja nicht »mit dem Hammer zu theologisieren«. Doch habe ich jetzt genug Zeit, um meine Aussagen gut belegt und differenziert zu präsentieren. Ich will Nägel mit Köpfen machen – ohne mir dabei auf die Finger zu hauen.

Ganz anders aber als die Reaktion von Bouyer ist die von HENRI BOUILLARD. Dessen Barth-Buch ist im Herbst 1955 noch immer nicht erschienen. Er hat seine Arbeit, die er als Theologe für ein Doctorat ès-lettres geschrieben hat, gerade eben erst an der Sorbonne eingereicht. Unbefangen bitte ich ihn, er möge mich doch Einsicht nehmen lassen in sein Manuskript: ich möchte meine Aussagen mit den seinen möglichst in Übereinstimmung bringen. Aber das lehnt er unter Ausflüchten ab.

Erst mit der Zeit werde ich merken, daß der um eine Generation ältere Professor eifersüchtig ist auf den jungen Doktoranden, der da nach zwei Jahren zurückkommt und bereits ein Opus präsentiert, das es mit dem seinen, an dem er so viele Jahre gearbeitet hat, aufnehmen kann: zwar nicht in der Länge (Bouillards Werk ist unterdessen auf drei Bände von je fast 300 Seiten angewachsen), wohl aber in Inhalt, Durchführung und Ergebnis. Auf meine Weise habe ich ja bei aller Konzentration auf die Rechtfertigung des Sünders doch die Gesamtproblematik der Barthschen Dogmatik in den Blick bekommen: von Bedeutung und Wirken Jesu Christi über Schöpfung, Sünde und Tod bis hin zu Rechtfertigung und Heiligung.

Arglos frage ich P. Bouillard dann, an welchem Tag die »*Verteidigung*« (»defensio«, »soutenance«) seiner These an der Sorbonne stattfinde; natürlich möchte ich gerne dabeisein. Dies stehe noch nicht fest, antwortet er, ich möge dies in »Le Monde« nachlesen, wo das Datum zu gegebener Zeit publiziert werde. Noch immer schöpfe ich keinen Verdacht. Kurz darauf bin ich in der Dominikanerhochschule Le Saulchoir in Etiolles bei Paris, wo etwa 150 Dominikaner wohnen. Dort begegne ich wieder dem unterdessen aus Rom eingetroffenen JÉRÔME HAMER, mit dem ich mich wie immer angeregt unterhalte: Ich würde doch sicher bei der Verteidigung von Bouillards These an der Sorbonne dabeisein? Gewiß, aber leider wisse ich nicht, wann sie stattfinde. Der Dominikaner: Das könne er mir genau sagen, er habe eine schriftliche Einladung erhalten. Schlagartig geht mir auf: Bouillard hat mich *angelogen* – wozu? Um mich fernzuhalten.

Lügen haben kurze Beine. Aufgeräumt tauche ich am betreffenden Tag im betreffenden Hörsaal der Sorbonne auf. Ein großes Publikum versammelt sich, da es sich herumgesprochen hatte, KARL BARTH höchstpersönlich reise aus Basel an, um bei dieser »Soutenance de thèse« dabeizusein, ohne freilich in die Debatte eingreifen zu dürfen. Die Jury thront feierlich wie üblich vorne an einem breiten Tisch. Als es losgeht, ist es vor allem Basels berühmter Neutestamentler, Professor OSCAR CULLMANN, dessen Exegesekurs an der »École des Hautes Études« der Sorbonne ich mit viel Gewinn besuche, der als Gutachter Bouillards Arbeit zerpflückt. Wie es Exegeten gerne tun, merkt er eine endlose

Latte von »Corrigenda« an, zu denen Bouillard natürlich gar nicht im einzelnen Stellung nehmen kann. Es zeichnet sich ab, daß diese Defensio nicht so glänzend verläuft, wie es sich der Kandidat, als (von Rom zensurierter) Theologieprofessor in Frankreich bekannt, vorgestellt haben dürfte.

Unterbrechung durch eine viertelstündige Pause. Karl Barth entdeckt mich und unterhält sich während der ganzen Zeit vorne allein mit mir jungem Doktoranden. Starren Blicks, ohne mich zu grüßen, geht Bouillard an uns vorbei, und ich bin nun sicher, daß ich bei meiner eigenen »Soutenance« mit einem mir wenig wohlgesinnten, schwerbewaffneten Gegner konfrontiert sein würde. Was Barth Bouillard nachher sagt, höre ich nicht. Jedenfalls erhält dieser sein Doctorat ès-lettres, und ich verlasse rasch das Auditorium.

Karl Barth und die Christuserscheinung Pius' XII.

In Basel sehe ich Karl Barth wieder. Er wohnt jetzt nicht mehr in der Pilgerstraße unten in der Stadt, wo ich ihn zum ersten Mal besuchte, sondern in einem neuen, freundlichen, für seine riesige Bibliothek jedoch nicht gerade großen Haus oben an der Bruderholzallee. Aber noch immer zieren die Stiche der großen Theologen und Philosophen der Neuzeit – mir aus seiner »Protestantischen Theologie im 19. Jahrhundert« bekannt – Gänge und Stiegenhaus. Sie mahnen die große Tradition an, die der Herr dieses Hauses exzellent kennt.

Mit Respekt sehe ich den Schreibtisch, an dem so viele Theologie und Kirche bewegende Artikel und Bücher geschrieben wurden; ich werde ihn später als »Reliquie« im Pittsburgh Theological Seminary, der Wirkstätte seines Sohnes Markus, der dem Vater ein Leben lang geistig verpflichtet bleibt, wiedersehen. Aber wichtiger neben dem Schreibtisch – wiewohl der Reformierte Barth Bilder in den Kirchen (selbst die neu entdeckten alten Fresken im Basler Münster) nicht sehen will – eine schöne Reproduktion der Kreuzigung von Grünewalds Isenheimer Altar. Eine Mahnung an den Theologen, erklärt er mir auf Nachfrage: wie der Täufer Johannes mit seinem großen Zeigefinger immer wieder auf den einen Jesus Christus zu verweisen, Zentrum und Wesen des Christentums.

Anders als mit Balthasar verstehe ich mich mit Karl Barth, schon leicht gebeugt mit stark vergrößernder Hornbrille, auf Anhieb, menschlich wie theologisch. Er erscheint mir kraftvoller und bodenverhafteter als sein katholischer Basler Nachbar Balthasar, der sich an Politik und Gesellschaft wenig interessiert zeigt und nicht zuletzt deshalb mit seinem Männerkreis Probleme bekommt; eher als zum Ordensmeister hatte Barth das Zeug zum Volkstribun. Dabei ist die Diskussion mit Karl Barth oft durchaus kontrovers, etwa über den Papst oder über Adenauer. Gegen dessen Politik der Eingliederung in das westliche Bündnis (NATO) könne man sein, meine ich, aber nicht unbedingt wegen des Evangeliums. »Weswegen denn sonst?«, ist die charakteristische Antwort Barths, der »politische Entscheidung in der Einheit des Glaubens« (so der Titel seiner Schrift von 1952) vollzogen sehen will. Barth kommt mir in all diesen Diskussionen nie abgehoben-intellektuell vor, sondern bei allem weiten Horizont und aller intellektuellen Raffinesse immer elementar und ursprünglich. Ein genialer Mann, mit dem man herzlich streiten und, was täte ich lieber, auch herzlich lachen kann. Seiner Baslerischen Schlitzohrigkeit erweise ich mich gewachsen. In der Theologie wisse man nie, meint er, »hab' ich ihn oder hat er mich«: Die »Analogia entis« (»Ähnlichkeit des Seins« von Gott und Mensch) – ursprünglich Barths Haupteinwand gegen die Katholische Theologie – habe er aufgrund von Balthasars katholischer Deutung »begraben«.

Mit meiner Arbeit ist der Autor der »Kirchlichen Dogmatik« höchst zufrieden. Der bald erscheinende Band IV/3, von dem er mir eine private Zusammenfassung gibt, werde meine These vom Konsens wesentlich verstärken. Für Barth ist wichtig, daß ich die erste Fassung meiner Studie in Rom geschrieben habe – ein Zeichen, daß man doch ernsthaft auf eine ökumenische Verständigung hoffen kann. Meine eigenen Einwände gegen seine Theologie (etwa bezüglich Schöpfungs- oder Kirchenlehre und das Heil der Heiden) melde ich ohne jegliche Hemmungen an. Von mir nehme er dies auch eher an, sagt mir später der Tübinger Barthianer Hermann Diem, als von seinen eigenen Schülern. In der Tat bin ich kein Barthianer (er auch nicht, meint Karl Barth); nur eine Stunde Vorlesung habe ich anläßlich eines Besuchs in Basel von ihm gehört. Er geht jetzt rasch der Emeritierung entgegen, arbeitet aber tagtäglich an Band IV/4 seiner Dogmatik weiter. Nur am Abend liest er andere Literatur (etwa über den amerikanischen Bürgerkrieg) oder hört Mozart (»einfachere Stücke«, meint Balthasar süffisant, der sich auf seine Kenntnis der Mozart-Quartette etwas einbildet).

Beim Mittagessen bin ich mehr als einmal zusammen mit seiner sympathischen, in sich ruhenden Ehefrau und seiner nicht weniger sympathischen, aufgeweckten Mitarbeiterin Charlotte von Kirschbaum, auf die er seit seiner Bonner Zeit unbedingt angewiesen ist; sie schreibt und korrigiert alle seine Manuskripte, nimmt ihm viel Korrespondenz ab und kennt sich, meint er schmunzelnd, im Riesenwerk der Kirchlichen Dogmatik besser aus als er selber. Die naturgemäßen jahrelangen Spannungen zwischen den beiden Frauen, in Basel viel kommentiert, dürften in der Zeit unserer Bekanntschaft überwunden sein. Ich spüre nichts davon und bin an diesbezüglichen »Recherchen« nicht interessiert. Munter gestaltet sich die Unterhaltung auch zu viert, nein, nicht über Rechtfertigung, wo wir uns einig sind, sondern über alle möglichen anderen Fragen.

Viel diskutieren wir über die aktuelle Lage der katholischen Kirche. Und natürlich über das *Papsttum*, von dessen ungeheuren Möglichkeiten Barth fasziniert, von dessen konkreter Gestalt und Praxis er jedoch abgestoßen ist: »Ich kann von diesem Stuhle Petri her die Stimme des Guten Hirten nicht hören«, pflegt er zu sagen. Und meint damit besonders Pius XII. Dessen angebliche *Christuserscheinung* am 2. Dezember 1954 war publik gemacht worden in der Illustrierten »Oggi« vom 25. November 1955, zwei Tage später vom vatikanischen Pressebüro und Radio bestätigt. Karl Barth testet mich hintergründig: »Was halten Sie denn davon?« Meine Antwort: »Nichts.« Barth aber reizt es, das Spiel fortzusetzen und insistiert: »Aber das wäre doch immerhin die erste Christuserscheinung nach der des Apostels Paulus. Und da wäre es wichtig zu wissen, was unser Herr Jesus dem Papst Pius gesagt hat?« Als ich das nicht wissen will, rückt er mit der Pointe heraus: »Gewiß hätte Christus zum Papst ganz ähnlich wie zu Paulus gesagt: Pius, Pius, warum verfolgst du mich?« Später erfahre ich aus sicherer Quelle, die Erscheinungsstory – in peinlicher Weise bebildert von gestellten großen Farbphotos seiner Heiligkeit mit zwei Vögelchen auf der Hand, mit Schäfchen, mit Kindern und beim Gebet in seiner Privatkapelle neben seinem Schlafzimmer in Castel Gandolfo – wurde an »Oggi« verkauft. Von wem? Von P. Lombardis Manager P. Rontondi SJ, der dafür mindestens 50 (wenn nicht 100) Millionen Lire für einen »guten Zweck« (ein Bauunternehmen von Lombardis »Mondo migliore«) kassiert hat!

Pius XII. hat es – einer Mitteilung des Postulators seiner Seligsprechung, des uns wohlbekannten früheren Repetitors P. Peter Gumpel im Jahr 2002 zufolge – auch mit dem Teufel zu tun gehabt: Er vollzog mehrmals eine *Teufelsaustreibung* an Adolf Hitler, den er für besessen hielt. Ein bisher völlig unüblicher Exorzismus auf 1.500 km Distanz – ihm als »Stellvertreter« Gottes oder Christi offensichtlich möglich erscheinend. Freilich ohne jeden Erfolg! Ob unser Betreiber des Seligsprechungsprozesses nicht überlegt hat, daß Psychiater Christuserscheinung

wie Teufelsaustreibung als Anzeichen eines drohenden »Cäsarenwahn-
sinns« (= krankhafte Übersteigerung eines Machttriebs bei Herrschern
oder Diktatoren) à la Papst Bonifaz VIII. diagnostizieren könnten?

Verteidigungsbereit

Ich selber habe indes meine eigene »Soutenance de thèse« in Paris noch
vor mir. Und die kann angesichts meines Adversarius HENRI BOUILLARD
schwierig werden. Zwar hat dieser mir in einem Brieflein vom 15. 1.
1957 den Empfang meiner These bestätigt mit den Worten: »Seien Sie
ruhig; je ne serai pas méchant, ich werde nicht boshaft sein.« Aber das
genau macht mich erst recht mißtrauisch. Weiß man doch: »Wer einmal
lügt, dem glaubt man nicht, und wenn er gleich die Wahrheit spricht.«
    Soll ich nicht verlieren, muß ich *meine eigene »Verteidigung« präzis vor-
bereiten*: eine Frage weniger der Strategie als der Taktik. Ich erinnere
mich: Die alten Eidgenossen, vor ihrer ersten Freiheitsschlacht gegen
die Habsburger bei Morgarten durch eine Pfeilbotschaft gewarnt, hatten oben auf dem Berg die Felsbrocken vorbereitet, die sie dann auf das
Ritterheer an enger Stelle zwischen Bergfuß und See hinunterrollen
ließen. Nachdem mir Bouillard jeglichen Einblick in seine Dissertation
verweigert und ich nach allem Vorausgegangenen mit ernsthaften
Angriffen auf der Basis seiner eigenen Dissertation zu rechnen habe,
muß ich mich mit ausreichend Abwehrmunition versehen. So melde
ich mich denn im Archiv der Sorbonne. Aufgrund meines Doktoranden-
ausweises erhalte ich ohne weiteres Bouillards umfangreiche Manuskripte für die nächsten Tage zum Studium im Saal ausgeliehen.
    Bouillards Methode hätte dem römischen Studienpräfekten Charles
Boyer sicher eher gefallen: In jedem einzelnen Kapitel stellt er immer
zuerst Karl Barths Lehre dar, um dann sofort, durch drei Sternchen
abgesetzt, seine Kritik hinzuzufügen. Auf diese vielen kritischen Abschnitte richte ich meine ganze Aufmerksamkeit. Zuerst überlege ich,
auf welche Passage meiner eigenen Arbeit der betreffende Einwand
wohl abgefeuert werden könne. Jeweils auf der leeren Gegenseite meines
Textes fasse ich dann Bouillards Einwand knapp zusammen und schreibe
dazu gleich, in möglichst gutem Französisch, meine eigene Antwort
Punkt um Punkt hinzu. Keine leichte Arbeit. Mais ça vaut la peine – es
lohnt sich.
    So habe ich schließlich in meiner schön gebundenen Dissertation auf
den einzelnen Gegenseiten meine Abwehr samt allen verfügbaren

Gegenargumenten plaziert. Am Ende habe ich meine Verteidigung in wohl zwei Dutzend eng geschriebenen und systematisch geordneten Statements aufgebaut. Um während der Auseinandersetzung langes Suchen zu vermeiden, erstelle ich mit Seitenzahlen einen Generalplan über meine Abwehrpositionen, so daß ich blitzschnell reagieren kann. Doch das ist mir noch nicht genug.

Ein *Geleitwort* von KARL BARTH zu meiner Arbeit, dachte ich mir, wäre viel wert. Aber Hans Urs von Balthasar, Gründer auch des elitär-theologischen Johannes Verlags, mein zukünftiger Verleger, ist zurückhaltend: dies könnte auch unnötige »Gegenstimmen« wecken; er will Professor Feiner fragen. Doch am 9. Januar 1957 seine Meldung per Karte: »Mit Barth habe ich lang telefoniert. Im Grunde möchte er das Brieflein am Anfang des Buches gern schreiben. Er wird einfach das ›Ereignis‹ solcher Gespräche ›feiern‹, sich gar nicht sachlich für oder gegen den Inhalt stellen. Auf diese Weise scheint es mir doch für das Buch *sehr fördernd.*« Ob Balthasar da mehr seines oder Barths Verständnis dieses »Briefleins« wiedergibt? Jedenfalls bin ich daran interessiert, diesen Brief noch so frühzeitig zu erhalten, daß ich ihn unmittelbar vor meiner Defensio an meine Professoren schicken kann. Dies würde für Bouillard zeitlich so knapp sein, daß er keine Gegenoperation mehr starten kann.

Karl Barth indes schreibt nun alles andere als ein »Brieflein« ohne inhaltliche Stellungnahme. Vielmehr erhalte ich mit Datum vom 31. Januar 1957, herzlich und originell formuliert, einen höchst inhaltsreichen Geleit-Brief an den »lieben Hans Küng«, dazu seine Visitenkarte, auf der von Hand steht: »Avanti, Savoia!«, bekanntlich der Ruf der italienischen Truppen, die 1870 im Risorgimento Rom stürmten – unbekümmert um den soeben als »unfehlbar« erklärten Papst und seine »suprema potestas« über die Kirche und jeden Gläubigen. Zu meiner freudigen Überraschung bezieht Karl Barth ganz klar Stellung: Seine »große *Freude*« an dem Buch gilt »zunächst schlicht der Offenheit und Entschlossenheit, in der Sie offenbar im Germanicum in Rom katholische Exegese, Dogmen – und Theologiegeschichte und von da aus als unerschrockener Eidgenosse auch meine Bücher studiert und sich mit dem Ihnen da begegnenden Phänomen auseinandergesetzt haben. Ich bewundere und lobe auch Ihre formale Kunst und die gute Sprache …«.

Das war gut, besser war noch das, was Barth zum *Inhalt* sagte: Zum einen bestätigt er die *Korrektheit meiner Interpretation* seiner Lehre: »Ich gebe Ihnen gerne und dankbar das Zeugnis, daß Sie alles Wichtige, was den bisher erschienenen 10 Bänden der ›Kirchlichen Dogmatik‹ zum

Thema ›Rechtfertigung‹ zu entnehmen ist, nicht nur vollständig gesammelt und nicht nur korrekt, d. h. meinem Sinn gemäß, wiedergegeben, sondern wie durch Ihre bei aller Kürze genaue Darstellung im Einzelnen, so auch durch Ihre zahlreichen geschickten Hinweise auf die größeren Zusammenhänge schön zum Leuchten gebracht haben. Ihre Leser dürfen sich also zunächst (bis sie mich vielleicht auch selbst lesen werden) daran halten, daß Sie mich sagen lassen, was ich sage, und daß ich es so meine, wie Sie es mich sagen lassen.«

Zum andern aber gibt Barth seine *Zustimmung zum gefundenen Konsens* in dieser seit der Reformation umstrittenen Grundfrage – in der Hoffnung freilich auf eine Bestätigung durch die katholische Theologie: »*Wenn* das, was Sie der Heiligen Schrift, der alten und neuen römisch-katholischen Theologie und dann doch auch dem ›Denzinger‹ und also auch den Texten des Tridentinum entnehmen, die Lehre Ihrer Kirche wirklich *ist* und sich als solche bestätigen läßt (vielleicht durch einen Ihrem Buch begegnenden Consensus bestätigt werden wird!), *dann* werde ich wohl, nachdem ich, um mit dem Genius loci Zwiesprache zu halten, schon zweimal in der Kirche S. Maria Maggiore zu Trient gewesen bin, ein drittes Mal dort hineilen müssen: diesmal zum Bekenntnis eines zerknirschten: patres peccavi!« Welch ein Wort! Später von so vielen zitiert.

Barths Geleitbrief verändert faktisch den Zugang zu meinem Buch. Jetzt geht es nicht bloß um wissenschaftlich-spezielle Interpretationsfragen der Barthschen Theologie, sondern um die ökumenisch-grundsätzliche Frage: Katholisch oder unkatholisch? Diese »eigentliche Frage – katholisch oder unkatholisch – ist mit außerordentlicher Schärfe« gestellt, schreibe ich Barth in meinem Dankesbrief vom 2. Februar 1957, was, »hoffe ich, nicht von Schaden sein« wird: »Meine ursprüngliche Absicht war allerdings, die Medizin meinen katholischen Mitbrüdern tropfenweise und mit einem selbstverständlichen Lächeln einzuflößen. Das wird nun nicht mehr möglich sein; denn der Patient, durch Ihr Vor-Wort aus seinem vorkritischen Schlafe aufgeschreckt, wird mit Mißtrauen auf das ›Neue‹ starren, das man ihm da eingeben möchte. Das macht mich nun doch wieder ein wenig nachdenklich: Nicht daß meine Arbeit nicht auf Herz und Nieren geprüft werden soll auf ihre Katholizität – ich bin nach wie vor überzeugt, daß meine wesentlichen Argumente auch dem kritischsten Auge standhalten sollten, aber im Geiste sehe ich schon die böse Meute der Hyperorthodoxen dies- und jenseits der Alpen auf meinen armen, eben flügge gewordenen Vogel losstürzen, um zu sehen, nicht, was an ihm katholisch ist, sondern, was an ihm *un*katholisch *sein könnte.*« Um also nicht von vornherein »die römische Bürokratie in Marsch zu setzen«, bitte ich Karl Barth, doch noch einen Hinweis auf die von mir angeführte »Wolke von Zeugen« aus dem katholischen Raum anzubringen.

Karl Barth erfüllt meinen Wunsch, den er »gut verstehe«, noch am selben Tag und fügt hinzu: »Und gelt, Sie erzählen mir dann, wenn es soweit ist, wie Solothurn (= das Bischöfliche Ordinariat Basel) sich geäußert hat!« Schon am 3. Januar 1957 hatte ich aufgrund der Voten Balthasars (»eine für eine Anfängerarbeit stupende Leistung«), Bouyers und Feiners die Druckerlaubnis des Ordinariates Basel erhalten. Am 1. Februar bitte ich in einem wohlgesetzten Brief an den zuständigen Generalvikar Dr. Lisibach – ein kleines Unikum in der Theologiegeschichte – um ein eigenes Imprimatur für des Protestanten Karl Barth Geleitbrief. Balthasar hat es zuvor mir überlassen, ob ich zur Vermeidung aller Schwierigkeiten den Geleitbrief (»ohne Wissen Barths«) Solothurn unterbreiten soll, um spätere Schwierigkeiten zu vermeiden. Ich tue es, aber mit Wissen Barths. Und erhalte das Imprimatur vom immer kurz und prompt antwortenden Lisibach umgehend: »In Ordnung. Der Brief Karl Barths ist sehr routiniert. Salve!« Damit habe ich nun aber alles wohl vorbereitet, um in Paris die Probe zu bestehen.

Eine gewonnene Schlacht

Am Donnerstag, 21. Februar 1957 ist es soweit. Meine Arbeit war, was ursprünglich nicht erfordert war, von mir ins Französische übersetzt und von einem liebenswürdigen französischen Theologen, Paul Guiberteau aus Nantes, der einige Wochen in unserer Familie lebte, mit mir zusammen korrigiert worden, wobei wir Barths Originaltexte deutsch lassen. Als er später mein Konzilsbuch in der Buchhandlung entdeckt, schreibt er mir, wie wohl er sich in unserer Familie – mit all den Spaziergängen, Fahrten auf dem See und freundschaftlichen Gesprächen über Barths Theologie – gefühlt hat: »quel merveilleux mois de Septembre …!«

Ein Jahr lang habe ich gleichzeitig in dem etwas tristen Gebäudekomplex des *Institut Catholique* an der Rue d'Assas am Rand des Quartier Latin auch meine fünf Doktorandenkurse absolviert. Und wie ich schon in Rom eine lateinische Seminararbeit geschrieben habe über den »Begriff von Gnade und Rechtfertigung in der Kontroverse mit den Protestanten«, so jetzt eine exegetisch orientierte französische Arbeit über die Worte »rechtfertigen« (griechisch »dikaioûn«) und »Rechtfertigung« (»dikaíosis«) beim Apostel Paulus. Dazu weitere Arbeiten über das literarische Genus von Jesaja 6,3, die Korrespondenz zwischen Cyprian und Cornelius in der Kirchengeschichte des Eusebios, den genialen Maler Grünewald und die Reformation sowie über Karl Barth und den römischen Primat.

An diesem Donnerstag vormittag um 11 Uhr nun findet in der Salle des Professeurs meine »Leçon doctorale« statt über das Thema »L'éternité de l'Homme-Dieu«, praktisch mein Exkurs zur Dissertation. Freundliche Diskussion. Pas de problèmes. Am Nachmittag dann in der Salle des Actes um 14.30 Uhr schließlich meine »Soutenance de thèse«. Vorne auf der Plattform in der Mitte der Rektor Msgr. Blanchet im Bischofsrang, daneben der Dekan Joseph Lecler (Autor einer zweibändigen »Histoire de la tolérance au siècle de la Réforme«), mit ihnen als »lecteurs« die Professoren Guy de Broglie und Henri Bouillard sowie schließlich mein »directeur de thèse« Louis Bouyer. Von der Sorbonne sind meine Philosophieprofessoren gekommen, Jean Wahl, der mich sehr nett in sein Haus eingeladen hatte, und Maurice de Gandillac, mit dem ich bereits über ein Doktorat in Philosophie an der Sorbonne (doctorat ès-lettres) Vereinbarungen getroffen habe. Aus Basel ist Hans Urs von Balthasar angereist, neugierig auf das, was sich da abspielen würde, aber: »Möchte *absolut* im Hintergrund bleiben, sozusagen inkognito«, hatte er auf einer Postkarte zwei Tage zuvor mitgeteilt, »viel Glück und ruhig Blut!«

Auch KARL BARTH zu meiner Defensio einzuladen, erwies sich als wenig angemessen – schon wieder und nach so kurzer Zeit erneut eine Reise nach Paris und, wie er mich wissen ließ, unter vielen Belastungen. Sehr viel wichtiger als seine physische ist mir seine geistige Präsenz: durch den Geleitbrief zu meinem Buch, der mir jetzt sozusagen »freies Geleit« attestiert für all die schwierigen Fragen der Barth-Interpretation. In meinem halbstündigen zusammenfassenden Exposé zu Anfang der Verteidigung, in welchem ich Motive und Inhalte meiner Arbeit erkläre, hebe ich es denn auch mit der gebotenen Zurückhaltung hervor: Der in dieser Dissertation behandelte Autor, glücklicherweise noch am Leben, habe sich mit meiner Interpretation ganz und gar einverstanden erklärt.

Die Fragen von GUY DE BROGLIE, ebenso präzis wie freundlich, betreffen sowohl die Lehre Barths wie meine »réflexion catholique«. Es fällt mir nicht schwer, sie zu beantworten. Aber nun ist HENRI BOUILLARD an der Reihe. Eine Liste von Corrigenda, wie sie ihm von Cullmann präsentiert worden war, kann er mir offensichtlich nicht vorhalten.

Aber er fängt schwergewichtig an wie erwartet, mit einer Frage über Barths Auffassung von den realen Auswirkungen von Gottes Rechtfertigung im Menschen und hält mir vor, daß ich bei Barth den entscheidenden Mangel an Realität nicht angemahnt hätte. Doch ich kann, rasch nach meinem Schlachtenplan die entsprechende Gegen-Seite aufschlagend, mit klaren Texten aus der Kirchlichen Dogmatik beweisen, daß Barth die Wirklichkeit der Rechtfertigung durchaus betont hat und zur katholischen Rüge (»Extrinsezismus«) kein Anlaß besteht. Bouillard insistiert, und ich repliziere. Und so munter hin und her ...

Mit steigendem, wenngleich verdecktem Amusement beobachten die anderen Jurymitglieder, wie da ein junger Schweizer Theologe alle Angriffe des im theologischen Frankreich wohlbekannten Gelehrten pariert, ja, manchmal in bezug auf die Interpretation Barths gar Gegenangriffe wagt. Bouillard jedenfalls kommt nicht vom Fleck und geht schließlich nach wohl einer Viertelstunde zu seinem zweiten Kritikpunkt über. Ich blättere erneut und beginne wieder, mit Gegenmunition wohl versehen, die Attacke abzuwehren.

Aber da sehe ich nun seine Exzellenz, den Rektor, bedächtig seine goldene Taschenuhr in die Hand nehmen. Mit einem Charme, wie er nur Franzosen eigen ist, bemerkt er lächelnd zu Henri Bouillard an seiner Seite: »Je m'excuse beaucoup, cher collègue, aber Ihre Zeit ist abgelaufen. Wir müssen weitermachen ...« Und mit freundlicher Geste lädt er meinen Doktorvater LOUIS BOUYER zu seiner Stellungnahme ein. Diese fällt erwartungsgemäß wie die von de Broglie positiv aus. Auf seine Fragen zu antworten, ist mir nach dem scharfen Hin und Her ein Vergnügen in Harmonie.

Die Jury zieht sich zur Beratung zurück, und der Rektor verkündet anschließend auch gleich das Resultat. Die Dissertation ist angenommen und zwar mit summa cum laude. Und ohne weitere Umstände werde ich so zum Doctor theologiae promoviert. Ich kann es kaum fassen: Rund ein Dutzend Jahre sind nun verflossen – drei in Luzern, sieben in Rom und fast zwei in Paris –, seit ich ernsthaft eine solche Promotion geplant und Etappe um Etappe vorbereitet habe. Eine jener Freuden, die nur noch zu vergleichen sind mit der Matura, dem Abitur, wo ich mir ebenfalls am nächsten Morgen die Augen gerieben und mich gefragt habe: War das alles nicht doch ein schöner Traum?

Keine Siegesfeier

Nach der Zeremonie ist eine Feier nicht vorgesehen. Balthasar, wie immer freundlich und kühl, spricht vom Ärger, den Henri Bouillard verspüren müsse, nachdem er seines Wissens vielleicht 14 Einwände vorbereitet habe (wohl auch inhaltlich dieselben, die ich mir selber aufgrund seines Manuskriptes konstruiert und beantwortet hatte). Doch eine Einladung zum Abendessen lehnt Balthasar ab: er müsse sich eben mit Bouillard treffen. Und der will mich ja nun bestimmt nicht sehen. Man kann plötzlich sehr allein sein nach gewonnener »Schlacht« ...

Meine Familie, die anderthalb Jahre zuvor nach Rom gekommen war, auch noch nach Paris zu einer französischen Theologendiskussion einzuladen, war mir als wenig sinnvoll erschienen. Wie froh war ich da, daß zwei Freundinnen unserer Familie aus Amsterdam sich unmittelbar vor der Promotion als Überraschungsgäste in Paris angemeldet hatten: RIA VAN STIJN, in deren Familie ich schon während meines Amsterdamer Aufenthaltes 1953 wohnte, und deren Freundin, INKA KLINCKHARD, die ich erst nach der Soutenance entdecke. Ria fehlt. Merkwürdig, nachdem sie nur aus Fontainebleau anzureisen hatte, wo sie im Nato-Hauptquartier eine Lehrerinnenstelle angenommen und mich kurz zuvor besucht hatte.

So feiere ich denn schließlich mein Doktorat mit Inka allein auf den Champs Elysées mit einem schönen Dîner à deux, von ihrer Mutter gestiftet. Wir amüsieren uns königlich und nehmen dann Abschied voneinander. Am nächsten Tag zeigt mir meine französische Mitmieterin die Titelseite von »France-Soir«: ein großes Portraitphoto von Ria! Ob das nicht die zierliche junge Dame gewesen sei, die mich vor zwei oder drei Wochen besucht hätte? Gewiß. Ich erfahre: Am Tag meiner Promotion war sie in ihrer Schule von einem mit ihr befreundeten Nordafrikaner, der sie unbedingt heiraten wollte, was sie vor ihrer Klasse noch einmal mit »Non, non, non« ablehnte, mit einem Messer erstochen worden. Tot fiel sie zwischen die Schulbänke. Der Mörder wurde noch am selben Tag in einem Weinberg gefaßt.

Als der letzte aus ihrem Familien- und Freundeskreis, der noch mit Ria vor ihrer brutalen Ermordung gesprochen hatte, fahre ich bald darauf nach Amsterdam um zu versuchen, ihre Eltern zu trösten. Die Freundschaft mit Inka aber, einer an der Amsterdamer Akademie ausgebildeten, hervorragenden Bildhauerin – ihr Vater, Inhaber eines Chemieunternehmens und Berliner Stadtabgeordneter der Stresemann-Partei, hatte sich wegen der Nazis nach Holland abgesetzt –, wird mir Jahrzehnte erhalten bleiben. Wunderbare kleine Bronzeplastiken in meinem Tübinger Wohnzimmer (»Menschen im Raum«, »Mutter mit Kind«) und auf der Terrasse (»Hindernis«) geben davon Zeugnis.

Ich selber habe nun also, nach den ersten Gefechten im Collegium Germanicum um Theologie-, Kollegs- und Kirchenreform, meine erste öffentliche Feuertaufe in Sachen Theologie bestanden. Noch habe ich keine Ahnung, daß mit dieser ersten gewonnenen Schlacht ein »Krieg« begonnen hat, der über ein halbes Jahrhundert mit bis heute unent-schiedenem Ausgang andauern wird ...

All das steht mir wieder lebendig vor Augen, als ich im Jahr 2000 erneut ein kleines Zimmer in Paris bewohne. Und das alles macht mich so froh, daß ich noch am Sonntag morgen vor dem Abflug vom Quar-tier Latin hinüber zur Seine-Insel marschiere an den Ort, der mir in Paris der liebste ist: nicht einer der Hörsäle der Sorbonne oder der »Catho«, auch nicht einer der Prunkräume der französischen Könige (wir Teilnehmer an den »Rencontres de la Sorbonne« waren in den großartigen Saal des Palais Luxembourg zum Essen eingeladen). Nicht einmal der Louvre, wo mich die Schätze Mesopotamiens oder Ägyp-tens ebenso faszinieren wie die Mona Lisa, ja, nicht einmal Notre-Dame, wo ich einem Gottesdienst beiwohnen kann ...

Es ist vielmehr die kleine *Sainte Chapelle*, dieses gotische Meisterwerk der Transparenz, unter Ludwig dem Heiligen gleichzeitig mit Notre Dame in nur sechs Jahren gebaut und 1248 eingeweiht: Licht, Farbe, Raum, Geist triumphieren hier über das Materielle und verweisen so überwältigend auf die Transzendenz, daß selbst die zahlreichen säku-laren Touristen sich hinsetzen und einfach schauen und staunen ... Ich aber danke im Stillen von ganzem Herzen für das, was ich seit jenem Promotionsjahr 1957, wahrhaftig nicht aus eigener Kraft, hinter mich gebracht habe.

Eine theologische Sensation auch für Montini

Gleich anschließend fahre ich an diesem Tag des Jahres 2000 zum Flug-hafen Charles de Gaulle, um zu einem Kolloquium über Weltethos an der UN-Universität in Tokio zu fliegen. Dies ist mein Leben heutzu-tage. Wieviel lieber wäre ich nach Tübingen zurückgekehrt. Aber ich nutze die Zeit, um auf dem fast elfstündigen Flug über alles nachzuden-ken, was ich gerade aufgeschrieben habe. Es hätte, so sage ich mir heute, keinesfalls wegen meiner Theologie zum »Krieg« kommen müssen.

Und ich bin sicher nicht der einzige, der das denkt. Denn was Karl Barth erwartet und erwünscht hatte, ist ja nun immerhin eingetroffen: Die Ergebnisse meiner Dissertation wurden mittlerweile im Prinzip von der Theologie beider Konfessionen rezipiert.

Mein Verleger Balthasar hat mich 1957 in allen Fragen der Veröffentlichung glänzend beraten: vom kurzen Titel »Rechtfertigung« (ohne »des Sünders«!), auf dem Umschlag groß in Versalien gedruckt, über die charaktervolle Schrift und das leicht lesbare Layout, bis hin zu den großzügig verschickten Rezensionsexemplaren. Nachdem der Johannes Verlag kaum Zugang zum Massenpublikum hat – zuerst war die Rede von einer Auflage von nur 800 Exemplaren, schließlich wurde mit 2.500 kalkuliert – will man wenigstens alle wichtigen theologischen Zeitschriften Europas bedienen. Natürlich sind die meisten Theologen, ob evangelisch oder katholisch, zunächst völlig überrascht von Inhalt, Methode und Endergebnis und haben, wie in Rezensionen üblich, das eine oder andere einzuwenden, wenn sie sich nicht überhaupt – dies ist das häufigste – um eine Stellungnahme herumdrücken. Sie kamen »aus dem Staunen nicht heraus«, liest man in der Allgemeinen Sonntagszeitung vom 9. 2. 1958, »das ging vielen so, als sie dieses Schweizer Germanikers Hans Küng – fast ist man versucht zu sagen – sensationelle Gegenüberstellung der Barthschen und der Katholischen Rechtfertigungslehre lasen«. Dasselbe schreibt mir Karl Barth, der das Buch Besuchern zeigte und mit biblischen Worten feststellt: »Et omnes mirati sunt. Und alle wunderten sich.«

Von den vielen Dankesschreiben auf die Zusendung meiner Dissertation ist mir eines besonders wichtig. Der »schöne Band über die ›Rechtfertigung‹«, heißt es da auf Italienisch, präsentiere sich »als eine große Neuigkeit für die theologische Diskussion der fundamentalen These der protestantischen Theologie: Wenn mir auch eine Lektüre der deutschen Sprache nicht leicht fällt, so wird es mir doch willkommen sein, Einsicht zu nehmen in diese sehr wichtige und sehr interessante Arbeit.« Der Brief, geschrieben im nahen Engelberg, stammt von einem regelmäßigen Feriengast, der betreut wird von dem mir von Jugend auf bekannten Benediktinerpater Dr. Anselm Fellmann aus Sursee: Es handelt sich um GIOVANNI BATTISTA MONTINI, jetzt Erzbischof von Mailand, der schon fünf Jahre danach Papst mit Namen Paul VI. sein wird. Nicht viel später lerne ich ihn auch persönlich kennen, wobei er mir zu meinem Buch erneut aufs freundlichste gratuliert. Seine persönliche Sympathie zu mir ist offenkundig. Es wird davon noch die Rede sein müssen: Wie leicht wäre es mir doch gewesen – zufällig kommt mir dieser Brief aus meinem Archiv jetzt im Jahr 2001 auf den Tisch just am Tag der Kardinalskreierung dreier mir wohlbekannter früherer deutscher Universitätstheologen –, ja, wie leicht wäre es mir gewesen, wie diese Kollegen den Weg in Richtung Hierarchie einzuschlagen. Aber wie froh bin ich, daß ich der Theologie treu geblieben und meinen Weg eigenständig weitergegangen bin. Going my way ...

»Wenige Bücher, die ich erhielt, machen mir so große Freude wie dieses«, schreibt mir der angesehenste katholische Dogmatiker der Schweiz, Professor JOSEF FEINER, mit dem ebenso aufgeschlossenen Benediktiner MAGNUS LÖHRER (Einsiedeln) Herausgeber der vielbändigen heilsgeschichtlichen Dogmatik »Mysterium salutis«, am 15. März 1957, »wenn es alle Rezensenten so sehr begrüßen und so gut beurteilen wie ich, dann können Sie sich auf die Besprechungen freuen.« Doch wußte ich schon vorher, daß ich mich auf die Besprechungen des Dominikaners Heinrich Stirnimann (Fribourg) und des Jesuiten Albert Ebneter (Zürich) nicht freuen kann. Während Feiner und Löhrer meine in einem Brief vom 6. 1. 1959 geäußerte grundlegende Kritik am Plan von »Mysterium salutis« (statt willkürlicher scholastischer Einteilungsschemen lieber eine konsequent heilsgeschichtliche Betrachtungsweise!) höchst konstruktiv aufnehmen (vgl. Löhrers Bericht im Ergänzungsband von 1981), ist die Korrespondenz mit Stirnimann und Ebneter – beide mehr apologetisch als ökumenisch eingestellt – recht mühsam. Allzu schwer fällt es diesen beiden Landsgenossen, von ihren fixen Meinungen über Karl Barth abzurücken. Darüber freut sich in Rom unser kleiner Inquisitor P. Gumpel. Über Stirnimanns Rezension zu Studenten: »vernichtend!« Weit gefehlt, sogar in den Augen Stirnimanns, der, wie er mir später erklärt, mehr auf Karl Rahner gezielt hatte; auch in der Theologie werden Stellvertreterkriege geführt. In der Schweizerischen Kirchenzeitung (Dezember 1957) antworte ich auf Ebneter und Stirnimann, gemessen und sachlich. »So mild habe ich Deine Stimme noch nicht gehört«, schreibt mir Balthasar, »und ich höre, daß Stirnimann sich auf Milde ebenfalls einstellt. Ausgezeichnet.«

Sehr erfreulich zwei höchst anerkennende Rezensionen von JOSEPH RATZINGER: »... für eine solche Gabe verdient Hans Küng den aufrichtigen Dank aller, deren Beten und Arbeiten der Einheit der getrennten Christenheit gilt.« Aufs Ganze gesehen ist die Reaktion also durchaus positiv, wie meine Schülerin CHRISTA HEMPEL 1970 – als erste Frau nach Überwindung einiger Widerstände zur Promotion an der Tübinger Katholisch-Theologischen Fakultät zugelassen – in ihrer Dissertation über die Rechtfertigungsdiskussion (»Rechtfertigung als Wirklichkeit«)

anhand von vielen Dutzenden von Rezensionen in allen möglichen Sprachen feststellen wird. Eine intensive Forschungstätigkeit ist angestoßen, wie dies der Bonner Theologe JOHANNES BROSSEDER in einem ausgezeichneten Bericht (Festschrift 1993) anerkennen wird. Insbesondere der damalige Dominikanertheologe OTTO HERMANN PESCH bestätigt in den 60er Jahren mit mehreren Veröffentlichungen, daß nicht nur zwischen Barth und dem Konzil von Trient, sondern auch zwischen Luther und Thomas von Aquin ein Konsens in Sachen Rechtfertigung möglich ist.

Damit wird noch offensichtlicher: Wie verschieden auch manche Perspektiven und Akzentsetzungen einzelner Theologien und Theologen sind – der *ökumenische Durchbruch* in dieser Grundfrage darf als *erreicht* angesehen werden. Genau vierzig Jahre später bekennt Otto Hermann Pesch, der unterdessen zu einem der führenden Ökumeniker wurde, mit seltener Deutlichkeit, daß er selber sich wegen meines Buches von der »reinen« katholischen Dogmatik zur ökumenischen Theologie hingewandt habe: »Es ist nachweisbar, daß dieses Buch, das in kurzer Zeit vier Auflagen erlebte und seit 1986 als Paperback in Neuausgabe vorliegt, einerseits die theologische Diskussion um ökumenische Fragen wie nie zuvor in Bewegung gebracht und andererseits sozusagen das ökumenische Klima in den Kirchen in Richtung zuversichtlicher Erwartung ökumenischer Fortschritte beeinflußt hat.«

Und Rom? Rom hat es dem Autor nicht gedankt. Im Gegenteil. Doch bin ich diesbezüglich von Anfang an alles andere als naiv. Noch unmittelbar nach der Veröffentlichung von »Rechtfertigung« schätze ich in Luzern meine Chancen mit 50:50 ein: Entweder wird das Buch trotz des rigoros-autoritären Regimes Pius' XII. ein großer Erfolg oder aber auf den Index der verbotenen Bücher gesetzt, was damals sehr viel harmloseren Büchern passiert ist.

Mein Dossier bei der Inquisition: Nr. 399/57i

Schon im Collegium Germanicum hatte mein Kursgenosse ANNO QUADT aus Köln, wie mir sein Erzbischof, Kardinal Josef Frings, später sagt, gegen mich »sein Messer gewetzt«. Und er meinte es durchaus ernst, insofern er gegen mich und meine Freunde vom Dogmatikzirkel den Kampf für den »wahren Glauben«, den selbstverständlich er zu besitzen meinte, mit Ausdauer und thomistischen Waffen führte und uns anklagte, wir würden Natur und Gnade identifizieren und schließlich beim Pantheismus landen. Die Wurzel allen Übels sieht er, der sich nur in der Neuscholastik einigermaßen auskennt, bei Hegel und Barth, die er nie ernsthaft studiert hat.

Dieser theologische Don Quijote also, der mit seiner eigenen Dissertation an der Gregoriana alles andere als glänzend durchkam (mangelnde Literaturkenntnis, insbesondere keine Französischkenntnisse), schickt nun ein Jahr nach meiner Promotion einen langen Anti-Küng-Artikel, voll dieses beschränkten Geistes, an die Zeitschrift für Katholische Theologie in Innsbruck. Sein Kölner Protektor, ein Germaniker und Liturgiewissenschaftler, spricht dem Schriftleiter gegenüber, dem Professor Josef Andreas Jungmann SJ, ebenfalls Liturgiewissenschaftler, in einem Begleitbrief ominös von einem »hier auftauchenden Gerücht einer Indizierung von Küngs Buch«, das, so fügt er pfäffisch-freundlich hinzu, »hoffentlich nicht« stimme. Ob unseres Anno Hoffnungen in diese Richtung gehen? Sein Artikel ließe sich leicht als Beleg gebrauchen.

KARL RAHNER, vom Schriftleiter Andreas Jungmann beauftragt, fragt mich am 20. Dezember 1958 in einem langen besorgten Brief, ob da wirklich Gefahr bestehe und was zu tun sei: zurücksenden oder mit meiner Replik veröffentlichen? Letzteres erscheint mir richtig, jedoch Eile mit Weile. Ich befürchte weniger eine Indizierung als eine Störung des ökumenischen Gesprächs durch solche Querschüsse. Dies besonders, weil ich mich gleichzeitig gegen den von mir stets hochverehrten HENRI DE LUBAC zu verteidigen habe. Dieser hatte auf meine von der Kölner Zeitschrift »Dokumente« erbetene Kritik an Bouillards Barth-Werk – sie ist auch im nachhinein gelesen sachlich und fair – in bitterem Ton geantwortet. De Lubac selbst versteht freilich kein Deutsch, offensichtlich hat er von seinem Ordensbruder und Freund Henri Bouillard eine Entgegnung untergeschoben erhalten. Diese stelle ich in derselben Zeitschrift wiederum sachlich und fair in einer kurzen Antwort richtig, und de Lubac antwortet mir später privat, er sei nicht »fâché«, nicht »verärgert«.

Annos Artikel über meine »Begriffsänderung« in Sachen »Natur und Gnade« wird drei Jahre später in der Münchner Theologischen Zeitschrift, die einen Germaniker als Schriftleiter hat, veröffentlicht. Von mir ignoriert, bleibt er auch sonst unbeachtet. Anno selbst wird Kölner Domvikar. Doch 1981 promoviert ihn, der bisher eher als Antiökumeniker gilt, der neue, wenig ökumenische Kölner Erzbischof, der Germaniker-Kardinal Joseph Höffner, zum Vorsitzenden der Bistumskommission Ökumene. Nochmals 20 Jahre später wird Anno in überraschender Kehrtwendung ein Buch schreiben mit dem provokativen

Titel »Evangelische Ämter: gültig – Eucharistiegemeinschaft: möglich«. Als ich ihn anläßlich eines »Germanikerkonveniats« im Juni 2001 in Freising bei München treffe, sagt er altersmilde: »Man kann ja auch etwas hinzulernen.« Ein Satz, der mich mit vielem versöhnt. Noch mehr hätte mich gefreut, wenn er meine Arbeiten aus den 60er Jahren, die seine These vorausnehmen, nicht verschwiegen hätte.

Es wäre nach 1957 ein Wunder gewesen, wenn mein Buch nicht denunziert worden wäre. Insofern ist das aus Köln nach Innsbruck verbreitete, aber auch vom beunruhigten evangelischen Kirchenhistoriker Fritz Blanke aus Zürich nach Tübingen berichtete Indizierungsgerücht gewiss nicht ohne »fundamentum in re«. Rahner, Herausgeber des neuen »Lexikon für Theologie und Kirche«, beklagt sich mir gegenüber in einem Brief: »Sie glauben gar nicht, wie sehr dieses doch so brave LThK mißtrauisch betrachtet und (vorläufig unter der Hand) attackiert wird« (15. 7. 1958). Nicht nur die (dann im Konzil von einem Bischof unter Beifall als »Denunziaturen« bezeichneten) Nuntiaturen können hier tätig werden, sondern wie in allen autoritären und totalitären Systemen noch mehr all die häßlichen kleinen Zuträger. In Luzern verdächtigt man jenen Moraltheologen Schenker zu Recht oder Unrecht als Denunzianten, der entsprechende Meldungen über die katholische Schweiz nach Rom zu schicken pflegt. Wie ich später aus Kardinal Ratzingers Mund höre, schicken ihm Tübinger »Freunde«, wohl aus seiner früheren Fakultät, alle wichtigen Meldungen aus dem ortsansässigen »Schwäbischen Tagblatt« nach Rom; wenigstens einen der »Freunde« meine ich zu kennen. Keine Frage: So funktioniert das »abscheuliche System der geheimen Denunzierungen, welches«, wie wir von Yves Congar hörten, »die wesentliche Bedingung des ›Heiligen Offiziums‹ ist, Zentrum und Scheitelpunkt für den ganzen Rest«.

Jener Herausgeber der Münchner Theologischen Zeitschrift schickt das Rezensionsexemplar von »Rechtfertigung« an unser Collegium Germanicum – für den Fall, daß man sich dort vom Autor distanzieren wolle! Es landet an der Gregoriana. Aber dort distanziert man sich selbst dann nicht von mir, als Barths alter Kontrahent, der evangelische Zürcher Theologe Emil Brunner, persönlich auftaucht um sich zu erkundigen, ob die Gregoriana wirklich »zu Karl Barth übergelaufen« sei. Der Holländer P. Johannes L. Witte SJ schreibt eine anerkennende Kritik, die sich nicht gegen meine Katholizität richtet, wohl aber gegen die Barths. Doch kommt mir aus Rom die Warnung zu, die vorgesehene zweite Auflage nicht schon vorher anzukündigen, da dies eine Intervention des Sanctum Officium provozieren könne. »Cauti sitis.« Von meinem Verleger Balthasar erhalte ich am 23. Oktober 1958 die Nachricht: »Wir haben nun doch stillschweigend tausend nachgedruckt, da Köln (der dortige Verlagsvertreter) es so riet. Va bene. Alles Herzliche!«

Was immer da in den düsteren Couloirs der Denunziation und Inquisition vorgegangen sein mag: Im »*Heiligen Offizium*« der römischen Inquisition erhalte ich ab dem Jahr meiner Dissertation auf Lebzeiten die Protokollnummer *399/57i:* also die Akte 399 des Jahres 1957 der Indexabteilung für verbotene Bücher. Und wer sich in diesem »heiligen Büro« einmal eine solche Protokollnummer verdient hat, besitzt das »Privileg«, daß ab jetzt alles und jedes von ihm oder über ihn unter dieser Nummer griffbereit (und heute natürlich mit Computern) katalogisiert wird. Allerdings unter höchster Geheimhaltungsstufe: Nicht einmal im Fall des Glaubensprozesses darf der Angeklagte seine Akten einsehen – nur einer der Gründe, warum dem Vatikan die Menschenrechtserklärung des Europarates zu unterzeichnen nicht gestattet ist.

Dank meinen Lehrern

Erstaunlich: Meine Dissertation kommt nicht, wie von manchen erwartet und gewünscht, auf den Index. Des Rätsels Lösung: Dies *verdanke ich meinen römischen und französischen Lehrern,* die mich gegen Angriffe in Schutz nehmen, wie ich später von den Mitgliedern des Sanctum Officium P. Franz Hürth und P. Sebastian Tromp erfahre. In Rom macht es Eindruck, daß GUY DE BROGLIE für mein Buch sozusagen die Hand ins Feuer legt mit dem Statement, das wir auf dem Buchumschlag abdrucken dürfen: »Aucun esprit sérieux et bien informé, kein seriöser und wohlinformierter Geist wird die volle katholische Orthodoxie der von Dr. Küng vorgetragenen und verteidigten Lehre in Zweifel ziehen, und ebenso wenig wird man die Gelehrsamkeit und den weiten Horizont in Frage stellen, womit er ein so grundlegendes, umfassendes und vielschichtiges Thema zu behandeln verstand.« Und LOUIS BOUYER hatte hinzugefügt: » ... es ist wichtig, daß gezeigt wurde, bis zu welchen Annäherungen das Bemühen, Mißverständnisse zu zerstreuen, uns bereits führen kann.« Un grand merci noch heute an meine verstorbenen Lehrer!

Wer frohlockt, ist KARL RAHNER, der nicht mein Lehrer, aber ein wesentlicher Inspirator meiner Theologie ist und der mir schon am 15. März 1957 schreibt: »Wenn Barth einerseits, de Broglie und Bouyer samt dem Möhlerinstitut (Paderborn) als Patrone rechts und links von Ihnen stehen, dann *muß* das Buch ja gut sein und Sie den Nagel auf den

Kopf getroffen haben. Ein solches Buch ist darum eine wirkliche Freude: ich bin zwar (ich gestehe es) nicht immer auf die Römische Theologie ganz gut zu sprechen, so wie sie augenblicklich ist; sie scheint mir ein wenig verknöchert (nicht bei allen natürlich) und nur darauf bedacht, den Spruch von Wilhelm Busch zu befolgen: der gute Mensch gibt gerne acht, ob auch der andere Böses macht. Aber um so mehr freue ich mich ehrlich darüber, daß jemand von dort ein solches Buch geschrieben hat und offenbar doch auch dort anerkannt wird.«

Dies eine ist klar: Hätte man in Rom mit sofortiger Indizierung reagiert, nie wäre ich Professor der Theologie geworden. Und der katholischen Hierarchie wäre einiger Ärger erspart geblieben. Doch es kam anders, wie man weiß. So kann meine Dissertation tatsächlich schon nach einem halben Jahr in weiteren Auflagen erscheinen. Eine englische Ausgabe wie eine französische werden folgen, später eine spanische und italienische und eine bis heute gefragte deutsche Taschenbuchausgabe. Noch besser als ein Bestseller ist ja ein (in diesem Fall bald fünfzigjähriger) Longseller, und dies eine Dissertation!

Aber in der römischen Kurie sind die Kräfte in der Überzahl, die durch jede mögliche Obstruktion den schon lange fälligen Paradigmenwechsel von Gegenreformation und Antimoderne zum ökumenischen Paradigma verhindern wollen, wie er eingeleitet wurde durch kleine ökumenische Kreise und durch die Weltversammlungen, die zur Gründung des Ökumenischen Rates der Kirchen 1948 führten.

Später Triumph

Tatsächlich wäre es nach 1957 an den *Kirchen* gewesen, die Resultate der theologischen Neuinterpretation der Rechtfertigungslehre in das kirchliche Leben umzusetzen. Doch erst 1973, fast ein Jahrzehnt nach dem Zweiten Vatikanischen Konzil, wird auf der Mittelmeer-Insel Malta eine Studientagung des Lutherischen Weltbundes und des Römischen Einheitssekretariats stattfinden. Mit durchaus erfreulichem Resultat. Die *Malta-Erklärung* stellt klar fest, daß gerade in der Frage der Rechtfertigung die entscheidende Annäherung erfolgt ist: »Heute zeichnet sich in der Interpretation der Rechtfertigung ein weitreichender Konsens ab. Auch die katholischen Theologen betonen in der Rechtfertigungsfrage, daß die Heilsgabe Gottes für den Glaubenden an keine menschlichen Bedingungen geknüpft ist. Die lutherischen Theologen betonen, daß das Rechtfertigungsgeschehen nicht auf die individuelle Sündenverge-

bung beschränkt ist, und sehen in ihm nicht eine rein äußerlich bleibende Gerechterklärung des Sünders ... Als *Begründung christlicher Freiheit*
(von mir hervorgehoben!) gegenüber gesetzlichen Bedingungen für den
Heilsempfang muß die Rechtfertigungsbotschaft als gewichtige Expli-
kation der Mitte des Evangeliums immer wieder neu zur Sprache gebracht werden.«

Die Bestätigung aus Rom in Sachen Rechtfertigungsbotschaft liegt
somit vor. Mitunterschrieben übrigens von meinem nachmaligen Assistenten und dann Tübinger Kollegen Walter Kasper. Für Karl Barth zu
spät, um nochmals nach Trient zu pilgern. Schon seit fünf Jahren weilt
er nicht mehr unter den Lebenden. Von der erreichten Verständigung
in der Rechtfertigungslehre aus könnte man nun voranschreiten zum
Verständnis der Kirche als Gemeinschaft der Glaubenden, die immer
wieder neu von der Gnade und Vergebung Gottes leben darf als Ecclesia
semper reformanda. Verständigung dann auch in der Frage der kirchlichen Ämter und die praktische Anerkennung der reformatorischen
Abendmahlsfeiern, wie in meinen »Thesen zur apostolischen Sukzession« (»Concilium« 1968) und im Memorandum der ökumenischen
Universitätsinstitute »Reform und Anerkennung kirchlicher Ämter«
(1973) vorgeschlagen.

Aber da müßte Rom natürlich mitmachen. Was wird stattdessen geschehen? Statt die *Malta-Erklärung* jener offiziellen römisch-lutherischen
Kommission von 1973 freudig aufzunehmen, verbietet der Vatikan strikt
ihre Veröffentlichung. Statt die befreiende Lehre von der Rechtfertigung des Sünders durch den Glauben in der kirchlichen Verkündigung
fruchtbar zu machen, wird die Malta-Erklärung *im Vatikan »schubla-
disiert«* und nur durch eine Indiskretion der »Herder-Korrespondenz«
schließlich doch publik gemacht. Und statt aus den theologischen
Ergebnissen praktische Konsequenzen für die Freiheit eines Christenmenschen zu ziehen, verhindert man bewußt weitere Fortschritte und
unterdrückt wo immer möglich die Freiheit.

Rund vierzig Jahre wird es dauern, bis der schon 1957 erreichte
Durchbruch von kirchenamtlicher Seite 1999 offiziell sanktioniert wird.
Bei C. G. Jung habe ich früher einmal gelesen, es dauere rund vierzig
Jahre, bis eine Idee aus den höheren Sphären der Geistigkeit unten
beim Mann der Straße angekommen sei. Ob er auch die Prälaten dazu
zählte? Jedenfalls kommt es zunächst zu einem wenig erfreulichen theologischen Feilschen: Statt nämlich die Ergebnisse des Buches »Rechtfertigung«, der nachfolgenden Diskussion und des Malta-Dokuments als
Voraussetzung einer offiziellen Anerkennung des Konsenses zu nehmen,

setzt der auf Zeit spielende Vatikan zusammen mit dem Lutherischen Weltbund noch einmal eine ökumenische Kommission ein, die Jahre hindurch nochmals alle Sätze des tridentinischen Rechtfertigungsdekretes durchzukauen hat. Eine Galeerensklavenarbeit.

Daß ich von solchen offiziellen Kommissionsdiskussionen unter allzu vielen Ewig-Gestrigen – auf römischen Wunsch und mit protestantischer Zustimmung – ausgeschlossen bleibe, versteht sich von selbst. Und freut mich: was für eine Zeitvergeudung! Dabei legen die römischen Unfehlbaren natürlich bei jedem einzelnen Satz von Trient darauf wert, daß dieser auf keinen Fall falsch oder auch nur schief gewesen sein kann, sondern »im Grunde« richtig oder zumindest »richtig gemeint« war (sonst würde ja »alles zusammenbrechen«!). Lutherische Schriftgelehrte aber antworten auf die römische Taktik notgedrungen entsprechend: Ihnen geht es darum, auch möglichst viele Formulierungen Luthers oder der Bekenntnisschriften als irreformabel richtig aufzuweisen und womöglich in die Kategorien von Gesetz und Evangelium zu pressen. Die einen bleiben in konfessioneller Profilneurose im mittelalterlichen Paradigma hängen, die anderen im reformatorischen. Und verpassen so die Chance, den Menschen im Zeitalter der Leistungsgesellschaft ganz konkret und überzeugend verständlich zu machen, wie wichtig dies gerade jetzt ist: daß der Mensch als Person vor Gott nicht gerechtfertigt wird aufgrund von Leistungen, Erfolgen, Werken aller Art, sondern erfreulicherweise durch Gott selber, der nur vertrauenden Glauben erwartet.

Immerhin wird schließlich *1999,* trotz mancher römischer Winkelzüge und lutherischer Gegenzüge und nach weiteren Zusatzerklärungen, am Jahrestag der Reformation, dem *31. Oktober, in Augsburg eine Einigungserklärung* unterschrieben. Als es soweit ist, brandet spontaner heftiger Applaus auf in der Augsburger Kirche und hält erstaunlich lange an. Für mich – am Fernsehgerät – eine große Freude. Denn der Beifall zeigt denen in der Kirche und den Zugeschalteten, wie sehr man sich doch nach einer ökumenischen Verständigung gesehnt hat. Ein später Triumph. Keine Frage. Aber soll ich es verschweigen? Den Autor des Buches »Rechtfertigung« von 1957, der ursprünglich oben auf der Liste der Einzuladenden stand, hat man auf römischen Wunsch – und wie so oft ohne den Protest der betroffenen Protestanten! – wieder gestrichen. Diese Kleinkariertheit »wurmt« mich zwar ein wenig, aber ich kann sie, ohnehin nicht Freund langer kirchlicher Zeremonien, leicht verschmerzen. Hat mein nachmaliger Assistent und Kollege, jetzt Kurienbischof WALTER KASPER, über die Streichung meines Namens zweifellos orientiert, im Geist vielleicht für mich mitunterschrieben? Vergessen bin ich bei den Kundigen, aus mehreren Reaktionen, darunter die Bischof KARL LEHMANNS, zu schließen, ohnehin nicht. Das schönste Zeichen: Der lutherische Bischof NILS ROHWER von Kapstadt überreicht mir einige Wochen später am »Kap der Guten Hoffnung« anläßlich meines Vortrags beim Parlament der Weltreligionen im Dezember 1999 auf offener Bühne seinen von der Stadt Augsburg schön gravierten Füllhalter, mit dem er selber das Augsburg-Dokument unterschrieben hatte: ich würde ihn mehr verdienen als er. Der Oberbürgermeister der Stadt Augsburg ist so freundlich, ihm auf meine Bitte hin nachträglich einen anderen Jubiläumsfüllhalter zu senden. Praktische Ökumene im Kleinen.

Politisch wichtiger: Der für die »Glaubenslehre« zuständige Chef der römischen Inquisitionsbehörde, Kardinal JOSEPH RATZINGER, sonst bei kirchlichen Feiern immer gern im Vordergrund, ist in Augsburg nicht dabei, sondern läßt sich durch Kardinal Cassidy und dessen Adlatus Kasper vertreten. Und welch ein Schock: Unmittelbar nach der Unterzeichnung kündet der Vatikan, unbußfertig und unsensibel wie eh und je, einen neuen *Jubiläumsablaß* für das Jahr 2000 an. Wie wenn Luther nicht anläßlich jenes skandalösen Jubiläumsablasses für die neue Peterskirche seine Thesen über die Rechtfertigung durch den Glauben allein, eben ohne solche frommen Werke, propagiert hätte! Dies zeigt manchen allzu vertrauensseligen Lutheranern, daß sich der harte römische Kern in keiner Weise zur ehrlichen ökumenischen Verständigung bekehrt hat. Nein, in Rom denkt unter diesem Pontifikat niemand daran, aus der Lehre von der Rechtfertigung Konsequenzen für die Kirchenstrukturreform zu ziehen.

Und denjenigen, die auch jetzt noch – gegen meine und anderer ständig vorgebrachten Warnungen – Entschuldigungen für die römische Uneinsichtigkeit und Unbußfertigkeit finden, werden definitiv eines Schlimmeren belehrt mit Ratzingers Erklärung vom Jahre 2000. In beinahe blasphemischer Berufung auf den »*Dominus Jesus*« wird wieder für die eigene Kirche die absolute Wahrheit in Anspruch genommen und den protestantischen Kirchen gegen alle Intentionen des Vatikanum II sogar ihr Kirchesein abgesprochen. Dieses Dokument ist »eine Kombination aus mittelalterlicher Rückständigkeit und vatikanischem Größenwahn«, lautet mein Kommentar. Die Augsburger ökumenischen Blütenträume sind jedenfalls rasch verflogen nach diesen zu erwartenden römischen Kälteschocks. Man hätte auf protestantischer Seite sich hüten sollen: Mit solchen Repräsentanten des römischen

Systems an der Spitze der katholischen Kirche, Schönrednern und Schöntuern, ist ein ehrlicher Ökumenismus nicht zu machen. Ob wir einen solchen noch erleben werden?

Der Grund christlicher Freiheit

Ich persönlich indes werde durch meine Arbeit über Rechtfertigung von 1957 reich beschenkt: Sie gibt mir Entscheidendes für mein ganzes Leben, für meine Spiritualität und besonders mein Verständnis der *Freiheit eines Christenmenschen*. In der Folgezeit lerne ich Karl Barth immer besser kennen. Es gibt kaum Anregenderes als sich mit einem Mann solchen Charakters, Wissens und Glaubens, solcher Menschlichkeit und solchen Humors zu unterhalten. Er wird mir zu dem, was der kühl-intellektuelle Balthasar nie wird, zum väterlichen Freund. Barth hält mich, wie er es im Geleitbrief schrieb, im Blick auf meine »ganze Haltung für einen Israelita in quo dolus non est (einen Israeliten, in dem kein Falsch ist)« (vgl. Jo 1,47).

Es ist in Basel in Barths Studierzimmer oben auf dem »Bruderholz« bei einem munteren Disput über das Papsttum, da sage ich ihm schließlich nachsichtig lächelnd: »Den guten Glauben lasse ich Ihnen ja!« Darauf er, plötzlich ganz ernst: »Den *guten Glauben?* Den würde ich mir nie zubilligen. Und wenn ich einmal vor meinen Gott und Herrn gerufen werde, dann werde ich doch nicht mit meinen gesammelten theologischen Werken in einer Älpler-Hutte (Tragkorb) auf dem Rücken kommen; da würden alle Engel lachen. Und da werde ich auch nicht zu meiner Rechtfertigung anführen: Ich hatte aber immer die gute Absicht, den ›guten Glauben‹. Nein, da werde ich mit leeren Händen dastehen und nur das Wort für angemessen finden ›*Gott, sei mir armem Sünder gnädig!*‹«

Das Wort des Zöllners also ganz hinten im Tempel, von dem ich seither hoffe, daß es auch mein eigenes letztes sein möge. Mit einem Schlag geht mir für mein ganzes Leben das Befreiende und Tröstende dieser Botschaft auf, was ich mir immer zu bewahren hoffe: den christlichen Vertrauensglauben. Dieser ist das *radikale Grundvertrauen*, das im Blick auf Jesus seine Wurzel (»radix«) im gnädigen *Gott* gefunden hat und sich rein nichts einbildet auf seine Leistungen, sich aber auch nicht niederdrücken läßt durch Fehlleistungen.

Keine Frage, daß genau hier die Stärke evangelischer Theologie und auch des Theologen Karl Barth Unerschrockenheit, Konzentration und

Konsequenz begründet liegen. Auch mir wird dies in all den Auseinandersetzungen den entscheidenden Halt geben und den letzten *Grund meiner christlichen Freiheit* bilden, die vor ungeahnten Bewährungsproben steht: Ob ich schließlich und endlich gerechtfertigt dastehen würde, hängt nicht ab vom Urteil meiner Umwelt und der öffentlichen Meinung. Hängt nicht ab von Fakultät oder Universität, von Staat oder Kirche. Hängt auch nicht ab vom Papst – und erst recht nicht von meiner eigenen Beurteilung. Sondern von einer ganz anderen Instanz: vom verborgenen Gott selber, auf dessen Gnade ich, kein Idealmensch, sondern menschlich und allzu menschlich, doch bis zum Ende ein unbedingtes Vertrauen setzen darf. »In te, Domine, speravi, et non confundar in aeternum«, wie es zum Schluß des Te-Deum-Hymnus heißt, »Auf Dich, Herr, habe ich vertraut und werde in Ewigkeit nicht zu Schanden.«

Ein Buch wird zum Schicksal

Meine Pariser Zeit verläuft im weiteren undramatisch. Wo immer möglich werde ich versuchen, das in der Theologie Gelernte in Verkündigung und Unterricht weiterzugeben und dabei gerade unter Katholiken für die ihnen sonst kaum vermittelte Frohbotschaft von der Rechtfertigung aufgrund vertrauenden Glaubens Verständnis zu wecken. Wie schon in Rom bemühe ich mich auch in Paris, *Theologie und Seelsorge* zu verbinden. Auf Wunsch des Basler Bischofs habe ich die Seelsorge für die zahlreichen Schweizer Au-pair-Mädchen übernommen, die meist über wenig Kontakte verfügen und froh sind über eine Zusammenkunft mit Gottesdienst am Sonntag nachmittag, alles in ihrer Heimatsprache.

Ich scheue mich auch nicht, noch in meinem Promotionsjahr auf Wunsch der Redaktion im »Werkblatt« der diese Seelsorgearbeit fördernden »Mädchenschutzvereine« über unsere Arbeit zu berichten. Der Titel dieses Aufsatzes »Unsere Mädchen in Paris« (ich habe ihn auch in meiner Bibliographie nicht verschwiegen) wird dann später bei Geburtstagsfeiern mehr als einmal zu unschuldigen Anzüglichkeiten meiner Mitarbeiter Anlaß geben. Dabei verdanke ich »unseren Mädchen in Paris« – ich habe in jenem Aufsatz darüber nicht berichtet – sogar eine erwähnenswerte Förderung meiner wissenschaftlichen Arbeit.

Denn ich habe mich damals finanziell total verausgabt: Subskription des riesigen »Corpus Christianorum« (die christlich-lateinische Literatur der ersten acht Jahrhunderte) zum Verlagspreis – eine einmalige Chance. Aber Bezahlung des bereits erschienenen ersten Dutzend sündteurer roter Bände (sie lockten mich jeden Tag im Verlagsschaufenster bei St. Sulpice) in bar! Meinen Vater gehe ich grundsätzlich nie um zusätzliches Geld an. Was bleibt mir anderes übrig, als mir diese kolossale Ausgabe vom Munde abzusparen. Was man mir mit der Zeit auch ansieht. Deshalb schenken mir »unsere Mädchen« einen Elektrokocher. So kann ich jetzt wenigstens statt kalter Haferflocken-Gerichte mit Obst, Brot und ähnlichem etwas Warmes fabrizieren, bis mich dann meine Eltern nach der Rückkehr in die Schweiz wegen miserablen Aussehens sogleich zu Erholung und Skifahren in die Berge schicken.

Doch die Frage »*Seelsorge oder Theologie?*« beginnt sich mir aufzudrängen. Während meiner Zeugen-Suche im theologischen Seminar der Universität Freiburg/Breisgau im Sommer 1956 diskutiere ich des öfteren mit einem anderen »Ferienarbeiter«, EDUARD KAMENICKY, einem sehr freundlichen Promovenden aus Wien, von dem ich später in Paris jenes schöne Zimmer übernehmen darf, aus dem ich dann von besagter Dame bald so rabiat vertrieben werde. Er will mich unbedingt davon überzeugen, später die Universitätslaufbahn einzuschlagen. Für mich steht nur das eine fest: in jedem Fall nach meinem Doktorat zurück in die Schweiz und in die Seelsorge. Aber nachher? Die Arbeit an »Rechtfertigung« hat mich zweifellos für die Theologie begeistert und überzeugt, daß ich auch in der Theologie etwas leisten, ja, auch auf diese Weise einen Beitrag zur Seelsorge erbringen könnte.

Wie ich da eines Tages unter dem Fenster mit Kamenicky diskutiere, sehen wir vor dem Eingang ins Universitätsgebäude aus einer schwarzen Limousine einen schlanken schwarzgekleideten Herrn steigen. Es ist der katholische Religionsphilosoph BERNHARD WELTE, zur Zeit Rektor der Universität Freiburg, mir von seinem heiß disputierten Vortrag im Germanikum her bekannt. Den sollte ich fragen, meint Kamenicky. Kurz entschlossen spreche ich noch am selben Vormittag im Rektorat vor, werde von Welte freundlich empfangen und erkläre ihm meinen Fall. Ich hätte in meinem spirituellen Training gelernt, nichts zu forcieren, sondern abzuwarten, bis man gerufen wird. »Das ist im Prinzip richtig«, antwortet er, »aber manchmal muß man auch den Finger heben und sagen: Ich bin da!«

Gewiß habe ich mit meiner Dissertation ein solides Fundament geschaffen, auf dem sich eine ökumenische Theologie aufbauen läßt. Und ich danke es HERMANN HÄRING, daß er dies aus späterer Perspektive in seiner mir gewidmeten intellektuellen Biographie unter dem Titel »Grenzen durchbrechen« (1998) schön herausgearbeitet hat, wie sich in »Rechtfertigung« bereits ankündigte:

– eine gelebte *gesprächsfähige* Theologie, die immer wieder neu den Dialog mit Kundigen und Verantwortlichen sucht;
– eine *auf Änderung bedachte* Theologie, die in verständlicher Sprache Grenzen zwischen Konfessionen, später auch zwischen den Religionen und gar Glaubenden und Nichtglaubenden durchbrechen will;
– eine *für Versöhnung verantwortliche* Theologie, die den Begriff der Ökumene auf die Weltreligionen, ja, die ganze »bewohnte Erde« ausweitet und so theoretisch wie praktisch für den Frieden arbeitet.

Aber wie sollte es mit mir weitergehen? Im Sommer 1956 suche ich meinen Bischof in seiner Residenz in Solothurn auf. »So, Sie wollen sicher die Frist für Ihr Doktorat verlängern«, sagt mir Franziskus von Streng; hatte er doch einige Zeit zuvor meinem älteren Mitgermaniker Anton Cadotsch ein weiteres Jahr bewilligt. »Nein, gnädiger Herr, um ehrlich zu sein: ich bin mit der Dissertation schon fertig. Doch möchte ich Sie herzlich bitten, mir das bereits bewilligte zweite Jahr für weitere Studien, vor allem in Spanien und England, zu lassen.« Dieser gestrenge Herr hat sich mir gegenüber stets gnädig verhalten ... Und ich ergreife die mir gebotene Chance.

Lust an der Philosophie: G. W. F. Hegel

Schon am Gymnasium hatte ich mich für Philosophie und schon in Rom intensiv für den Philosophen G. W. F. HEGEL interessiert: angeregt von Spiritual Klein, informiert durch Professor Alois Nabers Spezialkurs und wichtige Bücher wie das von Iwan Ilijin. Bisweilen auch herausgefordert von meinem gerne laut dozierenden Stuttgarter Kursgenossen Eberhard Haible, der mir zum ersten Mal den Namen Tübingen bewußt macht und von der dortigen berühmten Universität schwärmt, an der er wenige Jahre später in tragischer Weise scheitern sollte. Aber auch meine ausgezeichneten Repetitoren im Germanikum, Emerich Coreth, Peter Henrici und Walter Kern – später Philosophieprofessoren in Innsbruck, Rom und München – haben in diesen Tagen alle intensiv über Hegel gearbeitet und publiziert. Dieser Philosoph scheint mir bei aller notwendigen Kritik eine große Vision zu bieten: Einige Fragen bezüglich Weltlichkeit und Geschichtlichkeit Gottes beantwortet er tiefgründiger als die neuscholastische Philosophie und Theologie.

Mit meiner Lust an der Theologie wächst jetzt auch meine Lust an der Philosophie: Warum nicht nach meinem römischen Lizentiat in Philosophie ein *Doktorat in Philosophie an der Sorbonne* anstreben? Aber

Hegel – ohnehin der vielleicht am schwersten zu verstehende Philosoph deutscher Sprache – scheint mir von seinem Œuvre her wiederum ein so gewaltiger Koloß zu sein, daß ich mich nicht direkt an ihn heranwage. Vielmehr gedenke ich, die Frage der Dialektik in der Gottheit abzuhandeln anhand der geistvollen Theologie, genauer Christologie, des Humanisten-Kardinals NIKOLAUS VON KUES, für den in Gott alle Gegensätze zusammenfallen (»coincidentia oppositorum«). Deswegen suche ich an der Sorbonne Professor DE GANDILLAC auf. Er hat über den Kusaner veröffentlicht und will eine Arbeit über ihn gerne betreuen.

Aber da schreibt mir Hans Urs von Balthasar, ein Theologe namens Rudolf Haubst, aus der Gegend des Kusaners, habe aufgrund vieler Archivstudien gerade jetzt ein Buch über die Christologie des Nikolaus von Kues veröffentlicht; ich lasse es mir sofort kommen. Die gelehrte, aber rein historisch aufgezogene Arbeit vermag mich zu beeindrucken, aber in ihrer Folgenlosigkeit für die heutige Theologie nicht zu befriedigen. Trotzdem ist sie mir ein klarer Wink: Wende dich nicht dem Cusanus, sondern direkt Hegel zu. Gandillac ist einverstanden, und so »deponiere« ich als »sujet« für ein »doctorat d'état«: »L'incarnation de Dieu. La christologie de Hegel«. Auch die höchst seltene Anerkennung der »équivalence« meines philosophischen Lizentiats durch eine »décision du Ministre de l'Éducation Nationale« vom 18. 4. 1957 erreiche ich aufgrund der Gutachten der Professoren Wahl und de Gandillac und nehme an der Sorbonne an Doktorandenkursen für Philosophie teil.

Kaum habe ich die Barth-Dissertation abgeschlossen, stürze ich mich schon in Paris mit Verve auf die neue Arbeit. Auch bezüglich Hegel suche ich das Gespräch mit Kundigen wie Jean Wahl und Jean Hyppolite. Selber wende ich eine neuartige historisch-systematische Methode an, die viel Studium und Disziplin verlangt. Ich zügle nämlich meine Neugier und lese von und über Georg Wilhelm Friedrich Hegel immer nur gerade die Schriften aus der betreffenden Lebensphase: zuerst nur über den Stuttgarter Gymnasiasten, dann über den Tübinger Theologiestudenten, weiter den Berner und Frankfurter Hauslehrer, dann den Jenaer Philosophen und Nürnberger Gymnasialrektor und erst jetzt über den Heidelberger und Berliner Universitätsprofessor. Also von den Tagebüchern des Gymnasiasten über die gedruckten Opuscula und Opera bis zu Hegels von Schülern mitgeschriebenen geschichtsphilosophischen Vorlesungen. In jedem Abschnitt zuerst die Biographie, dann die Entwicklung der allgemeinen Gedanken und des langsam sich entwickelnden Systems, dann die Christologie (zuerst des Aufklärers, dann des Kantianers, schließlich des spekulativen Philosophen), schließlich überall die von eigener Verantwortung getragene philosophisch-theologische Auseinandersetzung mit Hegel.

So durchläuft am Ende nach mehreren Überarbeitungen jedes Kapitel – meist spiralenförmig nach innen – fünf ineinandergreifende Schichten, so daß es zu einer ebenso ausholenden wie eindringenden Initiation und Diskussion mit Hegel kommt. Dadurch wird deutlich, wie der Theologiestudent Hegel, von der protestantischen Dogmatik und ihrem starren Gottesbild abgestoßen, zu einem Philosophen wird. Wie er dann zwischen aufklärerischem Deismus und romantischem Pantheismus Gottes »Lebenslauf« nachzudenken sich anschickt. Wie er schließlich das Absolute in seiner Veränderlichkeit und in seiner Identität zu umschreiben versucht – auf der religiösen Ebene »vorgestellt«, repräsentiert in Leben und Leiden, Sterben und Auferstehen des Christus, der Gottheit selbst –, um dann schließlich alles in der Philosophiegeschichte (als der Philosophie der Philosophie) »aufzuheben«.

Aber jetzt ganz praktisch: Warum, sagte ich mir schon früh, meine Hegel-Studien nur in Paris, das ich bereits gut kenne, weiterführen? Ich kann doch Hegels Lebens- und Denkweg von recht verschiedenen europäischen Stationen aus verfolgen. Ich kann bei dieser Gelegenheit nicht nur mein philosophisch-theologisches Interessenfeld, sondern auch meine Kenntnis der konkreten Welt, der verschiedenen Länder, Menschen und Sprachen ausweiten. Schon lange ist es mein Wunsch, Spanien kennenzulernen: Nicht nur aus touristischen Gründen, sondern weil mir dieses einzige mir noch unbekannte Land West- und Zentraleuropas für das Verständnis Europas und der Christenheit (und auch des Islam) unabdingbar erscheint.

Madrid: faszinierendes Spanien

Noch Ende Februar 1957 mache ich mich auf die Reise. Hegel-Literatur und meine Manuskripte schleppe ich ständig mit mir, von Station zu Station. Mein großer Lederkoffer ist so schwer, daß der Schaffner auf dem Bahnhof Sursee, der ihn einmal trotz meiner Warnung im Schwung auf die Waage heben will, selber auf den Bauch fällt, während der Koffer sich kaum bewegt. Ich bin sicher: Selbst den trockenen Hegel hätte dies amüsiert ...

Lang ist die Eisenbahnfahrt nach *Barcelona*, meiner ersten Station, Spaniens größte Industriestadt. Zeit für spanische Lektionen. Ein katalanischer Kinderarzt erklärt mir den Unterschied zwischen Barcelona und Madrid ähnlich wie jeder Milanese den zwischen Mailand und Rom: bei ihnen wird das Geld verdient, in der Hauptstadt wird es ausgegeben. Ein Katalane sei an einem Montag vormittag zu einem Madrider Ministerium gekommen. Das aber war geschlossen: »Wird denn hier nicht gearbeitet?« Antwort des Pförtners hinter vergittertem Fenster: »Das ist am Nachmittag!« Der Katalane zu mir: »Claro? Das ist Madrid: am Morgen Ferien und am Nachmittag faulenzen ...« Ich hatte verstanden. Doch Klischees sind dazu da, korrigiert zu werden.

Daß die Katalanen stolz sind auf Barcelona, kann man sofort begreifen, wenn man diese Verbindung von mittelalterlicher Altstadt und Moderne auf sich wirken läßt. Doch will ich weder von den Ramblas noch von Gaudis unvollendet gebliebener katalanisch-gotisch-modernistischer Kathedrale noch vom »gotischen Viertel« mit dem gotischen Rathaus reden, wo ich mich viele Jahre später nach einem Vortrag ins Goldene Buch der Stadt eintragen darf. Nicht verschweigen indes will ich, daß ich hier einen *Stierkampf* zum ersten – und letzten – Mal miterlebe. Denn mich befremdet dieser pompös nach strengen Regeln und mit gewiß sehr kunstvollen Volten ablaufende Schaukampf zwischen Mensch und Toro. Nicht daß ich in der Folge versucht hätte, meinen spanischen Freunden im Namen des Tierschutzes das auszureden, was – in mythische Tiefen reichend – Goya und Picasso gezeichnet, Hemingway und de Montherlant in großem Stil beschrieben haben. Chacun à son goût – Geschmackssache. Aber ich kann wenig Gefallen finden an diesem Kampf, bei dem das Tier, mit verschiedenen Methoden aufs Blut gereizt, ohne Chance bleibt und schließlich doch durch des »Helden« Degenstich zwischen den Schulterblättern niedergestreckt und dann hinausgeschleift wird. Für diejenigen, die gerne psychologisieren: Ich bin wohl ein Kämpfer – aber sicher kein Jäger.

Doch mein Ziel ist – nach einem Stop in Aragoniens Hauptstadt Zaragoza am Ebro mit der großartigen Kathedrale – *Madrid*, wo ich März und April zu verbringen hoffe. »Von der Provinz nach Madrid und von Madrid in den Himmel«, lautet ein bekanntes Sprichwort, sicher nicht in Katalonien, sondern in Kastilien erfunden. Ich fühle mich sofort wohl in Europas höchstgelegener Hauptstadt, die gewiß längst nicht so vielfältig und faszinierend ist wie Paris, aber sich im Frühling durch ihre Höhe auf über 600 Meter in hellem Licht und guter Luft von der besten Seite zeigt: eine arabische Gründung. Das Arabische ist unter der Decke des Spanischen noch im ganzen Land präsent, nicht nur in Architektur und Ornamentik, sondern auch durch die 1.500 arabischen Lehnwörter und die tausende von arabischen Orts- und

Gewässernamen – von den zu christlichen Kirchen umgewandelten Moscheen ganz zu schweigen. Alles für mich und den gerade in Spanien später einmal lebendigen »Dialog der Kulturen« sehr wichtig.

Es war mir in Madrid ein ruhiges Zimmer vermittelt worden, in einer kleinen Residenz ganz oben auf der modernen Mutual del Clero in der Calle San Bernardo, wo es zum gelegentlichen Studium auf der großen Terrasse schon erfreulich warm ist. Von da aus fahre ich die meisten Tage mit der Metro zur Biblioteca Nacional am Paseo de la Castellana, der überlasteten zentralen Nord-Süd-Verkehrsachse der Hauptstadt. Dort vertiefe ich mich in Hegels Werke aus der Zeit in Jena, wo er nach ersten Systementwürfen sein erstes großes Opus »Phänomenologie des Geistes« schreibt. Seltsam vor dieser Kulisse: Hegel in Spanien; die Jena-Zeit in Madrid.

Man muß Gegensätzliches verbinden können: jeden Morgen lerne ich zumindest eine Stunde *Spanisch*. Schon in Rom hatte ich damit angefangen, diese nach der chinesischen und englischen dritthäufigste Sprache der Welt zu studieren. Eine Tochtersprache des Latein, dem Italienischen sehr ähnlich in Vokabular und Grammatik, aber sehr unähnlich in Tonfall und Charakter. Während das Italienische mit Längen und Kürzen, mit offenen oder geschlossenen e und o gleichsam gesungen werden kann, so wird das Spanische ohne Vokallängen und -kürzen im Staccato erstaunlich rasch gesprochen, selbst bei feierlichen Reden. Ich liebe diese Sprache, die mit einem recht reduzierten Lautsystem von nur 19 Konsonanten (gegenüber 36 im Italienischen) und fünf Vokalen auskommt, so daß sich Schriftbild und Aussprache ganz nahekommen, was jeden deutschen Sprachreformer vor Neid erblassen läßt. Bei aller Leidenschaft aber kommt mir Spanisch in der Aussprache zugleich diszipliniert und zurückgenommen vor, besonders wo das s als Reibelaut zischt, das Doppel-r rollt und das anlautende v- zum b- wird, so daß man in Spanien nicht wie in Italien »vīno« trinkt, sondern »bíno«.

Auch hier will ich nicht reden vom Prado, von Greco, Velasquez, Murillo und dem späten Goya der hintergründig-spukhaften »Pinturas negras«; in meinem »Credo«-Buch werde ich El Grecos einzigartigem Pfingstbild ein kleines literarisch-theologisches Portrait widmen. Nicht verschweigen aber will ich meinen Enthusiasmus für die spanische Kunst des *Tanzes*. Ein befreundeter deutscher Historiker drängt mich dazu, das Teatro de la Zarzuela, des »Singspieles«, zu besuchen, für spanische Theologen ungehörig. Hingerissen folge ich den variantenreichen, farbigen Volkstänzen und Volksmusiken aus den so verschiedenen Regionen Spaniens. Meine Lieblings-Volksmusik werden später

nach meinem Besuch in Mexiko die Mariachis sein (wohl von »mariage«
= Hochzeitsfeier), bei denen sich Bläser, Streicher und Zupfinstrumente,
Spanisches und Mexikanisches, gar Österreichisches (aus des unglückli-
chen mexikanischen Kaisers Maximilians Zeiten) vereinen.

Doch nichts begeistert mich mehr als der *Flamenco*, der faktisch ara-
bisch-indische, jüdische und zigeunerische Elemente verschmolzen hat.
Wie da eine Tänzerin (oder ein Paar) mit Gitarrebegleitung die rasch
wechselnden Rhythmen mit den Füßen stampft und mit Händeklat-
schen oder Kastagnetten begleitet, wie da schwermütig-dramatisch oder
manchmal auch leicht und lustig von Liebe, Tod, Schuld und Sühne
kunstvoll gesungen wird! Das konnte selbst einen später bekannten
deutschen »politischen Theologen« begeistern, der zunächst »moralische« Hemmungen verspürte, nach dem traditionell späten spanischen
Abendessen noch ein intimes Flamenco-Lokal zu besuchen. Die große
Bailarina tritt nun einmal erst nach Tänzen von Anfängern kurz vor
Mitternacht auf. Jetzt verliert genannter politischer Theologe alle Hemmungen und, vom Rioja beschwingt, geht er zur Bühne und überreicht
der Schönen eine Tischblume. Und in der Tat: Was gibt es »Morali-
scheres«? Noch einmal für diejenigen, die gerne psychologisieren: Ich
bewundere diese Einheit von Leidenschaft und Disziplin, Stolz und
Hingabe, Ernst und Heiterkeit, überwältigender Schönheit und bisweilen grotesker Komik.

Wenn ich später – im Konzil oder auf Vortragsreisen – erstaunlich
rasch mit Menschen Kontakt finde, so liegt das oft an der Kenntnis sowohl der Sprache als auch des Landes, die ich mir früher angeeignet
habe. Toledo, das kirchliche Zentrum Spaniens, Segovia mit Alcazar
und Römeraquädukt und für mich wichtiger *Avila,* seine gut erhaltene
mittelalterliche Stadtmauer und die über achtzig Türme: Mittelalter
»live«! Wie gut kann ich mich da hineinfühlen in die Zeit der großen,
von der Inquisition verfolgten Mystikerin Teresa, Gegenstand unserer
Tischlesung in Rom.

Für meine spätere Analyse der epochalen Paradigmen (Makrokon-
stellationen) der Christenheit wird die *Anschauung* wichtig sein; keine
Lektüre kann sie einfach ersetzen. So etwa der Besuch im einsamen,
grauen, kühlen Klosterpalast *Escorial* im kastilischen Bergland, erbaut
von Philipp II.: für mich bleibend das Symbol für das große spanische
16. Jahrhundert (»siglo de oro«), Monument des Kampfes und Sieges
der Gegenreformation. Wie verschieden davon das von riesiger Kunst-
gartenlandschaft umgebene Prachtschloß von *Versailles,* erbaut von Ludwig XIV., der das große französische 17. Jahrhundert dominiert: Kult-

stätte für das absolutistische Königtum und dessen Paraliturgie, verantwortlich mit all seinen Exzessen für den Ausbruch der Französischen Revolution.

Spanien erscheint mir sehr verschieden von Italien, aufgrund von Geschichte und Charakter ernsthafter, wenn man will. Nie hätte man in Italien einen Bürgerkrieg geführt so quälend lange und zugleich so erschreckend fanatisch wie der dreijährige *Bürgerkrieg im Spanien* des 20. Jahrhunderts zwischen der progressiven republikanischen Regierung, unterstützt von Kommunisten, Sozialisten und Anarchisten, und der autoritären nationalistischen Bewegung, unterstützt von der katholischen Kirche. Gegenüber der »Guerra civil« (1936-1939) erscheint das italienische »Risorgimento« im Jahrhundert zuvor fast wie ein Spaziergang; in Rom machten sich die Germaniker immer lustig über das vielleicht einzige große Kriegerdenkmal der Welt, wo der riesige italienische Soldat unter Schwenken seines Gewehrs statt die Stadt zu verteidigen in das Stadttor hineinrennt. Jetzt in Spanien hat sich unter dem Sieger General Francisco Franco der zentralistisch-autoritäre Ständestaat katholisch konservativer und militärischer Prägung fest etabliert. Von seiner Diktatur merkt man als ausländischer Besucher in der Öffentlichkeit relativ wenig – abgesehen von Polizeipräsenz und streng zensurierten und deshalb uninteressanten Medien. Aber wenn man nachfragt: Die Kirche? Vom Staat privilegiert. Die Bischöfe? Von Franco mitausgesucht, kaum Kontakt mit der modernen Welt. Die Priester? In Seminarien herangezogen. Der Glaube des Volkes? Mit Aberglauben vermischt.

Durch Carlos Santamaría, Organisator der Conversaciones Catolicas Internacionales von San Sebastian, gewinne ich einen treuen Freund in diesen zwei Monaten: den kenntnisreichen Kirchenhistoriker IGNACIO TELLECHEA, einen Basken, der über den bedeutenden Dominikanertheologen BARTHOLOMÉ DE CARRANZA promovierte: einen Erzbischof von Toledo, der von der spanischen Inquisition angeklagt wird – wegen »Lutheranismus« und vor allem, weil er die Bibellektüre durch Laien und die Theologie in der Volkssprache verteidigt. Volle 17 Jahre, fast bis zu seinem Tod, schmachtet dieser große Mann der Kirche im Gefängnis der Inquisition. Reformatorische Tendenzen in Spanien, schon früh unterdrückt.

Mit Theologen spreche ich in Spanien viel über Rom, die spanische Kirche und den mir bisher unbekannten geldstarken faschistoid-katholischen Geheimbund *Opus Dei:* hier oft »Octopus Dei« genannt, weil er seine Fangarme bis ins Banken- und Geschäftswesen und in die spanische

Regierung hineinsaugt; die Großzahl der Minister des letzten Franco-Kabinetts werden Opus-Dei-Mitglieder sein. Das »Werk Gottes« verbreitet noch 2002 so viel Angst unter den Menschen, daß mein damaliger Hauptinformant sich an kein derartiges Gespräch erinnern will und mir die Nennung seines Namens verbietet. Daß der von vielen Zeugen als eitel, arrogant und herrschsüchtig bezeichnete Gründer des Opus, der spanische Priester José María Escrivá de Bálaguer y Albás (1902-1975), unter Umgehung der Vorschriften in Rekordzeit schon 1992 von einem polnischen Papst »selig« und im Jahr 2002 sogar »heilig« gesprochen werden wird, hätten wir uns 1957 wirklich nicht träumen lassen. Auch nicht, daß derselbe Papst sechs Jahrzehnte nach dem Bürgerkrieg auf einen Schlag 2.302 katholische »Märtyrer« kumulativ seligsprechen würde – ohne das Versagen der katholischen Kirche in der sozialen Frage, ohne ihre einseitige Stellungnahme im Krieg, ohne die von den nationalistischen Truppen zu verantwortenden sozialistischen »Märtyrer« auch nur zu erwähnen.

Befremdliches Lourdes (und Fatima)

Nach ungefähr zwei Monaten fahre ich mit meinem bleischweren Bücherkoffer im Zug durch Nordspanien Richtung Paris, schwenke dann aber ab von der großen Route. Zumindest einen Tag und eine Nacht möchte ich in *Lourdes* verleben, Schauplatz der Marienerscheinungen des Jahres 1858. In Rom hatten wir Franz Werfels Weltbestseller »Das Lied von Bernadette« im Refektor gehört und auch Henry Kings Verfilmung des Romans ansehen dürfen: des Juden Werfel »Gelübde« im Fall seiner Rettung, als er im Juni 1940 auf der Flucht vor den Deutschen in Lourdes Obdach fand. Nicht die Geschichte des Mädchens Bernadette an sich beeindruckte mich, sondern die von Werfel herausgestellte provozierende Unbegreiflichkeit des Wunders.

Doch ich bin in meinen römischen Jahren bei meinem eigenen Nachdenken über Wissen und Glauben gegenüber Erscheinungs- und Wunderberichten zunehmend skeptisch geworden, wiewohl mir jene aufklärerische Arroganz, die Werfel in ironisch-amüsanten Szenen beleuchtet, fernliegt. Auch Werfel weiß ja um die Wundersehnsucht von Gläubigen, die nicht das Risiko des Glaubens wagen, sondern nur Sicherheit genießen möchten. Ich wünsche einfach Lourdes selber zu »erfahren« und versäume nicht, um die Gnade zu bitten: Es möge mir gezeigt werden, wenn es für meine Spiritualität wichtig sei.

Wie immer abgestiegen in irgendeinem kleinen Hotel, wandere ich in Lourdes durch die zahllosen Verkaufsläden und Buden. Der Betrieb stört mich wenig, denn ähnliches kann man auch im schweizerischen *Einsiedeln* erleben. Dort war ich als Kind und Jugendlicher mit meinen Eltern und meinem Großvater öfters gewesen. Doch waren mit Einsiedeln, das auf den Einsiedler Meinrad im 9. Jahrhundert zurückgeht, keine besondere Froh- oder Drohbotschaft und keine Naturwunder der Madonna verbunden. Einsiedeln hatte immer etwas Festliches. Seit der Barockzeit, in der der großartige Kirchen- und Klosterneubau samt Platz entstand, dient das Kloster auch als mächtige Kulisse eindrucksvoller Theateraufführungen, etwa von Calderons »Großem Welttheater«. Auch in Einsiedeln wird von vielen Heilungswundern berichtet. Ich selber kann freilich nie vergessen, daß meine Großmutter ausgerechnet auf einer Wallfahrt nach Einsiedeln durch Autounfall ums Leben gekommen war. Die Reise zum »Gnadenort« und dieses Todes Gnadenlosigkeit wollen mir nicht zusammenpassen ...

In *Lourdes* aber stört mich theologisch, daß die *Himmelskönigin Maria allein,* ohne ihren Sohn, präsentiert wird, mit beiden Händen selber Gnaden austeilend. Hier also soll dem unwissenden Mädchen Bernadette Soubirous »die Dame« erschienen sein, die sich schließlich als »die Unbefleckte Empfängnis« zu erkennen gab – interessanterweise genau vier Jahre nach der Verkündigung des umstrittenen Dogmas durch den »Marienpapst« Pius IX. 1854, der denn auch prompt die erste Lourdes-Statue durch seinen Nuntius krönen läßt. Immer dieselbe Marienstatue vorn auf dem Platz, in der Mitte, oben auf der Kirche, innen in der Kirche ... Kein Platz für den »solus Christus« als Mittler.

Die »Dame« hat indes nicht nur ein Heiligtum, Prozession, Gebete und Bußübungen gefordert, sondern hat auch eine wundertätige Quelle entspringen lassen. Von ihr wurden in all den Jahrzehnten viele Tausende von Heilungen gemeldet und immerhin einige Dutzend kirchlich als »wunderbar«, als wissenschaftlich nicht erklärbar, anerkannt. Lourdes wurde schließlich »beglaubigt« durch die Heiligsprechung Bernadettes 1925 durch Pius XI.; mit dieser Feier beschließt Werfel sein »geschichtliches Epos«. Mein französischer Kollege, der Mariologe René Laurentin (ich werde ihn beim Konzil näher kennenlernen), hat mehrere Bücher und zwei Dossiers der »Documents authentiques« über Lourdes veröffentlicht ... Aber was ist hier wirklich authentisch? Zweifel drängen sich auf. Ich selber versuche ernsthaft zu beten, aber ich merke von Anfang an, wie unwohl ich mich fühle. Und die Marienpredigten an die Massen, die ich am Rande zwangsläufig mithöre, ärgern mich mehr, als daß sie mir helfen. Gottlob, ja, Gott zum Lob, werden die Gebete der offiziellen Liturgie noch immer ausschließlich beschlossen mit »per Dominum nostrum Jesum Christum ...«

Die Zweifel verstärken sich noch, als ich mir den zweiten berühmten Fall von Marienerscheinungen vergegenwärtige: *Fatima*. Später in Luzern werden Dr. Otto Karrer, ein Mystikfachmann, und ich durch Vermittlung Karl Rahners die Möglichkeit erhalten, eine Zusammenfassung der lange ignorierten, jetzt in Spanien wiedergefundenen ursprünglichen Protokolle von den Marienerscheinungen der Hirtenkinder in *Fatima* zu lesen, verfaßt vom Lissabonner Theologieprofessor Nuñes Formigão und 1927 veröffentlicht unter dem Pseudonym Visconde de Montelo (414 Seiten!). Mir ist sofort klar: Da brauche ich nicht auch noch hinzufahren. Mit meiner »logistischen« Hilfe schickt Otto Karrer diese Zusammenfassung mit einem mahnenden Brief an verschiedene Kardinäle (darunter Montini) und Bischöfe. Denn aufgrund vieler Indizien (zwei verschiedene Madonnen gleichzeitig, Erscheinung auch anderer Personen, Vorauswissen des Geoffenbarten) ist er überzeugt, daß es sich zumindest im Fall Fatimas, wiewohl ebenfalls von Päpsten bestätigt, um fromme und widersprüchliche Projektionen der Kinder (genauer der ältesten der drei) handelt. Alles leicht zu erklären: Ihnen hatte ihre Mutter vorher von anderen Erscheinungen in La Salette erzählt, wo die Himmelskönigin schon 1846 Hirtenkindern erschienen war. Mich hat die kritische Analyse Karrers völlig überzeugt. Der Wallfahrtsbetrieb geht in Fatima freilich weiter, als gäbe es keine Zweifel. Ja, Paul VI. (Montini) und Johannes Paul II. (Wojtyla) werden durch persönliche Auftritte den Ort noch gewaltig aufwerten. Papalismus und Marianismus gehen seit dem 19. Jahrhundert Hand in Hand.

Und *La Salette?* Auch diesen Marienwallfahrtsort werde ich auf Anraten meines marienbegeisterten Vetters Walter Gut einmal auf der Durchfahrt besuchen: sehr schön gelegen im Departement Isère in den französischen Alpen, bescheiden, sympathisch und längst nicht so kommerzialisiert wie die anderen großen Erscheinungsplätze. Aber – was soll ich anfangen mit der schon von diesen Kindern verbreiteten Marienbotschaft, die Strafen androht, Unterwerfung unter die Autorität Gottes und der Kirche fordert und die fürbittende Mittlerschaft Mariens zwischen ihrem göttlichen Sohn und der sündigen Menschheit anbietet? Verehrung Mariens unter dem Titel »Versöhnerin der Sünder«? Sie wird von der hier gegründeten Bruderschaft betrieben. Mir ist sie vom Neuen Testament her, das ausdrücklich von dem einen und einzigen Mittler Jesus Christus spricht, schlechterdings unmöglich.

In Lourdes aber beeindrucken mich die Augen der ungezählten Kranken, am Abend auch auf Tragbahren und auf Rollstühlen herbeigeführt, die nun im Schein der hunderte von Kerzen den Segen der Madonna erhalten und auf *Heilung* hoffen. Augen voll des Vertrauens und der Sehnsucht. Ich erinnere mich bei dieser Gelegenheit intensiver als zuvor, wie ich im Frühsommer 1955 auf Bitten meiner Mutter von Rom aus nach Süditalien gereist bin, um den wunderwirkenden PADRE PIO (1887-1968) in San Giovanni Rotondo (Apulien) um Hilfe zu bitten. Wie sollte ich ihr verweigern, von dem schon 1918 durch blutende Wundmale an Händen, Füßen und an der Seite gezeichneten Volksheiligen eine Heilung meines an einem Gehirntumor tödlich erkrankten Bruders in der letzten Phase zu erbitten? Umsonst. Hat es am Glauben gefehlt? Auch Padre Pio wird 2002 vom selben Papst heiliggesprochen, der ihn ungefähr zur gleichen Zeit wie ich als Student besucht und die Voraussage erhalten habe, er würde Papst werden und ein Attentat überleben. Mir hat Padre Pio nichts vorausgesagt, aber ich hatte ihn ja auch um nichts für mich gefragt.

Nein, ich bin kein Rationalist. Ich habe später in einem langen Kapitel des Buches »Christ sein« historisch-kritisch dargelegt, daß man keinesfalls all die Heilungen verschiedenartiger Kranker aus den Evangelien weginterpretieren darf. Und die heutige Medizin, mehr denn je den psychosomatischen Charakter vieler Krankheiten erkennend, weiß von erstaunlichen Heilungen aufgrund außerordentlicher psychischer Einflüsse oder Erregungen, aufgrund eines unendlichen Vertrauens, aufgrund von »Glauben«. Die *Heilungsgeschichten* des Neuen Testaments kann ich als *Glaubensgeschichten* ernst nehmen. Und was sich dort ereignete, kann sich im Prinzip natürlich auch in Lourdes ereignen. Es geht um vom Glauben angeregte Selbstheilungskräfte.

Etwas anderes jedoch sind die *»Naturwunder«*, wo Naturgesetze direkt außer Kraft gesetzt und der lückenlose Kausalzusammenhang verletzt sein soll – ein Graus für jeden Naturwissenschaftler. Daß die Vernunft vor solchen Wundern kapitulieren müsse, soll ich mir von Werfel einreden lassen? Nein, sie lassen sich historisch-kritisch als Legendenbildung oder Übernahme aus anderen Traditionen erklären, sie brauchen keineswegs einfach »geglaubt« zu werden. Das Wunder sei des Glaubens liebstes Kind? So Goethes Faust in der Osternacht-Szene. Die Liebe ist des Glaubens liebstes Kind: dies sagt das Neue Testament. Liebe im Sinn der unerschütterlichen Hingabe. Dies dürfte auch der Sinn des »Liedes« sein, das der Jude Franz Werfel dem Mädchen Bernadette singen wollte – ohne »Liebäugeln mit Rom«, wie Thomas Mann sich mokierte. Die wirklichen Wunder geschehen nicht sichtbar, sondern in den Herzen der Menschen.

London: englische Demokratie – anglikanische Kirche

Nach meinem Besuch in Lourdes bin ich wieder kurz in Paris. Doch will ich – alles per Zug und per Schiff – weiter nach *London*, wo ich die nächsten zwei Monate zu verbringen gedenke: Juni und Juli 1957. Die kosmopolitischste Stadt Europas, zwar nicht so rational geplant und ausgebaut wie das Paris der grandiosen Boulevards und Plätze, aber mit einem historischen Zentrum, City und Westminster nördlich der Themse von eigener Großartigkeit. Ein unbeschreibliches Gemisch aus Menschen verschiedenster Nationen, Regionen und Religionen, die mir signalisieren, daß ich mich in der Hauptstadt des Britischen Commonwealth befinde. Ich habe keine Ahnung, wie wichtig gerade sie für meine Bemühungen um Weltreligionen und Weltfrieden werden wird.

Privates Glück, nicht zu verachten: Gerade hier treffe ich wieder meine Cousine Liselotte, die mit mir schon vor zehn Jahren in Paris war, und ihren Mann, Anwalt in der City. 1956 hatte ich sie in Paris gegen den Willen ihres Vaters, meines Firmpaten, getraut. Jetzt in London erwartet sie ihr erstes Kind. Bei einem frohen Abendessen zu dritt lachen wir so unbändig, daß noch in derselben Nacht die Tochter geboren wird. Den Seinen gibt's der Herr im Lachen … »Lovely day, isn't it?« In London antwortet man politisch korrekt »Isn't it lovely?« – selbst wenn der Himmel verhangen, aber oft auch bald wieder aufgehellt ist. Kein wichtigeres Gesprächsthema als das Wetter im Land der Eliza Doolittle mit ihrem »The rain in Spain is mainly in the plain.«

Auch in London sitze ich tagtäglich an »meinem Hegel«. Die meisten Tage fahre ich bei großer Hitze aus dem etwas langweiligen Norden Londons, wo ich ein kleines Appartement habe, »by bus and underground« zum *British Museum*. Der kreisrunde Lesesaal unter der fünfzig Meter hohen Kuppel, jeder Platz in blauem Leder gehalten, keinen schöneren und bequemeren habe ich je kennengelernt. Hier arbeite ich intensiv wie lange Zeit zuvor Karl Marx, der hier regelmäßig am selben Platz an seinem »Kapital« geschrieben hat. Ob Marx wohl auch wie ich in der Mittagspause hinübergegangen ist in den anderen Teil des »Schatzhauses der britischen Nation«, zu den von Lord Elgin aus der Athener Akropolis entführten und nachträglich vom britischen Staat angekauften einzigartigen Parthenon-Skulpturen (»Elgin Marbles«)?

Schon als Gymnasiast hatte ich das historische London abgeschritten. Nicht unbedingt nochmals von innen sehen möchte ich den *Tower von London*, der mich an die dunklen Seiten der britischen Monarchie erinnert, besonders die von Heinrich VIII. angeordnete Enthauptung seines Lordkanzlers THOMAS MORE, der hier, noch auf dem Schafott mit Humor Herr der Lage, seinen Bart beiseite strich mit den Worten: »Der hat ja keinen Hochverrat begangen.« Immerhin wird dieser große Humanist heute, nachdem er lange Zeit in anglikanischer Kirche und Literatur vielfach verschwiegen wurde, mit einer Gedenkplakette im Tower wie im englischen Parlament gewürdigt als einer der größten Engländer der Geschichte. Ich werde ihm später eine eigene kleine Schrift widmen und ein Studentenkolleg mit seinem Namen leiten.

Die im Tower ausgestellten *Kronjuwelen* vor allem Königin Victorias, Kaiserin von Indien, an ihrem 60. Regierungsjubiläum über der Welt größtes Imperium herrschend, erinnern mich, der ich das British Empire schon als Zwölfjähriger auf meiner kleinen Weltkarte in rosa Farbe bestaunt hatte, an die unterdessen gründlich veränderte politische Weltlage. Mit der Unabhängigkeit Indiens und Pakistans 1947 hatte die Entkolonialisierung begonnen, die sich 1956 mit dem verlorenen Suezkrieg und jetzt 1957 mit der Unabhängigkeit der britischen Goldküste (Ghana) in Afrika fortsetzt. Großbritannien verliert seine hegemoniale Stellung im Commonwealth und rückt als Großmacht ins zweite Glied. Dafür überall neu präsent Amerika, die kommende Supermacht.

Für mich von Bedeutung das *britische Parlament*, die »Mutter aller Parlamente«. Nicht nur, weil ich bei einer Sitzung des House of Commons (erfreulich klein und bescheiden im Vergleich mit dem Deutschen Bundestag) feststelle, wie hier nicht lange Reden vom Blatt abgelesen werden, sondern in freier Rede Argumente hin und her gehen (mir nimmt man übrigens wie allen Besuchern die Zeitung ab, sie ist auch Abgeordneten nicht gestattet). Sondern weil hier nach zahllosen Turbulenzen früher als anderswo (1688/89) die Volksrechte gegen den fürstlichen Absolutismus – in der römisch-katholischen Kirche noch immer das herrschende System – durchgesetzt wurden, und zwar ohne Guillotinierung des Königs in einer »Glorious Revolution«. In England gibt es seit Jahrhunderten eine »konstitutionelle« Monarchie: 1948 habe ich hier das britische Königspaar George VI. und Queen Elizabeth (dann »Queen Mother«) in ihrer goldenen Kutsche vom Buckingham Palace zur Parlamentseröffnung fahren sehen. Doch jetzt, 1957, schon drei Jahre nach dem Tod ihres Vaters, ist Elizabeth II. auf dem britischen Thron und genießt mit ihrem Mann Prinz Philip, dem

Herzog von Edinburgh, höchsten Respekt; er wird mir einmal das Vorwort zur englischen Ausgabe von »Projekt Weltethos« schreiben. Und ich werde unter seinem Vorsitz die St. George's Lecture 1986 in St. George's Chapel in Windsor halten.

In *Westminster Abbey*, der Krönungs- und Begräbnisstätte der englischen Könige, besuche ich einen sonntäglichen Gottesdienst. Anders als in der nahegelegenen römisch-katholischen Westminster Cathedral, einem neobyzantinischen Kuppelbau, wo man mit viel gregorianischem Gesang einen recht langweiligen lateinischen Gottesdienst zelebriert, erlebe ich hier einen bewegenden, vereinfachten und konzentrierten *Gottesdienst in englischer Sprache*, der in der Liturgie nach dem Book of Common Prayer besonders schön klingt, begleitet von festlich freudigen Hymnen Händels und anderer Klassiker. Daß die Kirche alles andere als voll ist, gibt mir freilich zu denken. Woran fehlt es?

Gerne gestehe ich, daß ich von Anfang an (auch abgesehen von meiner Hochschätzung der traditionsbewußten und doch wieder lässig-unkonventionellen englischen Lebensart, wie ich sie 1948 in Cornwall kennengelernt hatte) für die *anglikanische Kirche* stets eine große Sympathie empfunden habe – selbstverständlich ohne alle Konversionsgelüste und bei aller Reserve gegenüber jeder Form von Staatskirche. An der Church of England kann ich nämlich studieren, wie die katholische Kirche auf dem Kontinent hätte aussehen können, wenn sich Rom und der deutsche Episkopat den Anliegen Luthers nicht von vornherein verschlossen hätten. Wäre der Bruch Englands mit Rom verhindert worden, wenn der Papst damals die (unkanonische, nur aufgrund päpstlicher Dispens geschlossene!) Ehe Heinrichs VIII., eines Renaissance-Menschen, mit der Spanierin Katharina von Aragon ohne Angst vor deren Neffen, dem deutschen Kaiser Karl V., als nichtig erklärt und ihm die Heirat mit der Hofdame Anna Boleyn gestattet hätte? Niemand weiß es.

In diesem anglikanischen Gottesdienst erfahre ich jedenfalls ganz lebendig, wie die anglikanische Kirche bis hin zu den liturgischen Kleidern, Bildern und Kreuzen eine *katholische, aber reformierte Kirche* ist. Reform der Lehre: Einbeziehung der Rechtfertigung des Sünders. Reform der Liturgie: Volkssprache. Reform der Disziplin: Priester- und Bischofsehe. Aber alles ohne Preisgabe der traditionellen Ämterstruktur: Bischofsamt. Zwischen den Extremen des früheren römischen Autoritarismus und des darauf folgenden calvinistisch-biblizistischen Puritanismus also ein gut englischer Weg der Mitte (»via media«).

Wie wird diese Kirche zusammengehalten, die schließlich im ganzen britischen Weltreich verbreitet ist? Durch Loyalität gegenüber dem Erzbischof von Canterbury, der aber anders als der Papst außerhalb seines Bistums keinerlei legislative und exekutive Macht beansprucht. Die Einheit der Kirche braucht also kein Primats- und Unfehlbarkeits-Dogma. Ich werde immer an die Versöhnbarkeit von Rom und Canterbury glauben. Unter der einen Bedingung freilich, daß Rom seine – in Bibel und tausendjähriger katholischer Tradition in keiner Weise begründeten – Macht- und Rechtsansprüche wieder zurückschraubt und zum Communio-Modell der Christenheit des ersten Jahrtausends zurückkehrt. Und so weiß ich denn, warum ich ein Jahrzehnt später die englische Ausgabe meines Buches »Die Kirche« dem Erzbischof von Canterbury, Dr. Michael Ramsey, widmen und den jetzigen Erzbischof George Carey meinen Freund nennen werde.

Amsterdam: katholische Tradition und Erneuerung

Nur dankbar angemerkt sei, wie vieles von der Kunst der englischen Kathedralen und von der englischen Malerei ich in meiner Erinnerung mitnehmen kann: Der interessanteste Maler bleibt für mich – bei allem Respekt vor Gainsborough – WILLIAM TURNER; schon zu Beginn des 19. Jahrhunderts mit seinen späten visionären Bildern ein Vorläufer des Impressionismus, löst er seine Motive, selbst Gegenstände der Industriegesellschaft, in Fluten von Licht und hell schimmernden und manchmal auch unheimlich dunkle Farben auf, so daß die atmosphärische Wirkung den geradezu metaphysischen Effekt einer grenzenlosen Welt erzielt.

Nach meinen Londoner Monaten erneut in Amsterdam, unterhalte ich mich mit meinen Freunden sehr oft über Kunst und Religion. Mein niederländischer Lieblingsmaler ist für mich Theologen – bei aller Bewunderung Rembrandts – aufgrund von Geschick und Kunst der gequälte verhinderte Prediger VINCENT VAN GOGH: Die niederländische Tradition mit den neuen künstlerischen Strömungen in Frankreich verbindend, wird er zum Bahnbrecher des Expressionismus und der Kunst des 20. Jahrhunderts. Schon als Gymnasiast habe ich mir zwei, drei Kunstdrucke erworben von seinen Gemälden. Mit dichten, rasch gesetzten Strichen viele Details ignorierend, vermag der späte van Gogh suggestiv das auszudrücken, was ihm wesenhaft scheint – bis er zusammenbrechend sich selber das Leben nimmt.

Die *Niederlande* – so total verschieden von meiner bergigen Schweizer Heimat – werden mir besonders lieb. Zwar fühlt man sich im

Schweizer Mittelland keineswegs von den Bergen eingeschlossen. Doch ich mag den weiten offenen Horizont, den raumgreifenden Panoramablick, den man in der Schweiz nur auf den hohen Gipfeln hat. Mir gefällt das überall präsente Wasser und das oft rasch wechselnde Wolkenspiel. Wenn die *Berge*, mythisch überhöht, ein *Symbol der Freiheit* von äußeren Einflüssen darstellen, so in anderer Weise auch das *Meer*, das mit allen Küsten dieser Erde verbindet. Und an übermächtige Nachbarnationen grenzend haben die Holländer wie die Schweizer einen unbändigen Freiheitswillen entwickelt. Mit vielen Eigenschaften sind die nüchtern pragmatischen, sparsamen, verläßlichen und auf Unabhängigkeit bedachten Holländer den Eidgenossen nicht unähnlich, wenn sie mir auch – eine alte Seefahrernation mit Kolonien – weltoffener und humorvoller vorkommen. Über den Verlust ihres Kolonialreiches – gerade eben 1956 hat Indonesien die Union mit den Niederlanden gekündigt – finden sie sich in der Folge leichter ab als Briten und Franzosen.

In *Amsterdam* wohne ich bei der mit uns befreundeten Familie van Stijn in einem der typisch holländischen engen Häuser mit steilen Stiegen und abends ohne Vorhänge hell erleuchteten großen Fenstern. Ich bemühe mich, das dem Deutschen so ähnliche und doch in vielem so unähnliche Niederländisch zu lesen, zu verstehen und zu sprechen; später werde ich auch einige Vorträge in »Nederlands« halten können. Denn in den kommenden Jahrzehnten kehre ich noch oft in die Niederlande zurück, nicht nur wegen persönlicher Beziehungen, sondern auch weil die *katholische Kirche der Niederlande* die Speerspitze der katholischen Erneuerung werden wird. Ich habe sie in der Mitte der fünfziger Jahre noch als traditionell und doch sehr lebendig kennengelernt. In Amsterdams großer Rozenkranskerk, die ich besuche, wird wie überall aktiv partizipiert und während des einen Gottesdienstes oft fünf- bis sechsmal das Opfer eingesammelt – für all die verschiedenen Zwecke. Die holländischen Katholiken finanzieren nämlich ihre Werke selber, ohne jegliche Kirchensteuer, sogar die größte Zeitung des Landes »De Volkskrant« und das Katholische Radio-Netzwerk KRO, dessen Studios in Hilversum ich wie so vieles besichtige. Nicht nur dies ist hier nach konfessionell-weltanschaulichen Säulen organisiert.

Aber im Lauf der Jahrhunderte war aus der kleinen katholischen Minderheit, die nach der Reformation nur im Geheimen Gottesdienste feiern durfte, die wohl mächtigste Kirche des Landes geworden mit tüchtigem Klerus, wacher Theologie und aktiver Laienschaft. Diese Kirche mit ihrem Episkopat ist vorherbestimmt, im kommenden Konzil eine besondere Rolle zu spielen. Sowohl das künftige römische Sekretariat für die Einheit der Christen wie die künftige Internationale Zeitschrift für Theologie »Concilium«, sowohl der neue Katechismus wie schließlich das erneuerte katholische Synodenwesen haben ihre Wurzeln in den Niederlanden. Nie wäre es mir freilich in den Sinn gekommen, daß ich eines Tages auch einmal im königlichen Palast zu Amsterdam (auf Einladung der Königin Beatrix) einen Vortrag (über Weltethos) halten könnte.

Der kürzeste Weg zu sich selber sei eine Reise um die Welt, hat ein kluger Deutscher gesagt. Und noch klüger vielleicht ein Engländer: »Wer nur England kennt, kennt England nicht«. Was sich erst recht auf die kleine Schweiz anwenden läßt, in die ich jetzt nach neun Jahren Abwesenheit zurückkehre – auf Dauer, wie es den Anschein hat. Dabei wird gerade jetzt für mich wie für die katholische Kirche überhaupt eine neue Epoche beginnen.

V. Aufbruch zur Kirche in Freiheit

»Ein solches Buch werden Sie nicht mehr schreiben,
wenn Sie älter sein werden.
Deshalb veröffentlichen Sie es jetzt!«

Botschaftsrat Prälat Josef Höfer

Bewährung in der Praxis: Luzern

Im Juli 1957 wieder in Sursee: Endlich kann ich auf unserer Terrasse
ungestört den ersten Entwurf meiner Studie zur Christologie Hegels
Kapitel um Kapitel meinem jüngeren Mitbruder aus dem Germanikum
Leonz Gassmann, ebenfalls aus der Diözese Basel, in die Maschine
diktieren. Titel: »Menschwerdung Gottes«. Gelegentlich soll sie von
Anfang bis Ende überarbeitet und an der Sorbonne als philosophische
Dissertation eingereicht werden. Aber dazu wird es aufgrund vieler un-
erwarteter Entwicklungen nicht kommen. Unterdessen noch zwei- bis
dreimal durchgearbeitet und erweitert, wird die Studie erst 1970, zu
Hegels 200. Geburtstag, gedruckt erscheinen – also gut zwölf Jahre später.
    Und was für zwölf Jahre: 1958 stirbt Pius XII. und wird Johannes
XXIII. gewählt. 1968 veröffentlicht Paul VI. die Enzyklika »Humanae
vitae« über die Geburtenregelung, die 1970 Anlaß ist für mein Buch
»Unfehlbar? Eine Anfrage«. Und was liegt da alles dazwischen? Eine
dramatische Geschichte, doch sie fängt für mich recht harmlos an. Ich
bin noch nicht ganz dreißig und verlebe die nächsten beiden Jahre
wieder in der Schweiz, die sich mit einigen Mühen aus der Isolation
nach dem Zweiten Weltkrieg herausgearbeitet hat. Zwar ist man der
UNO aufgrund eines übersteigerten Neutralitätsprinzips nicht beigetre-
ten – ein Fehler, der die Schweizer Außenpolitik jahrzehntelang belasten wird. Aber immerhin beteiligt man sich an anderen internationalen
Organisationen. Im Aufstand von 1956 in Ungarn zeigen Protestkund-
gebungen und die Aufnahme von 10.000 Ungarn-Flüchtlingen und ein
gutes Jahrzehnt später 1968/69 von 12.000 tschechoslowakischen
Flüchtlingen Solidarität. Politische Neutralität bedeutet keine moralische Neutralität; Neutralität und Solidarität gehören zusammen.

Nach meiner Rückkehr erhalte ich in Sursee Nachricht vom Bischof von Basel: Ich bin zum Vikar (Pfarrhelfer) an die *Hofkirche zu Luzern* bestellt. Ich frohlocke: Meine neue Wirkstätte ist nur gute 20 km von Sursee entfernt. In Luzern – im Sommer und während der Internationalen Musikfestwochen eine kosmopolitische Stadt – fühle ich mich schon vom Gymnasium her zu Hause. Und die Hauptkirche von Luzern, mit ihren beiden spitzen Türmen Wahrzeichen der Stadt, scheint mir ein sehr ideales Betätigungsfeld zu sein.

Und tatsächlich habe ich Glück mit meinem ersten Pfarrer und seinem ganzen Team. Dr. theol. JOSEPH BÜHLMANN tut alles, um die Seelsorge dieser großen Pfarrei, die sich von der berühmten Kappellbrücke bis hinaus an die Stadtgrenzen ausdehnt, zu erneuern. Auch gegen die alten Herren des Chorherrenstiftes zu St. Leodegar. Propst Joseph Alois Beck aus Sursee hatte ihm – so erzählt er mir einmal – vor der Amtseinsetzung den traditionellen Eid abverlangt, die bestehenden Statuten und Regeln des Stiftes zu achten. Das könne er nicht beschwören, meint der neue Pfarrer. Gerade in Sachen Liturgie – Chorgesang der Chorherren – müsse er entschieden gegen das Bestehende angehen. Des Propstes Antwort gut römisch: »Nun sei doch nicht so kompliziert. Mach dann, was Du willst. Aber schwören mußt Du!« So schwur er. Und macht nun, was er für pastoral richtig hält. Eine Anekdote, die ihn charakterisiert, aber auch eine bestimmte Art, im real existierenden Katholizismus geistig zu überleben.

Mit den beiden *Mitvikaren*, Anton Studer und Franz Xaver Schwander, habe ich ebenfalls Glück: Kirchlich-theologisch auf derselben Linie, haben wir immer wieder Diskussionen und kaum ernsthaften Streit. Beide helfen tüchtig, als ich damals unter dem Zeichen von drei Sternen **★★★** einen aufsehenerregenden Artikel über »Priestermangel in der Schweiz?« in der »Civitas«, einer Zeitschrift des Schweizerischen Studentenvereins, publiziere, der gegen den Einsatz von ordinierten Priestern in sachfremden Funktionen gerichtet ist. Eine Riesendiskussion ist die Folge. Zusammen redigieren wir vergnügt die Reaktionen, und ich schreibe die Schlußbetrachtung, alles zusammen fast 50 Seiten. Unsere guten Beziehungen im Pfarrhaus bewähren sich, als ich, weil »offensichtlich gerecht denkend«, von einem intriganten Mitglied der Pfarrei und einer kleinen Clique gegen den Pfarrer eingenommen werden soll. Mein Chef hat es mir hoch angerechnet, daß ich es in dieser Wochen anhaltenden Affäre, in die sich sogar das Bischöfliche Ordinariat einschaltet, von Anfang an weder an Wahrhaftigkeit noch an Loyalität fehlen lasse.

Unser Pfarrer ist auch immer offen für Anregungen. Und dankbar läßt er mich Freunde als *Gastprediger* einladen, besonders für die Karwoche oder hohe Feste. So halten denn in meiner Zeit nicht nur Otto Karrer und Hans Urs von Balthasar, sondern auch Wolfgang Seibel und Oswald Loretz Predigtzyklen, während Karl Rahner aus Zeitgründen absagen muß.

Was ein Vikar zu tun hat

Bei Taufen, Eheunterricht, Beerdigungen wechseln wir uns ab. Zwei-, dreimal schreibe ich auch kleine Artikel für das Pfarrblatt, vor allem über die Erneuerung der Liturgie und das Latein (»Es war immer so! War es immer so??«). Alle Tage zelebrieren wir in dieser Zeit, unter Umständen auch ganz allein, unsere *Eucharistiefeier*. Die stillen Messen der vielen Priester – eine erst im Mittelalter sich einstellende Gewohnheit, gegen die als erster Karl Rahner theologisch mit Erfolg angeht (»Das eine Opfer und die vielen Messen« 1951) – werden dann vom Konzil zugunsten der Konzelebration faktisch abgeschafft werden. Mit der Gemeinde am Samstag/Sonntag feiere ich gerne.

Die *Predigten* machen mir besondere Freude; normalerweise hält man sie vier oder fünf Mal (Samstag abend bis Sonntag abend). Im Jugendgottesdienst predige ich oft auf »Schwyzerdütsch«, das ein eigenes Gefühl von Heimat und Gemeinschaft vermittelt und das ich mir unverdorben bewahren werde bis auf den heutigen Tag, auch wenn ich später gegen die populäre Dialektwelle in den Medien entschieden für das Hochdeutsch eintrete – um der Verständlichkeit im eigenen Land willen für Romands und Ticinesì und erst recht für die Millionen niedergelassener oder durchreisender Ausländer. Meine schlichte Erfahrung indes bei der Predigtvorbereitung: Die Schultheologie der Gregoriana ist mir kaum eine Hilfe. Meine lateinischen Schulbücher, die ich mir schön habe binden lassen, öffne ich kaum jemals für eine Predigt. Da hilft mir die Barthsche Dogmatik schon mehr: Eine ganze Reihe von Abendansprachen halte ich über die einzelnen Eigenschaften Gottes, und da sind mir Karl Barths Darlegungen eine große Inspiration.

Schwieriger ist der *Religionsunterricht* in den Schulen. Pädagogisch brauchbare katechetische Hilfsmittel gibt es wenige. Allerdings ist die Jugend der 50er Jahre nicht besonders aufmüpfig. Doch bei den Jungen und Mädchen der fünften und sechsten Klasse, die bereits Anzeichen pubertärer Unausgeglichenheit, Erregtheit und Protesthaltung zeigen, sind Aufrechterhaltung der Disziplin und fesselnder Unterricht nicht immer einfach. Am angenehmsten sind mir die Dritt- und Viertklässler; im Unterschied zu den noch kleineren kommen sie geistig schon sehr gut mit, sind aber noch nicht im rebellischen Alter. Die Mädchen besonders sind so anhänglich, daß mich manchmal eine kleine Schar an der Pfarrhaustüre abholt, die einen die Mappe tragen und andere die Hand halten wollen, was mir von meinen Mitvikaren gutmütigen Spott wie »Pestalozzi« einträgt. Aber ich bin froh, daß ich mich mit wenigen Ausnahmen mit allen Schülern und Schülerinnen gut verstehe. Nicht selten werde ich später erwachsene Männer und Frauen antreffen, die mir freudig sagen, sie hätten bei mir im Religionsunterricht gesessen.

Man wundert sich, wie ich als Präses des »Blauring« katholischer Mädchen mit all den Führerinnenrunden und Gruppenstunden, mit Waldweihnacht und Elternabend und einem erfolgreichen mehrwöchigen Ferienlager im Wallis noch Zeit habe für wissenschaftliche Arbeiten: zwei große Aufsätze über »Rechtfertigung und Heiligung nach dem Neuen Testament« (Festschrift O. Karrer) und über »Karl Barths Lehre vom Wort Gottes als Frage an die katholische Theologie« (Festschrift G. Söhngen). Doch ich nütze wie immer jede freie Minute und vor allem den freien Tag, den wir wöchentlich haben.

Ein ausgesprochener Problemfall jedoch ist die mir ebenfalls übertragene *Marianische Jungfrauenkongregation.* Schon im Collegium Germanicum habe ich einen Vortrag gehört über diese in der Gegenreformation – zehn Jahre nach der Kollegsgründung – von Jesuiten initiierten Gemeinschaften aus Klerikern und Laien im Geist der ignatianischen Exerzitien zum Dienst in Kirche und Welt. Doch der römische Generalsekretär der Marianischen Kongregationen, der leicht fanatisch wirkende Holländer P. Paulussen SJ, vermochte mich und auch andere nicht zu überzeugen, daß es hier noch um zeitgemäße »Gemeinschaften christlichen Lebens« (so dann die Umbenennung nach dem Konzil) gehe. Viele meiner Informationsgespräche in Holland und Belgien über die Organisation der Seelsorge – besonders die ganz anders geprägte JOC = Jeunesse Ouvrière Catholique des Canonicus Cardijn, der auch zu uns in Rom gesprochen hatte – haben mich darin bestärkt.

Aber jetzt in Luzern, was tun? Ein Testfall für Reformen. Abschaffen und dadurch manche ältere unverheiratete Damen, die den Hauptstamm bilden, zurückstoßen? Das will, darf ich nicht. Alles beibehalten, wie es ist? Das will ich ebenfalls nicht. Zunächst scheint mir wichtig, der Kongregation den Geschmack des »Altjungfernvereins« zu nehmen. Alles gut vorbereitend durch Einzelgespräche mit den Betroffenen,

nehme ich die routinemäßig erfolgende Demission der Vorstandsmit-
glieder – gegen alle bisherigen Gewohnheiten – an und ersetze sie pro-
blemlos durch jüngere.

So bilden wir jetzt aus verjüngtem Vorstand und Jugendführerinnen
einen »Kern«. Daneben ohne verbindliche Mitgliedschaft für Jüngere
einen »Club der Libelle«, der zumeist an Freitagen einen Themen-
Abend anbietet mit einem Künstler, Jazzmusiker, Psychologen, Theologen oder wem immer. So gibt es jedenfalls neues Leben in diesem
Sektor der Seelsorge, bei dem ich die älteren Gemeindemitglieder
keineswegs vergesse. Mit ihnen feiere ich, wie immer nach eingehender
Erklärung, längst vor der offiziellen Erlaubnis mit Blick nicht mehr auf
die Altarwand, sondern auf die versammelte Gemeinde eine mehr
ursprüngliche, einfache *Eucharistiefeier in der Volkssprache*, und zwar noch
sehr viel spontaner, als ich sie seinerzeit in der Westminster Abbey
erlebt hatte. Man ist begeistert. Unser Pfarrer begrüßt das. Der Bischof
weiß von nichts. Und Rom ist weit.

Die mit dieser Mädchen- und Frauenseelsorge verbundene nicht
geringe Arbeit wäre nicht zu leisten gewesen ohne Hilfe eben gerade
von *Frauen*. Wichtig als ruhender Pol im großen Pfarrhaus die Pfarrhaus-
hälterin, Maria Merz, für die Administration zuständig die Pfarrsekretärin und die Fürsorgerin, für mich aber wichtig als führende Mitglieder
besonders Hildegard Meyer, die neu gewählte Leiterin der Kongregation, und Odette Zurmühle, die den Club der Libelle mitbetreut und
die später – statt meiner jüngsten Schwester – meine erste Helferin in
Tübingen (1961–67) werden wird, bis sich zeigt, daß die von mir völlig unterschätzte Doppelbelastung von Sekretariat (formell eine Halb-
tagsstelle) und Haushalt für eine auch noch so fähige und gutwillige
Person schlechterdings zu viel ist.

Theologische Leitfiguren

Als ich meinem Pfarrer berichte, ich würde im *Beichtstuhl* Verheirateten,
die sich der Sünde der Empfängnisverhütung anklagten, erklären, das
sei keine »Todsünde«, sie bräuchten sich besonders dann nicht mehr
anzuklagen, wenn sie schon die verantwortbare Zahl Kinder hätten;
Geburtenregelung sei Sache der persönlichen Verantwortung, da meint
er ernst: »Das halten Sie, wie Sie wollen. Aber wenn Sie beim Bischof
denunziert werden, müssen Sie mit ernsthaften Sanktionen rechnen.«
Ich mache so weiter und werde nicht denunziert. Eine ähnliche

Beichtstuhlerfahrung macht zur gleichen Zeit der um sieben Jahre ältere FRANZ BÖCKLE, mir von Rom her gut bekannt und jetzt bei uns zu Besuch. Zunächst Professor der Moraltheologie in Chur, thematisiert er die Krise der Moral und der Moraltheologie und nimmt in Sachen Geburtenregelung mutig öffentlich Stellung. Ab 1963 Professor an der Universität Bonn, wird er zum führenden katholischen Moraltheologen (»Gesetz und Gewissen« 1964). Wie kein zweiter nimmt er sich der Thematik Sexualität, Ehe, Familie und der medizinischen Ethik an.

Mit einer Institution in Luzern habe ich freilich wenig Beziehungen, wiewohl sie ihren Platz gerade hinter der Hofkirche hat: mit der *Theologischen Fakultät*. Anders als in den ökumenischen Kreisen von Zürich, Bern, Basel und Luzern besteht an der Fakultät mit ein oder zwei Ausnahmen wenig Interesse für eine erneuerte Theologie oder gar für das Thema »Rechtfertigung«. Der Dogmatiker interessiert sich nur für ostkirchliche Theologie, und der Moraltheologe (der »Ketzerriecher« Schenker!) und der Kirchenrechtler (vom selben Geist) sind Gegner meiner ökumenischen Ideen.

Zu einer Gastvorlesung werde ich nicht von der nahen Luzerner, sondern von der fernen *Regensburger Theologischen Hochschule* eingeladen. Dort habe ich die Ehre und Freude, auf Initiative von Professor Georg Englhardt, der mir in Luzern einen Besuch abgestattet hat, am 29. Januar 1959 meine allererste Vorlesung an einer deutschen Hochschule halten zu dürfen: über Rechtfertigung.

In Luzern kann ich mich damit trösten, daß dieselbe Fakultät auch kein Interesse hat an Beziehungen zum berühmten OTTO KARRER (1888-1976), dessen großer theologischer Horizont, ökumenische Offenheit und warme Menschlichkeit mich stark beeindrucken, der mir gleich das Du anbietet und dessen 70. Geburtstag ich im Fürstensaal des Klosters Einsiedeln mitfeiern darf. Vielleicht hat kein deutscher Theologe das kommende katholische Aggiornamento in seiner Existenz und seinem Werk so sehr vorausgenommen wie dieser Jesuit, der den Jesuitenorden verlassen hatte: Seine Biographie des dritten Ordensgenerals Franz von Borja hatte das Mißfallen des Jesuitengenerals hervorgerufen, und anschließend eine Apologie des antireformatorischen Kontroverstheologen Bellarmin schreiben, das wollte er auch nicht. Für einige Monate trat er unüberlegt der evangelisch-lutherischen Kirche bei. Dafür wurde er nach seiner Rückkehr in die katholische Kirche mit einem Bußjahr und Sanktionen bis zu seinem 75. Geburtstag bestraft.

Dieser viel angefeindete antinazistische Deutsche erhielt 1935 das schweizerische Bürgerrecht, ist in Luzern unermüdlich als Prediger und

Seelsorger tätig und wirkt als Inspirator der verschiedenen ökumenischen Kreise. In seinen Publikationen widmet er sich besonders der Spiritualität und Mystik, ganz besonders aber dem verehrten englischen Theologen John Henry Newman. Mitten im Krieg 1942 hat man im (gegenüber den Nazis höchst schweigsamen) Vatikan nichts Besseres zu tun, als Karrers Buch über »Gebet, Vorsehung, Wunder« auf den Index der verbotenen Bücher zu setzen. Er hatte die unmittelbaren, sichtbaren physischen Folgen des Gebetes in der Form von Wundern (z.B. Regen, Erntesegen und ähnliches) in Frage gestellt. Otto Karrer läßt sich von seinem Weg nicht abbringen. Er lebt ganz aus der Bibel und übersetzt das Neue Testament in ein verständliches Deutsch. Schon früh betreibt er eine konstruktive Auseinandersetzung mit den Weltreligionen und setzt sich intensiv für die christliche Ökumene ein. Als erster scheint er statt vom (historisch belasteten) »Papsttum« von einem (biblisch orientierten) »Petrusdienst« gesprochen zu haben – für ihn nicht nur eine exegetisch-historische, sondern eine psychologische und politische Frage.

Von der Theologischen Fakultät Luzern wurde dieser große Theologe nie zu einem Vortrag eingeladen, sondern mehrfach bei den Bischöfen und in Rom denunziert. Meine freundschaftlichen Beziehungen durch all die Jahre (auch unsere gemeinsame Aktion gegen die Glaubwürdigkeit von Fatima) werden in der vom Kirchenhistoriker der Fakultät mitbetreuten (und von mir finanziell unterstützten) Karrer-Biographie schlicht und einfach verschwiegen. Katholische Kirchengeschichtsklitterung.

Ein weiterer bedeutender Luzerner Theologe, HERBERT HAAG, menschlich nicht weniger sympathisch als Otto Karrer, hatte es im Germanikum nur drei Jahre ausgehalten. Er wollte vor allem Exegese studieren, und die stand zu seiner Zeit im Schatten der irrigen Dekrete der päpstlichen Bibelkommission unter Pius X. Selbst P. Bea, Rektor des päpstlichen Bibelinstituts, riet Haag zum Weiterstudium in Paris. Promotion dann in Freiburg und Weiterstudium in Jerusalem an der École Biblique, deren Gründer M.-J. Lagrange OP mehr als jeder andere katholische Exeget für die Einführung der in Rom verfemten historisch-kritischen Methode gekämpft und unter der Inquisition gelitten hatte.

Nur wenige Exegeten dürften sich in intensiver Arbeit ein solch umfassendes sprachliches Rüstzeug (fünf alte und fünf moderne Sprachen), Kenntnisse der Literatur und der Archäologie angeeignet haben wie Herbert Haag. In Luzern nun hat er in mehreren Lieferungen sein historisch-kritisches »Bibellexikon« (1951-56) herausgegeben. Schon zwei Jahre später wird er mein Fakultätskollege und treuester Freund in

Tübingen sein. Aber auch er wird dann von seiner eigenen Luzerner Fakultät, wie auch Otto Karrer, nie mehr eingeladen werden. Fürchtet Mediokrität in Luzerns Fakultät außerordentliche Luzidität?

Daß auch ich während der nächsten fünf Jahrzehnte, wiewohl ich zu ein oder zwei Professoren gute Beziehungen habe, kein einziges Mal zu einer Lehrveranstaltung eingeladen werde, ertrage ich, ohnehin ständig überlastet, leichten Herzens: »Kein Prophet in seiner Heimatstadt!« Leider wird der »Bann« aber auch auf meine Schüler ausgedehnt, und dies betrübt mich: »Kein Schüler des Propheten, selbst wenn er Luzerner ist, in seiner Heimatstadt!« Er verdient ehrenvolle Nennung: Prof. Dr. theol. habil. URS BAUMANN aus Hochdorf/Luzern, dessen Veröffentlichungen keinen Vergleich mit Luzerner Kollegen zu scheuen brauchen und der bei zwei Lehrstuhlbesetzungen übergangen wird.

Ecclesia semper reformanda: ein brisantes Thema

Zehn Tage vor Regensburg fand indes ein für mich noch sehr viel gewichtigeres Ereignis statt, und zwar in Basel. Irgendwann im Herbst 1958 erhalte ich in Luzern einen Telefonanruf von KARL BARTH: Er lädt mich ein zu einer Gastvorlesung an seiner, der protestantischen Theologischen Fakultät Basel. Über Rechtfertigung soll ich reden. Aber gerade in Anwesenheit von Barth will ich dies nicht tun; mein Buch wüßte da mehr als ich, das könne man ja nachlesen, ich wolle mich nicht wiederholen ... »Aber vielleicht ein anderes Thema?« Karl Barth denkt einen Moment nach: »Hochinteressant wäre es, von Ihnen als einem katholischen Theologen zu hören, was er zu sagen hat zu ›Ecclesia semper reformanda‹ – zur ›immer wieder zu reformierenden Kirche‹.«

Ein nicht nur hochinteressantes, sondern hochbrisantes Thema. Ob ich es – neben all den seelsorglichen Arbeiten – bewältigen kann? Zwei Wochen später sage ich zu. Ich fühle mich gut vorbereitet. Zum einen praktisch: durch all die Erfahrungen, die ich in Rom machte und in verschiedenen Ländern Europas testete. Zum anderen auch theologisch: durch die Gregoriana-Theologie, die mich die Grenzen des »Katholischen« deutlich gelehrt hat, andererseits die Werke von Barth und Congar (über Kirche und Reform), von Lortz (über die Reformation) und die Gespräche mit Josef Fischer (über eine mögliche »Dritte Kraft« zwischen Reformation und Gegenreformation) und vieles mehr.

Am Sonntag, den 18. Januar 1959, halte ich in der Hofkirche sämtliche Predigten zur Einleitung unserer Weltgebetswoche über das Thema

»Die Christen auf dem Weg zur Einheit«. Am Montag, den 19. Januar, folgt in Basel mein Vortrag über »Ecclesia semper reformanda«. Ein »gefährliches Thema«, führe ich in der Einleitung aus, »um das einen nur wenige katholische Theologen beneiden dürften«. Denn schon der Titel dieses Vortrags ist für viele katholische Theologen nicht akzeptabel. Im Grunde ist jedes einzelne Wort umstritten.

• »*Semper*«? »Immer wieder« zu reformieren? Dies könne man als Katholik keinesfalls sagen, erklärt mir jener bekannte Zürcher Ökumeniker und Jesuit Ebneter, als er uns in Luzern besucht, das sei typisch protestantisch. Ich höre seine Argumente, doch sie überzeugen mich nicht.

• »*Ecclesia*«? »Die Kirche«? Sie selber muß nach traditioneller römischer Auffassung (von Kardinal Ratzinger noch im Jahr 2000 wieder aufgewärmt) gar nicht reformiert werden. Reformiert werden müssen nur ihre »Glieder«. Die Kirche selber sei ja »heilig«, »immaculata«, »unbefleckt«. Nur ihre Glieder seien »Sünder«. Deshalb sei die Kirche »immaculata ex maculatis«, bestehend aus Sündern zwar, selber jedoch nicht sündig. Selbst Yves Congar, der das umfassendste Buch über Kirchenreform geschrieben hat, hält sich in dieser Grundfrage an die traditionelle Linie. Einzig Karl Rahner verweist auf die völlige Abstraktheit dieser Unterscheidung und will konsequenterweise nicht nur von einer »Kirche der Sünder«, sondern auch von einer »sündigen Kirche« sprechen. Demnach geht es auch um die Reform der Kirche selbst und um Schuldbekenntnisse für die Kirche und nicht nur (wie im Jahr 2000 Johannes Paul II. noch immer meint) für »ihre Söhne und Töchter« (die »Heiligen Väter« bleiben natürlich unerwähnt).

• »*Reformanda*«? Was echte Reform ist, ist besonders umstritten. Congars Buch trägt ja den Titel »Vraie et fausse Réforme dans l'Église«. Aber was ist für ihn »vraie réforme«, »wahre Reform«? Seine Antwort: Allein eine Reform des »Lebens« der Kirche, und nur diese ist für ihn eine katholische Reform. Und was ist dann »fausse réforme«, »falsche Reform«? Das ist für Congar erstaunlicherweise eine Reform der »Lehre« der Kirche. Und genau dies ist ihm zufolge die protestantische Reform. Die Reformation also die falsche Reform!?

Diese schiefe Grundunterscheidung durchläuft leider Yves Congars ganzes materialienreiches Buch. Doch all meine Erfahrung mit der Grundproblematik der Rechtfertigungs-Lehre zeigt das Gegenteil: daß es auch für die katholische Theologie ganz entscheidend (wie schon für Luther, für Barth, aber doch auch schon für das Konzil von Trient) um eine *Reform nicht nur des Lebens* der Kirche, *sondern gerade auch ihrer Lehre* geht. Congar scheint mir vielfach noch allzu sehr dem thomistischen System und thomistischen Kategorien verpflichtet zu sein. Vielleicht eine rein theoretische Diskussion? Sie sollte plötzlich eine völlig unerwartete praktische Aktualität erhalten.

Ein Konzil!

Ich weiß, was ich jetzt im protestantischen Basel als katholischer Theologe zu vertreten habe, wenngleich es schwer fällt, die Masse der Probleme in ein gut einstündiges Konzept zu bringen. Es wird ein systematisch aufgebauter und bis ins letzte durchgegliederter und – wenn ich die 24 enggeschriebenen Seiten nochmals lese – rasanter Vortrag in drei Teilen:

Ist in der katholischen Kirche eine Kirchenreform *möglich*? Als sichtbare Kirche aus sündigen Menschen bedarf die Kirche selber der ständigen Reform.

Inwiefern ist in der katholischen Kirche eine Kirchenreform möglich? Wir dürfen leiden und beten, aber auch kritisieren und handeln: Nicht nur eine Herzens-, nicht nur eine Mißstände-, nein, eine schöpferische Zustandsreform, und zwar nach der Norm des Evangeliums.

Ist in der katholischen Kirche eine Kirchenreform *wirklich?* Im Zusammenhang zu sehen sind die Reform vor der Reformation, die Ablehnung der protestantischen Reformation und die katholische Restauration. Katholische Reform heute, katholische Ansätze zur positiven Realisierung protestantischer Reformanliegen und viele andere positive Ansatzpunkte müssen zur Sprache kommen: vor allem die Reform der Lehre.

Ich kann alles kurz und deutlich sowohl von der Heiligen Schrift wie von der Kirchengeschichte her begründen und gehe detailliert auch auf praktische Reformforderungen ein. Eben alles das, was mir zu einem guten Teil schon in Rom aufgegangen ist. Meine *zentrale Forderung* würde freilich selbst ein Congar kaum unterschreiben: Die Katholiken sollten die berechtigten Anliegen der Evangelischen in Leben und Lehre verwirklichen und umgekehrt die Evangelischen die berechtigten Anliegen der Katholiken – beides im Licht ein und desselben Evangeliums!

Nach fast anderthalb Stunden der Schluß, wörtlich: »*Wir sind auf dem Weg!* Nicht mehr! Wir sind auf dem Wege und noch weit vom Ziel! Wir haben noch viele Wünsche an unsere Kirche und an die Eure! Wir müssen mit Widerständen rechnen, mit Enttäuschungen und Rückschlägen, das gehört zur Kirche aus Menschen. Den Glaubenden entmutigt es nicht. Vier Jahrhunderte zeigen ihm, daß es mit der katholischen Reform ernsthaft vorangeht. Wir sind auf dem Wege! Wir, die alte Kirche, die Kirche mit den vielen Runzeln, aber doch die alte Kirche: eine lebendige Kirche, die versucht, mit der Ecclesia semper reformanda ernst zu machen. Kierkegaard hat den Protestantismus als ›Korrektiv‹ dieser alten Kirche bezeichnet, das nie zum ›Regulativ‹ werden dürfte. Was aber wird geschehen, wenn die zu Korrigierende weiterhin sich langsam selber korrigiert? Als eine Kirche, die zwar bis ans Ende der Tage Ecclesia reformanda bleibt, die aber doch in bezug auf die reformatorischen Anliegen einmal Ecclesia reformata wäre. *Ecclesia catholica reformata!* Vorausgesetzt, es käme soweit: Was soll dann geschehen? Mit dieser Frage an Sie, meine lieben Zuhörer, möchte ich meinen allzu langen Vortrag schließen.«

Tosender Applaus. KARL BARTH ganz einverstanden. Aber in der anschließenden Diskussion, traditionellerweise im Restaurant nebenan, die Frage eines protestantischen Studenten:»Sind Sie nicht allzu optimistisch bezüglich Zukunft und Reformfähigkeit der katholischen Kirche?« Gemurmel. Meine Antwort: »Seit dem 18. Oktober des vergangenen Jahres haben wir einen neuen Papst, Angelo Roncalli, JOHANNES XXIII. Er hat schon viele Reformimpulse gegeben. Ich glaube nicht, daß dies schon die letzten waren.« So geschehen am Montag, dem 19. Januar 1959.

Sechs Tage später, am Sonntag, dem *25. Januar 1959* – eine der seltsamsten Fügungen in meinem Leben: Am Ende der Weltgebetswoche, die in unserer Pfarrei mit sieben Vorträgen (über Ostkirchen, Protestantismus, Anglikanismus, Altkatholizismus, aber auch über Judentum und Islam) und mit einer ökumenischen Kollekte (nach Vorschlag meines Lehrers an der Sorbonne Oscar Cullmann) für eine evangelische Gemeinde beschlossen worden war, an diesem Sonntag, genau 90 Tage nach seiner Wahl, *kündet Johannes XXIII. das Zweite Vatikanische Konzil an!* Welch ungeheure Überraschung für die ganze Kirche, ja, die ganze Welt. Meinerseits aber habe ich mit meinem Basler Vortrag das detaillierte Grundkonzept für ein Buch zum Konzil bereits fertig. Karl-Josef Kuschel hat es zu Recht als mein »lebensgeschichtliches Glück« bezeichnet, »in einem Moment der Kirchengeschichte theologisch zur Stelle zu sein, als die katholische Kirche erstmals seit der Reformation begann, ihre theologischen Fundamente neu zu vermessen«. Doch an dieser Stelle drängt sich ein kurzer Rückblick auf den Pontifikatswechsel von Pius zu Johannes auf.

Pius XII.: der größte Papst des 20. Jahrhunderts?

Zwei Wochen im vergangenen Oktober 1958 habe ich mit einer Gruppe Luzerner auf einer Studienreise auf den Spuren des Apostels Paulus in der Ägäis verbracht. Am 9. Oktober erhalten wir in Athen die Nachricht vom *Tod Pius XII.* Mit meinen Kenntnissen des Altgriechischen versuche ich die in neugriechischer Sprache geschriebenen Athener Zeitungen zu lesen. Aber erst später, nach langer Bahnfahrt durch den Balkan, kann ich schließlich in Mailand ausführliche Berichte und Kommentare der italienischen Presse zum Tode von Papa Pacelli studieren. Seltsam: Der vorher so hochgepriesene und umschmeichelte »Pastor angelicus« wird mit höchst kritischen Nekrologen bedacht.

Pius XII. – der größte Papst des Jahrhunderts? Jetzt wagen manche Journalisten über den Autokraten Pacelli, seinen Triumphalismus, Dogmatismus und Nepotismus, das zu schreiben, was sie vorher ängstlich verschwiegen haben. Ja, des Papstes geld- und ruhmgieriger Leibarzt (ein Augenarzt!) »Dr. Riccardo Galeazzi Lisi« (sein Name prangte auf unserem Weg zur Gregoriana jeden Tag in großen Lettern werbend an der Piazza Barberini!) verkauft in schamloser Weise den Medien die von ihm höchst indiskret aufgenommenen Fotos des verstorbenen Papstes. Dazu auch sein wenig appetitliches Tagebuch über Pacellis Agonie, und schließlich in einer Pressekonferenz die technischen Details der Einbalsamierung. Da diese mißlang, muß nachts in der Peterskirche – man berichtet von einer gespenstischen Szene auf dem riesigen Katafalk unter der Kuppel Michelangelos – »korrigiert« werden. Man fühlt sich an Innozenz III., angeblich »größter Papst des Mittelalters«, erinnert, den man nach seinem Tod, von allen verlassen und völlig nackt, weil von den eigenen Dienern ausgeraubt, in der Kathedrale zu Perugia fand. Daß Pius' XII. mächtige Vertraute, Madre Pasqualina Lehnert, nach seinem Tod vom Dekan des Kardinalskollegiums, Kardinal Tisserant, sofort barsch aus dem Palast gewiesen wurde, paßt zu dieser makabren Szene ...

Natürlich ist nun die ganze Welt gespannt auf die *Wahl des neuen Papstes.* Pius XII., sich selbst zunehmend isolierend und entscheidungsunfähig, hatte in den letzten Jahren kaum noch Kardinals- und Kurienposten besetzt. So finden sich von dem an sich 70köpfigen Kollegium nur 51 Kardinäle zum Konklave ein. Nach Luzern zurückgekehrt, verfolge auch ich in unserem Pfarrhaus am Radio mit brennendem Interesse jeden neuen Wahlgang. Erst am vierten Tag, Dienstag, 28. Oktober 1958, steigt nach zehn ergebnislosen Wahlgängen endlich weißer Rauch aus dem Kamin der Sixtinischen Kapelle auf. Wer ist der Erkorene? Von den Kolonnaden herunter wird der Name Ruffini gerufen. Ich erschrecke: Kardinal Ruffini von Palermo – einer der reaktionärsten Kardinäle aus dem Dunstkreis des Sanctum Officium, der sich mit Publikationen gegen Evolutionslehre und moderne Bibelinterpretation gewendet hat? Aber bald darauf wird auf der Loggia der Peterskirche der wahre Name verkündet: ANGELO RONCALLI, Patriarch von Venedig, der sich zur Überraschung aller den Namen Johannes gewählt hat: JOHANNES XXIII.

Ich gehöre zu den wenigen, die von dieser Wahl nicht ganz überrascht sind. Denn mein Doktorvater Louis Bouyer hatte mir schon lange Zeit zuvor bei einem Besuch unserer Familie in Sursee vorausgesagt, der nächste Papst würde Roncalli sein. Warum? Er sei »jovial, fromm und nicht allzu intelligent«. So nahm ich denn eine kleingedruckte Meldung in der Presse sehr bewußt wahr, Kardinal Gerlier von Lyon habe beim Eintritt in das Konklave auf die Frage, wer Kandidat der französischen Kardinäle sei, verlauten lassen: »Roncalli.«

Aber, so fragt man sich in der ganzen Welt, soll dies nun die richtige Wahl gewesen sein? Nach dem großen schlanken hierokratischen Pacelli nun dieser rundliche, wenig vergeistigte Roncalli. Im Vatikan kursiert diesbezüglich eine amüsante Quasi-Prophezeiung: daß sich die runden Päpste (mit einem R im Namen) abwechseln mit schlanken Päpsten (ohne R im Namen). Man kann in der Tat diese Regel von Roncalli und Montini zumindest bis zur Mitte des 19. Jahrhunderts zurückverfolgen: Pius XII. (Pacelli), Pius XI. (Ratti), Benedikt XV. (della Chiesa), Pius X. (Sarto), Leo XIII. (Pecci), Pius IX. (Mastai-Ferretti) ... Dieser Aberglaube sollte indes nach Johannes XXIII. (Roncalli) und Paul VI. (Montini) mit Johannes Paul I. (Luciani) unterbrochen werden, der nach 33 Tagen sterben wird. Man könnte abergläubisch werden ...

Daß ich von der Wahl des Patriarchen von Venedig zum Papst besonders begeistert gewesen wäre, kann ich mit dem besten Willen nicht sagen: Roncalli – zumindest kein fanatischer Reaktionär! Immerhin ist bekannt, daß er als Apostolischer Delegat in der Türkei während des Zweiten Weltkriegs tausende von Juden, insbesondere Kinder (durch Blanko-Taufscheine), aus Rumänien und Bulgarien gerettet hat. Auch daß er als Nuntius in Paris trotz diplomatischer Pannen den durch Kollaboration mit dem Vichy-Regime kompromittierten dreißig Bischöfen recht geschickt zu helfen vermochte, so daß schließlich nur wenige der Forderung de Gaulles entsprechend ihren Bischofssitz aufgeben müssen. Mit dem klügsten Kopf des französischen Episkopats, dem in Rom nicht sonderlich beliebten Pariser Kardinal Suhard, hat er sich in seiner Pariser Zeit gegen fünfzig Mal getroffen. Erst nach seiner Versetzung nach Venedig ist die Kurie gegen die Arbeiterpriester vorgegangen.

Aber noch ist Roncalli für die meisten ein Rätsel. Ist er ein braver Vatikanbeamter und freundlicher Seelsorgediplomat – oder mehr? Daß er in Bulgarien und in der Türkei, immer gerne reisend voll der Neugierde, die Offenheit für fremde Kulturen und Religionen gelernt hat, wird meist erwähnt. Aber daß er in seinen römischen Studienjahren dem bedeutendsten italienischen »Modernisten«, dem Kirchenhistoriker Ernesto Buonaiuti, nahegestanden hat (nachzulesen in einer Buonaiuti gewidmeten Dissertation meines Schülers Bernadino Greco »Ketzer oder Prophet?« 1979), wird von römisch-katholischen Kirchenhistorikern gern ignoriert oder heruntergespielt.

Erst nach Roncallis Tod werde ich nach Sotto il Monte bei Bergamo fahren, um dort das einfache Bauernhaus zu besichtigen, wo Angelo Roncalli 1881 geboren wurde: Zweifellos auch noch als Papst ein bäuerlicher Mensch traditionellen Glaubens mit Bodenhaftung. Seinem »Geistlichen Tagebuch« zufolge ist er in derselben kirchlichen Frömmigkeit und Selbstdisziplin aufgewachsen, mit denselben nachtridentinischen geistlichen Übungen und Pflege der moralischen Tugenden wie wir im Germanicum, hat sich aber geistig durch Integration verschiedener Stränge der Spiritualität weiterentwickelt.

Im zersplitterten Konklave war Roncalli offensichtlich der Kompromißkandidat, der schließlich für Konservative wie Gemäßigte wählbar schien. Man will nach dem allzu langen Pacelli-Pontifikat einen Mann fortgeschrittenen Alters und gütiger Physiognomie. Ob aber manche von Roncallis Wählern seine Einfachheit und Friedfertigkeit im Denken und Handeln nicht allzu sehr mit gutmütiger Einfalt verwechseln? Ob sie seine geistig-geistliche Substanz, Wachheit, Zielgerichtetheit und Entschlossenheit nicht gewaltig unterschätzen? Nicht Pacelli, RONCALLI sollte – dies zeichnet sich schon bald ab und kann im Rückblick als bestätigt gelten – *der größte Papst des Jahrhunderts* werden. In seinem 5-Jahres-Pontifikat bewirkt er mehr als die Päpste vor und nach ihm, deren Amtszeit viermal so lang ist.

Johannes XXIII.: ein anderes Verständnis des Papsttums

Aus dem alten »Übergangspapst« wird ein *Papst des großen Übergangs*. In eine neue Richtung weist als erstes die Wahl des *Papstnamens* JOHANNES, mit dem er, der kirchenhistorisch gut gebildet ist, sich deutlich von den Pius-Päpsten absetzt. Zwar ärgern sich kritische Kirchenhistoriker wie der Tübinger Karl August Fink, zweifellos einer der besten Kenner der Materie, daß Roncalli nicht den Namen Johannes XXIV. gewählt hat. Hieß doch schon in der Zeit des Abendländischen Drei-Päpste-Schismas im 15. Jahrhundert einer der drei sich gegenseitig befehdenden Päpste Johannes XXIII. Diesen dürfe man nicht als Gegenpapst abqualifizieren, da weder das Konzil von Konstanz (1412-15) noch der von diesem gewählte Papst Martin V. im nachhinein entscheiden wollten, wer in den Jahrzehnten des Schismas der wahre Papst gewesen sei. Doch Angelo Roncalli wollte die umstrittene Frage der Rechtmäßigkeit nicht entscheiden (so in der kurzen Ansprache zur Annahme der Wahl). Er wollte den Patron seines Vaters, seiner Pfarrkirche und der Lateranbasilika ehren und in seinem Amt wie Johannes, der Täufer, die Wege des Herrn bereiten, und wie Johannes, der Lieblingsjünger, dem Herrn nahesein.

Und schon bald wird deutlich, daß der neue Papst wirklich und nicht nur symbolisch Bischof von Rom sein will und – nicht durch eine neue Theorie, sondern einen neuen Stil – ein *anderes Verständnis des Papsttums praktiziert* als seine Vorgänger:

Während die Pius-Päpste sich als »Gefangene des Vatikans« stilisierten, macht Papst Johannes leutselig private und öffentliche Besuche in der Stadt und lädt zum Essen ein: eher ein Mann der spontanen Begegnung als der großen Ideen und Entwürfe.

Während Eugenio Pacelli sich aristokratisch gab, wiewohl er gar kein Aristokrat war, zeigt sich Angelo Giuseppe Roncalli ganz bewußt als Mensch, der auch den Juden, ja allen Menschen schlicht Bruder (»Ich bin Giuseppe, Josef, euer Bruder«) sein will.

Während Pius sich in gestellten Posen mit Kindern oder Tieren, beim Gebet und an der Schreibmaschine photographieren ließ und auf Gruppenphotos immer die Schokoladenseite zeigte, so mokiert sich Johannes – mit gesundem Selbstbewußtsein fähig zu gesunder Selbstironie – darüber, wie er in seiner Leibesfülle gar nicht photogen sei und zeigt ganz unverstellt durch sein Gesicht ohne Arg, demütig und gütig, eine bezwingende Liebenswürdigkeit und verborgene Kraft.

Während sein Vorgänger als Experte für alle möglichen Fragen von der Astronomie bis zur Hebammenkunst (20 Bände Reden) große

Discorsi hielt zu sozialen Fragen, führt der neue Papst ein »geistliches Tagebuch« und erhöht, großgeworden im Sozialkatholizismus seiner Heimat Bergamo, in einer seiner ersten Amtshandlungen die schäbig niedrigen Gehälter der vatikanischen Angestellten samt Kinderzulagen. Während Papa Pacelli seine drei bürgerlichen Neffen Giulio, Carlo und Marcantonio im Stil der Renaissance- und Barockpäpste zu »Fürsten« (»Principi Pacelli«) und mächtigen Männern der römischen Finanzwelt macht, lehnt Papa Roncalli jede Familienpolitik und jeden Nepotismus ab und kümmert sich dafür als Bischof um seine Diözese Rom, ihren Klerus, und visitiert die Pfarrgemeinden besonders der Vorstädte: ein großer Kommunikator, der im unmittelbaren Kontakt mit Menschen unterschiedlichster Couleur Vertrauen weckt.

Während der abgehobene und mißtrauische Autokrat Pacelli, der als letzter absoluter Monarch des Abendlandes möglichst ohne die Kurie regiert, angestaunt, bewundert und gefürchtet wird, so wird der unprätentiöse und unkonventionelle Menschenfreund Roncalli geliebt. Er schafft den Fußkuß ab, ebenso die drei vorgeschriebenen Kniebeugen bei Privataudienzen sowie die schwülstigen Ehrentitel und Ausdrucksweisen des »Osservatore Romano« (dieser pflegt »die Worte von den hehren Lippen des Erwählten zu pflücken«). Bald kreiert Papst Johannes neue Kardinäle, an der Spitze den von Pius »eliminierten« Erzbischof von Mailand, G. B. Montini.

Die eigentlichen Probleme dieses Pontifikats liegen von Anfang an nicht, wie man später oft meinen wird, in der Außen-, sondern in der Innenpolitik: nicht in der Frage der internationalen Entspannung, sondern der innerkirchlichen Erneuerung. Und nachdem ich mit Lob für Johannes XXIII. nicht zu sparen gedenke, muß ich die Kritik ebenso deutlich formulieren.

Die versäumte Kurienreform

Einen großen dunklen Schatten, der den ganzen Pontifikat Johannes XXIII. von Anfang an begleitet und damit auch auf das kommende Konzil fällt, sollten auch die Hagiographen des Konzilspapstes nicht verschweigen: Der *reformwillige Papst* herrscht über eine *reformunwillige Kurie.* Und dafür trägt der Papst gewiß nicht allein, aber doch als der Hauptverantwortliche die Schuld.

In früheren Jahrhunderten wäre eine Konzilsankündigung keineswegs eine solche Überraschung gewesen; sehr oft wurden früher Konzilien gefordert. In der Kirche der vergangenen Jahrzehnte jedoch war nach vielem gerufen worden, nur nicht nach einem ökumenischen Konzil. Nicht einmal P. Lombardi tat es öffentlich. Außerhalb der katholischen Kirche war man weithin der Meinung, der Zentralisierungsprozeß der katholischen Kirche habe im Vatikanum I 1870 seinen Höhepunkt erreicht, und dieses Konzil dürfte das letzte katholische Konzil gewesen sein, da die Fülle der Vollmacht, die hier dem Papst zuerkannt worden war, ein weiteres Konzil im Grunde überflüssig mache. Auch innerhalb der katholischen Kirche glaubte man nicht mehr recht an ökumenische Konzilien, jedenfalls rechnete man nicht mehr konkret mit ihnen. In den Handbüchern der katholischen Dogmatik waren die Traktate über den Papst immer länger und die über das Konzil immer kürzer geworden, ja zum Teil – gerade in den dicksten Ekklesiologien – überhaupt verschwunden. Konzilien waren in Leben und Theologie der Kirche nicht mehr gefragt.

Vor diesem Hintergrund war es eine kühne Tat ohnegleichen, ein ökumenisches Konzil einzuberufen. Für Roncalli, entgegen mancher Behauptungen, keineswegs ein leichtfertig spontaner Akt. Es war, von Anfang seines Pontifikats an geplant, seine ganz persönliche Initiative und Entscheidung, gründend in seinem pastoralen und päpstlichen Sendungsbewußtsein. Hätte sich Pius XII. (damals unter P. Lombardis Einfluß) schließlich doch zu einem Konzil entschlossen, so wäre dies wie unter Gregor VII. oder Innozenz III. im Mittelalter eine in ihren Inhalten und Beschlüssen weithin vorprogrammierte Papstsynode geworden; bei der Definition des neuen Mariendogmas durch Pius XII. 1950 waren die Bischöfe, vorher pro forma befragt, ja auch in die Rolle von reinen Statisten gedrängt worden. Johannes XXIII. aber will gerade eine auf Mitverantwortung zielende Versammlung des Bischofskollegiums, das, gewiß unter seiner Leitung, selber die *»Zeichen der Zeit«* lesen und im Geiste Jesu Christi ein *»Aggiornamento«*, eine Erneuerung und ökumenische Verständigung erreichen sollte: ein »neues Pfingsten«.

Zu diesem großen gesamtkirchlichen Ereignis erhofft, ja erbittet sich der Papst schon bei der Konzilsankündigung besonders die *Kooperation seiner wichtigsten Mitarbeiter.* Aber das kalte Schweigen der in San Paolo anwesenden Kardinäle und dann auch der meisten abwesenden (von denen 38 überhaupt nicht antworten) sowie das Hinunterstufen der Konzilsankündigung durch den »Osservatore Romano«, Sprachrohr der Kurie, zeigen es dem Papst: Statt mit Zusammenarbeit wird er mit ernsthaften *Widerstand seiner eigenen Funktionäre* rechnen müssen. Diese sehen sich durch das Konzil in ihrer Macht ernsthaft bedroht, wiewohl sie sich in all ihren (oft willkürlichen) Verwaltungsakten stets auf den Papst berufen.

Angesichts der »Taubheit mancher Kreise in der Zentralverwaltung«, bemerkt ein einfühlsam interpretierender Biograph des Konzilspapstes, der italienische Kirchenhistoriker GIUSEPPE ALBERIGO, »wendet Johannes die ihm eigentümlichen methodischen Grundsätze an: Vor allem die Regel, mehr auf das zu setzen, was eint, und ebenso, zu einem Höchstmaß an Nachgiebigkeit bereit zu sein; alles sehen, vieles außer acht lassen und weniges korrigieren, eine Grundregel, die ihm von jeher teuer war, wurde nun immer aktueller, und er hielt sich gern an sie. Zugleich jedoch war er überzeugt, daß er von dem angekündigten Vorhaben nicht abgehen könne. Eventueller Widerstand stachelte ihn an, es noch besser und genauer zu erklären.«

Aber: genügt eine solche »Methode« angesichts des massiven Widerstandes der führenden Kreise der Kurie? Genügt es, »ein Höchstmaß an Nachgiebigkeit« zu zeigen und das Konzilsvorhaben nur »noch besser und genauer zu erklären«? So frage ich Giuseppe Alberigo, den um die Erforschung der Geschichte des Vatikanum II verdienten Direktor des Istituto per le Scienze Religiose in Bologna, dessen Papstbiographie am Ende zur Hagiographie wird, die keine kritischen Töne verträgt. Hätte Papa Giovanni wirklich keine politische Alternative gehabt? Mir scheint: die hat er sich in bester Absicht aufgrund eben dieser »Methode« – um nicht besser zu sagen Mentalität, Erziehung, Bildung, Lebenseinstellung – gleich schon am Anfang seines Pontifikats verscherzt.

Manche sagen: Der Papst hätte eine gründliche Kurienreform sicher gewollt, wenn er sie gegen kurialen Widerstand hätte durchsetzen können. Aber wozu hat denn das Vatikanum I 1870 dem Papst feierlich (und gegen die Tradition der ersten tausend Jahre Christenheit) eine rechtlich verbindliche Jurisdiktionsvollmacht über jede Ortskirche und jeden einzelnen katholischen Christen zugeschrieben? Und dies doch sicher auch über seine eigenen Kurienkardinäle! Der Papst – der einzige absolutistische Fürst Europas nach der Französischen Revolution, so etwas wie ein »Sonnenkönig« in der Kirche (»L'état – c'est moi« Ludwigs XIV. und »La tradizione sono io« des damaligen Konzilpapstes Pius' IX. entsprechen sich): der Papst also ohnmächtig gegenüber seinen eigenen »Kreaturen«?

Die Historie kann auch Kirchenhistoriker lehren: Als der nur 23jährige LUDWIG XIV. nach dem Tod Kardinal Mazarins sich selber zum Premierminister machte, ernannte er zum Ärger mancher in seinem 4000köpfigen Hofstaat einige ganz wenige hochqualifizierte, leistungs-

fähige und allesamt bürgerliche Ressortminister für sein »Cabinet« (ursprünglich »kleines Zimmer«). Ja, sagt man, das kann ein König, aber
doch nicht ein Papst? Ich antworte: Das konnten auch Päpste an entscheidenden Zeitwenden! Denn wenn im 11. Jahrhundert der lothrin-
gische Papst LEO IX. in einem nur fünfjährigen Pontifikat die dann
unter Gregor VII. durchgeführte »Gregorianische Reform« zu initiieren
vermochte, so nur, weil er (unter größtem persönlichem Einsatz) die
Kardinäle zu einer Art päpstlichem Senat machte und in dieses Gremium auch von jenseits der Alpen hervorragende Vertreter der Reform
berief (darunter Hildebrand, den kommenden Gregor VII.). Und wenn
im 16. Jahrhundert der Farnese-Papst PAUL III., selber ein Renaissance-
Mensch, doch der katholischen Reform zum Durchbruch verhalf, so
nur, weil er die Führer der Reformpartei, eine Reihe fähiger und tief
religiöser Männer (darunter den Laien Contarini), ins Kardinalskollegium berief. Und umgekehrte Beispiele? Diese gibt es natürlich ohne
Zahl, und auch sie beweisen meine These: Warum haben Papst
MARTIN V. (nach dem großen Abendländischen Schisma und dem
Konzil von Konstanz) und Papst PIUS IX. (nach der Revolution von
1848) als Reformer völlig versagt? Weil sie sich nach anfänglichem
guten Willen wieder ins kuriale System eingepaßt haben. Und jetzt im
20. Jahrhundert, 1958/59?

Führungsschwäche

Ich bin sicher nicht der einzige, der darüber enttäuscht ist, daß Papst
Roncalli die ihm gebotene einzigartige Chance zur Erneuerung der
römischen Kurie nicht besser nutzt. Eine – gemessen an des Papstes
großen Zielen – völlig verfehlte Personalpolitik: statt der Ernennung
frischer Reformkräfte die Bestätigung trockener Reaktionäre. Eine Fehlentscheidung nach der anderen, die eine gefährliche Führungsschwäche
verraten.

Fehlentscheidung I: Der Posten des Staatssekretärs und viele wichtige
kuriale Schaltstellen sind vakant: Um die Kurie zu gewinnen, ernennt
der Papst den erfahrenen, aber schroffen und unökumenischen Kurialen
Domenico Tardini zum Staatssekretär, der nach seinem Tod am 30. Juli
1961 freilich vom ebenso kurialen, aber konzilianteren Kardinal Amleto
Cicognani (zuvor ein Vierteljahrhundert Delegat in Washington) abgelöst wird. Dann bestätigt der Papst alle reformunwilligen Kardinäle der
Pius-Kurie (Ottaviani, Pizzardo, Micara …), schließlich besetzt er sogar

die freien Posten allesamt mit konservativen kurialen Funktionären. Für die scheinbar kluge Taktik wird er einen hohen Preis bezahlen: Statt die Kurie zu gewinnen, umgarnt ihn diese.

Fehlentscheidung II: Der neue Papst kann 15 vakante Kardinalssitze füllen und sollte noch über die seit Sixtus V. im 16. Jahrhundert festgelegte Zahl 70 hinaus weitere 18 Kardinäle ernennen. Angesichts der auf allen Kontinenten sich ausbreitenden Kirche eine durchaus berechtigte Erweiterung. Aber trotz einiger guter Männer (Montini an der Spitze) und mancher neuer Mitglieder aus Asien, Lateinamerika und Afrika erscheint das neue Sacrum Collegium eher noch konservativer als das alte. Resultat: Statt sich zumindest in Kurie und Kardinalskollegium mit einem Kreis von Reformwilligen (abgesehen von seinem Privatsekretär Loris Capovilla und Kardinal Augustinus Bea) zu umgeben, steht er nun unter dem ständigen Druck seiner früheren reformunwilligen Vorgesetzten und Kollegen. Mit anderen Worten: Johannes XXIII. behält die Kurie Pius' XII. bei, deren Exponenten entschlossen sind, sich dem Konzilspapst nur soweit wie unbedingt notwendig äußerlich zu beugen und im übrigen sich erfolgreich in »Schadenbegrenzung« und Obstruktion zu üben, um die bisherigen Machtstrukturen bewahren zu können. So manövriert sich der neue Papst, der nicht dominieren, aber auch nicht wirklich regieren will, in die unmögliche Lage eines Regierungschefs, der mit dem ihm wenig freundlich gesinnten, ja weithin unfähigen Kabinett seines konservativen Vorgängers eine Politik der Erneuerung betreiben will. In Washington und anderen Regierungssitzen undenkbar, warum dann im Vatikan?

Fehlentscheidung III: Auf Wunsch der Kurie »weiht« er alle Sekretäre der einzelnen Dikasterien (Ministerien) – bisher einfache »Monsignori« – zu Erzbischöfen, jetzt »Eccellenze«. Er erhöht so nicht nur die Zahl diözesenloser Hofbischöfe (mit Namen nicht-existenter Diözesen). Er gibt diesen Monsignori jetzt auch noch höheren Rang und Autorität gegenüber den einfachen Diözesanbischöfen, die zu ihnen, meist schon demütig genug, »ad limina« pilgern müssen. Eine ungeheure Hypothek für Papst und Episkopat bis heute. Wer wird die Kirche je wieder erlösen von diesen Hofbischöfen und Hoferzbischöfen? Zustände wie im alten Byzanz.

Fehlentscheidung IV: Geradezu lähmend muß sich die Ernennung der Kurienkardinäle der vatikanischen Dikasterien auch zu Chefs der vorbereitenden Konzilskommissionen auswirken. Konziliare Reformkommissionen haben nun als Vorsitzende (und auch Sekretäre!) kuriale Funktionäre vom Schlage Ottavianis und Pizzardos, die jegliche ernsthafte

Reform verhindern und den Status quo mit Hilfe des Konzils zementieren möchten. »Parlamentarische« Untersuchungskommissionen, an deren Spitze der Minister selber und sein Staatssekretär stehen? Anderswo undenkbar. Yves Congar nennt dies das »péché originel«, die »Erbsünde« des Konzils. *Reformgegner als Vorsitzende der Reformkommissionen:* Wie soll das gutgehen?

Doch über alles dies brauche ich ja damals, 1959, glücklicherweise nicht zu predigen. Ich bin ja nach wie vor in Luzern in der Seelsorge und mißbrauche die Predigt nie zur Kirchenpolitik. Konzil und Kirche müssen für die päpstliche Führungsschwäche die Folgen tragen. Ich selber aber muß jetzt meine eigene Lebensentscheidung fällen.

An der Wegscheide: Praxis oder Theorie?

Kaum hatte ich meine Seelsorgetätigkeit in Luzern aufgenommen, erhielt ich aus Innsbruck eine Einladung zu einer Tagung der *Arbeitsgemeinschaft der deutschsprachigen Dogmatiker und Fundamentaltheologen*, die dort im Oktober desselben Jahres 1957 stattfinden sollte. Ich verdanke diese Einladung niemand anderem als dem damals in Innsbruck Dogmatik lehrenden Karl Rahner. Ihm ist sehr daran gelegen, daß diesem etwas allzu hochwürdig gewordenen Gremium frisches Blut zugeführt wird. Mir ist freilich unangenehm, schon bald nach der Aufnahme meiner Seelsorgetätigkeit in Luzern meinen Pfarrer um drei bis vier Tage Urlaub bitten zu müssen. Aber mein Chef, selber promovierter Theologe und an der Erneuerung der Theologie interessiert, stimmt sofort zu: Ich müsse diese Gelegenheit unbedingt nutzen.

Und so fahre ich denn im Zug durch den Arlberg und nehme als Benjamin an dieser Tagung teil, die vom Münchner Dogmatikprofessor Michael Schmaus geleitet wird. Referate und Diskussionsbeiträge erwecken den Eindruck, daß Karl Rahner und der ebenfalls anwesende Bernhard Welte in diesem Gremium eher eine Außenseiterrolle spielen. Im Oktober 1957 konnte von einem Konzil natürlich noch keine Rede sein. Pius XII. lebte noch. Ich treffe auf den Tübinger und jetzt Münchner Fundamentaltheologen HEINRICH FRIES, der mein Buch ausgezeichnet rezensiert hat und von einem Seminar der evangelischen Tübinger Professoren Hermann Diem und Hanns Rückert über dieses Buch berichtet. Ihn interessiert meine Zukunft. Was ich denn jetzt vorhätte? Ich wolle nach einiger Zeit in der Seelsorge an die Sorbonne zurückkehren, um dort ein Doktorat in Philosophie zu erlangen.

Das sei Zeitverlust, meint Fries, besser könne ich gleich nach *Deutschland* kommen, um hier eine Habilitation zur Dozentur anzustreben. Das ist auch die Meinung von Karl Rahner. Ich lasse mich überzeugen, wiewohl mir die deutsche Universität aufgrund meiner bisherigen Ausbildung völlig fremd ist. Habilitation an einer deutschen Universität ist eine komplizierte Angelegenheit, da keine Fakultät einen Habilitanden (anders als einen Doktoranden) annehmen muß. Man sollte sich aber auch nicht selber melden, sondern von einem Professor gefragt werden. Doch »gefragt« war ich ja nun und konnte sogar wählen.

Deshalb *Habilitation bei wem?* Rahner scheidet aus, weil ich mich nicht in Österreich und auch nicht bei den Jesuiten, sondern in Deutschland und an einer Staatsfakultät habilitieren möchte. Und da gibt es zwei beherrschende Figuren: im Süden Professor Michael Schmaus, München, und im Norden Professor Hermann Volk, Münster/Westfalen. Schmaus, Autor einer fünfbändigen »Katholischen Dogmatik«, die ich mir schon in Rom erworben und, weil mehr auf Schrift, Kirchenväter und Dogmengeschichte ausgerichtet, als Ergänzung studiert habe, ist mir durchaus wohlgesinnt (»Aber frech ist er ja«, soll er sich schmunzelnd anerkennend über mich geäußert haben). Doch Schmaus umgebe (nicht zuletzt wegen der »Schmausinen« und »Schmausetten«) so etwas wie ein »Anbetungsverein«, höre ich von Rahner. Warum also nicht zu Professor Volk, der sich in protestantischer Theologie ohnehin erheblich besser als Schmaus und Rahner auskennt? Hatte er doch über die Kreaturauffassung Karl Barths promoviert und sich über dessen Rivalen Emil Brunner (Gottebenbildlichkeit und Sünde) habilitiert.

Kurz entschlossen frage ich also noch in Innsbruck Professor HERMANN VOLK, ob er mich als Habilitanden annehmen würde. Er stimmt im Prinzip zu und stellt mir zu meinem Lebensunterhalt eine wissenschaftliche Assistentenstelle in Aussicht. Damit ist die Entscheidung über die nächste Weggabelung im Prinzip gefallen. Schon am 23. Dezember 1957 erhalte ich von Professor Volk die frohe weihnachtliche Kunde, es stehe meiner Habilitation nach der Besprechung in der Fakultät (auch wegen Nationalität und Bildungsgang) nichts im Weg. Bereits im Januar 1958 folgt, immer handschriftlich, kurz und freundlich, seine Zusage einer Assistentenstelle mit dem recht schönen Monatsgehalt von DM 700.-. Im März 1958 kann ich ihm mein vorläufiges Manuskript von 320 Seiten über die Christologie Hegels zusenden, die ich zur Habilitationsschrift ausbauen möchte. Ich bereite Pfarrer und Mitvikare auf einen »langen Abschied« vor. Denn ich möchte meine Vikarstätigkeit in Luzern nicht zu früh beenden. Mein Dienstantritt in

Münster wird auf meinen Wunsch erst auf 1. Mai 1959 festgelegt. Nach Absprache mit unserem großzügigen Bischof von Streng darf ich am 31. März 1959 meine praktische Seelsorgetätigkeit im Bistum Basel beenden, um zum Sommersemester 1959 nach Münster/Westfalen umzuziehen.

Luzern, die Pfarrei und die Menschen hier sind mir liebgeworden, und mit Tränen nehme ich schließlich *Abschied.* »Seine Mitbrüder und das ganze Pfarreivolk werden ihn schmerzlich vermissen«, liest man am 1. Mai 1959 im Pfarrblatt, »wir danken ihm von Herzen für seine Initiative und unermüdliche Arbeit ... Hoffentlich erfahren wir alle noch recht oft und schon recht bald wieder die geistsprühende Kraft seines Wortes und seiner Feder.« Meine Erfahrung in der praktischen Seelsorge – von meiner Tätigkeit als römischer Dienerkaplan und Pariser Mädchenseelsorger abgesehen – beträgt nur anderthalb Jahre. Aber diese waren in jeder Hinsicht so intensiv und konstruktiv, daß sie mich für mein ganzes Leben prägen. Ich werde immer recht genau einschätzen können, wie sich die eine oder andere Lehre oder Reformmaßnahme in der Praxis auswirken wird. Und im »Notfall« kann ich ja, sage ich mir, aus der Universität noch immer wieder in die Seelsorge und aus der Fremde wieder in die Heimat zurückkehren. Habe ich ja keine Ahnung, wie es mit mir in Deutschland weitergehen wird.

Der Weg in die Wissenschaft

Im Frühjahr 1959 nun sieht Deutschland schon ganz anders aus als im Sommer 1947. Die Währungsreform hat zu einem »Wirschaftswunder« sondergleichen geführt. Und ganz anders als damals in Köln bin ich nun im westfälischen *Münster,* wo ich am 24. April eintreffe, voll des Staunens: Die Altstadt, im Krieg ebenfalls fast völlig zerstört, ist in traditionellen Bauformen weitgehend wieder aufgebaut. Neben Dom und weiteren gotischen Kirchen stellt vor allem der repräsentative Prinzipalmarkt mit seinen Giebelhäusern, Laubengängen und prächtigem gotischen Rathaus samt filigranem Treppengiebel eine der herausragenden städtebaulichen Leistungen der Nachkriegszeit dar. Die Universität aber besteht zu einem großen Teil aus schönen neuen Gebäuden und macht einen modernen Eindruck. Die Katholisch-Theologische Fakultät ist noch in einem alten, renovierten Lehrgebäude untergebracht, verfügt aber auch da über eine ausreichende Bibliothek und über einigen Platz. Ein neues Theologikum ist bereits im Bau. Es geht allgemein aufwärts.

Ich selber also soll da nun zum Wissenschaftlichen Assistenten bestellt werden und mich im Fach Dogmatik für die Dozentur »habilitieren«. Gleichzeitig übernehme ich wieder eine seelsorgliche Aufgabe: geistlicher Heimleiter an einem ebenfalls neu gebauten Studentenwohnheim, dem *Thomas Morus-Kolleg*. Eine schöne Aufgabe, sich hier um vielleicht 50 Studenten aller Fakultäten zu kümmern. Auf dem selben Flur mit ihnen habe ich zwei kleine Zimmer, bin assistiert von einem ausgezeichneten Tutor, Wilhelm Wemmer (später Ministerialrat im Bundeskanzleramt), und arbeite zusammen mit dem Studentenpfarrer Werners, einem echten Westfalen und gescheiten, engagierten Seelsorger, später Bischofskandidat des Münsteraner Klerus, aber, weil zu selbständig, nicht der Roms. Mit den Studenten, für die ich einmal im Monat einen gemeinsamen Gottesdienst mit Predigt halte und einmal in der Woche einen Arbeitskreis über Kirche und Sozialismus – das Thema von den Studenten gewünscht – durchführe, komme ich gut zurecht. Die Heimbewohner »waren sehr angenehm davon überrascht«, schrieb mir neulich Dr. Wemmer, »wie unvoreingenommen, offen für Anregungen und in jeder Hinsicht zur Zusammenarbeit bereit« sich der neue Heimleiter von Anfang an zeigte: »Dies wurde als sehr wohltuend und befreiend empfunden.«

Mit den Studenten feiere ich Fastnacht und Sommerfest. Ein in etwa übergeordnetes Pendant als Heimleiter im andern Flügel des Gebäudekomplexes, dem Marianum, ist der Alttestamentler Professor Hermann Eising, an dem sich die Studenten bisweilen reiben, aber mit dem ich mich ebenfalls gut verstehe. Er läßt später auf meine Empfehlung hin meinen langjährigen Studienkollegen und Freund Oswald Loretz, der einige Wochen in meinem Tübinger Haus gewohnt hatte, zur Habilitation im Alten Testament nach Münster kommen. Doch hat er Probleme mit Eising, heiratet später, widmet sich ganz dem Ugarit und den Studien des Alten Orients und kümmert sich kaum noch um Kirche und Theologie. Nach all dem vielen Gemeinsamen gelebter Freundschaft, bewährter Zusammenarbeit und gewährter Gastfreundschaft – welche Enttäuschung!

In Münster, zwischen Altstadt und neuem Universitätsviertel, fühle ich mich rasch wohl. Wie mit meinem ersten Chef in Luzern, einem menschenfreundlichen Pastor, so habe ich auch in Münster mit meinem zweiten (und letzten) Chef, einem liebenswürdigen Professor, ausgesprochenes Glück: HERMANN VOLK, Ordinarius für Dogmatik. Ich treffe ihn dort am 27. April zum ersten Mal; in den nächsten Tagen auch andere Professoren, darunter den Sozialwissenschaftler Joseph Höffner, nicht ahnend, daß dieser freundliche Mitbruder aus dem Germanikum später als Erzbischof von Köln mein erbitterter und verbissener Gegenspieler werden sollte. Volk ist ein Mann mit gutem, offenem Gesicht und oft jugendlichem Lachen, das es einem schwermacht, ihm nicht zugetan zu sein. Seine vielen menschlichen und wissenschaftlichen Qualitäten ließen ihn zu einem Strahlungspunkt innerhalb der Katholisch-Theologischen Fakultät (zu dieser Zeit ihr Dekan), der Universität (früher ihr Rektor) und der Stadt Münster (Mitglied ihres Kulturausschusses) werden. Mit seinem Sinn für Poesie und seiner Liebe fürs Theater (Paul Claudel!), mit seiner Freude an Blumen und der Leidenschaft für die Berge (selbstgeschossene Photos der bestiegenen Schneegipfel) ist er ein Wissenschaftler, der Theologie nicht nur mit dem Kopf, sondern als ganzer Mensch und überdies als tiefgläubiger Christ und Seelsorger betreibt.

Ein solcher akademischer Lehrer vermag seine Studenten zu fesseln, das versteht sich von selbst. In eindrücklicher Rhetorik geht der Hochgewachsene oft auf der Bühne des größten Hörsaales auf und ab, sprechend die Gestik, eindringlich die Sprache, den hessischen Akzent seiner Heimat nie verleugnend. Er, der während des Krieges Pfarrer war, lebt aus einer realistischen Frömmigkeit, die allen Phrasen abhold ist und die Schwierigkeiten des Glaubens in der Kirche von heute nicht verkennt. Seine Stärke als Theologe ist eine lebendige und intuitive Erfassung der Zusammenhänge, insbesondere von Schöpfungs- und Erlösungswirklichkeit. »Einheit« ist eines seiner zentralen Themen: Einheit der Theologie, der Glaubensgeheimnisse, der Kirche, aber nicht als Uniformität, sondern als Zusammenhang von Verschiedenem.

Hermann Volk hilft mir bei den nicht ganz gewöhnlichen Formalien: Aufgrund meiner schweizerischen Staatsbürgerschaft ist für meine Aufnahme ins Beamtenverhältnis eine Ausnahmegenehmigung des Innenministers des Landes Nordrhein-Westfalen notwendig. Zugleich muß mein Pariser Doktorat von der Universität Münster »nostrifiziert« (»zum unseren gemacht«) werden. So begleitet Volk mich ins spätbarocke ehemals fürstbischöfliche Schloß, ebenfalls schön restauriert, zum Universitätskurator Freiherr von Fürstenberg. Von diesem erhalte ich schließlich – nachdem ich zunächst nur zum Verwalter einer Assistentenstelle ernannt worden war – mit dem sinnvollen Datum des 1. August 1959 die formelle Bestellung zum *Wissenschaftlichen Assistenten,* unter Berufung in das Beamtenverhältnis auf Widerruf.

Meine Assistententätigkeit ist bescheiden: Über den Daumen gepeilt die halben Arbeitstage, so ist es an deutschen geisteswissenschaftlichen

Fakultäten üblich, soll der Assistent seinen Dienstpflichten nachkommen und sonst an seiner eigenen wissenschaftlichen Arbeit, in meinem Fall an der Habilitationsschrift, sitzen. Meine Hauptpflicht ist die Betreuung der noch im Aufbau begriffenen dogmatischen Abteilung der theologischen Seminarbibliothek: Bücher bestellen, mit Signatur versehen und einstellen und im übrigen meinem Chef selbstverständlich mit kleinen wissenschaftlichen oder administrativen Diensten zur Verfügung stehen.

Hin und wieder begleite ich ihn, der kein Autofahrer ist, die gute Viertelstunde vom Theologikum bis zu seiner Haustür. Zwei- oder dreimal bin ich zum Mittagessen in seiner Wohnung mit seiner Schwester eingeladen. Sympathisch die kleine Szene, wie der Professor auf die leergegessene große Salatschüssel schaut, zögert, sie schließlich in die Hand nimmt und mit der Bemerkung: »Das mache ich immer so, Sie können's ja weitersagen!« die Soße austrinkt. Natürlich habe ich das zu seinen Lebzeiten niemandem weitergesagt. Auf meine Loyalität, Diskretion und selbstverständlichen Einsatz konnte sich mein zweiter Chef ebenso verlassen wie mein erster, so daß ich auch mit ihm ein ungetrübtes Verhältnis habe, meines ehemaligen Rektors Vorspel düstere Prophezeiung ein zweites Mal desavouierend. Auch in Münster hatte ich nicht nur mit dem Chef, sondern auch mit meinen Kollegen und den Sekretärinnen problemlose Beziehungen und erinnere mich gern an die Ausflüge sowohl der Seminarleitung wie auch der Theologischen Fakultät ins Münsterland. Unvergessen auch der Nachmittag, an dem ich mit Dekan Volk im Rohbau des neuen Fakultätsgebäudes bis auf den noch ungedeckten First klettere, weil er das Ganze im Bild festhalten will.

Volk ist immer großzügig. Nichts gegen einen Vortrag über Rechtfertigung in Krefeld oder Germaniker-Treffen in Osnabrück oder Köln. Im übrigen habe ich in Münsters supermodernem Theater Gelegenheit, Shaws »Pygmalion«, den »Urfaust« und Händels »Julius Cäsar« zu besuchen. Wichtiger ist mir freilich, daß ich durch den mir von Rom her bekannten breit interessierten Historiker August Nitschke noch eine ganze Reihe von damals aufgeschlossenen Assistenten anderer Fakultäten als Kollegen kennenlerne, die später in der deutschen Öffentlichkeit eine Rolle spielen: Ernst-Wolfgang Böckenförde (später Bundesverfassungsrichter), Arno Borst (später Professor für mittelalterliche Geschichte in Konstanz), Golo Mann (bisher Dozent in den USA, bald Professor für Geschichte in Stuttgart), Günter Rohrmoser (später konservativer Philosophieprofessor ebenfalls in Stuttgart), Robert Spaemann (ein gescheiter, aber später leider zunehmend reaktionärer Philosophieprofessor und Opus Dei-Ehrendoktor in München). Wir leben in einer Zeit, in der sich den Philosophen und Theologen fundamentale Entscheidungen aufdrängen.

Eine deutsche Theologie – getestet

An Professor Volks Vorlesungen brauche ich nicht teilzunehmen, dafür natürlich an seinem Doktorandenkolloquium. Meine besondere Assistenz ist nur für das Seminar gefragt, wo ich mich wie üblich mit den Teilnehmerlisten und Kontrollen zu befassen und mit den Referenten und Referentinnen Kontakt zu halten habe. Thema des Seminars: die *Firmung*. Warum gerade die Firmung? Weil ihre Spendung ein Privileg des Bischofs ist? Kaum, sondern weil ihr Empfang besonders die Laien auszeichnet und Volk sich in seiner Theologie in hervorragender Weise um die Laien und in der universitären Praxis besonders um die Laientheologen kümmert. Sehr wichtig erscheint ihm da die Firmung als Sakrament geistlicher Stärkung.

Je näher ich aber dieses theologische Denken kennenlerne, desto deutlicher wird mir nun allerdings die *unzureichende exegetische und historische Fundierung* dieser Dogmatik. Gewiß nicht nur Volks Mangel, sondern der neuscholastischen Theologie überhaupt. Ich selber arbeite gerade mit viel Mühe meinen exegetischen Rückstand auf, besonders durch das Studium der wieder neu in Gang gekommenen historischen Jesus-Forschung. Und im Lichte historisch-kritischer Exegese stößt mir auf, was in der katholischen Theologie zwar seit dem Mittelalter behauptet, von Luther aber bestritten und seit dem Konzil von Trient gegen die Reformatoren, leider wenig überprüft, definiert wurde: daß die Firmung als Sakrament von Jesus Christus selber »eingesetzt« worden sei.

Und dabei läßt sich doch nicht einmal aufweisen, daß die Firmung von Anfang an ein eigenständiges, von der Taufe unterschiedenes Sakrament war. Denn die neutestamentlichen Schriften bezeugen einhellig, daß schon die Taufe den Heiligen Geist vermittelt und es also kein Fundament gibt für ein gesondertes Sakrament des Geistempfanges. Faktisch wurde die anfänglich nur in Rom bekannte merkwürdige zweite Taufsalbung (Bezeichnung mit Chrisam) dem Bischof vorbehalten und erst seit dem 9. Jahrhundert zu einem geschlossenen »Firmritus« ausgebaut. Dieser diente dann im 12. Jahrhundert zur theologischen

Rechtfertigung eines eigenen Sakraments, das »zur Kräftigung« (»ad robur«) sein sollte.

In meinen eher raren Wortmeldungen im Volkschen Seminar versuche ich vorsichtig darauf aufmerksam zu machen, aufgrund des exegetisch-historischen Befundes könne Firmung heute Sinn haben nicht als eigenständiges Sakrament, sondern als – angesichts der Kindertaufe berechtigte – Entfaltung, Bestätigung und Vollendung (con-firmatio) der Taufe. Doch der Seminarleiter geht auf solche – ihm eher unbequemen – Anregungen seines Assistenten nicht ein. Und warum sollte es dieser seinerseits wegen dieses Punktes zur theologischen Konfrontation und möglicherweise Belastung der guten persönlichen Beziehungen kommen lassen?

So hält man denn – und in Seminarien neuscholastischer Theologie in Deutschland ist dies ja öfters der Fall – ungestört von exegetischen und historischen Schwierigkeiten eine Sitzung nach der anderen ab. Am Schluß des Semesters (und anschließend noch einem Semester) ist man auch nicht wesentlich weitergekommen: Bei allen neuen Überlegungen erscheint die Tradition von einem von Christus eingesetzten eigenen Sakrament bestätigt. Das Dogma also unfehlbar wahr und Bibel wie Historie domestiziert.

Bei aller menschlichen Sympathie zu Hermann Volk und Anerkennung seines unermüdlichen Wirkens weit über die Universität hinaus: ich komme über diese sachlichen Differenzen einfach nicht hinweg. Natürlich ziehe ich die lebendigere Volksche Theologie der spröden Gregoriana-Theologie bei weitem vor. Aber schon Volks Antworten auf Barth und Brunner bewegen sich für mich allzu bescheiden im neuscholastischen Rahmen. Genauer besehen: eine weithin römische Theologie, deutsch aufbereitet, aber nicht kritisch-konstruktiv hinterfragt.

Ein Professor als Bischof?

Hermann Volk kommt mir nach 35 Jahren Lehrtätigkeit etwas erschöpft vor, ohne große theologische Zukunftsperspektiven. Und irgendwie scheint er dies auch selber zu spüren. Ob da jenes Amt, dem das Privileg der Firmung zugeschrieben wird, eben das *Bischofsamt*, nicht eine Erlösung von der Last akademischer Routine bringen könnte?

Um nicht mißverstanden zu werden: Ich halte es keinesfalls für verwerflich, wenn ein Theologieprofessor wie Volk (und nach ihm Höffner, Wetter, Ratzinger, Lehmann, Kasper, Koch ...) das Bischofsamt anstrebt, weil er da vermutlich mehr als in der Theologie für die Kirche zu bewirken erhofft. Schließlich hatte früher einmal sogar der große Hegel in Heidelberg den Ruf an die Universität Berlin angenommen mit dem Nebengedanken, »in weiter vorrückendem Alter von der prekären Funktion, Philosophie auf einer Universität zu dozieren, zu einer anderen Tätigkeit übergehen und gebraucht werden zu können«, wobei er wohl an eine Verwaltungs- und Regierungstätigkeit dachte, wohl gar die des Kultusministers. Was einem Professor der Philosophie recht ist, kann einem Professor der Theologie billig sein. Allerdings dürfte es dann darauf ankommen, was derjenige, der das professorale Katheder zugunsten der bischöflichen Kathedra aufgibt, aus seinem Bischofsamt macht: ob die Mitra, wie der Spruch im Klerus lautet, als »Löschhorn« der theologischen Wissenschaft dient oder als Stimulus zur Umsetzung guter Theologie in bessere kirchliche Praxis.

Natürlich will Hermann Volk von mir manchmal auch Details über »Rom« wissen, das er, ganz in Deutschland ausgebildet und seit 1946 Professor in Münster, nur aus der Ferne kennt. Wie ängstlich auch ein bedeutender Theologe und wohletablierter Universitätsprofessor diesem Rom gegenüber sein kann, geht mir schlagartig auf, als er mich in seinen Plan einweiht, in Münster ein Institut für ökumenische Theologie zu gründen. Ob ein solches Institut, so fragt er mich, nicht dem Sanctum Officium Kardinal Ottavianis untergeordnet werde, das bekanntlich alle »ökumenische Theologie« unter seiner Kontrolle zu halten beanspruche. Ob ich denn nicht den jetzt unter Johannes XXIII. zum Kardinal avancierten, mir gut bekannten Augustin Bea anfragen könne, wie er, Volk, sich diesbezüglich verhalten solle. Doch ich rate ihm, Rom nicht zu bemühen, sondern einfach statt eines »Instituts für ökumenische Theologie« ein »katholisch-ökumenisches Institut« zu beantragen und dabei das Sanctum Officium zu ignorieren. Das tut er denn auch, und es gibt keine Probleme.

Denn unterdessen ist ja die Vorbereitung des Zweiten Vatikanischen Konzils vorangeschritten und beansprucht im Vatikan alle Kräfte. Und gerade dieses Konzil hat nun freilich in Professor Volks Wissenschaftlichem Assistenten Überlegungen ausgelöst, die schließlich doch noch zu einer gewissen Spannung mit ihm führen könnten. Denn in der Tasche hat dieser Assistent ja noch immer seinen damals von Barth angestoßenen Vortrag über die »Ecclesia semper reformanda«, der angesichts des kommenden Konzils, von dem niemand genaue Vorstellungen hat, gebieterisch nach schriftlicher Ausgestaltung und baldiger Publikation ruft.

Konzil und Wiedervereinigung

Seit meinem Basler Vortrag im Januar und der Konzilsankündigung hat sich in mir die Problematik der Kirchenreform mächtig verdichtet. Die Gespräche mit führenden Theologen, die nach Münster kommen, bestärken mich in vielem: HANS URS VON BALTHASAR, der sich beim gemeinsamen Spaziergang über den Münsteraner Domplatz nicht genug darüber wundern kann, daß die Römer gegen mein Rechtfertigungs-Buch nicht eingeschritten sind. YVES CONGAR, der, vorher verurteilt und verbannt, jetzt zum Konzilsberater aufgerückt ist und über Konzil und Ökumene spricht. Und GÉRARD PHILIPS, Löwener Professor, der über die Laien in der Kirche eine Vorlesung hält und später einflußreicher zweiter Sekretär der Theologischen Konzilskommission werden sollte.

Noch wichtiger sind für mich die Holländer Msgr. JAN WILLEBRANDS und Dr. FRANZ THIJSSEN, die am Freitag, den 10. Juli 1959, nach Münster kommen, um mit Hermann Volk über die auf Ende September angesetzte 6. *Katholische Konferenz für Ökumenische Fragen* in Paderborn zu sprechen. Ich bin ins Gespräch miteinbezogen. Denn ich hatte Dr. Willebrands auf Wunsch meines Mitgermanikers Franz Thijssen – ein lauterer Geist mit ebensoviel ökumenischer Leidenschaft wie Stimmgewalt – schon anläßlich meiner frühen Besuche in Holland im Seminar von Warmond, wo Willebrands damals Regens war, kennengelernt. Im Gegensatz zu Thijssen ist er ein ruhiger, klug diplomatischer, stets freundlicher Mann, ein »Prälat« wie er im Buche steht.

Diese Holländer haben das Kunststück fertiggebracht, seit den frühen 50er Jahren ein internationales Netzwerk von ökumenisch gesinnten Theologen (unterstützt von Bischöfen) aufzubauen. In persönlichen Gesprächen in Rom überzeugen sie zuerst die einflußreichen Jesuiten Bea, Tromp und Leiber und schließlich sogar Kardinal ALFREDO OTTAVIANI, dessen Sanctum Officium nach der antiökumenischen Instruktion »Ecclesia catholica« von 1950 alle ökumenischen Operationen in der katholischen Kirche in der Tat streng überwacht: Eine solche »Katholische Konferenz für Ökumenische Fragen« als Plattform für gegenseitigen Kontakt und Informationsaustausch sei doktrinär ungefährlich, vielmehr hilfreich für die katholische Kirche. Der Vatikan ist normalerweise mißtrauisch gegenüber internationalen katholischen Vereinigungen, bei denen er nicht das Sagen hat. Auf den ursprünglich von Willebrands gewünschten Namen »Katholischer Ökumenischer Rat« muß die Konferenz, die zum ersten Mal 1952 in Fribourg tagte, verzichten.

Viele der mir bekannten angesehenen ökumenischen Theologen wie Boyer, Congar, Dumont, Höfer, Rahner, Rousseau gehören ihr an.

Ohne die Vorarbeit vor allem des couragierten katholischen Ökumenikers Willebrands – befreundet mit Hollands großem protestantischen Ökumeniker Dr. WILLEM VISSER'T HOOFT, Generalsekretär des 1948 gegründeten Weltrats der Kirchen – wäre es unmöglich so rasch zu einem Sekretariat für die Einheit der Christen gekommen, dessen Spiritus Rector unter Kardinal Bea kein anderer als Jan Willebrands sein wird. Für mich ist es eine Ehre und Herausforderung, daß Willebrands, der sich mit mir schon von Anfang an auf »Du« gestellt hat, mich als Benjamin sofort in diese internationale Katholische Konferenz für Ökumenische Fragen aufnimmt.

Wenige Tage nach dem Besuch von Willebrands und Thijssen in Münster und Semesterschluß darf ich am 16. Juli 1959 in die Ferien reisen – zurück nach Sursee. Eine lange, aber keineswegs langweilige Reise, mit Lektüre voll ausgefüllt. Wollte ich doch die freien Sommerwochen für *ein Buch über Konzil und Reform* auf der Basis des Basler Vortrags nutzen. Ein kleines Buch sollte es werden, ein »Taschenbuch«, wie es jetzt als Novität seinen Siegeszug antritt, gefällig aufgemacht und billig fürs Massenpublikum. Jedenfalls ohne den gewaltigen wissenschaftlichen Apparat von »Rechtfertigung«. Ich bin für diese Aufgabe gut gerüstet, und der Basler Vortrag über »Ecclesia semper reformanda« stellt den Rohbau dar, den es nun konsequent bis zum First auszubauen gilt.

So beginne ich denn in Sursee sofort Abschnitt um Abschnitt zu schreiben, mit heißem Herzen und kühlem Kopf, in raschem Tempo, doch jeden Satz wohl überlegend. Alles zumindest zweimal von Hand, zu Hause oder wenn immer möglich auf dem See, um das Geschriebene jeweils am späten Nachmittag in ein gemietetes Diktiergerät (ebenfalls eine technische Neuheit) zu sprechen, wovon es noch am selben Abend meine Schulkameradin Marlis Knüsel, eine perfekt ausgebildete flinke Sekretärin, rasch und praktisch fehlerfrei aufs Papier bringt. So kommt es zu einem Manuskript »aus einem Guß«. Und das schönste Kompliment, welches ich später von einem englischen Theologen dafür bekommen sollte, lautet: Das Buch sei eine Kombination von *»german depth, latin clarity and anglo-saxon pragmatism«*. Auch künftig mein Ideal bei Büchern: »Tiefe« erreichen, durch die Oberfläche zum Wesentlichen vordringen, jedoch ohne mystifizierenden Theologentiefsinn. »Klarheit« erzielen, auf Eindeutigkeit, Folgerichtigkeit und Verständlichkeit achten, jedoch ohne aufklärerischen Rationalismus. »Pragmatismus« zeigen, sachbezogen, anwendungsbezogen, handlungsbezogen argumentieren, jedoch ohne eine Ideologie, welche die Wahrheit von Ideen allein an ihrem Nutzen und Erfolg mißt.

Wie aber wird die kirchliche Reaktion auf dieses Buch sein? Nur eines weiß ich, daß ich da ein zweites höchst riskantes theologisches Unternehmen begonnen habe: Denn wie kommt ein einzelner 32jähriger Theologe dazu, für das Zweite Vatikanische Konzil *ein umfassendes Reformprogramm* zu entwickeln? Persönlich habe ich freilich eher die umgekehrte Frage: Warum soll ich es nicht tun, wenn ich es schon tun kann und es vielleicht kein anderer tut? Genau dies, ein Programm, braucht das Konzil.

Eine Gesamtvision

Das *Daß* einer Erneuerung der Kirche kann ich in diesem Buch mit ganz anderer Konkretheit und Differenziertheit theologisch begründen als in meinem Basler Vortrag – mit vielen Hinweisen auf geschichtliche Entwicklungen, die deutlich machen, daß die Kirche Gottes nun einmal eine Kirche aus Menschen in dieser Welt ist. Und mit vielen Verweisen auf theologische Kronzeugen (nach Augustin und Thomas von Aquin besonders J. H. Newman und Karl Adam), die betonen, daß diese Kirche aus Menschen auch eine Kirche aus Sündern ist, ja, eine *»sündige Kirche«* (K. Rahner), und daß sie selbst somit der ständigen »Reform« oder »Erneuerung« bedarf.

Das *Wie* einer Erneuerung kann ich aufgrund vieler persönlicher Erfahrungen in vier Sätzen umschreiben: Für eine Erneuerung der Kirche dürfen wir als Christen *leiden* unter ihren Mängeln und Sünden (keine selbstzufriedene Fassadenapologetik); *beten* um die Erlösung von dem Übel und den alles erneuernden Geist Gottes (kein geistloser Reformaktivismus); *Kritik üben* an der kritikbedürftigen und kritikwürdigen Kirche (nach Thomas von Aquin eine »Correctio fraterna«, »brüderliche Zurechtweisung« selbst der Prälaten); *handeln:* keine Revolution und keine Restauration, weder bloße Herzens- noch bloße Mißständereform, vielmehr eine schöpferische Zustandsreform! Eben nach Johannes XXIII. eines der großen Programmworte des kommenden Konzils: »renovatio« oder *»aggiornamento«:* »auf den heutigen Tag oder Stand bringen«. Ich weise auf die Anregungen hin, die ich gerade von Congars Buch »Wahre oder falsche Reform in der Kirche« erhalten habe, in bewußtem Gegensatz zu dem in Rom vernommenen Rat, »verdächtige« Autoren zwar zu lesen, aber nicht zu zitieren.

Um aber deutlich zu machen, daß es sich bei all diesen Grundsätzen nicht nur um schöne Theorien handelt, greife ich auf die Kirchengeschichte zurück und skizziere eine knappe *Geschichte der kirchlichen Erneuerung*: im ersten Jahrtausend, dann vor der Reformation, in der Reformation, auch in der Gegenreformation. Gut dreißig Jahre später werde ich im Buch »Das Christentum« diesen Gang mit unendlich viel mehr Mühe nochmals unternehmen und die fünf epochalen Paradigmen des Christentums – das mittelalterliche römisch-katholische Paradigma erst als drittes nach dem urchristlich-apokalyptischen und dem altkirchlich-hellenistischen – analysieren. Und statt wie hier vierzig werde ich dann über tausend Seiten brauchen, um die ganze Geschichte noch weit genauer und differenzierter, konkreter und farbiger darzustellen, werde zum Beispiel die Gregorianische Reform erheblich negativer, Luthers und Calvins Reformation aber positiver bewerten, werde den Anglikanismus einbeziehen und bei den Errungenschaften der Neuzeit stärker differenzieren.

Aber immer werde ich mich mit der Geschichte der kirchlichen Erneuerung von 1960 aufs Ganze gesehen identifizieren können und vor allem mit der schon in Basel klar formulierten Zielsetzung, wie sich Katholiken und Evangelische wiederfinden können: Nicht durch untätiges Zurückrufen zur Einheit der katholischen Kirche. Nicht durch Einzelkonversionen in die eine oder andere Richtung. Nicht durch bloße moralische »Sittenreform«. Vielmehr durch die Erneuerung der katholischen Kirche mittels der *Verwirklichung der berechtigten evangelischen Anliegen*, in Hoffnung auf eine Realisierung der katholischen Anliegen durch die Protestanten – nach der Norm desselben Evangeliums.

Alles schiere Utopie? Im Gegenteil. Dafür lassen sich in der katholischen Kirche der Gegenwart schon verschiedene *Ansätze zur positiven Verwirklichung* evangelischer Anliegen feststellen. Ich habe ja auch selber in der Gemeindearbeit in Luzern einige von ihnen zu realisieren versucht: Aufwertung der Bibel in Theologie und Frömmigkeit, Entwicklung einer katholischen Volksliturgie mit Volkssprache und Volksgesang, Sinn für das allgemeine Priestertum der Laien in Theologie und Praxis, vermehrte Anpassung der Kirche an die Kulturen, Verständnis für die Reformation als religiöses Anliegen, Konzentration der Volksfrömmigkeit. Dazu kommen Entpolitisierung des Papsttums und Beginn einer Kurienreform.

Was die *Reform der Lehre* angeht, muß ich zur Gewährung des »Imprimatur«, der noch immer notwendigen kirchlichen Druckerlaubnis, mit dem sehr verständnisvollen Zensor, dem mir bekannten Dogmatikprofessor Josef Feiner (Chur) eine längere Diskussion führen. Denn auch Feiner hält zunächst an Congars irreführender Unterscheidung fest: Ja zur Reform des kirchlichen Lebens = wahre = katholische Reform. Aber Nein zur Reform der kirchlichen Lehre = falsche = protestantische Reform. Doch auch Feiner bestreitet schließlich nicht, daß es eine Dogmenentwicklung und eine Dogmenpolemik gibt. Und gibt zu, daß auch die Dogmen der Kirche ihre geschichtliche Beschränktheit haben und deshalb auf dem Hintergrund der normativen alt- und neutestamentlichen Offenbarung gesehen und immer wieder neu interpretiert werden müssen. Ich kann ihn überzeugen: Erneuerung, Reform also auch der Lehre!

Einig sind wir uns von vornherein darin, daß darüber hinaus auch eine *Reform der Volksfrömmigkeit* notwendig ist, nicht nur angesichts all des mittelalterlichen Aberglaubens, sondern auch angesichts des unter Pius XII. überbordenden »marianischen Maximalismus«. Dafür kann ich mich in meiner Kritik nicht nur auf den Tübinger Fundamentaltheologen Heinrich Fries, sondern neuerdings auch auf den endlich zum Kardinal ernannten Giovanni Battista Montini berufen. Was aber ist die Hauptschwierigkeit für eine Wiedervereinigung der getrennten Christen?

Der Fels als Hindernis

Die Hauptschwierigkeit ist nach meinen Erfahrungen und dem Urteil aller Kundigen die konkrete organisatorische Struktur der katholischen Kirche, deren Probleme sich in der Frage des *kirchlichen Amtes* (apostolische Sukzession und Anerkennung der Ämter) kristallisieren und in der Frage des *Papsttums* (Primat und Unfehlbarkeit) kulminieren. Um Katholiken die ganze Dringlichkeit des für Protestanten in der gegenwärtigen Form unglaubwürdigen Papsttums deutlich zu machen, zitiere ich ausführlich drei Zeugnisse von solchen evangelischen Theologen, die sich zum Unterschied von anderen um ein positives Verständnis des Petrusamtes bemühen und die doch gegenüber der heutigen Gestalt eines Papsttums starke Einwände haben (H. Dombois, M. Lackmann, H. Asmussen). Diese spitzen sich für mich zu in jener kritischen Anfrage Karl Barths, ob denn ein evangelischer Christ vom Stuhle Petri her wirklich die Stimme des Guten Hirten hören könne.

Zweifellos, mit solcher Deutlichkeit ist das Problem der Unglaubwürdigkeit des Papsttums in diesen Tagen kaum von einem katholischen

Theologen präsentiert worden. Ob man das akzeptieren wird? Doch als großes Argument für eine neue Glaubwürdigkeit des Petrusdienstes kann ich ja nun auf die Hoffnungsgestalt des neuen Papstes, Johannes' XXIII., hinweisen, der in seinen aufsehenerregenden Worten und Taten sich ausdrücklich darum bemüht, kein geistlicher Autokrator oder Diktator, sondern nach biblischem Vorbild ein guter Hirte zu sein.

Selbstverständlich reichen diese Worte und Taten des Papstes nicht aus, weswegen er ja selber das Zweite Vatikanum einberufen hat. Ich weiß: Dem Konzil gegenüber ist die Skepsis nach wie vor weitverbreitet: die Kirche sei darauf nicht vorbereitet, die Theologen würden alles blockieren, die Bischofsversammlung sei viel zu groß, ihre Mitglieder kämen großteils aus wenig reformfreudigen »lateinischen« Ländern ... Auf alles versuche ich eine kurze Antwort zu geben, verbunden mit positiven Vorschlägen, etwa die Schaffung einer eigenen römischen Kongregation für ökumenische Fragen mit kompetenten Fachberatern. Diese sollte bald in der Gestalt des Sekretariats für die Einheit der Christen erfolgen.

Aber die große Frage bleibt: Was soll und kann das Konzil überhaupt leisten? Der Papst will keine inhaltlichen Vorgaben machen. Und bisher hat weder ein Kardinal noch ein Bischof gewagt, umfassende Reformvorschläge zu unterbreiten. Die Theologen ihrerseits konzentrieren sich zumeist auf bequeme historische oder formale Fragen; eine ganze Reihe von Büchern erscheint über die ökumenischen Konzilien der Vergangenheit. Warum soll gerade ich mich über die grundsätzlichen Aussagen für eine Kirchenreform hinaus mit konkreten Reformvorschlägen exponieren?

Doch mir ist klar: Wenn das Vatikanum II nicht scheitern soll, dann müssen konkrete Reformvorschläge eingebracht werden. Ich bin überzeugt, daß das Konzil in einer »Übergangssituation von beispiellosem Ausmaß, in der alle Weichen neu gestellt werden – der Beginn einer neuen Weltzeit« tagt (später werde ich von Paradigmenwechsel sprechen), und daraus »ergibt sich unsere Verantwortung«. Werden unsere Korrekturen zu geringfügig, unsere Reformen zu oberflächlich, alle unsere Taten schließlich wirkungslos sein? Nein, soll das Konzil nicht eine große Enttäuschung, sondern die Erfüllung einer großen Hoffnung sein, dann wird es einen *großen Schritt* machen müssen.

Und so wage ich denn, vorsichtig und bescheiden ein *umfassendes Reformprogramm* zu formulieren: Es sei zwar nicht Aufgabe des Theologen, für das Konzil einen Plan der Erneuerung aufzustellen und direkt Vorschläge zu machen, doch könne er immerhin konkrete *Möglichkeiten* aufzeigen, über die dann die Bischöfe befinden mögen. Denke man an die Wünsche der Menschen an die Kirchenleitung, so dränge sich einem auch nach Umfrageergebnissen eine »betrübliche Litanei« weitverbreiteter katholischer Sorgen und Klagen auf: »Misere von Predigt und Religionsunterricht, Verwilderung oder Erstarrung der Liturgie, Index und römischer Zentralismus, bischöfliche Bürokratie, Schäden der Priestererziehung, der Klostererziehung, politischer Konformismus, weltfremde Moraltheologie besonders im Hinblick auf Atombomben und Sexualfragen, lateinische Kultsprache, Priesterskandale, Manager- und Tagungsrummel in den Organisationen, Thomismus, Rationalismus, Marianismus, Wallfahrtsgeschäft ...« Und so weiter und so weiter.

Angesichts dieser »betrüblichen Litanei« muß sich das Konzil, scheint mir, wenn es zu großen Taten kommen will, konzentrieren auf Weniges und Wesentliches. Was freilich, offensichtlich auch nach Absicht des Papstes, von vornherein *ausgeschlossen* sein müßte, sind weitere *Dogmen*: Die weitere Definition traditioneller theologischer Kontroversfragen und besonders neuer Mariendogmen wäre statt einer Hilfe eindeutig ein Hindernis für die Wiedervereinigung der getrennten Christen. Wenn aber keine neuen Dogmen, was dann? Was geht und was geht nicht?

Reformen: was geht theologisch?

Alle möglichen Reformvorschläge werden in der katholischen und der nichtkatholischen Öffentlichkeit diskutiert, ohne daß ein Gesamtkonzept sichtbar wird. Vor allem: wo soll man im Konzil einsetzen? Direkt bei der Reform des Papsttums und der römischen Kurie? Dies hat aufgrund der kurialen Übermacht keinerlei Aussicht auf Erfolg. Bestätigt wird dies zwei Jahre später durch den Fall des Jesuiten P. Lombardi. In seinem Buch »Un concilio per una riforma nella carità« äußert er sich unter Beschwörung eines apokalyptischen Horizonts und mit (nicht berechtigter) Berufung auf den Papst selbst breit über die strukturellen Mängel der römischen Kurie und die Sünden des Klerus. Der Papst kann sich vor Telefonanrufen aus der Kurie wegen dieses »skandalösen« Buches kaum retten. Und läßt Lombardi fallen.

Meiner Einschätzung nach soll man vor dem Konzil nicht an den sich zurückhaltenden Papst und erst recht nicht an die dominierende Kurie, sondern direkt an die endlich wieder einmal versammelten *Bischöfe* appellieren. Sie werden im Konzil das Sagen haben. Deshalb konzentriere ich strategisch alle konkreten Vorschläge auf die *Aufwertung des Bischofsamtes*, wie sie ja auch dem gegenwärtigen Bischof von Rom, der dem Bischofsamt seiner Brüder hohen Respekt zollt, am Herzen liegt. Hierbei geht es natürlich nicht nur um die größere Selbständigkeit des Einzelbischofs, sondern auch um die der betreffenden *Ortskirche*. Es geht um das föderative Prinzip, um das schon von Pius XII. freilich nur abstrakt-theoretisch auch für die Kirche bejahte *Subsidiaritätsprinzip*: Was von den einzelnen Menschen aus eigener Kraft geleistet werden kann, soll nicht der Gemeinschaft zugeschoben werden, und was von der kleineren Gemeinschaft ausgeführt werden kann, nicht der höheren und übergeordneten Gemeinschaft.

Doch reicht es in dieser Situation nicht aus, nur an die Selbstverantwortung der Bischöfe zu appellieren, die ihnen bereits zustehenden Rechte voll auszunützen und nicht ständig die Kurie zum Antworten und Handeln aufzufordern, wo sie selber als Bischöfe antworten und handeln müßten. Für das Konzil müssen neue *konkrete Möglichkeiten* formuliert werden – wahrhaftig nicht meine »persönlichen Erfindungen«, sondern Anliegen, die in der Luft liegen und in der katholischen Presse diskutiert werden. Dabei geht es sowohl um Reformbegehren auf der theoretisch-dogmatischen wie auf der praktisch-organisatorischen Ebene.

Was ist auf der *theoretisch-dogmatischen Ebene* möglich? Das Konzil könnte ohne Definition neuer Dogmen feststellen, was schon eine (von Pius IX. nach dem Vatikanum I approbierte) Erklärung des deutschen Episkopats über die *Stellung der Bischöfe zum Papst* gegenüber Reichskanzler Bismarck festgestellt hat: Zunächst negativ: daß der Papst die von Christus eingesetzte episkopale Verfassung der Kirche nicht ändern kann; daß die Bischöfe nicht Werkzeuge und Beamte des Papstes sind; ihre Rechte nicht vom Papst beansprucht und absorbiert, ihre Gewalt nicht von der päpstlichen Gewalt substituiert wird; daß der Papst Bischof von Rom und nicht der Bischof von Köln oder Breslau ist. Dann positiv: daß die Bischöfe die von Christus eingesetzten Nachfolger der Apostel sind; daß der Episkopat ebenso auf »göttlicher Einsetzung« beruht wie das Papsttum; daß von dort her sich seine Rechte und Pflichten ergeben.

Von da aus ließe sich die unersetzliche Bedeutung des Episkopats theologisch vertiefen und das Verhältnis Bischöfe – Papst wieder mehr dem biblischen Verhältnis Apostel – Petrus angleichen. Das Petrusamt also nicht identisch mit einem Papalismus, der das göttliche Recht des Episkopats in der Gesamtkirche ignoriert, sondern oberstes Schlichtungsamt um der Einheit willen.

Familie Küng bei der Priesterweihe in Rom 1954

Primiz in den Grotten von St. Peter 1954

1960: Mit 32 Professor an der Universität Tübingen

Hans Urs von Balthasar, Basel

Otto Karrer, Luzern

1963–1996: Institut für ökumenische Forschung
Assistenten: Hermann Häring, Karl-Josef Kuschel, Urs Baumann
Sekretärinnen: Margret Gentner und Annegret Dinkel

Mit Karl Barth an seinem 80. Geburtstag in Basel 1966

Mit dem Alttestamentler Herbert Haag

Der Neutestamentler Ernst Käsemann

Der Dogmatiker Hermann Diem

Papst Johannes XXIII. Roncalli (1958–1963)

Das Zweite Vatikanische Konzil 1962–1965

Seminar mit Dr. Hermann Häring

Als Student zum ersten Mal in Afrika (Oase Touzeur/Tunesien)

Reformen: was geht praktisch?

Was ist auf der *praktisch-organisatorischen Ebene* möglich? Die alte Kirchen-ordnung läßt sich gewiß nicht einfach restaurieren. Doch bräuchte es angesichts der größeren Räume eine Aufwertung der *Bischofskonferenzen* eines Landes, eines Sprachraumes oder eines Kontinents. Nach dem Subsidiaritätsprinzip könnten sie viele Fragen lösen, die bisher allesamt der römischen Kurie zustanden. Eine Bindung der Bischöfe nicht nur an das Petrusamt, sondern auch untereinander: Communio im alten Sinn! Sinnvoll wären grundlegende konziliare Rahmengesetzgebungen für Reformen, welche die Bischöfe der betreffenden Länder, Sprach-kreise oder Kontinente selber durchführen und auf ihre Situation anpas-sen könnten.

Aber dies alles scheint mir noch zu allgemein zu sein. Welches sind denn die ganz konkreten Reformen, die mit der Aufwertung des Bi-schofsamtes auch Schritte zur Erneuerung der katholischen Kirche und damit zur Wiedervereinigung der getrennten Kirchen bedeuten kön-nen? Um eher zu überzeugen, greife ich auf die traditionelle Unter-scheidung zwischen bischöflichem Priester-, Hirten- und Lehramt zurück:

Im Bereich erstens des bischöflichen *Priesteramtes* bedürfte es vor allem einer *Reform der Meßfeier*, die neu herausstellt, was in jeder katho-lischen Eucharistiefeier unbedingt zur Geltung kommen muß: verständ-lich gestalteter Wortgottesdienst mit Schriftlesung und homiletischer Erklärung, als zentraler Teil das verständliche, einfach und klar aufgebaute Eucharistiegebet und schließlich das eucharistische Mahl. Die einzelnen Episkopate sollen selber über die Details entscheiden, vor allem über die Volkssprache, die zumindest im deutschen Sprachraum wichtigste Frage. Aber auch über die Kommunion unter den Gestalten von Brot und Wein für bestimmte Gelegenheiten, über die Möglichkeit der Konzelebration mehrerer Priester und über liturgische Kleidung und Gestik. Zugleich wäre durch Vereinfachung und Konzentrierung eine Reform des Taufritus, der Beichte und der Eheschließung vorzuneh-men sowie eine *Reform des Breviers*, des allzu langen Pflichtgebets für Weltpriester (statt einer bestimmten Gebetsquantität eine bestimmte Gebetszeit).

Mit Berufung auf die von Pius XII. in Einzelfällen bereits vorge-nommene *Aufhebung der* – rein kirchenrechtlichen und allein für die lateinische Kirche geltenden – *Zölibatspflicht* im Falle der Priesterweihe schon verheirateter evangelischer Pastoren schlage ich vor, für außerordentliche Härtefälle bei andauerndem Konflikt auch in der lateinischen Kirche eine rechtlich und menschlich tragbare Lösung (eventuell mit Erleichterung der Laisierung) zu suchen; mehr zu fordern wäre vor dem Konzil tollkühn gewesen. Nur für die Diakone, fordere ich, soll die Zölibatspflicht überhaupt aufgehoben und die Regelung der alten Kirche wieder eingeführt werden: das Diakonat nicht nur als Durchgangsstufe zum Priesteramt, sondern *verheiratete Diakone* als Ergänzung der arg überlasteten Priester.

Im Bereich zweitens des bischöflichen *Hirtenamtes* wäre eine Reform des *Eherechts* vordringlich: Dezentralisierung und Beschleunigung der Eheprozesse, Vereinfachung der Ehegesetze und Abbau unnötiger Bürokratie, Abschaffung überholter Ehehindernisse und eine positive Regelung für konfessionell gemischte Ehen. Eine Reform der *kirchlichen Administration* wäre gleichzeitig durchzuführen: auch hier Vereinfachung und Dezentralisation im Sinne des Subsidiaritätsprinzips. Reduzierung der Dispensgesuche und Kirchenstrafen auf das absolute Minimum. Stärkere Repräsentation und Mitsprachemöglichkeiten der Ortskirchen in der römischen Kurie. Klare Unterscheidung zwischen Legislative und Exekutive und Einführung einer kirchlichen Verwaltungsgerichtsbarkeit.

Im Bereich drittens des *bischöflichen Lehramtes* drängt sich eine Neuordnung der *Bücherzensur* auf, bei der Rom nur letzte Instanz sein sollte. Zum Schutz denunzierter Autoren Einhaltung der in jedem gerechten Disziplinarverfahren anzuwendenden Rechtsgrundsätze: Anhören des Autors und Gelegenheit zur Verteidigung; keine Verurteilung ohne Angabe des Grundes; kein Einschreiten der höheren Instanz ohne Einschalten der unteren. Dazu eine grundsätzliche Reform oder Abschaffung des (nutzlosen und kontraproduktiven) *Index der verbotenen Bücher:* besser als Leseverbote eine solide begründete Warnung und besser als rasche Verurteilung eine freie Diskussion zur Problemklärung. Vor allem aber notwendig positive Maßnahmen zur Hebung der Qualität von Predigt und Theologiestudium. Herausstellung der Heilsbedeutung der Bibel als Gottes Wort für Liturgie, Unterricht, Theologie, Seelsorge und geistliches Leben.

Um jedoch bei alledem einer neuen Zentralisierung im Bischof zu wehren, die niemand wünscht, ist eine strikte Anwendung des Solidaritätsprinzips zugunsten der *Priester* notwendig, mit denen der Bischof enge persönliche Beziehungen unterhalten soll. Vor allem aber drängt sich eine Grundsatzerklärung über die Bedeutung der *Laien* in der Kirche auf, die ja nicht irgendwie zur Kirche gehören, sondern die Kirche *sind:* und zwar nicht einfach in der passiv-empfangenden Rolle der zu betreuenden Objekte, sondern in der aktiv-initiativen Rolle der für die Kirche mitverantwortlichen Subjekte. Und dafür die Gewährung des Laienkelches als eindrucksvolles Zeichen.

Doch noch wichtiger wäre für das Konzil ein Wort der *Buße* für alles Versagen der Kirche und ein Wort des *Glaubens:* ein frohes und starkes Glaubensbekenntnis zum lebendigen Gott, der uns auch im Zeitalter von Satelliten und Weltraumfahrt unveränderlich nahe ist, der uns auch in der Not zweier Weltkriege und in der Bedrohung durch den Atomtod nicht vergessen hat ... Am Schluß des Buches wird eine *Wiedervereinigung in Stufen* vorgeschlagen: nach den Worten Johannes' XXIII. zuerst Annäherung (»avvicinamento«), dann Zusammengehen (»riaccostamento«) und schließlich vollkommene Einheit (»unità perfetta«).

Je mehr ich konkrete Reformvorschläge formuliere, desto klarer wird mir, daß meine Gesamtvision zwar nichts unaufgebbares Katholisches antastet und in manchen Teilaussagen auch von anderen vertreten wird, daß sie aber doch in ihrer geballten Zusammenfassung vielen kühn, manchen vielleicht allzu kühn erscheinen wird. Zwar bin ich überzeugt, daß heute kühne Maßnahmen notwendig sind. Aber ich gehöre nicht zu denen, die nicht wissen, was sie tun. Und angesichts zweifellos drohender Denunzierung und Verurteilung, wie sie dann zwei Jahre später tatsächlich das genannte Konzilsbuch P. Lombardis – durch einen Leitartikel im »Osservatore Romano« desavouiert und auf Anweisung der Kurie an Verbreitung und Übersetzung gehindert – treffen sollte, versuche ich 1959/60 alles zu tun, was eine Verurteilung und Unterdrückung verhindern kann. Da bin ich auf Hilfe angewiesen. Ob ich sie finden werde?

So geht es nicht!?

Meine Hoffnung richtet sich in erster Linie auf JULIUS DÖPFNER. Er ist ja Germaniker wie ich, wurde dann relativ jung Bischof von Berlin und ist seit kurzem Kardinal. Ein sympathischer und offener Mann, wie ich ihn von Besuchen im Germanikum her kenne, mit großem innerkirchlichem Gewicht. Am Montag, dem 10. August 1959 findet ein Schweizer Germaniker-Treffen in Niederuzwil im Kanton Zürich statt. Ich fahre hin, vor allem um dort Julius Döpfner meinen Wunsch nach einem unterstützenden Vor- oder Geleitwort vorzutragen. Mein kleines kompaktes Buch trägt so viel Sprengkraft in sich und ist, wiewohl ohne alle direkte Angriffe, so weit von den kurialen Positionen entfernt, daß es der Unterstützung eines Kardinals bedarf, soll es nicht schon von allem Anfang an verketzert, verboten und unterdrückt werden.

So sitze ich denn allein mit Julius Döpfner auf der Veranda des Pfarrhauses von Niederuzwil. Ich zeige ihm mein Manuskript, erkläre ihm den Inhalt, und er hört aufmerksam zu, durchaus Zustimmung im Blick – bis ich die Bitte um ein Geleitwort vorbringe. Da seine überraschende Antwort: Dies möchte er doch lieber nicht machen. Warum? Er sei nun einmal Bischof, und es sei »Aufgabe nicht der Bischöfe, sondern der Theologen vorzupreschen«. Eine merkwürdige Rollenverteilung, denke ich mir: Der Bischof, wiewohl kirchenrechtlich in einer viel stärkeren Position, soll sich aus dem Konflikt heraushalten, der Theologe aber, sozusagen auf sein eigen Gedeih und Verderb, sich opfern? Ich insistiere, doch muß rasch erkennen: Da ist nichts zu machen! Es ist das erste, aber leider nicht das letzte Mal, daß ich feststellen muß: Döpfner, nach außen ein gestandenes bayerisch-fränkisches Mannsbild, hat schlicht Angst ... Doch immerhin hat er für meine Anliegen Verständnis gezeigt und sich zumindest zur Lektüre des Manuskripts bereiterklärt.

Enttäuscht fahre ich nach Sursee zurück. Ein Besuch noch in derselben Woche bei Hans Urs von Balthasar, der sich zu einem Erholungsaufenthalt in Montana befindet, hilft auch nicht weiter. Eine Empfehlung von ihm hätte mir ohnehin nichts genützt, denn seit seinem Austritt aus dem Jesuitenorden gehört er zu den in Rom Verfemten. Was soll's? In der zweiten Septemberhälfte 1959 schließe ich mein Manuskript ab und fahre wieder nach Münster. Am 26. September schreibe ich an Kardinal Döpfner, das Manuskript werde ihm vom Verlag Herder nach Berlin geschickt. Der Bischof von Basel habe zur Zeit eine unangenehme Sache mit Rom und würde deshalb wenig Lust verspüren, sich auch noch dieses Imprimatur aufzubürden. Zugleich erneuere ich eine zurückhaltend-indirekte Aufforderung an Döpfner: »Auch schrieb mir Herder, eine ›Deckung‹ durch ein Vorwort werde notwendig sein. Man wird ja sehen.«

In Münster liegt mein Manuskript jetzt in den Händen meines Chefs, Professor HERMANN VOLK. Wie geplant, nehme ich mit ihm in Paderborn an der Katholischen Konferenz für Ökumenische Fragen teil. Vom 27. September bis 1. Oktober tagt sie unter der Leitung von Msgr. Willebrands. Thema: die Spannungen zwischen »Einheit und Mission« und »unsere Erwartungen an das angekündigte Konzil«. Es ist für mich interessant dabeizusein: Die bedeutendsten katholischen Ökumeniker aus ganz Europa (sogar Avery Dulles aus USA treffe ich bereits im Zug) diskutieren eifrig unter Ausschluß der Öffentlichkeit.

Am 30. September, dem vorletzten Tag der Konferenz, bittet mich Hermann Volk, mit ihm in den Park hinauszugehen. Dort wandern wir ein paar Schritte schweigend, bis er zischend hervorstößt: »So geht es nischt!« Dieser sehr emotionale Ausbruch erschreckt mich. Ich einigermaßen perplex: »Ja wie, überhaupt nicht?« Darauf er noch einmal: »So geht es nischt!!« Immerhin kommt es nun zu einer ernsthaften Diskussion. Doch lohnte es sich für diese Erinnerungen nicht nachzuforschen, was seine Einwände im einzelnen waren. Kein einziger war für mich so relevant, daß er sich in mein Gedächtnis nachhaltig eingekerbt hätte. Offenkundig nur, daß ihm nicht nur das eine oder andere Detail nicht gefällt, sondern daß ihm das Ganze als gefährliches, wohl impertinentes Unternehmen vorkommt. Es gibt zwischen uns zwar keinen Streit, aber mir ist klar geworden: Wie Kardinal Döpfner, so hat auch Professor Volk Angst. Angst, durch das Buch seines Assistenten selbst kompromittiert zu werden.

Doch sollte ich diese Sorge nicht ernst nehmen? Geht es so vielleicht wirklich nicht? Habe ich mich übernommen? Soll ich auf diese Publikation nicht doch besser verzichten? Oder vieles umschreiben? Aber was ändern? Was weglassen? Tief verunsichert gehe ich noch am selben Tag auf einen Mann zu, den ich ebenfalls vom Germanikum her kenne und dem ich großes Vertrauen entgegenbringe. Professor Dr. JOSEF HÖFER, den klugen Botschaftsrat der deutschen Vatikanbotschaft und zusammen mit Karl Rahner Herausgeber des zehnbändigen Lexikons für Theologie und Kirche. Ihm, der ebenfalls zur Tagung gekommen war, bringe ich das Manuskript: »Herr Prälat, ich weiß, es ist eine unmögliche Zumutung für Sie. Aber ich weiß wirklich nicht, was ich tun soll, und mir wäre Ihr Rat eine entscheidende Hilfe. Bitte schauen Sie in dieses Manuskript doch noch heute Abend hinein. Denn morgen, Sie wissen es, gehen wir alle wieder auseinander. Und ich muß mich entscheiden ...«

Am nächsten Morgen kommt Msgr. Höfer auf mich zu, und jetzt gehe ich mit ihm durch denselben Park. Seine Antwort? Sie kommt ohne lange Einleitung: »Ein solches Buch werden Sie nicht mehr schreiben, wenn Sie älter sein werden.« Ach, also auch er ist dagegen? Doch Höfer fügt hinzu: »Deshalb veröffentlichen Sie es *jetzt*! Später werden Sie vor lauter Bedenken den Mut nicht mehr aufbringen.« Welch ein Wort. Gott (und Höfer) sei Dank!

Ich benütze die nächsten Tage, um die Fragezeichen und Anmerkungen Professor Volks zu enträtseln und mein Manuskript so gut wie möglich zu korrigieren. Ich soll dann das Manuskript mit seinen

Anmerkungen aufbewahren; offensichtlich möchte er bei auftauchenden Schwierigkeiten abgesichert sein. Ach, denke ich, wie wenig riskiert er und wie viel riskiere ich ... Des Risikos bewußt will ich, jetzt zur Veröffentlichung fest entschlossen, unbedingt noch weitere Informationen einholen. Am 6. Oktober 1959 fahre ich nach Passau. Dort tagt vom 7.-10. Oktober wieder die Arbeitsgemeinschaft deutschsprachiger katholischer Dogmatiker und Fundamentaltheologen. Natürlich wird auch dort – wie könnte es anders sein – viel über das Konzil gesprochen. Die Auffassungen von Heinrich Fries und Bernhard Welte sind mir besonders wichtig. Zu irgendeiner Stellungnahme oder Initiative kann sich diese große und unterschiedliche Professorenschar freilich nicht aufraffen. Wer will sich da schon die Finger verbrennen? Doch – mein eigentliches Ziel war ja von vornherein nicht Passau, sondern Rom.

Rom vor dem Konzil – Kardinal Montini

In der Peterskirche halte ich auf den Tag genau fünf Jahre nach meiner eigenen Primiz, am 11. Oktober 1959, aber nicht unten in den Grotten, sondern oben in der großen linken Chorkapelle, eine Primizpredigt: meinem Mitgermaniker aus der Diözese Basel Leonz Gassmann. Im Anschluß an das johanneische Jesuswort an Petrus das Thema: »Und führen, wohin du nicht willst« (Jo 21,15-19). Früher ungebunden, jetzt gebunden, nicht wissend, wohin unser Weg führt. Wobei es nur auf eines ankommt: »Folge mir nach!«.

Ich besuche an der Gregoriana meine alten Professoren: Boyer, jetzt als Studienpräfekt ersetzt durch Dhanis (einen sehr kritischen Fatima-Spezialisten), den Liturgiker Schmidt, den Dogmatiker Alfaro, immer mehr aufgeschlossen und mich ermutigend. Und umgekehrt etwas mürrisch Tromp, noch immer das Bild Pius' XII., nicht das von Papst Johannes auf dem Schreibtisch. In pianischem Geist wird er als Sekretär wichtigster Mann der Theologischen Konzilskommission neben Kardinal Ottaviani werden. Daß P. Augustin Bea so bald Kardinal sein würde, erwartet niemand.

Auf der Dachterrasse der Gregoriana erklärt mir P. Franz Hürth mit freundlich warnendem Unterton, vor jeder Berufung auf einen Lehrstuhl an einer Katholisch-Theologischen Fakultät Deutschlands müsse neuerdings vom Ortsbischof in der römischen Studienkongregation rückgefragt werden, aber diese gebe die Anfrage weiter »an uns«, womit er natürlich das Sanctum Officium meint. Zweifellos ein zarter Wink mit dem Zaunpfahl, immerhin nicht mit dem Scheiterhaufen. Über die Besetzung katholischer Lehrstühle an deutschen Staatsfakultäten wird also faktisch im »heiligen Büro« der Inquisition entschieden – schöne Aussichten. Etwas später höre ich, daß Hürth seine »Zionswächtertätigkeit« neuerdings auch auf die Gregoriana ausdehnt und damit seinen allernächsten Mitbrüdern zunehmend auf die Nerven geht. Das Gerücht von der Absetzung des liberaleren Moraltheologen Josef Fuchs erweist sich glücklicherweise als falsch. Auch Hürth wird Mitglied der Theologischen Vorbereitungskommission des Konzils sein, zuständig für die moraltheologischen Entwürfe.

Umso mehr interessieren mich bezüglich des kommenden Konzils die Auffassungen des Erzbischofs von Mailand, Kardinal GIOVANNI BATTISTA MONTINI. Ich hoffte ihn in Mailand zu besuchen, doch läßt er mich wissen, er sei in diesen Tagen in Rom. Umso besser. Ich treffe ihn in der Domus Mariae an der Via Aurelia. Montini habe ich in meinen sieben römischen Jahren nur sehr selten gesehen, da der Substitut des Staatssekretariats, ein unermüdlicher Arbeiter, zwar zahllose Briefe und Telegramme im Namen des Papstes unterzeichnete, aber sich selbst in der Öffentlichkeit fast nie zeigte. Wenn man ihn schon einmal bei einem feierlichen Einzug des Papstes in der Peterskirche erspähte, fiel er mir auf, weil er nicht wie die Kurienkardinäle das Publikum musterte, um allfälligen Bekannten jovial zuzuwinken, sondern mit streng gefalteten Händen im Gebet, den Kopf im »Frömmigkeitswinkel« gebeugt, versunken mitmarschierte.

Mit raschen Schritten (wie Pius XII. in St. Peter es gerne tat, die Prälaten hinter ihm herhastend) tritt der 63jährige ins große Zimmer, den Körper leicht zur Seite geneigt, er, der als Papabile im Fall des Todes von Angelo Roncalli gehandelt wird: schlank, feingliedrig, freundlich, mit wachen Augen und großen Ohren, mich wohlwollend musternd. Ich bin ihm kein Unbekannter. Giovanni Battista Montini, im Unterschied zu den meisten Kurialen so etwas wie ein Intellektueller: Er weiß sehr wohl um die Bedeutung Karl Barths und meiner Dissertation über die Rechtfertigungslehre. Auf der Sommervilla der oberitalienischen Bischöfe in Gazzada bei Mailand habe ich ihn im Rahmen der 7. Konferenz für ökumenische Fragen, die dort vom 19.-23. September 1960 über »Einheit in Verschiedenheit« und die Probleme des Konzils tagte, persönlich kennengelernt.

Der Kardinal sitzt jetzt vor mir con dignità, eine Hand über die andere gelegt, kein Mann der spontanen herzlichen Unterhaltung, sondern der würdevollen An- und Aussprache. Ich spreche ihn auf verschiedene umstrittene Reformanliegen an. Er antwortet überlegt und vorsichtig. Er sieht die Probleme und erkennt die Notwendigkeit von Reformen, hat indes mit gemessener Sprache und Gestik immer sein Aber:

Einführung der *Volkssprache* in der lateinischen Liturgie? Grundsätzlich ja. Aber: nur im Wortgottesdienst; die »Missa sacrificiale«, den »Opfergottesdienst« mit dem Kanon, besser in Latein belassen.

Und die Notwendigkeit einer *Dezentralisierung* und Verlagerung von Kompetenzen der Kurie auf die Bischöfe? Grundsätzlich ja. Aber: »i servizi della Curia sono molto svelti«, die Dienste der Kurie seien heutzutage sehr rasch, so daß man leicht telefonisch in Rom um Erlaubnis oder Dispens bitten könne.

Reform oder Abschaffung des *Index?* Montini – schon 1925 in Brescia Mitbegründer des fortschrittlichen Verlags Morcelliana, der wegen Publikation von Karl Adams »Wesen des Katholizismus« ins Feuer des Sanctum Officium geriet (Entfernung aller Übersetzungen Karl Adams aus den römischen Buchhandlungen) – hatte 1942 bei Pius XII. gegen Ottaviani einen Neudruck der 1912 indizierten Schrift der norditalienischen Aristokratin Antonietta Giacomelli erreicht, die für liturgische Erneuerung kämpfte. Von Jugend auf kennt er die Problematik des Index (»Darf ich Renan lesen? Das ist die täglich sich stellende Frage«, so beginnt ein Artikel des 23jährigen). Aber: Als Kardinal vertritt er jetzt die Meinung, daß Bücherverbote bestehen bleiben, nur die Kirchenstrafen aufgehoben und die Leseerlaubnis leichter erteilt werden sollten.

Ich schaue ihn an: Letztendlich undurchschaubar, behält er sein Geheimnis für sich. Montini ein wirklicher Reformer oder nur ein halber? Ich versuche in sein Herz zu schauen: Immerhin ist er erheblich offener als die meisten italienischen Kardinäle. Vielleicht ihn um das ersehnte Vorwort bitten? Nein, das darf ich ihm bei seiner exponierten Stellung nicht zumuten. Den konservativen Kurienkardinälen gilt er aufgrund seiner politisch-sozialen Einstellung ohnehin als gefährlich »progressiv«, und P. Gundlachs Ausbruch (»eliminieren«!) habe ich noch im Ohr …

Aber ich weiß, daß ich Montinis Sympathie habe und werde ihm mein Konzilsbuch sofort zuschicken. Am 4. Oktober 1960 bedankt er sich sehr herzlich: »Ich drücke Ihnen mein lebhaftes Wohlgefallen aus für diese Ihre hervorragende Studie voll der nützlichen Informationen und von höchster Aktualität.« Die innere Übereinstimmung kommt zum Ausdruck in Montinis Fastenhirtenbrief zum Konzil 1962, der ebenfalls das Konzil ganz auf die Frage der Kirche und des Episkopats konzentriert sieht. Er gehe davon aus, »daß das Zweite Vatikanum auch die Frage des Episkopates zu seinen Gegenständen zählen wird, um dessen evangelischen Ursprung, dessen sakramentale Gnadengaben, dessen Lehr-, Hirten- und Jurisdiktionsgewalt, sei es im Hinblick auf den einzelnen Bischof, sei es im Hinblick auf das Bischofskollegium, darzustellen ...« Dabei müsse das »königliche Priestertum der Laien« gestärkt und auch der ökumenische Auftrag des Konzils ernstgenommen werden. Sehr konkret wird er nicht. Aber was wollte ich mehr?

Selbstverständlich spreche ich im Germanikum, wo ich wohne, alles mit meinem früheren Spiritual WILHELM KLEIN durch, der mich in jeder Weise ermutigt. Ich erzähle ihm von Kardinal Döpfners Weigerung, die ihn nicht erstaunt: Döpfner sei, nachdem er vom Papst das »rote Mäntelchen« erhalten habe, wie andere Kardinäle so unendlich dankbar, daß er sich keine Kritik am römischen System meine gestatten zu können. Aber ich solle doch unverdrossen an einen anderen Germanikerkardinal schreiben und mich ruhig auf ihn, P. Klein, berufen: an den Erzbischof von Wien, Kardinal Franziskus König.

Am 18. Oktober um 23.15 Uhr fahre ich mit dem Nachtschnellzug in die Schweiz zurück, bleibe ein paar Tage in Sursee und treffe wieder KARL BARTH. Er hat das Manuskript über Konzil und Reform gelesen und ist davon begeistert. Nur der Titel des Buches »Konzil, Reform und Wiedervereinigung« rieche zu »protestantisch«. Am Tag darauf schickt er mir seinen Vorschlag nach Sursee: *»Konzil und Wiedervereinigung«* mit dem präzisen Untertitel *»Erneuerung als Ruf in die Einheit«*. Imprimatur!

In Sursee erhalte ich aus Berlin auch das Antwortschreiben von Kardinal JULIUS DÖPFNER mit Datum vom 24. Oktober: »Schon lange liegt Dein Manuskript vor mir, doch ich kam bei täglich dringenden Arbeiten nicht dazu, es in Ruhe zu lesen. In den letzten Tagen ist es mir nun, gottlob, gelungen, es in seiner Ganzheit auf mich wirken zu lassen. Die Linienführung im Ganzen mag kühn erscheinen, doch die Aussagen sind mit katholischer Verantwortung und guter Sachkenntnis gemacht. So kann das Werk mit gutem Gewissen vertreten werden und leistet gerade im Augenblick einen sehr wertvollen Dienst. Ich habe die Seiten wirklich mit lebendiger Teilnahme gelesen und viel Anregung erhalten. So möchte ich aus voller Überzeugung zu dem Buch ermutigen.«

Dann folgt ein halbes Dutzend Detail-Anregungen: »Unnötiges Ärgernis« soll ich vermeiden: etwa den Ausdruck »konfessionelle Borniertheit« oder Sätze wie »Käme der Primas Petrus wieder, der bescheidene Fischer vom See: wäre dieser Primat das Problem, das er heute ist?«.

Besser als »historische Fehler *von* der Kirche meist vertuscht« würde man sagen »*in* der Kirche«. Statt von »anderen Kirchen« sollte man von »unseren evangelischen Mitchristen« reden und dabei »die Notwendigkeit für Luther, so zu handeln« nicht zu stark betonen. Es fehle auch »eine positive, dabei aber differenzierte Darlegung des kirchlichen Gehorsams«. Die Darlegungen über das Priesteramt gehen nach seinem, Döpfners Empfinden, »zu weit …«. »Die übrigen Vorschläge sind zwar z. T. kühn und ungewohnt, aber man kann sie, so scheint mir, mit gutem Gewissen äußern.« Schließlich: »Falls es ratsam erscheinen sollte, bei dem Ordinarius, der das Imprimatur gibt, ein empfehlendes Wort zu sagen, bin ich dazu bereit.« Womit er zugleich diplomatisch und unzweideutig sagt, wozu er trotz meiner wiederholten Bitte auch nach Lektüre des Manuskripts nicht bereit ist: ein Geleitwort zu schreiben oder auch nur das Imprimatur zu erteilen. Was tun?

Am 30. Oktober fahre ich wieder nach Münster, melde mich bei Professor Volk zurück und berichte ihm einiges von meinen Erfahrungen. Das Wintersemester beginnt. Im Thomas-Morus-Kolleg Vorstellung der neuen Heimbewohner, Beginn der regelmäßigen Gottesdienste und des Arbeitskreises. An der Universität Volks zweites Seminar über die Firmung und natürlich das Doktorandenkolloquium – alles der übliche Betrieb. Am 26. November findet das Richtfest des neuen Gebäudes der Katholisch-Theologischen Fakultät statt. Am gleichen Abend habe ich noch ein langes Gespräch mit dem bekannten Moraltheologen Professor HERBERT DOMS, der mir, schon länger emeritiert, doch noch immer tief verwundet, die Leidensgeschichte erzählt, die er durchzumachen hatte, nur weil er in einem Buch über die Ehe die zwei Ehezwecke – Fortpflanzung und Liebeshingabe – gleichgeordnet hatte, statt den zweiten dem ersten unterzuordnen. Was später sogar in Papst Montinis Enzyklika »Humanae Vitae« eingehen wird, war damals Grund genug, das Buch auf den Index der verbotenen Bücher zu setzen und den katholischen Theologen Doms auf diese Weise für immer zu ächten. Ein Grund mehr für mich, einer Verurteilung möglichst vorzubeugen.

Viel Mühe um ein Geleitwort

Bereits am 20. Oktober 1959 habe ich an den Erzbischof von Wien, Kardinal Dr. FRANZISKUS KÖNIG, geschrieben, ein Germaniker, der sowohl als Bischof wie als Religionswissenschaftler (Herausgeber dreier großer Bände über »Christus und die Religionen der Erde«) hohes Ansehen genießt. Ich verweise auf die vielen bedeutenden katholischen Theologen (Volk, Feiner, Hirschmann, Lortz, Klein, Seibel, Witte) und die wenigen evangelischen (Barth, Kinder), die das Manuskript inzwischen gelesen haben und auf die Gespräche mit Kardinal Montini und den Professoren der Gregoriana. Mehrere der angeführten Persönlichkeiten hätten mir zu einem Vorwort geraten. »Man sagte mir: »1) ein Buch wie dieses brauche unbedingt den Schutz und die Unterstützung der zuständigen Hierarchie; 2) es müsse klar werden, daß hier nicht nur die unmaßgebliche Meinung eines jungen Theologen, sondern auch die Probleme der zuständigen Oberhirten zum Ausdruck gebracht würden; 3) von größter Wichtigkeit sei es, daß man sich in Rom selbst – wo nur die Autorität eines Kardinals Eindruck mache – über den Ernst und die Schwierigkeit der Fragen klar werde; 4) dies sei besonders notwendig, da der Papst selbst über die Problematik des Protestantismus kaum genügend orientiert sei, das Konzil mehr als eine äußere Manifestation der katholischen Einheit plane und es schon recht bald einberufen wolle (wobei eine gründliche Vorbereitung unmöglich wäre); 5) Ihre Persönlichkeit sei nicht nur wegen des Verlagsortes, sondern vor allem wegen Ihres, auch an der römischen Kurie wohlbekannten, wissenschaftlichen Rufes für ein Geleitwort besonders geeignet.« Ich würde auch eine Reise nach Wien nicht scheuen, falls dies notwendig sein sollte.

Schon mit Datum vom 27. Oktober 1959 erfolgt Kardinal Königs grundsätzliche Antwort: »Ich habe seinerzeit Ihre Arbeit über die Rechtfertigungslehre mit großem Interesse gelesen und bin daher Ihrem Anliegen gegenüber grundsätzlich positiv eingestellt.« Natürlich will er vor einer endgültigen Zustimmung das Manuskript lesen.

Mein definitives Manuskript geht in der ersten Novemberhälfte an den Verlag Herder in Freiburg. Am 8. Januar 1960 schreibe ich wieder an Kardinal König. Am 26. Januar habe ich die Druckfahnen in den Händen. Ich lasse sie gleichzeitig an Kardinal König schicken. Doch lange, lange keine Antwort. Man will in einem solchen Fall nicht drängen. Schließlich vernehme ich aus der Presse: Unser Germaniker-Mitbruder, der von Tito inhaftierte, dann internierte Kardinal Stepinac, ist am 10. Februar 1960 gestorben, und der Wiener Kardinal reist nach Zagreb zur Beerdigung. Doch wenige Tage später kommt eine zweite Nachricht: Kardinal König ist auf der Rückreise bei einem Zusammenstoß seines Autos schwer verunglückt. Verständlich, daß da keine Nachricht aus Wien kommen kann wegen des Buches eines Theologen. Doch habe ich jetzt bereits den Seitenumbruch des Buches in Händen. Warten will gelernt sein.

Am 27. Februar schreibe ich schließlich erneut nach Wien in die Rotenturmstraße, die Residenz Kardinal Königs beim Stephansdom, wiewohl dieser selber noch im Allgemeinen Krankenhaus liegt. Jetzt erhalte ich von seinem Sekretär die Nachricht, der Kardinal sei bereit, ein Geleitwort zu schreiben. Doch bitte er mich, deshalb nach Wien zu kommen. Keine Kleinigkeit, eine Reise von Münster in Westfalen ins ferne Wien, aber notwendig.

Ich telefoniere mit dem *Verlag Herder* in Freiburg. Denn schon vor einiger Zeit hatte ich die gar nicht leichte Entscheidung getroffen, vom elitär-theologischen Johannesverlag Balthasars zum Herder-Verlag zu wechseln, dem repräsentativen katholischen Publikumsverlag Deutschlands. Ein Gespräch mit dem Chef der größten Universitätsbuchhandlung Münsters hatte mich davon überzeugt, daß die Publizität des kleinen Johannesverlags und auch dessen Verteilersystem minimal seien; meine Dissertation hätte zwar einen erstaunlichen Erfolg gehabt, aber nicht wegen, sondern eher trotz des Verlags. Für das Konzilsbuch müsse doch eine maximale Verbreitung auch unter Nichttheologen Vorrang haben. Deshalb denke ich ja auch an ein Taschenbuch und an einen Verlag wie Herder, der über ein exzellentes Verteilernetz und über eine eigene Taschenbuchreihe verfügt.

In einem sorgfältig überlegten Brief drücke ich HANS URS VON BALTHASAR erneut meine Dankbarkeit aus und versuche ihm zugleich verständlich zu machen, was ab jetzt meine Maxime für die Verlagspolitik bleiben wird: Das Buch soll derjenige Verlag bekommen, der für die beste Verbreitung sorgt, wogegen alles andere, auch der finanzielle Aspekt, zweitrangig ist. Nur als ich später einmal von einem anderen Verleger mittels eines Pauschalhonorars für alle Auflagen meines Büchleins »Freiheit in der Welt« übers Ohr gehauen werden sollte, werde ich mich verweigern und kurzentschlossen eine eigene Reihe »Theologische Meditationen« gründen. Im übrigen aber hat mir Prälat Höfer abgeraten, das Manuskript sofort als Taschenbuch zu veröffentlichen; auf diese Weise werde es nicht genügend ernstgenommen, abgesehen davon, daß etwa die deutsche Vatikanbotschaft normalerweise keine Taschenbücher verschenken könne. Balthasar ist natürlich nicht erbaut von meinem Brief, antwortet aber nicht unfreundlich und liiert jetzt seinen Johannes-Verlag noch mehr mit dem Benziger-Verlag. Aber vermutlich hat er mir diese Entscheidung als ohnehin höchst empfindlich reagierender Mensch mehr übelgenommen, als ich unerfahrener Autor dachte.

Der Verlag Herder – ich gedenke in Dankbarkeit der langen Zusammenarbeit mit dem Lektor Dr. ROBERT SCHERER und dem Verleger

Dr. Hermann Herder – ist großzügig genug, dem Assistenten Dr. Küng, der noch kein Auto besitzt, eine Flugreise von Düsseldorf nach Wien zu bezahlen. Dort nimmt mich dann ein Vertreter des Wiener Zweigs des Herder Verlags in Obhut. Am nächsten Vormittag gehe ich ins Allgemeine Krankenhaus und finde hier Kardinal Franziskus König: Er liegt auf dem Bett, den ganzen Kopf eingegipst und eingebunden, so daß er nur mühsam durch die Zähne sprechen kann.

Doch seine Aussage ist klar: Er sei bereit, das Geleitwort zu schreiben, es könne ja sicher kurz sein. »Ja,« antworte ich, »wenige Worte genügen.« So soll ich mich auf sein Bett setzen und seine Worte aufschreiben. Hier der vollständige Text, wie diktiert und an der Bettkante aufgeschrieben so gedruckt: »Es ist ein erfreuliches Zeichen, daß hier ein Theologe die Anregung des Heiligen Vaters, die er bei der Ankündigung des Konzils zum Ausdruck brachte, aufgreift, um einer treuen kirchlichen Gesinnung die Perspektiven aufzuzeigen, die sich angesichts der zerrissenen Christenheit und der Erwartungen des kommenden Konzils ergeben. Ich wünsche diesem Buche und seinem großen Anliegen eine verständnisvolle Aufnahme und eine weite Verbreitung. Franciscus Kardinal König, Erzbischof von Wien.«

Mir war und ist klar: Diese Sätze des auch in der römischen Kurie wegen seiner Gelehrsamkeit, Klugheit und seinen diplomatischen Fähigkeiten hochgeschätzten Kardinals sind mit dafür verantwortlich, daß ich mit meinem Konzilsbuch nicht auf dieselben Schwierigkeiten stoße wie P. Lombardi später mit dem seinen. Vielmehr kommt es gerade umgekehrt: Während Lombardis Buch durch die kurialen Machthaber an der Verbreitung und Übersetzung gehindert werden wird, erlebt mein Buch in sieben Monaten drei Auflagen und sehr viel Zustimmung. Die französische Ausgabe erscheint bald mit einem Vorwort des ebenfalls hochangesehenen Kardinals Achille Liénart von Lille. Eine englisch-amerikanische Ausgabe wird bald folgen. Doch Vorsicht: Parallel zur langen Geschichte der Veröffentlichung dieses Buches läuft noch eine ganz andere, teilweise konterkarierende Geschichte.

Geheimnisse eines Berufungsverfahrens

Schon früh in meiner Luzerner Zeit hatte sich eines Tages ein Tübinger Professor namens Joseph Möller, Ordinarius für scholastische Philosophie, in unserem Pfarrhaus zu Besuch angemeldet. Er ist mir noch aus der Kollegzeit bekannt als einer der ganz wenigen Germaniker, die es geschafft haben, in eine der nicht gerade romfreundlichen theologischen Fakultäten Deutschlands Eingang zu finden. Nach dem Mittagessen will er mit mir allein sprechen, und so gehen wir auf mein Wohn-Schlaf-Zimmer im zweiten Stock.

Hier fragt mich Professor Möller ziemlich unvermittelt, ob ich Interesse an einem Lehrstuhl für Fundamentaltheologie an der Universität Tübingen habe. Ich komme mir vor wie einer, den man fragt, ob er an der nächsten Raumfahrt teilnehmen wolle: »Ja«, sage ich nicht wenig verblüfft, »ja, sicher!« Zwar habe ich Tübingen nie gesehen und besitze kaum Erfahrung mit dem deutschen Universitätssystem. Aber warum soll ich mir eine solche Aufgabe nicht zutrauen, wenn sie mir andere, Kompetente, zutrauen? Doch ich möge von diesen Überlegungen niemandem ein Wort sagen, empfiehlt Möller mit Nachdruck. Selbstverständlich halte ich mich daran, ja, vergesse die ganze Angelegenheit völlig wie irgendein Traumerlebnis. Später für mich gelegentlich ein ermunterndes Exempel für Karrieresüchtige: Nicht daran denken und darauf spekulieren, sondern es sich schenken lassen, wenn es an der Zeit ist. Oder mit dem Bibelwort: »Den Seinen gibt's der Herr im Schlaf.« Keine Aufforderung zur Schlafmützigkeit, sondern zum vertrauensvollen Abwarten.

Jedenfalls bin ich völlig überrascht, als ich – schon in Münster – eines Tages wieder vom genannten Tübinger Professor höre. Eine handgeschriebene Karte trifft ein, in welcher er mir mitteilt, man sei unterdessen mit dem Berufungsverfahren vorangekommen, doch solle ich weiterhin schweigen. Über einen Assistentenkollegen in Münster, den Historiker Dr. August Nitschke, erhalte ich eine vertrauliche Information über den Stand des Verfahrens im Tübinger Großen Senat.

Man macht sich als normaler Mensch kaum eine Vorstellung über die Kompliziertheit eines *universitären Berufungsverfahrens* in Deutschland, mit all den Verhandlungen, Sitzungen, Gutachten, Berichten und Abstimmungen. Aber die Berufung eines *katholischen Theologieprofessors* dürfte die allerkomplizierteste sein, insofern über die drei schwierigen Instanzen hinaus – Fakultät, Universität, Ministerium – noch zwei weitere schwierige hinzukommen: Bischof und Vatikan. Dabei ist das ganze Berufungsverfahren von allerhöchster *Geheimhaltung* umgeben: vom »Fakultätsgeheimnis« über das »Amtsgeheimnis« bis zum »Secretum Sancti Ufficii«, von dessen Verletzung nur der Papst persönlich Lossprechung erteilen kann. Wie also ist das Berufungsverfahren in meinem Fall abgelaufen? Zumindest ohne alle Intrigen. Die wichtigsten Phasen waren mir damals bekannt. Ich beschränke mich auf das Wesentliche:

Walter Jens hat Phase I-III in seiner Vorlesung zu meinem Abschied im Februar 1996 in unnachahmlicher Weise geschildert.

Instanz I: die katholisch-theologische Fakultät. Der Lehrstuhl für Fundamentaltheologie ist schon länger vakant, und über einen der Gründe wird offen geredet: ein Dauerzwist zwischen Schwaben und Nichtschwaben unter den Professoren. Drei Rufe im Herbst 1958 hatten zu keinem Erfolg geführt: Zuerst die Ablehnung des Rufes durch den Ersterkorenen, Professor Bernhard Welte (von meiner Freiburger Begegnung mit ihm habe ich erzählt). Dann die Ablehnung des Zweitberufenen, Dr. Hans Urs von Balthasar; er habe selber abgelehnt wegen seines Laienordens, erklärt mir Balthasar seinerseits. Aus Rottenburg höre ich später, daß Rom der Berufung des Ex-Jesuiten nie zugestimmt hätte. Und weil zwei weitere, mit deutlichem Abstand genannte Kandidaten ebenfalls ausfielen, ist nun der Name Küng in der Fakultätsdiskussion aufgekommen. Die Germanikum-Connection mit Möller ist nur insofern von Belang, als dieser unauffällig eine Verbindung mit dem Luzerner Vikar aufnehmen kann. Schließlich einigt man sich in Tübingen auf die Person des unterdessen zum Münsteraner Assistenten Avancierten, wiewohl sich dieser noch nicht, wie sonst allgemein üblich, für die Dozentur »habilitiert« hat.

Freilich mußte ich schon am 8. November 1959 mein in Münster überarbeitetes und mit neuen Abschnitten ergänztes Manuskript »Menschwerdung Gottes. Die Christologie Hegels« (ca. 400 Seiten) nach Tübingen an Professor Möller schicken, ebenso die philosophische Lizentiatsarbeit über den existentialistischen Humanismus J. P. Sartres. Professor Möller teile ich zugleich mit, daß ich in den langen Sommer- und Herbstmonaten meine ganze Kraft einem neuen Buch über Konzil und Wiedervereinigung gewidmet habe, ein Manuskript von 200 Seiten, was mich am Abschluß der Hegel-Arbeit gehindert hat, die ich aber sehr bald abzuschließen gedenke.

Instanz II: die Universität. Die Liste der Katholisch-Theologischen Fakultät, auf der unterdessen allein (»unico loco« statt der üblichen »terna«, Dreierliste) der Name Dr. Küng steht, geht von der Fakultät an den Rektor der Universität. Dieser bestellt als Berichterstatter für den Großen Senat, dem die etwa hundert ordentlichen Professoren angehören, den Altphilologen Professor Ernst Zinn. Zinns Senatsbericht rühmt – neben der Sartre-Arbeit, der Konzilsschrift und der Habilitationsarbeit über Hegel – vor allem das Rechtfertigungsbuch, welches »das kontroverstheologische Gespräch zwischen den Konfessionen durch eine ganz ungewöhnliche Interpretationsleistung geradezu ruckartig gefördert und damit nicht nur weithin Aufsehen erregt, sondern die Zustimmung maßgebender Theologen gefunden« habe. Es sei »zu erwarten, daß die bisher bewiesene jugendliche Kraft der Durchdringung zentraler Probleme, die Küngs ganze Erscheinung zu einer verheißungsvollen macht, sich in Zukunft auch auf historischem oder im engeren Sinne fundamentaltheologischem Gebiet bewähren wird.«

Die Senatsdiskussion am 19. Dezember 1959 verläuft positiv, nur die fehlende Habilitation wird bemängelt. Mit 31 Jahren vom Assistenten ohne Habilitation zum Ordinarius aufzurücken, kommt kaum je vor. Doch der Beschluß des Großen Senats, Dr. Küng auf den Lehrstuhl für Fundamentaltheologie zu berufen, erfolgt schließlich doch ohne Gegenstimmen bei elf Stimmenthaltungen. Zugleich wird beschlossen, den bedeutenden Luzerner Exegeten, Professor Dr. Herbert Haag, Herausgeber des Bibellexikons, auf den Lehrstuhl für Alttestamentliche Exegese zu berufen: »Seinem Landsmann in Habitus und Lebenslauf – Luzern, Paris und Tübingen! Praktisches Amt und gelehrtes Sich-Umtun! – vielfach verwandter Kollege und Freund« (Walter Jens).

Instanz III: das Kultusministerium. Am 6. Februar trifft die Tübinger Liste mit den Berichten von Fakultät und Senat in Stuttgart beim Kultusministerium von Baden-Württemberg ein. Der Kultusminister Dr. Gerhard Storz sieht keine Schwierigkeiten, die Liste samt Unterlagen an den Bischof von Rottenburg, Dr. Carl-Joseph Leiprecht, weiterzusenden, damit dieser möglichst umgehend das Nihil obstat (der Berufung »steht nichts im Weg«) erteile. Nach dem Konkordatsrecht ist nämlich eindeutig der Ordinarius loci, der Ortsbischof, und nicht etwa die römische Kurie (das hätte die damalige Reichsregierung nie akzeptiert) für das Nihil obstat zuständig; der Bischof kennt sich ja auch zweifellos am besten im betreffenden Bistum und Land aus.

Instanz IV: der Bischof von Rottenburg. Dr. Leiprecht hat keinerlei Einwendung gegen Lehre und Lebenswandel (über anderes hat er nach dem Reichskonkordat nicht zu befinden!) der beiden zu Berufenden. So könnte denn das bischöfliche Nihil obstat ohne weiteres gegeben und das schon so lange während Berufungsverfahren rasch abgeschlossen werden. Aber die faktischen Verhältnisse sind nicht so wie die juristischen Bestimmungen: Unter Pius XII. ist es nämlich der Kurie gelungen, durch simple interne Weisung – wider Buchstaben und Geist des Konkordats – das Nihil obstat an sich zu ziehen; kein deutscher Bischof und kein Ministerium hat meines Wissens gegen dieses Unterlaufen des Konkordats je protestiert. Formell wird jetzt von Rom einseitig die Studienkongregation als zuständig erklärt. Faktisch aber fällt die Entscheidung, wie ich von P. Hürth hörte, im Sanctum Officium, das über alle Dossiers Verdächtiger oder Mißliebiger verfügt.

Instanz V: der Vatikan. Das Verfahren dauert erheblich länger als erwartet. Im Sanctum Officium ist ja nun bereits seit zwei Jahren ein Dossier der Indexabteilung unter meinem Namen und der Protokollnummer 399/57i angelegt. Die undurchsichtige Situation läßt mich am 25. Januar 1960 an Botschaftsrat Professor Dr. Höfer an der Deutschen Botschaft beim Heiligen Stuhl schreiben: »Da Sie über die Widerstände, die vor nicht allzu langer Zeit die Tübinger Berufung von H. U. von Balthasar gefunden hat, genügend orientiert sind, werden Sie mich verstehen, wenn ich Sie herzlich bitte, den Lauf dieser Berufungen etwas unter den Augen zu behalten. Zwar befürchte ich keine ernsthaften Widerstände, da ich selber bei meinen verschiedenen römischen Besuchen im vergangenen Oktober nicht nur von seiner Eminenz Kardinal Bea, sondern auch von den Patres Hürth und Tromp u. a. sehr freundlich aufgenommen wurde. Professor Haag wird von Kardinal Bea, mit dem er seit vielen Jahren persönlich bekannt ist, als Exeget sehr geschätzt.« Ich erwähne auch, daß mein Buch »Konzil und Wiedervereinigung« bis jetzt noch nicht erschienen ist und daß es unter Umständen Schwierigkeiten bereiten könnte, daß die Fahnen von Herder aber bereits an mich sowie an Kardinal König für das Imprimatur und Geleitwort gegangen seien.

Schon am 3. Februar erfolgt von Prälat Höfer eine kurze Mitteilung: »Folgendes absolut vertraulich: Herr Kardinal Bea ist bereit, gegebenenfalls für Sie beide einzutreten; Sekretär Staffa und Referent Romeo (der Studienkongregation) sagten mir, ein entsprechender Vorschlag des Hochwürdigsten Herrn von Rottenburg würde das Nihil obstat erhalten. Davon unterrichtete ich soeben Excellenz Leiprecht ad informandam conscientiam. – Ihre Schrift vom Konzil bleibt jetzt meines Erachtens besser noch unveröffentlicht. Und Sie müssen unbedingt schweigen! Mit herzlichem Gruß Ihr Höfer.«

Ich berichte von dieser Korrespondenz Professor Möller, der unterdessen zum Dekan für das nächste akademische Jahr gewählt worden ist. Zugleich bitte ich den Verlag Herder, die Auslieferung des Konzilsbuches zu verzögern. Aber es dauert und dauert, und ich weiß nicht, ob ich mich nun auf die Habilitation in Münster oder auf die Professur in Tübingen vorbereiten soll. Zugleich bin ich von Msgr. Willebrands dringend gebeten worden, mit neun anderen katholischen Professoren zu einer wichtigen vertraulichen Theologenzusammenkunft vom 25. bis 29. April 1960 nach Warmond in Holland zu kommen, zusammen mit einigen Vertretern der hochkirchlichen ILAFO (International League for Apostolic Faith and Order), die sich innerhalb des Weltkirchenrates besonders für katholische Anliegen – apostolischer Glaube und apostolische Sukzession – einsetzt. Was aber geschieht, wenn ich doch plötzlich den Ruf nach Tübingen erhalte? Es gehen einige Briefe zwischen Münster, Rom und Tübingen hin und her.

Ein Ruf und ein Buch

Endlich am Osterdienstag, dem 19. April 1960, ist es soweit: In Sursee, wo ich mich in der Kar- und Osterwoche aufhalte, erhalte ich den *Ruf nach Tübingen* durch einen Brief des Kultusministers Storz vom 12. April: »Der Große Senat der Universität hat Sie in Übereinstimmung mit der Kath.-Theol. Fakultät für die Wiederbesetzung des Ordentlichen Lehrstuhls für Fundamentaltheologie in Vorschlag gebracht. Ich erlaube mir, Ihnen hiervon Kenntnis zu geben und bitte Sie um Mitteilung, ob Sie grundsätzlich gewillt sind, den Ruf nach Tübingen anzunehmen.« Drei Tage später reise ich nach Münster zurück. Als ich jetzt Dekan Volk die Mitteilung von meiner Berufung machen kann, ist er buchstäblich sprachlos. Dreimal nacheinander stößt er in seiner unnachahmlichen Art hervor: »Donnerwetter« – Pause – »Donnerwetter« – Pause – »Donnerwetter!«

Jetzt eilt es. Meinen Bischof von Streng hatte ich noch von Sursee aus um die Zustimmung zu meiner dauernden Übersiedlung nach Tübingen gebeten: »Ich hoffe, auch in Tübingen meiner Heimatdiözese, insbesondere meinem Bischof verbunden zu bleiben.« An der ökumenischen Konferenz in Holland nehme ich wie geplant vom 25. bis 28. April teil, um dort über Messopfer, die Notwendigkeit des Bischofsamtes und die Erwartungen im Blick auf das Konzil zu diskutieren. Am Dienstag, den 3. Mai fahre ich nach Tübingen, wo ich mit den sprichwörtlich langsamen schwäbischen Eisenbahnen um 18.25 Uhr eintreffe, um noch am selben Abend mit Dekan Möller und am nächsten Tag im Stuttgarter Kultusministerium die Verhandlungen zu führen.

Da das Sommersemester schon begonnen hat, bin ich fest entschlossen, meinen Lehrstuhl erst im Herbst anzutreten, da ich mich sonst auf meine Lehrtätigkeit in keiner Weise vorbereiten kann. Ich versuche dem Dekan deutlich zu machen, daß ich noch nie ein Seminar geleitet und auch noch nie, abgesehen von zwei, drei Gastvorträgen, Vorlesungen an einer Universität gehalten habe. Aber da gerate ich an den falschen: Der Dekan beschwört mich, ich, den man in allen Berichten über den grünen Klee gelobt habe, dürfe keinesfalls den Beginn meiner Lehrtätigkeit auf den Herbst verschieben, nachdem der Lehrstuhl für Fundamentaltheologie so lange vakant geblieben sei.

Meine erste Nacht in Tübingen – man hat mich im uralten Hotel Lamm am Marktplatz (später abgerissen und durch das Evangelische Gemeindehaus ersetzt) untergebracht – verläuft äußerst unruhig. Was soll ich tun? Am Morgen des 4. Mai habe ich mich entschieden: Ich darf meine künftige Fakultät nicht enttäuschen. Und so werde ich denn noch im Sommersemester am 1. Juni in Tübingen meine Lehrtätigkeit beginnen. In Stuttgart führe ich die Verhandlungen mit der kompetenten, freundlich-forschen Regierungsdirektorin Dr. Hoffmann. Über die Bedingungen sind wir uns rasch einig. Als Wissenschaftlicher Assistent darf ich kaum irgendwelche besonderen Forderungen stellen – außer einer Assistentenstelle eine Halbtagssekretärin; daran ist mir mehr gelegen als an einem möglichst hohen Gehalt. Dieses wird mir in der Folge mitgeteilt: ein Grundgehalt von DM 1.150 pro Monat (plus Zuschlägen und beinahe ebenso vielen Abzügen). Das ist nicht viel. Ob ich mir in Zukunft ein Auto leisten kann? Ein befreundetes Ehepaar aus meiner ehemaligen Luzerner Gemeinde enthebt mich dieser Sorge und schenkt mir mein erstes Auto, einen VW-Käfer, der mich in Zukunft in knapp drei Stunden von Tübingen nach Sursee transportieren wird.

Mein *Abschied von Münster* ist froh und wehmütig zugleich: Habe ich mich doch in Stadt und Universität äußerst wohl gefühlt und hatte mit Professoren wie Studenten beste Beziehungen. 27./28. Mai 1960: Es läuft alles wie am Schnürchen: Abschiedsfeier vom theologischen Seminar, Abschiedsessen mit den mir besonders verbundenen Professoren Eising und Volk und den Kollegen Nitschke und Spaemann ... und zugleich Eintreffen der ersten Exemplare von »Konzil und Wiedervereinigung«, nicht zu früh und nicht zu spät! »Gehen Sie jetzt ruhig nach Tübingen«, erklärt mir frohgemut der Direktor des Theologischen Seminars, der sympathisch direkte Kirchenhistoriker Professor Bernhard Kötting, großer Macher in der Fakultät, »aber nach drei Jahren werden wir Sie nach Münster zurückrufen!«

Ob Kötting schon weiß, daß Professor Volk als Bischofskandidat in seiner Heimatdiözese Mainz im Gespräch ist? »Was ist der Bischof?«, so lautete eine der von Hermann Volk öfters wiederholten theologischen Fragen, wobei er immer herausstellte, daß auch das Hirtenamt des Bischofs nicht als Herrschaft über die Kirche, sondern nur als Dienst am Menschen Sinn hat. Volk war schon lange Prälat; nie hat er sich etwas daraus gemacht; er liebte weder Titel noch Ornat. Ohne alle Eitelkeit blieb er schlicht, demütig und natürlich …

Wenige Monate später, wenn unsere Katholische Konferenz für Ökumenische Fragen in Gazzada, in jener Villa der oberitalienischen Bischöfe, tagen wird, werde ich meinen ehemaligen Chef in einer stillen Mittagsstunde in der Säulenhalle direkt fragen: Wird er *Bischof von Mainz*? Alle Welt würde davon reden, antwortet er, aber er selber wisse nichts. Und im übrigen, er macht mit seiner Rechten leicht karikierend den zumeist nach rechts und links serienweise erteilten bischöflichen Segen: »Das kann ich doch nischt!« »Dann machen Sie es eben nicht!«, ist meine ganz selbstverständliche Antwort. Sie löst bei ihm ein unsicheres Achselzucken aus.

Im folgenden Jahr wird Hermann Volks Berufung nach Mainz auf einen der traditionsreichsten deutschen Bischofsstühle (zu Luthers Zeiten war der Inhaber Deutschlands mächtigster Kirchenmann) bekanntgegeben. Auf Volks Einladung hin nehme ich am 5. Juni 1962 mit Karl Rahner sowie dem Dogmatiker Michael Schmaus und dem Kirchenrechtler Klaus Mörsdorf an der Bischofsweihe teil. Wir sitzen vorn im Chor und sehen alles genau: Am Ende des langen Festgottesdienstes gibt der neue Bischof, wie es sich gehört, den dreifachen bischöflichen Segen, nach rechts, nach vorn und nach links …. Dies müßte eigentlich genug des Segens sein, denke ich mir und bin nun ungeheuer gespannt, ob Hermann Volk auch noch beim Auszug, was er, wie er sagte, »nicht kann«, schließlich gegen seine Überzeugung doch tut … Und in der Tat: Er geht durch das lange Schiff zum Portal und segnet ständig nach rechts und auch nach links … Wie schade. Gewiß wird Hermann Volk ein gutmeinender Bischof und Seelsorger sein. Aber auch ein großer Reformer und mutiger Ökumeniker? Und – was ist erst recht vom Sozialwissenschaftler Joseph Höffner zu erwarten, der im gleichen Jahr Bischof von Münster wird und dessen Theologie, anders als die Volks, notorisch auf dem Gregoriana-Niveau der 30er Jahre stehengeblieben ist?

In meiner Heimat ist man übrigens über die »Wegberufung unserer Schweizer Theologen« nur halb erfreut. Das »Zentralorgan der Schweizer Katholiken«: Franz Böckle, Herbert Haag, Hans Küng: »Das sind drei Theologen von bestem Ruf. Weltaufgeschlossen, dynamisch, gründlich in ihren Fachkenntnissen … Es ist gewiß eine Freude und eine Ehre für die kleine Schweiz … Aber andererseits erfüllt uns ein Gefühl der Wehmut und des Bedauerns, daß unsere besten Theologen ins Ausland abwandern müssen« (»Vaterland« 26.4.1963).

Freiheit in der Welt

Am Montag, dem 30. Mai fahre ich abends von Münster ab, um am 31. Mai um 6.00 Uhr morgens in Stuttgart zu sein. Denn schon am 1. Juni nachmittags muß ich meine erste Vorlesung an der Universität Tübingen halten. Mir geht noch diese mich zutiefst bewegende *Abschiedsüberraschung* nach: Fast das ganze Thomas Morus-Kolleg ist am Bahnhof und winkt mir nach, bis der Zug entschwindet. Auch hier wieder wie schon in Luzern zu früh und innerlich traurig muß ich Abschied nehmen. »Betet für mich, ich habe eine schwere Gratwanderung vor mir«, hätte ich am Ende meiner letzten Predigt im Thomas-Morus-Kolleg gesagt, schreibt mir einer, der dabei war.

Doch abgesehen von den Studenten, von denen ich den einen oder anderen in späteren Jahrzehnten wiedersehen werde, ist mir eine letzte Erinnerung an das Thomas Morus-Kolleg zu Münster in Westfalen bis heute geblieben: der mir geschenkte einfach gerahmte Druck des Portraits jenes Mannes, der diesem Kolleg den Namen gegeben hat. Es hängt im Aufgang zu meiner Tübinger Wohnung und begrüßt mich jeden Morgen: dieses feine, starke Gesicht, die ruhig überlegenen, kritischen, fast skeptischen und doch nicht harten, sondern gütigen Augen, Nase und Mund gezeichnet durch Zucht und Maß, ungezwungene Sicherheit und Festigkeit, in allem ein natürlicher und schlichter Zug: das ist SIR THOMAS MORE, mit 51 Jahren als erster Laie Lordkanzler Heinrichs VIII. von England und Erster Staatsmann des Reiches. Ich werde mir später Hans Holbeins Original-Zeichnung in Schloß Windsor zeigen lassen, wenn ich dort in St. George's Chapel, einem Bijou englischer Gotik, in festlichem Rahmen jene St. George Lecture halten darf.

Mir imponiert dieser Thomas Morus, so sein latinisierter Humanistenname, schon seit mich im Germanikum die Frage bewegte, wie ich denn als Christenmensch nicht nur in einem römischen Kolleg, sondern draußen in der Welt nach dem Evangelium leben könne und solle. Denn auch ich wollte ja nicht in einen Orden eintreten, wollte mich nicht ins Kloster zurückziehen, wo man übrigens der Welt nur schwer entfliehen kann. Nicht einmal in der Kurie der Franziskaner oben über dem Vatikan, die ich nach ihrem Neubau besichtigen durfte, kann man so in der Armut leben, wie es Franz von Assisi gefordert hatte, sondern nimmt selbstverständlich alle Bequemlichkeiten des modernen Lebens in Wohnung, Nahrung und Hygiene in Anspruch.

In der Welt lebte eben dieser Sir Thomas, ja er war sogar, was man nennt: ein Mann von Welt. Selbstsicher, überlegen, mit Umgangsformen.

Ein weltgewandter Diplomat und Gelehrter, als erster Verfasser, in hervorragendem Latein, einer gesellschaftskritischen »Utopia«. Aber dieser Weltmann von überragender Intelligenz, eiserner Entschlossenheit, hohem Gerechtigkeitssinn und furchtlosem Auftreten war zugleich von einer Bescheidenheit, Freundlichkeit und Liebenswürdigkeit, die bezauberten. Ein »Mann für alle Jahreszeiten« (unter diesem Titel hat man in unseren Tagen einen Film über ihn gedreht), bei dem sich tiefer Ernst paart mit Ironie und Humor und bei dem die *edle Humanitas* ganz verborgen *in der Nachfolge Christi* gründet.

Sir Thomas war, wie berichtet wird, »ohne Abneigung gegen das unschuldige Vergnügen«. Er freute sich seines Eigentums, war ihm aber nicht verfallen. Der Weltmann More, kein Bonvivant, lebte im Alltag einfach, kannte weder Raffgier noch Geiz, ließ andere gerne an seinem Reichtum teilhaben. Sein Herz hängte er nicht ans Geld, sondern an Gott den Herrn allein, unauffällig, ohne davon Aufhebens zu machen. In ihm wird sichtbar: Das Entscheidende für den Christen ist nicht, die Güter der Welt aufzugeben, sondern sich nicht an sie zu verlieren: weder an den Reichtum noch an die Macht noch an den Sexus. Die überlegene Distanz des Freien zu den Dingen dieser Welt macht ihn letztlich indifferent gegenüber Überfluß und Mangel. Freiheit in der Welt.

Eine Lebensperiode ist für mich an ihr Ende gekommen. Bisher habe ich wie ein Student gelebt, habe selten gehungert, aber auch selten im Überfluß gelebt. Aber jetzt wird diese Zeit vorbei sein. Auch ich werde eine weltliche Position einnehmen, werde schließlich ein Haus mit Bibliothek und Garten besitzen und werde sehen müssen, wie ich in der neuen Situation ich selber bleibe und mir *die innere Freiheit bewahre*.

Nicht ahnen kann ich freilich, daß mir Sir Thomas – ein Märtyrer nicht für das Papsttum, sondern für die Einheit der Kirche »zur Entlastung seines Gewissens«, also für »Consensus« (Konzil!) und »Conscience« – noch in einer ganz anderen Situation Vorbild sein wird. »Omnium horarum homo«, einen »Mann für alle Stunden«, wie ihn sein Freund Erasmus von Rotterdam nannte, der nicht nur in Schönwetterperioden, sondern auch in schlechten düsteren Zeiten zu seinen Überzeugungen steht: *Einer gegen die Macht* – wenn es gilt, auch in Konfrontation mit einer höchsten Autorität in »zivilem« Ungehorsam die Freiheit zu bewahren: aus der Kraft der Argumente nach dem eigenen Gewissen zu entscheiden und dafür den Preis zu bezahlen.

VI. Kampf um die Freiheit der Theologie

*»Als im Heiligen Geist rechtmäßig versammelt, ein allgemeines
Konzil bildend und die katholische Kirche repräsentierend,
hat die Synode ihre Gewalt von Christus. Ihr hat also jedermann, welchen Standes oder welcher Würde auch immer,
selbst der päpstlichen, zu gehorchen in allem, was den Glauben,
die Überwindung des besagten Schismas und die Reform dieser
Kirche an Haupt und Gliedern betrifft.«*

Ökumenisches Konzil von Konstanz 1418

Heiße Eisen aussuchen?

Eine Schlüsselszene meiner beiden ersten Tübinger Jahre: »Ein erregen-
des Buch – diese ›Strukturen der Kirche‹, dessen Lektüre einem den
Schlaf rauben kann; aber wenn du in der Theologie immer die heißen
Eisen anfassest, wirst du dir eines Tages die Finger verbrennen«, so
kommentiert am Vorabend des Zweiten Vatikanischen Konzils anfangs
Oktober 1962 Kardinal JULIUS DÖPFNER das neue Buch des jungen
Tübinger Professors im Cortile des Collegium Germanicum. Und dieser antwortet seinem bischöflichen Mitbruder lächelnd: »Wie stellst du
dir die Theologie vor: Da liegt eine ganze Reihe von Eisen, heiße,
laue, kalte, und ich suche mir verwegenerweise die heißen aus? Ich
habe doch nur die Themen aufgegriffen, die sich im Blick auf Konzil
und Kirche einem Theologen förmlich aufdrängen.«

Kaum jemand weiß heute, welche Informationen in ein Buch wie
»Strukturen der Kirche«, wenige Monate vor Konzilsbeginn erschienen,
eingingen, welche Diskussionen vorausgingen, welche Konflikte mit
ihm verbunden waren. Doch meine ich auch mit diesem Buch, dessen
dramatische Geschichte, mit meinen ersten beiden Tübinger Jahren
verbunden, jetzt zu erzählen sein wird, schlicht meine theologische
Pflicht getan zu haben: Nach der Programmschrift »Konzil und Wiedervereinigung« waren unbedingt bestimmte *vergessene oder vernachlässigte
Strukturen der Kirche* zu reflektieren, die durch die Ankündigung des
Konzils wieder ins Blickfeld gerückt werden konnten. Theologisch,
historisch und gegenwartsbezogen. Nicht oberflächlich-enthusiastisch,
auch nicht spekulativ-abgehoben, vielmehr in nüchterner und zugleich
leidenschaftlicher Sachlichkeit. Die hier neu aufgeworfenen Probleme

haben dem Erzbischof von München den Schlaf geraubt, zuvor haben sie jedoch den Autor des Buches Tag und oft auch Nacht gequält.

Diese »heißen Eisen« – und die damit verbundene Konfliktgeschichte mit ihren verdrängten und verleugneten Optionen – wollen auch gewisse *römisch-katholische Konzilshistoriker* wie der genannte italienische Konzilshistoriker GIUSEPPE ALBERIGO, Herausgeber einer Geschichte des Vatikanum II am Ende des 20. Jahrhunderts, lieber nicht anfassen; dafür beschäftigen sie sich umständlich mit den »lauen« und »kalten«. Früher war das anders: Schon Mai/Juni 1962 hatte mich derselbe Alberigo in zwei Briefen zu einem kritischen Interview für eine Konzilsserie der Televisione Italiana zum Vatikanum II eingeladen. Im März 1963 lasse ich ihm auf seine Bitte meine Veröffentlichungen zum Konzil und meine gesammelten Konzilsvorträge (»Kirche im Konzil«) zukommen. Das ihm zugesandte Buch »Strukturen der Kirche« empfiehlt er (leider vergebens) dem Mailänder Verlag Mondadori für eine italienische Ausgabe. In der Tübinger Theologischen Quartalschrift habe ich Alberigos wertvolle Neuausgabe sämtlicher Dekrete der 20 ökumenischen Konzilien mit ihren Vorteilen gegenüber der tendenziösen Dekretenauswahl Heinrich Denzingers eingehend besprochen und belobigt. So wurden wir Freunde, sahen uns auch nach dem Konzil im Rahmen der Zeitschrift »Concilium« alle Jahre in der Pfingstwoche und hatten viele gemeinsame Erlebnisse.

Aber »tempora mutantur, et nos mutamur in illis – die Zeiten ändern sich, und wir ändern uns mit ihnen.« 1993 will Alberigo von heißen Eisen nichts wissen: In seinem Sammelband »Verso il Concilio Vaticano II (1960-62)« verschweigt er meinen Namen. In den von ihm und Klaus Wittstadt herausgegebenen ersten beiden Bänden ihrer »Geschichte des Zweiten Vatikanischen Konzils« (1997/2000) werden selbst meine gedruckten Beiträge zum Vatikanum II und die öffentliche Reaktion darauf fast völlig ignoriert, obwohl ich in dem von den beiden Professoren organisierten internationalen Symposion über den »Beitrag der deutschsprachigen und osteuropäischen Länder« (Würzburg, 17. 12. 1993) als einziger deutschsprachiger Konzilsperitus einen langen, freilich sehr kritischen Erfahrungsbericht vorgetragen habe. Ja, bei der Behandlung der »Periti einer theologischen Erneuerung« (Wittstadt) taucht meine Person gar nicht auf. Nicht schlimm – daß Karl Rahner fast vier Seiten gewidmet werden, tröstet mich. Schlimmer, daß bestimmte Probleme ignoriert werden und das Versagen der Päpste – eine wesentliche Ursache der Zweideutigkeiten und Halbherzigkeiten des Vatikanum II – nicht deutlich herausgearbeitet wird. Noch schlimmer,

daß das Defizit an solider exegetischer Begründung wichtiger Konzilsaussagen gar nicht wahrgenommen wird. Am schlimmsten, daß bei
einer Überfülle von Oberflächeninformation das Grunddilemma des
Vatikanum II bezüglich Kirchenverständnis und Kirchenreform nicht
scharfsinnig herausgearbeitet wird. Den ihm angebotenen Herbert
Haag-Preis »Für Freiheit in der Kirche« des Jahres 2000 lehnt Alberigo
(wie zuvor die brav katholische deutsche Bundestagspräsidentin Rita
Süssmuth) mit Rücksicht auf den Vatikan ab. Er will ja auch den ersten
Band seiner Konzilsgeschichte Johannes Paul II. in Privataudienz präsentieren, und dies verträgt sich in der Tat kaum mit einem Freiheits-
preis. Der Autor dieser Lebenserinnerungen gratuliert zu solcher Ehre
und gestattet sich in den weiteren Kapiteln, die verengten Perspektiven
der »offiziösen« Konzilsgeschichte durch persönliche Einsichten ein
klein wenig aufzubrechen: so etwas wie eine »alternative« Konzilsgeschichte »von innen geschildert« (wie die von Ullathorne-Butler-
Lang für das Vatikanum I!). Meine persönlichen Quellen bezüglich des
Vatikanum II sind meine Erfahrungen und Begegnungen, meine Agen-
den und Korrespondenzen, meine persönlichen Konzilsakten und eigenen Veröffentlichungen, schließlich die auf meinen Namen konzentrierte vielbändige Presse-Chronik – alles Stützen eines erfreulicherweise
noch gut funktionierenden Gedächtnisses.

Heiße Eisen aussuchen? Anfangs der 60er Jahre ist mir eines klar-
geworden: Anders als meine Studienzeit kann ich mein Theologen-
leben, bei allen strategischen Überlegungen, doch nicht einfach planen.
Mit dem Datum vom 20. Juli 1960 in aller Form glücklich zum
Ordentlichen Professor ernannt mit Berufung in das Beamtenverhältnis
auf Lebenszeit (unterschrieben vom damaligen Ministerpräsidenten Kurt
Georg Kiesinger, später Bundeskanzler), kann ich freilich mit dem
Lebensgefühl wirken: ich habe fast unendlich viel Zeit. Keine Ahnung
aber habe ich, wie beinahe lebenswichtig diese Urkunde zwanzig Jahre
später für mein wissenschaftliches Überleben an der Universität sein
würde.

Heiße Eisen aussuchen? Meine Frage war: welches wissenschaftliche
Projekt in diesem ersten Jahrzehnt vorziehen? Ich entscheide nach der
Devise »*Challenge and Response*« (A. Toynbee): Wenn eine ernste *Herausforderung* der Zeit – und das Konzil ist eine solche – an mich herantritt,
so will ich nicht kneifen; ich will mich ihr als Theologe stellen und eine
Antwort versuchen. In diesem Sinn – nicht in Anpassung an den wetter-
wendischen »Zeitgeist« – gilt für mich: »die Stimme der Zeit (vox
temporis) ist die Stimme Gottes (vox Dei).« Und so entscheide ich

mich statt für den Abschluß der Studie über Hegels Christologie für die Ausarbeitung einer Theologie des ökumenischen Konzils. Ein heißes Eisen fürwahr, das auch in jeder seriösen historischen Standortbestimmung angepackt werden muß. Unsere ängstlichen Konzilshistoriker erinnern sich vermutlich: Der Ausdruck »heißes Eisen anfassen«, nämlich an eine heikle, bedenkliche Sache rühren, ist aus dem mittelalterlichen »Gottesgericht« entlehnt, wo den Angeklagten die »Eisenprobe« abgefordert wurde ...

Fundamentale Probleme

Zur Vorbereitung meiner Tübinger Vorlesungen bleiben nur drei Wochen Zeit. Kein Spaß, sage ich in der Einleitung zur ersten Vorlesung am 1. Juni 1960, für einen theologischen Benjamin, der in keine Schublade wohlpräparierter Manuskripte greifen kann. Der das Fundament für seine fundamentaltheologische Vorlesung buchstäblich aus dem Boden stampfen muß. Da könne es einem schon gehen wie dem Schriftsteller Mark Twain, der eine historische Vorlesung zu halten hatte und wie folgt begann: »Alexander der Große ist gestorben, Julius Cäsar ist gestorben, Napoleon ist gestorben, ich lebe noch, aber mir ist auch nicht ganz wohl.«

Meine ersten Tübinger Studenten – die Katholisch-Theologische Fakultät zählt 167 Studenten, die Gesamtuniversität immerhin 9.192 – sind zuallermeist Priesteramtskandidaten und deshalb männlichen Geschlechts, mit der Ausnahme von drei Studentinnen. Sie gehören weithin meiner Generation an, und ich genieße die Sympathie der gemeinsamen Jugend. Ältere kann das verwirren: »In welchem Kurs sind Sie denn?«, fragt mich im Hof des Tübinger Theologenkonvikts (»Wilhelmsstift«), wo ich im ersten Semester zwei Zimmer bewohne, leutselig der Rottenburger Weihbischof Wilhelm Sedlmeier. »Ich bin der neue Ordinarius für Fundamental-Theologie«, antworte ich vergnügt. Es sollte dies nicht die letzte Verlegenheit sein, die ich den Herren vom bischöflichen Ordinariat Rottenburg – es ist nur ein Dutzend Kilometer von Tübingen entfernt und doch eine andere Welt – bereiten sollte.

Also »Fundamental-Theologie« lehre ich in diesen ersten Jahren und bin sehr glücklich damit. Was könnte es für eine schönere Aufgabe geben – eine eminent seelsorgliche Aufgabe, erkläre ich meinen Erstsemestrigen –, als jungen Theologen das theologische »Fundament« für ihr späteres pastorales Wirken bauen zu helfen: denen das Feuer des Geistes zu reichen, die bereit sind, es weiterzutragen. Keine Phrase, sie um intensive Mitarbeit und auch – im Sinn von Kol 4,3 fünf Jahre zuvor, wie berichtet, auf mein Primizbildchen gedruckt – um ihr Gebet zu bitten.

In der »Fundamental-Theologie« sehe ich eine doppelte Chance: *Erstens* kann ich die noch von keiner Schultheologie verdorbenen Studenten in ihren vier Anfangssemestern in die grundlegenden Fragen nach der Offenbarung, nach Gott, Jesus Christus, Kirche, also in die *Fundamente des Glaubens* einführen. Nicht im Traum wäre mir eingefallen, aus der Fundamental-Theologie aus Prestigegründen eine Tektal-Theologie zu machen und sie als »Dach« (»tectum«) der Theologie zu etablieren, wie dies dann mein Nachfolger in jahrelangem Drängeln der Fakultät abringen und so die Studenten der grundlegenden Einführung in die Theologie berauben wird.

Zweitens kann ich in der »Fundamental-Theologie« genau jene Themen behandeln, die mich als Studenten in meiner *persönlichen Erfahrungsgeschichte* zur Fundierung meines Glaubens und Denkens jahrelang beschäftigt haben. Welche Freude, das in Rom Erfahrene und Gelernte, in Paris Erweiterte und Vertiefte und in Luzern wie Münster praktisch Verarbeitete ganz neu zu durchdenken, in historischer Perspektive aufzuarbeiten und die Ergebnisse den Tübinger Studenten zu vermitteln. Dabei will ich die Vorlesung so wenig wie die Predigt – auch evangelische Theologen können das – abgehoben »zelebrieren« oder »pontifizieren«. Kritisch informieren und überzeugend argumentieren will ich, und ohne alle deutsch-akademische Betulichkeit *verstanden* werden. Allerdings auch nie endlos »hermeneutisch« problematisieren, sondern für Lebens- und Gemeindepraxis hilfreiche Antworten geben.

Im nachhinein frage ich mich, ob ich mit meiner Forderung des »intensiven Mitdenkens und geschickten Mitschreibens« meine Hörer nicht überschätzt habe. Nahm ich doch an, sie könnten sich die Elemente der traditionellen Theologie, wie ich es als Student gemacht habe, in eigenem Studium aneignen und von der klaren Vorlesungsdisposition an der Tafel angeleitet (Projektoren sind noch kaum in Gebrauch), meine Vorlesungen selbständig mitschreiben. Im Gymnasium haben sie solches offensichtlich nicht gelernt, und ein Einarbeiten des Lehrbuch-Stoffes in meine Vorlesungen überstieg doch wohl die Fähigkeiten der allermeisten.

Andererseits werde ich mich später selbst durch die 68er Umwälzungen nie zur Illusion verleiten lassen, die großen Vorlesungen gehörten einer autoritären Vergangenheit an, wie mein evangelischer Kollege Ernst Käsemann, ein höchst erfolgreicher akademischer Lehrer, der unter dem Eindruck der auch Pädagogik und Didaktik ergreifenden Kulturrevolution seine Römerbrief-Vorlesung durch Gruppenarbeit (anhand verschiedener Kommentare) ersetzt und damit scheitert. Er resigniert – der »alten« Universität nachtrauernd, die nicht wiederkommt. Ich selber biete in meinen allerersten Vorlesungen längst vor 1968 »Colloquia nach Zeit und Gelegenheit« an, um den Studenten Möglichkeit zu Rückfragen zu geben – vom persönlichen Kontakt nach Vorlesungen und von Sprechstunden ganz zu schweigen. Daß diese Möglichkeiten von den Studenten längst nicht so benützt werden, wie ich es erhoffe, steht auf einem anderen Blatt.

Glauben oder Wissen?

1960 ist es zweifellos ein recht ungewöhnliches Unterfangen: die turnusgemäße Vorlesung »Lehre von der Offenbarung« mit einem langen ersten Teil über »die Frage nach der menschlichen Existenz« zu beginnen. Zwar geht es auch mir um die Klärung der Sachfrage »Offenbarung«, aber doch aufgrund einer verschiedenen Ausgangslage und Methode. Sozusagen *von unten nach oben:* Ausgehend von der Ungewißheit der menschlichen Existenz frage ich nach einer Grundgewißheit, die alles zu tragen vermag. Erst von daher stelle ich die Frage nach Glaube und Offenbarung. Also ganz anders als dies Karl Barth in seiner Kirchlichen Dogmatik (ausgehend von der Trinität!) tut: Aus der Tiefe der so zweifelhaften menschlichen Existenz soll nach Gott und seiner Offenbarung gefragt werden.

Und diese Problematik behandle ich nicht im Kontext des Mittelalters, sondern der *Moderne.* Nicht wie gleichaltrige »fortschrittliche« Fundamental-Theologen im Gefolge von Maréchal, Rahner, Bouillard und anderen mit Hilfe von Thomas von Aquin, der jetzt zum »Anthropozentriker« (J. B. Metz) oder zum »Geschichtstheologen« (M. Seckler) uminterpretiert wird. Sondern sozusagen modern »klassisch«: ausgehend vom Begründer der modernen Philosophie René Descartes und seinem Antipoden Blaise Pascal, in Auseinandersetzung mit dem Idealismus Hegels, dem Nihilismus Nietzsches und dem Existentialismus Sartres, vorstoßend zu positiven Antworten für den Menschen von heute.

Diesen schwierigen Weg gehe ich in meinen Vorlesungen jedoch nicht einfach abstrakt analysierend und reflektierend, sondern möglichst viel *erzählend,* ausgehend von Leben und Schicksal jener großen Leit-figuren der Moderne. Keine rein theoretischen Fragen, keine philoso-phischen oder theologischen Systeme, die nur wieder andere Systeme erzeugen. Vielmehr Lebensfragen lebendiger Menschen, die ihre Erfah-rungen, Enttäuschungen und Erfolge intellektuell verarbeitet, die ihre Antworten nicht nur erdacht, die sie erlebt und oft auch erlitten haben. Später kann ich nur darüber lächeln, wie da plötzlich die Forderung nach einer »erzählenden«, »narrativen« Theologie erhoben wird von Theologen, die lieber theologische Plakate oder Trakate über das Er-zählen fabrizieren, als selber zu erzählen.

Schritt um Schritt entwickle ich so die meist vernachlässigte Grund-frage der »Fundamental-Theologie«: Glauben oder Wissen? Geht es um ein Fundament, das die Theologie von anderswoher weiß, etwa von der Philosophie her? Oder um ein Fundament, das die Theologie glau-bend sich selber setzt? *Was »fundamentiert« was?*
– Fundamentiert die *Vernunft* das Fundament für den Glauben? Wenn aber der Glaube in der Vernunft gründet, dann scheint der Glaube daran zugrundezugehen. Der Glaube ist dann im Grunde nicht mehr Glaube, sondern Wissen.
– Oder fundamentiert der *Glaube sich selbst?* Aber wenn der Glaube in sich selbst gründet, dann erscheint der Glaube als grundlos und unver-nünftig. Der Glaube hat dann letztlich keinen Grund außer sich selber.

»Probleme über Probleme«, sage ich in meiner Einleitung. Wen es interessiert, wie ich sie erzählend, analysierend und argumentierend zu lösen versucht habe – ausgehend von Descartes »Cogito« der Vernunft (»ich denke, also bin ich«) oder von Pascals »Credo« an den Gott der Bibel (»ich glaube, also bin ich«), der möge dies in den ersten Kapiteln des Buches »Existiert Gott?« (1978) nachlesen; anderthalb Jahrzehnte später habe ich darin meine erste Tübinger Vorlesung erneut durch-dacht, vertieft und erweitert. Die Sache aber blieb dieselbe: Erarbeiten eines Weges aus der fundamentalen Ungewißheit des Menschen zu seiner unumgänglichen Grundwahl zwischen Grundmißtrauen und Grundvertrauen. Und dieses Grundvertrauen dann verglichen mit jenen Aussagen des Alten und Neuen Testaments, die eine Art von »Glauben« auch bei den Heiden voraussetzen. Auf diese Weise kann ich schließlich verschiedene »Stufen« der Offenbarung und so *verschiedene »Gestalten« des Glaubens* unterscheiden, die alle ihre eigene Dignität haben: den Glauben des Gutgläubigen, des Gottgläubigen, des Christus-gläubigen, des Kirchengläubigen.

War das aber, könnte man fragen, nicht eine Theologie, ganz dem

Zeitgeist entsprechend individualistisch und existentialistisch enggeführt? Vierzig Jahre später mein handgeschriebenes Vorlesungsmanuskript nochmals durchschauend, bin ich erstaunt, wie ich schon in meiner allerersten Tübinger Vorlesung von 1960 die Frage nach der menschlichen Existenz vor den großen gesellschaftlichen Horizont gestellt habe: »Wir sind in einer *weltgeschichtlichen Übergangsphase* von noch nie dagewesenem Ausmaß: ›Ende der Neuzeit‹, ›Atomzeitalter‹, ›kosmisches Zeitalter‹! Zeichen dafür: die künstlichen Satelliten, Weltraumraketen und Weltraumschiffe; die Ängste, Befürchtungen und Nöte der hochtechnisierten Völker; die Probleme der Masse, der Technologie und der Wirtschaft; die neuerwachenden Völker Asiens und Afrikas und die rasche Ausgestaltung einer Weltzivilisation und Weltwirtschaft; die beispiellose, oft chaotische Unruhe in der gegenwärtigen Kunst, Literatur und Philosophie, die einen geistesgeschichtlichen Umbruch großen Stils offenbar werden läßt.«

Epochaler Paradigmenwechsel – Welthorizont und globale Probleme – ein jedem Menschen mögliches Grundvertrauen und Grundethos: dies sind schon damals aufscheinende zentrale Elemente, die Jahrzehnte später für das *Projekt Weltethos* grundlegend sein werden. In dieser weltgeschichtlichen Übergangsphase, so stelle ich 1960 ebenfalls fest, steht *die Kirche vor Riesenaufgaben:* Sammlung der getrennten Christen und Einigung der zerrissenen Christenheit in der einen Kirche; eine positive Auseinandersetzung mit den Weltreligionen, die sich immer näher kommen; eine »Durchsäuerung« der wieder heidnisch gewordenen altchristlichen Welt. Für die Theologie bedeute dies: Es ist jetzt vielleicht nicht die Zeit, große systematische Hochbauten aufzustellen, aber eine neue, tragfähige Fundamentierung zu versuchen. Wo – dies ist meine Erwartung – sollte dies besser für mich möglich sein als in Tübingen? Ich mache mich an die Arbeit.

Die freie Luft Tübingens

»Tübingen – Vorhof zum Himmel!« Dieses Wort, ich weiß nicht mehr von welchem Theologen geprägt, gilt selbstverständlich nur für Theologen und für die, die noch an einen Himmel glauben. Aber sicher ist, daß ich mich in Tübingen, wenn auch nicht gerade glückselig, so doch rasch zuhause fühle. Das liegt zunächst daran, daß Schwaben und Schweizer – auch abgesehen von ihrer gemeinsamen Aufgabe, Hochdeutsch als erste Fremdsprache zu lernen – dieselben Tugenden besitzen: Arbeitseifer, Gewissenhaftigkeit, Ordnungsliebe, Geradlinigkeit, Besonnenheit, Verläßlichkeit, Zähigkeit ... Und dieselben Laster: eine gewisse Enge, Zögerlichkeit, Kleinkariertheit, Sturheit ... Schon bald empfinde ich das Passieren der nahen Grenze zwischen Deutschland und der Eidgenossenschaft – auch aufgrund des deutschen »Wirtschaftswunders« – nicht mehr als Übertritt in eine andere Welt.

Daß ich mich hier rasch zuhause fühle, liegt vor allem an der sympathischen schwäbischen *Stadt*, mit kaum 60.000 Einwohnern mir lieber als die Weltstädte, in denen ich im vergangenen Jahrzehnt zumeist lebte. Zwar nicht am See vor den Schweizer Alpen, aber am Neckar vor der Schwäbischen Alb, in lieblicher Landschaft auf mehr oder weniger sieben Hügeln. Nur Schwimmen kann ich im Neckar nicht. Tübingen – im Krieg wegen der vielen Kliniken und des geplanten französischen Hauptquartiers praktisch unversehrt geblieben und mit nur wenig Industrie – ist eine im Kern mittelalterliche, typisch deutsche Universitätsstadt, von der man gern sagt, sie »habe« nicht eine Universität, sondern »sei« eine Universität.

Die *Universität*, schon bald 500 Jahre alt, 1477 von Graf Eberhard im Bart aufgrund päpstlichen Privilegs gegründet: Wie hätte ich auch nur davon träumen können, ihr als katholischer Theologe 1977 in der evangelischen Stiftskirche die Jubiläumsrede halten zu dürfen? Die Universität hat ihre ursprünglichen Gebäude in der romantischen Altstadt behalten. Hat später das Schloß Hohentübingen dazubekommen, von dem aus herrliche Blicke über die ganze Stadt möglich sind. Hat sich im 19. Jahrhundert aus Platzmangel vor den Toren der Altstadt ausgeweitet und im 20. Jahrhundert mit ihren Kliniken und naturwissenschaftlichen Instituten immer mehr auf die Höhen ausgegriffen. Daß die Stadt einmal, etwa zu Zeiten Goethes – im Haus seines Verlegers Cotta ist er abgestiegen – schmutzig und die Universität provinziell war, verschweigt nicht nur des Sängers Höflichkeit. Es stimmt schon längst nicht mehr. Keine deutsche Universität kann sich indessen einer solch spannend zu lesenden Geschichte rühmen wie die unsere. WALTER JENS, Philologe und Literat von Rang – im Jahr 1963 wird für ihn im Großen Senat die erste Professur für allgemeine Rhetorik in der Bundesrepublik Deutschland beschlossen – wird sie erarbeiten: »Eine deutsche Universität. 500 Jahre Tübinger Gelehrtenrepublik« (1977).

Und worin liegt für mich als *Theologen* der Reiz von Tübingen? Da ist zunächst das berühmte Evangelische Stift, aus welchem der Großteil der schwäbischen Pfarrerschaft hervorging und hervorgeht, andererseits das katholische Wilhelmsstift, das für den katholischen Klerus Schwabens, der Diözese Rottenburg-Stuttgart, eine analoge Funktion ausübt. Und da ist – neben den beiden Stiftsbibliotheken – die Universitätsbibliothek, für Theologie und Orientalistik eine der besten Bibliotheken der Welt, die sich mit Washingtons Library of Congress oder dem British Museum durchaus messen kann. Denn seit mehr als 400 Jahren sammelt diese Universitätsbibliothek alle Werke der Theologie. Verständlich, daß gerade Tübingen nach dem Zweiten Weltkrieg unter den deutschen Universitätsbibliotheken als Hauptsammelgebiet für Theologie und Orientalistik auserwählt wurde. Aus außerordentlichen Bundesmitteln kann beinahe jedes theologische Werk aus aller Welt gekauft und können hunderte theologischer und orientalistischer Zeitschriften abonniert werden.

Aber daß Tübingen für Theologen der Vorhof zum Himmel ist, hängt auch damit zusammen, daß hier bei allen Anwandlungen von Inquisition, katholischer wie protestantischer, doch letztendlich die *akademische Freiheit* hochgehalten wurde. Nicht nur weil zur Zeit der Französischen Revolution Hegel, Schelling und Hölderlin, die im damals autoritär geführten Evangelischen Stift gemaßregelt wurden, um den Freiheitsbaum getanzt haben sollen. Sondern weil gerade in Tübingen zuerst eine evangelische und dann auch eine katholische »Tübinger Schule« möglich wurde, wie sie ähnlich keine andere deutsche Universität aufzuweisen hat.

Die Geschichte der beiden Fakultäten braucht hier nicht berichtet zu werden. Aber daß Tübingen mit Ferdinand Christian Baur Gründungsort der historisch-kritischen Exegese wurde, hat meinen Werdegang mehr bestimmt, als ich am Anfang annahm. Doch auch die katholische Tübinger Schule – die Fakultät wurde erst 1817 gegründet –, hat in der katholischen Welt einen bedeutenden Namen. In Deutschland die erste katholische Fakultät neben einer protestantischen: Als beinahe einzige hat sie die konstruktive Auseinandersetzung mit der zeitgenössischen evangelischen Theologie aufgenommen. Mit ihrem Streben nach Einheit von historischer und spekulativer Theologie blieb sie richtungsweisend.

Theologie eigenständig

Für mich persönlich ist wichtig: Hier komme ich in eine Fakultät mit eigener Tradition: katholisch, aber nicht neuscholastisch-römisch; reformoffen, aber nicht profillos. Für mich jedenfalls ein *Ort der Freiheit*, an welchem ich, nahe meiner Schweizer Heimat, vermutlich besser als irgendwo in Deutschland leben und theologisch atmen kann. Und wer weiß, was mir jungem Theologen alles bevorsteht … Kardinal König gratuliert mir aus Wien herzlich, daß ich »in so kurzer Zeit den Lehrstuhl in Tübingen erhalten« konnte: »Die Zeiten haben sich geändert. Vor einer Generation wäre für einen ›Römer‹ eine solche Karriere nicht möglich gewesen.« Tatsächlich wird meine Berufung – und die Tatsache, daß ich mich eben gerade nicht als »Römer« aufführe – als Signal verstanden, daß der »antirömische Bann« an deutschen Staatsfakultäten gebrochen ist. Am 1. 12. 1963 zählt man an den sieben deutschen theologischen Universitätsfakultäten 50 Habilitanden, davon ein Fünftel Germaniker, allesamt mit mir im Kolleg und in den kommenden Jahren auch Professoren: Casper und Hünermann in Freiburg, W. Weber in Mainz, Gleißner, Seybold und Wetter in München, Lengsfeld, Loretz, Schulz und H. Weber in Münster.

In den ersten Wochen mache ich, noch immer ohne Fahrzeug, zu Fuß quer durch die Stadt meine Antrittsbesuche bei den verschiedenen Kollegen, katholischen und auch evangelischen: Diem, Käsemann, Michel, Rückert … Keiner, der mich nicht sehr freundlich aufnähme. Diese Kontakte helfen mir, mich nach allen Seiten zu informieren und eine eigenständige Theologie zu entwickeln. Von den Fronten zwischen Schwaben und Nichtschwaben in der Katholischen Fakultät will ich nichts wissen. Vielmehr sage ich deutlich, daß ich von den früheren Auseinandersetzungen nicht belastet sein wolle und mich keiner Partei anzuschließen gedenke. Dies gelingt mir denn auch in den ersten Jahren sehr gut, so daß ich vier Jahre später einstimmig zum Dekan – mit Abstand der jüngste der Universität – gewählt und nach einem Jahr gar einstimmig wiedergewählt werde, was mich freilich in ernste Schwierigkeiten mit einer der beiden Parteien bringen sollte.

Eine hervorragende Institution ist an der Universität Tübingen – während des Semesters einmal im Monat am Samstag vormittag tagend – der *Große Senat*, in welchem alle ordentlichen Professoren, gegen hundert, Sitz und Stimme haben. Hier lerne ich schon früh die Koryphäen aller Fakultäten kennen. Die Berufungslisten müssen diskutiert und approbiert werden, was einen mannigfaltigen Einblick in die Probleme der Fakultäten und die Positionen der Kollegen verschafft. Mit einigen Kollegen (dem Rechtshistoriker Elsener, dem Zahnmediziner Fröhlich, dem Dermatologen Schneider, von den Theologen abgesehen) verbinden mich privat bald regelmäßige gegenseitige Einladungen. Und schon nach einem Jahr fühle ich mich in dieser Tübinger Kollegenschaft voll akzeptiert. Später als Dekan, aber auch als langjähriges Mitglied der Kommission für den wissenschaftlichen Nachwuchs und kürzer auch der Baukommission der Universität komme ich ganz natürlich mit vielen Kollegen anderer Fakultäten näher zusammen. Welcher Klimaunterschied zwischen der die reale Welt spiegelnden Universität Tübingen und der das klerikale Rom repräsentierenden Gregoriana! Nein, nach Rom habe ich nicht die geringste Sehnsucht.

Meine Vorlesungen und Seminare verstehe ich von Anfang an als *ökumenische Lehrveranstaltungen.* »Das Seminar zieht nur zu gut: über 80 Leute, was sicher zu viel ist«, schreibe ich am 2. Dezember 1960 an Karl Barth, »von den zwölf Referenten sind – man konnte sich frei melden – sieben evangelisch. Welche communicatio in sacris.« An der Neckargasse 10, wo Barth als Student 1908 ein Semester wohnte, würde ich im übrigen alle Tage zweimal vorbeigehen und seiner oft gedenken: »Das Jahr 1908 war – weil Sie mich nach meiner Geburt fragten – zwanzig Jahre ante.«

Senats- und Fakultätssitzungen, oft zeitraubend, sind für mich zunächst akademische Routine, bis ich später in wohl kaum vermeidbare Konflikte hineingezogen werde. Für meine theologische Entwicklung wichtig wird mir der Kirchenhistoriker KARL AUGUST FINK. In vielen Gesprächen läßt er, der kaum publiziert, aber viel forscht, mich die konziliare Bewegung in einem völlig neuen Licht sehen und damit auch das ökumenische Reformkonzil von Konstanz, das die Superiorität des Konzils über den Papst definiert. Wichtig auch die beiden Exegeten, mit denen ich alle biblischen Fragen vertrauensvoll besprechen kann: der Neutestamentler KARL HERMANN SCHELKLE, den ich regelmäßig nach der gleichzeitigen Frühmesse (die vorkonziliaren stillen »Privatmessen« sind auch in Tübingen üblich) zu mehr oder weniger langen Diskussionen treffe, und dann natürlich der allseits geschätzte Alttestamentler HERBERT HAAG, mein Schweizer Mitbürger, der unerschrocken wie kein anderer Exeget in Deutschland die durch eine verkrustete Dogmatik besetzten biblischen Fragen aufzubrechen vermag – bis zu seinem Tod 2001 mein engster und treuester Freund unter den katholischen Theologieprofessoren.

Herbert Haag, ebenfalls zum Sommersemester 1960 nach Tübingen berufen, hat sofort nach Antritt seiner Professur einen Bauplatz gekauft und ein großzügiges Haus gebaut, in dem sich die Professoren der Fakultät ungezählte Male nach der Fakultätssitzung zu »Nachsitzungen« treffen. Diese tragen aufgrund der noblen Gastlichkeit des Hausherrn und der hochgeschätzten Bewirtungskünste seiner Wirtschafterin Julie wesentlich zum guten Verständnis innerhalb des Kollegiums bei.

Ich selber lebe im ersten Semester wie bisher »studentisch« im katholischen Wilhelmsstift. Auf der Suche nach einer eigenen Wohnung finde ich diese bei der Tübinger Wohnungsknappheit gerade dort, wo ich mich zunächst nur um der Formalität willen gemeldet habe: auf dem städtischen Wohnungsamt. Man bietet mir das Haus des eben zum Landrat von Freudenstadt avancierten Bürgermeisters Weihenmaier an – Gartenstraße 103 am Neckar, von außen und unten größer scheinend als es ist, doch mit je zwei Zimmern auf drei Stockwerken sehr geeignet für meine Bedürfnisse. Denn aus praktischen Gründen will ich das persönliche Sekretariat unbedingt in meinem Haus haben, wie dies denn auch für alle Zukunft so bleiben soll. Am 10. Oktober 1960 ziehe ich ein.

Schreibtisch, viele Möbel und den skandinavischen Stil habe ich bis heute beibehalten. Ich liebe diese Art von Beständigkeit im Äußerlichen, die mir Beweglichkeit im Geistigen erleichtert. Und da bin ich ja nun gefordert. Es ist die »Hermeneutik«, die »Kunst des Verstehens« gerade der biblischen Texte, die in diesen frühen 60er Jahren auch in Tübingen im Zentrum theologischen Interesses steht. Und es ist unbestritten, daß sich von dieser Grundfrage her viele inhaltliche Fragen entscheiden – nicht nur für Theologen, Prediger und Katecheten, sondern für jeden Bibelleser:

Wie die Bibel verstehen – wörtlich, geistig-symbolisch ...?

Wie zum Beispiel die Schöpfungs- und Sündenfallgeschichten des Alten Testaments verstehen oder die Heilungs- und Naturwunder des Neuen: wortwörtlich-fundamentalistisch oder geistig-allegorisch – oder aber realistisch-historisch? Eine Frage, die Kirchenväter wie mittelalterliche Scholastiker, Reformatoren wie Aufklärer beschäftigte und die seit dem Auftreten des protestantischen Exegeten Rudolf Bultmann neu umstritten ist. Ich bin froh, daß ich sukzessive alle drei Methoden der Bibelexegese kennengelernt habe.

Zuerst die *fundamentalistische* Methode, die alles wortwörtlich nimmt: Ich praktizierte sie an der Gregoriana: die Bibel als Steinbruch für die vorgefertigten Schulthesen der neuscholastischen Dogmatik. Unsere römischen Exegeten, für Altes und Neues Testament Spanier, konzentrierten sich darauf zu widerlegen, was zweihundert Jahre kritische (vor allem deutsche) Forschung mühselig genug erarbeitet hatte. Etwa daß der »Pentateuch«, die »fünf Bücher Moses«, auf verschiedene Quellen zurückgeht, die mehrere Jahrhunderte auseinanderliegen. »Saltem non probatur«, »zumindest nicht bewiesen«, hieß es bei jeder Perikope immer wieder neu, sei diese moderne Quellentheorie des Pentateuch. Und ähnlich die des Neuen Testaments, welche die Genese der drei synoptischen Evangelien aus Ur-Markus und einer rekonstruierbaren Quelle Q zu erklären versucht.

Dann die *geistig-symbolische* Interpretation: Ich lernte sie bei meinem römischen Mentor Wilhelm Klein kennen. Seine originellen, nie langweiligen Exhorten und Betrachtungspunkte waren darauf ausgerichtet, hinter dem tötenden Buchstaben der Schrift den lebendigen Geist zu suchen. Sie also tiefer, weiter, umfassender zu verstehen, als es die »vordergründige« Rede des jeweiligen biblischen Autors nahelegt. Eine solche spirituelle Interpretation propagierte damals auch das Haupt der »Nouvelle Théologie«, Henri de Lubac SJ, und dessen Schüler Hans Urs von Balthasar, die sich allesamt von der symbolisch-allegorischen Auslegungsmethode des Hellenisten Origenes und des Lateiners Augustinus inspirieren ließen. De Lubacs kleines Buch »Der geistige Sinn der Schrift« – hinter dem historischen und moralischen soll der tiefere spirituelle Sinngehalt herausinterpretiert werden – hat mich damals tief beeindruckt, wie ich ja auch von P. Kleins Schriftinterpetation sehr viel gelernt habe.

Daß auf diese Weise der persönlichen Willkür des Bibelauslegers kaum Grenzen gesetzt sind, ging mir erst mit der Zeit auf. Besonders, als mein hochgeschätzter Spiritual in meinen letzten römischen Jahren anfing, überall von der Genesis bis zur Apokalypse die »Marienwahrheit« (Maria als »das Geheimnis der rein gebliebenen Schöpfung«) zu suchen und sie auf ingeniöse Weise auch zu finden. Das überzeugte damals im Germanikum nur eine Minderheit, andere sprachen von »Gnosis«, geheimem »Wissen«. Wenn Wilhelm Klein zum Beispiel ein Wort wie »Gnade« (»charis«) mit Maria, der Unbefleckten (der »geschaffenen Gnade«) identifizierte, so vermochte er natürlich seine »Marienwahrheit« selbst im Römerbrief zu entdecken. Ausgerechnet beim Apostel Paulus, der von einer Jungfrauengeburt Jesu überhaupt nichts weiß – Jesus ist für ihn schlicht »aus der Frau« geboren – und erst recht nichts von einer »unbefleckten« Empfängnis Mariens! Kein Wunder, daß unser gescheiter Spiritual auf diese Weise auch den Priesterzölibat als quasisakramentales Zeichen für das Brautverhältnis von Schöpfer und Geschöpf, von Christus und Maria rechtfertigte – leider ohne auf die Fragwürdigkeit des mittelalterlichen Zölibatsgesetzes einzugehen. Ähnliches finde ich später bei Balthasar, etwa in seiner Theologie der drei Haupttage der Karwoche, besonders ausführlich über das Mysterium der Nacht des Karsamstags: eine von Adrienne von Speyr beeinflußte Deutung des Todes, der Verlassenheit und des Abstiegs in die Abgründe der gottfeindlichen Welt, welche in den neutestamentlichen Texten keinen Anhalt hat. Konnte dieser Weg der »geistigen« Interpretation auf Dauer der meine sein?

Schließlich die *historisch-kritische* Interpretation: Ich besuchte ja auch die Vorlesungen kritischer Exegeten des Päpstlichen Bibelinstituts, die sich von den reaktionären Tendenzen ihres Gründers, P. Leopold Fonck (auch ein Germaniker, nach dessen Vorbild P. Klein Jesuit geworden war!) entschieden entfernt hatten. Nein, nicht mehr überall den wörtlichen Sinn der Schrifttexte retten, allerdings auch nicht einen beliebigen »geistigen« Sinn hineinlesen. Vielmehr die biblischen Schriften als *historische Dokumente* verstehen: um »Ex-egese« = »Aus-legen«, nicht um »Eis-egese« = »Hinein-legen«, soll es in der Schrifterklärung gehen.

Am meisten verdanke ich dafür gerade jenen beiden Professoren des Bibelinstituts, die sogar jetzt noch unter Johannes XXIII. Zielscheibe der Angriffe der kurialen Rechten sind, wie aus einem dumm-dreisten, aber gefährlichen Artikel in »Divinitas« hervorgeht, Zeitschrift der päpstlichen Lateranuniversität, geschrieben von jenem Msgr. Romero, der in der Studienkongregation für das Plazet zu meiner Berufung zuständig war. Verketzert wird der Deutsche MAX ZERWICK, der die Kindheitsgeschichten Jesu auf ihre Historizität hin untersuchte und oft zu Exhorten in unser Kolleg kam. Verketzert auch der Franzose STANIS-LAS LYONNET, dessen Vorlesungen über biblische Theologie traditionelle Positionen bezüglich Erbsünde und Erlösungsverständnis in Frage stellten. Anvisiert aber sind überhaupt die kritischen Exegeten – ihnen mangelt es in den »brume nordiche«, in den »nordischen Nebeln« ganz offensichtlich an der lateinischen Sonnenklarheit. Lyonnet chauffierten während der Sommerferien in San Pastore Franz Knapp und ich zu gegenseitigem Vergnügen in einem kleinen ausgeliehenen Fiat einen ganzen Tag lang durch die Abruzzen – bis zum Schloß Fumone bei Frosinone, wo Cölestin V., der einzige Papst, der je von seinem Amt zurückgetreten ist, von seinem Nachfolger Bonifaz VIII. gefangengehalten wurde. Welch immer wieder behaupteter Unsinn, ein Papst könne nicht zurücktreten … Memento Pietro del Murrone, der heiligmäßige Cölestin V., der gegen die kuriale Korruption ohnmächtig war. Memento 1294!

Während Wilhelm Klein, ganz neuscholastisch ausgebildet, die historisch-kritische Exegese grundsätzlich verwarf, akzeptierte sie *Karl Barth,* in der liberalen Theologie erzogen, im Prinzip. Aber in der Praxis vernachlässigte er sie überall dort, wo sie seine dogmatischen Ausgangsthesen, etwa in Sachen Trinität, Inkarnation und Jungfrauengeburt, in Frage stellte. Barth, der als junger Pfarrer durch seine genial-prophetische Neuinterpretation des Römerbriefes 1919 – eine Kritik des liberalen Kulturprotestantismus – berühmt wurde und 1921 als 35jähriger ohne Habilitation und sogar ohne Doktorat als Honorarprofessor für Reformierte Theologie nach Göttingen berufen worden war, hatte sich auch später immer wieder neu intensiv um genaue Exegese der Bibel bemüht. Er hat mich zunächst durch seine biblische Theologie tief beeindruckt, so daß ich in meiner Dissertation »Rechtfertigung« sogar einen hochspekulativen Exkurs über den »Erlöser in Gottes Ewigkeit« (in Paris Gegenstand meiner »Leçon doctorale«) hinzugefügt habe, mit dem ich mich heute nicht mehr identifizieren kann. Aber als Karl Barth dann in Göttingen unvorbereitet Dogmatik zu dozieren hatte, entdeckte er mit Hilfe des Dogmatiklehrbuchs von Hermann Heppe (1861) die altprotestantische Orthodoxie wieder und damit auch die Scholastik und die Kirchenväter: seine entschiedene Wende – Karl-Josef Kuschel hat sie in seinem großen Werk über den »Streit um Christi Ursprung« (»Geboren vor aller Zeit?« 1990) genau analysiert – zu so etwas wie einer »neuorthodoxen« Dogmatik, die man in der Bultmann-Schule keinesfalls mitmachen wollte.

Ich selber aber, von der orthodox römisch-katholischen und der Barthschen Dogmatik herkommend, hatte schon an der »École des Hautes Études« der Sorbonne bei Professor OSCAR CULLMANN, dem Autor bedeutender Bücher über Heil als Geschichte, Christologie des Neuen Testaments und Petrus, gelernt, was philologisch genau und religionsgeschichtlich reflektiert arbeiten heißt. Dann in Münster und erst recht in Tübingen studiere ich intensiv die Methoden und Ergebnisse der historisch-kritischen Exegese. Spannend die wieder neu aufgebrochene Frage nach dem historischen Jesus. Nicht weniger spannend die historische Sicht der neutestamentlichen Kirche, Kirchenverfassung und Ämter. In all diesen Fragen muß ich jetzt meinen eigenen Weg finden – nicht nur gegenüber meinen neuscholastischen Gregoriana-Professoren, sondern, so leid es mir tut, auch gegenüber den von mir so hochverehrten Inspiratoren und Mentoren Wilhelm Klein und Karl Barth. »Iurare in verba magistri«, »schwören auf die Worte des Lehrers«, darf bei aller Dankbarkeit meine Sache nicht sein. Auch Theologen haben ihre Zeit.

Große Theologen in der Endphase: Barth und Bultmann

»Ich bin *überholt*«, klagt mir KARL BARTH bei einem meiner Besuche in den 60er Jahren in Basel. Koketterie? Wollte er meinen Widerspruch? Ich widerspreche ihm, bin und bleibe ich doch der Überzeugung: Karl Barths große theologische Intentionen, mit denen er so erfolgreich gegen die liberale Theologie des 19. Jahrhunderts angetreten ist, sind nicht überholt, dürfen keinesfalls aufgegeben werden. Aber – daß sich in der theologischen Landschaft eine Veränderung abzeichnet, die mit der Barthschen Theologie nicht mehr zu bewältigen ist, kann auch ich nicht übersehen.

Karl Barths großer Konkurrent RUDOLF BULTMANN, der ihn angeblich überholt hat, war ja am Anfang durchaus sein Mitstreiter gewesen. Aus der historisch-kritischen Schule stammend, doch schon früh unter dem Einfluß von Heideggers Existenzphilosophie, bejaht er Barths Grundintentionen (die Gottheit Gottes, Gottes Wort, die kirchliche Verkündigung und des Menschen Glauben ...). Gegen eine liberale Theologie, welche die Bibel in Historie aufzulösen droht, fordert auch Bultmann, daß die Botschaft der Schrift wieder neu ernstgenommen werden müsse als Offenbarung für den Glauben. Aber die historisch-kritische Methode, die Barth jetzt zugunsten der orthodoxen Dogmatik weithin ignoriert, aufgeben? Nein, Bultmanns Überzeugung ist: Das Neue Testament kann man nur dann als »Botschaft« (»kerygma«) für den Menschen von heute verstehen, wenn man es kritisch interpretiert und es »entmythologisiert«. Das heißt: Der mythologische »Rahmen« der biblischen Botschaft – dreistöckiges Weltbild mit all den Wundern und Dämonen – ist im Zeitalter der Naturwissenschaft schlicht nicht mehr nachvollziehbar. Er ist deshalb nicht einfach zu eliminieren, aber auf die Existenz des heutigen Menschen hin (»existential«) zu interpretieren. Es zeichnet sich ab: Bultmann erweist sich in der großen Entmythologisierungsdebatte mit seinen Positionen im Prinzip als der Stärkere; Bultmanns Schüler haben die Barths in die Defensive gezwungen.

Nach einer schweren Krankheit, die ihn wochenlang in der Klinik festhielt, macht KARL BARTH am 17. April 1964 seine erste Fahrt außerhalb Basels – nach Sursee, zu mir ins Seehaus, wo wir vor und während des Mittagessens angeregt theologisieren. Am 19. April 1965 sehen wir uns in Basel wieder. Es trifft mich hart, als Barth mir jetzt eröffnet, er habe die Arbeit an seiner unterdessen auf zwölf mächtige Bände angewachsenen Kirchlichen Dogmatik eingestellt! Nach 9.185 Seiten! Fast doppelt so lang wie die (ebenfalls abgebrochene) »Summa Theologiae«

Thomas von Aquins und neunmal so lang wie die (ständig erweiterte) »Institutio Religionis Christianae« Calvins. Jetzt, nach Abschluß eines Fragments über die Taufe, habe er, Barth, sich der Familiengeschichte zugewandt. Wenn man die geistige Kraft nicht mehr habe, den ungeheuren Stoff der christlichen Ethik und dann der Lehre von den »letzten Dingen« zu bewältigen, solle man besser aufhören, meint er. Man müsse seine Dogmatik nicht unbedingt abschließen wollen wie sein anderer früherer Kampfgefährte, dann Kontrahent, schließlich wieder versöhnter Freund Emil Brunner in Zürich. Brunner hatte seine dogmatische Summe freilich nur in drei Bänden von sehr viel bescheidenerem Umfang vorgelegt. Karl Barth wird über die Anfänge seiner Familiengeschichte, breit bei den Großeltern begonnen, nicht hinauskommen. Ihm sind nur noch drei Jahre zu leben vergönnt.

»Das ist jetzt *mein letztes Buch*«, sagt mir Rudolf Bultmann, nur um zwei Jahre älter als Barth, bei meinem Besuch am 15. Juni 1967 in Marburg in der Calvinstraße 14. Und bescheiden mit beiden Händen überreicht mir der große Theologe seinen Kommentar zu den Johannes-Briefen. Das klingt unsäglich traurig und läßt mich sagen: »Es muß doch für Sie hochbefriedigend sein, auf ein so gewaltiges wissenschaftliches Lebenswerk zurückblicken zu können, lieber Herr Bultmann, wenn ich nur an Ihre Geschichte der synoptischen Tradition, das Jesus-Buch, alle die Aufsätze zu Glauben und Verstehen, das große Kommentarwerk zum Johannes-Evangelium und schließlich jetzt eben auch noch den Kommentar zu den Johannes-Briefen denke ...« Bultmanns Antwort ist nur: »Aber dieses ist nun mein letztes Buch ...« Ihm bleiben acht Jahre mehr als seinem Altersgenossen Karl Barth, die er weithin in Blindheit verbringen muß. Was ist besser?

Seltsam betroffen fahre ich von Marburg nach Tübingen zurück. Also jetzt auch dieser zweite große Repräsentant protestantischer Theologie des 20. Jahrhunderts am Ende seiner wissenschaftlichen Tätigkeit. Mir hatte Barth nach meiner Berufung auf den Tübinger Lehrstuhl für Fundamentaltheologie einen »meteorhaften Aufstieg« attestiert. Aber kann man es mir verargen, daß ich nach diesem Marburger Besuch über den einmal »unvermeidbaren Abstieg« sinniere und mich in meiner Einstellung zum Sterben, wie sie sich in der Folge des langsamen Hinsterbens meines Bruders gebildet hatte, bestätigt fühle: Ich möchte einmal rechtzeitig sterben können. »Jedes Ding hat seine Zeit ... Geborenwerden hat seine Zeit, und Sterben hat seine Zeit«, heißt es im Alten Testament bei Kohelet, dem Prediger der Vergänglichkeit (3,1f).

Doch nun sitze ich an meinen Lebenserinnerungen, bin bald im selben Alter wie Barth und Bultmann damals und frage mich, wie lange denn mein Wirken in dieser Intensität und Extensität weitergehen kann ... Da fällt mir auch das Schicksal eines Altersgenossen von Barth und Bultmann ein, KARL ADAM, einer der führenden katholischen Theologen im ersten Drittel des 20. Jahrhunderts, seit 1919 Professor der Dogmatik in Tübingen. Allerdings hat sich Adam durch seine 1933 positive (1934 korrigierte) Einstellung zum Nationalsozialismus kompromittiert. Doch selbst Papst Paul VI. wird ihn mir als exemplarischen Theologen nennen, insofern Adam, wie Montini schon in jungen Jahren erfahren hatte, »über die Mauern der Kirche hinaus« die Menschen von heute erreicht habe. Dessen in alle großen Weltsprachen übersetzte Bücher über »Das Wesen des Katholizismus« (1924) und »Jesus Christus« (1933) hatte auch ich in Rom genau studiert. Waren sie doch Ausdruck eines selbstbewußten Reformkatholizismus, ganz anders als die Gregoriana-Theologie im christlichen Leben verwurzelt, nicht nur den Intellekt, sondern den ganzen Menschen ansprechend. Aber wie ich ihn 1961 anläßlich seines 85. Geburtstags zusammen mit Fakultätskollegen besuche, fragt Karl Adam auf mich zeigend: »Und wer ist dieser Junge da?«. Die Kollegen: »Das ist Ihr Nachfolger.« Karl Adam lächelt nur leer, nichtssagend. Uns allen war klar, daß bei ihm die Altersdemenz bereits erschreckende Fortschritte gemacht hatte. Vergänglichkeit des Lebens.

In einer großen Podiumsdiskussion an der Universität Tübingen werde ich dieses Schreckensszenario im Jahre 2001 ganz persönlich ansprechen und thematisieren, unterstützt von meinem Kollegen und Freund Walter Jens: Bin ich als Christenmensch verpflichtet, es so weit kommen zu lassen? Nur die Frage altgewordener Menschen? Eine meiner letzten Amtshandlungen als Dekan ist am 1. April 1966 der Beileidsbesuch nach dem Tod Karl Adams in seinem Haus »im Schönblick«, das von meinem heutigen Haus nur wenige Schritte entfernt ist.

Karl Barth »überholt«. Während die Barth-Schule immer mehr an Bedeutung verliert, dominiert die Bultmanns. Doch die Diskussion treibt auch in Bultmanns Schule in zentralen Fragen widersprüchliche Positionen hervor.

Wegen der Bibel katholisch werden? Schlier und Käsemann

Der Bultmann-Schüler HEINRICH SCHLIER hatte es uns ja schon ausführlich anläßlich seiner Konversion, vollzogen im Germanikum 1953, in einem Vortrag erklärt: warum er wegen der historisch-kritischen Einsichten in das Neue Testament sich entschlossen hatte, katholisch zu werden! Der Grund: Der *Katholizismus* finde sich nicht, wie die heutige protestantische Theologie meine, erst *nach* dem Neuen Testament. Er finde sich – wie dies bereits die liberale Exegese des 19. Jahrhunderts wußte – schon *im Neuen Testament*.

Gerade evangelische Exegese müßte ernst nehmen: Schon in der (eine Generation nach Paulus geschriebenen) »Apostelgeschichte« wie in den Paulus zugeschriebenen »Pastoralbriefen« an Titus und Timotheus finde man »frühkatholische« Elemente: im Verständnis des kirchlichen Amtes, in der Ordination durch Handauflegung, im Presbyterium und im monarchischen Bischofsamt … Also, folgert Schlier sanft und provozierend zugleich, wer sich als evangelischer Theologe aufgrund des Ansatzes der Reformation »allein auf die Schrift« verpflichtet fühle, habe gar keinen anderen Weg, als auch diesen »Frühkatholizismus« im Neuen Testament zu akzeptieren. Mit der Konsequenz natürlich, auch den »Spätkatholizismus« zu akzeptieren. Um dann in aller Form katholisch zu werden, wie er, Heinrich Schlier, dies ja nun öffentlich dokumentiert habe.

Für die evangelische Theologie eine Herausforderung sondergleichen. Und dies auch noch aus der Bultmann-Schule heraus. Es ist mein Tübinger Kollege, der Bultmann-Schüler ERNST KÄSEMANN – als Pfarrer der Bekennenden Kirche im Ruhrgebiet, unterstützt von seinen Kumpeln, ein Mann unbeugsamen Widerstandes –, der die Gegenposition zu seinem früheren Kommilitonen, aber jetzt Katholiken Schlier entschlossen und sprachmächtig auf- und ausbaut. Richtig, sagt Käsemann, schon die Schriften des neutestamentlichen Kanons umschließen frühkatholische Elemente, Tendenzen, gar ganze Schriften wie den Jakobus-Brief, der die Werke statt wie Paulus den Glauben preist. Doch ist das ein Grund, katholisch zu werden? Keineswegs. Für Käsemann ist dies ein Grund, im Neuen Testament protestantisch-kritisch die wahrhaft evangelischen Schriften, Tendenzen und Elemente *auszuwählen*. Das heißt Sachkritik – schon an den neutestamentlichen Urkunden, um so die Ur-Kunde selbst, das Evangelium, zum Leuchten zu bringen.

Käsemanns Alternative zum Katholischwerden? Ein evangelischer Christ dürfe eben nicht einfach den ganzen Kanon der neutestamentlichen Schriften als verpflichtend annehmen. Vielmehr müsse er einen *»Kanon im Kanon«* akzeptieren: einen Maßstab innerhalb des Neuen Testaments zur Anwendung bringen und entschlossen eine »Unterscheidung der Geister« vornehmen. Diesen Maßstab könne – für den

Lutheraner Käsemann ist das keine Frage – nur der Apostel Paulus liefern. Und zwar der (von Apostelgeschichte und Pastoralbriefen verschiedene) echte, *authentische Paulus* mit seiner Botschaft von der Rechtfertigung des Sünders allein aus Gnade aufgrund des Glaubens. Dies ist Paulus zufolge das Evangelium. Der neutestamentliche Kanon, so folgert Käsemann noch einmal kühn weiter, sei also nicht, wie gemeinhin in der Christenheit angenommen, die Grundlage der Einheit der Kirche. Er sei – eben wegen seiner verschiedenartigen, auch frühkatholischen Elemente – die Grundlage der *Vielfalt der Konfessionen.* Eine Position, die Käsemanns zahlreichen Hörern in Tübingen einleuchtet.

Ernst Käsemann, furchtlos und radikal gesinnt, theologisch und politisch »links«, nutzt dann das Forum der 4. Weltkonferenz für Glauben und Kirchenverfassung in Montreal 1963, um dort vor all den protestantischen und östlich-orthodoxen Kirchenvertretern seine Auffassung von Einheit und Vielfalt in der neutestamentlichen Lehre der Kirche zu entfalten: Das Neue Testament Grundlage nicht der Einheit, sondern der Spaltung der Kirche Christi!? Nicht nur von den östlichen Orthodoxen, sondern auch von den Protestanten, nicht nur von den Konservativen, sondern auch von gemäßigt Fortschrittlichen wird eine solche Auffassung als völlig unökumenisch abgelehnt. Käsemann aber bleibt bei seiner Überzeugung. Unverständlich nur und – angesichts der exegetischen Ignoranz auch vieler protestantischer Kirchenmänner – doch nicht ganz unbegreiflich, daß in Montreal offensichtlich niemand eine allgemein überzeugende »Antwort« auf Käsemanns »Herausforderung« zu formulieren vermag. Man begnügt sich mit Unverständnis und Empörung.

Wie auch immer, für mich stellt dies in Tübingen anfangs der 60er Jahre eine brisante ungelöste Problemstellung von ökumenischer Dimension dar, die auch auf dem kommenden Konzil eine Rolle spielen müßte. Ignorieren, ausweichen, furchtsam darum herumreden, wie in katholischer Theologie in solchen Fällen meist der Fall? Nein, ich muß mich stellen. Und tue dies, indem ich in die Diskussion mit dem Tübinger Vertreter der Bultmann-Schule den Tübinger Vertreter der Barth-Schule einbeziehe: Hermann Diem, wie Käsemann Mitglied und Pfarrer der Bekennenden Kirche während des Dritten Reiches, erst nach dem Krieg Professor der evangelischen Dogmatik in Tübingen im Geiste Barths. Doch anders als Barth selber hatte sich Diem auf die neuen exegetischen Fragestellungen der Bultmann-Schule eingelassen.

Dreiecksdiskussion um Bibel und Kirche

Von einer Lokaldiskussion in Klein-Tübingen berichten? Nein, das lohnte der Mühen nicht. Wohl aber, dem Leser von einer Tübinger Grundlagendiskussion über christliches Schriftverständnis zu berichten. Eine Thematik, die für meine Theologenexistenz zum Schicksal werden sollte, die aber im Zweiten Vatikanischen Konzil leider ausgeblendet bleiben wird, obwohl sie mit ein klein wenig Mühe auch von Nicht-Theologen verstanden werden kann. Was ich in Auseinandersetzung mit Barth in Rom eingeübt und in Paris mit der Interpretation Hegels fortgesetzt hatte, kann ich nun auch in der Auseinandersetzung um die historisch-kritische Exegese des Neuen Testaments anwenden: zuallererst die *Texte unvoreingenommen lesen und die Fakten respektieren!* Also sie nie, wie in neuscholastischer und oft auch protestantischer Theologie, um des dogmatischen Systems willen verschleiern, verdrehen oder ignorieren. Meinen Studenten sage ich es in der Vorlesung mehr als einmal in der Form eines »truism« (»Binsenwahrheit«): »Was wahr ist, ist wahr!« Bequem oder nicht: Texte soll man nicht verdrehen, Fakten nicht leugnen. Was man dann mit diesem Faktum, Text, dieser Wahrheit anfängt, ist eine zweite Frage. Freilich bin ich schon an der Gregoriana gewarnt worden, bei solcher Wahrheitsliebe könne man nicht mit »louange«, »Lob«, »Karriere« rechnen im Rahmen eines Kirchensystems, das in erster Linie an Status quo und Machterhalt interessiert ist und deshalb unbequeme Fakten, Texte, Wahrheiten gar nicht zu Gesicht bekommen will.

Aber hat nicht gerade die *Bibel* »immer recht«? Wie für viele Christen war es für mich zunächst eine Selbstverständlichkeit, daß es in der Bibel keine eigentlichen Irrtümer gibt. Und als in meinem ersten Seminar ein evangelischer Student die Unfehlbarkeit der Bibel in Frage stellte, habe ich schroff apologetisch geantwortet: »Dann kommt ja alles ins Rutschen!« Aber gerade aus dem Streit mit Männern wie Ernst Käsemann und Hermann Diem habe ich Entscheidendes gelernt. Da war freilich nicht der Degen gefordert, sondern das Florett. Ein spannendes intellektuelles Gefecht, dessen Re-lecture in der Tübinger Theologischen Quartalschrift des Jahres 1962 mir noch nach Jahrzehnten Vergnügen bereitet. Keine Spiegelfechterei. Ein ernsthafter *Streit um Bibel-, Kirchen- und Amtsverständnis*, der in den betreffenden Kirchen und Theologien bis heute nicht geschlichtet wurde. Wie mich positionieren? – für mich jungen Theologen eine schwierige, mit viel Studium verbundene Frage.

Die Bibel ohne Irrtum? Von ERNST KÄSEMANN vernehme ich mit vielen Belegen, was ich nicht länger übersehen kann: Das Neue Testament bietet aufgrund seiner Vielfalt, Fragmentarität und Komplexität kein einheitliches irrtumsfreies Lehrsystem, wie dies auch noch die lutherische und reformierte Orthodoxie zur Abwehr des katholischen Traditionsprinzips annahm. Die verschiedenen Schriften des Neuen Testaments sind nun einmal geprägt durch höchst unterschiedliche Verkündigungssituationen, in denen die verschiedenen Autoren und ihre Gemeinden stehen. Mit anderen Worten: Ich muß zugeben, daß sich im Neuen Testament Spannungen, Unstimmigkeiten und Widersprüche finden: schon zwischen den drei synoptischen Evangelien (des Markus, Mattäus, Lukas) und zwischen diesen und dem Johannes-Evangelium; aber auch zwischen den authentischen Paulus-Briefen und den nicht-authentischen, zwischen Paulus und Jakobus ... Alles dies muß man ernst nehmen, nicht in dogmatischer Bevormundung überspielen. Aber dies ist nur die eine Seite der Problematik.

Denn davon überzeugt mich HERMANN DIEM gegen Käsemann: Wegen all der Differenzen braucht man doch die Einheit der Schrift und den neutestamentlichen Schriftenkanon nicht gleich aufzugeben! Zwar kann man diesen Kanon nicht mehr prinzipiell theologisch rechtfertigen. Aber man kann diesen Maßstab, als seit den ersten christlichen Jahrhunderten faktisch gegeben, auch heute akzeptieren. Ich stimme zu: Keine der so lange in der Kirche anerkannten neutestamentlichen Schriften, auch nicht der Jakobus-Brief mit seiner Betonung der Werke, darf von vornherein als heute nicht mehr verbindlich abserviert werden. Also kein »Kanon im Kanon«, mit dem man einzelne unbequeme Schriften des Neuen Testaments, vor allem die »frühkatholischen«, von Paulus und seinem Rechtfertigungsverständnis her von vornherein diskreditiert. Als ob in diesen Schriften das Evangelium Jesu Christi etwa nicht gehört werden könne. Vielmehr leuchtet mir ein, daß eine Um-, Weiter- und Neubildung der ursprünglichen Botschaft je nach wechselnder Verkündigungssituation der Autoren und ihrer Gemeinden schlechterdings notwendig war. Gerade dies gibt ja auch uns heute das Recht, die ursprüngliche christliche Botschaft, statt sie nur wörtlich zu wiederholen, wiederum in eine neue Verkündigungssituation hinein zu übersetzen, den Umständen entsprechend zeitgemäß zu interpretieren.

Nehme ich also einfach für Diem Partei? Keineswegs. Denn meine entscheidende Frage an den barthianischen Kollegen ist: Wie will er die Falle vermeiden, die durch die frühkatholischen Elemente, Passagen und Schriften im Neuen Testament gestellt ist? Ich frage Diem: Muß er, wenn er Käsemanns Selektion der wahrhaft evangelischen Schriften vermeiden will, nicht den Weg Schliers gehen und ebenfalls zur katholischen Kirche konvertieren? Aber Hermann Diem, ein listenreicher Schwabe, versucht die Falle zu überspringen oder zu umgehen. Zwar anerkennt er die frühkatholischen neutestamentlichen Schriften im Prinzip, theoretisch – aber in der Praxis? Da ignoriert er sie unbekümmert: Weder im ersten noch im zweiten Band seiner »Theologie« spielt das »Katholische«, also Ordination, apostolische Sukzession, Bischofsamt, Sakramente, gar Petrusamt die Rolle, die es dem Neuen Testament zufolge spielen sollte. So weit, so nicht gut.

Ein solches Ignorieren ist für mich inakzeptabel. Auf das Katholische im Neuen Testament verzichten und meine eigene Katholizität aufgeben? Nein, Protestant werden ist für mich gerade aufgrund der neuen exegetischen Ergebnisse keine verantwortbare Option. Aber was dann?

Katholizität statt »Häresie«: freilich nur ein Programm

Eigentlich kann *nur der Katholik*, so begründe ich nun beinahe provozierend meine eigene Lösung des Problems, *das Katholische im Neuen Testament ganz ernst nehmen* und allen neutestamentlichen Schriften eine faire Interpretation im Zusammenhang zukommen lassen. Für mich ist wichtig: Vor dem neutestamentlichen Kanon gab es nun einmal die neutestamentliche Kirche. Sie hat diesen Kanon in einem langwierigen komplexen Auswahlprozeß anerkannt, wobei eine Menge Faktoren (besonders die wirkliche oder vermeintliche apostolische Autorschaft und die Autorität der apostolischen Kirchen, nicht zuletzt Roms) mitgespielt haben: Alle diese – auch die frühkatholischen – Schriften sind für die Kirche verbindliche Zeugnisse von Jesus Christus; sie durften und dürfen auch im Gottesdienst vorgelesen und ausgelegt werden.

Bleibt die Frage: Warum kommt es dann zu einer gegensätzlichen Vielfalt der Konfessionen? An diesem Punkt scheint mir eine deutliche Antwort geboten: Weil man nicht mit einem umfassenden und in diesem Sinn »katholischen« Verständnis (griechisch »katholikós« = »was ein Ganzes bildet«) an die neutestamentlichen Schriften herangeht. Weil man vielmehr eine »*Auswahl*«, griechisch »hairesis«, »*Häresie*«, vornimmt – wie sie ganz grundsätzlich Ernst Käsemann, faktisch aber auch Hermann Diem bei ihrer Lektüre des Neuen Testamentes praktizieren. Im Bild: Brennbares Gebälk ist Voraussetzung eines Gebäudebrandes, aber Grund oder Ursache des Brandes ist nicht das vielschichtige Gebälk, sondern der Brandstifter. Ohne Bild: Der neutestamentliche Kanon mit seinem uneinheitlichen Material kann Anlaß, Voraussetzung sein für eine gegensätzliche Vielfalt der Konfessionen. Aber deren Grund, Ursache ist er nicht. Dies ist vielmehr die auswählende Hairesis, welche die Einheit der Kirche in verschiedene Konfessionen auflöst. Der neutestamentliche *Kanon* ist, wenn er »katholisch«-allumfassend verstanden wird, *Voraussetzung* nicht der Vielfalt der Konfessionen, sondern *der Einheit der Kirche.*

Das nennt man scharf gefochten und präzis zugestochen. Gebärde ich mich also als der lachende Dritte? Nein. Diese Kontroverse beschädigt nur deshalb meine guten persönlichen Beziehungen zu Diem und Käsemann nicht, weil ich selber, intellektuell redlich, gleichzeitig die große Schwachstelle der eigenen katholischen Position freilege, wo die anderen zustechen könnten. Denn solche *»Katholizität«* in der Interpretation des Neuen Testaments, so führe ich aus, ist ja in katholischer Kirche und Exegese leider nur ein großartiges *Programm und keine Realität.* Denn wird eine solche »katholische« Freiheit und Offenheit für das ganze Neue Testament im real existierenden Katholizismus den anderen Christen wirklich glaubwürdig vorgelebt? Nein, statt in einer gerade unter den antimodernen Pius-Päpsten herrschenden Atmosphäre der Angst, totalitaristischer Überwachung und deshalb Heuchelei und Feigheit müßte ja nun in katholischer Exegese wie Dogmatik eine *Atmosphäre der Freiheit* Platz greifen: nüchterne theologische Redlichkeit, unerschrockene Sachlichkeit und nur so loyale Kirchlichkeit.

Katholizität verstehe ich also nicht einfach als Behauptung einer Tatsache, vielmehr als *Imperativ zur Verwirklichung.* Doch – je länger desto klarer sollte mir werden, welch schwierigen Weg ich da als Theologe zu gehen habe mit meinem Vorsatz: die gegensätzlichen Aussagen des Neuen Testaments über die Kirche nicht protestantisch dissoziieren und reduzieren. Aber auch nicht römisch harmonisieren und nivellieren. Vielmehr überall die hohe Kunst der Differenzierung und Nuancierung üben. Konkret erfordert dies: all die *abgeleiteten* neutestamentlichen Zeugnisse, die also chronologisch später und oft auch sachlich entfernter sind, von den *ursprünglicheren* und zentralen Zeugnissen her verstehen. Und was ist eigentlich die Mitte der Schrift? Diese Frage sollte mich noch lange beschäftigen.

Wie auch immer, am Schluß dieser für meine Schriftauslegung grundlegenden Kontroverse halte ich fest: Nur so läßt sich an eine Wiedervereinigung denken: wenn die katholische Theologie das Neue Testament in evangelischer Konzentriertheit, umgekehrt aber die evangelische

Theologie dasselbe Neue Testament in katholischer Weite ernstzunehmen versuchen. Eine gemeinsame ökumenische Aufgabe also, der
sich auch das ökumenische (faktisch aber römisch-katholische) Zweite
Vatikanische Konzil wird stellen müssen. Natürlich kann man sich
fragen, ob dies von einem Konzil nicht zuviel verlangt ist. Aber schon
vor dieser Kontroverse habe ich mich eingehend mit der Theologie des
Konzils auseinandergesetzt. Und da wird mir nun ein erstklassiges
Forum angeboten, um die Ergebnisse zu präsentieren. Wovon eine
schläfrige offiziöse Konzilsgeschichtsschreibung schweigt, davon soll hier
ausführlich geredet werden.

Was ist ein Ökumenisches Konzil?

Meine öffentliche *Antrittsvorlesung* wird vom Rektor der Universität
Tübingen, dem Staatsrechtler Otto Bachof, jetzt auf den 24. November
1960, am Nachmittag der Immatrikulationsfeier, angesetzt. Aber aus
irgendwelchen Gründen ist das dafür vorgesehene Auditorium Maximum nicht frei. Dekan Möller stellt mich vor die Wahl: ein kleinerer
Hörsaal, der dann wirklich zu klein, oder der große Festsaal, der
womöglich zur Hälfte leer sein könnte; Antrittsvorlesungen würden
normalerweise nicht im Festsaal gehalten. Ich überlege kurz, wage und
gewinne: Der Festsaal ist samt Galerie bis auf den letzten Platz gefüllt.
Ursprünglich hatte ich mir vorgenommen, meine Antrittsvorlesung
der wiederaufgelebten Debatte über den *historischen Jesus* zu widmen.
Aber ich kenne meine Grenzen. Zwar habe ich mich viel mit der
neueren Jesus-Forschung, die 1953 ebenfalls von einem Aufsatz Käsemanns vor den »alten Marburgern« ausgelöst wurde, beschäftigt. Aber
mir ist wohlbewußt, daß ich mit meinen Überlegungen noch längst
nicht am Ende bin. Also besser Hände weg von diesem Thema! Die
Thematik des *Konzils* ist ja nun nicht weniger brennend. Auf die in
»Konzil und Wiedervereinigung« dargelegten Probleme der Kirchenreform möchte ich freilich nicht erneut eingehen. Vielmehr in einer
»ehrlichen theologischen Besinnung auf das Wesen des ökumenischen
Konzils selbst« vorzudringen versuchen – nicht zuletzt um das Konzil
gegenüber der im Vatikanum I einseitig definierten päpstlichen All-
gewalt aufzuwerten. Thema also: »Das theologische Verständnis des
ökumenischen Konzils«.
Schon in den allerersten Sätzen mache ich darauf aufmerksam, daß
allein mit der *Tatsache* eines ökumenischen Konzils »der innere *Erfolg*

des ökumenischen Konzils nicht von vornherein gegeben« ist: »Ein ökumenisches Konzil kann gehalten werden und doch – wie etwa das als Reformkonzil geplante, sechs Monate vor dem Ausbruch der lutherischen Reformation in Rom geschlossene 5. Laterankonzil – aufs Ganze gesehen ein katastrophaler Mißerfolg sein; es kann – bei aller imposanten äußerlichen Festlichkeit und allem Proklamieren und Exkommunizieren – an den entscheidenden Erfordernissen der Zeit und der Kirche vorbeigehalten worden sein.«

Mein Ausgangspunkt ist der eklatante *Widerspruch zwischen Kirchenrecht und Kirchengeschichte*. Nach Kanon 223 des bestehenden Codex Iuris Canonici liegt alles Recht, ein ökumenisches Konzil einzuberufen, zu leiten, aufzuheben und zu bestätigen beim *Papst*. Doch die Geschichte der grundlegenden und von allen Kirchen des Ostens wie Westens anerkannten sieben ökumenischen Konzilien des christlichen Altertums beweist unzweideutig das Gegenteil: Nicht der Papst, sondern der *Kaiser* ist es, der diese Konzilien einberuft, die Verhandlungsgegenstände bestimmt, die Verhandlungsordnung festlegt, das Konzil verlegt, vertagt oder schließt, der selber oder durch Legaten den Vorsitz führt und die Dekrete approbiert.

Soll ich mich also, wie die meisten Autoren vor dem Zweiten Vatikanischen Konzil, bequem mit einer Darstellung des kirchenrechtlichen oder des kirchengeschichtlichen Befundes über das ökumenische Konzil begnügen? Nein, ich muß einen authentisch *theologischen Ansatzpunkt* zu einer Wesensbestimmung des Konzils zu gewinnen versuchen. Auf die richtige Spur bringt mich die semantische Wurzelverwandtschaft zwischen »con-cilium« (von »con-calare« = »zusammenrufen«), also »Versammlung«, und andererseits »ec-clesia« (griechisch »ek-klesia« von »kalein« = »rufen«, »berufen«), also ebenfalls »Versammlung« oder eben »Kirche«. In der Tat: Was ist die *Kirche* Jesu Christi nach dem Neuen Testament anderes als die von Gott durch das Evangelium zusammengerufene *Versammlung* der Christusgläubigen, des neutestamentlichen Gottesvolkes (hebräisch »kehal jahwe«)?

So kann ich denn als ersten Grundsatz einer Theologie des ökumenischen Konzils formulieren: Die *Kirche selbst ist ökumenisches Konzil!* Sie ist die aus der »ganzen bewohnten Erde« (= »oikumene«) zusammengerufene Versammlung der Glaubenden, die Gott selbst durch Jesus Christus im Heiligen Geist berufen hat. Aber was ist dann das, was man gemeinhin »ökumenisches Konzil« nennt, also das ökumenische Konzil aus menschlicher Berufung? Darauf gibt der zweite Grundsatz einer Theologie des ökumenischen Konzils Antwort: Das *ökumenische Konzil* aus *menschlicher* Berufung ist die *Repräsentation* des ökumenischen Konzils aus *göttlicher* Berufung, das heißt: *der Kirche.* Eine neue Einsicht? Nein, schon beim ältesten lateinischen Kirchenschriftsteller Tertullian um 200 findet sich dieses Konzilsverständnis, das im Zeitalter der spätmittelalterlichen Reformkonzilien gegenüber dem Papalismus und so auch heute neues Gewicht erhält: »Es werden in den griechischen Ländern an bestimmten Orten jene Konzilien aus allen Kirchen gehalten, von denen sowohl wichtigere Dinge gemeinschaftlich verhandelt werden als auch die *Repräsentation der ganzen Christenheit* in ehrfurchtgebietender Weise dargestellt wird.«

Konzil = Repräsentation der Kirche: Jene beiden Grundsätze sind so einleuchtend, daß sie nicht nur mein Tübinger Auditorium überzeugen, sondern auch einen gleichaltrigen Theologen, der, seit 1959 Dogmatikprofessor an der Universität Bonn, bald mit mir Konzilsexperte sein sollte: JOSEPH RATZINGER. Er übernimmt in einem Artikel über das ökumenische Konzil die erste Grundthese: »Die ganze Kirche erscheint als das eine große Konzil Gottes in der Welt.« Aber zitiert dafür nicht meine Antrittsvorlesung, sondern einen eigenen Artikel, in dem von *Kirche* als »Konzil« nicht die Rede ist. Doch fällt dies weniger ins Gewicht als die klerikalistische Verengung, mit der Ratzinger die Kollegialität der Kirche sogleich auf die Kollegialität der Bischöfe konzentriert, für deren ordentliches und allgemeines Lehramt er mit Berufung auf das Vatikanum I stramm Unfehlbarkeit fordert. Dabei wird doch die Struktur gerade der Urkirche von Apostelkollegium *und* Gemeinde gemeinsam gebildet.

Dies ist (nach seiner schönen Rezension von »Rechtfertigung«) eine etwas enttäuschende theologische Begegnung mit Ratzinger, den ich zu Beginn des Konzils in Rom jetzt in einem Café an der Via della Conciliazione zum ersten Mal persönlich treffen werde. Er kommt mir sehr freundlich, wenngleich vielleicht nicht ganz offen entgegen, während ich auf ihn möglicherweise etwas allzu spontan und direkt wirke. Er für mich eher ein »timido« mit unsichtbarer geistlicher Salbung, ich für ihn vielleicht draufgängerisch mit mehr weltlichen Allüren. Doch aufs Ganze gesehen ein recht sympathischer Zeit- und Altersgenosse, mit dem man über all die aufgebrochenen Fragen auf der gleichen Ebene argumentieren kann. Mir ist nämlich schon in meiner Antrittsvorlesung ein anderer Aspekt des Konzils wichtig: die Kollegialität der ganzen Kirche, der Gemeinden und damit auch der Laien.

Laien auf dem Konzil? Martin Luthers Anliegen

Jener zweite, harmlos klingende Grundsatz schließt nämlich eine kritische Relativierung ein: Das ökumenische Konzil *nur eine Repräsentation der Kirche?* Dann kann die Kirche grundsätzlich auch ohne Konzilien aus menschlicher Berufung existieren. Und tatsächlich existierte sie ja drei Jahrhunderte lang ohne ökumenische Konzilien, bis Kaiser Konstantin, ein Heide, der sich noch immer Pontifex Maximus nannte, aus staatspolitischem Interesse 325 das erste ökumenische Konzil in seine Residenz Nikaia in Kleinasien einberief. Das ökumenische Konzil nur Repräsentation der Kirche? Dann kann dieses »ökumenische Konzil aus menschlicher Berufung« auch sehr *verschiedene historische Erscheinungsformen* annehmen: Und tatsächlich waren Person und Amt der Einberufenden, Vorsitzenden und Approbierenden, waren Teilnehmerkreis und Beratungsgegenstände auf den verschiedenen Konzilien des ersten und zweiten Jahrtausends höchst verschieden. Also: gerade im Hinblick auf die Wiedervereinigung der getrennten Christen dürfen im Licht der Kirchengeschichte aus Fragen des wandelbaren Kirchenrechts keine Forderungen des unwandelbaren Dogmas gemacht werden.

Noch wichtiger freilich ist mir die positiv-konstruktive Funktion jenes Grundsatzes: daß das ökumenische Konzil aus menschlicher Berufung nun doch eine *wirkliche Repräsentation* der Kirche sein soll. Konkret: daß die »eine, heilige, katholische und apostolische Kirche« – um ihre klassischen Dimensionen zu nennen – wahrhaft *glaubwürdig* repräsentiert wird. Die »eine« Kirche etwa, führe ich aus, würde *unglaubwürdig* repräsentiert, wenn das Konzil nur eine äußerliche (und sei es noch so imposante) Manifestation der Einheit wäre, etwa in der Art eines gut organisierten totalitären Parteikongresses, wo das kritiklose Plazet zu den Plänen des Führers als Zeichen der Treue gilt. Die »eine« Kirche wird nur dann glaubwürdig repräsentiert, wenn eine innere Einheit des Glaubens und der Liebe die Vielfalt der verschiedenen Einzelmeinungen und Einzelkirchen dankbar umschließt und bestehen läßt.

Ähnliches ist zu sagen von der Repräsentation der »heiligen«, der »katholischen« und schließlich der »apostolischen« Kirche. Am brisanten Punkt Apostolizität führe ich zum ersten Mal den Reformator MARTIN LUTHER ein. Bekanntlich hatte dieser schon zu Beginn der Reformation in seiner Schrift »An den christlichen Adel deutscher Nation« (1520) vom (übelberatenen) Papst an ein künftiges *freies Konzil* appelliert. Aufgrund des allgemeinen Priestertums der Gläubigen und der Erfahrungen der Kirchengeschichte könnten auch andere, nicht nur der Papst, könnte auch der Kaiser ein Konzil einberufen und leiten, meint Luther. Auch ihm war selbstverständlich bekannt, daß nicht nur die byzantinischen Kaiser, sondern auch die deutschen Könige und Kaiser Konzilien einberufen haben, so etwa Heinrich III., der auf der epochemachenden Synode von Sutri 1046 durch die Entfernung dreier rivalisierender Päpste den Aufstieg des Reform-Papsttums ermöglichte. Ebenso waren auf Konzilien immer auch Nicht–Bischöfe und Laien zu finden. Ich folgere daraus: Gegen eine *direkte Repräsentation der Laienschaft* auf dem Konzil können keine dogmatischen Einwände gemacht werden. Vielmehr sollte ihre Repräsentation für das Vatikanum II – spricht man nicht ständig von der »Stunde der Laien«? – Gegenstand ernster Überlegungen werden.

Heißt das, daß die *kirchlichen Ämter* auf einem Konzil einfach überspielt werden dürfen? Nein, darin hat Ratzinger recht: Repräsentation der »apostolischen« Kirche heißt ja, daß ein Konzil in Übereinstimmung mit den Aposteln zu stehen hat: mit dem apostolischen Zeugnis der Heiligen Schrift, wie Luther in seiner späten Schrift »Von den Konziliis und Kirchen« (1539) zurecht betont, aber auch mit dem apostolischen Amt zur Bewahrung des apostolischen Glaubens und Bekenntnisses. Also mit dem *Amt der Bischöfe*, ohne die ein ökumenisches Konzil, welches die einzelnen Ortskirchen repräsentieren soll, noch nie möglich war.

Und die Rolle des Papsttums?

Daß sich hier ebenso schwierige wie hoffnungsträchtige Fragen für das ökumenische Gespräch eröffnen, kann ich in meiner fast anderthalbstündigen Vorlesung nur andenken. Dabei weise ich freilich auf die Bedeutung der »konziliaren Theorie« und ihre durchaus orthodoxen Ursprünge in der Kanonistik des 12. Jahrhunderts hin. Die zentrale Schwierigkeit für eine ökumenische Verständigung bleibt ja jedenfalls das historisch gewordene *Papsttum*. Im Anschluß an die Bibel rede auch ich lieber vom *Petrusamt* und betone zweierlei: Der Papst muß gewiß auch auf einem ökumenischen Konzil seine besondere Funktion wahrnehmen können, nämlich die Einheit der Kirche im Dienst der Liebe zu repräsentieren. Doch kann er auf höchst verschiedenartige Weise präsent sein, wie die Konziliengeschichte beweist. Deshalb ist sehr wohl zu unterscheiden zwischen der Notwendigkeit eines Zentrums in der Kirche und dem päpstlichen Zentralismus, zwischen der Notwendigkeit eines Petrusamtes und – hier kann ich mich erfreulicherweise ebenfalls auf Joseph Ratzinger berufen – dem Papalismus. Welche Opfer die Beseitigung einer Kirchenspaltung gerade vom Petrusamt im Dienst der Einheit erfordern kann, habe besonders das ökumenische Konzil von Konstanz gezeigt, das drei rivalisierende Päpste absetzte und einen neuen wählte.

Mein Anliegen: Die einseitige Primatsdefinition des Vatikanum I sollte auf dem Vatikanum II eine »ergänzende Korrektur« in Theorie und Praxis erfahren, und zwar durch eine Betonung der *Kollegialität aller Bischöfe*. Diese würden ja nicht zum Konzil kommen, um den Papst zu beraten. Vielmehr um selber die wichtigen Angelegenheiten der Gesamtkirche als höchste Dienstinstanz, zusammen mit dem Papst, autoritativ zu entscheiden und so ihren Teil der universalen Kirchenleitung wahrzunehmen. Nicht zur »kirchlichen Selbstbesonnung«, formuliere ich deutlich, sondern zur »christlichen Selbstbesinnung« sei das Konzil einberufen worden: »für die kühne und großzügige Erneuerung der Kirche im Lichte des Evangeliums Jesu Christi«.

Der anhaltende Beifall nach dieser Antrittsvorlesung ermutigt mich, aber Kollegen warnen. Deutschlands bedeutendster katholischer Pastoraltheologe, Franz Xaver Arnold, beim Hinausgehen: »Früher wäre man für solche Aussagen verbrannt worden.« Und der bekannte liberale Strafrechtler Jürgen Baumann, der rechtzeitig seinen Plan, Benediktiner zu werden, zugunsten der Jurisprudenz aufgegeben hatte: »Mönchlein, Mönchlein, du gehst einen schweren Gang!« Doch wer hätte das besser gewußt als ich selber? Aber wenn ich der Wahrheit nicht untreu werden will, muß ich den beschrittenen Weg weitergehen.

An Kardinal Bea, der mir einen Artikel zur Ökumene zugeschickt hat, schreibe ich am 5. März 1961: »Bezüglich des theologischen Verständnisses des ökumenischen Konzils habe ich versucht, offen und ehrlich Schwierigkeiten und Lösungen, wie sie sich hier so hart an der ›Front‹ aufdrängen, darzulegen.« Etwas später erhalte ich aus Rom Ermutigung: Msgr. Willebrands, jetzt zweiter Mann in Kardinal Beas Sekretariat für die Einheit der Christen, schreibt mir, er habe die Antrittsvorlesung »mit Bewunderung gelesen«, da er »bisher noch keinen theologischen Aufsatz dieser Tiefe über die Theologie des ökumenischen Konzils gefunden« habe. Nur bezüglich Apostolizität und Amt sieht er Probleme. Ich auch.

Ohne Euphorie engagiert für das Konzil

Keinen Moment kommt mir in den Sinn, daß ich selbst am Konzil teilnehmen könnte: in welcher Eigenschaft denn auch? Ohnehin bin ich viel zu jung für diese Versammlung von Kirchen-»Vätern«. Und wie könnte es mir Spaß machen, wieder in das klerikale Milieu des vatikanischen Rom einzutauchen, womöglich jetzt statt in einen roten in einen schwarzen Talar gesteckt? Nein, nur das nicht. Videant consules! Mögen die Bischöfe sehen!

Aber mich theologisch und publizistisch voll für das Konzil einsetzen, das will ich, gerade weil ich nicht daran teilnehmen werde. Allzu viele Theologen zögern; Skepsis, Trägheit und Feigheit sind weitverbreitet. Schon die erste Reaktion, die ich nach der sensationellen Konzilsankündigung am Abend jenes 25. Januar 1959 in der Sakristei der Luzerner Hofkirche von einem geachteten Schweizer Theologen höre, lautete: »Das Konzil kommt zu früh!« Doch der Papst, der seine Kirche aufforderte, die »Zeichen der Zeit« zu lesen, hat für seinen Konzilsplan glücklicherweise weder in der römischen Kurie noch bei den Theologen nördlich der Alpen eine Umfrage gemacht.

Gerade weil mir mehr als anderen die ungeheuren Schwierigkeiten und Hindernisse, die dem Konzil entgegenstehen, gegenwärtig sind, beginne ich schon bald nach dem Antritt meiner Tübinger Professur, Einladungen für Vorträge anzunehmen. Meine Titelfragen: »Was erwarten die Christen vom Konzil?« oder auch »Kommt das Konzil zu früh?« Meine Auffassung ist: Es kommt 400 Jahre zu spät! Später schreibe ich einmal an Karl Rahner (3. 2. 1962): »Es ist traurig genug, daß ich unter den deutschen Universitätsprofessoren als Benjamin ungefähr der einzige bin (mit dem Kirchenhistoriker Jedin), der sich für die Ziele des Konzils positiv in der Öffentlichkeit engagiert hat. In unseren Kreisen ist fast nichts anderes zu finden als deprimierte Skepsis.« Es war nicht ein reines Vergnügen, manchmal auf drei- bis viertägigen Gewalttouren, zumeist im Auto, durch die verschiedenen Regionen Deutschlands und Österreichs zu reisen und immer wieder, realistisch und doch ermutigend, über die Problematik des Konzils zu reden: im Januar 1961 in Hannover, Hamburg und Würzburg, im Oktober 1961 in Wien, Leibnitz, Graz, Salzburg und Dillingen, im Januar 1962 in Lübeck, Bremen und Bremerhaven. Dann wieder nach Münster/Westfalen und wieder zurück nach Tübingen – über 1100 km. Verkehrsstaus gibt es noch kaum.

Besonders unter *Jugendlichen* versuche ich für Erneuerung und Ökumene zu werben: auf der Versammlung des Bundes der Deutschen

Katholischen Jugend in Frankfurts Hohem Dom, im gesamtschweizerischen Kurs für Jugendleiter im Collegium Schwyz, auf der Generalversammlung des Schweizerischen Studentenvereins in Sursee. Überall viel Beifall, hoffnungsvolle Stimmung und keine ernsthafte Opposition, außer etwa bei einem geistlichen Pfarrblattredakteur in Basel, dessen Artikel viel Staub aufwirbelt, sogar den Bischof zum Briefeschreiben provoziert und kirchliche Gremien beschäftigt. Nein, daran sollte man sich erinnern, zur Zeit Johannes' XXIII. gibt es *keine Polarisierungen* in der Kirche; dieser Hirte geht voran und weckt Vertrauen. Bei Katholiken wie Protestanten wartet man auf eine Erneuerung der katholischen Kirche und begrüßt die ökumenische Annäherung. »Ich kann Dir versichern«, schreibt mir ein Schulkamerad, Organisator eines Vortrags im ländlichen Beromünster mit Chorherrenstift, »daß ich von überall her begeistertes Echo gehört habe; selbst ältere geistliche Herren – die vielleicht nicht mehr in allem Schritt halten – haben mir nachträglich die volle Anerkennung ausgesprochen.«

Ja, auch in kleineren Kreisen referiere und diskutiere ich gern, in der näheren Umgebung Tübingens und Sursees, in Studentengemeinden wie in Studentenverbindungen, in ökumenischen Zirkeln wie theologischen Arbeitsgemeinschaften, in katholischen (Wiesbaden, Königstein) wie evangelischen Akademien (Bad Boll, Boldern/Zürich). Gleichzeitig veröffentliche ich in Zeitschriften der katholischen Jugend in der Bundesrepublik und in der Schweiz sukzessive meine *»Briefe an junge Menschen«*, die dann gesammelt unter dem Titel *»Damit die Welt glaube«* als Büchlein erscheinen. Dieses werde ich meinem Buch »Strukturen der Kirche« beilegen, wenn es an Bischöfe wie Döpfner und Volk geschickt wird. Es möge ihnen deutlich machen, daß es mir bei aller historisch-kritischen Forschung doch zugleich auch um pastorale Unterrichtung und Hilfestellung geht.

Im Hauptquartier der amerikanischen 7. Armee in Stuttgart-Vaihingen halte ich meinen ersten Vortrag in (noch recht holpriger) englischer Sprache. In Wien erschrecke ich, als ich mitten in der Stadt ganz unvermittelt auf einem Plakat groß meinen Namen angekündigt sehe. Doch gewöhne ich mich rasch daran, Zeitungsinterviews zu geben und Radiogespräche zu führen. So einmal mit meinem Freund Otto Wüst am Schweizer Radio, wo ich nur einmal stocke, weil ich mich möglicherweise im Jahrhundert geirrt habe: »Das weiß ich nicht genau, das können Sie nachher rausschneiden!«, sage ich in Schweizer Dialekt dazwischen, was man aber – wir sind in Bern – prompt vergißt, zum Gaudium von Hörern, die mir davon berichten. Schlimmer geht es mir später nur noch bei einer Aufnahme des Österreichischen Rundfunks ORF in Tübingen. Eine ganze Stunde intensive Befragung zum Problemkreis »Ewiges Leben?«. Am Ende Kontrollaufnahme. Kein einziges Wort zu hören. Fehlschaltung. Stückweise zwischen anderen Gesprächen – es waren schon weitere Besucher für die nächste Stunde angemeldet – muß ich alles wiederholen. Am Ende weiß ich nicht mehr, was ich schon gesagt oder nicht gesagt hatte. Aber dem Glauben an das Ewige Leben inmitten menschlicher Fehlbarkeit mag es trotzdem geholfen haben.

Die Frage nicht nur neidischer Kollegen, bei denen sich bisweilen die »invidia accademica« mit der »invidia clericalis« multipliziert: Suche ich die *Publizität?* Nein, sie wird mir abgefordert. Aber ich verweigere sie auch nicht, wenn es um die Sache geht. Die Verantwortung fühle ich zwar, Angst habe ich nicht. Lampenfieber kenne ich nicht, wenn ich meine Sache zu vertreten habe. Sendungen freilich, die mit meiner Sache nichts zu tun haben, wie etwa die des Basler Studios »Was meinen Sie, Herr Professor?«, wo man zu allem Möglichen und Unmöglichen befragt wird, lehne ich ebenso ab wie später beliebige Talkshows, wo man für ein paar Minuten Redezeit ein paar Stunden reisen und dann mit mehr oder weniger angenehmen Zeitgenossen ums Wort kämpfen soll.

Erfreulich, daß auch das kritische Nachrichtenmagazin »Der Spiegel« wie mit Johannes XXIII. so auch mit mir wohlwollend umgeht. Aus der Feder von Werner Harenberg erscheint ein sympathischer Artikel, den der gerade abwesende Herausgeber Rudolf Augstein, ein Ex-Katholik, nachträglich am liebsten als Titelgeschichte gesehen hätte. Selbstverständlich bin ich ehrlich dankbar für jede Möglichkeit, meine mit der römischen Amtskirche oft nicht übereinstimmenden Auffassungen öffentlich vertreten zu dürfen: an deutschsprachigen Radiosendern (im NDR vier Sonntage nacheinander), aber auch an ausländischen Radio- und Fernsehstationen, beim holländischen KRO, bei der italienischen RAI und schon seit meiner Zeit in England immer wieder bei der BBC (BBC World Service besonders wichtig).

Meine Frage angesichts allzu vieler Anfragen: Warum man denn unbedingt mit mir reden wolle? Es gäbe ja doch genug andere Theologen. Die Antwort lautet meist ungefähr so: In den Medien brauchen wir Wissenschaftler, die sachkundig und zugleich verständlich reden und nicht wie die Katze um den heißen Brei herumschleichen. Für künftige Auseinandersetzungen in und nach dem Konzil werden diese Beziehungen zur internationalen Medienwelt für mich von großer Bedeutung sein. »Globalisierung« der Theologie wurde mir schon früh aufgedrängt.

Mein Engagement geht indessen so weit, daß ich auch Einladungen wie die einer kleinen katholischen Kirchgemeinde bei Reutlingen annehme. Den gleichen Vortrag, den ich am 20. Januar 1961 im Auditorium Maximum der Universität Hamburg gehalten habe, möge ich doch bitte am 26. Februar auch in einem Gasthaus in Pfullingen halten. Ich meine, auch die »Kleinen« nicht vernachlässigen zu dürfen und nehme so in Kauf, daß der Vorsitzende nicht glauben will, ich sei wirklich schon »ordentlicher« Professor; daß der Pfarrer vom Buch »Konzil und Wiedervereinigung« noch nie gehört hat; daß das Schäkern einiger Kirchenchörler mich beim Vortrag stört; daß am Ende der vorsitzende Studienrat mich bittet, ihn in meinem Auto auf einem kleinen Umweg nach Hause zu bringen; daß er mich schließlich mit einem geschlossenen Kuvert freundlich verabschiedet: Honorar 20 DM, Fahrtkosten inklusive! »Sie wären auch besser einmal ins Kino gegangen ...«, sagt mir nachher meine Mitarbeiterin, die temperamentvolle Berlinerin Christa Hempel, als ich die ganze Geschichte amüsiert erzähle. Und in der Tat habe ich an diesem Tag begonnen, die Einladungen zu gewichten, um mich mit den zahllosen außerordentlichen Verpflichtungen als ordentlicher Professor nicht zu übernehmen. Für das Kino habe ich auch so kaum Zeit.

Scheitern des Konzils möglich

Wichtige Einladungen sind für mich die der Internationalen Katholischen Verlegervereinigung am 14. Mai 1961 in Luzern und die der Gesellschaft Katholischer Publizisten Deutschlands am 2. Juli 1961 in Bonn/Bad Godesberg. Beide verlaufen gut, aber die zweite hat für mich unangenehme Folgen. Ich spreche zum Thema »Kann das Konzil auch scheitern?« und bin nicht informiert, daß ein Tonband mitläuft, das unter Umständen weitergegeben wird. Jedenfalls rede ich frisch und frei von der Leber weg, ob denn das Konzil in dieser entscheidenden Weltstunde bei aller guten Absicht des Papstes, bei allem guten Willen der Vorbereitenden, bei all der vielgestaltigen Arbeit der zehn Vorbereitungskommissionen den gewünschten *inneren Erfolg* haben werde.

Dabei weise ich offen auf nicht wenige *bedenkliche Tatsachen* hin, ohne die Führungsschwäche des Papstes direkt zu kritisieren: Die von Johannes XXIII. einberufene römische Diözesansynode enttäuschte.

Auch hält die antimodernistische Kampagne der Kurie (Sanctum Officium, Seminarkongregation) mit Gleichgesinnten (Lateran-Universität) gegen das Päpstliche Bibelinstitut an. Man würde im Biblikum die Schrift über die Tradition stellen und dem Studium altorientalischer literarischer Formen und der formgeschichtlichen Methode von Bultmann und Dibelius zu viel Gewicht beilegen. Das ist nicht zuletzt gegen den früheren langjährigen Rektor Augustin Bea gerichtet, trifft aber jetzt den gegenwärtigen Rektor, den Schweizer Ernst Vogt, und die Professoren Zerwick und Lyonnet. Sie alle erhalten Lehrverbot und sollen Rom verlassen. Zu spät und nur bedingt stoppt der Papst die Inquisitoren: Lyonnet bleibt als Vizedekan im Biblikum und Zerwick als Professor für Bibelgriechisch.

Erneut Inquisitionsmaßnahmen auch gegen andere verdiente katholische Theologen. Indizierung des »Lebens Jesu« des französischen Theologen Jean Steinmann. Später eine Warnung, die Werke Teilhard de Chardins zu lesen. Die das Konzil präjudizierende Apostolische Konstitution »Veterum sapientia«, die in völlig unrealistischer Weise das Latein als »*die* Sprache der Kirche« in der Liturgie und im akademischen Unterricht durchzusetzen versucht: Sie soll natürlich auch die Kontrolle der Kurie über das Konzil sichern. Dann die Beschlagnahmung der italienischen Übersetzung des Konzilshirtenbriefs der holländischen Bischöfe. Dagegen übergeht man deutsche theologische Universitätsfakultäten wie die Tübinger beim Einholen von Konzilsgutachten. Die vorbereitenden Kommissionen, völlig einseitig römisch zusammengesetzt, produzieren wenig Erfreuliches … Eine Auseinandersetzung großen Stiles zeichnet sich ab.

Angesichts dieser bedenklichen Entwicklungen empfehle ich den Publizisten: statt den gewohnten Weg oberflächlicher römisch-katholischer Apologetik (»zwar schon – aber«) den Weg ehrlicher Besinnung und unzweideutiger Mahnung zu gehen: im Interesse von Kirche und Konzil schwarz schwarz, weiß weiß und grau grau zu nennen. Selbstverständlich vergesse ich nie, auch auf *positive Entwicklungen* zu verweisen: vor allem die Errichtung des römischen »Sekretariats für die Einheit der Christen« unter der hervorragenden Leitung Kardinal Augustin Beas und die programmatische Verbindung von Wiedervereinigung der getrennten Christen mit der Selbstreform der katholischen Kirche, proklamiert vom Papst selbst. Im Blick auf diese ambivalente Situation, fordere ich, braucht es erstens illusionslose Ehrlichkeit, zweitens Mut, auch auf die Gefahr hin sich unbeliebt zu machen, und drittens Einsatzbereitschaft von jedem an seinem Platz für die Verwirklichung des Konzilszieles.

Immer mit Hinweis auf das völlig gescheiterte Fünfte Laterankonzil 1512-17, am Vorabend der Reformation, warne ich vor erfolglosen Reformdekreten und vor allem vor *erfolglosen Lehrdefinitionen*. Eine reale Gefahr. Denn der Präsident der Theologischen Vorbereitungskommission ist kein anderer als der gefürchtete Großinquisitor Kardinal Ottaviani. In meinem eigenen Lehrer in Fundamentaltheologie, P. Sebastian Tromp, Sekretär dieser Kommission, hat er einen geübten und effizienten Fabrikanten päpstlicher Lehrtexte. Das Sanctum Officium und der Großteil der Kurie sind daran interessiert, möglichst viele konziliare Definitionen zu präsentieren. Alle Fragen, höre ich aus Rom, die das Erste Vatikanische Konzil wegen seines Abbruchs 1870 nicht mehr diskutieren konnte, sollen hundert Jahre später endlich definitiv geregelt werden, und zwar in römischem Sinn. Gnad (uns) Gott!

Vor den katholischen Publizisten mache ich dagegen geltend, daß in der Konziliengeschichte viele Definitionen an den wahren Erfordernissen der Zeit und der Kirche vorbeidefiniert wurden. Schon aus Zeitgründen sei es einer Kirchenversammlung von über 2000 Bischöfen gar nicht möglich, alle diese vorbereiteten Definitionen oder Deklarationen ernsthaft zu diskutieren und zu verabschieden. Im übrigen sei Johannes XXIII. erfreulicherweise weniger als andere im Vatikan an konziliaren Definitionen, Verurteilungen und neuen Dogmen, gar Mariendogmen, interessiert. Eigentliche Verdammungsurteile (»anathema sit!«), wie noch auf dem Vatikanum I üblich, hat er untersagt. Und von einem Kardinal hatte ich gehört, wie der Papst ihm erzählt hat, er habe gerade in einem der vorbereiteten Konzilsdekrete einen Satz mit dem Lineal gemessen, und der sei etwa 75 cm lang. Unmöglich.

Ein erster Schlagabtausch

»Ich höre noch oft im Kreis der Journalisten über Ihren Vortrag in Godesberg sprechen«, schreibt mir am 31. Juli 1961 Dr. OTTO ROEGELE, Vorsitzender der Gesellschaft Katholischer Publizisten Deutschlands, »es war für uns alle ein bleibendes Erlebnis.« Meine oft ironisch-witzigen und vielleicht auch manchmal zornigen Ausführungen vor wohlwollendem und gern lachend zustimmendem Publikum katholischer Publizisten waren nun freilich nicht wörtlich für Kirchenzeitungsleser bestimmt. Aber – den Kirchenzeitungslesern zumindest des Bistums Aachen werden sie bald nach jener Konferenz wortwörtlich in fünf langen Artikeln in tendenziösen Auszügen vorgestellt und zugleich ausführlich als unkatholisch »widerlegt«. Alles präsentiert von keinem beliebigen: Domkapitular HERIBERT SCHAUF, Professor für Kirchenrecht am Aachener Priesterseminar, ein Altgermaniker, der uns bei jedem Besuch im Germanikum auf die Nerven ging, weil er im Kolleg wie auf der Villa San Pastore ständig nach dem »alten Geist« schnupperte. Er ist unterdessen zum Mitglied der Theologischen Vorbereitungskommission und treu ergebenen Famulus ihres Sekretärs, P. Sebastian Tromp, avanciert. Intensiv hilft er bei der Vorbereitung der langen Lehrdekrete, die das Dogmengebäude der römisch-katholischen Kirche endlich zum krönenden Abschluß bringen sollen. Genau das, wogegen ich mich ausgesprochen habe.

Ich hätte »weite Kreise beunruhigt und unsicher gemacht«. Von diesem Mann »alten Geistes« mit besten römischen Verbindungen öffentlich in einer ganzen Artikelserie angegriffen zu werden, ist nicht ungefährlich. Schauf selber schickt sie an wichtige Persönlichkeiten. Aus Luzern berichtet man mir, ein deutscher Bischof, wohl Germaniker, sei beim Moraltheologen Alois Schenker abgestiegen und habe ihn die Photokopie meines Konzilsvortrags lesen lassen, die mein Intimfeind Schenker noch in der Nacht von seiner Haushälterin abschreiben ließ, damit er endlich etwas in der Hand habe. Der Bischof werde diesen Text in Rom gründlich zerpflücken, und das Weitere werde sich geben. Die beiden geistlichen Herren seien sich einig gewesen im Urteil: »haeresim sapiens – riecht nach Häresie«. Schaufs Gegen-Artikel finde ich dann anläßlich meines Vortrags in Wien auch auf dem Schreibtisch Kardinal Königs, wie sie zweifellos auch auf P. Tromps und Kardinal Ottavianis und anderer Würdenträger Schreibtisch gelandet sind. Ja, ich höre, Schauf reiche sie persönlich in Rom herum.

Was tun? Ich entschließe mich zu einer öffentlichen Antwort – freilich ungern. Zwar wird man mich später öfters als »streitbaren« oder »streitlustigen« (nicht »streitsüchtigen«) Theologen bezeichnen. Faktisch muß ich mich meist zum Streit aufraffen und tue es erst nach Beratung mit Mitarbeitern und Freunden. Allerdings, wenn schon zum »Streit« gezwungen, dann fechte ich mit »Lust«: »freudvoll zum Streit«, wie es in der Schweizer Nationalhymne heißt. Und das wird mein »frater maior« aus dem Germanikum zu spüren bekommen.

Die Aachener Kirchenzeitung – wie oft wird mir von Kirchenblättern ähnliches widerfahren! – verweigert mir unter windigen Vorwänden eine Antwort auf die Schauf-Artikel. Wertvolle Zeit verstreicht. Doch Dr. Otto Roegele, auch Chefredakteur des »Rheinischen Merkur«, stellt mir in seiner Wochenzeitung vom 27. 10. 1961 anderthalb

Seiten zur Verfügung. Titel: »Kann das Konzil auch scheitern?« Das Aufsehen ist groß. Meine direkte Art der Antwort macht den bisher der breiten kirchlichen Öffentlichkeit der Bundesrepublik unbekannten Theologen Schauf auf einen Schlag bekannt und berüchtigt; Inquisitoren liebt man nicht. Er wird mir dies nie verzeihen und mir beim Konzil, wo wir uns wiedersehen werden, kaum die Hand reichen.

In meiner Antwort mache ich zunächst auf die Unterschiede zwischen einer in eine bestimmte Situation hineingesprochenen Rede und einer allgemeinen Schreibe aufmerksam und stelle Mißverständnisse richtig. Doch in der Sache konzentriere ich mich auf die Frage nach *Erfolg oder Mißerfolg eines Konzils*. Schauf behauptet: »Die Wahrheit kennt kein Scheitern«. Mit Hinweis auf das Fünfte Laterankonzil halte ich daran fest, daß es völlig erfolglose Lehrdefinitionen gab. Schauf behauptet: Bedenkliche Unzulänglichkeit läge vor, »wenn die Kirche *da* schweigen würde, wo die Situation und die Wahrheit verlangen, daß gesprochen und klar gesprochen wird«. Meines Erachtens gilt auch das Umgekehrte: Eine bedenkliche Unzulänglichkeit läge vor, »wenn die Kirche, beziehungsweise das Konzil da *reden* würde, wo die Situation und die Wahrheit verlangen, daß geschwiegen und nicht definiert werde«. Ich beziehe mich vor allem auf die innerhalb der katholischen Theologie umstrittenen Lehrfragen und neue Mariendogmen. Für Kenner bedeutet meine Antwort nicht weniger als einen Frontalangriff auf die hochtourige Produktion von Lehrdokumenten durch die Theologische Vorbereitungskommission Kardinal Ottavianis unter dem Kommando Tromps und seines Famulus.

Gerüchte über Gerüchte

Mein Artikel hat, wie die Redaktion zur Einleitung einer Doppelseite Diskussion am darauffolgenden 1. Dezember bemerkt, »ein ungewöhnlich starkes Echo in der Leserschaft gefunden«. Neben einer kurzen Stellungnahme eines Kirchenhistorikers sei »als einzige Gegenstimme gegen Küng« eine Antwort von Professor Schauf eingetroffen. Dagegen unterstützt mich vor allem ein herzlicher Offener Brief von Dr. OTTO KARRER, der sich auf meine seelsorgliche Zusammenarbeit mit Pfarrer und Vikaren in Luzern beruft und mir das Recht auf ein »prophetisches Zeugnis« zugesteht. Mit meiner Replik und zugleich Schlußwort *»für ein Reformkonzil praktischer Art«*, die Forderung des Kölner Kardinals Josef Frings, endet diese Kontroverse, die auch Gegenstand eines Artikels im »Spiegel« wird sowie – auf Vorschlag von Bischof Leiprecht – einer harmonisch verlaufenden Unterredung mit dem Apostolischen Nuntius Corrado Bafile in Rottenburg am 12. November 1961. Mein Artikel erscheint im Lauf des Jahres 1962 auch auf Englisch, Französisch und Niederländisch und beeinflußt die vorkonziliare Atmosphäre stark. Und unsere Konzilshistoriker Alberigo und Wittstadt wollen von dieser Kontroverse rein gar nichts bemerkt haben? Ignoranz, Trägheit, Konformismus?

Der Gregoriana-Ökumeniker JOHANNES WITTE, ein Holländer, schreibt mir damals aus Rom, ich würde »von einer anderen Welt aus sprechen als Schauf, und er wird Sie nie verstehen«. Ihm habe er gesagt: »Wie kann Küng doch sagen, daß mein Geist ein anderer sei als der des Papstes. Ich sage doch nur, was jeder Jurist sagen muß.« Ja, das ist »die andere Welt«, »das andere Paradigma« würde ich heute sagen. Und von dem einen – juristisch-mittelalterlichen – zu einem modernen, gar nachmodernen Paradigma ist eine »Conversio« des Herzens nötig. Doch was wäre da alles gefordert? Dem Domkapitel von Würzburg, schreibt mir der spätere Professor Bernhard Casper, der sich bei mir um eine Assistentenstelle bewirbt, sei mein Satz von Bad Godesberg über den »gegen die Wand geflüsterten Meßkanon furchtbar in die Knochen gefahren«. Und was sonst noch alles?

Gerüchte über Gerüchte – nur ein Bruchteil kommt mir glücklicherweise zu Ohren. Ein Studienfreund, der Musikwissenschaftler Helmut Hucke, aus Rom: »Daß Du hier nicht beliebt bist, weißt Du ja. Es pfeifen beinahe die Spatzen von den Dächern, daß der Kardinal Döpfner Dir einen Brief geschrieben hätte, in dem er Dich getadelt habe, daß Du Kardinäle in die Rheinische-Merkur-Diskussion (mit Schauf) hineingezogen hättest ...« Nur wegen des Frings-Wortes »für ein Reformkonzil praktischer Art«? Jedenfalls habe ich diesbezüglich keinen Brief von Döpfner erhalten. Mein Surseer Freund Otto Wüst, jetzt Generalsekretär des Schweizerischen Katholischen Volksvereins mit Verbindung nach Deutschland, teilt mir seine und anderer Besorgnis mit: »Du könntest Dir im Deutschen Episkopat Gegner schaffen«; er höre, »daß Kardinal Frings von Köln auf Dich nicht gut zu sprechen sei. Du mögest Dich also vorsehen.« Das hängt wohl mit der Schauf-Kontroverse zusammen, vielleicht aber auch mit meinem Kölner Mitgermaniker Anno Quadt. Ein befreundeter Schweizer Vikar schreibt mir besorgt: »Es wäre für mich bitter, wenn das Sprachrohr der ›leidenden‹ und reformbedürftigen Kirche im deutschen Sprachraum von gehässigen Heckenschützen zerlöchert würde.«

Ob ich nicht manchmal *Angst* habe?, fragt man mich. Herzklopfen schon, aber die (später als typisch deutsch geltende) »Angst« ist meine Grundstimmung nicht. Sorgen mache ich mir natürlich öfters, und sie verfolgen mich manchmal bis in die Nacht hinein. Ich bin ja kein Eisklotz, sondern ein Mensch mit starken Emotionen, die ich indes meist mit meiner Vernunft zu beherrschen verstehe. Und daß ich mich noch nach langen Überlegungen durch bestimmte Befürchtungen und Beunruhigungen von einem als richtig erkannten Kurs oder einer Aktion abhalten ließe, kommt für mich nicht in Frage. Von Herkunft, Temperament, Erziehung und Bildungsweg her ist für mich ein gesundes Selbstbewußtsein und, wo nun einmal nötig, Zivilcourage eine Selbstverständlichkeit. Da lasse ich mir weder von Kardinälen noch von Kollegen angst und bange machen.

Wie es nun freilich gehen kann, zeigt kurz darauf der erwähnte Fall des mutigen P. RICCARDO LOMBARDI SJ. Der Bibliothekar und Bibliograph des Päpstlichen Bibelinstituts PETER NOBER SJ berichtet mir akribisch Genaueres: Am 11. Januar 1962 ein ungezeichneter Artikel auf der Titelseite des Osservatore Romano gegen Lombardis Konzilsbuch. Am 24. Januar dann ein Artikel von Msgr. Giuseppe de Luca gegen »große Menschen« und für Destalinisierung (unausgesprochene Kritik an Pius XII., Lombardis Beschützer) und dann eine heftige Attacke direkt gegen den Ordensmann und »falschen Propheten«. Das Buch »wurde in den wenigen Tagen buchhändlerischer ›Lebenszeit‹ rasend abgesetzt, z. B. ALCI (Via dei Lucchesi) an einem Tag gegen hundert. Große Zeitungen, dann Illustrierte lobend«, so Nober. Doch nach dem Verdikt verschwindet das Buch aus den römischen Buchhandlungen, jetzt wird nicht mehr gelobt. Nober hofft, »daß Lombardi über das ›fulmen dium‹ (den göttlichen Blitzstrahl) hinwegkommt«: »Ich denke bei der ganzen Sache auch an Sie, an andere Ökumeniker. Vielleicht hat Lombardi nur zusammengefaßt und (mit großer Liebe zur Kirche!) ›prophetisiert‹, was auch andere vor ihm in Büchern und Vorträgen sagten … Gebet um ›festen Glauben‹ für jene, die sich mit ökumenischen Dingen befassen müssen … und viele Grüße, auch an die Kollegen Schelkle und Haag, Ihr Mitangefochtener in Christus P. Peter Nober SJ.«

Mein früherer, übervorsichtiger Chef, Professor HERMANN VOLK, läßt mich aus Münster wissen, für ihn seien »die Positionen von Schauf in ihrer Harmlosigkeit unerträglich – es scheint ja auch, daß da krumme Dinge gemacht worden sind; auch in der KNA (Katholischen Nachrichtenagentur). Aber Sie haben auch eine Verantwortung, daß Sie nicht gegen Ihre Absicht den anderen Wasser auf die Mühle geben. Das können wir nicht gebrauchen. Hoffentlich gibt Schauf jetzt endlich Ruhe ...« Was für eine Aufregung im Karpfenteich der Ängstlichen. Die Kontroverse mit Schauf dürfte wohl meinen Ruf begründet haben, daß mit mir, der ich von Haus aus ein durchaus freundlicher und friedlicher Mensch bin, nicht gut Kirschen essen ist. »Konflikte nicht suchen« – dieses Leitwort Kennedys ist auch meines –, »aber wenn aufgezwungen, sie gründlich besorgen.« Der erste große öffentliche Schlagabtausch mit Heribert Schauf wird mir nachträglich wie ein Kinderspiel vorkommen im Vergleich mit der zunächst ganz und gar privaten Auseinandersetzung mit jenem Theologen, den ich mehr als alle anderen schätze, mit Karl Rahner. Das hängt zusammen mit der Veröffentlichung meines – nach »Rechtfertigung«, »Konzil und Wiedervereinigung« und »Damit die Welt glaube« – vierten Buches unter dem Titel »Strukturen der Kirche«.

Neue – alte Strukturen der Kirche: drei Wege ins Amt

Meine Antrittsvorlesung »Das theologische Verständnis des Ökumenischen Konzils« wird wie üblich veröffentlicht in der *Tübinger Theologischen Quartalschrift*. Diese mit ihrem 141. Jahrgang älteste noch existierende theologische Zeitschrift Deutschlands, herausgegeben von den Professoren der Katholisch-Theologischen Fakultät an der Universität Tübingen, wird von den Emeriti Karl Adam und Josef Rupert Geiselmann angeführt, mit mir als letztem. Im ersten Heft des Jahres 1961 erscheint sie, zusammen mit der überaus interessanten Antrittsvorlesung meines Freundes Herbert Haag über »Homer und das Alte Testament«.

Der Plan, meine Vorlesung zu einem *Buch* auszuarbeiten, ist rasch gefaßt. Gibt es doch keine wirkliche Theologie des ökumenischen Konzils. Die beiden Grundsätze über das ökumenische Konzil als Repräsentation der Kirche aber verdienen es, aus der theologischen Literatur sehr viel besser belegt und mit allen ihren Konsequenzen im Hinblick auf die Probleme des Vatikanum II durchdacht zu werden. Ich finde mehr Material als erwartet und lasse mich auf mehr Probleme ein als beabsichtigt. So entsteht schließlich und endlich ein Buch von 356 Seiten mit einer Überfülle an bibliographischen Angaben und Belegen in rund 400 zum Teil sehr ausführlichen Anmerkungen. Als angemessenen Titel wähle ich: »Strukturen (nicht: *die* Strukturen) der Kirche«.

Über die *Konziliarität* als einer Grundstruktur der kirchlichen Wirklichkeit hinaus – total vergessen in einer Zeit päpstlichen Absolutismus und Triumphalismus – geht es mir vor allem darum, die Diskussion über *die beiden Hauptschwierigkeiten für eine ökumenische Verständigung* zwischen den christlichen Kirchen voranzutreiben. Hauptstreitpunkt ist nun nicht mehr die Rechtfertigungslehre und im Grunde auch nicht das Verhältnis von Schrift und Tradition oder die sieben Sakramente im allgemeinen. Streitpunkte sind vielmehr die Frage des *kirchlichen Amtes*, wichtig für die Gültigkeit der protestantischen Abendmahlsfeiern, und besonders die Frage des *Papstamtes*.

Auf gegen hundert Seiten mache ich mir die Mühe, MARTIN LUTHERS komplexe Auffassung von Amt und Gemeinde in ihrer historischen Entwicklung sachlich-kritisch aufgrund der Quellen darzustellen, wie dies bisher kein katholischer Theologe je getan hat, um dann auf die neueren protestantischen Auffassungen einzugehen: die Erklärung der Vereinigten Evangelisch-Lutherischen Kirche Deutschlands zur apostolischen Sukzession (1954) und die Kontroverse zwischen Schlier, Käsemann, Diem und mir samt ihren Folgen. Es ist dann vor allem der evangelische Systematiker EDMUND SCHLINK aus Heidelberg, der mir durch seine exegetisch gut unterbaute Reflexion über die apostolische Sukzession klarer zu sehen hilft. Er weiß Treue zu den lutherischen Grundanliegen mit echter ökumenischer Aufgeschlossenheit zu verbinden, und dies als Beobachter der Evangelischen Kirche in Deutschland schon in der Vorbereitungsphase des Konzils.

Schlink versteht wie Käsemann und andere die Kirche paulinisch als Gemeinschaft der Charismen und Dienste. Doch nimmt er zugleich die frühkatholische Auffassung des Hirtendienstes aufgrund besonderer Sendung ernst. Schärfer als sonst im Luthertum hebt er die positive Bedeutung der Handauflegung für die apostolische Sukzession hervor. Schärfer auch arbeitet er die *drei möglichen Wege in das Hirtenamt* heraus. Aufgrund der neutestamentlichen Schriften meine ich es nicht leugnen zu können: Neben der Berufung von Amtsträgern durch Amtsträger gibt es zweitens eine Sendung durch solche, die selber keine besondere Sendung empfangen haben (in der Apostelgeschichte etwa die Handauflegung durch Propheten und Lehrer). Und drittens gibt es das frei aufbrechende Charisma von Menschen, die sich in einer Gemeinschaft von Glaubenden zum Dienst der Leitung (1 Kor 12,28; 16,15) oder des Vorstehens (Röm 12,8) berufen erkennen.

In der Kirche der nachapostolischen Zeit hat sich verständlicherweise der erstgenannte Weg ins Amt, der aufgrund besonderer Sendung durch Handauflegung, schließlich durchgesetzt, den man schließlich »apostolische Sukzession oder Nachfolge« nennt. Doch muß die Kirche nicht grundsätzlich offenbleiben für die in den paulinischen Gemeinden ursprünglich gegebene Möglichkeit frei aufbrechender Charismen der Gemeindegründung und Gemeindeleitung? Und dies nicht nur in Extremsituationen, zum Beispiel in einer Verfolgungssituation oder einem Gefangenen- oder Konzentrationslager, sondern auch in Erneuerungsbewegungen innerhalb einer müde und selbstgerecht gewordenen Kirche? In der Tat: Nur bei Anerkennung dieser freien charismatischen Berufung zur Gemeindeleitung läßt sich die Kirchenspaltung mit jenen reformatorischen Kirchen überwinden, die aufgrund der Reformunwilligkeit der damaligen Hierarchie auf eine gültige »apostolische Nachfolge« durch bischöfliche Handauflegung wenig Gewicht legten und legen und die doch gut funktionierende Ämter entwickelt haben.

Ich frage: Wenn von lutherischer Seite die apostolische Sukzession durch Handauflegung als der heute wünschenswerte Normalfall angenommen wird: darf dann der katholischen Seite nicht eine *Neuüberprüfung der Dekrete des gegenreformatorischen Konzils von Trient,* zumindest bezüglich des »Notfalls« in Sachen Eucharistie und Ordination, zugemutet werden? Diese Trienter Dekrete hatten in der Dekadenz von Kirche und Amt im 16. Jahrhundert sicher ihre Dringlichkeit. Doch im 20. Jahrhundert gibt es eine ganze Reihe von Gründen aus Schrift und Tradition, warum zumindest in bestimmten Notfällen, wie allgemein zugestanden, auch nach katholischer Lehre eine »Nottaufe« erfolgen kann. Und, dies wäre zu diskutieren, vielleicht auch so etwas wie eine »Noteucharistie«! Nicht nur der Auftrag zu Verkündigung und Taufe, sondern auch der Auftrag zur Abendmahlsfeier ist ja schließlich nicht nur einzelnen Amtsträgern, sondern, meint auch mein Kollege vom Neuen Testament Karl Hermann Schelkle, allen Jüngern Jesu, der ganzen Kirche gegeben worden.

Zweifellos habe ich mich in diesem Kapitel über die Amtsstrukturen weit vorgewagt. »Dies ist es, was ich im Traktat über die Kirche hier lehre«, wird mir der Dominikaner BERNARD DUPUY einige Zeit später aus Paris schreiben (24. 1. 1964), »aber Sie schaffen mit großer Kraft viele neue Argumente herbei. Es wird zehn Jahre brauchen, bis Ihr Werk durch die katholische öffentliche Meinung ›assimiliert‹ sein wird, aber dies wird ein Datum in der Geschichte der Ekklesiologie sein. Ich fand nichts Tadelnswertes; man sollte vielleicht die Diskussion mit J. Ratzinger fortsetzen ...« Was aber soll ich erst zum Kardinalproblem einer Theologie des ökumenischen Konzils sagen, zum Papsttum und zum hochproblematischen Verhältnis Papst – Konzil?

Das Konzil über dem Papst? Konstanz und Vatikanum I

Mit derselben Akribie, mit der ich Luthers Auffassung vom kirchlichen Amt beschrieben habe, analysiere ich anschließend die mir von Rom her genau bekannte *Lehre des Vatikanum I vom päpstlichen Primat* und seinen Grenzen. Auch nach dem Vatikanum I (1870) soll ja der päpstliche Primat nicht absolut und willkürlich sein. Sei er doch von vornherein begrenzt durch die Existenz des Episkopats und die ordentliche Amtsausübung der Bischöfe sowie die Zielsetzung der päpstlichen Amtsführung selbst, die ja nicht der Zerstörung, sondern der Auferbauung der Kirche dienen soll. Ich gehe indes aus vom traditionellen Kanon 228 des Codex Iuris Canonici über das Konzil: »Das ökumenische Konzil besitzt die höchste Vollmacht über die universale Kirche.« Diese »suprema potestas« des Konzils steht nämlich in bisher nie definierter Konkurrenz zur päpstlichen Primatvollmacht. Es besteht also Klärungsbedarf.

Um das Problembewußtsein zu wecken, wende ich mich zunächst dem – in der neueren katholischen Dogmatik verschwiegenen – gar nicht so seltenen *Konfliktfall zwischen Papst und Kirche* zu. Dieser ist nicht schon gelöst durch den häufig zitierten Kanon 1556: »Prima sedes a nemine iudicetur.« Denn daß »der erste Sitz von niemandem gerichtet werden soll«, geht eindeutig auf eine Fälschung im 6. Jahrhundert zurück. Die historische Wahrheit ist: Von den ältesten Zeiten bis ins 15. Jahrhundert gibt es, wie mein Tübinger Kollege, der Mittelalter-Historiker Harald Zimmermann in einer ausführlichen Untersuchung gezeigt hat, eine ganze Reihe von »Papstprozessen«. Zu ihnen wurden die Päpste als Angeklagte geladen und meist – besonders im Fall von Häresie oder illegitimer Amtsergreifung – abgesetzt.

Die Papstabsetzungen der konziliaren Ära des 15. Jahrhunderts, die schließlich das Ende des Abendländischen Schismas mit seiner Drei-Päpste-Herrschaft und die Wiederherstellung der Einheit der westlichen Christenheit brachten, wurden damit begründet, daß das *ökumenische Konzil über dem Papst* stehe. Diese Lehre wurde in aller Form definiert vom *ökumenischen Konzil von Konstanz* (1414-1418). Seine entscheidende Definition lautet: »Die Synode erklärt erstens: Als im Heiligen Geiste rechtmäßig versammelt, ein allgemeines Konzil bildend und die katholische Kirche repräsentierend, hat die Synode ihre Gewalt unmittelbar von Christus; ihr hat also jedermann, welchen Standes oder welcher Würde auch immer, selbst der päpstlichen, zu gehorchen in allem, was den Glauben, die Überwindung des besagten Schismas und die Reform dieser Kirche an Haupt und Gliedern betrifft.«

In eingehenden historischen Ausführungen, basierend auf der neuesten Forschung und beraten von meinem Kollegen der Kirchengeschichte K. A. Fink, führe ich aus, daß den Dekreten des Konzils von Konstanz grundsätzlich dieselbe Autorität zuerkannt werden muß wie den Dekreten anderer ökumenischer Konzilien, ja, daß die Konstanzer Dekrete nach den Untersuchungen des Amerikaners Brian Tierney Ergebnisse der ganz und gar orthodoxen mittelalterlichen Ekklesiologie sind. Dies werde ich im Festvortrag zur 550. Jahresfeier des Konzils am 10./11. Juli 1964 auch im Konzilsgebäude von Konstanz mit Nachdruck vertreten – mit Blick auf die Gegenwart.

Natürlich ist klar, daß die Konstanzer Dekrete einen kirchengeschichtlichen Gegenpol zum Vatikanum I bilden. Doch weise ich auf, wie auch noch nach dem Vatikanum I führende Kanonisten verschiedene Fälle anführen, nach welchen *der Papst sein Amt verliert*: Neben Tod und stets möglichem freiwilligem Amtsverzicht sind es vor allem drei: Geisteskrankheit, Häresie und Schisma. Auch bei Schisma? Ja, ein solches entsteht ja nicht nur, wenn sich eine Person oder Gruppe vom Papst trennt, sondern auch wenn der Papst sich von der Kirche trennt; so der Jesuitentheologe Francisco Suárez, der bedeutendste Vertreter der spanischen Barockscholastik. Doch wem steht im Fall eines häretischen, schismatischen oder geisteskranken Papstes ein Urteil zu? Dazu derselbe Suarez: der Kirche, dem *Konzil!* Wenn sich aber ein solcher Papst weigere, ein Konzil einzuberufen? Dann könnten übereinstimmende Provinzial- oder Nationalkonzilien ausreichen. Andernfalls müßte das Kardinalskollegium oder der Episkopat gegen den Willen des Papstes ein ökumenisches Konzil einberufen. Und sollte der Papst dies verhindern wollen? So sei ihm nicht zu gehorchen, weil er in einem solchen Fall seine oberste Hirtenvollmacht gegen die Gerechtigkeit und das Gemeinwohl der Kirche mißbrauche ... Wie klar konnte und durfte man doch in früherer Zeit über solche Fragen reden. Und wie verständlich, daß unsere konformen Konzilshistoriker zur Zeit eines autoritären und altersschwachen polnischen Papstes diese Probleme und ein einschlägiges Buch über »Strukturen der Kirche« lieber verschweigen und dafür seitenweise historische Belanglosigkeiten ausbreiten lassen ...

Durch diese kirchenrechtlichen und von historischen Fällen belegten Darlegungen will ich für die heutige Zeit eines deutlich machen: daß die katholische Kirche einem Papst, der gegen das Evangelium handelt, keinesfalls auf Gedeih und Verderb ausgeliefert ist. Kirchenmitglieder und besonders Bischöfe und Theologen können sich also von der Verantwortung eigenen Handelns nicht entbinden durch ein tatenloses, vermessenes Vertrauen auf den Heiligen Geist, als ob dieser wie ein Deus ex machina funktioniere. Widerstand kann geboten sein. Doch bin ich mit der Behandlung des Verhältnisses von Konzil und Papst noch nicht zur schwierigsten Frage des Kirchenverständnisses vorgedrungen.

Zweifel an der Unfehlbarkeit: Rottenburger Bischöfe

Im letzten Kapitel von »Strukturen der Kirche« komme ich nicht umhin, wenigstens kurz auch auf die neuralgische Frage der Unfehlbarkeit einzugehen. Mein Ausgangspunkt ist wieder die Auffassung Luthers und Calvins von der *Fehlbarkeit der Konzilien*. Doch referiere ich ebenfalls die Kritik Karl Barths an der Unfehlbarkeitsdefinition des Vatikanum I (1870) sowie an der katholischen Tübinger Schule (J. S. Drey, J. A. Möhler, J. Kuhn, F. A. Staudenmeier). Auch hier versuche ich zu klären, was zu klären ist.

Aufgrund der Konzilsakten untersuche ich zuerst, inwiefern die heftige Opposition der führenden deutschen und französischen Bischöfe auf dem Vatikanum I faktisch doch zu einer Beschränkung der päpstlichen Unfehlbarkeit geführt hat: daß dem Papst keine absolute Unfehlbarkeit zukommt und er nicht von der Kirche losgelöst handeln darf. Doch schon hier muß ich aufgrund des Streits zwischen pro-infallibilistischer Majorität und anti-infallibilistischer Minorität unzweideutig feststellen: Trotz solcher Einschränkungen besteht nach dem Dogma des Vatikanum I faktisch keine Möglichkeit, einen Papst am vielleicht wahren, aber unter Umständen doch für die Kirche höchst schädlichen Definieren wirksam zu hindern. Katholische Theologen nehmen es immer wieder ungern zur Kenntnis: Wenn der Papst unbedingt will, so kann er schließlich auch alles allein, ohne die Kirche, definieren. Warum? Weil er allein als oberster Interpret interpretiert, wie, wann und wofür er seine Lehrautorität gebrauchen will, und zwar »sine consensu ecclesiae – ohne Zustimmung der Kirche«.

Es war besonders diese Formel, welche den Großteil der französischen und deutschen Bischöfe zum Protest und Verlassen des Vatikanischen Konzils noch vor der Unfehlbarkeitsdefinition veranlaßte. Unter ihnen der Rottenburger Bischof, früherer Tübinger Kirchenhistoriker und Autor einer siebenbändigen Konziliengeschichte, KARL JOSEPH HEFELE, der wie kein anderer mit Berufung auf irrende Päpste gegen diese Form der Definition angekämpft hatte. Hefele war faktisch der letzte Bischof der Welt, der – erst nach neunmonatigem Zögern! – einen Hirtenbrief an seinen Klerus schreibt: Um des »Friedens und der Eintracht in der Kirche« willen seien »große und schwere persönliche Opfer« zu bringen, und er unterwerfe sich deshalb der vatikanischen Definition. Und so blieb er denn auch Bischof von Rottenburg.

Mein erster Assistent in Tübingen ist der Rottenburger Diözesan und Doktorand WALTER KASPER, ein intelligenter, freundlicher, kooperativer Schwabe, dem ich nicht allzu viel Arbeit zumuten darf, da ich ihn mit meinem Kollegen in Dogmatik, Professor Leo Scheffczyk, teilen muß und er auch noch Pflichten im Wilhelmsstift hat. Immerhin ist mir viel wert, daß Kasper auch mir einige Hilfsdienste leisten kann. Er ist Schüler des Tübinger Dogmatikers Geiselmann, hat seine theologischen Studien nicht in Rom absolviert, schließt jetzt aber über die Lehre von der Tradition in der Römischen Schule seine Dissertation ab. Ich sehe ihn noch in meinem Studierzimmer vor mir stehen, wie ich, gerade an diesem Kapitel über die Unfehlbarkeit arbeitend, ihm die trotz aller Einschränkungen der Unfehlbarkeit entscheidende Frage stelle: »Es genügt, daß in einer Kirchengeschichte von Jahrtausenden auch nur ein Papst zu irgendeiner Stunde einen einzigen für die Kirche verbindlichen Glaubenssatz als ein von vornherein irrtumsfreier Papst mit absoluter Sicherheit auszusprechen vermag, damit das Problem in seiner ganzen Schärfe gestellt ist: Ist ein Mensch, der nicht Gott ist – irrtumsfrei?« Kasper weiß keine Antwort. Ist nicht Gott allein unfehlbar?

Ich werde die schon in diesem Kapitel angedeutete Lösungsmöglichkeit später einmal in einem eigenen Buch zur Darstellung bringen müssen, und Walter Kasper ist dann derjenige, der meine Lösung – »die Kirche ist in der Wahrheit gehalten trotz aller Irrtümer« – wortwörtlich vertreten wird (ohne meinen Namen zu zitieren). Er wird sie aber auch sofort wieder verwerfen, als es ernsthafte Schwierigkeiten gibt, und dieses Mal meinen Namen zitieren. Am 16. Februar 1961 prüfe ich ihn in Fundamentaltheologie für das Doktorat. Drei Jahre später wird er von uns habilitiert und 1964 von mir mitvorgeschlagener ordentlicher Professor der Dogmatik in Münster. Dann wieder auf meinen Vorschlag hin 1970 mein Kollege im selben Fach in Tübingen. 1980 jedoch wird er sich nach anfänglichem Protest gegen die römische Nacht-und-Nebel-Aktion mit sechs anderen Kollegen, in Mehrheit Rottenburger Diözesanen, gegen mich und für den Vollzug der römischen Zwangsmaßnahme, meinen Ausschluß aus der Fakultät, aussprechen. Später wird er verdientermaßen Bischof von Rottenburg und dann – nach einem öffentlichen Statement gegen eine Rehabilitierungsforderung der

Katholisch-Theologischen Fakultät für mich (1996) und einem Hirtenbrief gegen die eigenen Laientheologen in Sachen Laienpredigt – kurialer Erzbischof (1999) und schließlich Kurienkardinal. Damit dürfte er
sein Ziel auf Erden erreicht haben.

Eine ähnliche Rottenburger Klerikerkarriere beginnt ebenfalls im
Jahre 1962: Am 1. Mai besucht mich ein Studentenpfarrer, um bezüglich seines Doktorexamens nähere Abmachungen zu treffen. Am 19. Juli
von 10.10 Uhr bis 10.30 Uhr von mir in Fundamentaltheologie geprüft, und noch am selben Tag zum Doctor theologiae promoviert. Ein
jovialer Mann und guter Seelsorger – dieser GEORG MOSER. Später wird
er Akademiedirektor, Weihbischof und schließlich Bischof von Rottenburg, Kaspers Vorgänger. Als solcher entzieht er dann am 18. Dezember
1979 seinem Professor und Prüfer von damals im Streit um die Unfehlbarkeit – auf römischen Befehl und gegen seine innere Überzeugung –
die kirchliche Lehrbefugnis. Aber auch dies ist eine eigene Geschichte,
die in einem zweiten Band ausführlich zu erzählen sein wird.

Auch im Zusammenhang der Unfehlbarkeit habe ich nie verfehlt,
auf die positiven Möglichkeiten des Papsttums deutlich hinzuweisen:
Wenn ein Papst wirklich *für die Kirche da ist*, wenn er seine Verkündi-
gungsaufgabe als selbstlosen seelsorglichen Dienst an der Gesamtkirche
erfüllt, dann kann durch ihn viel Großes geschehen und manches Übel
vermieden werden. Insofern war ich von Anfang an ein freilich kritischer »Apologet« des Papsttums! Natürlich denke ich an die Amtsführung nicht der Pius-Päpste, sondern an Johannes XXIII. Und dessen
Mann für die Ökumene soll nun nach Tübingen kommen.

Ein Kurienkardinal an der Universität: Augustin Bea

Vom ökumenisch engagierten katholischen Studentenpfarrer Hans Starz
höre ich, daß er gerne Kardinal AUGUSTIN BEA, den Präsidenten des
Vatikanischen Einheitssekretariats, nach Tübingen einladen möchte.
Bisweilen kommt ja Augustin Bea nach Riedböhringen, einem kleinen
Dorf bei Donaueschingen, das ich auf dem Weg von Tübingen nach
der Schweiz regelmäßig im Auto passiere, freilich ohne je anzuhalten.
Dort ist er am 25. Mai 1881 geboren worden, er, der mir seit meinen
römischen Jahren als führender Exeget und Rektor des päpstlichen
Bibelinstituts (1930-49), als Kollegsvisitator, Beichtvater Pius XII. und
auch als Beichtvater des Germanikums wohlbekannt ist. Was liegt
näher, als ihn anläßlich des Besuchs seines Heimatortes in die nur eine

Stunde entfernte Universitätsstadt Tübingen einzuladen? Das tue ich denn auch völlig ungeniert, im Bewußtsein, meiner Fakultät und Universität damit eine Ehre und Freude zu bereiten. Da ich nicht weiß, wie die Antwort des Kardinals ausfallen würde, informiere ich vorher niemanden darüber offiziell. Beas Antwort ist positiv.

Die frohe Nachricht vom Besuch eines Kardinals an unserer Universität löst bei meinen katholischen Fachkollegen mehr Entsetzen als Entzücken aus: »Wie können Sie mir nichts dir nichts einen römischen Kardinal nach Tübingen einladen? Noch nie hat es seit der Universitätsgründung vor mehr als vierhundert Jahren so etwas gegeben! Ein Kurienkardinal an dieser vom Protestantismus geprägten Universität!? Und welche Entwicklungen und Verwicklungen sind da möglich?« Ich nehme die Einwürfe gelassen und verspreche, mit dem Rektor der Universität alles zu regeln.

Seine Magnifizenz, THEODOR ESCHENBURG, Staatsrat und Professor für Politikwissenschaft, mit dem ich von Anfang an auf derselben Wellenlänge bin, zeigt sich hocherfreut über diese Initiative. Selbstverständlich sei der Kardinal willkommen, er selber werde alles tun, damit der Besuch geziemend verlaufe. Eschenburg, Sproß einer alten Lübecker Patrizierfamilie, weiß genau, was protokollarisch geziemend ist. Der Besuch eines Kardinals sei ja nun etwas anderes als der alljährliche Besuch des Ministerpräsidenten von Baden-Württemberg, zur Zeit Kurt Georg Kiesinger, anläßlich der Immatrikulationsfeier. Diesen bereits unten am Portal zu empfangen, habe er sich stets geweigert, weil es protokollarisch nicht erfordert sei und der Rektor sich nicht auf diese Weise als Untertan des Landesfürsten präsentieren sollte. Aber bei einem Kardinal der Heiligen Römischen Kirche sei das etwas anderes. Dieser müsse nach dem seit dem Wiener Kongreß 1815 geltenden diplomatischen Protokoll wie ein »Prinz königlichen Geblütes« behandelt werden. Und deshalb werde er ihn selbstverständlich unten am Portal empfangen und ihn dann in das Rektorat und von dort in den Festsaal geleiten.

Schon am Samstag, den 10. Februar 1962 um 9 Uhr trifft Kardinal Bea in Tübingen ein. Zunächst persönliche Besprechungen im Wilhelmsstift: um 9.15 Uhr mit dem (wegen einer unehelichen Tochter zum Honorarprofessor an der Philosophischen Fakultät degradierten) katholischen Alttestamentler Fridolin Stier, um 10 Uhr mit mir, um 11 Uhr mit dem evangelischen Systematiker Köberle und um 11.30 Uhr mit dem Direktor des katholischen Bibelwerks in Stuttgart Dr. Knoch. Am Nachmittag findet dann in meinem Haus in der Gartenstraße 103 eine mehr als zweistündige Diskussion statt, zu der ich den Exegeten

Käsemann, den Patrologen Eltester und den Reformationsgeschichtler Rückert eingeladen habe. Nicht gerade die bequemsten protestantischen Gesprächspartner. Aber das Gespräch verläuft fair und konstruktiv. Die evangelischen Theologen sind von der ökumenischen Haltung des Kardinals beeindruckt.

Am Sonntag, den 11. Februar, bei schönem Winterwetter, empfängt Rektor Eschenburg den Kardinal am Hauptportal, und Punkt 11 Uhr geleitet er ihn unter dem freundlichen Beifall des Publikums – darunter Ministerpräsident Kiesinger, viele Professoren und Vertreter des öffentlichen Lebens – in den bis auf den letzten Platz gefüllten Festsaal. Nach herzlicher Begrüßung durch Rektor Eschenburg und Bischof Leiprecht spricht Kardinal Bea über das Thema: »Was ist vom Konzil zu erwarten?«. Kein Unionskonzil, aber doch eine Förderung der Einheit der getrennten Christen, von Rom weder aus Machtsucht noch aus Prestigegründen angestrebt. Daß die katholische Kirche von der einmal erkannten Wahrheit abweichen werde, dürfe freilich nicht erwartet werden. Aber in äußeren Fragen wie etwa der Liturgie, der Liturgiesprache, des Kirchenrechts und der Frömmigkeit seien Veränderungen und Entgegenkommen durchaus möglich. Hier überall seien Theologengespräche wünschenswert und hilfreich.

Es war dies gewiß kein sensationeller Vortrag, aber sensationell war, wer dies alles sagte: ein Kardinal der römischen Kurie, und zwar nicht ein beliebiger, sondern der einflußreiche Präsident des Sekretariats für die Einheit der Christen, der, wie man weiß, das Ohr des Papstes besitzt und der offensichtlich voll des Respekts ist für protestantische Frömmigkeit und Wahrheitssuche. Im übrigen ein gar nicht hierokratisch auftretender Kirchenfürst, sondern ein bescheidener, liebenswürdig lächelnder, unter der Last der Jahre leicht gebeugter schlanker Gelehrter. Und so gilt denn der begeisterte Beifall danach sicher noch mehr dem Redner als der Rede.

Ich will nicht leugnen, daß ich erleichtert war, als der Purpurträger wieder in der schwarzen Limousine Platz genommen hatte und freundlich winkend zurück in sein Riedböhringen fuhr. Ich meinerseits kann mich nun wieder ermutigt der theologischen Forschung zuwenden, die sich für mich immer mehr als steile Wanderung auf schmalem Grat erweisen soll. Noch am selben Tag schreibe ich meine ganz persönliche Beurteilung des Besuches von Kardinal Bea an KARL RAHNER: »Auch heute hat er persönlich einen sehr guten Eindruck gemacht, und man wird auch sagen müssen, daß im Vergleich zur üblichen römischen Theologie sein Vortrag durchaus überdurchschnittlich war. Trotzdem haben seine theologischen Äußerungen, die vor allem die Ekklesiologie betrafen, hier tiefe Enttäuschung ausgelöst. Und so sehr mir der Kardinal persönlich Hoffnung gemacht hat, daß alles gutgehen würde, so sehr bin ich nun niedergedrückt, wenn ich sehe, in welchem Sinne dies gutgehen wird. Alles dies wird von den Protestanten nicht verstanden werden. Bea hat zweifellos den besten Willen, aber Sie kennen die Art der Theologie, die sich weitgehend mit diesem besten Willen verbindet. Meine Befürchtungen bezüglich des Konzils und bezüglich der kommenden Äußerungen gerade über die Ekklesiologie sind jedenfalls eher vermehrt als vermindert worden ... Alles dies zeigt mir neu, wie wichtig es ist darzulegen, wie komplex die ekklesiologischen Probleme sind.«

Nachträglich höre ich freilich, unter welchem doppelten Druck der Präsident des Einheitssekretariates steht. Einerseits theologisch: von Kardinal Ottaviani, der auf dem antiökumenischen Dekret »Ecclesia catholica« von 1949 besteht und auf der Enzyklika »Mystici corporis«, die den Nicht-Katholiken jede Teilhabe am »mystischen Leib Christi« abspricht. Andererseits politisch: von Kardinalstaatssekretär Tardini, der etwa beim ersten Besuch eines Erzbischofs von Canterbury, Dr. Geoffrey Fisher (in den Verlautbarungen des Staatssekretariats immer nur mit »Dottore« betitelt), jedes Treffen mit Kardinal Bea zu verhindern weiß. Ein erstes Treffen Kardinal Beas mit dem Generalsekretär des Weltkirchenrates, Dr. Willem Visser't Hooft, muß daher in aller Heimlichkeit unter beinahe konspirativen Bedingungen stattfinden. Erst nach Tardinis Tod am 30. Juli 1961 häufen sich die ökumenischen Besuche und dürfen katholische Beobachter an der dritten Vollversammlung des Weltkirchenrates teilnehmen. So wirkt sich die Führungsschwäche des Papstes konkret aus.

Doch diesen Papst hat Augustin Bea noch ganz auf seiner Seite. Durch Vorträge, Aufsätze und persönliche Kontakte versucht der 80jährige in bewundernswerter Weise, für seine großen Ziele zu werben. Drei epochale Neuorientierungen werden ihn, wie wir sehen werden, im Konzil unter einem anderen Papst auf eine harte Bewährungsprobe stellen: der Ökumenismus der christlichen Kirchen, das neue Verhältnis zum Judentum, die Religions- und Gewissensfreiheit. Doch die Freiheit der Theologie überhaupt ist für die Bewältigung dieser Aufgaben eine unabdingbare Voraussetzung.

Ein Vorkämpfer der Freiheit in der Theologie: Karl Rahner

Nach all den bisherigen Erlebnissen und Erkenntnissen ist die Veröffentlichung des Buches »Strukturen der Kirche« hochriskant, das ist mir wohl bewußt. Was macht mir Sorge? Nicht so sehr die Verurteilung im nachhinein fürchte ich, vielmehr die Verhinderung der Veröffentlichung von vornherein. Denn noch braucht jedes Buch eines katholischen Theologen ein *Imprimatur*, eine kirchliche Druckerlaubnis. Ohne eine solche kann es kein katholischer Verlag wagen, auch nicht der mächtige Verlag Herder (der ja schließlich auch weiterhin Meßbücher, Katechismen und ähnlich offizielle Literatur drucken will), ein theologisches Buch zu veröffentlichen.

Jedes bischöfliche Imprimatur aber, gegeben meist vom betreffenden Generalvikar, braucht einen von diesem bestellten kirchlichen Zensor, der mit seinem Namen für die katholische Orthodoxie des Inhalts geradesteht. Ich habe bereits erzählt: »Rechtfertigung« – Imprimatur des bischöflichen Ordinariats Basel vom 3. 1. 1957 (Zensoren Hans Urs von Balthasar, Louis Bouyer und Josef Feiner). »Kirche und Wiedervereinigung« – Imprimatur des erzbischöflichen Ordinariats Wien vom 12. 3. 1960 (Zensor wieder Professor Josef Feiner, Chur). »Briefe an junge Menschen« unter dem Titel »Damit die Welt glaube« (bald in mehr Sprachen übersetzt als beide vorausgegangenen Bücher) – Imprimatur des für Tübingen zuständigen bischöflichen Ordinariats Rottenburg vom 27. 4. 1962. Auch für »Strukturen der Kirche« erhoffe ich von Rottenburg das Imprimatur. Aber – wer könnte der theologische Zensor für dieses schwierige Buch sein? Darüber rätsele ich lange und bespreche mich mit Freunden und auch mit P. Klein in Rom. Und schließlich fällt die Wahl auf den hochangesehenen Jesuiten KARL RAHNER, dessen positives Votum sowohl für das bischöfliche Ordinariat wie für die weitere katholische Öffentlichkeit ein günstiges Präjudiz darstellen wird.

Vor Karl Rahner, seit 1949 Dogmatikprofessor an der Universität Innsbruck, einem der großen Inspiratoren meiner römischen Theologiejahre, habe ich höchsten Respekt. Auch gefällt mir, als ich ihn nachher persönlich kennenlerne, seine unprätentiöse, menschliche Art: wie er während meines ersten Besuchs in Innsbruck bei einer längeren Erklärung eines theologischen Tatbestandes sich einfach rücklings auf sein Bett legt und weiterdoziert oder wie er mir bei einem anderen Besuch in Freiburg als der vierundzwanzig Jahre Ältere hilft, meinen schweren Bücherkoffer zum Bahnhof zu schleppen. Zu meinem Buch »Rechtfertigung« hat er in der Tübinger Theologischen Quartalschrift einen mehrseitigen kritisch-konstruktiven Artikel geschrieben, welcher der Rezeption dieses Buches in der theologischen Welt wesentlich vorangeholfen hat. (»Das Buch, zu dem hier einige kleine Anmerkungen gemacht werden sollen, rechtfertigt es durch seine Bedeutung durchaus, daß man sich weiter mit ihm beschäftigt ...«) Und er war es ja auch gewesen, der mich zu jener für mich schicksalhaften Innsbrucker Dogmatiker-Tagung eingeladen hatte, auf der die Weichen für meine akademische Laufbahn gestellt wurden. In meinem Konzilsbuch schließlich war er der Hauptgewährsmann für das Eingeständnis einer »sündigen Kirche« und die Notwendigkeit einer radikalen Reform. Konnte ich denn, voll der Dankbarkeit, einen verständnisvolleren »Zensor« finden?

Ohnehin wußte ich: Als Dogmatiker war Rahner unter Pius XII. durch seine Bejahung der Konzelebration (»Die vielen Messen und das eine Opfer«) und eine nichtbiologische Interpretation der »Jungfrauengeburt« selbst in die Kritik geraten. Zugleich hatte er sich mutig und wegweisend zu Strukturfragen der Kirche geäußert. Aufsehen erregten die mit kritischen Anmerkungen nicht sparenden Publikationen über »Das Dynamische in der Kirche« (1958) und – zusammen mit Joseph Ratzinger – über »Primat und Episkopat« (1961). Beide sind veröffentlicht in einer neuen zukunftsoffenen Reihe des Herder-Verlags mit dem politisch klug gewählten traditionellen Titel »*Quaestiones disputatae*«, »disputierte Fragen«, deren Herausgeber niemand anderer als Rahner ist. 1958 hatte er sie mit kühnen Vorstößen zur Schriftinspiration und zur Theologie des Todes eröffnet. In dieser Serie hoffe ich jetzt, auch mein Strukturen-Buch veröffentlichen und mit dem positiven Votum Rahners zwei Fliegen mit einer Klappe schlagen zu können: sowohl einen kirchlich wohlgesinnten Zensor als auch den Herausgeber der bereits angesehenen Reihe zu gewinnen. Mit dem Namen Rahner steht also für mich nicht wenig auf dem Spiel.

Schon am 14. Januar 1962 hatte Rahner in Tübingen über das Konzil gesprochen – unter begeisterter Zustimmung unserer Studenten, welche die Übereinstimmung mit ihrem theologischen Lehrer sehr wohl bemerkten. Wir erwogen auch damals schon Pläne, wie man die kuriale Konzilsstrategie durchkreuzen könne. Am 3. Februar nun bitte ich Rahner in einem Brief um die Aufnahme von »Strukturen der Kirche« in seine Reihe »Quaestiones disputatae« – in der Hoffnung auf genaue Durchsicht meines Manuskripts: »Denn es ist ja kein Zweifel«, schreibe ich, »daß bei dem gegenwärtigen Stand der Konzilsvorbereitung das Buch auf eine sehr gespannte Lage trifft; die Auswirkungen lassen sich da nicht immer vorausberechnen, und es sollte alles getan werden, um unnötige Schwierigkeiten zu vermeiden. Andererseits ist es wichtig, daß gerade jetzt einige Dinge gesagt werden, die unter Umständen einseitige Lehrerklärungen, wie sie in Aussicht stehen, positiv beeinflussen könnten. Bereits hat sich auch ein Verlag für die französische und ein anderer für die englische Ausgabe interessiert.«

Rahner ist für mich ohne allen Zweifel »der führende Kopf der katholischen Theologie im deutschen Sprachbereich«, wie ich dem »Spiegel« das Zitat aus der »Neuen Zürcher Zeitung« umgehend bestätige. Freilich kann ich je länger desto weniger übersehen, daß Rahners *theologische Methode* von der meinen, wie sie sich jetzt in Tübingen herausbildet, zunehmend verschieden ist. Rahner ist ein »spekulativer Kopf«, ein glänzender Systematiker. Selbst Hans Urs von Balthasar, als ich ihn im Auto einmal von Basel in den Schwarzwald zum Philosophen Gustav Siewerth fahre, muß zugestehen, er, Balthasar, sei eigentlich mehr Literat, Karl Rahner aber der wirkliche Theologe. In der Tat ist Rahner ein profunder Denker und außerordentlich gewitzter, an Hegel und Heidegger geschulter Dialektiker, der in Gegensätzen argumentierend zu erstaunlichen »Versöhnungen« kommt. Das ist seine Stärke, aber auch seine Schwäche. So bringt er etwa das »Charisma« im Gegensatz zum »Amt« in einer Weise zur Geltung, daß die Herzen der Erneuerer höher schlagen, endet dann aber doch mit einer systemimmanenten »Synthese«, in der das Amt charismatisch strukturiert und das Charisma amtlich kontrolliert erscheint. Ähnlich auch bei Episkopat und Primat, wo er die Kollegialität der Bischöfe mächtig betont, aber gleichzeitig auch unverändert den päpstlichen Primat im Rahmen des Vatikanum I bejaht. Ich frage mich: Kann dies mein Weg sein? In den »Strukturen der Kirche« habe ich den schon in »Rechtfertigung« vorgezeichneten Weg historisch-kritischer fortgesetzt.

Daß Rahners dialektische Methode allerdings auch im römischen Sanctum Officium kein Wohlgefallen auslöst, ist verständlich; man empfindet sie als gefährlich subversiv. Doch kann man Rahner nie richtig fassen, weil er bei all seinen angeblichen »Häresien« am Ende doch immer wieder beim Wortlaut des Dogmas landet und schließlich auch so merkwürdige (jesuitische) Frömmigkeitsübungen wie die Herz-Jesu-Verehrung oder auch den (mittelalterlichen) Ablaß, theologisch elegant uminterpretierend, im Wortlaut zu »retten« vermag. So wird denn Rahner in der Säuberungswelle Pius' XII. nach »Humanae generis« – die auch Balthasar, höre ich von ihm, einige »Verwischungen« in seinem Barth-Buch nahelegt und ihn auf eine gemeinsame Rom-Reise mit

Karl Barth verzichten läßt – nur unter die Zensur des Ordensgenerals gestellt, aber nicht wie seine französischen Ordensbrüder mit dem Verlust des Lehrstuhls und zeitweiligem Rede- wie Publikationsverbot bestraft. Aber gerade deshalb ist Karl Rahner wie kein anderer Theologe in Deutschland für uns um eine Generation Jüngere anerkannter *Protagonist der Freiheit in der Theologie*. Was soll ich von ihm zu fürchten haben?

Ein Streit um Dogmen

Die Veröffentlichung von »Strukturen der Kirche« drängt. Die Eröffnung des Zweiten Vatikanischen Konzils ist jetzt auf den 11. Oktober 1962 in der Petersbasilika festgesetzt. Ich habe mich mehr in die Probleme vertieft und – trotz aller Tag- und Nachtarbeit – mehr Zeit gebraucht als vorgesehen. Beim Nachlesen meiner Korrespondenz mit Karl Rahner rührt mich noch heute, wie sehr dieser streng arbeitende und viel reisende Mann sich darum bemüht, Zeit für die Lektüre des jetzt viel umfangreicheren Manuskripts zu finden, das statt Anfang März erst Anfang April bei ihm eintrifft. Er möchte es in seiner Reihe sogar noch vor dem bereits eingereichten Manuskript des Jesuiten Overhage und dem erst angekündigten des Professors Geiselmann veröffentlichen und den Verlag Herder zur Eile antreiben. Meine bange Frage: Wie wird sein Bescheid aus Innsbruck lauten?

Auf Donnerstag, den 3. Mai, bittet er mich zu einem *Treffen* auf halbem Weg *in München*. Da sitzen wir nun im Jesuitenhaus an der Kaulbachstraße in einem relativ großen Raum am Ende eines ellenlangen Sitzungstisches. Ich fühle sofort, daß Rahner müde und in höchst ungnädiger Stimmung ist. Zwar versucht er nicht, durch ein apodiktisches »So geht es nicht!« wie weiland Hermann Volk das Manuskript (»Konzil und Wiedervereinigung«) als für die Publikation ungeeignet abzutun. Doch hat er sich offensichtlich in stundenlanger Arbeit die Mühe gemacht, meine Ausführungen Seite um Seite nicht nur genau zu studieren, sondern auch nach seinem Verständnis von römisch-katholischer Orthodoxie zu korrigieren. »Correctio paterna« (väterliche Korrektur), nicht wie Thomas von Aquin forderte »Correctio fraterna« (brüderliche Korrektur) …

Nun gehöre ich zu denen – alle, die mit mir näher zu tun haben, werden es entgegen meinem öffentlichen Image bestätigen –, die sich sehr gerne korrigieren lassen: wenn Korrekturen überzeugend begründet sind. Ja, ich lasse schon jetzt meine Manuskripte von Assistenten und weiteren Kompetenten zur Korrektur und Ergänzung lesen, was mir sehr hilft. So hatte ich denn auch nichts dagegen, als Rahner meinen noch in Luzern geschriebenen Artikel »Christozentrik« für das neue »Lexikon für Theologie und Kirche« (1958), dessen Herausgeber (mit Prälat Josef Höfer) auch wieder Rahner ist, auf teilweise recht eigenwillige Weise umschrieb.

Aber bei meinen »Strukturen der Kirche« geht es jetzt um mehr als um Details. Meine historisch-systematische Methode bei der Behandlung der Amtsfrage, in der ich Luther weithin Recht geben muß, und vor allem meine Darstellung des *ökumenischen Konzils von Konstanz* in seinem Verhältnis zum Vatikanum I, hat Rahner offenkundig in Rage gebracht. Widerspruch – daran scheint er nicht gewöhnt zu sein. Ich könne doch nicht einfach zuerst historisch das Konzil von Konstanz behandeln und die Legitimität und bleibende Gültigkeit der Konstanzer Dekrete bezüglich der Oberhoheit des Konzils über den Papst aufweisen und erst anschließend das Vatikanum I und seine Lehre darlegen. Nein, ich müsse gegen die historische Abfolge zuerst das Vatikanum I (1870!) und dessen Definition des Primats und der Unfehlbarkeit des Papstes behandeln und dann auf die Konstanzer Dekrete (1415!) zurückfragen. Ich denke an die Auseinandersetzung mit Rektor Tattenbach um die Gregoriana-Thesen zurück und halte Rahner entgegen, das sei doch ein völlig unhistorisches, voreingenommenes Procedere. Er seinerseits aber empfindet mein Vorgehen – auf eine Formel gebracht – als völlig undogmatisch und in seinem Sinn unkatholisch. Woher dieser Widerspruch?

Ein grundlegender Mangel Rahnerscher Theologie tut sich mir plötzlich auf: ein offenkundiger *Mangel an konsequent-historischem Denken.* Von der Problematik des Konstanzer Konzils hat er offensichtlich wenig Ahnung. Dessen Dekrete werden ja auch in den neuscholastischen Vorlesungen (nicht nur der Gregoriana) einfach verschwiegen. Natürlich auch in Heinrich Denzingers (auch ein Germaniker!) quasi-amtlicher Sammlung der Lehrdokumente, obwohl die Legitimität sämtlicher Päpste seit Martin V., von diesem Konzil gewählt, an den Konstanzer Dekreten hängt! Wären diese Dekrete ungültig, so auch die Papstwahl, die des damaligen Papstes und seiner Nachfolger. Rahner hatte Denzingers höchst tendenziöse Dokumentensammlung, wiewohl er verächtlich von »Denzinger-Theologie« spricht, noch unter Pius XII. in praktisch unveränderter 31. Auflage neu herausgegeben (die 37. Auflage 1991, verbessert, erweitert, ins Deutsche übertragen vom Tübinger

Dogmatiker Peter Hünermann, der das grundlegende Konstanzer Dekret in seine Vorbemerkung versteckt: über 1.700 Seiten und über 2 Kilo – so »schwer« ist der römisch-katholische Dogmenglaube in 2000 Jahren geworden ...).

Aber was soll ich tun, jetzt, hier in München, sozusagen zwischen Tübinger historischer Kritik und Innsbrucker Dogmatik? Ich bin gegenüber meinem kirchlichen Zensor und Herausgeber der Reihe von vornherein in einer schwächeren Position; das weiß ich. Der Konflikt spitzt sich zu, Rahner wird eindringlicher: Noch gefährlicher als die Bejahung der Konstanzer Dekrete erscheint ihm offensichtlich meine Hinterfragung der gegen die Reformatoren formulierten *Trienter Dekrete*. Das Konzil von Trient, das mühselig in der ersten Session 1547 ein wohlreflektiertes Dekret gegen Luther über die Rechtfertigung erarbeitet hatte, begnügte sich in den späteren Sessionen mit einer oberflächlichen und wenig reflektierten Bestätigung der mittelalterlichen (und angeblich schon auf dem Konzil in Florenz gegen die Orientalen entschiedenen) Lehre von den sieben Sakramenten und besonders auch des Weihesakraments. Doch gerade die umstrittene Frage der apostolischen Sukzession scheint für Rahner ein für allemal durch Trient entschieden.

Ich aber hatte aufgrund der Ergebnisse der neutestamentlichen Forschung die Behauptung gewagt: Wie nach dem Neuen Testament *jeder Christ taufen* darf, so dürfe im Prinzip auch jeder die *Eucharistie feiern*. Das »Tut dies zu meinem Gedächtnis« sei schließlich genauso an alle Glaubenden gerichtet wie das »Gehet hin und taufet«. Natürlich meine ich damit nicht etwa, wie mir später das Sanctum Officium in einer verzerrenden Verlautbarung unterstellt, daß jeder Christ zu Hause seine »Privatmesse« zelebrieren könne; denn die Eucharistie soll aus ihrem Wesen heraus immer eine Feier der Gemeinde sein. Doch kann diese, wenn kein Priester da ist, der normalerweise der Eucharistie vorstehen soll, zumindest im Notfall (Beispiel: Untergrundkirche in China) auch ohne ordinierten zölibatären Priester Eucharistie feiern. Wie ja nach dem Ersten Korintherbrief die Gemeinde von Korinth die Eucharistie in Abwesenheit des Apostels Paulus auch ganz ohne ordinierte Amtsträger gefeiert hatte. Ein Tatbestand, der in der Katholischen Dogmatik auch von den fortschrittlichen Theologen (von den Konzilshistorikern nicht zu reden) nie reflektiert wurde, wie ich im Konzil feststellen werde.

Auch ein zweiter grundlegender Mangel Rahnerscher Theologie tut sich mir auf: *der Mangel an historisch-kritischer Exegese*. Einem mir bekannten Studenten hat Rahner einmal lächelnd geraten, es genüge durchaus, ein oder zwei Semester exegetischer Vorlesungen zu hören, im Grunde sei ja doch die Dogmatik entscheidend. Ist es verwunderlich, daß meine von der Exegese gestützte Auffassung von der Feier der Eucharistie – unter Umständen auch durch Nichtordinierte – ihm inakzeptabel erscheint?

Karl Rahner ist jetzt aufgestanden, aber dieses Mal nicht, um sich auf ein Sofa zu legen. Wie ein Löwe im Zwinger geht der Meister auf und ab und doziert mir lang und laut: daß und warum ich als katholischer Theologe die Dogmen der Kirche, wie sie nun einmal definiert seien, zu akzeptieren hätte. Das tut er in umständlicher Dialektik, wie es seine Art ist, vielleicht zehn bis fünfzehn Minuten lang; mir kommt es jedenfalls ewig vor. Aber ich habe ja nun schon im Germanikum bei den Jesuiten gelernt, mich zu beherrschen. Und so sitze ich beherrscht schweigend da wie damals bei P. Vorspel und höre in diesem Zimmer in der Kaulbachstraße zu München geduldig zu. Ohne zu unterbrechen, aber auch ohne überzeugt zu werden. Bis mir schließlich dieses magistrale Dozieren doch zuviel wird: *»Genug!«*, rufe ich laut voll heiligen Zornes, und schlage mit meiner Faust so kräftig auf den schweren Sitzungstisch, daß mir nachher alle Knöchel wehtun. »Genug! Entweder sind diese Dogmen wahr, und dann nehme ich sie an. Oder sie sind nicht wahr, und dann zum Teufel mit ihnen!« Das ist ein klares Wort, und es hilft.

Imprimatur?

Rahner merkt, daß er seinem jungen und doch nicht unkundigen Kollegen gegenüber überzogen hat. Er beruhigt sich wieder. Schließlich schlägt er vor, ich möge jetzt alle seine Korrekturen studieren und möglichst einarbeiten. Dann würden wir uns in zehn Tagen, am Sonntag, den 13. Mai, am selben Ort wieder treffen. Ich stimme zu, und wir verabschieden uns, nicht unfreundlich.

Was soll ich, von einer Herausforderung zur anderen, immer meine innere Stimmung schildern, die vielen sich widersprechenden Gefühle, die mich bewegen? Das wäre, weil allgemein menschlich, langweilig. Doch dieses Mal will ich meine innere Stimmungslage nicht verschweigen: daß ich tief niedergedrückt in meinem VW von München nach Tübingen zurückfuhr. Ja, es ist dies das einzige Mal, wo ich mir denke: »Am besten würdest du gegen einen Baum fahren! Denn was willst du noch in der Theologie, wenn dich sogar derjenige Theologe, der dich am ehesten verstehen könnte, nicht begreift?« Es gelingt mir, meine

Emotionen durch meine Vernunft zu beherrschen. Und hätte ich schon jetzt Charles Darwins Vorwort zu seinem Klassiker über den »Ursprung der Arten« gelesen, wären mir solche düsteren Gedanken möglicherweise erspart geblieben. Denn dort schreibt Darwin, daß er nicht damit rechne, daß erfahrene Kollegen der Biologie, die ein ganzes Leben lang eine andere Auffassung vertreten haben, am Ende ihre Meinung im Sinn der Evolutionstheorie änderten. Er hoffe nur, daß einige wenige junge Gelehrte sein Buch lesen und seine Gedanken weiterführen würden ...

Glücklicherweise treffe ich in meinem Haus am Neckar noch meine Mitarbeiterin Christa Hempel an, eine Konvertitin aus der evangelisch-lutherischen Kirche. Was ich ihr da erzähle, regt sie ungeheuer auf: »Wie kommt denn dieser Rahner dazu, Ihnen diktieren zu wollen, was Sie zu schreiben haben? Eine Arroganz sondergleichen, der Sie sich keineswegs beugen sollten!« Ich gestehe gerne, daß es mir guttat, so direkt lutherisch und berlinerisch den Rücken gestärkt zu bekommen. Doch – wie soll ich mein Buch denn bloß durch die kirchliche Zensur und in den katholischen Verlag bringen? Ohne Imprimatur wäre das Buch von vornherein disqualifiziert.

Das Imprimatur aber kriege ich nun einmal nicht ohne Karl Rahner. So bleibt mir nichts anderes übrig, als seine Einwürfe, Veränderungen und Neufassungen, die er auf die Gegenseite zu meinen Seiten geschrieben hat, genau zu studieren um zu sehen, was ich damit anfange. Doch steht für mich von vornherein fest: Die Wahrheit wird keinesfalls geopfert, und der historische Aufbau des Buches bleibt unverändert: Konstanz vor dem Vatikanum I! Wo ich korrigieren, modifizieren oder präzisieren kann, tue ich dies selbstverständlich. Ja, ich gebe mir ehrlich Mühe, und an einigen wenigen Stellen wird der Kenner Rahnersche Formulierungen entdecken können.

Am 9. Mai schicke ich Rahner einen großen Eilbrief und lege meine Korrekturen bei, soweit ich sie nicht wortwörtlich von ihm übernommen habe: »Ob Ihnen nun alles gefällt, weiß ich nicht. Ich verstehe durchaus, daß Sie Ihre Verantwortung als Herausgeber ernst nehmen. Aber ich möchte Sie doch von Herzen bitten, sich auch – da ich nun einmal der Verfasser bin – in meine Lage hineinzuversetzen. Daß ich unvergleichlich größere Risiken eingehe, ist sicher. Aber es scheint mir ein Gebot der Stunde zu sein, der Kirche diesen Dienst (für mich ist es nichts anderes) zu leisten. Was ich tun konnte, habe ich getan. Aus dem Verbesserten werden Sie meinen guten Willen erkennen. Doch muß es *mein* Buch bleiben, das ich bis zum letzten Wort verantworten können muß; dafür werden Sie gewiß Verständnis haben und nichts Unmögliches von mir verlangen.« Rahner bestätigt den Empfang zwei Tage später: »Eine erste flüchtige Durchsicht (mehr konnte ich noch nicht tun) gibt mir die Hoffnung, daß wir uns am Sonntag einigen können. Ich ersehne es selbst doch auch sehr von Herzen.«

Am Sonntag, dem 13. Mai 1962 fahre ich also wieder in aller Herrgottsfrühe nach München, und wieder kommt Rahner aus Innsbruck. Aber um 9.00 Uhr tritt mir am selben Ort ein ganz anderer Rahner entgegen. Erstaunlich: nicht mehr mürrisch, unfreundlich und zornig, sondern aufgeräumt, lächelnd, versöhnlich gestimmt. Ob das nur meine Korrekturen bewirkt haben? Nie habe ich herausgefunden, was ihn denn so zu einem, wie man in der Schweiz sagt, »umgekehrten Handschuh« gemacht hat. Ob er unterdessen in München mit seiner guten Freundin, der Schriftstellerin Luise Rinser, gesprochen hat, die mir später ausführlich erklären wird, Rahner wolle doch, so habe er ihr gesagt, »im Grunde dasselbe wie Küng aber eben … die Dogmen«.

Rahner blättert das ganze Manuskript von vorne bis hinten durch und liest die Neufassungen. Aber er tut es sichtbar rasch und wohlwollend. Resultat: keine Einwände. Er wird für Rottenburg ein positives Votum abgeben und die Arbeit als Band Nr. 17 in die »Quaestiones disputatae« aufnehmen. Ich atme auf. Sehr herzlich danke ich ihm, und wir verabschieden uns voll Freundlichkeit. Jetzt schließe ich das Manuskript mit 336 Seiten definitiv ab. Das Buch erhält das Imprimatur des Generalvikars von Rottenburg Dr. Knaupp am 15. Mai 1962. Am 25. Mai danke ich Rahner für das eben eingetroffene »Vorwort des Herausgebers«: »Ich habe mich aufrichtig darüber gefreut, daß wir uns in unserer zweiten Münchner Unterredung so rasch gefunden haben.«

Aber was geschieht dann? Aufregendes: Wenige Tage später, am 5. Juni, sind Rahner und ich, wie berichtet, erneut bei der Bischofsweihe von Hermann Volk in Mainz beisammen; auch unsere holländischen Freunde Willebrands und Thijssen sind dabei. Ein frohes Fest. Acht Tage später jedoch erhalte ich von Rahner »ganz vertraulich« folgende »unangenehme und betrübliche Mitteilung«: »Vor ein paar Tagen erhielt ich eine offizielle Mitteilung, daß von jetzt an alles, was ich schreibe und was der Ordenszensur zu unterbreiten ist, bei mir im Unterschied von anderen und dem normalen Gang der Dinge in Rom der Zensur unterbreitet werden müsse. Eine Begründung für diese Maßnahme wurde nicht gegeben. Geht sie auch formal von der Ordensleitung aus, so glaube ich doch allen Grund zu haben, anzunehmen, daß sie auf Weisung von höherem Ort her verfügt worden ist. Unter diesen Umständen ist es mir nicht möglich, mein Vorwort zu Ihrem Buch aufrechtzuerhalten ... Ich habe (bei Ihrem und meinem Renommee in Rom) keine Aussicht, dieses Vorwort in Rom durchzubringen.«

Umgehend antworte ich Rahner: »Nur zu gut kann ich mir vorstellen, was es für Sie als einen Mann, der mit all seinem Wirken nur der Kirche dienen will, bedeutet, von seinen kirchlichen Vorgesetzten in dieser ungerechtfertigten und unchristlichen Weise gemaßregelt zu werden. Ich finde diese Maßnahme gerade jetzt unmittelbar vor dem Konzil einen ausgesprochenen Skandal ... Gewiß werden auch Männer wie König und Döpfner empört sein über ein solches Intrigenspiel.« Ich kann über die plötzlich verkehrten Rollen – der Zensor selber zensuriert – keine Genugtuung empfinden. Vor dem Hintergrund all dieser Auseinandersetzungen versteht man jedenfalls besser, warum Kardinal Döpfner dann mein Buch »Strukturen der Kirche« – das erste Exemplar trifft bei mir am 7. Juli 1962 ein – »erregend« und schlafraubend finden wird. Doch liegt das am Autor oder nicht vielmehr an den geschichtlichen Fakten und den unvoreingenommen und ehrlich behandelten Problemen?

Wer dies sofort erkannte, ist der erste evangelische Theologe, der das Manuskript gleichzeitig mit Rahner von mir erhalten hatte: der bereits genannte Professor EDMUND SCHLINK, Beobachter der EKD beim Konzil. Er liest es sofort und lobt nicht nur die durchgängige biblische Fundierung, sondern auch »die bis zum letzten Kapitel durchgehaltene Entschlossenheit zu einer exakt historischen Behandlung der Kirchengeschichte, speziell der Konzils- und Papstgeschichte«, die sonst »weithin von ihrem kanonistischen Schlußergebnis her umgedeutet wird«. So würden »die trennenden Wände zwischen unseren Kirchen in einer Weise transparent, wie das nur selten der Fall ist«. Aber, frage ich mich, ob eine solch konsequente biblische und historische Sicht auch im Konzil eine Chance haben wird?

Des Bischofs Sachverständiger

In meinem akademischen Leben habe ich rasch gelernt, daß ich trotz aller strategischer Planungen ständig mit Überraschungen rechnen muß, die einen erheblichen Einfluß auf mein Leben nehmen. Am 17. Juni 1962 hatte ich im Hohen Dom zu Frankfurt vor Jugendlichen einen Vortrag über das Konzil gehalten. Gleich am Freitag darauf, am 22. Juni, erhalte ich einen Telefonanruf vom bischöflichen Sekretär aus Rottenburg, Bischof Leiprecht würde mich gerne am Nachmittag in meiner Wohnung besuchen. Ob ich fragen dürfe, aus welchem Grund? Ja, er wolle mich bitten, ihn als seinen persönlichen *Peritus*, Experten, Sachverständigen ins Konzil zu begleiten.

Damit habe ich nun wirklich nicht gerechnet, und ich bin keineswegs begeistert, vielmehr beunruhigt. Alle meine Anstrengungen habe ich ja darauf gerichtet, das Konzil gut geistig und theologisch vorbereiten zu helfen. Aber dann sollte wie gesagt gelten: »videant consules«: die Bischöfe mögen sich um das Weitere sorgen. Warum soll gerade ich, der ich die »ewige Stadt« in- und auswendig kenne, wieder für viele Monate, wenn nicht Jahre in jenes »schwarze« Rom zurückkehren, dem ich dankbar, aber erleichtert den Rücken zugekehrt habe? Dieser ganze klerikale Betrieb von Kardinälen und Prälaten am päpstlichen Hof, wo statt des Prinzips der Kompetenz das der »persona grata« herrscht? Wo schon der einzelne Bischof wenig gilt und der Theologe noch weniger?

So zögere ich ernsthaft, dem Bischof Ja zu sagen. Aber wen auch immer ich in diesen kurzen Stunden konsultiere – ein gewichtiges Wort hat wie immer Herbert Haag –, jeder rät entschieden dazu, die Einladung des Bischofs anzunehmen. Schließlich gehe es um ein *kirchengeschichtliches Jahrhundertereignis*. Recht haben sie. Und so kommt denn der Bischof um 16.00 Uhr in mein Haus, freundlich-verbindlich wie immer. Und als er mich bittet, sein Konzilstheologe zu werden, gebe ich ihm eine Zusage. Wie soll ich ahnen, daß dieses Ja mein Schicksal für fast ein Jahrzehnt und darüber hinaus bestimmen wird? Am 26. Juni richte ich ein Urlaubsgesuch an das Kultusministerium für November/ Dezember. Soweit ich meiner Vorlesungspflicht nicht nachkommen könne, werde mich mein Assistent Dr. Walter Kasper vertreten.

Am 17. Juli erhalte ich einen Brief von KARL RAHNER, ihn habe Kardinal König eingeladen, mit ihm zum Konzil zu gehen, und Kardinal Döpfner erreicht beim Papst persönlich die Ernennung Rahners zum offiziellen Konzilsperitus, allerdings nicht für die theologische Kommission (da herrscht das Sanctum Officium), sondern für die Kommission der Sakramentenverwaltung. Rahner an mich: »Hoffentlich bleibt der Bischof von Rottenburg bei seiner Einladung. Da Ratzinger, Semmelroth auch zu kommen scheinen, könnte man mit Congar, Schillebeeckx usw. einen ganz netten Club aufziehen.«

YVES CONGAR? Er hatte schon am 15. Januar 1961 in Tübingen über »Konzil und Ökumene« gesprochen – wie Rahner auf unserer gemeinsamen Linie. Am Abend saß man noch in meinem Haus zusammen, mit Hermann Diem und anderen. Wir diskutierten theologische

Probleme, weniger die Probleme der Bibel- und Dogmenhermeneutik als die der Kirchenverfassung und des Papsttums, die Congar kennt wie kaum ein anderer. In Bonn, meint Congar, hätte man anschließend an seinen Vortrag beim Kirchen- und Konzilienhistoriker Hubert Jedin (Lehrer Alberigos) zusammengesessen und nur über Weine geredet, was Congar, diesen geborenen Mönch und asketischen Gelehrten, nicht wenig langweilte. »Small talk« – eine andere »römisch-katholische« Art, sich auch als Historiker um unbequeme Probleme herumzudrücken, allerdings gegen den Sinn des Wortes: in vino veritas! Ich möchte Yves Congar nach den Sommerferien in Straßburg aufsuchen, um eine gemeinsame Strategie auf dem Konzil zu erreichen.

Eine Neuformierung der katholischen Theologie

So werde ich theologisches »Greenhorn« am Konzil teilnehmen, zwei hochverdiente »elder statesmen« in Theologie und Ökumene zu meinem großen Leidwesen aber nicht: Otto Karrer und Hans Urs von Balthasar. Mit ihnen beiden war ich am 21. August 1961 zu einer neuen Zusammenkunft der *Katholischen Konferenz für Ökumenische Fragen* von Basel nach Straßburg gefahren, um dort vom 22. bis 25. August über »die Erneuerung der Kirche« zu diskutieren. Doch plötzlich hat diese Konferenz für ökumenische Fragen nicht mehr dieselbe Bedeutung wie zuvor: Einerseits hat sie jetzt mehr Gewicht, andererseits droht ihr ein Gewichtsverlust. Denn seit demselben Monat August arbeitet in Rom das zunächst nur vierköpfige Büro des *Sekretariats für die Einheit der Christen:* unter Kardinal Bea als ausführender Sekretär Msgr. Willebrands mit zwei Assistenten, dem Franzosen Msgr. J. F. Arrighi und dem amerikanischen Paulisten-Pater Thomas Stransky, ausgezeichnete Leute, die, hin und wieder bei unserer Konferenz dabei, im Konzil sehr konstruktiv wirken werden. Auch von den ernannten 16 stimmberechtigten Mitgliedern des Einheitssekretariats kommen 6 und von seinen 19 Beratern (Konsultoren) gar 12 aus unserer Konferenz.

Damit hat diese Konferenz stark an Einfluß auf die Konzilsarbeit gewonnen. Zugleich geht sie nun faktisch weithin in ihr auf und macht sich zunehmend überflüssig. Zwar halten wir noch einmal vom 26. bis 30. August 1963 eine Konferenz in der Villa Caglione in Gazzada bei Mailand ab, um über »Die Beurteilung der ökumenischen Situation in verschiedenen Ländern während des Konzils« zu verhandeln. Aber Kardinal Montini ist jetzt Papst in Rom, Kardinal Bea kann nicht kommen, und Willebrands ist zwar anwesend, aber durch das neue Sekretariat überbelastet ...

Eine weitere Konferenz wird deshalb nicht stattfinden. Da sie ohnehin eine rein informelle und minimale Organisationsstruktur besitzt, kann sie ohne einen formellen Auflösungsbeschluß friedlich einschlafen, gar ohne einen würdigen Nekrolog. Erst gute drei Jahrzehnte später wird dankenswerterweise ein neuernannter Professor der Kirchen- und Theologiegeschichte an der Universität Tilburg in den Niederlanden, Dr. J. Y. H. A. Jacobs, seine Antrittsvorlesung halten über: »Die katholische Konferenz für ökumenische Fragen. Eine Schule und ein Führer. 1951-65«. Eine mühsame Archivarbeit, ohne daß freilich die lebendige Erfahrung derer durchblitzt, die mit innerer Leidenschaft dabeigewesen sind. In Wahrheit waren wir keine »Schule« und Jan Willebrands, der kaum Theologisches veröffentlichte, kein »Führer«. Wir waren eine Gemeinschaft der originellsten und eigenwilligsten Köpfe der katholischen Theologie und Willebrands der kluge Initiator und Koordinator. Er bleibt für mich und die anderen Teilnehmer der kühne und verständnisvolle Pionier des katholischen Ökumenismus, der trotz römischen Widerstands das Netzwerk ökumenischer Theologie vor dem Konzil aufzubauen vermochte. Als Sekretär, später Präsident des Einheitssekretariats und Kardinal wird er nur wenige größere Verdienste erwerben können.

Und Balthasar und Karrer? Wiewohl von Haus aus Theologen und wissenschaftlich besser qualifiziert als die meisten anderen, werden sie nicht Konsultoren des neuen Einheitssekretariats. Daß beide aus der Gesellschaft Jesu ausgetreten sind, verzeihen ihnen ihre Ordensbrüder in Rom noch immer nicht. Der serene OTTO KARRER, ohnehin über 70, nimmt es leichten Herzens hin. Doch der noch immer um Laienorden und Anerkennung kämpfende HANS URS VON BALTHASAR, fast zwei Jahrzehnte jünger, fühlt sich gedemütigt. Dazu kommt: Unser Bischof von Basel, Franziskus von Streng, nimmt nicht, wie von vielen erwartet, den berühmten, aber unbequemen Balthasar, sondern den wenig bekannten, doch patenteren OTTO WÜST aus Sursee als seinen persönlichen Experten mit nach Rom.

Läßt sich so nicht begreifen, warum Balthasar dem Konzil von vornherein nicht nur aus lokaler, sondern auch aus innerer, geistiger Distanz folgt? Und daß dort weder die Theologie der griechischen und lateinischen Kirchenväter noch die deutsche oder spanische Mystik eine große Rolle spielen, ja, daß ganz andere Probleme und Lösungen der modernen und nachmodernen Welt im Vordergrund stehen, verstärkt nur noch seine Reserviertheit. Bald erscheint ihm, dem reichlich unpolitischen Ästheten, manches, was da im Konzil geschieht, als falsche Anbiederung an den herrschenden Zeitgeist. Mit seinen bissigen Kommentaren und Invektiven wird er, wohl ohne es zunächst zu bemerken, zum Reaktionär, der sich in fataler Weise am Ende mehr der Kurie als dem Konzil annähert. Zurückgezogen und unverstanden errichtet er in den nächsten 25 Jahren seine riesige dreischiffige theologische Kathedrale, in der er die verschiedensten Heiligen, Mystiker, Dichter und spekulativen Geister versammelt, um Gottes trinitarische Offenbarung ästhetisch (»Herrlichkeit«), dramatisch (»Theodramatik«) und logisch (»Theologik«) zu deuten. Zu seinem 60. Geburtstag am 12. August 1965 widme ich ihm meine Theologische Meditation »Christenheit als Minderheit. Die Kirche unter den Weltreligionen«. Von den Weltreligionen weiß und vom interreligiösen Dialog hält er leider wenig.

Gleichzeitig mit dem Einschlafen der Katholischen Konferenz für ökumenische Fragen formiert sich nun aber eine andere Gruppierung als *Avantgarde der katholischen Theologie*. Und wiederum ist es – ich denke nicht nur an Jan Willebrands, sondern auch an den großen Willem Visser't Hooft, erster Generalsekretär des Ökumenischen Rates – ein Niederländer, der den entscheidenden organisatorischen Impuls gibt: der Verleger PAUL BRAND. Am 14. April 1962 besucht er mich in Tübingen, und mit Karl Rahner und Edward Schillebeeckx entwickeln wir den Plan einer Internationalen Theologischen Zeitschrift. Sie soll den Namen *»Concilium«* erhalten, wovon noch eingehend die Rede sein wird.

Kuriale Konzilsvorbereitung und Gegenaktionen

Schon am Pfingstfest, dem 5. Juni 1960, waren vom Papst die elf vorbereitenden Kommissionen und die drei Sekretariate mit der Ausarbeitung der *Dekretentwürfe* = *»Schemata«* beauftragt worden. Am 9. Juli waren die inhaltlichen Arbeitsaufträge, die von Kurialen vorbereitet und vom agilen Generalsekretär Pericle Felici dem Papst vorgelegt worden waren, den Kommissionsvorsitzenden zugegangen, diese leider allesamt Kurienkardinäle. Von der streng geheimgehaltenen, mehr römischen als katholischen Kommissionsarbeit hört man in der Welt und auch in Tübingen zunächst nur durch Indiskretionen. Als ich ein Photo der vorbereitenden *Theologischen Kommission* sehe, kenne ich die meisten von Angesicht: oben am Tisch Kardinal Ottaviani mit dem

Kommissionssekretär P. Sebastian Tromp, meinem Lehrer in Fundamentaltheologie, links die Jesuiten Hürth, Bidagor und Dhanis und der Dominikaner Garrigou-Lagrange, rechts der Dominikaner-General Fernández ...

Mit anderen Worten: Es ist die alte römisch-kuriale Mannschaft (von Frauen natürlich keine Spur) des Sanctum Officium, an der auch die beiden nicht-kurialen Bischöfe, die ich erkenne, unser konservativer Altgermaniker Schröffer aus Eichstätt und Bischof Wright aus Pittsburgh, wenig ändern. Das alles läßt nichts Gutes erwarten. Solche Leute wollen die Kirche erneuern? Welches Interesse sollten sie, die bisher Reformverhinderer waren, plötzlich daran haben? Typisch römisch-scholastisch denken sie alle, welcher Nation und Ordensangehörigkeit auch immer: Nur vom Zentrum her sehe man die katholische Kirche und Theologie richtig, meinen sie, deshalb bewahren, was man hat, und allen zentrifugalen Tendenzen widerstehen!

Meine Befürchtungen bestätigen sich: Im Sommer 1962 liegen 70 erarbeitete Schemata vor – mehr als 2.000 große Druckseiten, von keinem Konzil je zu bewältigen! Nur sieben fertige Druckentwürfe können indes als eine »prima series« streng »sub secreto« an die Bischöfe geschickt werden. Vier theologische Schemata: über die Quellen der Offenbarung, über die Bewahrung des überlieferten Glaubensgutes, über die Moralordnung und über Keuschheit, Jungfräulichkeit, Ehe und Familie. Dazu ein fünftes über die Liturgie (das beste von allen), ein sechstes über Kommunikationsmittel (völlig harmlos) und eines über die Einheit der Kirche (nur bedingt ökumenisch). Besonders das allererste Schema über die beiden Offenbarungsquellen alarmiert uns Konzilstheologen. Warum?

Mit der gegenreformatorischen Aussage, daß die christliche Offenbarung nur »teils« (»partim«) in der Schrift, »teils« (»partim«) aber in der mündlichen Tradition enthalten sei, will die Kommission offensichtlich auch die Auffassung des Tübingers J. R. GEISELMANN, einer meiner Vorgänger im Fach Dogmatik, widerlegen. Dieser war in einem Aufsatz 1956 über die betreffende Formulierung des Konzils von Trient zum Resultat gelangt, daß die inhaltliche Unvollständigkeit der Heiligen Schrift vom Trienter Konzil gerade nicht behauptet wurde (das »teils-teils« war nämlich durch ein schlichtes »und« ersetzt worden, also Schrift »und« Tradition) – mir für meine Methode in »Rechtfertigung« (1957) sehr wichtig. Offensichtlich will man jetzt aber in Rom wieder die undifferenzierte *Gleichordnung von Schrift und Tradition* auf der Linie von Trient festschreiben – zum Schaden der Heiligen Schrift. Wie dies der Tromp-Vertraute Schauf schon in seinem Artikel gegen mich verraten hatte, worauf ich mit Fragezeichen antwortete: »Neben (?) der Heiligen Schrift steht (?) die mündliche Überlieferung, die inhaltlich (?) über die Heilige Schrift hinausgeht (?).«

Aus irgendeiner »Tradition« lassen sich natürlich auch leicht neue unbiblische *Mariendogmen* begründen, wie dies der Kroate CARLO BALIĆ, Rektor der römischen Franziskaner-Hochschule Antonianum und Präsident der Internationalen Mariologischen Gesellschaft, mit Energie betreibt. Im Februar 1962 richtet er suggestive lateinische Fragen bezüglich einer »Marianischen Bewegung« auf dem Konzil unter anderen an Rahner und an mich. In meiner Antwort kündige ich Balić unmißverständlich an, »daß gegen alle Versuche, das Konzil in die Richtung des ›Marianischen Maximalismus‹ auszurichten, von maßgebenden Bischöfen, Theologen und Laien schärfster Protest angemeldet werden wird«. Balić, am 8. März 1962, »bedankt sich herzlich für den Brief des 4. des Monats und wünscht weiterhin alles Gute und Gottes reichsten Segen«. Auch Rahner schreibt ihm, wie er mich wissen läßt, »einen ziemlich groben Brief« und erhält »eine kleinlaut-freundliche Antwort, er habe mit seiner Frage nicht andeuten wollen, daß auf dem Konzil etwas Mariologisches definiert werde«. Rahner: »Hoffen wir. Aber es sind genug andere Punkte, wo man nicht weiß, was Tromp usw. planen.«

Ich jedenfalls suche unseren Tübinger Emeritus Geiselmann auf, der mir wenig später drei handgeschriebene Seiten Kritik des Offenbarungsschemas mit dem Tenor »schon im Ansatz verfehlt« zukommen läßt. Ich gebe Geiselmanns Reaktion weiter an andere Konzilstheologen, besonders an Congar und Rahner. Auch sie sind bestürzt über die Rückwärtsgewandtheit der vier Lehrschemata der Theologischen Kommission. Die ersten beiden verraten die Handschrift von Sebastian Tromp, die weiteren beiden weitgehend die meines Moralprofessors Franz Hürth. Alles Aufguß jener Neuscholastik, die wir damals in den Vorlesungen, freilich sehr viel frischer und differenzierter, zu hören bekamen. Der Gesamteindruck von diesen Entwürfen: binnenkirchlich weltfremd, kein historisches Denken, kein pastoraler Zugang. Mehr juristisch als theologisch, essentialistisch statt existentiell. Mich persönlich bedrückt vor allem die fehlende exegetische Basis. Die von mir erbetene kritische Stellungnahme des Tübinger Neutestamentlers Karl Hermann Schelkle – eher einer der Stillen im Lande der Theologie – läßt an Schärfe des Urteils und persönlicher Enttäuschung über den lamentablen Umgang mit der Bibel an Deutlichkeit nichts zu wünschen übrig. Am 29. September 1962 schreibt er mir in seiner kleinen zierlichen Schrift: »Ich habe die mir unterbreiteten Seiten des Schemas über das Alte und Neue Testament wiederholt gelesen. Wenn mich jemand fragte, was ich dazu sage, könnte ich nur sagen, daß ich trostlos deprimiert bin. Soweit ich die deutschen Katholischen Exegeten des Neuen Testaments kenne, muß ich annehmen, daß dem Schema keiner zustimmen kann. Wir alle sind in vielen Einzelheiten wie im Grundsätzlichen völlig anderer Überzeugung. Dies aber nicht aufgrund unserer Unkirchlichkeit, sondern aufgrund unserer mühsam gewonnenen Erkenntnisse.«

Nach einer Reihe von kritischen Einzelanmerkungen Schelkles Schlußurteil: »Pausenlos wird versichert, daß der Kirche die Auslegung der Schrift aufgetragen sei und sie darüber zu wachen habe. Dabei verwechseln die Herren Monsignori ja doch offenbar sich mit der Kirche, um sie zu gängeln. Sind wir andere ja denn nicht auch Kirche? (wir andere nicht als Klüblein der hochmütigen Professoren, sondern wir andere, die wir auch recht und schlecht Katholische Christen sein wollen). Sufficit. Dixi. Wenden wir uns besseren Dingen zu, entweder dem Neuen Testament oder dem Spazierengehen.« Es folgt noch ein P.S.: »Es ist unmöglich und unsinnig, gegen den Befund des Textes die Behauptung erzwingen zu wollen, die Bibel des Alten (!) und Neuen Testamentes sei absolut irrtumslos ...«

Doch unberührt von diesen Auseinandersetzungen hinter den Kulissen macht mein Konzilsbuch seinen Weg.

Wider Erwarten ein Bestseller

Wie sich doch auch Verleger täuschen können – katholische besonders, wenn sie allzu konformistisch sind. Das Haus Herder in Freiburg bringt 1962, also zwei Jahre nach Erscheinen, bereits die sechste Auflage von »Konzil und Wiedervereinigung« heraus. Erstaunlich, wo und von wem das Buch überall nicht nur gelesen, sondern, meist freundlich, rezensiert wird, von Pfarrblättern und Kirchenzeitungen über die Tagespresse bis zu den theologischen Fachzeitschriften. Rund 150 Besprechungen haben den Weg in unser Archiv gefunden. Und mir wird heute ein wenig weh ums Herz, wenn ich sehe, wie viele von den mir gut bekannten Journalisten und Theologen bereits nicht mehr am Leben sind. Wie oft war ich in der Folge auf sie angewiesen.

Was also lag angesichts dieses Erfolges des deutschen Originals näher, als das Buch auch in anderen Sprachen und vor allem im *Englischen* herauszugeben? Doch *Herder and Herder* in New York lehnt ab: ein solches Buch 1960 – für die USA zu früh! Die katholische Kirche hier sei noch längst nicht so weit. Eine groteske Fehleinschätzung, offensichtlich milieubedingt: für Konservative kommen Reformen immer »zu früh«. Der Verlag Herder and Herder läßt sich so ein kleines Vermögen entgehen. Ich verfüge damals noch über keine internationalen Verlagsverbindungen (ähnlich ablehnend zunächst auch Herder/Tokio bezüglich einer japanischen Ausgabe). Deutsche Bücher überhaupt werden in Amerika ohnehin nur wenige herausgebracht, auch mein Buch »Rechtfertigung« ist bisher nur in theologischen Kreisen bekannt. Doch da kommt mir ein englischer Gentleman, ROBERT SENCOURT, mit der merkwürdigen Adresse »The Royal Automobile Club, Pall Mall, London, S.W. 1«, zu Hilfe. Er hat »Konzil und Wiedervereinigung« in die Hände bekommen und ist restlos begeistert. Sofort macht er sich trotz seiner mangelhaften Deutschkenntnisse an die Arbeit und übersetzt rasch einige Kapitel ins Englische. Mit diesen geht er zu *Sheed and Ward*, zur Zeit dem populärsten katholischen Verlag Englands. Sencourts Übersetzung ist völlig unbrauchbar, aber sein Enthusiasmus steckt an. Sheed and Ward erwirbt die Rechte und findet in Cecily Hastings, Schwester des bekannten katholischen Theologen Adrian Hastings, eine exzellente Übersetzerin.

Das Buch kommt auch im englischen Sprachraum nicht »zu früh«, sondern wird – ein Bestseller! Dies zumindest können die römisch-katholischen Historiker des Zweiten Vatikanums in den 90er Jahren nicht ganz verschweigen. J. O. Beozzo (Sao Paulo) jedenfalls widmet dem Buch eine halbe Seite und stellt fest: Der »außergewöhnliche Erfolg« des Buches habe zu einer »explosionsartigen Verbreitung der Idee Küngs von einer notwendigen und hinreichenden Verknüpfung zwischen Reform und Einheit« geführt (1997). Ist das alles? Immerhin. Im übrigen meinen bis heute auch manche Theologen, man könne einen Bestseller strategisch planen. Aber es braucht dazu nicht nur das Ingenium, sondern auch den »Kairos«, den gegebenen Augenblick, den günstigen Zeitpunkt, die historische Stunde: nicht zu früh und nicht zu spät. Und dazu den richtigen Inhalt und die richtige Form. Bezüglich der letzteren hat sich der kanadische Jesuitentheologe Elmer O'Brian in amüsanter Weise wie folgt ausgedrückt: Er wüßte nicht einmal, wer »die deutsche theologische Mentalität« bezeichnet habe als »die tiefsttauchende, am längsten unter-Wasser-bleibende und am meisten Schlamm-heraufbringende, die den Menschen je durch eine gnädige Vorsehung gewährt wurde«. Aber nun komme da einer: »Er ist das größte theologische Talent dieses Jahrzehnts. Er ist ein Deutscher unter Deutschen, wie es nur ein geborener Schweizer, so scheint es, jemals richtig fertigbringen kann. Er taucht tief. In dem uns vorliegenden Buch jedoch denkt er so klar wie ein Franzose und spricht mit der Direktheit eines Amerikaners. Dies, finde ich, ist genügend Anlaß zur Freude.« Auch für den Autor, Father O'Brian!

Ende Juli 1962 fahre ich zusammen mit meiner jüngsten Schwester Irene zur Publikation von »Konzil und Wiedervereinigung« nach London. Bei meinem Verleger Sheed and Ward erlebe ich am 3. August zum ersten Mal eine auf dem Kontinent noch wenig übliche fröhliche englische (Steh-)»Party«. Was ich trinken wolle? So fragen Neil und Rosemary Middleton-Ward, Tochter des Firmengründers, die den Verlag jetzt führen. Etwas spezifisch Englisches, ist meine Antwort. Dann ein Glas »Gin and Tonic«? Dieser bleibt bis heute mein Lieblingsdrink.

»Time Magazine«: Zwischen Luther und Papst Johannes

Das Buch wird auch in seiner englischen Ausgabe zu einem sensationellen Erfolg und zwar auch im *katholischen Milieu*. Die angesehene Clergy Review: »Dieses Buch mit seinem ganzen Schwung und Detail hebt den Leser in unvergleichlicher Weise auf die Höhe der Herausforderung des Papstes und der Nöte der Welt.« Herausgeber der Clergy Review ist Englands bedeutendster katholischer Theologe, Professor CHARLES DAVIS, mit dem ich am 5. August in London ein langes Gespräch führe. Auch er setzt sich mit aller Kraft für das Konzil ein und wird an ihm auch zeitweise teilnehmen, ohne je zum Peritus ernannt zu werden. Später wird er der erste bekannte katholische Theologe sein, der aus Enttäuschung über die nachkonziliare Entwicklung unter öffentlichem Protest Amt und Kirche aufgibt. Nachvollziehbar, wenn man weiß, daß er es in England mit Hierarchen wie Erzbischof JOHN HEENAN (Liverpool) zu tun hat. Dieser, als der für Ökumene zuständige Bischof überfordert und verärgert, läßt unverblümt und unverschämt verlauten, mein Konzilsbuch tauge nichts und fände nur unter Nicht-Katholiken Zustimmung. Ich schreibe ihm, doch einer Richtigstellung verweigert sich der irischstämmige Kirchenmann trotz besseren Wissens; er wird es dafür bald zum Erzbischof von Westminster und Kardinal bringen. »A very honest man ...« Von bekannten katholischen Intellektuellen wie John Todd, Norman St. John-Stevas, dem Earl of Longford, dem Benediktinerabt Christopher Butler und dem früheren

Erzbischof von Bombay, Thomas D. Roberts, höre ich, wie sich die katholische Intelligentsia Englands erst seit Johannes XXIII. effektiv Gehör verschaffen kann gegenüber dem im Antimodernismus befangenen irisch-englischen Episkopat.

Eines ist richtig: Bei den *Anglikanern* schlägt das Buch noch mehr ein als unter Katholiken: »Ihr sollt es alle anschauen«, ruft Lord Fisher, Erzbischof von Canterbury, aus, »ich habe noch nie in meinem Leben ein solches Buch gelesen.« Und das in dem renommierten »Church of England Newspaper«: »Es geht die beinahe kosmische Spaltung zwischen Rom und dem Rest an mit einer Freimütigkeit und einer leuchtenden Ehrlichkeit, die ohne Vorbild und Parallele ist ... Die Sache der Wiedervereinigung wird substantiell vorangebracht, wenn dieses kleine Werk ein Bestseller wird.« Auch aus dem englischen Sprachraum werden rund 150 Rezensionen dieses kleinen Buches in unser Archiv wandern: Meist fordern sie zum Lesen des Buches auf, oft als »a must« für Katholiken bezeichnet und jedenfalls als das eine Buch, das man lesen soll, wenn man über das Konzil etwas lesen will.

Und *Amerika?* Mit dem amerikanischen Zweigverlag Sheed and Ward in New York wird sofort ein Vertrag abgeschlossen. Ich solle darin alles durchstreichen, was mir nicht gefalle und mit meinen Initialen versehen, sagt mir lachend Sheeds Schwiegersohn, der Geschäftsführer Neil Middleton. Seither pflege ich, auch wenn dies ein langweiliges Geschäft ist, Buchverträge immer genau zu lesen, was der erstaunte Tom Burns, Herausgeber unter anderem des einflußreichen katholischen »Tablet«, auch andere Verleger wissen läßt. Am 28. März 1962 erscheint »The Council and Reunion« in New York mit dem noch deutlicheren Titel, wie ich ihn ursprünglich selber im Auge hatte: »The Council, Reform and Reunion«.

Wenige Wochen später publiziert »*Time Magazine*« einen ganzseitigen Artikel über das Buch unter dem Titel: »Eine Zweite Reformation, für Katholiken wie für Protestanten« (8.6.62). Dazu drei Portrait-Fotos; zwischen Luther und Papst Johannes XXIII. Hans Küng mit der Bildunterschrift »Wiedervereinigung nicht notwendigerweise Rückkehr oder Kapitulation«. Ich erschrecke nicht wenig, denn dieses Bildarrangement könnte im Vatikan schlafende Hunde wecken; habe ich doch nicht ohne Grund bisher keine italienische Ausgabe des Buches erlaubt. Aber zugleich freue ich mich riesig. Denn wer in dieser Form in »Time« erscheint, hat die höhere Weihe der amerikanischen Publizistik empfangen – wichtig für alle Zukunft. Angesehene Repräsentanten sowohl der katholischen Theologie (Gregory Baum, Avery Dulles,

Andrew Greeley) als auch der protestantischen (Robert McAfee Brown, Claude Nelson) äußern sich zum Buch ausführlich und zustimmend.

Doch was imponiert »Time«, dem Blatt von Henry Luce, den ich während des Konzils auch persönlich kennenlernen werde? Drei Zwischentitel deuten es an: die zugegebenermaßen »fehlbare Unfehlbarkeit«, die »Sympathie für Luther« und das »Vergib uns unsere Schuld«. Folgende Reformforderungen werden hervorgehoben:

• eine Lehraussage über die Rolle des Episkopats, damit dem Amt der Bischöfe sein voller Wert wiedergegeben und die Tendenz zum römischen Zentralismus beschränkt werde;

• liturgische Reformen, die Bischöfen und Diözesanräten weitestgehende Freiheit zur Schaffung örtlich angemessener Riten geben;

• Reform oder gar Abschaffung des Index der verbotenen Bücher;

• eine prinzipielle Erklärung zur Rolle der Laien in der Kirche und die Erlaubnis der Kelchkommunion bei bestimmten Gelegenheiten;

• und vor allem das geforderte Schuldbekenntnis: »Es wäre ein wirklich christlicher Akt, wenn der Papst und das Konzil diese Wahrheit aussprechen würden: Vergib uns unsere Schuld, und vor allem unsere Mitschuld an der Kirchenspaltung.«

Es wird 40 Jahre dauern (C. G. Jung!), bis es in St. Peter in Rom zu einem feierlichen öffentlichen Sündenbekenntnis von Papst und Kurie kommt, und selbst da wird noch hierarchisch gestelzt um den Brei (etwa Inquisition und Holocaust) herumgeredet und -gesungen. Trotzdem, nicht weniges an diesen Reformforderungen von 1960/62 wird schon im Konzil in Erfüllung gehen. Der Präsident einer der bedeutendsten protestantischen Hochschulen der USA, des Union Theological Seminary in New York, Dr. van Dusen, sollte Recht bekommen, wenn er schreibt: »Wenn dieser Band von der bestimmenden Führung des römischen Katholizismus auch nur mit der Hälfte, ja einem Zehntel der Ernsthaftigkeit aufgenommen würde, die er verdient, könnte man sicher die kühne Vorhersage wagen: Das kommende Konzil würde das wichtigste Ereignis für den römischen Katholizismus seit der protestantischen Reformation.«

Bald gibt es Sondierungen, mich für ein Gastsemester nach der Duquesne University in Pittsburgh zu locken (durch den in Tübingen zum lic. theol. promovierten Leonard Swidler) oder eventuell gar auf einen neuen Lehrstuhl für Catholic Studies an der Yale University in New Haven (durch Dean Julian Hartt). Und Präsident van Dusen lädt mich, nachdem die Fakultät »unanimously and enthusiastically« dafür votiert hatte, als Gastprofessor für ein Jahr nach New York ein. Was für faszinierende Möglichkeiten! Aber in Tübingen bin ich nicht nur als Lehrstuhlinhaber, sondern ab Sommersemester 1964 auch als Dekan festgehalten. Eher möglich wird eine Lecture Tour zwischen den Tübinger Semestern sein.

Nicht nur in der amerikanischen, sogar in der *kommunistischen Welt* wird das Buch von wichtigen Stellen zur Kenntnis genommen: in der römischen KP-Zeitung »Unità«, welche die Forderung größerer Autonomie der Lokalkirchen und der Internationalisierung der römischen Kurie hervorhebt. Aber auch in der tonangebenden Moskauer Zeitschrift »Nauka i Religija« (»Wissenschaft und Religion«) vom September 1962. Prompt gibt der interne vatikanische Pressedienst (»Rassegna Stampa Internazionale«) vom 18. September 1962 an alle Nuntien den wesentlichen Inhalt des sowjetischen Artikels weiter: Die aktuelle Tendenz der katholischen Theologen komme der sowjetischen Zeitschrift zufolge gut zum Ausdruck im Buch »Konzil und Wiedervereinigung« (1960) von Hans Küng, der Ideen entwickeln würde, die noch vor 20 bis 30 Jahren als häretisch verurteilt worden wären. Trotz traditioneller orthodoxer Ansichten von der Ewigkeit, Unveränderlichkeit und Festigkeit der Lehre der Kirche komme der Verfasser zum Schluß, daß die Kirche sich anpassen müsse und der Kritik bedürfe: »Nachdem der sowjetische Verfasser nochmals daran erinnert, daß in der Vergangenheit die kleinste ›Kritik‹ an der katholischen Lehre als häretisch bestraft worden sei, würde jetzt die Verbreitung von Küngs Thesen von der tiefen Unzufriedenheit der Gläubigen gegenüber der Einstellung der Kirche zu den Problemen der Welt Zeugnis ablegen.« Beunruhigt frage ich mich, wie man wohl in Kurie und päpstlichem diplomatischen Dienst auf einen solchen Artikel reagieren wird? Vieles ist ungewiß.

Eine Verbindung zu Johannes XXIII.

Von London reise ich bereits am 6. August 1962 weiter nach Oxford, Englands ältester und neben Cambridge berühmtester Universität: »to polish up my English«, mein autodidaktisch angeeignetes Englisch rechtzeitig vor dem Konzil zu perfektionieren. In Oxford wohne ich mit wenigen Feriengästen im Old Palace, das der katholischen Studentengemeinde gehört, unter der Leitung des sympathischen und gescheiten Chaplain MICHAEL HOLLINGS, der ähnlich wie Studentenpfarrer Werners in Münster sicher ein guter Bischof geworden wäre – hätte er sich angepaßter verhalten. Ich bin zu Gast in der Campion Hall der

Jesuiten, bei den Blackfriars, den Dominikanern, und in der Downside Abbey der Benediktiner (bei Bath). Ich erfreue mich nicht nur der großen immergrünen Parks und nehme an einer Stocherkahnfahrt (»punting«) auf dem Oberlauf der Themse oder auf dem Cherwell teil; Stocherkahnrennen gibt es ja auch in Tübingen auf dem Neckar.

Gegenüber unserem Old Palace das großartige College von Christ Church, dem Dr. HENRY CHADWICK als Regius Professor of Divinity vorsteht, Oxfords ranghöchster Professor. Mit diesem hochgebildeten anglikanischen Theologen kann ich in allen möglichen Fragen der Ökumene leicht ein Einverständnis erzielen. Ich nehme dort auch aktiv an einer Eucharistiefeier teil und freue mich über Chadwicks Einladung in das prächtige Refektor von Christ Church; er wird später öfters mein Gast in Tübingen sein. Die freundschaftlichen Bande bleiben erhalten.

Meine Englischkenntnisse machen mit Hilfe meines schottischen Freundes PETER NELSON, einem katholischen Theologen, Fortschritte, und ich bin schließlich fähig, für die BBC nicht nur ein ausführliches Interview zu geben, sondern am 30. August einen halbstündigen Vortrag »Has the Council come too soon?« zu halten, der von der BBC am Sonntag vor dem Konzil ausgestrahlt wird. Eines Tages aber erklärt mir mein Freund Peter im Old Palace mit verschmitzt-drohendem Lächeln: Bald würden wir einen vatikanischen Monsignore bei uns zu Quartier haben, ich solle mich vorsehen. Berührungsängste sind meine Sache nicht, antworte ich. In der Tat erscheint bald ein italienischer Prälat namens ANTONIO TRAVIA, einer jener klugen, bescheidenen und sympathischen Kurialbeamten, die im Vatikan still ihre Pflicht tun. Travia war lange Zeit im Staatssekretariat rechte Hand des Substituts Montini. Er ist hocherfreut, als er in mir einen römisch Gebildeten trifft, mit dem er sich ohne Schwierigkeiten auf italienisch unterhalten kann. Vedremo, wir werden sehen, was sich da ergibt.

Unsere Gespräche zeigen mir, daß der Monsignore im Prinzip Reformen nicht abgeneigt ist. So gehe ich aufs Ganze, kaufe in einer Buchhandlung die – für ihn leichter verständliche – französische Ausgabe meines Konzilsbuchs und stelle sie ihm mit einer freundlichen Widmung vor die Zimmertüre. Wegen eines einzigen Übersetzungsfehlers in der französischen Ausgabe (die Laienschaft sei »Teil der Hierarchie«) hatte es in den französischen Medien große Aufregung gegeben, bis hinein in »eher wichtige kirchliche Milieus« des Vatikans, wie mir der Chefredakteur der Civiltà Cattolica, Roberto Tucci SJ (später Mitglied von »Concilium«, Direktor der Radio Vaticana, dann päpstlicher Reisemarschall, schließlich Kardinal), freundlich warnend mitteilt.

Ich dementiere und beruhige meine beiden ausgezeichneten französischen Übersetzer, die Benediktiner Dom Evrard und Dom Rochais, mit denen ich in freundschaftlichem Briefwechsel stehe.

Doch wie wird Monsignore Travia reagieren? Er liest das Buch in einem Zug und zeigt sich von ihm begeistert. Es müsse unbedingt in die Hände Johannes' XXIII. gelangen, meint er, denn ich hätte genau sein Programm entwickelt. Wir sind nur noch einige wenige Tage zusammen. Am 25. August lade ich den Prälaten in ein stilvolles Oxford Restaurant zum Abendessen ein. Vorher kaufe ich ein weiteres Exemplar meines Buches für den Papst selber, wieder auf Französisch.

Mit Datum vom 1. September 1962 schreibe ich einen italienisch gehaltenen Brief im kurialen Stil an JOHANNES XXIII., an den »Beatissimo Padre«. Kardinal König habe ihn ja schon vor einiger Zeit auf mein Buch angesprochen, das bereits in verschiedene Sprachen übersetzt sei. Ich würde mir gestatten, es demjenigen zukommen zu lassen, der die Inspiration zu einem Konzil hatte: »Meine bescheidene Arbeit will in der Tat nichts anderes sein als der programmatischen Linie Relief geben, die Ihre Heiligkeit für das Zweite Vatikanische Konzil gezeichnet hat, ausgerichtet auf die Vereinigung aller Christen durch die Erneuerung des katholischen Lebens.« Msgr. Antonio Travia nimmt Buch und Brief mit sich zurück nach Rom, wo er jetzt Consigliere der Vatikanbotschaft bei der italienischen Republik ist, aber alle notwendigen Verbindungen zum Palazzo Apostolico besitzt.

»Sua Santità ... hat es gelesen«

An jenem 1. September fahre ich mit meiner Schwester Irene, die sich in der Zwischenzeit bei englischen Freunden aufgehalten hatte, aus Oxford und London über den Kanal zurück: Übernachtung im nordfranzösischen Béthune und dann über Arras-Reims-Nancy-Basel nach Sursee. Der 4. September ist der offizielle Erscheinungstermin von »Strukturen der Kirche«. Es bleiben jetzt nur noch gut vier Wochen bis zur Eröffnung des Zweiten Vatikanischen Konzils.

Und Msgr. Antonio Travia? Er schreibt mir am 21. September 1962 und übermittelt mir »in via riservatissima« die Nachricht: JOHANNES XXIII. sei bereits einige Zeit zuvor in positiver Weise auf mein Buch »Konzil und Wiedervereinigung« aufmerksam gemacht worden: »Sua Santità hat es sich schon vor einigen Monaten anschaffen lassen und es, natürlich, zumindest teilweise gelesen.« Jetzt sei das von mir übermittelte

Exemplar in den Händen des P. Ciappi OP, Maestro del S. Palazzo Apostolico, damit er es lese und seine persönliche Meinung ausdrücke. Danach würde ich einen offiziellen Dank bekommen für das Geschenk, das ich dem Papst gemacht habe. Im übrigen hofft Msgr. Travia, daß ich während meines Konzilsaufenthalts ein Referat halte für seine »Gruppo Romano Laureati di Azione Cattolica«. Diese Zusammenkunft könne schon am 14. Oktober, also unmittelbar nach Beginn des Konzils, stattfinden. Ich möge mich nach meiner Ankunft in Rom telefonisch melden.

Mit einem Schreiben vom 13. Oktober wird mir dann von der Bonner Nuntiatur im Auftrag des vatikanischen Staatssekretariates mitgeteilt, daß das dem Papst übersandte Buch »seine hohe Bestimmung erreicht hat«: »Das Staatssekretariat läßt Euer Hochwürden die Genugtuung des Heiligen Vaters für den Ausdruck Ihrer ergebenen Verehrung bekunden und Ihnen als Unterpfand göttlicher Gnaden Seinen apostolischen Segen übermitteln.«

Dem Ganzen beigelegt, ohne Namensangabe, »einige Anmerkungen, die im Auftrag des Staatssekretariates von zuständiger Stelle über Ihr Werk aufgezeichnet wurden«. Sie stammen also vom Dominikaner LUIGI CIAPPI, dem höchst konservativen Hoftheologen des Papstes. Immerhin: allgemeine »Vorzüge« des Werkes werden gelobt: »ein wertvoller Beitrag an Klärungen, Vertiefungen und Anregungen im Blick auf das Problem der Wiederherstellung der Einheit zwischen den christlichen Konfessionen, durch ›die Rückkehr zur Einheit‹, wie sie von unserem Herrn gewollt ist, nach vorausgegangener Erneuerung aller Konfessionen, nicht ausgeschlossen derer der römisch-katholischen Kirche«.

Aber als *Defekte* werden angemahnt, das Buch würde »die Verantwortlichkeiten, die Pflichten der katholischen Kirche akzentuieren, während es die Verantwortlichkeiten und Pflichten von seiten der Dissidenten in etwa überfliegt oder ihnen gegenüber eine gewisse Nachsicht, mehr als angebracht, zeigt«. Von da »der Eindruck, nicht unbegründet, einer gewissen *Nivellierung* zwischen Katholischer Kirche und Dissidentenkirchen und deshalb eines nicht ganz orthodoxen *Irenismus*«. Dann einige Detailanmerkungen im Sinne römischer Schultheologie, nicht unähnlich den früher geäußerten Bedenken Kardinal Döpfners.

Mehr zur Sache ist, was Msgr. JAN WILLEBRANDS mir schon am 18. Juli 1962 geschrieben hatte: Wenn Erzbischof Heenan sage, mein Konzilsbuch habe unter Katholiken nur wenig Aufmerksamkeit und Zustimmung gefunden, so sei damit »doch ganz klar, daß es bei den

Nichtkatholiken am meisten Verständnis und Wohlwollen für das Konzil geweckt und in nicht geringerem Maß auch einen Appell an das Gewissen der Katholiken über die wahre Bedeutung und Aufgabe des Konzils bedeutet. Auf indirekte Weise ist das Buch auch für die Arbeit unseres Sekretariats sehr wichtig gewesen.« Allerdings sei er noch immer »überzeugt, daß es für den wirklichen Erfolg des Buches gut gewesen ist, daß es nicht ins Italienische übersetzt wurde«. Das Sanctum Officium ist ja stets bestrebt, gerade in Italien die Gläubigen vor der Wahrheit zu »schützen«. Erst am Ende des Konzils, 1965, erscheint eine italienische Ausgabe.

Unterdessen aber war nun auch bereits mein neues Buch »Strukturen der Kirche«, wie von mir angeregt, wichtigen römischen Persönlichkeiten zugesandt worden. Kardinal Bea drückt seinen »besten Dank für das Buch« aus mit der handschriftlichen Hinzufügung »Auf Wiedersehen!«. Auch P. Tromp antwortet: Er habe wegen viel dringender Arbeit noch nicht Zeit gehabt, das große Opus zu lesen, aber soviel habe er feststellen können: »multa fecit tulitque puer, sudavit et alsit. – Vieles hat der Knabe getan und zusammengetragen, hat geschwitzt und gefroren.« Humor hat er, der Pater Tromp, der mich als Studenten in den Gängen der Gregoriana immer mit freundlichem Handwinken und »Ciaò« begrüßt hatte. Sein Brief endet »mit vielen herzlichen Grüßen. Arrivederci.« Wir sollten uns in der Tat bald wiedersehen – unter nicht ganz so fröhlichen Vorzeichen.

Prälat Höfer, dem ich meine Befürchtungen bezüglich »Strukturen der Kirche« nicht verhehlt habe, schreibt fast gleichzeitig: »Ihre Schriften werden keiner offiziellen Zensurierung verfallen, 1. weil dafür sachlich kein Anlaß besteht, 2. weil dazu der Papst persönlich seine Zustimmung geben müßte, 3. weil Sie vielleicht doch nicht so viele private unbekannt bleibende Gegner besitzen wie mein Freund Karl Rahner.« Prälat Höfer, sonst immer gut unterrichtet, sollte sich leider täuschen.

VII. Kampf um die Freiheit des Konzils

»Als Präsident der Vereinigten Staaten
werde ich keine Befehle von irgendeinem Papst,
Kardinal, Bischof oder Priester entgegennehmen ...
Wenn ein Papst versuchte, mich als Präsident
zu beeinflussen, müßte ich ihm sagen,
daß dies ganz und gar ungehörig ist.«

John F. Kennedy

Pessimistische Stimmung vor dem Zweiten Vatikanum

4. Oktober 1962, Zeit für die Abfahrt nach Rom. Lange Fahrt jetzt im
Auto mit Übernachtungen in Sursee und Florenz. Zeit zum Nachdenken. Meine Stimmung ist eher trübe. Auf der Fahrt im Radio eine
Live-Reportage von der *Pilgerfahrt* JOHANNES' XXIII. *nach Assisi.* Die
erste Reise eines Papstes seit 1870, vom Vatikan (und seiner neo-
barocken kleinen Bahnstation) aus in der Eisenbahn, überall von begeisterten Mengen gefeiert: welch glänzende Idee – und welch miserable
Durchführung und Berichterstattung. Papalistische Salbaderei, heiliger
Rummel – kein von Franz von Assisi her sich gebieterisch aufdrängen-
der Verweis auf das Evangelium und eine Erneuerung der Kirche. So
hätte alles schon unter Pius XII. ablaufen können. Natürlich auch die
Weiterfahrt nach Loreto, wo einer mittelalterlichen Legende zufolge
das »Heilige Haus« der »Heiligen Familie« von Nazaret, von Engeln getragen, über verschiedene Zwischenstationen 1295 hier in einem Lor-
beerhain (Lauretum) aufgestellt worden sei; die »lauretanische Litanei«
zur Madonna erinnert daran. Soll solche mittelalterliche Gläubigkeit
vielleicht der Geist des neuen Konzils sein?

In Rom treffe ich am 6. Oktober ein und fahre zu der von Schwestern geleiteten Villa San Francesco im schönen Parioli-Viertel. Hier, in
der Via dei Monti Parioli, werde ich in den nächsten Wochen wohnen,
die Mahlzeiten einnehmen zusammen mit dem Bischof von Rottenburg, CARL-JOSEPH LEIPRECHT, und mit dem Apostolischen Nuntius in
Deutschland, CORRADO BAFILE – soweit man nicht auswärts verpflichtet
ist. Angenehme Atmosphäre: Die Gespräche kreisen natürlich ständig
um das Konzilsgeschehen, sind immer freundlich, dringen aber nie in
die Tiefe. Ernsthafte theologische Kontroversen? Das ist hier nicht der

Ort. Jedenfalls habe ich mich offensichtlich so weit bewährt, daß mich, bisher Peritus des Bischofs, die beiden Herren gemeinsam im Staatssekretariat auch noch *zum offiziellen Peritus des Konzils* vorschlagen. Schon am 20. November 1962 erhalte ich die Ernennung durch den Papst mit dem kostbaren vatikanischen Peritus-Ausweis des Kardinalstaatssekretärs. So bin ich denn wieder ganz und gar im klerikalen römischen Milieu. Wie immer brauche ich nicht viel Zeit zur Eingewöhnung. Bin einfach offen für die Menschen, denen ich begegne. In den ersten Tagen Besuche: meine alten Professoren an der Gregoriana: Alfaro, Boyer, Tromp, Witte. Und meine alten Freunde: Feiner, Lengsfeld, Seibel, Thijssen, Willebrands ...

Alle Welt redet nur vom Konzil. In Rom ahnt Anfang Oktober 1962 niemand, daß sich gerade jetzt die gefährlichste Konfrontation zwischen den Supermächten USA und UdSSR aufbaut: geheime Stationierung sowjetischer Kampfflugzeuge und Langstreckenraketen auf *Kuba*. Direkte Bedrohung der Vereinigten Staaten. Dann am 22. Oktober Präsident Kennedys berühmte Fernsehrede mit Anordnung einer totalen Seeblockade Kubas. Schließlich Abbruch des abenteuerlichen Spiels durch Chruschtschow. Das Konzil nimmt unterdessen ungestört seinen Gang.

Am 10. Oktober, am Vortag der Konzilseröffnung, eine erste Zusammenkunft der deutschen Bischöfe und Theologen, am Abend ein Empfang in der Deutschen Botschaft. Die Stimmung ist ungewiß bis schlecht. Alle Gespräche kreisen um die *exzessive Führungsrolle der Kurie*, um die in ihrem Geist vorgefertigten Textentwürfe (»Schemata«) für die Konzilsdekrete und vor allem um die von ihr präparierten Listen für Kommissionswahlen mit meist vatikanhörigen Bischöfen. Auch Theologen wie Chenu, Congar, Daniélou, de Lubac, Rahner, Ratzinger, Schillebeeckx, wen immer man trifft, sind besorgt, ja pessimistisch. In den vorbereiteten Texten kaum eine Spur von »aggiornamento«, von pastoraler Einstellung, von ökumenischer Öffnung. Wie wird es gehen mit den Wahlen, wie mit den Schemata? Sind die Aufgeschlossenen und Aktiven unter Bischöfen und Ordensoberen nicht eine verschwindende Minderheit – was kann man da schon erreichen? Ist durch die manipulative Vorbereitung des Konzils und seiner Dekrete in den vergangenen drei Jahren nicht schon alles abgemacht und ausgemacht? Angeblich sichere Gleise für die Diskussionen, wie von der Kurie suggeriert ... Das Gespenst der erfolglosen römischen Diözesansynode geht um. Man spricht von einem »Concilio lampo«: einem zeremoniellen »Blitzkonzil« ohne ernsthafte Diskussionen; Generalsekretär Felici redet von zwei Monaten. Nur ja keine zentrifugalen Prozesse, warnen die Männer aus der Ära Pius' XII., nur ja keine »Verwirrung« der Gläubigen und der Bischöfe durch gefährliche Theologen.

Auf einen noch in Tübingen vorbereiteten und mit Congar und Rahner abgesprochenen »Appell« führender Konzilstheologen an die Konzilsväter, die völlig unzureichenden dogmatischen Dekrete zugunsten des Liturgieschemas zurückzustellen, verzichten wir schließlich, da sich unsere Auffassung im Episkopat ohnehin verbreitet. Doch werde ich in der Folge bei jeder Gelegenheit offen auf die Fragwürdigkeit konziliarer dogmatischer Formeln und kirchlicher Strukturen hinweisen. Schließlich habe ich zuvor meine theologischen »Hausaufgaben« gemacht. Frankfurter Allgemeine Zeitung unter dem Titel »Dogmatische Theologie auf dem Konzil« (28.11.1962): »Hans Küng hat wegen der unerschrockenen Sachlichkeit und unvoreingenommenen Aufrichtigkeit seines kürzlich erschienenen Buches ›Strukturen der Kirche‹ besondere Beachtung gefunden. Es ist eine der erfolgreichsten Veröffentlichungen der Konzilsliteratur.«

Konzilseröffnung zwiespältig

Dann kommt jener denkwürdige Morgen des *11. Oktober 1962*. Für mich der achte Jahrestag meiner Primiz in derselben Basilika. Ein großartigeres Szenario für eine Konzilsversammlung ist kaum denkbar. Lang und beeindruckend die fast einstündige Prozession der rund 2.500 Konzilsväter mit ihren weißen Mitren und liturgischen Gewändern von den vatikanischen Museen über den Petersplatz durch die Masse der Leute hinein in diese Basilika, die in ihrer Größe und Pracht ihresgleichen sucht. Zum ersten Mal kann das Konzilsgeschehen, in früheren Jahrhunderten von nur wenigen Vertrauten miterlebt, dank Eurovisions- und Telstarübertragung von Millionen Menschen im freien Europa und in Nordamerika von Anfang bis Ende miterlebt werden. Welch ungewöhnliches sakrales Schauspiel, auch für die 86 Sonderdelegationen der Regierungen und für die 700 angereisten Journalisten, von denen viele seit Johannes XXIII. und der Konzilsankündigung eine neue Sympathie für die katholische Kirche empfinden. Die Photos von den riesigen Tribünen zu beiden Seiten des Hauptschiffes (im Vatikanum I war nur ein Querschiff vonnöten) mit all den Bischöfen – und darüber auf den Emporen die Tribünen für die theologischen Experten – finden Eingang in zahllose Zeitungen und Zeitschriften der freien Welt.

Allerdings sehen nun die Millionen von ganz nahe neben viel Ergreifendem auch viel Störendes. Und wie ich fühle sich viele Mitchristen wie Nichtchristen abgestoßen vom völlig unzeitgemäßen *barocken Prunk* dieser Zeremonie. So viel verblichene Pracht, so viel hohles religiöses Pathos – in Latein ohnehin unverständlich für fast alle. Auch viele Bischöfe nicht nur Zentraleuropas finden es traurig: Die päpstlichen Zeremoniäre verspürten offensichtlich noch nicht einmal einen Hauch von der die Kirche durchwehenden liturgischen Erneuerung.

Das Entscheidende aber in dieser von Kardinal Tisserant, dem Dekan des Kardinalskollegiums, gefeierten *»Messe vom Heiligen Geist«* fehlt: die wirkliche Mitfeier von Papst und Bischöfen, die nur »assistieren« statt »konzelebrieren«. Ein »trockenes« Pontifikalamt – völlig unbegreiflich – ohne Kommunionspendung. Alle Bischöfe hatten nämlich vorher ihre Privatmesse zu feiern, und Laien sind nicht zugelassen. Dabei gäbe es alte Formulare für einen gemeinsamen konziliaren Gottesdienst der Bischöfe mit dem Romanus Pontifex – in der Kurie hat man sie geflissentlich übersehen. Einmal mehr wird von römischen Traditionalisten die große katholische Tradition übergangen – zugunsten einiger »idées reçues«, einiger noch nicht lange »überkommener Ideen«. Dazu paßt das gegenreformatorische Glaubensbekenntnis mit dem neuen Zusatz über päpstlichen Primat und Unfehlbarkeit. Der Papst spricht es vor, aber glücklicherweise wird es von den Bischöfen wenig und von den nichtkatholischen Beobachtern überhaupt nicht verstanden.

Der Akt der Konzilseröffnung selbst ist nicht etwa sinnvoll eingebaut in die Eucharistiefeier, sondern folgt als Anhängsel. Doch was ich wie viele Christen in und außerhalb der katholischen Kirche vor allem vermisse: zu Beginn ein klares *Schuldbekenntnis*. Ein Schuldbekenntnis der katholischen Kirche, die an der Spaltung der Christenheit und am Elend der Welt wesentlich mitschuldig ist. Wie es in beeindruckender Weise der deutsche Episkopat im Hirtenbrief zum Konzil abgelegt hat: »Wenn wir jetzt in unserer Heimat vor so viel geistigem Ödland stehen, dann können wir uns nicht mit einer kühlen Feststellung abfinden, sondern als Glieder des einen Leibes Christi fühlen wir uns mitverantwortlich für den Irrweg so vieler Brüder und Schwestern und sprechen vor Gott reuevoll unser Confiteor und mea culpa für alles, was wir unterlassen und versäumt haben, um diese Christen bei Christus und seiner Kirche zu halten oder sie wiederzugewinnen. Unser Confiteor vor dem Konzil soll auch das jahrhundertealte Ärgernis der Spaltung der Christenheit nicht umgehen. Gerade in Deutschland, wo die abendländische Glaubensspaltung ihren Ursprung hatte, leiden wir besonders schmerzlich an dieser tiefen Wunde des mystischen Leibes Christi. Wir können uns damit nicht einfach abfinden als einem unabänderlichen Geschehnis. Wir fühlen uns vielmehr mit tausend Fäden hineinverstrickt in die große Tragik der Kirche in unserem Vaterland.«

Allerdings: hätte ein solches Schuldbekenntnis in diesen triumphalen Barockrahmen hineingepaßt? Selbst das *Evangelium*, ein kostbarer Codex der Bibliotheca Vaticana aus dem 15. Jahrhundert, vom gravitätischen Generalsekretär Felici in feierlicher Prozession mit Kerzen zum Altar gebracht und »inthronisiert«, zeigt eine pompöse Aufmachung: Es ist zur Verehrung, nicht zur Herausforderung gedacht. Was wird für dieses Konzil die »Norma normans«, die oberste Norm sein: die Heilige Schrift selbst oder all die vielen römischen Traditionen?

Vieles ist ohnehin überflüssig in diesem Gottesdienst, vor allem am Schluß die »Obödienz«, die *Gehorsamsleistung* der Konzilsväter, die niederzuknien haben vor dem auf dem Thron sitzenden Pontifex. Der alte Byzantinismus: Die Kardinäle und Patriarchen küssen des Papstes Ring. Zwei Erzbischöfe als Repräsentanten des Episkopats seine Stola. Die beiden Vertreter der Ordensoberen sogar seine Füße. Als ob sie allesamt nicht schon ganz und gar auf den Gehorsam gegenüber Rom eingeschworen wären. An eine kollegiale, gar parlamentarische Zusammenarbeit untereinander aber sind sie überhaupt nicht gewöhnt. Dabei wäre gerade diese für ein Konzil besonders nötig.

Einen Lichtpunkt gibt es indes in dieser fast siebenstündigen Zeremonie: Papst JOHANNES XXIII. Ihn macht niemand für den überholten prunkvollen Rahmen verantwortlich. Schon vorher hörte man, es solle ihm auch dieses Mal wieder die »Sedia gestatoria« (Tragsessel) aufgedrängt werden. Doch wer am Ende des festlichen Zuges diesen über 80 Jahre alten Mann zu Fuß langsam die Scala regia herunterkommen und erst dann den von acht Höflingen getragenen Thronsessel besteigen sieht, hat sofort den Eindruck: Diesem demütig-bescheidenen Hirten der Kirche ist das ganze Brimborium zutiefst gleichgültig. Überrascht beobachtet es die Konzilsversammlung: Im Hauptschiff der Basilika angekommen, steigt er herunter von der Sedia. Zu Fuß will er das Spalier seiner Brüder im Bischofsamt durchschreiten – ein Akt des Respektes. Und stimmt dann kniend mit fester Stimme das »Veni Creator Spiritus, komm, Schöpfer Geist« an.

Von protestantischen Beobachtern – das Schaugepränge dieser Inauguration stößt sie zuerst ab – höre ich nachher, wie ihnen das ernste, nach innen gekehrte, vom liturgischen »Betrieb« um ihn herum nie abgelenkte, betende Gesicht des Papstes über manches Unverständliche an dieser Eröffnungszeremonie hinweghalf. Erst als Papa Roncalli mit jedem der sich vor ihm (oft mühselig) niederwerfenden Kardinäle ein paar zwanglose, freundliche Worte wechselt, erscheint das bekannte Lächeln des Bauernsohns aus Bergamo auf seinem Gesicht. Schlichtheit, Liebenswürdigkeit, Wohlwollen. Wenn es für das Vatikanum II überhaupt ein gutes Vorzeichen gibt, dann daß es unter diesem Papst stattfindet, der soviel mehr Evangelisches ausstrahlt als mancher seiner Vorgänger. Und dann – seine Rede zur Konzilseröffnung: für die kommenden Konzilsverhandlungen von außerordentlicher Tragweite und Dynamik.

Der Sprung nach vorn

Ich bin gespannt auf diese Rede, die für das Konzil vielleicht eine Richtung vorgibt. Papst JOHANNES XXIII., den die Kurie noch vor kurzem zu einer »Apostolischen Konstitution« zugunsten des Latein gedrängt hat, bereitet sie italienisch vor! »Non mi parli di questa maledetta costituzione – sprechen Sie mir nicht von dieser verfluchten Konstitution«, hatte der Papst zu einem mir nahestehenden Kardinal zuvor gesagt, »aber jetzt halte ich die Eröffnungsrede zum Konzil, und die mache ich selbst!«

Wer nicht mit römischen Ohren zu hören und Wichtiges von Unwichtigem zu unterscheiden vermag, wird diese an die große konziliare Tradition der Kirche anknüpfende Rede in langen Passagen eher harmlos finden. Kein genaues Programm und keine konkreten Weisungen, wie sie ein Pius XII. zweifellos gegeben hätte. Aber dafür die Forderung einer bestimmten Grundeinstellung und die Empfehlung eines grundsätzlichen Weges: »Ich habe immer wieder«, hat er seinem damaligen Sekretär Loris Capovilla anvertraut, »aufmerksam auf meinen Freund zur Rechten (Kardinal Ottaviani) hinübergeblickt.« Das Sanctum Officium liegt, vom päpstlichen Arbeitszimmer aus gesehen, rechts unten.

Genauer besehen ist diese Eröffnungsrede denn auch eine mutige und unmißverständliche Stellungnahme – gegen die von Ottaviani, Tromp und Verbündeten beabsichtigte *Verdoktrinalisierung des Konzils.* Von den meisten Bischöfen und von der Kurie wird dies sofort verstanden: Der Papst nimmt gegen solche reaktionären Tendenzen Stellung. Er hat diese Rede, wie man aus Berichten seines Sekretärs Msgr. Loris Capovilla weiß, Stück um Stück selber erarbeitet, wie er selber sagte: gebacken »mit Mehl aus meinem eigenen Sack«. In den entscheidenden

Passagen ist der italienische Text zweifellos der ursprüngliche, der lateinische weist einzelne orthodoxe Glättungen auf.

Was ist nun angesichts der immer größeren Kluft zwischen offizieller Glaubensverkündigung und moderner Welt dem Papst zufolge der »springende Punkt« des Konzils? Vielleicht ein neues Dogma, vielleicht eine neue Glaubenserklärung? Nein. Vielmehr was die Theologische Vorbereitungskommission als eine unverblümte Kritik an ihrer Arbeit ansehen muß: »Der ›springende Punkt‹ dieses Konzils«, sagt Johannes, »ist nicht die Diskussion dieses oder jenes grundlegenden Glaubensartikels in weitschweifiger Wiederholung der Lehre der Kirchenväter, der alten und modernen Theologen; diese darf man als unserem Geist wohlbekannt und vertraut voraussetzen. Dafür braucht es kein Konzil.« Ich höre Ottaviani, Tromp, Parente und Schauf mit den Zähnen knirschen – wahrhaftig, dieser Papst ist auf unserer Linie! Der springende Punkt des Konzils ist Johannes zufolge die *zeitgemäße Glaubensverkündigung* und damit *der Auszug aus dem intellektuellen, terminologischen und religiösen Getto*: »*ein Sprung nach vorn* (un balzo avanti), hin auf ein vertieftes Glaubensverständnis und eine Gewissensbildung – gewiß in vollkommener Entsprechung und Treue zur authentischen Lehre, doch auch diese studiert und dargelegt in den Formen der Forschung und literarischen Formulierung eines modernen Denkens«.

»Eines modernen Denkens«? Tromps Einwand nachher in der Theologischen Kommission: »Wir reden vom modernen Menschen: Aber den gibt es nicht!« Ist solche Neugestaltung und Erneuerung der Lehre nicht eklatanter »Modernismus«? Des Papstes klare Antwort: »Eines ist der *Gehalt* (die Substanz) der alten Lehre des Glaubens, etwas anderes ist die *Formulierung* ihrer Darlegung (Einkleidung). Und gerade darauf ist heute – allenfalls braucht es Geduld – großes Gewicht zu legen, indem man alles prüft im Rahmen und mit den Mitteln eines Lehramtes von vorrangig *pastoralem* Charakter.« Dagegen nochmals der Sekretär der Theologischen Kommission: »Wir wollen pastoral sein: aber die erste Pflicht der Pastoral ist die Glaubenslehre, die dann die Pfarrer anpassen sollen!« Doch mein Lehrer in Fundamentaltheologie kann es nicht verhindern: immer wieder wird in den kommenden Konzilsdebatten von den Bischöfen gegen die doktrinäre kuriale Partei der seelsorgliche, *»pastorale« Charakter des Konzils* angemahnt. Und das *»Aggiornamento«* – auch diesen Begriff für Erneuerung und Modernisierung hat der Papst definitiv in die offizielle Sprache des Konzils eingeführt.

Gibt es aber nicht auch heutzutage *Irrtümer,* und müssen Irrtümer nicht energisch *bekämpft* werden? Dies jedenfalls ist die jahrhundertealte

Lehre und Praxis der Inquisition, ihres »Heiligen Offiziums«. Doch Papst Johannes zufolge braucht eine Kirche, die unter der bleibenden Wahrheit ihres Herrn steht, bei den sich rasch wandelnden Meinungen der Menschen nicht aufgeregt zu werden. Sie darf den Irrtümern der Zeit mit ruhiger Gelassenheit begegnen: »Zu Beginn des Zweiten Vatikanischen Konzils ist deutlich wie noch nie, daß die Wahrheit des Herrn in Ewigkeit bleibt. Im Laufe der Zeiten sehen wir in der Tat, daß die Meinungen der Menschen aufeinander folgen, indem sie sich gegenseitig ausschließen, und die oft gerade eben aufgebrochenen Irrtümer verschwinden wieder wie der Nebel vor der Sonne.«

Doch ist angesichts der Vielzahl der Zeitirrtümer nicht wie eh und je die Methode der strengen Verurteilung unabdingbar? Nein, Papa Roncalli empfiehlt gegen jegliches Anathema (Verurteilung) die *Methode der helfenden Barmherzigkeit*: »Immer hat sich die Kirche diesen Irrtümern entgegengestellt; oft hat sie sie auch mit größter Strenge verurteilt. In der heutigen Zeit jedoch zieht es die Kirche, Braut Christi, vor, das Heilmittel der Barmherzigkeit anstatt der Strenge zu gebrauchen: Sie glaubt, den Erfordernissen der heutigen Zeit mehr als durch Verurteilung dadurch entgegenzukommen, daß sie den Wert ihrer Lehre aufzeigt.«

Wie soll ich mich nicht bestätigt fühlen, wenn der Papst selbst immer wieder neue dogmatische Verurteilungen und moralisierende Ermahnungen der Kirche für überflüssig erklärt: »Nicht daß etwa heute trügerische Lehren, gefährliche Meinungen und Begriffe, vor denen man sich zu hüten hat und die überwunden werden sollten, fehlten. Aber sie sind so evident im Widerspruch zur wahren Norm der Moralität und haben so verderbliche Früchte gezeigt, daß nunmehr die Menschen heute von sich aus geneigt erscheinen, sie zu verurteilen; dies gilt besonders für die Sitten, die Gott und sein Gebot verachten, und das übertriebene Vertrauen auf die Fortschritte der Technik und den Wohlstand, der ausschließlich auf die Bequemlichkeiten des Lebens gegründet ist ...«

Bestätigt fühle ich mich erst recht durch des Papstes Forderung nach *ökumenischer Weite*: »Bei einem solchen Stand der Dinge will die katholische Kirche, indem sie durch dieses ökumenische Konzil die Fackel der religiösen Wahrheit erhebt, sich als die liebevolle Mutter aller zeigen, wohlwollend, geduldig, voller Barmherzigkeit und Güte gegenüber den von ihr getrennten Söhnen.« Die von einem hoffnungsvollen Ton getragene Rede gipfelt in der Forderung nach der Einheit der Christen, ja, aller Menschen – gegen die Katastrophenangst der (vor allem kurialen) »Unglückspropheten«, die »in der jüngsten Vergangenheit bis zur Gegenwart nur Mißstände und Fehlentwicklungen zur Kenntnis« nehmen und »die immer nur Unheil voraussagen, als ob der Untergang der Welt unmittelbar bevorstünde«. Immerhin kann dieses Konzil – anders als frühere Konzilien – ohne »unzulässige Einmischung staatlicher Autoritäten abgehalten« werden, »frei von vielen weltlichen Hindernissen der Vergangenheit«.

Das alles sind wahrhaftig neue Töne. In einer sich abzeichnenden neuen Weltlage nicht mehr und nicht weniger als ein *Paradigmenwechsel*, ein Wandel der Gesamtkonstellation, würde ich heute sagen: eine deutliche *Absage an* einen rein defensiv-polemischen *Antiprotestantismus* erstens. Aber auch zweitens an einen im Negativen steckenbleibenden, moralisierenden *Antimodernismus*. Und faktisch auch drittens – das diesbezügliche Schweigen des Papstes erregt weit über Italien hinaus Aufsehen – an einen sterilen *Antikommunismus*. Der Kommunismus wurde bekanntlich in Italien und Frankreich nicht wie im Osten unter Zwang eingeführt, sondern in freien Wahlen gewählt! Solcher Antikommunismus versucht ihn unter Duldung erschreckender sozialer Mißstände zu bekämpfen durch große Reden, negative Abwehrmaßnahmen sowie undurchführbare Exkommunikationsdekrete – und dies alles vergeblich. Anstatt ihn durch selbstkritische Ursachenanalyse sowie eine konstruktive Wirtschafts- und Sozialpolitik positiv zu überwinden.

Ich frage mich: Ob das alles nicht neben dem harten Kern der Kurie auch die ganze italienische Rechte in Politik, Wirtschaft und Publizistik gegen diesen liebenswürdig »revolutionären« Papa Giovanni einnehmen wird? Es geht immerhin um mehr als den »Mondo piccolo«, die kleine Welt, des streitbaren Priesters Don Camillo, der nach Giovanni Guareschis heiter-satirischem Roman mit dem kommunistischen Bürgermeister Peppone freundlich-pfiffig umgeht.

Öffnung zur Ökumene

Welch gewaltiger Wandel auch im Blick auf die Ökumene: Bis vor kurzem wurden nach den Weisungen Pius' XII. die anderen christlichen Gemeinschaften und insbesondere der Weltrat der Kirchen in Genf möglichst ignoriert: ja keine offiziellen Beziehungen! Diese waren nun einmal »Häretiker und Schismatiker«. Auch jetzt unter Johannes XXIII., der von »getrennten Brüdern« spricht, ist der Widerstand im Sanctum Officium, das bisher alleinherrschend für alles Ökumenische zuständig war, gegen die Präsenz nichtkatholischer Beobachter stark. Ökumenismus fördere den »Minimalismus«, ist nicht nur Tromps Auffassung. Aber da wirkt sich nun die Gründung eines eigenständigen Sekretariats für die Einheit der Christen unter der klugen und effizienten Leitung Kardinal Beas und Msgr. Willebrands aus: Sowohl *orthodoxe wie evangelische Beobachter*, zumeist Delegierte ihrer Kirchen, werden schließlich doch zum Zweiten Vatikanischen Konzil eingeladen. Die bisherige engherzige Praxis katholischer Kirchenmänner in aller Welt, nichtkatholische Kirchenrepräsentanten möglichst zu meiden, ist damit ein für alle Male erledigt.

Noch am Vortag des Konzils aber ist im Sekretariat für die Einheit nicht bekannt, wo in der Basilika die Beobachter-Delegierten plaziert sein werden – weniger eine organisatorische als eine symbolische Frage, für die es keinen Präzedenzfall gibt. Doch jetzt bei der Eröffnungsfeier versteckt man sie nicht, wie manche erwarteten, in einem unauffälligen Winkel der riesigen Basilika. Nein, sie erhalten einen *Ehrenplatz* in nächster Nähe des Papstaltars, weithin für alle sichtbar. Bei den Konzilssitzungen selbst wird es nicht anders sein: Wenn nach der Eucharistiefeier der Generalsekretär Felici das »exeant omnes – alle (Nichtmitglieder) mögen hinausgehen!« ausruft, dürfen sie sitzenbleiben. Der schönste Platz in der Aula – unmittelbar neben Konzilspräsidium und Konzilssekretären, unmittelbar gegenüber dem Kardinalskollegium – ist diese Tribüne der Beobachter. Von hier aus können sie, wo nötig unterstützt von Übersetzern des Einheitssekretariats, dem ganzen Konzilsgeschehen oft besser folgen als die Bischöfe und können alles sehen und hören: die guten Reden wie die schlechten, die fortschrittlichen wie die konservativen, das ungehaltene Murren und das befreiende Lachen, das gute Latein solcher, die das Kirchenlatein bekämpfen, und das schlechte Latein solcher, die es verteidigen.

Die Beobachter werden dabeisein, wenn einem Kurienkardinal wegen Überschreitung der Redezeit unter Beifall der Versammlung das Wort entzogen wird, wenn ein Dekretsentwurf schüchtern gelobt oder heftig angegriffen, wenn er angenommen oder verworfen wird. Und können sich ein eigenes Urteil bilden. Mit den Konzilsvätern und Theologen zusammen erreichen und verlassen sie die Basilika. Mit uns finden sie sich gemeinsam in der berühmten konziliaren Kaffeebar, in einer großen Seitenkapelle der Petersbasilika, die man entsprechend umgestaltet hat und die sofort den Namen »Bar Jona« erhält – in Erinnerung an Petrus, den »Sohn (hebr.: ›bar‹) des Jonas«. Gerade hier wie in den weiträumigen Seitenhallen und dem Querschiff der Basilika findet so mancher Meinungsaustausch und manche wichtige Kontakt-nahme statt. Wie die Konzilsväter und die Sachverständigen erhalten auch die Beobachter die zu diskutierenden Schemata und haben Einblick in alle Konzilsdokumente. Und anders als jene dürfen sie sogar ihren eigenen Glaubensbrüdern von den Konzilsverhandlungen berichten. Nur mitabstimmen dürfen sie als Beobachter natürlich nicht.

Selbstverständlich pflege ich *zahlreiche Kontakte* zu den Beobachtern. Wichtig für mich der verschiedentlich erwähnte Heidelberger Theologe Edmund Schlink, der die Evangelische Kirche in Deutschland repräsentiert. Dann mein Schweizer Landsmann Dr. Lukas Vischer, Repräsentant des Ökumenischen Rates der Kirchen (Genf), dessen Berufung nach Tübingen später leider durch eine Fakultätsintrige verhindert wird. Weiter Pasteur Herbert Roux (Paris) vom Reformierten Weltbund und die Professoren George Lindbeck (Yale) und Kristen Skydsgaard (Kopenhagen) vom Lutherischen Weltbund; den Dänen werde ich besonders zu Rate ziehen für eine Konzilsintervention bezüglich der bleibenden Sündhaftigkeit und Reformnotwendigkeit der Kirche. Von Bedeutung natürlich auch der Repräsentant des Erzbischofs von Canterbury, Bischof Dr. John Moorman (Ripon), sowie die beiden Repräsentanten des Moskauer Patriarchats (nachdem das ökumenische Patriarchat von Konstantinopel wegen der Opposition im eigenen Lager allzu unüberlegt Beobachter abgelehnt hat), Archimandrit Vladimir Kotliarov (Jerusalem) und Erzpriester Vitalij Borovoj (Leningrad), mit dem ich mich auch über die Lage der Kirche in der Sowjetunion unterhalte.

Nicht Vertreter von Kirchen, sondern Gäste des Einheitssekretariats sind: mein um die Ökumene hochverdienter Pariser Lehrer Professor Oscar Cullmann, der reformierte Systematiker G. C. Berkouwer (Amsterdam), Erzpriester Alexander Schmemann (New York), der wohl beste Theologe der östlichen Orthodoxie, und schließlich die beiden *Brüder von Taizé*, Prior Roger Schutz und Max Thurian. Als diese mich anläßlich eines Abendessens fragen, was sie gerade in dieser historischen Stunde tun müßten, antworte ich: »Ganz schön protestantisch bleiben.« Eine Antwort, die ihnen nicht ganz gefallen will. Bei aller Bewunderung ihrer so wichtigen Arbeit gerade für die Jugend habe ich die begründete Sorge, daß sich die Gründer von Taizé, vom Vatikan gehätschelt, allzu sehr an Rom anpassen und zum Beispiel die Freiheit der Berufung zur Ehelosigkeit unterschlagen zugunsten des römischen Zölibatsgesetzes. Tatsächlich werden sie später Pauls VI. Zölibatsenzyklika ohne Einschränkung bejahen und damit die Reformation in einem zentralen, von der Bibel gedeckten Anliegen verraten. Daß sich Max Thurian wenige Jahre vor seinem Tod noch zum katholischen Priester ordinieren läßt, bestätigt meine von Anfang an gehegte Befürchtung vollends.

Die Beobachter können gewiß nicht mit allem einverstanden sein, was in der Konzilsaula von katholischen Bischöfen aus der ganzen Welt gesagt wird. Aber es dürfte doch keinen unter ihnen geben, der nicht das Vertrauen, das man ihnen schenkt, gelobt hätte. Und daß nun die ganze nichtkatholische Christenheit – immerhin gegen die Hälfte der Christen sind Nichtkatholiken – in der Konzilsaula repräsentiert ist, bedeutet für die Konzilsväter ein dauerndes Mahnzeichen: in all ihrem Tun und Lassen die Einheit der Christen nicht zu vergessen, sondern sie mit allen Mitteln zu fördern. Der Verlauf der Debatten zeigt in wachsendem Maß: Die Gegenwart der Beobachter, die regelmäßig ihre eigene Versammlung abhalten, ist nicht umsonst. Erleichtern sie den Konzilsvätern doch ihre Aufgabe, indem sie den Verhandlungen nicht nur als Außenstehende, sondern mit innerem Verständnis und zugleich Diskretion und oft gar Rat folgen. Sie wissen wohl: Rom wurde nicht an einem Tag erbaut, Rom wird auch nicht an einem Tag erneuert. Sie stellen Mängel und Schwächen fest, übersehen aber nicht das gewaltige ökumenische Erwachen und die raschen Fortschritte, die uns bereits die ersten Wochen des Konzils bringen. Die katholische Kirche ist nun ökumenisch ausgerichtet. Das läßt sich nicht mehr rückgängig machen. Oder vielleicht doch? So frage ich mich im nachhinein.

Das Konzil – eine eigene Persönlichkeit

Allgemein hatte man befürchtet, daß das Konzil nur ein großes Anhängsel und die Bischöfe Marionetten der römischen Kurie sein würden, vollständig abhängig von der kurialen Vorbereitung und unterworfen ihrer Regie. Ich hatte die Parole verbreitet: Auf den Anfang kommt es an! Wir Theologen und viele Bischöfe werben seit unserem Eintreffen in Rom energisch dafür, daß man der kurialen Gängelung widersteht. Und dies in erster Linie, was die alles präjudizierende *Wahl der 10 Konzilskommissionen* angeht. Diskussion über die Mitglieder hat die Kurie nicht vorgesehen. Die Konzilsväter erhalten schlicht die Listen der zehn kurialen Vorbereitungskommissionen mit der Aufforderung, in die Listen für die Konzilskommissionen je 16 Namen einzutragen. Mangels anderer realistischer Möglichkeiten, hoffen die kurialen

Papst Paul VI. Montini (1963–1978)

Kardinal Josef Frings (Köln)　　　Kardinal Franz König (Wien)

Konzilsmoderatoren: Kardinal Léon Suenens (Brüssel),
Kardinal Giacomo Lercaro (Bologna), Kardinal Julius Döpfner (München)

Generalsekretär des Vatikanum II:
Pericle Felici

Kardinalstaatssekretär
Amleto Cicognani

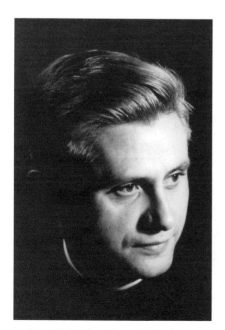

Konzilstheologe Joseph Ratzinger
(Bonn – Münster – Tübingen)

Bischof Hermann Volk (Mainz)

Henri de Lubac SJ (Lyon)   M.-D. Chenu OP (Paris)

Diskussion mit Karl Rahner SJ (Innsbruck)

Yves Congar OP (Straßburg)   Edward Schillebeeckx OP
                                    (Nijmegen)

Kardinal Augustin Bea mit Professor Oscar Cullmann (Basel/Paris)

Kardinal Alfredo Ottaviani, Sanctum Officium

Kardinal Emile Léger (Montréal)   Kardinal Achille Liénart (Lille)

Pressekonferenz am Konzil mit Bischof Carl-Joseph Leiprecht (Rottenburg)

CONCILIUM: Edward Schillebeeckx, Yves Congar, Paul Brand,
Antoine v. d. Boogaard, Hans Küng, Karl Rahner

Gregory Baum (Toronto)

Bischof Léon–Arthur Elchinger
(Straßburg)

Schlaumeier, werden die Bischöfe einfach die Namen der römischen Vorbereitungskommissionen abschreiben: 10 x 16 = 160 Namen! Für viele Bischöfe ein unwürdiges Procedere. Aber was kann man dagegen tun? Intensive Gespräche hinter den Kulissen und Vorbereitung einer zentraleuropäischen alternativen Liste!

13. Oktober 1962: ein kleines Wunder geschieht. In der ersten Stunde der ersten Sitzung (Generalkongregation) konstituiert sich das Konzil als eigene Persönlichkeit! Gegen den Willen des Kardinaldekans Tisserant und des Konzilssekretärs Felici, die keine Diskussion zulassen wollen, ergreift vom Tisch des zehnköpfigen Präsidialrates aus der hochangesehene Kardinal ACHILLE LIÉNART von Lille das Wort. In einem lateinisch gelesenen kurzen Antrag zur Geschäftsordnung bittet er, die Wahl um einige Tage aufzuschieben, damit sie von den Bischöfen besser vorbereitet werden könne. Ein lang anhaltender Applaus unterbricht ihn. Dann hören wir die hohe, durchdringend deutliche Stimme des Erzbischofs von Köln, des ebenfalls hochangesehenen Kardinals JOSEF FRINGS, der auch im Namen der Kardinäle Döpfner und König um Aufschub bittet, damit die Konzilsväter einander kennenlernen und die Bischofskonferenzen Zeit finden können, ihre eigenen Listen zu erarbeiten. Noch stärkerer Beifall des Weltepiskopats. Nur einzelne italienische Kardinäle rufen: »Scandalo! Welches spettacolo vor aller Welt!« Die großen Persönlichkeiten des Konzils geben sich von allem Anfang an zu erkennen, und eine gut aufeinander eingespielte deutsch-französische Allianz als Kern der nichtkurialen Richtung wird sichtbar. Nach kurzer Beratung im Präsidialrat verkündet Tisserant, der Vorschlag der Kardinäle sei angenommen und das Konzil auf Dienstag, den 16. Oktober vertagt, um Zeit zur Vorbereitung für die Wahlen zu haben.

Das Konzil ist es selbst geworden! Staunend stellen die Konzilsväter fest, daß tatsächlich umgesetzt wird, was im Codex Iuris Canonici Kanon 228 § 1 als alte katholische Tradition festgehalten ist und mir seit der Konzilsankündigung so wichtig scheint: »Concilium oecumenicum suprema pollet in universam ecclesiam potestate – das ökumenische *Konzil* besitzt die *oberste Gewalt* über die gesamte Kirche.« Die kuriale Strategie, sich mit Hilfe der Kommissionswahlen von vornherein die Macht über das Konzil zu sichern, erwies sich als »Rohrkrepierer«: Die von der Kurie wenig geliebten *Bischofskonferenzen* – jetzt für die Wahlvorbereitung unumgänglich geworden – sind dadurch gewaltig aufgewertet; selbst die italienischen Bischöfe, bisher stets ganz im Schatten der Kuppel von St. Peter, müssen eine eigene Konferenz begründen. Die Kurie aber hat sich allen sichtbar zur »römischen Partei« degradiert, die in erster Linie ihre kurialen und keineswegs zwangsläufig die Interessen der Kirche vertritt.

Dies wirkt sich schon zwei Tage später aus. Am 15. Oktober beschließt der Rat der Präsidenten mit fünf Stimmen (Tisserant, Liénart, Frings, Alfrink und sogar Ruffini) gegen vier (Gilroy von Sidney, Pla y Deniel von Toledo, Spellman von New York und Tappouni von Beirut; der Argentinier Caggiano fehlt): Statt der dogmatischen Schemata soll das Schema über die *Liturgie* behandelt werden, weil da weniger Schwierigkeiten zu befürchten sind. Ein großer Sieg über die Dekrete-Fabrikanten des Sanctum Officium. Von nun an geht das Konzil mehr oder weniger entschlossen auch gegen kuriale Widerstände seinen eigenen Weg. Jedenfalls vermögen es in der Folge weder Zitate des Codex oder päpstlicher Enzykliken noch Disziplinardekrete früherer Konzilien oder der Kurie (etwa »Veterum Sapientia« für das Monopol des Latein), die freimütig geführten Diskussionen der Väter über die Nöte und Erwartungen von Kirche und Welt zu stoppen – schlimmstenfalls zu bremsen.

Als erstes Dokument wird am 20. Oktober 1962 nach gegen vierzig Wortmeldungen eine *»Botschaft an alle Menschen und Nationen«* verabschiedet. Diese geht auf die Initiative des französischen Dominikaners Marie-Dominique Chenu zurück. Ich hatte den Entwurf auf seinen Wunsch hin ins Deutsche übersetzt. Congar, Rahner und ich, völlig unbefriedigt von den vorbereiteten abstrakt-theoretischen binnenkirchlichen Schemata der Vorbereitungskommissionen, hatten ihn schon vor dem Konzil unter Kardinälen und Bischöfen weiterverbreitet; Liénart, Alfrink, Döpfner, Suenens, Léger, Marty haben als erste zugestimmt. Dieser »Message au monde« macht aller Welt die Ziele und Inspiration der Versammlung deutlich: In heutiger Sprache soll eine Öffnung der Kirche zur Welt proklamiert, die Ängste und Hoffnungen der Menschen, Christen wie Nichtchristen, aufgenommen und ihr Verlangen nach Frieden, Brüderlichkeit und Förderung der Armen ernstgenommen werden. Aber einige französische Bischöfe, vor allem Guerry (Cambrai) und Garrone (Toulouse), hatten den Entwurf Chenus überarbeitet und »ihn mit Weihwasser getauft«, wie dieser kritisch anmerkt. So ist die vom Konzil schließlich einmütig approbierte Erklärung ein Text in allzu pastoralem Ton, der sich von dem des prophetischen Chenu erheblich unterscheidet und deshalb in Kirche und Welt relativ wenig Echo findet. Chenu selber wird, weil zu »gefährlich«, nie zum Peritus ernannt. Immerhin bringt diese Botschaft zum Ausdruck, daß die Kirche des Zweiten Vatikanischen Konzils nicht mehr über die

Welt herrschen, sondern ihr dienen will. Ob dies und wie dies auch umgesetzt wird, frage ich mich.

Johannes XXIII. aber respektiert das Bischofskollegium der Kirche und schützt im allgemeinen die Freiheit des Konzils, vereinzelt gar mit weisen, vom Konzil begrüßten Eingriffen. Mit der Konzilsaula durch Television verbunden, freut er sich über die lebhafte Diskussion, und schmunzelnd erklärt er in der Öffentlichkeit: »Chi va piano, va sano e lontano – Wer langsam geht, geht gesund und weit!« Ist es verwunderlich, daß dieser Papst – anders als der autoritäre Pius IX. beim Vatikanum I – die Sympathie der ganzen Konzilsversammlung genießt? Außer des harten Kerns seiner Kurie natürlich, der eisern entschlossen ist, unliebsame Konzilsbeschlüsse zu verhindern.

Seit dem Aufbau eines absolutistischen Herrschafts-Systems im 11. Jahrhundert war Rom daran interessiert, daß jeder Bischof möglichst direkte enge Beziehungen zur Zentrale, nicht aber besonders enge Beziehungen zu seinen Mitbischöfen hat. »Divide et impera – teile und herrsche« – eine Devise schon der römischen Cäsaren. »Keine kleinen Konzilien (conciliabula) neben dem großen Konzil (concilium)!«, hatte zunächst auch für das Vatikanum II die durchsichtige kuriale Parole gelautet. Aber die bessere Vorbereitung der Wahlen hatte Bischofsversammlungen notwendig gemacht, wo die Bischöfe, die sich vorher kaum kannten, sich gegenseitig kennen und vertrauen lernen.

So wird deutlich, daß die katholische Kirche nicht einfach eine von Rom dominierte Universalkirche ist, sondern aus *Lokal- oder Ortskirchen* besteht. Die Bischofsversammlungen und Bischofskonferenzen haben während des ganzen Konzils eine vielfache Bedeutung. Hier werden die Fragen durchgesprochen. Hier werden zahlreiche persönliche Kontakte geknüpft. Hier halten wir Theologen über die zur Diskussion stehenden Probleme Vorträge. Gegen alle kurialen Unkenrufe führt dies gerade nicht zu nationalistischer Abkapselung oder föderalistischem Separatismus. Im Gegenteil. Erst so wird ja die umfassende Katholizität konkrete Wirklichkeit. Nicht die Kurie, sondern die Bischofskonferenzen machen eine wahrhaft katholische Repräsentation der verschiedenen Nationalkirchen in Kommissionen wie Plenum möglich.

Freilich kommt die *Kurie* in den Kommissionen doch noch zum Zug: Nach der von ihr selbst formulierten Geschäftsordnung werden in allen 10 Kommissionen den 16 vom Konzil Gewählten noch 8 »vom Papst« Ernannte zugesellt (faktisch sind es gegen die Geschäftsordnung sogar je 9). Das war nicht einmal auf dem Vatikanum I Praxis: faktisch eine »Sperrminorität« von einem Drittel! Dies wird die Arbeit der

Kommissionen, ohnehin allesamt unter der Leitung kurialer Präsidenten, Vizepräsidenten und Sekretäre, außerordentlich erschweren, oft blockieren und in zahllosen wichtigen Fragen Zweideutigkeiten und Kompromisse in den Dekreten zur Folge haben. Eine ständige *Auseinandersetzung Konzil versus Kurie* ist auf diese Weise vorprogrammiert und in den Konzilskommissionen institutionalisiert.

Weltumfassende Katholizität

Erfreulich indessen: Der *West-Ost-Konflikt*, der das ganze Weltgeschehen überschattet, kann vom Konzil *ferngehalten* werden. Während der Kuba-Krise entwickelt Johannes XXIII. eine unauffällige Friedensdiplomatie, die ihm vor allem die Sympathie Chruschtschows einträgt, die schließlich zur Freilassung des römisch-katholischen Metropoliten der Ukraine Josyf Slipyi (Lemberg) führt. Nationale Rivalitäten aber spielen auf dem Konzil kaum eine Rolle. Erfreulich besonders, daß gerade französische und deutsche Bischöfe und Theologen von Anfang an zusammenarbeiten. Erfreulich erst recht, daß die Episkopate Deutschlands, Polens und Jugoslawiens, deren Staaten keine diplomatischen Beziehungen unterhalten, sich sogar auf eine gemeinsame zentraleuropäische Kommissionsliste einigen können. Mein Bischof, Carl Joseph Leiprecht von Rottenburg, erhält für sein Mandat in der Kommission für die Ordensleute nach Bischof Gérard Huyghe von Arras die zweithöchste Stimmenzahl von den 16 Mitgliedern.

Mindestens im Rahmen der römisch-katholischen Kirche wird so eine weltumspannende Katholizität praktiziert. Eine imponierende Repräsentation der verschiedenen Kontinente und Länder, Hautfarben und Riten. Im präsidialen Rat lösen sich gegenseitig ab die Kardinäle von Köln, Lille, Utrecht, Palermo, Toledo, Beirut, New York, Sydney, Buenos Aires. Die Rednerliste der Bischöfe führt über den ganzen Globus. Ungezählte Verbindungen über alle Länder und Kontinente hinweg werden in dieser Kirchenversammlung geknüpft, Sorgen und Interessen, Probleme und Lösungen, Theorien und Erfahrungen ausgetauscht. Wie in alter Zeit erscheint der Episkopat der Welt wirklich als ein großes Kollegium in der Solidarität der Ortskirchen. Aber – anders als in alter Zeit – ist dieses Kollegium leider noch immer mit der ihr seit dem Mittelalter zugewachsenen ungeheuren Macht einer römischen Zentralverwaltung konfrontiert. Wie wird das alles weitergehen?, frage ich mich immer wieder neu.

Erlebte Freiheit

Wer die gedrückte Stimmung in Kirche und Theologie während der letzten Jahre Pius' XII. erfahren hat, ist erstaunt über die jetzt durchgebrochene Freiheit der Meinungsäußerung. Jedermann gebraucht sie, nicht nur in den offiziellen Stellungnahmen in der Konzilsaula. Auch außerhalb der Aula, in den zahllosen Gesprächen, Diskussionen, Zusammentreffen, die den Alltag der Konzilsväter und Theologen ausmachen. Das nebensächlichste, aber wohl amüsanteste Kapitelchen dieser Konzilsfreiheit bilden die *Konzilswitze*, die sich die Konzilsteilnehmer erzählen oder in der Aula herumreichen und die rasch die Runde durch ganz Rom machen. Kostprobe? Die Kardinäle Ottaviani und Ruffini wollen sich von einem Taxi »Zum Konzil!« fahren lassen. Dieses fährt nach Norden. »Falsch!« rufen sie. »Ach«, sagt der Chauffeur, »ich dachte, die Herren wollen nach Trient!« Noch schöner freilich der Limerick:

»Rahner and Congar and Kung,

Their praises are everywhere sung.

But one fine domani,

old Ottaviani,

Will have them all properly hung.«

Gegen Ottaviani aber zirkuliert in der Aula folgendes »Gebet«: »Guter Gott, öffne die Augen des Kardinal Ottaviani. Und wenn es deiner Barmherzigkeit nicht gelingt, so schließe sie in deiner Allmacht für ewig.« Kein Witz ist dagegen, daß Ottaviani schon in der Zentralkommission vor dem Konzil – angeblich nach einer Rede Montinis – geäußert habe: »Ich bete zu Gott, daß ich vor dem Ende dieses Konzils sterben kann – so kann ich wenigstens als Katholik sterben.« Und wenn wir schon beim »Leben danach« sind: Küng – so wird herumerzählt – wolle im »Fegefeuer« nicht aus dem ihm zur Strafe für seine theologischen Sünden angewiesenen Teich aussteigen, um in den Himmel einzugehen. Warum nicht? Weil er auf den Schultern Ottavianis stehe! Der Witz schreibt mir freilich eine persönliche Aversion gegen den Chef des Sanctum Officium zu, die meine Art nicht ist.

In der Sache allerdings wird meine Position zwangsläufig zu einem Gegenpol zu diesem Vorkämpfer der römischen Sicht der Dinge als der einzig wahren katholischen. Denn eine *Front gegen die Freiheit in der Kirche* wird sichtbar: In der Aula wird Ottaviani regelmäßig unterstützt von den Kardinälen Ruffini (Palermo, früher Mitarbeiter des Sanctum Officium) und Siri (Genua) sowie vom irischen Dominikaner-Kardinal Browne. Dann von den meisten Kardinälen aus den Kongregationen,

Tribunalen und Offizien, vielen italienischen Bischöfen und den neu ernannten Hofbischöfen, samt ihrem Anhang in aller Welt; in den USA die Kardinäle Spellman (New York) und McIntyre (Los Angeles) und dem Apostolischen Delegaten in Washington Vagnozzi. Diese Fraktion der römischen »Eiferer« (»zelanti« und zugleich »politicanti«) kämpft unter der Etikette der Rechte und Privilegien des Papstes in Wirklichkeit für die Rechte und Privilegien der Kurie. Ihre Macht über die Kirche verteidigen sie mit größter Vehemenz und Raffinesse, ohne vor krasser Parteilichkeit, macchiavellistischen Manipulationen und offenen Übertretungen der Geschäftsordnung zurückzuscheuen. Ob sich das Konzil von diesen Herren nicht zu viel bieten läßt?, ist meine konstante Frage.

Unter den Konzilsvätern hilft man sich mit Spott: Die Kardinäle Ottaviani, Ruffini und Siri befinden sich in einem Boot auf dem Meer. Sturm kommt auf, und das Boot kentert. Wer wird gerettet? Ottaviani? Falsch! Richtig ist: die Kirche. Der römischen Partei zum Trotz: Die Freiheit des Konzils ist für jeden Teilnehmer ein unvergeßliches Erlebnis. So mancher erfährt sie hier in der freien Gemeinschaft der Bischöfe zum ersten Mal in seinem Leben. Was er oft mehr instinktiv fühlte, wird hier deutlich formuliert. Was er nur für sich allein zu denken wagte, wird von vielen in der Kirche geteilt. Was er früher nur leise seinen Freunden zuflüsterte, wird hier im Angesicht der ganzen Kirche laut ausgesprochen. Statt der gewohnten diplomatischen Vorsicht und Klugheit kommt eine andere Tugend wieder zu Ehren, die lange in der Kirche vergessen war: der sprichwörtliche *apostolische Freimut*. Und jedermann spürt, wie dieser Freimut frei macht von Angst, Heuchelei, Tatenlosigkeit. Diese im Konzil furchtlos wahrgenommene *Freiheit* ist nun einmal *Voraussetzung* sowohl für eine Erneuerung der Kirche wie für eine Wiedervereinigung der getrennten Christen. Nicht negatives Nörgeln oder destruktives Rebellieren, sondern Mut zu konstruktiven Vorschlägen.

Welch eine Umkehr der Fronten, ein »renversement des alliances«: Auf dem *Ersten Vatikanum* 1869 bildeten die führenden (und mit Abstand gebildetsten) Bischöfe Zentraleuropas aus den großen Diözesen Frankreichs, Deutschlands und der Donaumonarchie zahlenmäßig eine isolierte Minderheit, die nicht ankam gegen die Masse von Bischöfen aus den kleinen Diözesen Italiens und Spaniens. Resigniert reisten sie deshalb in stillem Protest bereits vor der Definition der päpstlichen Unfehlbarkeit durch die überwältigend römisch gesinnte Mehrheit ab. Jetzt, ein Jahrhundert später, 1962 auf dem *Zweiten Vatikanum* hat der zentraleuropäische Episkopat und mit ihm die zentraleuropäische Theologie geistig die Führung: der »mitteleuropäische Block« (Belgien, Deutschland, Frankreich, Niederlande, Österreich, Schweiz). Eine neue fortschrittliche Mehrheit kann sich freilich nur deswegen bilden, weil die große Mehrheit der Bischöfe Nord- und Südamerikas, Afrikas und Asiens und selbst viele aus Spanien und Italien sich auf derselben Linie bewegen. Aus dem mitteleuropäischen Block entwickelt sich rasch eine Weltallianz.

Nur so läßt sich manches *Abstimmungsresultat* erklären: daß gerade die französischen und deutschen Bischöfe bei der Wahl fast aller Kommissionen die größte Stimmenzahl erreichen. So mancher von uns Europäern muß sein Urteil über die Kirche etwa Südamerikas und der »Missionsländer« höchst positiv revidieren. Die Aufgeschlossenheit der gut organisierten Episkopate der außereuropäischen Kontinente für mutige Reformen ist eine der großen und freudigen Überraschungen des Vatikanum II. Auf diese Weise hat sich die »verschwindende Minderheit«, als die man sich am Anfang des Konzils vorkam, als die »weit überwiegende Mehrheit« des Konzils erwiesen. Und so mancher Vertreter des marschierenden Flügels der Theologie, von »Rom« bisher argwöhnisch beobachtet, stellt erstaunt fest: Seine Theologie ist bedeutend repräsentativer für die Gesamtkirche, als er selbst gedacht hat. Auf diese Weise wird jetzt auch manchen evangelischen Theologen klar, daß diese katholischen Theologen nicht vereinzelte, grenzgängerische Außenseiter, sondern repräsentative Vorhut des langsamer folgenden Ganzen sind, die mehr »evangelische« Unterstützung verdienten. Aber, frage ich mich angesichts der Leitung wie Zusammensetzung der Kommissionen und der kurial inspirierten Geschäftsordnung: Wird sich die fortschrittliche Mehrheit mit ihrer Theologie auf die Dauer auch durchsetzen können?

Lateinmonopol als Machtinstrument

Rom hat seit alten Zeiten mit *Gesetzen* regiert, dominiert und auch manipuliert. Die Leges, das *Reglement*, die Verhandlungsordnung des Konzils, ist für den Ausgang des Vatikanum II von höchster Bedeutung. Dies gilt besonders angesichts der noch immer bestehenden, zahlenmäßig großen Ungleichgewichte: Die römische Kurie allein stellt 115 Konzilsväter (zu den 30 Kurienkardinälen kommen die Dutzende zum Teil neuernannten Titularbischöfe), Italien 379 (mit denen aus Kurie und Missionen sind es noch sehr viel mehr), dagegen Frankreich nur 171 und Deutschland nur 72 Konzilsväter. Formale Bestimmungen des Vorgehens können wichtige Vorentscheide bezüglich konkreter materialer Fragen bilden. Je nach dem Reglement kann eine Sachfrage so oder anders behandelt, ja, behandelt oder nicht behandelt werden.

Viel Unmut ist darüber verbreitet: Die für das Vatikanum II ausgearbeitete Verhandlungsordnung, höchst unvollkommen, ist mehr einer römischen Diözesansynode als einem ökumenischen Konzil mit ernsthafter Diskussion angepaßt. Viele Bischöfe aus autoritär regierten oder kolonialen Ländern verfügen ohnehin kaum über demokratische Erfahrung. Das Konzilsreglement bedarf dringend einer Ergänzung. Bisher besteht keine Möglichkeit von unmittelbaren Anträgen zur Geschäftsordnung. Und wie sollen die nichtkurialen Konzilsväter in vielleicht dramatischer Situation aus dem Stegreif Anträge auf *Latein* formulieren?

Die Gründe für das Latein als Verhandlungssprache sind traditioneller Art. Für die Kurie ist das *Lateinmonopol eine Machtfrage.* Denn nicht nur mit Gesetzen, sondern auch mit der *Sprache* herrscht Rom über die katholische Kirche. Man bedenke: Mit Hilfe des Lateins und seiner Terminologie *definiert und dominiert* Rom die *Liturgie* (lateinische Messe), die *Theologie* (Neuscholastik), das *Kirchenrecht* (Codex Iuris Canonici), ja, die *ganze Mentalität* der »lateinischen« katholischen Kirche. Latein – *die* Sprache der Kirche!? Ein Mythos. Unbekümmert um die anderssprachigen östlichen Kirchen, die griechischen vor allem, wird die Universalität der Kirche mit Latinität gleichgesetzt. Doch die Römer sagen sich: was wäre der Primat Roms in der Kirche ohne den Primat des Lateins?

Aber Gegenfrage: Soll das Vatikanum II sich nach dem Willen des Papstes nicht ausdrücklich auf die Anpassung an die neue Zeit einlassen? Sich um eine zeitgemäße Verkündigung (und Liturgie) in zeitgemäßer Sprache bemühen? Und hat der Gebrauch des Lateins als Konzilssprache nicht auch beträchtliche *praktische Nachteile?* Es läßt sich voraussehen, Latein wird die Diskussion schwerwiegend behindern hinsichtlich

Verständlichkeit: der Stand der Lateinkenntnisse vieler Konzilsväter und ihre höchst verschiedene Aussprache lassen sie der Diskussion nur mit Mühe und ohne die notwendige Präzision folgen;

Lebendigkeit: die auf Latein vorbereiteten Konzilsvoten können kaum aufeinander Bezug nehmen – oft eine Reihe ermüdender Monologe;

Freiheit: wer das Kuriallatein nicht mit kurialer Behendigkeit beherrscht, ist bei Unvorhergesehenem gegenüber den Kurialen entschieden im Nachteil. Das gilt besonders für die Konzilspräsidenten und die

Kardinäle, denen allein auch unmittelbare spontane Interventionen erlaubt sind. Selbst der Papst spricht, wenn er frei spricht, nicht lateinisch, sondern – zur Freude vieler – italienisch oder französisch. Aber einmal, vom Sprecher der deutschen Bischofskonferenz devot lateinisch angesprochen, übersetzt er die italienisch oder französisch vorbereitete Antwort ins Latein – es ist jämmerlich. Papa Giovanni beim Rausgehen: »Oggi abbiamo fatto brutta figura! – Heute haben wir aber eine schlechte Figur gemacht!« Selbst die Kurie verbreitet viele offizielle Konzilsdokumente (Verzeichnisse, Stimmkarten, Schreiben usw.) in italienischer Sprache.

Aber weder die öffentlichen Forderungen des melkitischen Patriarchen Maximos noch die Interventionen Kardinal Königs hinter den Kulissen erreichen eine Änderung. Auch der Papst wagt von sich aus nicht – außer für die Kommissionen – andere Sprachen zu gestatten. Die praktische Lösung wäre ein *Simultanübersetzungssystem*. Kardinal Cushing von Boston, der gar nichts versteht und schon bald wieder abreist, erklärt sich bereit, die Anlage zu bezahlen. Doch bis zum Ende des Konzils schaffen es die kurialen Verantwortlichen, ihre Installation unter irgendwelchen Vorwänden hinauszuzögern. Nur die organisatorischen Ansagen seiner Exzellenz, des Generalsekretärs Felici, werden immer in verschiedenen Sprachen wiederholt – warum? Damit sie verstanden werden. Ein römisches Paradoxon, nein, Machtspiel.

Andere Verbesserungen des Konzilsreglements werden schließlich zugestanden:

Das *Konzilsgeheimnis*, eine Erfindung des Vatikanum I, wird später eingeschränkt; die dürren Kommuniqués verhindern ein Miterleben der interessierten Öffentlichkeit.

Der *Beifall* in der Aula, zunächst vom autoritären Generalsekretär als unerwünscht bezeichnet, aber immer wieder gespendet, wird gestattet; spontaner Beifall ist älteste konziliare Tradition, in ihm manifestiert sich die Einheit des Geistes.

Die zur Diskussion kommenden *Schemata* werden in Zukunft rechtzeitig gedruckt, rechtzeitig an die Konzilsteilnehmer ausgeteilt und rechtzeitig auf die Traktandenliste gesetzt. Nur wenn die Diskussion eines Schemas gründlich in Ruhe vorbereitet werden kann, ist der Erfolg der Diskussion gewährleistet. Dies gilt besonders für die große Debatte um die Liturgie.

Warum zuerst Liturgiereform?

Schon in Trient und auf dem Vatikanum I war die römische Kurie mehr an (ihren) Dogmen interessiert als an (sie betreffenden) Reformen. Auch im ersten Band der vorbereiteten Dekretsentwürfe finden sich zuerst vier theologisch-dogmatische Schemata und erst an fünfter und zweitletzter Stelle das *Schema über die Liturgie*! Aber schon in der Vorbereitungszeit hatte sich, wie berichtet, für Congar, Rahner und mich und immer mehr Theologen und Bischöfe als Parole herauskristallisiert: Zuerst die Liturgie! Und jetzt, nach dem Fiasko der Kommissionswahlen, können es die Kurialen nicht mehr verhindern: Das Liturgieschema rückt durch Präsidiumsentscheid an die erste Stelle.

Aus zwei Gründen bin ich glücklich über diese Entscheidung. Einmal wegen der Konzentration auf das *Seelsorglich-Praktische*: Eine »Verdoktrinalisierung« des Konzils habe ich von Anfang an energisch bekämpft. Dann wegen der Konzentration auf die *Mitte*: Eine »Veräußerlichung« des Konzils wird so, vorläufig wenigstens, vermieden. Mitte des Lebens der Kirche ist und bleibt nun einmal der Gottesdienst. Gelingt es, diesen zu erneuern: wird das nicht auf alle Gebiete kirchlicher Tätigkeit ausstrahlen? Gelingt es, ihn ökumenischer zu gestalten: wird dies für die Wiedervereinigung der getrennten Christen nicht von grundlegender Bedeutung sein?

Reform des Gottesdienstes – mir seit meinen Studien in Rom ein zentrales Anliegen. Die Reformation sei gekommen, hat man gesagt, weil die Deutschen fromm sein und mit ihrem Gott in ihrer Muttersprache reden wollten. Von Jugend auf war ich beeinflußt von der liturgischen Erneuerungsbewegung. Mit ihren Wurzeln in der deutschen Aufklärung und weitergetrieben im 19. Jahrhundert von Vertretern der Romantik in Deutschland und der Restauration in Frankreich wird sie im 20. Jahrhundert von der katholischen Jugendbewegung aufgenommen. Als Gymnasiast las ich Romano Guardinis Büchlein über »Heilige Zeichen«. Mit der deutschen »Bet-Sing-Messe« bin ich aufgewachsen, war stolz auf mein großes »Lateinisch-deutsches Volksmeßbuch« mit Goldschnitt und Lesebändchen (herausgegeben von jenem sympathischen P. Urbanus Bomm OSB, der mit uns dann in San Pastore einen liturgischen Sommerkurs abhielt). Im Germanikum diskutierten wir viel über die – für manche von uns allzu steife – Liturgie; zahllos die Verneigungen, Kniebeugen, Sichbekreuzen, sonstigen Umständlichkeiten. Mit einer italienischen Bet-Sing-Messe versuchte ich den Famigliari des Germanikums die Eucharistiefeier näherzubringen. Und die

Liturgie-Vorlesungen des Holländers Herman Schmidt, erzählte ich schon, waren für mich die einzig interessanten meines verflixten siebten römischen Jahres. Schon damals studierte ich gründlich das Standardwerk »Missarum solemnia« des Innsbrucker Jesuiten JOSEF ANDREAS JUNGMANN, jetzt mit mir Peritus am Konzil.

Diese »genetische Erklärung der römischen Messe« (Untertitel) in zwei Bänden ist zwar ein gelehrtes wissenschaftliches Werk für Spezialisten. Aber wer es theologisch zu nutzen weiß, hat hier ein Reforminstrument von kirchenpolitischer Sprengkraft in der Hand. Schon in Luzern befähigt mich so Jungmann dazu, für meine Predigten so etwas wie eine *Paradigmenanalyse der Messe* auszuarbeiten. Denn selbst dem einfachen Gläubigen kann man die tiefgreifenden Veränderungen der Feier der »Eucharistie« (»Danksagung«) im Lauf von zwei Jahrtausenden durchaus verständlich machen. Es war eben gerade bei der so ewig gültig scheinenden »Messe« nicht alles »immer so«. Und genau diese Paradigmenanalyse trage ich jetzt auf dem Konzil in verschiedenen Sprachen Bischofsversammlungen vor. Denn der Wissensstand eines Durchschnittsbischofs ist diesbezüglich, stelle ich fest, nicht sehr viel höher als der einfacher Gläubiger.

Die Kurie freilich hat seit der Reformationszeit die Liturgiereform, hat Volkssprache und Volksliturgie heftig bekämpft. Auch in der »Zentralkommission« vor dem Vatikanum II wandte sie sich gegen jegliche Dezentralisierung der liturgischen Regelungskompetenz an die Bischofskonferenzen und erst recht gegen die Einführung der Volkssprache, der Konzelebration und des Kelches für die Laien. Tut da nicht Aufklärung not, wenn man im Konzil Mehrheiten für die Reform erreichen will? Dies erreicht man am besten durch *Vorträge über die Geschichte der Messe*. Es ist vor allem der für das Konzil voll engagierte liebenswürdige brasilianische Erzbischof DOM HELDER CÂMARA (Recife), Sekretär des lateinamerikanischen Bischofsrates (CELAM), der mich zu solchen Versammlungen einlädt. So spreche ich in der Domus Mariae, im brasilianischen Kolleg oder in der Chiesa Argentina. Die inoffiziellen Meetings, wo Bischöfe, Theologen und Journalisten von überall her in ihrer Sprache offen und frei reden dürfen, sind für die Meinungsbildung im Konzil gerade so wichtig wie die ritualisierten lateinischen Sitzungen in der Konzilsaula. Zu liturgischen oder ökumenischen Fragen spreche ich in diesen Tagen auch vor der englischsprachigen und der französischsprachigen Bischofskonferenz Afrikas. Verbindungsmänner der Sekretär der englischsprachigen, Bischof JOSEPH BLOMJOUS von Mwanza/Tanganyika, und jener der französischsprachigen, Erzbischof JEAN-BAPTISTE

ZOA von Yaoundé/Kamerun. Dieser schickt mir später als Doktoranden Jean Amougou-Atangana, der mit einer Dissertation über die Firmung Tübingens erster afrikanischer Doctor theologiae wird, dem aber leider nur ein kurzes Leben beschieden sein wird.

Nachhilfeunterricht für Bischöfe

Der amerikanische Konzilsberichterstatter JOHN COGLEY schreibt mir den hübschen Vers zu:
>»I hope the Council won't decree
>that all that was will ever be«,

»Ich hoffe, das Konzil wird nicht dekretieren, daß alles, was war, auch immer sein wird.« Tatsächlich hatte ich schon als Vikar geschrieben: »Es war immer so. War es immer so? Und muß es immer so sein?« Vollmacht der Bischöfe bezüglich Liturgie, Volkssprache, Konzelebration, Kelchkommunion: sind das Neuerungen? Nein, das alles gab es auch schon in früheren Zeiten, es kam nur außer Gebrauch. Schauen wir uns, erkläre ich den Bischöfen, vier charakteristische Bilder von der Messe aus verschiedenen Jahrhunderten an: eine Hausmesse im 2. Jahrhundert, eine Basilikamesse des 5./6. Jahrhunderts, eine Messe im Mittelalter und eine Messe nach der tridentinischen Reform des 16. Jahrhunderts. Nichts poetisch erdichtet, sondern alles von der neuesten Geschichtsforschung belegt.

Ja, was ist die »Messe« (ein später Name) ursprünglich? Eine »Dankesfeier« (»Eucharistia«) mit Mahl (»coena«) im »Gedenken« (»memoria«) an Jesus Christus! Die für mich entscheidende Einsicht meiner Studien, die ich jetzt weitergebe: *Ursprünglich* hatte die Eucharistiefeier eine ganz einfache, leichtverständliche Grundstruktur: Sie ist eine *Mahlfeier mit Dankgebet = »Eucharistia«,* in deren Zentrum der Bericht vom Abendmahl Jesu steht. Die ganze Form sehr locker, nur in wesentlichen Umrissen festgelegt. Jeder Bischof oder Priester gestaltet seine Liturgie weithin nach Gutdünken, natürlich in der *Sprache des Volkes.* Die älteste römische Liturgie also gerade nicht lateinisch, sondern in der damaligen Verkehrssprache des römischen Reiches, in Koiné-Griechisch.

Kann also die »Messe« nicht wieder eine familiäre Gemeinschaftsfeier werden, bei der alle mitbeten und Psalmen und Hymnen singen? Wer beim Mahle anwesend war, kommunizierte selbstverständlich, und zwar *unter den Gestalten von Brot und Wein.* Mehrere Messen nebeneinander? Gar nicht denkbar. Und wenn mehrere Priester (Presbyter) anwesend?

Dann *feiern alle gemeinsam* mit dem Hauptzelebranten ein einziges Abendmahl: Konzelebration. Erst in den prächtigen römischen Basiliken war alles größer, länger, feierlicher geworden: ins alte einfache Dankgebet sind Fürbitten eingeschoben. Am Anfang der Eucharistie ein Eingangslied (Introitus), bei der Gabenbereitung ein Opferungslied (Offertorium) und am Ende ein Kommuniongesang (Communio). Erst jetzt die vielen Kniebeugen, Verbeugungen, Sichbekreuzigen, Küsse; erst jetzt auch Gegenstände wie Weihrauch und Kerzen, erst jetzt besondere Auszeichnungen wie Stola, Ring und anderes mehr. Erst seit ungefähr 250 ist die Liturgie in Rom lateinisch und nicht mehr griechisch.

Was aber haben wir allesamt bis zu diesem Konzil gefeiert? Die *Messe des Mittelalters!* Es war Karl der Große, der die bisher in Rom geübte Liturgie ins Frankenreich verpflanzt hatte. Bis dahin hatte es gar keine »stille Messe« gegeben. Alle Gebete, auch das Dankgebet mit dem Einsetzungsbericht, wurden selbstverständlich laut gesprochen. Nun werden von den religiös emotionalen Germanen zahlreiche leise Gebete hinzugefügt. Selbst Dankgebet und Einsetzungsbericht beginnt der Priester mit der Zeit leise zu beten. Das Volk versteht das Latein sowieso nicht.

Die Folge? Eine bis heute anhaltende verhängnisvolle *Entfremdung zwischen Altar und Volk:* eine unverständliche Liturgie, noch weitere Verfeierlichung durch Vermehrung der Kniebeugen, Kreuzzeichen, Inzense, schließlich gar eine räumliche Abtrennung des Klerikerchores vom Schiff des Volkes, oft durch eine Scheidewand (»Lettner«), später Chorgitter. Aus dem Altartisch, der nahe beim Volke stand, ist ein so weit wie möglich entfernter, ganz an die Apsiswand gedrückter »Hochaltar« geworden. Bis heute feiert der Priester nun die (mehr bestaunte als verstandene) »Messe« nicht mehr gegen das Volk, sondern zum Teil flüsternd gegen die Wand hin. Verständlich, daß im 13. Jahrhundert erstmals (zunächst gegen heftigen bischöflichen Widerstand!) die heiligen Gestalten emporgehoben und durch Kniebeugungen verehrt werden. Vor lauter Sündenangst und Beichtzwang war der Kommunionempfang Ausnahmefall geworden, und wenn schon dann *nur in Brotgestalt.* Diese will man wenigstens anschauen – jetzt anstatt gewöhnlichen Brotes immer mehr eine ungesäuerte, schneeweiße, wenig brotähnliche, geheimnisvolle »Hostie«, oft ausgestellt in einer »Monstranz«. Und während in der alten Kirche alle Priester zusammen ein und dieselbe Eucharistie feierten, »zelebriert« nun in unseren Tagen *jeder Priester seine eigene Messe* und bekommt dafür ein »Meßstipendium«. Für diese bezahlten »Privat-Messen« wurden in der Kirche immer mehr Nebenaltäre, gar Nebenkapellen neben dem einzigen Altar gebaut.

Die Messe des Mittelalters: Die Reform des Konzils von Trient (1570) hatte zwar die schlimmsten Mißbräuche und Wucherungen abgestellt, doch zugleich durch rote Regieanweisungen (Rubriken) alle Einzelheiten festgelegt – bis zum letzten Wort und zur präzisen Fingerhaltung des Priesters, wie wir dies auch im Germanikum zu lernen hatten. Das Volk aber blieb ohne jede Möglichkeit aktiv mitzufeiern! »Kein Wunder, liebe Bischöfe«, sage ich, »daß sich die private persönliche Volksfrömmigkeit mit ihren Emotionen immer mehr in die zunehmend zahlreichen Andachten hineinbegibt: zu den Heiligen, und vor allem zu Maria, hinter der der eine Mittler Jesus Christus oft ganz zurücktritt.« Wie sagt man doch in Italien ironisch: »Se non c'è Dio, c'è almeno la Madonna« – »wenn es Gott nicht gibt, so mindestens die Madonna«.

Rückkehr zum Ursprung: gehe ich zu weit?

Im Licht dieser Paradigmenwechsel durch zwei Jahrtausende kann ich leicht klarmachen, wie die *Eucharistiefeier der Zukunft* auszusehen hat. Das Zweite Vatikanische Konzil, so versuche ich die Bischöfe zu überzeugen, steht vor einer epochalen Aufgabe: eine stärkere Angleichung an das verbindliche Vorbild des Abendmahles Jesu und der apostolischen Kirche, und somit vermehrte Konzentration auf das Wesentliche und größere Verständlichkeit des Ritus. »Tut dies zu meinem Gedächtnis!« Tut *dies* – nicht irgend etwas, mag es auch noch so schön, noch so feierlich, noch so altgewohnt sein! Ist das, was Jesus nach den Evangelien beim letzten Mahl gefeiert und gefordert hat, im Laufe der Jahrhunderte nicht fast ganz verdeckt worden? Hätte nicht selbst der Apostel Paulus, käme er zufällig in ein katholisches Hochamt, Mühe, ohne Erklärung zu begreifen, daß es in dieser mysteriösen Handlung um eine Ausführung des Herrenwortes »Tut dies zu meinem Gedächtnis!« gehe?

Mein »Cantus firmus« also: Die gegenwärtige Liturgiereform muß die ursprüngliche, vom Neuen Testament her gegebene Struktur des Gottesdienstes wieder deutlich machen. Deshalb ein Doppeltes: Im *Mahlgottesdienst* ein lautes, verständliches Beten des vereinfachten Eucharistiegebetes und Verkünden des Abendmahlsberichtes. Im vorausgehenden *Wortgottesdienst* aber ein sinnvolles, gemeinsames Beten und Singen der Gläubigen sowie lautes, verständliches Verkünden und (wenigstens kurzes) Erklären der Bibeltexte unter stärkerer Berücksichtigung der gesamten Heiligen Schrift. Beides bedingt natürlich den Gebrauch der *Muttersprache* von Anfang bis Ende und *Zelebration mit Blick zum Volk*.

Eigentlich alles klar und konsequent!? Doch schon im Februar 1959 hatte mir P. JOSEF ANDREAS JUNGMANN, der mit »Missarum solemnia« die liturgische Bewegung auf feste historische Grundlagen gestellt hat, auf meinen Artikel für die Einführung der Volkssprache in der Schweizerischen Katholischen Kirchenzeitung geantwortet: »Sachlich sehr gut, voll zwingender Konsequenz ... Aber mir scheint: doch etwas gar zu scharf in manchen Formulierungen (Latein – Esperanto z. B.), manchmal auch sachlich etwas weitgehend, z. B. Volkssprache für alle laut gesprochenen Meßtexte; das zunächst Erreichbare und darum Vorangestellte ist nur: die Lesungen ... Vielleicht bin ich zu vorsichtig. Aber man hat immerhin auch schon manche Erfahrung gemacht.« Auch ich machte meine Erfahrungen: Besagter Artikel hat mir ja damals ein handgeschriebenes Mahnschreiben des Basler Bischofs von Streng (und ein langes Elaborat eines konservativen Luzerner Klassenkameraden) eingetragen. Sind meine *Vorschläge* also *zu »radikal«?*

Auch von mir hochgeschätzte liturgische Experten meinen das: etwa die führenden deutschen Fachleute vom Liturgischen Institut der deutschen Bischöfe in Trier, Prälat JOHANNES WAGNER und Professor BALTHASAR FISCHER, beides hervorragende Kirchendiplomaten, die ich schon im Germanikum mehr als einmal gehört hatte. Den Monsignori der vatikanischen Ritenkonkregation haben sie schon manche Konzession abgerungen, nicht zuletzt bezüglich der Volkssprache. Weitere hoffen sie, immer ausgehend von der deutschen Bet-Sing-Messe, durch das Konzil zu erreichen. Das hatten sie Professor Volk und mir am Vorabend des Konzils erklärt, als wir im norditalienischen Gazzada bei der Katholischen Konferenz für ökumenische Fragen beisammen waren.

Doch jetzt? Jetzt in Rom, so wende ich ein, geht es nicht mehr um Eingaben an eine vatikanische Behörde. Jetzt geht es um Vorschläge für ein ökumenisches Konzil. Und dies ist allen vatikanischen Ämtern übergeordnet. Wie lange sollen wir noch warten mit Reformen, die Martin Luther völlig zu Recht schon vor über 400 Jahren gefordert hatte? Gewiß, es soll nicht alles verändert werden, die Grundstruktur soll bleiben. Aber die Menschen von heute, immer mehr unter dem Druck der Säkularisierung, brauchen jetzt und nicht irgendwann den gesamten Gottesdienst in der Volkssprache, brauchen jetzt die *Wiederherstellung des einfachen, verständlichen urchristlichen Eucharistiegebetes (»Kanon«)*, möglichst ohne allzu viele spätere Zusätze – bevor der Auszug aus dem katholischen Gottesdienst noch weiter voranschreitet!

Nein, das ginge zu weit, meint nach wie vor JOSEF ANDREAS JUNGMANN, als ich ihn während des Konzils eigens in der Jesuitenkurie aufsuche. Ihn, den Fachmann mit er größten Autorität, versuche ich in letzter Stunde zur Intervention in der Kommission zu bewegen, in der er Mitglied der Subkommission gerade für das Kapitel II über »Das Geheimnis der Eucharistie« ist. Die morgendlichen Konzilsgottesdienste hätten doch gezeigt, wie viele nichtlateinische katholische Liturgien das Eucharistiegebet sehr viel deutlicher erhalten hätten als die lateinisch-römische. Alle Konzilsväter habe beeindruckt, daß in manchen dieser katholischen Liturgien das Eucharistiegebet samt Einsetzungsbericht laut gebetet, sogar gesungen und mit dem Amen des Volkes beschlossen wird. Sollte dies alles also nicht Mut machen, die Reform der römischen Messe nicht gerade dort stocken zu lassen, wo sie am allernötigsten wäre – im Zentrum? Unser Gottesdienst würde unendlich viel sinnvoller, verständlicher, eindrucksvoller sein, wenn das ursprüngliche, einheitliche Eucharistiegebet wieder hergestellt werden würde: laut gebetet und natürlich den Zeiten des Kirchenjahres angepaßt. Ist das nicht in der Tat »sachlich sehr gut, voll zwingender Konsequenz«? Doch Jungmann läßt sich zu keiner Intervention bewegen.

Noch während der ersten Konzilssession schreibe ich für die Wiener Zeitschrift »Wort und Wahrheit« einen eigenen Artikel über »Das Eucharistiegebet« – ganz im Sinne von P. Jungmann und schicke ihn auch an den Direktor des liturgischen Instituts in Trier, Johannes Wagner. Seine Antwort: »Meines Erachtens ist es ausgeschlossen, daß das Konzil sich formell mit der Sache beschäftigt. Die Konzilsdebatte ist abgeschlossen. Sie hat den Punkt eigentlich nicht berührt. Vielleicht, daß man in der liturgischen Kommission bei der Formulierung der emendanda (Verbesserungen) planvoller noch die Türe aufhalten kann. Vielleicht gelingt es dann zu sorgen, daß die Postconciliaris (die nachkonziliare liturgische Kommission) das Problem sieht.« Man fragt sich: Warum war und ist selbst in der vielgelobten liturgischen Kommission an diesem zentralen Punkt nichts zu machen?

Liturgiekommission an kurialer Kette

Ein politisches Lehrstück ersten Ranges. Im Ringen um die Liturgiekonstitution – die besten Fachleute der Welt wie Jungmann, Martimort, Wagner, Lengeling, Diekmann, McManus, Vagaggini haben mitgearbeitet – beobachte ich zum ersten Mal exakt, wie die *Kurie mit allen Mitteln zu dominieren und die Reform zu konterkarieren versucht*. Schon die vorkonziliare »Zentralkommission«, an welche alle Schemata der zehn

Vorbereitungskommissionen gehen und in der sich die späteren Vorkämpfer des Konzils (Alfrink, Döpfner, Frings, König, Liénart, Suenens)
trotz Kritik eher zurückhalten, hatte das Liturgieschema bezüglich der
Kompetenz der Bischöfe und der Volkssprache kurial zurechtgestutzt.
In der Konzilskommission selber überfällt dann der Vorsitzende, der
spanische Kurienkardinal Larraona, der neue Präfekt der Ritenkongregation, gleich zu Beginn der ersten Sitzung die Mitglieder mit der
eigenmächtigen Ernennung zweier unbedeutender, gefügiger Kurialen
zu Vizepräsidenten. Zugleich Absetzung des hervorragenden bisherigen
Sekretärs Msgr. Annibale Bugnini (Lehrverbot folgt!) und Ersetzung
durch einen konformistischen Franziskaner. Kein Protest. Alles ein ab-
gekartetes kuriales Spiel, gesteuert von Ottaviani und seinem Offizium,
unterstützt sowohl in der Kommission als auch in der Konzilsaula von
der Phalanx der römischen Partei.

So war denn die konziliare Liturgiekommission von vornherein an
die kuriale Kette gelegt. Oft hatten die Mitglieder der Kommission wie
die Bischöfe in der Aula den Eindruck, die Zeit zu vertun mit den
Querelen der»Römer« und allen möglichen dogmatischen, juristischen
und sprachlichen Details. Dagegen hat vor allem der tapfere Erzbischof
von Atlanta, Paul Hallinan, der die übergroße Mehrheit der US-
Bischöfe mit ihrer Unterschrift hinter sich wußte, angekämpft und
mündlich wie schriftlich auf Eile und Konzentration gedrängt.

Ein Ereignis in der Aula aber bleibt jedem von uns in Erinnerung:
die spektakuläre *Niederlage* Kardinal ALFREDO OTTAVIANIS in dieser
Debatte. Er, der die Wahrheit des katholischen Glaubens zu verkörpern
meint, redet und redet und ignoriert die Glockensignale. Nach zehn
Minuten, wie üblich, Mahnung des Vorsitzenden; an diesem Tag ist es
der niederländische Kardinal BERNARD ALFRINK. Ottaviani redet weiter.
Wiederholte Mahnung. Ottaviani redet weiter. Jetzt dreht ihm Alfrink
kurzerhand das Mikrofon ab. Ottaviani redet weiter, wird aber nicht
mehr vernommen. Eine unerhörte Demütigung. Und noch demüti-
gender für den Großinquisitor, gegen den früher kaum der Papst auf-
zumucken wagte: tosender Beifall dankt Alfrink! Ottaviani muß sich
vorgekommen sein wie später Stasi-Chef Mielke vor der Volkskammer
nach der»Wende«, als er zum ersten Mal öffentlich bescheinigt bekommt, wie unbeliebt er ist und dann verzweifelt ausruft»ich liebe
euch doch alle!«. Tief deprimiert verläßt Ottaviani die Aula und schließt
sich in den Palazzo del Sant' Uffizio ein. Ja, er will zunächst nicht einmal Freunde sehen und boykottiert volle zwei Wochen die Sitzungen
des Konzils. Doch man vermißt ihn nicht. Dann, leider, kommt er

wieder, entschlossen weiterzukämpfen. So rasch gibt ein wahrer Römer aus Trastevere nicht auf.

Gewaltig dann die Spannung vor der *ersten großen Abstimmung* über die prinzipielle Annahme des von den Kurialen so heftig angefeindeten Liturgieschemas. Am 14. November welche Überraschung: 2.162 Stimmen pro, nur 46 Stimmen contra. Die kuriale Partei hat also nicht einmal 3 Prozent des Konzils hinter sich! Und konnte und kann weiterhin trotzdem so vieles blockieren oder durchsetzen, so daß manche Passagen der Liturgiekonstitution bis in bestimmte Formulierungen hinein (das eucharistische Mahl zum Beispiel immer wieder bibelwidrig als »sacrificium«, »Opfer« bezeichnet) nur mühselig zustandegekommene Kompromisse darstellen. Das bleibt die entscheidende Schwäche dieser Liturgiereform: Der Kirchengemeinschaft wird nicht genügend erklärt, worum es letztlich geht: nämlich um Angleichung an das Abendmahl Jesu. Sie dringt nicht vor zur Erneuerung des ursprünglichen Eucharistiegebetes und zur konsequenten Einführung der Volkssprache. Mit mir sind manche Bischöfe und Theologen der Überzeugung, daß das Konzil in seiner übergroßen Mehrheit durchaus bereit gewesen wäre, »noch weiter zu gehen«. Und trotzdem:

Realisierung evangelischer Anliegen

Die Liturgiekonstitution bedeutet trotz aller Kompromisse und Halbheiten gerade unter dem ökumenischen Gesichtspunkt einen gewaltigen Schritt vorwärts in der *Realisierung der evangelischen Anliegen*. Zumindest in Ansätzen faktisch doch eine größere Angleichung der römischen Messe an Jesu Abendmahl. Ein neues Hören auf das verständlich verkündete Wort Gottes. Ein aktiver Gottesdienst des ganzen priesterlichen Volkes. Eine Anpassung der Liturgie an die verschiedenen Völker. Auch die mit der Reformation aufgebrochenen drei großen Streitfragen sind grundsätzlich im Sinn der Reform entschieden worden: Es wird in Zukunft zumindest im Prinzip die Kelchkommunion, die Konzelebration und die liturgische Volkssprache auch in der lateinischen Kirche des Westens wieder geben. Zwar alles ohne Notwendigkeit vielfach beschränkt, aber der Bann ist gebrochen. Ein erster Durchbruch auf dem Konzil. Durch eine *nachkonziliare Kommission* sollen später weitere Reformen durchgeführt werden: eine *Revision aller Riten*, welche einfacher und verständlicher werden sollen. Eine Revision des Meßritus, die das Wesentliche heraushebt und die Teilnahme der Gläubigen ermöglicht.

Eine Revision des Priestergebets (Breviers), seine Straffung, Vereinfachung und Kürzung. Ein neuer Ritus der Konzelebration. Neue Zyklen der Schriftlesung für Meßfeier und Brevier. Reformbestimmungen auch für die übrigen Sakramente.

So sind immerhin keine Türen für weitere Entwicklungen im Geist der Erneuerung zugeschlagen worden – auch nicht für eine weitere Einführung der *Muttersprache*, die nach dem Dekret auf bestimmte Lesungen, Gebete und Hymnen beschränkt bleibt. Faktisch sind die neuen liturgischen Regelungen aufgrund der Kompromißlerei ohnehin derart kompliziert und inkonsequent, daß ich mich schon im Konzil auf den pragmatischen Standpunkt stelle: Je größer jetzt die Verwirrung, umso rascher nach dem Konzil die konsequente Lösung. Und so wird es denn auch in der Tat kommen: alle Gründe, die jetzt für die Zelebration einiger Teile in der Muttersprache angeführt werden, können mit »zwingender Konsequenz« auch für die übrigen Teile angeführt werden. Und ganz besonders für das Eucharistiegebet, den »Kanon« mit dem Bericht vom Abendmahl. So bin ich am Ende mit dem Ergebnis des Kampfes doch zufrieden. Der ungewöhnliche Einsatz hat sich gelohnt.

In *Tübingen* wird dies alles ein groteskes Nachspiel haben. In meiner regelmäßigen sonntäglichen Eucharistiefeier (11 Uhr) in der Johanneskirche, im Zentrum der Stadt, hatte ich schon immer meine liturgischen Prinzipien möglichst in die Tat umgesetzt und alles so weit wie möglich deutsch, laut und verständlich gestaltet. Ausgenommen nur der Kanon der Messe, den ich noch immer auf Latein spreche – bis es mir schließlich nach dem Konzil buchstäblich zu dumm wird und ich eines Sonntags auch den Abendmahlsbericht auf deutsch verkünde.

Ob ich dabei innerlich gezweifelt, gar gezittert habe?, werde ich gefragt. Keineswegs. Allzu gründlich hatte ich die Frage studiert, allzu lange schon den deutschen Kanon praktiziert. Bereits in Luzern als Vikar und dann immer wieder in kleineren Kreisen hatte ich eingeübt, was mir nach dem Vorbild Jesu, der Apostel und der alten Kirche sowohl legitim wie pastoral richtig schien. So handelte ich denn in Tübingen – jetzt freilich im großen Rahmen eines Pfarreigottesdienstes vor mir wohlbekanntem Publikum – ohne jeglichen Zweifel aus der festen Überzeugung heraus, daß dies nicht nur hier, sondern überall wieder bald so kommen müsse, handelte also, wie man es humorig-ernst unter Katholiken so nennt, »in vorauseilendem Gehorsam«. Und dies geschah ja durchaus zum Wohlgefallen meiner Gemeinde, zu der auch immer viele Akademiker und Studenten gehören.

Zum allerhöchsten Mißfallen aber, wie ich nach dem Gottesdienst feststelle, des seit Juni 1964 neu installierten Stadtpfarrers Dr. FRIDOLIN LAUPHEIMER, einer Säule des vorkonziliaren, marianisch-lateinisch-römisch orientierten Katholizismus im Bistum Rottenburg. In der Sakristei stellt er mich in unheiligem Zorn vor die Alternative: Entweder Kanon (Eucharistiegebet) in Latein – oder kein Gottesdienst mehr in »seiner« Kirche! Während ich den Gottesdienst wie immer in großer innerer Ruhe gefeiert habe, bin ich jetzt allerdings ob solcher Sturheit und Arroganz auch höchst erregt. Doch da er juristisch als Pfarrer am längeren Hebel sitzt und mir am regelmäßigen sonntäglichen Gottesdienst sehr gelegen ist, wähle ich das Latein. Aber ich warne ihn, ich würde dies der Gemeinde berichten, was er nicht ernst nimmt. Am nächsten Sonntag, nach seiner Predigt, begründe ich kurz und kompakt, warum ich am vergangenen Sonntag das Eucharistiegebet (Kanon) nach alter Tradition in der Muttersprache gebetet habe. Und warum ich dies jetzt nicht mehr dürfe. Ein lautes Zischen geht durch die Kirche.

Aber es kommt noch schlimmer für den Herrn Stadtpfarrer: Eine Woche später erlaubt PAUL VI. in aller Form den Kanon in der Muttersprache. Spätestens ab diesem Zeitpunkt wird dieser fromme Pfarrherr und Marienverehrer, der Andersdenkende als Häretiker oder Schlimmeres betrachtet und mit Bekehrungsschreiben (»ich bete für Sie«) zu traktieren beliebt, alles daransetzen, um mir den Sonntagsgottesdienst in seiner Kirche generell unmöglich zu machen. Er wird schließlich sogar »meine« 11-Uhr-Messe als unnötig abschaffen und manche treue Kirchgänger verlieren. In seiner ganzen Haltung rückwärts gewandt, erstarrte er immer mehr. Das erinnert mich an den großen amerikanischen Liturgiker Godfrey Diekmann, der an der Tür zu seiner Benediktinerzelle den warnenden Spruch angeheftet hat: »Remember Lot's Wife – erinnere dich an Lots Weib«: Diese blickte bekanntlich gegen Gottes Weisung zurück und erstarrte zur Salzsäule. Godfrey selber wird 2002 mit 93 Jahren sterben, ohne je zurückgeblickt zu haben.

Abkehr von der Gegenreformation

Wir sind in einem ökumenischen Konzil, einem kirchenhistorischen Ereignis ersten Ranges, und längst hat sich meine Lebensgeschichte mit der Konzilsgeschichte verknotet. Und deshalb muß ich dem Leser hier erneut einiges an Theologie zumuten. Nichts hatte in der Vorbereitungsperiode des Konzils so viel Beunruhigung ausgelöst wie die Arbeit der damaligen *Theologischen Vorbereitungskommission* unter Ottaviani und Tromp. Und wenn die Stimmung unmittelbar vor dem Konzil bei mir und anderen Kennern der Akten so tief absank, dann wegen der von dieser Kommission vorgelegten Schemata. Diese sollten, wie ich stets befürchtet hatte, auf der Linie des Trienter Konzils und des Vatikanum I möglichst viel dogmatisieren und alle noch offenen Glaubensfragen definitiv entscheiden, damit endlich für alle klar sei, was »katholische Lehre« ist und was nicht. Katholische Lehre selbstverständlich identifiziert mit der römisch-kurialen! Deshalb jetzt der Kommissionsvorschlag einer neuen Form des Glaubenseides. Deshalb ein Dekretentwurf über die beiden Offenbarungsquellen Schrift und Tradition. Deshalb ein weiterer über die Reinerhaltung der Glaubensüberlieferung (vom Schöpfergott bis zum Spiritismus und zum Los ungetauft sterbender Kinder). Deshalb ein weiteres Schema mit elf Kapiteln über die Kirche. Deshalb schließlich zu allem noch drei Schemata über Maria, über die sittliche Ordnung, über Jungfräulichkeit und Ehe. Praktisch samt und sonders alles Produkte einer für die Gesamtkirche nicht repräsentativen Schule, eben der römisch-kurialen, in der ich erzogen wurde.

Der Hintergrund? Weder war in den vorbereiteten Entwürfen die moderne Exegese ernsthaft zu Worte gekommen; die Fachexegeten bildeten eine quantité négligeable. Noch konnten sich die ökumenischen Gesichtspunkte durchsetzen; dafür fühlte sich die Theologische Vorbereitungskommission nicht zuständig. Weder hat sie die Päpstliche Bibelkommission (für das Sanctum Officium zu fortschrittlich) zu Rate gezogen, noch das Sekretariat für die Einheit der Christen konsultiert (für das Sanctum Officium gefährlich). Betrachtete sie sich doch selber als die »oberste« der Kommissionen, wiewohl ihr diesen Rang weder der Papst noch das Konzils-Reglement zugesprochen haben. Doch war sie nun einmal geistig und zum schönen Teil auch personell identisch mit der »Suprema Congregatio Sancti Officii«, die mit allen Mitteln für ihre »Suprematie«, ihre Vorherrschaft, kämpft. Am Anfang des Konzils ist zwar auch die Theologische Kommission neu bestellt worden, sie bleibt aber unter der Herrschaft Kardinal Ottavianis, des Kommissionssekretärs Tromp und der vom »Papst« direkt ernannten kurial gesinnten Mitglieder – mit einer römischen Sperrminorität also.

Anders als die Liturgische hat die Theologische Kommission, die anders als jene ganz und gar parteiisch zusammengesetzt ist, in dieser ersten Session freilich kein Glück, wie sich dies dramatisch bei der Vorlage ihres ersten Schemas über die *»Quellen der Offenbarung«* zeigt. Eine abstrakt-theoretische Frage? Nein, faktisch ist sie von höchst praktischer

Relevanz, wie den römisch-katholisch erzogenen Bischöfen freilich erst mit der Zeit deutlich wird: *Woher* wissen wir, was uns Gott geoffenbart hat? Aus der Heiligen Schrift, so unisono die Reformatoren. Auch aus der heiligen Tradition, so trotzig Rom. Seit dem Generalangriff der Reformatoren auf die zahllosen mittelalterlichen Traditionen in Frömmigkeit, Liturgie, Theologie und Kirchendisziplin war Rom aufs Höchste daran interessiert, »die Tradition« in Schutz zu nehmen und sie zur Verteidigung des Status quo (von der lateinischen Bibelübersetzung »Vulgata« bis zum unbiblischen Zölibatsgesetz) als Autorität zur Geltung zu bringen. Nicht zufällig hatte schon das *Konzil von Trient* sein erstes Dekret damals dem Verhältnis von Schrift und Tradition gewidmet. Doch selbst dieses Konzil der Gegenreformation hatte sich gehütet, von »zwei Quellen« der Offenbarung und einem »Ungenügen der Schrift« zu reden. Vielmehr sprach es vom Evangelium als der einen »Quelle aller Heilswahrheit wie Sittenordnung« (»fons omnis et salutaris veritatis et morum disciplinae«).

Im *Zweiten Vatikanum* nun ist die Überzeugung weitverbreitet: Pastoral notwendig ist eine neue Konzentration auf die Schrift als das Wort Gottes. Seit jenen akribischen Untersuchungen meines Kollegen JOSEF R. GEISELMANN (1956) ist man sich darüber im klaren: Erst die nachtridentinischen Kontroverstheologen Canisius und Bellarmin, beides Jesuiten, haben das »Partim-partim« als Meinung des Konzils in Umlauf gesetzt: die Offenbarung finde sich »teils« (partim) in der Schrift und »teils« (partim) in der Tradition. So lassen sich natürlich alle römisch-katholischen Traditionen, Dogmen und Praktiken, die man in der Bibel nicht findet, aus der angeblich ebenfalls auf Jesus Christus zurückgehenden »mündlichen Überlieferung« rechtfertigen, die in bezug auf Glauben und Sitten die größere Ausdehnung habe als die Bibel.

Schon im Sommer 1962, als ich in den vom Vatikan versandten ersten Band der Konzilsschemata Einsicht nehmen konnte, hatte ich bezüglich Schrift und Tradition wie berichtet unverzüglich unseren Emeritus Geiselmann aufgesucht und ein Papier verfertigt, welches dann vor allem an Congar und Rahner ging. Dieses erste Schema über die Offenbarungsquellen alarmierte auch kritische Theologen französischer Sprache wie G. Martelet und Ch. Moeller. Während der ersten Konzilssession waren es dann besonders die kritischen Anmerkungen (»Animadversiones«) von KARL RAHNER und (anonym) von EDUARD SCHILLEBEECKX, die im Konzil weite Verbreitung fanden. Sie sind wesentlich dafür verantwortlich, daß mehr und mehr Bischöfe sich fragen, ob sie dieses Schema überhaupt als Diskussionsgrundlage akzeptieren sollen. Zahllose

Gespräche und Konferenzen mit Bischöfen finden statt, und auch unter uns deutschsprachigen Experten, die wir uns ein oder zwei Tage vor der Generaldebatte versammeln, ist man überzeugt, daß man dieses Schema zu Fall bringen muß. Allerdings war ich der Meinung, daß es keinen Sinn hat, ein alternatives Schema vorzuschlagen, wie dies Rahner aufgrund seines spezifisch »tranzendentalen« Ansatzes tat – ohne viel Zustimmung zu gewinnen. Auch Ratzinger wollte da nicht mitmachen.

Einzig P. Tromps treuer Gefolgsmann HERIBERT SCHAUF ist anderer Meinung als wir und behauptet nachher, die gesamte Zusammenkunft der deutschsprachigen Theologen sei »mehr eine Verschwörung und eine politische Versammlung als ein theologisches Gespräch« gewesen. In der Tat war die theologische Frage schon längst geklärt. Ein protestantischer Theologe aus der Harvard-Universität aber intrigiert gegen die konziliare Mehrheit beim Heiligen Offizium (nicht der letzte protestantische Theologe, der sich dort anbiedert!): Der Holländer HEIKO A. OBERMAN läßt seinem Landsgenossen Tromp eine vertrauliche Mitteilung zukommen (die dieser natürlich sofort triumphierend der Theologischen Kommission kundtut), er werde einen Artikel gegen des Tübinger Geiselmann Interpretation des Trienter Dekrets schreiben. Davon sollte man in Tübingen freilich erst sehr viel später erfahren; denn diesen Artikel wird Oberman nie schreiben. Nach dem Konzil, 1967, läßt er sich als Professor der evangelischen Kirchengeschichte – ausgerechnet – nach Tübingen berufen. Dort werde ich mit ihm friedlich ein gemeinsames Seminar über das Trienter Rechtfertigungsdekret halten, aber des öfteren seine ungenauen Kenntnisse der scholastischen Terminologie zu korrigieren haben.

Im Sekretariat für die Einheit sind es vor allem die Interventionen von Kardinal AUGUSTIN BEA und des immer erfreulich klaren Schweizer Theologen JOSEF FEINER, die zu einer erstaunlich eindeutigen Ablehnung des Schemas durch das Einheitssekretariat führen. In der Theologischen Kommission selber kommt es am Vorabend der Debatte zu einer heftigen Auseinandersetzung: Kardinal Ottaviani, P. Tromp und der Assessor des Sanctum Officium Erzbischof Pietro Parente greifen in grobem Ton die Kritiker des Schemas an und wollen alle Mitglieder der Kommission auf den kurialen Kommissionsentwurf festlegen. Doch Kardinal PAUL-ÉMILE LÉGER (Montréal) – ein von Haus aus sanfter und liebenswürdiger Mann, den ich einmal nach einem Empfang spät abends in meinem Auto zu seiner Residenz fahre – droht deutlich, aus der Kommission auszuscheiden, wenn er nicht die Freiheit des Wortes in der Aula habe und findet breite Unterstützung. Ottaviani und die römische Partei müssen einsehen, daß sie sich nicht durchsetzen können: Ohne irgendeinen Konsens geht die Sitzung zu Ende. Und die erste Sitzung der Theologischen Kommission in der ersten Konzilssession war denn zunächst auch schon die letzte.

Eine Abstimmung gegen die Zweidrittelmehrheit

Natürlich sind wir nun am 14. November in St. Peter alle ungeheuer gespannt, wie die Debatte verlaufen wird. Der impulsive Ottaviani ist unklug genug, gegen die Abmachung noch vor dem offiziellen Berichterstatter der Kommission Garófalo zu sprechen und produziert so Wiederholungen und Ungeduld. Die Sachfrage von »teils – teils« wird von ihm nicht behandelt, sondern er polemisiert nur gegen den geforderten »pastoralen« Charakter einer solchen Konstitution und so implizit gegen des Papstes Eröffnungsrede. Aber gleich anschließend formulieren die Kardinäle Liénart, Frings, Léger, König, Alfrink, Suenens, Ritter und Bea ihre Ablehnung des Schemas. Ottaviani findet am ersten Tag wenige Bundesgenossen, einige mehr freilich am zweiten, als die römische Partei stärker zu Wort kommt.

Wie wird die *Abstimmung* über das Schema ausfallen, die für den 20. November angesetzt ist? Ich erinnere mich, wie Congar mich in St. Peter fragte, ob nicht auch mir aufgefallen sei: Im Grunde wollten die Bischöfe in komplexen Fragen gar nicht in erster Linie eine genaue theologische Sachinformation, sondern nur wissen, ob ein Theologe ihres Vertrauens für oder gegen das Schema ist. Die Abstimmung? Nach Art. 39 des Konzilsreglements braucht es in den Generalkongregationen und Konzilskommissionen (abgesehen von den Wahlen) für einen rechtskräftigen Beschluß *zwei Drittel der Stimmen* aller anwesenden Väter.

Tatsächlich hat man an diesem Tag die *Frage* durch eine im dramatischen Moment der Abstimmung schwierig zu durchschauende kuriale Manipulation *verkehrt gestellt*: Wer ist für (nicht: das Schema, sondern) den *Abbruch der Diskussion*, der stimme placet; wer ist gegen (nicht: das Schema, sondern) den *Abbruch der Diskussion*, der stimme non placet. Viele Bischöfe haben dies nicht verstanden: Wer *gegen* das Schema und eine Weiterführung der Diskussion ist, muß placet stimmen (es sind 1.368); wer *für* das Schema und die Weiterführung der Diskussion ist, muß non placet stimmen (es sind 822). Was war das fatale Resultat dieser verkehrten Fragestellung? Statt – wie es nach Art. 39 der Geschäftsordnung sinnvoll wäre – die *Befürworter*, mußten jetzt die *Gegner* der

Vorlage eine Zweidrittelmehrheit aufbringen. Der Artikel über die Zweidrittelmehrheit führte durch die verfälschte Fragestellung zu einer paradoxen Majorisierung der fast Zwei-Drittel-Mehrheit durch eine Ein-Drittel-Minderheit. Fazit: Zur Freude der Kurie bleibt das völlig unzureichende Schema über die Offenbarung wegen fehlender 105 Stimmen auf der Tagesordnung.

Ungeheuer im Konzil die Aufregung. JOHANNES XXIII. ist zuerst verblüfft, dann ratlos. Verschiedene Einsprüche folgen, vor allem der Kardinäle Bea und Léger. Der Papst überlegt und betet – wie es heißt – bis in die Nacht hinein. Am nächsten Morgen, erst während der Konzilsmesse, reicht Kardinalstaatssekretär Cicognani dem völlig überraschten Generalsekretär Felici das Dokument mit der Entscheidung des Papstes: Die Abstimmung wird faktisch annulliert, das Schema von der Diskussion abgesetzt und nicht mehr an die Theologische Kommission verwiesen. Vielmehr geht es zur vollständigen Überarbeitung an eine neue Gemischte Kommission: bestehend aus Mitgliedern der Theologischen Kommission und des Sekretariats für die Einheit der Christen, mit dem die Theologische Vorbereitungskommission vorher jede konstruktive Zusammenarbeit strikt abgelehnt hatte. Felici zögert einen Moment, liest dann aber notgedrungen vor. Jubel in der Aula. Betroffenheit und Betretenheit bei den Kurialen. Aber nein – geschlagen geben sie sich keineswegs.

Durch sein weises gemäßigtes Verhalten während dieser Debatte hat Johannes XXIII. einen konkreten Beweis abgelegt für den Nutzen des *Pastoralprimats* in der Kirche, der, richtig verstanden, nicht in einem juristisch-absolutistischen Diktieren, sondern in einer obersten Vermittler und Schiedsrichtertätigkeit zugunsten der Einheit der Kirche besteht. Aufgrund eines präzisierten Abstimmungsmodus wird in Zukunft eine Umkehr der Mehrheitsverhältnisse durch Umkehr der Fragestellung nicht mehr möglich sein. Für die Annahme der Schemata wird die Zweidrittelmehrheit beibehalten. Für die Ablehnung eines Schemas oder die Vertagung der Diskussion aber genügt die absolute Mehrheit. Freilich, die neue »gemischte Kommission« unter den Kardinälen Ottaviani und Bea sowie den Sekretären Tromp und Willebrands – ist sie nicht eine Kommission mit Januskopf? Wie soll das alles weitergehen? Als ich in St. Peter vorn bei Berninis Confessio an P. Tromp vorbeigehe, grüßt er mich nicht mehr jovial, sondern mit verkrampfter Miene. Ich gehöre jetzt für ihn zum anderen theologischen Lager.

Die konziliare Theologie organisiert sich

Noch am selben Abend des 21. November 1962, da das Zwei-Quellen-Schema auf Intervention des Papstes hin zurückgezogen wird, sucht der holländische Verleger PAUL BRAND an der Gregoriana KARL RAHNER auf und bespricht mit ihm erneut seine seit Jahren gehegte und gepflegte Lieblingsidee: die Gründung einer internationalen katholischen wissenschaftlich-theologischen Zeitschrift. Schon 1958 hatte er Rahner diese Idee vorgetragen und war auf Ablehnung gestoßen: »Wir können ja doch nicht schreiben, was wir schreiben möchten!« Auch ich war beim Besuch Brands in Tübingen im April 1962 nicht sofort begeistert. Aber jetzt nach diesem Abstimmungserfolg, da große Teile der Episkopate Italiens, Spaniens, Nord- und Südamerikas und Afrikas zusammen mit den Episkopaten Zentraleuropas abgestimmt haben, hat sich die Situation geändert. Rahner stimmt zu. Schon am nächsten Vormittag, dem 22. November (Donnerstag ist im Konzil sitzungsfrei) besucht Brand mich in der Villa San Francesco und am Nachmittag EDUARD SCHILLE-BEECKX im niederländischen Kolleg. Auch wir beide stimmen jetzt definitiv zu.

Paul Brand hat »Konzil und Wiedervereinigung« – wie dann auch alle meine späteren Bücher – in den Niederlanden publiziert. Der publizistische Erfolg hat den Verleger darin bestärkt, daß eine wissenschaftliche Theologie, die auch für gebildete Laien verständlich und ökumenisch ausgerichtet ist, auf dem Markt erfolgreich sein kann. Paul Brand – er ist eine jener eher seltenen Verlegerpersönlichkeiten, die Idealismus und Realismus, wissenschaftliches Niveau und kommerzielles Interesse, Theologie und Publikum zu verbinden wissen. Seit seinem frühen Besuch in Tübingen verbinden mich mit diesem Holländer enge persönliche Beziehungen. Er ist es, der mir rät: Aufgrund meines Namens und meiner Kenntnis ausländischer Verleger könne ich jetzt Verträge auch direkt, ohne Vermittlung des deutschen Verlags, abschließen. Seither habe ich es so gehalten. Jeweils gleichzeitig mit dem deutschen Verlag erhält er ein Exemplar meines Buchmanuskripts, so daß die holländische Ausgabe wie dann auch die englische beinahe gleichzeitig mit der deutschen erscheint. Mit dem theologischen Trio Rahner-Schillebeeckx-Küng im Rücken und mit dem von Schillebeeckx empfohlenen belgischen Dominikaner Marcel Vanhengel, einem tüchtigen Organisator, als Sekretär zur Seite, meint Paul Brand die neue Zeitschrift definitiv lancieren zu können. Am Abend des 22. November 1962 trifft sich unser Trio auf Einladung Paul Brands bei

»Ernesto« an der Piazza Dodici Apostoli zum Abendessen mit dem Bischof von Breda de Vet als Ehrengast und den Theologen Daniélou, Ratzinger und aus den Niederlanden Berkouwer, Groot und Haarsma. Gut ein halbes Jahr später, am 20./21. Juli 1963, treffen wir uns im Hotel Alfa bei Saarbrücken mit dem Liturgiker Johannes Wagner (Trier), dem Musikwissenschaftler Helmut Hucke (Frankfurt) und einem guten Dutzend weiterer Theologen, die nicht Konzilstheologen sind: darunter, von mir vorgeschlagen, mein Assistent Walter Kasper, von Rahner vorgeschlagen Johann Baptist Metz (Münster), dann P.-A. Liégé (Paris), T. Jiménez Urresti (Bilbao), Anton Weiler (Nijmegen), die alle als »Directeurs adjoints« der verschiedenen Sektionsdirektoren in Frage kommen. Congar und Ratzinger, der Löwener Kirchenhistoriker Roger Aubert und der amerikanische Ökumeniker Gustav Weigel haben sich entschuldigt. Unsere Absicht ist klar: Wir wollen eine Zeitschrift gründen, welche die im Konzil so erfolgreiche zentraleuropäische Theologie auch in den anderen Teilen der Welt bekannt macht und die sich auch an Bischöfe, Seelsorger und Laien wendet. Rahner und Schillebeeckx halten inspirierende Einführungen über Sinn und Weg der neuen Zeitschrift. Gute Tischvorlagen bezüglich des Direktionskomitees und der verschiedenen Redaktionskomitees, bezüglich Adressaten, technischer Realisation und innerer Organisation erleichtern diese konstituierende Sitzung der *»Revue Internationale de Théologie* Concilium«. »Concilium«? Dieser attraktive Name war eine Anregung von Brands Freund, dem führenden katholischen Schweizer Verleger Dr. Oskar Bettschart (Verleger meiner Serie »Theologische Meditationen«): Wir wollen gewiß nicht die offiziöse Zeitschrift des Konzils sein, aber entschieden im Geist des Konzils arbeiten.

Auf meine Frage, ob man statt der einen dreisprachigen (deutsch, französisch, englisch) Zeitschrift nicht die eine Zeitschrift in mehreren verschiedensprachigen Ausgaben publizieren könne, antwortet Brand, das sei im Prinzip möglich; sein Verlagshaus habe ja schließlich auch schon ein großes fünfbändiges Werk der Kirchengeschichte in internationaler Kooperation mit verschiedensprachigen Verlegern und Autoren herausgebracht. So kommt es denn zum Beschluß, die eine Zeitschrift in mehreren Sprachen – es werden schließlich sieben sein – herauszugeben. Neben Bettschart (Benziger) kommt Dr. Jakob Laubach (Grünewald), dem italienischen Verleger Dr. Rosino Gibellini (Queriniana), mit mir an der Gregoriana, dann dem genannten englischen Tablet-Verleger Tom Burns (Burns and Oates) und dem spanischen Sanmiguel (Guadarrama) eine Schlüsselrolle zu. Das starke finanzielle

Rückgrat des Gemeinschaftswerks aber bilden die Amerikaner mit Paulist Press.

Ein einzigartiges Experiment bahnt sich an: Eine Zeitschrift, die nicht nur gleichzeitig in Deutsch, Niederländisch, Englisch, Französisch, Italienisch, Spanisch und Portugiesisch erscheint, sondern die in jährlich zehn Nummern auch die zehn Disziplinen der Theologie mit eigenen Redaktionskomitees abdecken soll: Dogmatik, Pastoraltheologie, Moraltheologie, Spiritualität, Exegese, Kirchengeschichte, Kirchenrecht, Grenzfragen, Liturgik und Ökumenische Theologie. Nur eine polnische Ausgabe wird von der polnischen Hierarchie nach wenigen Nummern unterdrückt werden. Wichtig für die Zukunft: Beständige Freundschaften über Disziplinen, Länder und Kontinente hinweg bildeten sich hier. Doch zurück von »Concilium« zum Konzil.

Impulse für die Reform der Strukturen

Erst am 23. November 1962 wird endlich der lang erwartete *Dekretsentwurf über die Kirche* (Schema »De Ecclesia«) verteilt. Der Verzögerungsvorschlag Kardinal Ottavianis, die Diskussion über das Marien-Schema vorzuziehen, wird im Präsidium abgelehnt. Erst in der letzten Konzilswoche, am 1. Dezember, beginnt die Diskussion. Ottaviani selber als Präsident der Theologischen Kommission stellt das Schema kurz vor – mit grimmigem Galgenhumor: Es sei wohl zu wenig pastoral, ökumenisch, zeitgemäß …. Des Kardinals Befürchtungen bestätigen sich: 77 Redner melden sich zu Wort, die meisten mit scharfer Kritik.

Unterdessen läßt Msgr. Gérard Philips aus Loewen – in Münster habe ich ihn kennengelernt als einen, der sehr schön von den Laien reden kann, ohne die mittelalterlichen Vorrechte der Hierarchie anzutasten – unter den Konzilsvätern ein Kompromißschema zirkulieren. Doch zeigen vor allem die von Eduard Schillebeeckx und Karl Rahner unter den Bischöfen in Umlauf gesetzten »Verrisse« des Kommissionsschemas Wirkung. Während Philips zwischen Kurie und Konzil vermitteln will, plädieren Rahner und Schillebeeckx in vielseitigen Ausführungen für Ablehnung. Kritisiert wird allenthalben die Konzentration auf die sichtbare juristisch-soziale Dimension und Vernachlässigung der inneren mystischen. Mit tosendem Beifall bedacht wird die ätzende Kritik, gleich am Anfang, von Bischof de Smedt (Brügge) im Namen des Einheitssekretariats, der den Juridismus, den Klerikalismus (Kirche als hierarchische Pyramide) und den pompösen romantischen

Triumphalismus des Schemas (und indirekt der Kurie) denunziert. Nicht weniger Beifall dann am 4. Dezember für die zukunftweisende Rede von Kardinal Suenens: Ausrichtung der gesamten Konzilsarbeit auf die Kirche, und zwar in zwei Richtungen: einerseits die Ecclesia ad intra, auf das innere Wesen der Kirche konzentriert; andererseits Ecclesia ad extra, auf die Beziehungen der Kirche zur Welt und den Dialog mit den eigenen Gläubigen, den anderen christlichen Gemeinschaften, der modernen Welt überhaupt. Es fällt auf: Am Tag darauf, am 5. Dezember, schließt sich Kardinal Montini, der bisher konstant geschwiegen hat, Kardinal Suenens ausdrücklich an und empfiehlt sich so faktisch durch Distanzierung von der Kurie der fortschrittlichen Mehrheit als Papabile, Papstkandidat. Am 6. Dezember schließlich ein anderer Papabile: Kardinal Lercaro von Bologna spricht sich auf der Linie frankophoner und lateinamerikanischer Theologen für eine »Kirche der Armen« (mit praktischen Konsequenzen) aus, was aber im Konzil relativ wenig Echo findet.

Doch jetzt ein weiterer *kühner Schachzug des kurialen Machtblocks:* Gleich im Anschluß an Lercaros Rede verliest Generalsekretär Felici eine vom Papst erlassene Verordnung für die Arbeiten zwischen den Sitzungsperioden. »Weil der Zeitplan das merkwürdigerweise so fügte«: meint in Alberigos Konzilsgeschichte kryptisch und typisch dessen Schüler G. Ruggieri (Bd. II,406) – eine geradezu groteske Verschleierung des kurialen Coups. Warum? Ohne irgendeine Beschlußfassung werden so die ganzen Konzilsarbeiten abrupt beendet – und damit eine verheerend negative Abstimmung über das Kommissionsschema vermieden. Die Folge? Eine klare Ablehnung des vorgelegten Kirchenschemas und eine radikale Neufassung wird dadurch von vornherein verhindert! In der Zeit zwischen den beiden Konzilsperioden aber wird insbesondere das Duo Ottaviani-Tromp, das keine Winkelzüge und Manöver (auch nicht die Politik des leeren Stuhles in den Kommissionen) zur Blockierung der Erneuerung scheuen wird, dafür sorgen, daß ihr altes Kirchen-Schema (wie andere bereits »erledigt« geglaubte Schemata) auf dem Tisch der Kommission und so ständiger Bezugspunkt bleibt. Doch im Moment dieses Abschlusses ohne Abstimmung und Beschlußfassung am 6. Dezember kann das Manöver von uns allen in seiner ganzen Tragweite nicht durchschaut werden. Auch nicht die gleichzeitige päpstliche Anordnung, daß die Kommission für die Überarbeitung des Codex Iuris Canonici als Vorsitzenden den Kardinalstaatssekretär Cicognani haben und so fest in kurialer Hand sein soll. Die Bischöfe sind jetzt ohnehin mehr besorgt über die Riesenmasse unbewältigter Konzilstexte und die tödliche Krankheit des Papstes. Und natürlich freuen wir uns alle auf die lang ersehnte Rückkehr in die Heimat.

Am 8. Dezember 1962 wird das *Ende der ersten Konzilsperiode* mit einer feierlichen Sessio publica gefeiert. Der Schlußgottesdienst erscheint gegenüber dem Eröffnungsgottesdienst wesentlich verbessert: Die Bischöfe »assistieren« nicht nur, sondern beten und singen mit. Auch Rom erweist sich als lernfähig. Und doch – wie froh bin ich, oft von Heimweh gequält, als ich nach einer langen Fahrt wieder unseren winterlichen Gotthard erreiche und hinunterfahre zum Vierwaldstätter See, nach Sursee. Frohes Wiedersehen mit Familie und Freunden sowie Verhandlung mit der Luzerner Regierung wegen der Baubewilligung für ein kleines Wohnhaus am Sempacher See. Sie wird erteilt, und mein Onkel von Zofingen hilft bei der Finanzierung und erhält das Wohnrecht für die Zeit meiner Abwesenheit; der Bau kann beginnen. Dann Weiterfahrt nach Tübingen und hier am 19. Dezember zwei Vorlesungen über die Ergebnisse der ersten Konzilssession. Zugleich Vorbereitung der Veröffentlichung all meiner Artikel und Vorträge vor und während des Konzils in einem Herder-Taschenbuch unter dem Titel »Kirche im Konzil«. Abschluß am 23. Dezember 1962, also unmittelbar vor Weihnachten. Es wird im Frühjahr 1963 erscheinen – mitten in einer für mich aufregenden Zeit.

Bin ich mit dem Konzil zufrieden? Nicht einmal die Liturgiekonstitution war definitiv verabschiedet worden. Sensationelle Beschlüsse gab es keine. Und dennoch: Ich vertrete mit Nachdruck die Auffassung, daß wir trotz mangelnder Beschlüsse mit der ersten Session zufrieden sein können. Eine neue Freiheit ist durchgebrochen, viel Gutes auf den Weg gebracht, starke Impulse zur Erneuerung der Kirche spürbar. Die auf diesem Konzil versammelte und repräsentierte Kirche machte nicht mehr einen absolutistischen oder totalitären Eindruck. Allerdings war die Abwesenheit der Laien (die nur in den nichtkatholischen Beobachtern gegenwärtig waren!) mehr als nur ein Schönheitsfehler: Die Repräsentation der Laien als des Volkes Gottes gehört zu einem Konzil, das in der »Stunde der Laien« tagt.

Aber trotzdem, das Konzil, das sich hier versammelte, zeigte die katholische Kirche in neuem Licht: Nicht nur war hier die weltumfassende Katholizität in einer imponierenden Buntheit der Riten und Sprachen, Rassen und Kulturen, Nationen und Kontinente repräsentiert. Hier war nicht nur eine Summe von Einzelbischöfen, die sich als Befehlsempfänger fühlten, zusammengekommen, sondern wahrhaft das

Bischofskollegium der Kirche, das sich, spät genug, seiner eigenen Würde, Verantwortlichkeit und Autorität bewußt wurde. Der Zusammenhang, die Zusammengehörigkeit, die Gemeinschaft, ja die Einheit der Bischöfe untereinander, deren Einheit bis dahin meist nur in einer einzigen Dimension, in ihrer Ausrichtung nach Rom ernstgenommen worden war, wird hier in einer ganz neuen Dimension existentiell erfahren. Die unerwartet starke Aktivierung des Bischofskollegiums bedeutet zugleich eine *Aktivierung der Ortskirchen*, die hinter diesen Bischöfen stehen. Manches Votum wurde im Namen eines ganzen Landes oder auch eines Kontinentes abgegeben!

Die unerwartet starke Aktivierung des Bischofskollegiums und der Ortskirche hat natürlicherweise ein starkes *Zurücktreten der Zentraladministration* zur Folge, deren untergeordnet ausführende Funktion menschlichen Rechtes auf dem Konzil wie nie zuvor betont wurde: Ein Kurienkardinal war mit seinem Votum auch nur ein Bischof unter vielen. Schließlich war es dann vor allem die Ausübung des *päpstlichen Primats* auf dem Konzil, die diesen in einer neuen Weise glaubwürdig machte: nicht als eine quasi-diktatoriale Jurisdiktionsmacht, sondern als einen zurückhaltenden Dienst an der Kirche und am Bischofskollegium in der Funktion einer obersten Vermittler- und Schiedsrichtertätigkeit. Es ist jetzt offensichtlich: Die Kirche verdankt Johannes XXIII. mehr als nur einen neuen »Stil«: Es ist eine mehr an der Schrift, am Beispiel Petri selbst orientierte, bescheidene Ausübung dieses höchsten Dienstes in der Kirche. Und das Resultat dieses neu erwachten Kirchenbewußtseins? Es ist die stark *erhöhte Glaubwürdigkeit der katholischen Kirche nach innen und nach außen!*

Zwischen erster und zweiter Konzilssession sollte mir nun eine Gelegenheit gegeben werden, für das Konzil, die Erneuerung und die Ökumene zu wirken, wie sie kaum einem anderen Theologen gegeben war: nach all den Vorträgen im deutschen Sprachraum eine große achtwöchige Vortragsreise durch die Vereinigten Staaten von Amerika und durch England. Doch – nicht alle im dortigen Katholizismus haben ihre Freude daran.

Eine historische Debatte und ein Lehrverbot

Der Schrecken ist groß: In der Samstagausgabe der Washington Post vom 23. Februar 1963 – zwei Wochen vor meinem Abflug nach den USA – steht als Schlagzeile über einem großen Artikel: »Ban on Theologians

Dramatizes Debate – Lehrverbot für Theologen dramatisiert die Debatte.« Ein Vortragsverbot an der »Catholic University of America« in Washington D. C. durch die Universitätsleitung: für welche Theologen? Für die beiden bekanntesten Jesuiten der USA, GUSTAV WEIGEL, den führenden katholischen Ökumeniker Amerikas, und JOHN COURTNEY MURRAY, den theoretischen Begründer eines modern-demokratischen Verhältnisses von Staat und Kirche (und deshalb auf der Titelseite von »Time« und von Ottaviani öffentlich angegriffen). Und als dritter der bereits erwähnte Benediktiner GODFREY DIEKMANN, der bedeutendste Liturgiker der angelsächsischen Welt und Herausgeber von »Worship«, der führenden liturgischen Zeitschrift der USA. Und der vierte? Der Autor des Buches »Council, Reform and Reunion«. Ich war *in bester Gesellschaft:* Murray, Weigel und Diekmann in den USA – durchaus zu vergleichen mit Congar, Rahner und Schillebeeckx in Europa.

Mein Buch war in der Tat schon in der Septemberausgabe der »American Ecclesiastical Review« mehr durch Invektiven schlechtgemacht als durch Argumente widerlegt worden. Der Autor des Artikels betrachtete diesen Bestseller als »pure nonsense« und »ridiculous«. Und stellt fest: »Die Zeit ist nicht gekommen und die Zeit wird nie kommen, wann irgendeine Erneuerung dieser Lehre (Christi), im Sinn einer Reformation oder Modifikation, erlaubt oder gar erfordert sein wird.«

Der Autor? Msgr. JOSEPH FENTON, »ein Kleriker von erheblichem Gewicht, physisch und mental« – heißt es in der Washington Post –, der diese Zeitschrift schon seit zwanzig Jahren herausgibt, lange Dekan der School of Theology der Catholic University und sozusagen Statthalter Ottavianis in USA. Dieser Inquisitor vor Ort ist es, der die Polemik zuerst gegen Murrays Eintreten für Religionsfreiheit, dann gegen die historisch-kritische Bibelwissenschaft und jetzt gegen mich anführt. Unterstützt von einem anderen Ottaviani-Freund, dem vatikanischen (»apostolischen«) Delegaten, Exzellenz Egidio Vagnozzi, den einzelne Bischöfe mehr fürchten als Gott selbst. Worum dreht sich die »historische Debatte, die jetzt in der katholischen Kirche geführt wird«? Nach der Washington Post: Vorausgesetzt, die katholische Kirche wendet sich von dem seit Trient verfolgten Weg ab und vereint gemeinsam mit den Protestanten die volle Macht der spirituellen Kräfte gegen den wissenschaftlichen Materialismus, so stellt sich die Frage: Wer wird sich im Geist der Menschen durchsetzen können: der Materialismus, der von den fundamentalen Geheimnissen des Lebens keine Kenntnis nimmt, oder die Religion, welche die Offenbarung dieser Geheimnisse und einer letzten Integrität einer übermenschlichen spirituellen Macht zutraut?

Ob das nun eine genaue Umschreibung der anstehenden Entscheidungsfrage ist oder nicht: Sicher stimmt die Analyse der Washington Post bezüglich der beiden Lager. Positiv *für die Erneuerung* sind die meisten katholischen Bischöfe Frankreichs und Deutschlands, die meisten Jesuiten unter Kardinal Beas Führung, die einflußreichsten katholischen Laien, sehr viele amerikanische und andere Bischöfe und natürlich Papst Johannes XXIII. Dieses Lager hat sich in der ersten Konzilssession durchsetzen können und repräsentiert die Mehrheit.

Doch *gegen die Erneuerung* sind: Kardinal Ottaviani und das Heilige Offizium, unterstützt von der römischen Kurie, konservativen Bischöfen rund um die Welt (inklusive vermutlich drei von fünf amerikanischen Bischöfen), und Leute wie Msgr. Fenton, der mit römischer Unterstützung noch immer fähig ist, Vorträge verdienter Kollegen an der Catholic University zu verhindern. Doch die unter strikter bischöflicher Aufsicht stehenden Autoritäten der Catholic University zeigen sich angesichts der zahllosen Proteste, selbst von katholischen Kirchenzeitungen, »embarrassed« und überlegen, wie sie weiteren Schaden von der Catholic University und ihrer akademischen Glaubwürdigkeit abhalten können. Mir selbst ist nun freilich deutlich gemacht worden, in welches minenbesäte Kampffeld ich gerate, wenn ich es als junger europäischer Theologe wage, amerikanischen Boden zu betreten. Immerhin waren die Vereinigten Staaten noch nicht direkt in den Vietnamkrieg eingetreten, der die amerikanische Gesellschaft drei Jahre später in die Krise stürzen sollte. Dann erst wird Senator William Fulbrights mahnendes Buch über die Arroganz der Macht (»The Arrogance of Power«, 1966) erscheinen, das in unseren Tagen wieder neue Aktualität erhält.

USA: eine glückliche Konstellation

Die Entscheidung war für mich schon früh gefallen: bei jener Party von Sheed and Ward in London am 3. August 1962 zum Erscheinen von »Konzil und Wiedervereinigung«. Ein amerikanischer Jesuit wollte mich fünf Minuten allein sprechen. Ich bin gerade dabei, im United Kingdom heimisch zu werden, da überrascht mich dieser unauffällige, liebenswürdige Pater FRANCIS SWEENEY mit einer Einladung nach Boston. Über mein Buch hat er mit keinem geringeren gesprochen als mit dem davon begeisterten Sir ALEC GUINNESS, der 1956 um Aufnahme in die katholische Kirche gebeten und 1959 alle Welt als britischer Major im Film »Die Brücke am Kwai« begeistert hatte: »a most profound and devout man«, schreibt mir Sweeney später; leider kam es aus terminlichen Gründen nie zum in Aussicht genommenen persönlichen Zusammentreffen.

Ich soll also an der katholischen Universität von Boston, am Boston College, im Rahmen seiner Hundertjahrfeier einen Vortrag halten. Amerika ist für einen Europäer im Jahr 1962 noch immer relativ weit weg – für einen Theologen und einen öffentlichen Vortrag jedenfalls eine andere Welt und deshalb eine gewaltige Herausforderung. Aber, denke ich mir, wenn dieser Amerikaner den Mut hat, den jungen unerfahrenen Mann einzuladen, dann muß dieser auch den Mut haben, die Einladung anzunehmen.

Und so fliege ich denn am 9. März 1963 von Stuttgart über Frankfurt nach *New York*. Leider erwischt mich dabei eine üble Erkältung, so daß ich bei meinen Gastgebern Wilfrid und Missie Sheed in Brooklyn das Bett hüten muß. Aber in New York eine Party des Verlags absagen, zu der sich so viele Menschen wie bisher noch nie angemeldet hatten? Das ist rein technisch unmöglich. Was tun? Mit hohem Fieber werde ich ins Plaza Hotel an der Fifth Avenue beim Central Park gefahren. In einem großen Saal begrüße ich unzählige unbekannte, aber außerordentlich liebenswürdige Leute. Dann eine kleine Ansprache. Ständig flöße ich mir nach Rat des Arztes Coca Cola ein und schwitze wie ein Pferd. Nach unserer Rückkehr ins Quartier stelle ich fest: Das Fieber habe ich buchstäblich hinausgeschwitzt. Jetzt weiß ich, was eine »Roßkur« ist.

Am 17. März fliege ich nach *Boston:* mit seinen vier Universitäten das geistige Zentrum der New-England Staaten, wo sich jetzt langsam ein Strukturwandel vorbereitet, von den traditionellen Industriezweigen wie Schiff- und Maschinenbau zur Hochtechnologie und zum Dienstleistungsbereich. In dieser Stadt also soll mein erster öffentlicher Auftritt in Amerika stattfinden und dies zunächst in einer Pressekonferenz, wo sich denn auch zwei, drei Dutzend Journalisten und drei Fernsehkameras einfinden. Nie hat mir jemand erklärt, wie ich mit den *Medien* umzugehen hätte, ja, ich habe mir als jetzt 35jähriger auch nie ernsthaft darüber Gedanken gemacht. Ich tue schlicht eines: Ich konzentriere ich mich ganz und gar auf das, was ich zu sagen habe. Und dies, »meine Sache«, habe ich ja wahrhaftig gut überlegt und vertrete sie nun, wiewohl in oft unbeholfenem Englisch, überzeugt und kraftvoll mit Argumenten und Humor. Und vor allem ehrlich direkt: ohne akademische Betulichkeit und klerikale Salbung. Als mir Jahrzehnte später einmal von der irischen Television ein kleiner Film über ein Pressegespräch aus der damaligen Zeit geschenkt wird, muß ich selber darüber staunen und lächeln, mit welcher natürlichen Selbstverständlichkeit der »junge Theologe« – dies ist noch lange Jahre mein Titel – seine Sache vertritt. »Rem tene, verba sequentur – halte dich an die Sache, die Worte werden folgen«: mit diesem Wort des römischen Staatsmannes Cato (Maior) deutet mir Jahrzehnte später mein Freund Walter Jens, Deutschlands einziger Professor für Rhetorik, dieses Phänomen.

Doch im Frühjahr 1963 in Amerika spreche ich in einer doppelt günstigen Konstellation. Auf der einen Seite weiß ich mich getragen vom Reformgeist JOHANNES' XXIII. und trete mit der Erfahrung und Autorität eines Konzilstheologen auf. Später meinen manche meiner Gegner, ich bräuchte nun einmal, »streitlustig« wie ich sei, die Opposition, und es sei der Streit mit dem Vatikan, der mich berühmt gemacht habe. Das Gegenteil ist der Fall: Meine Bücher und ihre Sache haben mich bekannt gemacht, und ich finde es höchst beflügelnd, mit Papst und Konzil gewissermaßen »im Rücken« zu sprechen. Wie Thomas Mann könnte ich sagen, daß ich mehr zum Repräsentieren als zum Opponieren geboren sei. Und die Märtyrerrolle (sie hatte Thomas Mann im Blick) liegt mir schon gar nicht.

Auf der anderen Seite aber fühle ich mich verbunden auch mit dem damaligen neuen *Präsidenten der Vereinigten Staaten,* JOHN F. KENNEDY. Nie hätte ich 35jähriger katholischer Europäer so viel Resonanz auf dem amerikanischen Kontinent erfahren, ohne diesen ersten katholischen und zweitens jüngsten Präsidenten der USA. Kennedy ist nur gut zehn Jahre älter als ich. Rund ein Jahr zuvor hatte er sein Amt angetreten: mit der Parole »New Frontiers«, dem Aufbruch zu »Neuen Grenzen« und einer denkwürdigen Antrittsrede. Ich habe sie fast vier Jahrzehnte später in der Kennedy Library in Boston als Fernsehaufzeichnung auf Großschirm tiefbewegt nochmals quasi »live« miterlebt. Eine Epoche der Hoffnung, der Neuansätze und Reformen – nach den innenpolitisch trägen und außenpolitisch monoton am Ost-West-Konflikt orientierten Eisenhower-Jahren – wurde hier angekündigt. Dies alles im geistigen Einklang mit unseren Intentionen auf dem Zweiten Vatikanischen Konzil.

Wichtig für meinen Start in den USA ist schließlich auch der Erzbischof von Boston. »My name is Cushing«, so begrüßt er mich einfach und herzlich mit knarrend-rauchgeschwängerter Stimme. Kardinal RICHARD CUSHING, aus dem armen South Boston stammend, ist aufgrund seines Charakters und seiner Wohltätigkeit eine in allen Kreisen höchst populäre Gestalt. Er läßt mich merken, daß »Hääns« seine volle

Sympathie besitzt. Mit ihm, im purpurnen Mantel und Birett, sowie dem orthodoxen Metropoliten Athenagoras, ganz in Schwarz, ziehe ich in das »Gymnasium« (Sporthalle) von Boston College ein. Rund dreitausend Zuhörer klatschen schon beim Einzug. Ohne jegliche Erfahrung Amerikas, wo ohnehin alles größer dimensioniert ist als bei uns, weiß ich kaum richtig einzuschätzen, was für ein Empfang mir da bereitet wird. Und dies bei meinem Thema, das herausfordernder nicht hätte sein können: »Kirche und Freiheit«.

Kirche und Freiheit?

»Sehr interessant«, hatte mir in Tübingen vor meiner USA-Reise mit einem liebenswürdigen Lächeln ein sympathischer Kollege von der Yale University, Professor of Jewish Studies, gesagt: »Ich weiß, es gibt Kirche; ich weiß, es gibt Freiheit; aber ich wußte nicht, daß es Kirche und Freiheit zusammen gibt!« Mit dieser Feststellung ist schon das ganze Problem ausgesprochen. Darf man hier das »Und« ehrlicherweise überhaupt gebrauchen? »Kirche *und* Freiheit«? Darf man es in einem wahrhaft verbindenden Sinn gebrauchen? Also anders, als wenn man oft spricht von »Kommunismus *und* Freiheit« und meint: *»gegen* Freiheit«. Jener amerikanische Kollege war nicht Christ; vermutlich würde er seine Zweifel nicht nur gegenüber der katholischen Kirche, sondern gegenüber jeder christlichen Kirche anmelden. »Die Intoleranz, die sich mit der Ankunft des Christentums über die Welt hin ausbreitete, ist einer seiner seltsamsten Züge«, sagt Bertrand Russell in einem Buch mit dem Titel »Warum ich kein Christ bin« (»Why I am not a Christian«, 1957).

Angesichts dieses Tatbestandes hilft nur unbedingte Ehrlichkeit. So realistisch wie möglich zeige ich knapp die phänotypischen *Ähnlichkeiten zwischen dem römischen und dem kommunistischen System* auf. Dann bohre ich tiefer mit der Anklage Dostojewskis in seinem »Großinquisitor«, daß die Kirche das Evangelium Jesu Christi und die Freiheit, die er gebracht, verraten habe. Eine Anklage, die auch die Kirchen Luthers und Calvins treffe: Auch sie hätten Ketzer und Hexen auf dem Scheiterhaufen verbrannt und alle möglichen Formen der Unfreiheit und Willkür, des Autoritarismus und Totalitarismus praktiziert oder geduldet, was freilich die spanische und römische Inquisition in keiner Weise entschuldige.

Meine Gegenthese: Alles, was sich da unbestreitbar an *Un-Freiheit* in der Kirche manifestiert, ist nicht Offenbarung des guten, hellen *Wesens* der Kirche, sondern Offenbarung ihres dunklen, bösen *Unwesens*. Von der Botschaft her, auf die sie sich gründet, müßte die Kirche in ihrem inneren Wesen vielmehr ein *Raum der Freiheit* sein. Eine Kirche, die das Evangelium Jesu Christi verkündet, soll den Menschen nicht Knechtschaft, sondern Freiheit bringen: »Christus hat uns zur Freiheit freigemacht« (Gal 5,1). Auf persönliche Erfahrungen spiele ich bei all dem nicht an, doch ich weiß, wovon ich als katholischer Theologe rede. Und aus eigener Erfahrung ist mir bewußt: Diese Freiheit muß in der Kirche immer wieder neu errungen werden. Deshalb spreche ich dann von der Freiheit als Gabe und *Aufgabe*, einer notorisch schwierigen Aufgabe: Denn die *Bedrohung* der Freiheit von innen ist ja sehr viel gefährlicher als die Bedrohung von außen. Bei der Bedrohung der Freiheit durch die Welt *von außen* kann der Christ Schutz, Zuflucht und Freiheit in der Kirche finden (in den Kirchen der eingemauerten DDR etwa sollte sich dies bald recht deutlich bewahrheiten). Bei der Bedrohung der Freiheit in der Kirche *von innen* aber kann der Christ nur einsam bei sich selbst – in der Fliehburg seines freien Gewissens – Schutz, Zuflucht und Freiheit finden.

Man denke dabei keineswegs nur an Extremfälle wie Galilei und Johannes vom Kreuz im Kerker der Inquisition oder Jeanne d'Arc auf dem Scheiterhaufen. Man denke auch an die ungezählten bekannten und unbekannten Naturwissenschaftler, Philosophen, Theologen, Politiker, die in schwere Gewissenskonflikte gerieten – warum? Weil Repräsentanten der Kirche die Grenzen nicht einhielten, die ihnen durch die Freiheit aller Kinder Gottes gesetzt sind. Weil sie Gottes Offenbarung mit einer Ideologie verwechselten. Weil sie ihre Kompetenzen überschritten und sich in reine Fragen der Naturwissenschaft, der Philosophie, der Politik, der Wirtschaft einmischten. Unendlich tragisch ist es, daß Ungezählte gerade in der modernen Zeit aus der Kirche, ursprünglich Raum der Freiheit, flohen, um die Freiheit in der Welt zu suchen. Da hilft nur eines: Mehr denn je muß die Kirche heute, wo die Freiheit so schwer von außen und innen bedroht wird, danach trachten, wieder allen Gutgesinnten in Freiheit eine wahrhaft gastliche Heimat zu sein. Es überrascht und ermutigt mich, daß meine Rede oft von Beifall unterbrochen wird.

Freiheit des Gewissens, der Rede, des Handelns

Gewiß soll in der Kirche nicht Willkür herrschen, sondern Freiheit in der Ordnung. Aber die *Manifestationen* der Freiheit in der Kirche dürfen nicht unterdrückt werden. Das fängt an mit der so oft mißachteten und verurteilten *Freiheit des Gewissens*, die erst Johannes XXIII. in seiner Enzyklika »Pacem in terris« unzweideutig anerkennt und die, sage ich jetzt deutlich, auch gegenüber dem Dogma gilt, das nie angenommen werden dürfte, wenn es gegen das Gewissen wäre.

Zur Freiheit des Gewissens muß aber die *Freiheit der Rede* kommen und in diesem Zusammenhang folgen nun jene Worte, die sofort Eingang in die Medien finden, mir an jeden Ort, zu dem ich komme, schon vorauseilen und mir in Rom Ärger bereiten werden: »Eine großartige und von vielen erwartete Manifestation der Freiheit wäre es, wenn diejenigen Zwangsinstitutionen, ohne die die Kirche 1.500 Jahre sehr gut gelebt hat und die heute zweifellos überholt sind, mutig und vertrauensvoll abgeschafft würden: Index, Vorzensur und Inquisitionsverfahren, in denen Denunziationen angenommen, Ankläger, Belastungszeugen, Verhandlungsordnung, Akten geheimgehalten werden, in denen der Angeklagte nicht angehört, sein Verteidiger nicht zugelassen und die Verurteilung ohne Urteilsbegründung ausgesprochen wird; solche Methoden dürften gegen das Evangelium verstoßen, ganz abgesehen vom vielzitierten Naturrecht. Es ist dringend notwendig, daß sich die Kirche heute von den Methoden des totalitären Staates deutlich absetzt. Wenn die katholische Theologie auf manchen Gebieten wie etwa der Exegese, der Dogmengeschichte, der Religionsgeschichte usw. lange hinter der evangelischen Theologie hinterherhinkte, dann ist die Schuld daran nicht der mangelnden Intelligenz oder Arbeitsfreudigkeit der katholischen Theologen, wohl aber der mangelnden Freiheit zuzuschreiben.« Die Kunde wird auch bis nach Rom dringen: Tosender Beifall folgt regelmäßig diesen Worten.

Die Freiheit des Gewissens und der Rede gipfelt schließlich in der *Freiheit des Handelns*. Das Prinzip der totalitären Systeme, welche die Freiheit des Menschen vergewaltigen, lautet: »Soviel Freiheit wie notwendig, soviel Bindung wie möglich!« Das Prinzip katholischer Kirchenordnung sollte nach dem Subsidiaritätsprinzip umgekehrt lauten: »Soviel Freiheit wie möglich, soviel Bindung wie notwendig!« Einheit, nicht Einerleiheit; unitas, nicht uniformitas; ein Zentrum, nicht Zentralismus: dies ist für die katholische Kirche die Forderung der Stunde. Ein auf Praxis gerichtetes Programm:

Freiheit erstens in der *Liturgie:* Ein Gott, ein Herr, eine Taufe, eine Eucharistie. Aber: verschiedene Riten, verschiedene Sprachen, verschiedene Völker, verschiedene Gemeinden, Frömmigkeitsformen, Gebete, Lieder, Gewänder, Kunststile.

Freiheit zweitens im *Kirchenrecht:* Ein Gott, ein Herr, eine Kirche, eine Leitung. Aber: verschiedene Kirchenordnungen, verschiedene Rechtsordnungen, verschiedene Nationen, verschiedene Traditionen, Verwaltungssysteme, Gebräuche.

Freiheit drittens in der *Theologie:* Ein Gott, ein Herr, ein Evangelium, ein Glaube. Aber: verschiedene Theologien, verschiedene Systeme, verschiedene Denkstile, Begriffsapparate, Terminologien, verschiedene Richtungen, Schulen, Universitäten, verschiedene Theologen.

Ich schließe mit den Sätzen: »Wann in den letzten Jahrhunderten hatte die Welt so große Sorgen und Probleme wie heute? Wann in den letzten Jahrhunderten hatte die Kirche, hatte das Christentum so große Chancen wie heute? Nur die freie Kirche, die Kirche als die freie Gemeinschaft der freien Söhne Gottes, vermag diese Chancen zu verwirklichen. Freiheit in der Kirche ist keine Theorie, Freiheit in der Kirche ist Wirklichkeit, ist Forderung. Wieviel Freiheit in der Kirche wirklich ist, hängt ab – von dir, von mir, von uns allen.« Zum ersten Mal in meinem Leben erfahre ich, was eine Standing Ovation ist. Sie hält an, bis ich die riesige Halle mit Kardinal und Metropolit verlassen hatte. Wie bin ich erleichtert: Die erste Probe wäre bestanden. Getrost kann ich nach Chicago weiterfliegen, wo 5.000 Menschen im McCormack Place warten. Und so weiter, zuerst gen Westen.

Meine Entdeckung Amerikas

Manchmal werde ich während meiner Vorlesungsreihe in den Vereinigten Staaten gefragt, ob ich nicht anschließend ein Buch schreiben wolle über die Lage der Kirche in Amerika. Eine höchst reizvolle Aufgabe! Und doch werde ich es nicht tun. Denn auch wenn man acht Wochen mit offenen Augen und Ohren das Land bereist, von der Ostküste zur Westküste, von der kanadischen Grenze bis nach Mexiko und wiederum zum Mittleren Westen, auch wenn man mit ungezählten Menschen spricht, mit katholischen und nichtkatholischen Christen, mit Bischöfen, Priestern und Ordensschwestern, mit Theologen und Laien, in riesigen Sälen und kleinen Gruppen, in Universitäten, Seminarien, Colleges und Pfarreien, so hat man, meine ich, bescheiden anzuerkennen, daß man dieses große Land und seine große Kirche bestenfalls oberflächlich kennt. Ein Buch darüber zu schreiben wäre anmaßend.

Ohne Angst, aber doch abwartend und vielleicht sogar ein klein wenig mißtrauisch war ich in den Vereinigten Staaten eingetroffen. Voll von unschätzbaren Erfahrungen fahre ich weg. Zuerst einmal war ich von der bunten *Vielfalt der Landschaft und Städte* beeindruckt. Manches Bild werde ich nicht vergessen können: Den Blick auf Manhattan während eines Luncheon im Dachrestaurant des Time-Life-Building mit dem Gründer und Chef von Time und Life, Henry Luce, der mich über Konzil, Papst und Teilhard befragt, und seinem Stab. Chicagos imponierende Seefront. Los Angeles' Hügel und Highways. Die Ebenen des mittleren Westens und die Seen Minnesotas. Pittsburghs mit bewundernswerter Energie renoviertes Golden Triangle. Das vor Entwicklungsdrang fast explodierende Houston. Seattle, das mit See und Bergen so sehr meiner Schweizer Heimat Luzern gleicht. Washingtons Dogwood und seine strahlend weißen Memorials. Und endlich – für mich wie für viele wohl die schönste Stadt Amerikas – San Francisco ... und 6.500 Zuhörer an der University of San Francisco. Ich ahne nur, was diese USA-Erfahrung für meine Zukunft bedeutet. Zunächst empfinde ich vor allem Dankbarkeit gegenüber den vielen Freunden, die mir dies ermöglicht und gezeigt haben!

Aber meine besondere Amerika-Entdeckung ist: das Erlebnis einer nach dem Beginn des Zweiten Vatikanischen Konzils zu neuer Hoffnung, *neuem Leben und neuer Tatkraft erwachenden Kirche.* Ich spreche von *neuem* Leben und *neuer* Tatkraft. Denn Leben und Tatkraft gab es schon immer in der Kirche der Vereinigten Staaten. Immer wieder muß der europäische Besucher staunen, welche ungeheuren Leistungen hier in wenigen Jahrzehnten vollbracht wurden. Es ist für mich eine besondere Ehre, zum Abschluß meiner Vorlesungsreihe in Washington in der ältesten katholischen Universität der Vereinigten Staaten, an der Georgetown University, zu sprechen, die 1791 gegründet wurde. Wie überrascht aber bin ich, dort zu hören, daß der Gründer dieser Universität, John Carroll SJ, nur ein Jahr vor der Gründung erster Bischof der Vereinigten Staaten geworden ist, großer Organisator der jungen katholischen Kirche der USA. Welch kurze Zeit also von nur 170 Jahren und welch gewaltiger Fortschritt! 1790: ein katholischer Bischof und vielleicht 35.000 Katholiken. 1963: rund 250 Bischöfe und 44 Millionen Katholiken.

Das sind trockene Zahlen, aber was es bedeutet, die Kirche in dem riesigen Gebiet von Nordamerika auch nur zu begründen, erkennt man, wenn einem die erste einfache Kolonialkirche von St. Louis am damaligen »New Frontier« des Mittleren Westens gezeigt wird und man sie vergleicht mit der heutigen starken und dynamischen Erzdiözese St. Louis im Herzen Amerikas. Oder wenn man die gewaltigen schulischen und karitativen Bauten der Erzdiözese Boston (1,7 Millionen Katholiken) und die prächtige Arbeit der katholischen Organisationen von Chicago (2,3 Millionen Katholiken) bewundern kann. Was bedeutet es doch, in einer unaufhaltsam Meile um Meile sich ausdehnenden Stadt wie Los Angeles (vielleicht 100 Kilometer Durchmesser, Boulevards mit 16.000 Hausnummern!) auch nur die notwendigen Pfarreien zu gründen, Priester auszubilden, Kirchen zu bauen und Schulen zu eröffnen …

Und dieselbe rasende Entwicklung, die ich in Kalifornien (1940 bis 1950 hat sich seine Bevölkerung um 59 Prozent erhöht) beobachten kann und in Texas erlebe (in zwanzig Jahren hat sich seine Industriebevölkerung verfünffacht; Texas allein produziert mehr Erdöl als die UdSSR), hatte sich vorher im Mittleren Westen abgespielt und noch früher in den großen Zentren des Ostens. Überall war es notwendig gewesen, mit gewaltiger Energie die Kirche zuerst einmal schlicht in den Pfarreien und Diözesen zu »etablieren«. Nur Europäer, die nicht gesehen haben, wieviel Arbeit, Mühe und Geld hier investiert werden mußten, werden sich darüber wundern: Für Theorie und Reflexion, für Theologie und Forschung blieben nicht immer genügend Zeit und Kraft übrig.

Europäer mögen die europäischen Staatsschulen mit Religionsunterricht einem katholischen Schulsystem vorziehen. Sie mögen die offiziell geregelte Kirchensteuer besser finden als das viel Kraft verschlingende System freiwilliger Spenden und Sammlungen. Sie mögen die in große Staatsuniversitäten integrierten theologischen Fakultäten für wirkungsvoller halten als die von den geistigen Zentren abgesonderten Diözesanseminarien: man wird aber, will man gerecht sein, zuerst einmal in Respekt und Bewunderung die gewaltigen Leistungen der amerikanischen Kirche mit ihren zahllosen Universitäten, Colleges, Schulen, Spitälern, Kirchen anerkennen und damit den oft heroischen Einsatz der Menschen, die all dies gestaltet haben. Die katholische Kirche mit ihren mehr als einem halben Dutzend Universitäten und fast zwanzig Colleges gilt heute als akzeptiert.

Drei Dinge sind mir im Zusammenhang mit meinen USA-Vorträgen 1963 besonders aufgefallen: 1. die auch für Amerika ganz und gar außerordentlichen Zahlen von Zuhörern, durchschnittlich vielleicht 3.000 (falls genügend Raum zur Verfügung stand), aufsteigend aber bis zu 5.000, 6.000 und 8.000 Zuhörern, unter denen oft Hunderte von Priestern und Ordensschwestern waren; 2. die mich überraschende begeisterte Zustimmung der Zuhörer; 3. das Medienecho weit über die katholische Kirche hinaus in den anderen Kirchen und in den säkularen Kreisen. Mich ermutigt es, daß meine Reform-Ideen, die wahrhaftig nicht nur die meinen sind, sich in dem ganzen riesigen Land zu verbreiten beginnen – gerade angesichts der immer wieder greifbaren Obstruktion von kurienhörigen Kreisen.

Denn daß zu meinen Vorträgen auch *kritische Stimmen* laut werden, kann niemanden überraschen: neben Msgr. Fenton etwa Bischof George Ahr von Trenton/New Jersey, ebenfalls ein Ottaviani-Mann, dessen Verdikt »nonsense« durch alle Kirchenzeitungen wandert. Die Kritik stammt zuallermeist von Leuten, die meine Vorträge gar nicht gehört und nur einseitige Presseberichte gelesen hatten. Wie oft zitierte man in den Zeitungen Sätze für mehr Freiheit in der Kirche oder gegen den Index und überging die Sätze für die Notwendigkeit der Ordnung, Achtung der Autorität und Bedeutung des Amtes in der Kirche. Beiläufige Bemerkungen auf Fragen von Journalisten über Probleme, die noch viel Nachdenken erfordern (wie z. B. über Mischehen), werden als prinzipielle Stellungnahmen groß aufgemacht (man staunt dabei, wie kurz der Weg von San Francisco über Agenturen in ein schwäbisches Kirchenblättchen sein kann!). Aber käme man an ein Ende, wenn man – fast jeden Tag in einer anderen Stadt – dauernd dementieren und richtigstellen würde?

Zum Teil richtig und jedenfalls wichtig erschien mir dagegen die nicht sehr wohlwollende Kritik des Rabbi ARNOLD JACOB WOLF aus Chicago in der Zeitschrift »The Christian Century«: Ich hätte in meinem Konzilsbuch der Frage des *Judentums* nicht die nötige Aufmerksamkeit geschenkt. Mein Buch, das die Verfolgung der Juden durch die Kirche deutlich tadelt und Johannes' XXIII. Korrekturen der Karfreitagsliturgie lobt, konzentriert sich in der Tat auf die katholisch-protestantische Verständigung. Doch nehme ich mir vor, die Geschichte des Verhältnisses von Kirche und Juden so bald wie möglich intensiv zu studieren. Ich äußere mich nämlich als Theologe zu gewichtigen Themen in der Öffentlichkeit erst nach gründlichem Studium.

Das erste Ehrendoktorat

Eines ist für mich besonders auffällig: das *ökumenische Erwachen*. Wir haben in Zentraleuropa eine längere Tradition in der ökumenischen Begegnung, und die Kirche in den Vereinigten Staaten brauchte aus verschiedenen Gründen längere Zeit um zu starten. Jetzt aber geht es in den USA rascher voran: mit größerer Spontaneität, mit mehr Energie und mit weniger traditionellen Vorurteilen und übersteigertem Doktrinalismus. Unzählige Diskussions- und Arbeitsgruppen in kürzester Zeit überall auf dem großen Kontinent. Unzählige neue Kontakte zwischen katholischen, protestantischen und orthodoxen Christen und Theologen, auch immer mehr zwischen Christen und Juden. Die katholischen Zeitungen und Zeitschriften voll von ökumenisch orientierten Artikeln. Radio und Television bringen immer mehr gemeinsame religiöse Sendungen von Katholiken, Protestanten und Juden.

Daß der Sinn für ökumenische Theologie sprunghaft angestiegen ist, zeigt sich an der wachsenden Zahl ökumenischer Bücher (wie »Christianity Divided«, »Dialogue for Reunion«, »The Layman in the Church«, »Looking toward the Council«...). Zeigt sich auch an der in Pittsburgh geplanten und von einem sehr guten internationalen und interkonfessionellen Stab unter Professor LEONARD SWIDLER (einem alten Tübinger) vorbereiteten, fachtheologischen ökumenischen Zeitschrift *»Journal of Ecumenical Studies«* (später mit dem Sitz in Philadelphia); ich werde einer ihrer »associate editors«. Besonders erfreulich das neue Interesse der Laien für Theologie und theologisches Studium und die neuen Initiativen katholischer Universitäten (z. B. University of San Francisco, Notre Dame, Marquette usw.), diesem Interesse durch Graduate Studies und die Ermöglichung entsprechender akademischer Grade entgegenzukommen.

Es gibt in Europa seit langer Zeit ökumenische Tagungen in kleinem Rahmen. Aber ich habe in Europa kaum je ein so eindrucksvolles ökumenisches Treffen gesehen wie das im erzbischöflichen Seminar zu *St. Louis*, wo Kardinal JOSEPH RITTER zur Vorlesung über »Kirche und Freiheit« in eigenem Namen nicht nur seinen ganzen Klerus und alle seine Seminaristen, sondern auch alle protestantischen und orthodoxen Amtsträger aus dem Gebiet der Erzdiözese eingeladen hat. Daß sich der liebenswürdige, hochgebildete Kardinal dabei in schlichter Priesterkleidung mitten unter all die katholischen und protestantischen Geistlichen setzt, hat mich mehr beeindruckt als mancher feierliche Aufmarsch europäischer Hierarchen.

An der University of St. Louis findet zur gleichen Zeit der Jahreskongreß der National Catholic Educational Association statt. Etwa 8.500 Teilnehmer haben sich im riesigen Kiel-Auditorium des Opera House eingefunden, wo mir nun eine besondere akademische Ehre zuteil wird: mein erstes Ehrendoktorat. Mit ihm sollte bewußt ein Kontrapunkt gesetzt werden zu jener Strafaktion der Catholic University of

America in Washington D.C. unmittelbar vor meiner Abreise nach Amerika. Es soll Kardinal Ritter oder einer seiner Mitarbeiter gewesen sein, der die Anregung zu dieser Auszeichnung gegeben hat. Jedenfalls bin ich froh gestimmt, als mir in schwarzer Robe mit dem flachen amerikanischen Doktorbarett die rote Gown der juristischen Fakultät vom Rektor der Universität, Paul Reinert, über die Schulter geworfen wird: und ich als »a man of vision« zum *Ehrendoktor der Rechte*, Doctor of Laws (LL.D), ernannt werde. Für mich ist eine solche Ehrung nicht in erster Linie ein persönliches Ornamentum, sondern ein für meine Aufgabe bedeutungsvolles Politikum.

Natürlich sieht man dies im Vatikan nicht so. Man ist wütend über diese Heraushebung meiner Person und all dem, wofür ich stehe. Der Präfekt der Kongregation für die Studien und Universitäten, Kardinal GIUSEPPE PIZZARDO, dem ich meine Silbermedaille für mein philosophisches Lizenziat verdanke, erläßt schon am 25. Mai 1963 – Papst Johannes liegt im Sterben – eine illegale, weil ohne vorherige Plenarsitzung und Einwilligung des Papstes erlassene »lex Küng«: In Zukunft dürfen katholische Universitäten keine Ehrendoktorate verleihen ohne römisches Plazet. Eine neue Einschränkung der akademischen Lehrfreiheit, vom Sekretär der Kongregation Erzbischof DINO STAFFA in einer Pressekonferenz verteidigt mit der Begründung: »Es gibt so viele Periti, die Dummheiten reden. Wenn wir ihm (Küng) einen Ehrentitel gäben, würde es so aussehen, als billigten wir seine Ideen.« Nach »Time Magazine« (20. 9. 1963) hat dies freilich auch zu tun mit der Publikation meiner kritischen Konzilsvorträge in einem eigenen Taschenbuch: »The Council in Action« (»Kirche im Konzil« 1963), die, in weitere Sprachen übersetzt, keine geringe Wirkung entfalten. Gerüchte einer Indizierung oder eines Lehrverbots bestätigen sich erfreulicherweise nicht.

Einen starken Widerhall findet auch der von der katholischen Universität Boston, »Boston College«, am 15. April 1963 veranstaltete öffentliche interkonfessionelle *»Theological Dialogue«* über Kirche, Schrift und Tradition, bei dem ich mit dem französischen Jesuiten JEAN DANIÉLOU die katholische Seite vertreten darf, während die brillanten Amerikaner JAROSLAV PELIKAN, Theologiehistoriker in Yale, und ROBERT MCAFEE BROWN, reformierter, auch politisch aktiver Systematiker in Stanford, für die protestantische Theologie sprechen. Vielleicht 200 katholische und evangelische Theologen aus ganz Amerika (Protestanten vor allem von Harvard und Yale) nehmen an diesen zwei Tagen teil. Ich verteidige auf dem Hintergrund der Konzilsdebatte den Primat der Schrift, der ursprünglichen Tradition, für Theologie und Kirche, andererseits aber auch das Gewissen, das nach Thomas von Aquin selbst dann subjektiver Maßstab ist, wenn es objektiv irrt! Daß unbekümmert um Prestigefragen ganz selbstverständlich am ersten Tag der katholische Bischof von Manchester (New Hampshire), Ernest Primeau, und am zweiten Tag der episkopalische Bischof von Massachusetts, Anson Phelps Stokes, den Vorsitz führen, bedeutet auch im Vergleich mit europäischen Verhältnissen ein außerordentliches Zeichen ökumenischer Begegnung. Kardinal Cushing hält bei diesem theologischen Dialog eine sehr konstruktive Schlußrede über das Verhältnis zwischen katholischer und orthodoxer Kirche: »Die Kirche als Brücke zwischen West und Ost«.

Selbstverständlich gibt es wie im protestantischen Raum so auch im katholischen starke »Widerstandsnester«. Typisch für die sich nun in manchen Ländern entwickelnden reaktionären *»römisch«-katholischen Winkelblättchen:* »The Wanderer« der Gebrüder Matt (St. Paul/Minnesota), unterstützt vom theologisch naiven früheren Regens Msgr. Rudolph Bandas. Gegen diesen Ottaviani-Freund verteidigt mich der getreue schweizerisch-amerikanische Benediktiner Placidus Jordan, der für »Religious News Service« der USA am Konzil ist. Ursprünglich erfreulich stark für soziale Gerechtigkeit und liturgische Erneuerung engagiert, aber im sich abzeichnenden Paradigmenwechsel zurückgeblieben, verketzert »The Wanderer« jetzt in jeder Nummer mit unwahren und schiefen Argumenten und »character assassination« nicht nur mich, sondern überhaupt »fortschrittliche« Bischöfe und Theologen als »Häretiker« oder »Modernisten«. Würden diese Wadenbeißer und Volksverhetzer (ähnlich später in Deutschland »Der Fels« oder in der Schweiz »Timor Domini«, »Furcht des Herrn«, im Klerus »Tumor Domini« genannt) im Vatikan nicht so ernstgenommen und von konservativen Geldgebern großzügig unterstützt, wären sie ohne jegliche Bedeutung.

Kardinal RICHARD CUSHING, im Unterschied zu dem in der römischen Kurie groß gewordenen »smoothie« (aalglatten) Kardinal Spellman von New York ein »roughie« (»rauher«), merkt, daß ich nach acht Wochen täglichen Redens und Reisens quer durch die Vereinigten Staaten ein wenig müde geworden bin. Seine Sympathien hat er mir bewahrt, auch nach all dem öffentlichen Wirbel um Person und Sache. Als ich ihn um Imprimatur und Vorwort für die englisch-amerikanische Ausgabe meines Buches »Strukturen der Kirche« bitte, sagt er sofort zu. Und zu meiner Aufmunterung fügt er hinzu, er mache gleich eine »Order of 1.000 copies« für seinen Klerus und seine Freunde. Sein Vorwort mit Imprimatur vom 27. November 1963 lohnt auch deshalb die Dokumentation, weil hier etwas von der Grundstimmung festgehalten ist, die meine erste USA-Reise getragen hat: »Ich stimme nicht notwendig mit jeder Schlußfolgerung und jedem Vorschlag, die dieser Priester und Gelehrte macht, überein; ich zweifle jedoch keinen Moment an seiner wissenschaftlichen Integrität und priesterlichen Hingabe. Meine Zusammentreffen und Unterhaltungen mit ihm in Boston und Rom haben mich davon überzeugt. Christen in Amerika sind vertraut mit seinen früheren Werken über das Konzil. In der Tat, im amerikanischen Gedächtnis hat sich der Name Hans Küng wie wenig andere verbunden mit dem Konzil und der katholischen theologischen Erneuerung. Er hat uns in diesem Land einen großen Dienst geleistet – durch seine Schriften, durch seinen Besuch, durch seine Vorträge. Er hat nicht immer einstimmige Billigung und Übereinstimmung gefunden, aber er gewann überwältigende Bewunderung für seine Wissenschaftlichkeit und seine Demut – wahre Kennzeichen eines christlichen Gelehrten.« Leicht begreiflich, daß auch mir persönlich solche Sätze kostbar sind angesichts all der Kritik aus dem Lager Ottavianis.

»Ein ungewohnter Besucher in Washington«

Eines der verheißungsvollsten Zeichen der neuen Zeit – ich erfuhr es in Harvard, Yale, University of Chicago, University of California in Los Angeles und Rice University in Houston/Texas – ist das starke Interesse der großen nichtkatholischen Universitäten für katholische Theologie, zu denen jetzt zunehmend auch katholische Professoren wie Studenten Zugang finden. Daß dabei Theologen wie John Courtney Murray, George Tavard und Gustav Weigel, daß Liturgiker wie Godfrey Diekmann, Kirchenhistoriker wie John Tracy Ellis, Kirchenrechtler wie Stephan Kuttner (er bekommt den neuen Lehrstuhl für Catholic Studies in Yale), Soziologen wie Andrew Greeley, aber auch gebildete katholische Politiker wie Senator Eugene McCarthy (Minnesota) und die Brüder Kennedy (Boston) in hohem Ansehen stehen, wird niemanden verwundern.

EUGENE MCCARTHY, demokratischer Senator des Staates Minnesota – nicht zu verwechseln mit dem fanatischen Kommunistenjäger und republikanischen Senator Joseph McCarthy von Wisconsin (abgelöst 1954, gestorben 1957) – darf ich denn auch zu meinen Freunden zählen. Zusammen mit seiner Frau Abigail hat er mich als Ehrengast zu einem unvergeßlichen Welcome Dinner in »the Nation's Capital« eingeladen. Es ist ein gemeinsamer Freund und Peritus vom Konzil, der Publizist Msgr. VINCENT YZERMANS von der kleinen, aber sehr lebendigen Diözese St. Cloud/Minnesota, über den der Kontakt zustande kommt. Er hat dem Senator nebenbei auch jene oft kolportierte Story erzählt, die er später in seinen Memoiren »Journeys« (1994) nach Rom verlegt: Auf fast leerer schnurgerader Autobahn Minnesotas durfte ich seinen neuen Chevrolet ausprobieren und war zu seinem Erschrecken rasch auf 110 Meilen: »Ich fahre wie ich Theologie treibe«, sei meine lächelnde Antwort gewesen, »fast but safe – rasch, aber sicher!« Allerdings habe ich in Rom Autofahren gelernt, wo es im Kreiselverkehr mehr auf rasches Reagieren als auf Vorfahrtsregeln ankommt.

Senator McCarthy ist ein feiner, hochgebildeter Mann und Professor, vielleicht ein wenig zu akademisch, um später (1968) die demokratische Präsidentschaft in einem Wahlkampf gegen den Republikaner Nixon zu gewinnen. Unter den Gästen der deutsche und der schweizerische Botschafter sowie der spanische Botschafter Garrigues (später Begleiter von Jacqueline Kennedy durch Spanien). Er hält die beste Rede über Spaniens Größe und Schrecken, Kunst und Inquisition, die ich je gehört habe und hören werde. Auch ich habe mich unterdessen daran gewöhnt, bei jedem Essen eine Tischrede (»a few words«) zu halten und benütze natürlich jede Gelegenheit, ohne teutonische Schwere ernsthaft und womöglich humorig für meine Anliegen zu werben.

Der Vortrag an der *Georgetown University*, wo ich beauftragt bin, die Glückwünsche der Universitäten Berlin, Bonn, Heidelberg und Tübingen zu überbringen, läuft besser denn je und dauert auch länger als gewöhnlich. Die lautlose Spannung hält an bis zum Schluß. Daß nachher überraschenderweise an der Catholic University of America, deren Leitung mich mit dem »Bann« belegt hat, ein Empfang von seiten der Professoren und der Studenten stattfindet, erscheint mir als nachträglicher Sieg über die römisch-kurial orientierte Administration. Diese sei jetzt zumindest »unendlich mehr in Angst«, schreibt mir der dortige bekannte Kirchenrechtler Fred McManus später, »daß ihre suppressiven und oppressiven Aktionen öffentlich bekanntwerden könnten«, und Msgr. John Tracy Ellis, Amerikas führender katholischer Kirchenhistoriker, kritisiert offen »a decade of suppression at Catholic University«. Nur hätte ich gerne all den vielen, die da in einer langen Reihe anstanden, mehr als ein Grußwort mit Händedruck geschenkt. Nicht weniger Freude bereitet mir die Eucharistiefeier, die ich im *Sacred Heart College* im familiären Kreis feiern darf. Ein Sohn von Justizminister Robert

Kennedy ministriert, eine Tochter McCarthy's und eine kleine Kennedy bekommen von mir die erste Kommunion.

Nach der Blockade, mit der die »römische Partei« meinen Auftritt in Washington und anderswo zu verhindern sucht, bedeutet der Auftritt an der Georgetown University und an der Catholic University einen doppelten Triumph. MARY MCGRORY, eine bedeutende Kolumnistin Washingtons, fängt in ihrem Artikel »A Theologian is an Unusual Visitor« (»America« vom 8. 6. 1963) gut die damalige Stimmung ein. Seltsam, dies heute wieder zu lesen: »Hans Küng, jüngster, berühmtester und vielleicht umstrittenster ›Experte‹ des Vatikanischen Konzils, war jüngst ein Besucher in Washington. Sein Erscheinen verursachte ein großes Aufsehen in einer Stadt, die an viele Gäste gewöhnt ist. Nie zuvor hat ein Theologe solch einen Empfang erhalten ... 3.000 Menschen kamen, um ihn zu hören und saßen in gespanntem Schweigen, während, in einer Stunde und vierzig Minuten, der 35jährige Schweizer Theologe seine Botschaft einer ›Freiheit in Ordnung‹ definierte. Er erhielt eine ›Standing Ovation‹, als er endete.« Wenn man – heißt es weiter – nicht nur die ihm vorausgeeilten Pressemeldungen über die Abschaffung des Index und der Vorzensur lese, sondern die viele erfreuende Botschaft von der Freiheit, so sei dies »nicht so sehr eine Revolution, sondern eine Rückkehr – eine Wiederherstellung der ›königlichen Freiheit, die Christus den Kindern Gottes gebracht hat‹.«

John F. Kennedy's New Frontier

Für die Politik der Vereinigten Staaten habe ich mich von Jugend auf interessiert; groß ist die Ähnlichkeit des schweizerischen demokratischen Systems mit dem amerikanischen, dem es im 19. Jahrhundert angeglichen wurde. Während meiner acht USA-Wochen bemühe ich mich bei jeder Gelegenheit, mich besser zu informieren. In Washington zeigt man mir das Kapitol und wundert sich, daß mir die Funktion etwa des »House Rules Committee« ebenso bekannt ist wie die konservativ-liberale Zusammensetzung des Supreme Court. Gerade im politischen Washington erwartet mich der Höhepunkt meiner langen Tour durch die Vereinigten Staaten. Am 30. April 1963 kann ich im Weißen Haus Präsident JOHN F. KENNEDY persönlich begrüßen.

Es ist Ralph Dungan, seit den 50er Jahren Freund und Assistent des damals jungen Senators von Massachusetts und anwesend bei dem erwähnten Dinner von Senator McCarthy, der mir auf Bitte Msgr. Art

Yzermans die »Audienz« verschafft. Schon am frühen Morgen werde ich, begleitet von Vincent Yzermans und Georgetown-Dean Joseph Selinger, ins Weiße Haus geführt und schließlich in das »Allerheiligste« der amerikanischen Staatsführung: das Oval Office mit Kennedys Schaukelstuhl und den Kabinettsraum, wo ich auf den einzelnen Ledersesseln alle die berühmten Aufschriften mustere: »Secretary of State, Secretary of Defence, Secretary of the Treasury …«. Den Secretary of Defence, Robert McNamara, werde ich sehr viel später persönlich kennenlernen – mit dann völlig geänderten Ansichten über den Vietnam-Krieg, der jetzt ein immer bedrohlicheres Ausmaß annimmt.

Nun hatte ich ja im Konzil alle Tage mit »Autoritäten« zu tun, mit hohen geistlichen »Würdenträgern«, ausgezeichnet mit dem Purpur – früher Würdezeichen der Kaiser und Könige – oder mindestens violett, mit Prunkring und Brustkreuz. Huldvolle, freundliche, meist rundliche, in ihren langen Röcken oft etwas verweichlicht wirkende Gestalten, aber gleichzeitig »von Gottes Gnaden« sakral überhöht, da sie ja ihre Autorität nach gängiger römischer Auffassung von Jesus Christus persönlich erhalten haben. Jetzt aber begegnet mir im Weißen Haus eine *ganz andere Autorität:* der mächtigste Mann der Welt in einem beigen Alltagsanzug, schlank, sportlich und braungebrannt, ohne Abzeichen, ohne Ordensspange, ohne Ring, die linke Hand lässig in der Sakkotasche. Eine demokratische Autorität, gegründet in persönlichen Qualitäten und getragen vom Willen des Volkes. Freundlich lächelnd streckt mir John F. Kennedy seine Rechte entgegen. Er kommt vom traditionellen Mittwochsfrühstück mit den Führern des Kongresses und stellt sie mir vor: »This is Mr. Johnson, Vice President. And this Senator Humphrey, Leader of the Senate, and Senator Mansfield, and this the Speaker of the House of Representatives, John McCormick.« Und mich stellt er den Herren vor mit den Worten: »And this what I would call a New Frontier-Man of the Catholic Church – Und diesen hier würde ich einen New-Frontier-Man der katholischen Kirche nennen.«

In der Tat: Ich stehe für die »neue Grenze«, die Erneuerung der katholischen Kirche, und in meinen Vorträgen brandet jedes Mal Beifall auf, wenn ich auf »*the New Frontier of the Catholic Church*« zu sprechen kam. Hier besteht ein Gleichklang, auf den Kennedy anspielt. Aus seiner katholischen Überzeugung hat er, ein regelmäßiger Kirchgänger, nie einen Hehl gemacht; sie war immer wieder Gegenstand der Wahlkampfauseinandersetzung. Aber anders als früher der ebenfalls katholische Al Smith, Gouverneur von New York, erster und bisher einziger katholischer Bewerber für das Präsidentenamt (in meinem Geburtsjahr

1928), gelang es Kennedy, die Ressentiments der protestantischen und jüdischen Bevölkerung abzubauen. Nicht indem er wie Smith päpstliche Enzykliken und kirchliche Würdenträger zitierte, sondern indem er auf sein bisheriges Verhalten im Kongress verwies. Auch als Präsident übt er kluge Zurückhaltung in konfessionellen Fragen. Auch liebt er es nicht, sich im Weißen Haus mit katholischen Geistlichen photographieren zu lassen. Das Verständnis eines neuen Verhältnisses von Staat und Kirche, wie es von meinem Freund John Courtney Murray entwickelt worden war, hat ihm dabei zweifellos geholfen. Noch mehr aber das neue Verständnis von Papsttum und Kirche, wie es Johannes XXIII. und das Zweite Vatikanische Konzil verkörpern. Freilich hat auch der Demokrat Kennedy den Eindruck, daß die Schwestern und Priester mehr hinter ihm stehen als die Bischöfe und Monsignori, die mehrheitlich mit den Republikanern sympathisieren.

Ein freier Mann mit einem freien Sinn

Auch wenn aus späterer kritischer Distanz manches an Kennedys Leben und politischem Wirken zwiespältig erscheinen mag: Kaum ein Staatsmann hat mich bisher so beeindruckt wie JOHN F. KENNEDY. Und bis heute steht die kleine Bronzebüste in meinem Bücherregal, die mir anläßlich meines zweiten Besuches in Washington seine älteste Schwester, Eunice, geschenkt hat, als wir das Kennedy-Center besuchten, wo das Original riesig und doch nicht bedrückend die große lange Wandelhalle beherrscht. Und ich habe diesen kleinen Bronzekopf auch nicht weggestellt, als ich Jahre später von den gar nicht erfreulichen »Frauengeschichten« des Präsidenten las, die kein gutes Licht auf seine moralische Integrität werfen. Warum?

Mir imponiert noch heute Kennedys Stil: selbstverständlich souverän, natürlich, von unauffälliger Eleganz, immer die Würde bewahrend. Aber auch seine Rhetorik: klar, direkt, »factual«, angemessen, nie hochtrabend, melodramatisch oder läppisch. Schließlich seine Mentalität: ein disziplinierter und analytischer Geist, überlegt und mutig zugleich, geprägt durch Selbstvertrauen, Offenheit und Humor. Von einem Schüler einmal gefragt, wie er, in der Marine mehrfach ausgezeichnet, zu einem Helden wurde, antwortete er: »It was easy – sie haben mein Schiff versenkt.«

Mir gefällt auch: Kennedy ließ sich weder von Generälen noch von Admirälen beeindrucken und war militärischer Indoktrination gegenüber skeptisch. Er wahrte aber auch gegenüber Bischöfen und Kardinälen eine respektvolle, nie devote Unabhängigkeit. Ja, er erklärte in der Wahlkampagne immer wieder, daß er als Präsident der Vereinigten Staaten auch vom Papst keinerlei Weisungen annehmen würde, auch nicht in Sachen Geburtenkontrolle. Kennedy ist ein Liberaler im besten und ursprünglichen Sinne des Wortes, der einen doktrinär-aggressiven Liberalismus ablehnt.

So ganz anders als am vatikanischen Hof üblich, wo man Veränderungen scheut: »pensiamo in secoli – wir denken in Jahrhunderten!« Und wo nicht die fachliche Kompetenz, sondern die Gnade des Fürsten (»persona grata« oder »ingrata«) und persönliche Beziehungen den Ausschlag geben. Da verkörpert Kennedy für mich einen *neuen Stil des kompetenten, reflektierten und aktiven Regierens.* Harvard Graduate ohne Angst vor Professoren, zog er von Anfang an mehr als jeder andere Präsident vor ihm hervorragende wissenschaftliche Berater aus den Universitäten heran. Nur die Besten sind ihm als Mitarbeiter und Gesprächspartner gut genug. Und nur mit neuen Formen des Entscheidungsprozesses läßt sich die Verantwortung des Präsidenten der westlichen Vormacht effektiv wahrnehmen.

Zugleich versteht es Kennedy, die junge Generation nicht nur Amerikas, sondern auch Europas zu begeistern. So gründet er schon bald das Peace Corps unter der Leitung des fähigen Sargent Shriver, des Mannes seiner Schwester Eunice, mit denen ich wenig später befreundet sein werde. Ralph Dungan aber ist besonders beteiligt am Entwurf einer mehr auf gegenseitiger Partnerschaft gegründeten »Allianz für den Fortschritt« mit Lateinamerika und wird dann Botschafter in Chile. Eines anderen engen Mitarbeiters Kennedys, Theodore C. Sorensens, Biographie werde ich später von der ersten bis zur 880. Seite lesen und mir wichtige Stellen anmerken. Ihm verdanke ich die Charakterisierung: Kennedy – »a free man with a free mind«. Aber auch manche kleine Parallelen, die mir Spaß machen: hohe Arbeitsintensität und schnelles Arbeitstempo, inspirierende Führung und hohe Anforderungen an sein Team, die Fähigkeit, jederzeit, auch im Flugzeug, Auto oder Hotel, kurz zu schlafen. Kein Jäger und kein Angler, aber immer gern an der frischen Luft und am liebsten am Wasser ...

Mich fasziniert am Phänomen Kennedy die Mischung aus Charisma und Kompetenz, Ausstrahlung und Effektivität. Mich interessiert – im Blick auf Führungsschwäche und Strukturprobleme in meiner eigenen Kirche – die Frage von Leadership und die Möglichkeit, große Apparate zu verändern und neu einzustellen: wie er mit der Macht umgeht, gewandt, aber nicht einfach um ihrer selbst willen, nur aus persönlichem Ehrgeiz, sondern als Verpflichtung für die Nation: damit etwas zum Wohl der Allgemeinheit geschieht. Am Anfang seiner politischen Tätigkeit war er freilich einfach darauf aus zu siegen. Aber je mehr er in die Verantwortung hineinwuchs, umso mehr wurden ihm Ideen und Ideale wichtig. Er will in einer Zeit ungeheurer Herausforderungen sowohl in der Außenpolitik (Wettlauf mit der Sowjetunion) wie in der Innenpolitik (Bürgerrechte für die Schwarzen) – seine großartige Antrittsrede am 20. Januar 1961 zeigt dies – eine neue Ära der Hoffnung einleiten: öffentlicher Dienst vor den privaten Interessen; statt furchtbarer Kriege furchtlose Verhandlungen; neue konstruktive Beziehungen zwischen Ost und West, Schwarz und Weiß, Unternehmern und Gewerkschaften.

Kennedy bekämpft erfolgreich die Inflation, kurbelt die Wirtschaft an und baut die Arbeitslosigkeit ab. Natürlich erlebt er auch Mißerfolge: Für die unter seinem Vorgänger geplante und fehlgeschlagene Invasion Kubas (April 1961) übernimmt er sofort die Verantwortung. Im Oktober/November 1962 jedoch erzwingt er souverän – ohne militärische Konfrontation allein durch Seeblockade – den Abtransport der sowjetischen Mittelstreckenraketen, löst damit die Kubakrise und leitet zugleich eine Rüstungskontrolle ein. Was er, konfrontiert mit starken konservativen Kräften im Kongreß, in vier oder acht Amtsjahren realisiert hätte von seinen weitreichenden Programmen: wer weiß es? Kennedy sind als Präsident keine drei Jahre geschenkt.

Noch unmittelbar vor meinem Besuch im Weißen Haus muß der Präsident anläßlich einer Demonstration von Schwarzen in Birmingham (Alabama) gegen weiße Fanatiker Bundestruppen einsetzen. Ein böses Omen. Außenpolitisch hat er das Engagement der USA in Vietnam gefährlich erhöht – mit fatalen Folgen. Er hätte wohl auch wieder rascher den Weg zum Disengagement gefunden, meinte später seine Schwester Eunice auf meinen Einwand. In seinem Buch »Profiles in courage«, das ihm den Pulitzer-Preis eingetragen hat, schreibt Kennedy: »Ein Mann tut, was er muß, trotz der persönlichen Konsequenzen, trotz der ... Gefahren – und dies ist die Basis aller menschlichen Moralität.«

Was hätte wohl aus seiner Präsidentschaft noch werden können? Tieftraurig frage ich mich dies: Denn im selben Jahr 1963, am 22. November, wird John F. Kennedy in Dallas *ermordet.* »Was war das Charakteristische an Ihrem Bruder Jack?«, frage ich später Eunice bei einer langen Autofahrt von ihrer großartigen Residenz in Virginia hinein nach Washington: »He just liked people! – Er liebte einfach Menschen!«

Erfreuliche Bilanz – mit Schatten

Erst am Abend des 30. April 1963 fliege ich von Washington nach London, überwältigt von all dem, was ich in Amerika erlebt habe. Am 2. Mai schon beginnt ja in Tübingen das Sommersemester. Aber ich wollte drei hochwichtige Einladungen aus *England* nicht ausschlagen. Und so rede ich schon am nächsten und folgenden Abend, am 1./2. Mai, über Kirche und Freiheit am überfüllten King's College in London und am 3. Mai an der Universität Oxford. Am Samstagmorgen, 4. Mai im Auto – zwischen den beiden konkurrierenden berühmten Universitätsstädten gibt es bezeichnenderweise weder eine vernünftige Bahn- noch Straßenverbindung – nach Cambridge. Entgegen der Erwartung meines liebenswürdigen Fahrers Fergus Kerr OP aufregend zeitraubend, weil überall Markt. Verspätete Ankunft. Renne über den Rasen zum King's College. Kühle das Gesicht mit kaltem Wasser. Und beginne sofort in dem Auditorium, wo die Zuhörer sogar auf den Fensterbänken sitzen, meine Vorlesung. Auch da schließlich großer Applaus. So kann ich denn am Sonntag, den 5. Mai in jeder Hinsicht glücklich den letzten Flug von London nach Frankfurt und Stuttgart antreten und endlich in mein geliebtes Tübingen zurückkehren.

Was war erreicht? Der junge Dominikaner Thomas Riplinger aus Chicago, später mein Doktorand in Tübingen, gibt ein Stimmungsbild, als man in ihrem Studienhaus in Chicago mein Konzilsbuch las und dieses zu einer »intellectual explosion« führte: »Keine Themen waren jetzt mehr Tabu. Für die amerikanische Kirche entzündete Küngs Buch und seine gleichzeitige Vortragsreise unter dem Thema ›Freiheit in der Kirche‹ eine Explosion, die noch immer widerhallt in der Kirche und ihren Organisationen. ›Freiheit‹ war nun einmal das Letzte, was amerikanische Katholiken mit der römisch-katholischen Kirche verbunden hätten. Plötzlich war sie ein Programm. Küngs Buch öffnete die Schleusentore für die katholische Theologie in Amerika. Die Wolken, die über den Häuptern von Theologen wie Chenu, Congar, de Lubac, Daniélou, Bouyer, Courtney Murray, Rahner, Schillebeeckx drohten, lösten sich augenblicklich in Luft auf.«

Das ist ja wohl, was man heute einen *Bewußtseinswandel* nennt. Der allergrößte Teil meiner Forderungen von damals wird in die Konzilsdekrete eingehen. Doch ist dies keineswegs der einzige Maßstab für die Beurteilung des Erreichten. Auch die noch unter Johannes XXIII. vor 1960 von keinem führenden Theologen oder Bischof erhobene Forderung nach *Abschaffung des Index der verbotenen Bücher* zum Beispiel, der die ganze gegenreformatorische Ära (seit 1564) geprägt hatte, wird in der Tat erfüllt werden. Nicht weil die Abschaffung in der Konzilsaula diskutiert und irgendein Konzilsbeschluß erfolgen wird. Vielmehr weil der Index, wovon noch die Rede sein soll, von Paul VI. am Ende des Konzils im Rahmen der Kurienreform stillschweigend begraben wird.

Für die Abschaffung brauchte es einen Katalysator. In dem mir gewidmeten Artikel der bekannten amerikanischen Current Biography vom Juli 1963 wird die Forderung der Abschaffung des Index besonders hervorgehoben. Umgekehrt aber werde ich in meiner Heimat heftig angefeindet gerade wegen meines »theologischen Angriffs auf den Index«, der auch in der Schweizer Presse kolportiert wurde: Oberkritikus der uns schon bekannte Luzerner Moraltheologe und Germaniker Professor ALOIS SCHENKER, der mich – nach einem unflätigen Angriff auf Hans Urs von Balthasar schließlich doch als Herausgeber der Schweizerischen Kirchenzeitung vom Bischof abgesetzt – jetzt in mehreren Artikeln eines Blättchens mit dem Namen »Schildwache. Herold des Königtums Christi« angreift. Er kann sich berufen auf den Kollegen CHARLES JOURNET von der Universität Fribourg, der zu meinen Reformvorschlägen einen Artikel verfaßt hat mit dem Leitsatz »Zuviel ist zuviel«. Journet – einer jener Theologen, die zwar ein großes Werk über die Kirche geschrieben haben, der aber jetzt mit den Neuerungen nicht mehr mitkommt und es dafür in späteren Jahren zum Kardinal bringen wird.

PETER HEBBLETHWAITE, der vielleicht kenntnisreichste und intelligenteste Beobachter des Konzils, englischer Jesuit und Biograph Johannes' XXIII. und Pauls VI., schreibt über diese Zeit: »Die Kurie war wütend über die Art, wie dieser junge Aufsteiger das Sanctum Officium denunzierte und sein persönliches Programm für das kommende Konzil in Presse und Television kundtat, während solide Theologen und ernsthafte Personen wie sie selber geziemende lateinische Memos austauschten über die Grenzen der religiösen ›Exemption‹. Es war unerträglich.« Aber der junge Gelehrte hätte nun einmal auch eine Menge Unterstützung: Kardinal König, Kardinal Liénart, und auch in der Kurie seien einige erfreut zu sehen, »daß Ottaviani schließlich doch einen ebenbürtigen Gegner gefunden hat«. Hebblethwaite: »Vernünftigerweise mußte man daraus schließen: Was immer die Vorbereitungskommission tun würde, Küng hatte die reale Agenda für das Konzil geliefert und hatte die Kampflinien für seine erste Session entworfen. Nie wieder würde ein einzelner Theologe solch einen Einfluß haben.«

Die Einschätzung Hebblethwaites belegt es: In Kirche und Christenheit, Volk und Klerus, ist die *Bereitschaft in der Tat groß* für die Erneuerung der katholischen Kirche, die Wiedervereinigung der getrennten Christen und eine konstruktivere Einstellung zur säkularen Welt, wie sie, von Johannes XXIII. inspiriert, das Zweite Vatikanische Konzil anvisiert. Die Zeit ist reif für die Verwirklichung eines Programms, wie es in »Council, Reform and Reunion« dargelegt und in meinen Vorträgen unter dem Schlüsselbegriff »Freiheit« zum öffentlich diskutierten Thema gemacht wurde. Und man darf hinzufügen: Noch nie in all den Jahrhunderten war die *Glaubwürdigkeit von Kirche und Papsttum* so groß wie in diesen Jahren Johannes' XXIII. und der ersten Konzilssession. Und – leider – nie wieder wird sie so groß sein. Nein, noch ist der Jahrhundertstreit um Gestalt von Kirche und Christentum nicht entschieden.

Gefahr des Scheiterns

Es ist trotz aller Hemmnisse und Schwierigkeiten möglich, auch dies belegt Hebblethwaite, daß ein *Einzelner* in dieser Kirche ohne Kirchenspaltung etwas bewegen kann, wenn er in einer günstigen Konstellation gut informiert und motiviert seine »Sache« mit Entschlossenheit und Konsequenz und allerdings auch erheblicher *Risikobereitschaft* vorantreibt. Freilich auch mit der *Gefahr des Scheiterns*.

Rein zufällig schaue ich an diesem Ostersonntagabend, da ich diese Zeilen schreibe, erneut den Anfang des grandiosen Films *»Lawrence von Arabien«* an, unter der Regie von David Lean, aus dem Jahr 1962. Eigentlich will ich nur noch einmal Alec Guinness sehen, diesen begeisterten Leser meines Konzilsbuches und den wohl größten Verwandlungskünstler der Filmgeschichte, jetzt in der Rolle des Araberfürsten Faisal. Aber sofort bin ich wieder gefesselt von Peter O'Tooles nahe an der Historie bleibenden Darstellung dieses jungen, eigenwilligen englischen Gelehrten, Offiziers, dann Guerillaführers Lawrence, der am 6. Juli 1917 nach einem zweimonatigen Marsch durch die Wüste mit einer kleinen arabischen Kriegerschar die Stadt Akaba am Nordostende des Roten Meeres erobert. Der ab da mit seinen Arabern für Unabhängigkeit und die Vision einer einzigen arabischen Nation kämpft. Der dann mit dem britischen General Allenby an der Siegesparade über die Türken in Jerusalem teilnimmt und nachher mit seinen Kriegern auch noch Damaskus erobert. Zugleich aber wird derselbe Lawrence *um seine Vision betrogen* durch das politische Establishment seines Landes: durch das die Araber verratende unheilvolle Geheimabkommen der britischen mit der französischen Regierung, das Syrien und Libanon

den Franzosen und Palästina den Briten als Mandatsgebiet überläßt, so
daß Lawrence, schon mit 30 Jahren zum Oberst befördert, mit 34 Jahren
den Dienst aufgibt, sich nach England zurückzieht und aus Protest selbst
seinen königlichen Orden wieder ablegt.

1963: ich bin jetzt 35. Wie wird es mir ergehen? Nein, wahrhaftig,
ich bin kein Berufsoptimist, verdränge nicht die immer wieder aufkom-
menden Zweifel und Bedenken, überlege scharf und wiege mich nicht
in Illusionen. Auch auf dieser ersten Vortragsreise durch die USA mache
ich bei allen Erfolgen die Erfahrung, wie weit der verborgene Arm der
römischen Kurie und ihres »Heiligen Offiziums« reicht. Das *römische
Old-boys-network funktioniert noch,* und noch immer sind große Teile des
Episkopats (ein Beispiel der Erzbischof von Denver, der meinen Vortrag
an der University of Colorado verhindert) ebenso romhörig wie all die
klerikalen Karriere- und Titelsüchtigen. Sie haben zumeist nicht Kennedy, sondern Nixon gewählt. Daß der vatikanische Delegat Egidio
Vagnozzi auch weiterhin alles tut, um katholische Colleges und Seminarien von Einladungen dieses gefährlichen jungen Theologen abzuhalten,
hat sich herumgesprochen. Und daß mit seiner Unterstützung der Erzbischof von St. Paul-Minneapolis Leo Binz (theologisch schmalbrüstig)
und der Erzbischof von Los Angeles Kardinal McIntyre (ein früherer
Wall Street-Angestellter mit starkem Willen und engem Horizont),
beides enge Ottaviani-Freunde, sogar die bereits an ihren katholischen
Institutionen organisierten öffentlichen Vorträge wieder absagen lassen,
gehört in dieses Kapitel. Von den verschiedenen peinlich langen
Telefonverhandlungen, die ich von San Francisco aus vergebens mit
dem verquer argumentierenden Chancery Office in Los Angeles führte,
hier lieber nichts. Wieviel Verlogenheit (schlimmer als die Lüge) gibt es
doch noch immer in unserer Kirche. Der amerikanische Theologe
Ronald Modras stellt rückblickend fest: »Der Versuch der höchsten
Führungskräfte der katholischen Kirche, Küng zu marginalisieren und
seine Theologie zu diskreditieren, führte nur zu dem Ergebnis, daß er
für Hunderttausende von Katholiken auf der ganzen Welt – und vor
allem in den USA – zu einer Symbolfigur für das Konzil wurde.«

Aber gerade »Symbolfiguren« leben gefährlich. Die Berichte über
meine Tätigkeit in den USA wirkten – Peter Hebblethwaite hatte nur
zu sehr recht – auf die reaktionären Kreise in der *römischen Kurie* alarmierend. Diese sind ja bisher weder vom Papst noch vom Konzil ent-
machtet worden. Vielmehr verteidigen sie sich gegen den vom Konzil
drohenden Machtverlust mit der üblichen Konsequenz, machiavellisti-
scher Raffinesse und zunehmender Entschlossenheit. Und treiben es

zwischen den Konzilssessionen wie bisher. Noch in der Woche meiner Rückkehr werde ich von Bischof Leiprecht nach Rottenburg gebeten. Er hat Post aus Rom erhalten, offensichtlich keine Dankesschreiben. Bereits am Montag, dem 13. Mai 1963 findet die Unterredung statt, in der er mir gleich drei römische Mahnschreiben zur Kenntnis bringt, vom Heiligen Offizium, von der Studienkongregation und noch eines – ohne sie mir auszuhändigen. Ich nehme alles gelassen zur Kenntnis und versuche für meine Positionen und Aktionen um Verständnis zu werben. Doch ich bin gewarnt.

Mit meiner achtwöchigen amerikanisch-englischen Vortragsreise hatte ich mir kräftemäßig einiges – oder vielleicht zuviel? – zugemutet. Immer wieder im Flugzeug und in einer anderen Stadt; überall, meist schon mit der Ankunft, Interviews und Gespräche, kleine Reden bei Empfängen und Essen; dann die großen Vorträge und kleine Diskussionsrunden ... Begreiflich, daß die Menschen jede Gelegenheit nutzten, um den jungen Konzilstheologen aus Europa über Gott und Welt, Kirche und Konzil, Papst und Kurie zu befragen. So war ich denn meist – außer an den Ostertagen in Mexiko mit meinem Gregoriana-Freund Bob Trisco, jetzt Kirchenhistoriker an der Catholic University of America – meist vom Frühstück an bis tief in die Nacht hinein sozusagen »on duty«, »im Dienst«. Macht es einem Freude und spürt man die Sympathie der Menschen, fällt alles leichter.

Ob ich eigentlich nie *krank* würde?, fragt man mich. Nein, abgesehen von den üblichen Kinderkrankheiten (Masern) und gelegentlichen Erkältungen oder Magenstörungen hatte ich nie eine ernsthafte Krankheit und werde sie auf Jahrzehnte hinaus auch nie haben; nie lag ich in einem Krankenhaus oder länger als zwei, drei Tage im Bett. Trotzdem lasse ich mich nach meiner Rückkehr in der Tübinger Medizinischen Universitätsklinik zum ersten Mal »durchchecken«. Der neue Klinikchef, Professor HANS ERHARD BOCK (im Jahr 2002 als 93-jähriger noch immer in unseren Universitätsvorträgen präsent) bescheinigt mir eine robuste Gesundheit, aber ein »labiles neurovegetatives System«. Das erschreckt mich – bis er mir erklärt, daß ich ohne die damit garantierte Sensibilität gar keine solchen Bücher schreiben könnte.

Der Tod des Konzilspapstes

Ende November 1962, gegen Ende der ersten Periode, hat es sich im Konzil herumgesprochen: Papst JOHANNES XXIII. ist unheilbar an

Magenkrebs erkrankt. Im Vatikan sprechen Übelwollende von der »Hand Gottes«. Nur noch sechs Monate sind ihm geschenkt. Zur Abschlußfeier am 8. Dezember 1962 kommt der 81jährige denn auch nicht mehr persönlich in die Basilika. Er läßt verlauten, von seinem Arbeitszimmer im Palazzo Apostolico aus würde er dem Konzil seinen Segen spenden. Und so verlassen wir denn alle, Bischöfe wie Theologen, schon eine Viertelstunde früher die Peterskirche und sammeln uns zwischen Berninis Kolonnaden beim Obelisken.

Wehmütig ist mir bewußt, daß ich diesen Papst, der mir zur großen Hoffnung und Ermutigung geworden ist, das letzte Mal von Angesicht sehe. Er spricht mit noch immer fester Stimme einige aufmunternde Worte und spendet dann seinen Segen. Aber wie wenn er sich nicht losreißen könne, spricht er nach dem Segen weiter und sagt dann schließlich: »E adesso, ancora una benedizione. – Und jetzt, noch einmal ein Segen!« Bei einem mehr auf Formalitäten bedachten Pontifex hätte man sich wohl kritisch gefragt, was denn ein zweiter Segen soll, ob der erste vielleicht nicht gültig war oder ob er jetzt verdoppelt werde ... Bei Papst Johannes wirken solche kirchenrechtlichen Fragen mehr als deplaziert. Geht es dem »Papa buono« – so jetzt im Volksmund liebevoll genannt – doch einfach um einen spontanen Ausdruck seines Wohlwollens. Ein Papst, der statt kirchliche Herrschaft christliche Liebe ausstrahlt.

Zu seinem Testament, wichtiger als alle privaten Äußerungen, wird seine letzte Enzyklika mit dem Titel »Pacem in terris« vom 11. April 1963: nicht wie üblich in kurialer, sondern in moderner Sprache; nicht wie bisher nur an die Bischöfe, den Klerus und die katholischen Laien gerichtet, sondern ausdrücklich »an alle Menschen guten Willens«. Darin spricht er sich für einen dauerhaften Frieden auf der Grundlage einer gerechten Weltordnung aus. Doch während frühere Päpste die Menschenrechte verdammten, sieht er gerade in ihnen – allerdings stets verbunden mit Menschenpflichten! – die Grundlage der neuen Weltordnung. Und während frühere Päpste immer nur von der »Freiheit der Kirche«, ungehindert zu wirken, sprachen, bekennt er sich deutlich zur »Freiheit des Christen«, ja zur Gewissens- und Religionsfreiheit eines jeden Menschen. Der entscheidende Entwurf zur Enzyklika stammt offensichtlich nicht mehr von Tromp, sondern von Msgr. Pavan (Lateranuniversität).

Frühere Päpste hatten die Katholiken zum Kampf oder mindestens zur Abgrenzung von Andersdenkenden (Protestanten, Juden, Liberale, Sozialisten, Kommunisten ...) aufgefordert, Johannes aber ruft zur Zusammenarbeit im Dienst des Gemeinwohls. Die Vereinten Nationen, von der Kurie mißtrauisch beobachtet, und die Allgemeine Menschenrechtserklärung 1948, von Pius XII. ignoriert, werden als gottgewollte »Zeichen der Zeit« erkannt. Teilhabe der Frauen am öffentlichen Leben, Rechte der Minderheiten, Autonomie der Entwicklungsländer, Ablehnung von Hochrüstung und Atomwaffen und Eintreten für Verhandlungen und Verträge: dies und anderes sind die Themen, die in Kirche und Welt ein gewaltiges positives Echo auslösen. Und die im Sanctum Officium und bei der italienischen Rechten alarmierend wirken! Und als am 28. April 1963 die *Kommunisten* in Italien trotz klaren Befehls der italienischen Bischofskonferenz und gar Exkommunikationsdrohungen Ottavianis mehr als eine Million Stimmen (25,3 Prozent) gewinnen, gibt die rechte Presse dem Schweigen Papst Johannes' die Schuld. Als ob der Stimmenanteil der Kommunisten nicht schon unter Pius XII. von 19 Prozent (1946) auf 22,7 (1958) angestiegen wäre. Doch nicht nur der amerikanische CIA-Chef John McCone meint den Papst vor den Kommunisten in Moskau und Italien warnen zu müssen. Auch Kardinal Ottaviani alarmiert hohe Militärs angesichts der verderblichen Folgen der dem Atheisten Adschubej – Chruschtschows Schwiegersohn und Chefredakteur der regierungsamtlichen Iswestija – gewährten Privataudienz und der »gefährlichen« Unterscheidung zwischen Irrtümern und Irrenden. Nur Präsident Kennedy läßt dem Papst über Kardinal Cushing eine Ermutigung zukommen.

Johannes XXIII. hat jetzt nur noch wenige Wochen zu leben, und seine Kräfte schwinden. Bei aller unbestreitbaren Führungsschwäche des allzu guten Papstes, die ich nicht verschweigen konnte: Während der kurzen fünf Jahre des Pontifikats von Papa Roncalli hat sich die Lage der katholischen Kirche und der Ökumene mehr verbessert als vorher in 50, ja fast mehr als in 500 Jahren. Es hat sich bestätigt: Dieser Papst war kein Übergangspapst, sondern der *Papst des großen Übergangs.* Ist es da verwunderlich, daß alle Menschen guten Willens ihm dankbar sind und vor dem Pfingstfest 1963 um sein Leben zittern? Mit Christen gemeinsam hat auch der Oberrabbiner mit einer Gruppe römischer Juden auf dem Petersplatz am Abend für sein Leben gebetet. Alle diese Menschen haben verstanden: Hier ist ein Mann, der sein *Amt als Dienst* verstand: für die katholische Kirche, die Christenheit, das Judentum, ja für alle Menschen guten Willens. Bis in die dreitägige Agonie vor seinem Tod, um den er schon seit so langer Zeit wußte, hat er diesen Dienst durchgehalten – ohne alles Pathos und ohne sich wie zwei seiner Nachfolger als »Schmerzensmann« zum zweiten Christus emporzustilisieren.

Genau drei Wochen nach meiner Unterredung mit Bischof Leiprecht in Rottenburg, am Abend des Pfingstmontags, den 3. Juni 1963, höre ich wie alle Welt die Nachricht vom Tod des Konzilspapstes Johannes' XXIII. Sicher nicht nur mir stehen Tränen in den Augen.

Ein Papst, der Christ war

Johannes XXIII. wollte anders als sein Vorgänger kein großer Kirchenmann, Redner, Diplomat, Wissenschaftler und Organisator sein, wie er es schon in der Krönungsansprache sagte, sondern nur ein guter Hirte. Nach dem Vorbild des biblischen Petrus wollte er seine Brüder und Schwestern trösten, stärken und motivieren. Er erwies sich je länger desto mehr als *groß im Dienen* und hatte damit das Wort eines Anderen hinter sich, der seine Größe unangreifbar macht: »Wer unter euch der größte sein will, sei euer Diener.« Er lehrte nicht, aber lebte ein neues Papsttum. Gerade so leitete er *für das Papsttum einen epochalen Paradigmenwechsel* ein: statt wie seit Gregor VII. und Innozenz III. bis zu Pius IX. und Pius XII. ein absolutistischer römischer Herrschaftsprimat ein pastoraler Primat des Dienstes. Ein Papsttum mit menschlichem, christlichem Gesicht.

Kein Wunder, daß mir Karl Barth schon bald einmal sagte: »Jetzt kann ich vom Stuhle Petri – anders als zu Zeiten des herrscherlichen Pius – die ›Stimme des guten Hirten‹ hören.« Jetzt, nach seinem Tod, liebt man indes nicht überall die Kontrastierung zwischen Johannes und Pius: Vor allem weil mein Nekrolog eine »Anspielung auf den Nepotismus (Vetternwirtschaft) Pius' XII. macht«, lehnt die offiziöse »Documentation Catholique« (Paris) eine Publikation ab: »Man kann die Figur Johannes' XXIII. nicht besser beschreiben«, aber, wird mir von der Redaktion mitgeteilt: »Toutes les vérités ne sont pas toujours bonnes à dire – Alle Wahrheiten sind nicht immer angebracht zu sagen.« Voilà – besser beschönigen, verschleiern, lügen, selbst noch posthum?

Papa Roncalli – ein Heiliger? Kein Zweifel, er erschien den Menschen nicht nur als ein guter Mensch, sondern als *wahrhaftiger Christ*. Sein »Geistliches Tagebuch« zeigt bei aller Biederkeit immer wieder die Weisheit eines weiten Herzens: Ihm geht es zutiefst um die Nachfolge Christi. Er will in aller Normalität »Abbild des guten Jesus« sein und als Papst »Diener Gottes und Diener der Diener Gottes«. Kein außerordentlicher Mensch, gar schon zu Lebzeiten ein Heiliger. Keine Marien- oder gar Christuserscheinungen, keine Fatima-Geheimnisse und fromme

Schauspielereien. »Pius X. war ein Heiliger und wußte es nicht, Pius XI. war kein Heiliger und wußte es, Pius XII. war ein Heiliger und wußte es«, spottete man in der Kurie. Und Johannes XXIII.? Ein Papst, der keiner »Heiligsprechung« bedarf, auch nicht durch Konzilshistoriker, die seine fatalen Fehleintscheidungen verschweigen. Was soll das ständig mißbrauchte Wort »Heiliger«, was die politisch instrumentalisierte (und mit großem finanziellen Gewinn für die Kurie verbundene) römische »Heiligsprechung«? Ein Papst, der *Christ* ist – das ist die Sensation!

Statt Wundertaten *Werke der Barmherzigkeit:* Wahrhaftig, wer von seinen Vorgängern hat je als Papst persönlich Arme besucht, Kranke in Spitälern getröstet, Priester, die in ihrem Leben Schiffbruch erlitten, aufgesucht? Wer den Weg in das römische Staatsgefängnis mit seinen rund 1.200 Häftlingen gefunden? Und wer hätte dort – wo auch große Redner leicht versagen – das richtige Wort gefunden? Schlicht erzählte Papa Giovanni diesen Gefangenen und Verbrechern, die nie einen solchen Besuch erträumt hätten, daß auf ihn, seit er ein Knabe war, jedes Gefängnis sehr bedrückend wirke, da damals sein eigener Onkel wegen Wilderei ins Gefängnis gekommen sei. Der »Osservatore Romano«, der oft das Beste in des Papstes Ansprachen unterschlug, ersetzte den »Onkel« durch einen anscheinend die Würde des Papstes weniger belastenden »Verwandten«. Aber immer, wenn Papa Giovanni sprach, drangen seine Worte, vom Evangelium inspiriert, zu Herzen. Er lebte sein pastorales Engagement schon immer aus der Bibel, wie er sie alle Tage vor allem aus dem Meßbuch und dem Brevier kennengelernt hatte. Gerade so hatte er sich in aller Stille freigemacht von bestimmten traditionellen römischen Stereotypen und Klischees. Noch als Papst las er die Schriften des auf den Index gesetzten italienischen Reformtheologen Antonio Rosmini. Und von seinem Studienkollegen und dreifach exkommunizierten italienischen »Erzmodernisten« Buonaiuti – dieser war am Ostersonntag 1946 als »excommunicatus vitandus« (»exkommuniziert zu meiden«) gestorben, ein Opfer der Jesuiten und der Faschisten – sprach er immer mit Respekt und mit seinem priesterlichen Namen »Don Ernesto«.

Bei allem nicht zu übersehendem Versagen in der Führung seiner Kurie: Durch seine milde Menschlichkeit und einfache Christlichkeit, die er ausstrahlte, schuf Johannes XXIII. ganz spontan ohne jede geistige Gewalt, Drohungen und Sanktionen jenen neuen großen Konsens in der Kirche (»consensus ecclesiae«), an dem ihm so viel gelegen war – und dies sogar weit über die römisch-katholische Kirche hinaus.

Kirchenpolitische Wende: der erste ökumenische Papst

»Giovanni ventitresimo« war auch der erste *ökumenische* Papst. Ja, er wurde eine Hoffnungsgestalt für die ganze Menschheit. Gleichsam über Nacht hatte er die Kirche aus ihrer vom Vorgänger geübten Reserve gegenüber den ökumenischen Bestrebungen herausgerissen und sie ökumenisch orientiert. Sicher gab es vorher schon eine ökumenische Bewegung in der katholischen Kirche, aber sie war Angelegenheit einer kleinen, oft marginalisierten Vorhut von Theologen und Laien. Papst Johannes machte die Wiedervereinigung der getrennten Christen, aber auch die Offenheit für das Judentum und die anderen Weltreligionen zum Anliegen der gesamten Kirche, des Episkopats und, beschränkt, auch des Zentrums. Zwar hatte man vor ihm schon – wie man in Rom zu sagen pflegt – »die Arme weit geöffnet« gegenüber den anderen Christen. Aber bei dieser Einladung zur Rückkehr blieb es meist. Erst Johannes XXIII. zeigte, daß das Arme-Öffnen nicht genügt, sondern daß man zuerst selber mutig und entschlossen die Hände zu rühren hat: um nämlich das je Eigene zu tun, um die Wiedervereinigung auch von katholischer Seite her vorzubereiten und auf die anderen Kirchen zuzugehen.

Eine historische Wende bedeutete es schließlich auch, daß Johannes XXIII. den sterilen Antikommunismus Pius' XII., der alle kommunistischen Parteimitglieder exkommuniziert hatte, stillschweigend begrub. Als erster Papst seit der Staatsgründung hielt er sich ganz aus der italienischen Innenpolitik und den Wahlen heraus und übte gegenüber allen politischen Parteien, auch gegenüber der Democrazia Cristiana, Distanz. Das kuriale Milieu freilich, früher weithin faschistisch, jetzt konservativ, zeigte sich größtenteils konsterniert – und die konservativen Kreise Italiens mit ihm. Dieser Papst leitete jenen welt- und kirchenpolitischen *Stil-, Methoden- und Mentalitätswandel* des Vatikans ein, der auf eine vorsichtige Befreiung der Verquickung mit der italienischen Politik und auf einen Modus vivendi mit den Staaten des Ostblocks hinausläuft und erst viel später Früchte tragen wird, wie schließlich auch die deutschen Bischöfe einsehen müssen.

Der für Ostpolitik zuständige Msgr. AGOSTINO CASAROLI arbeitete planmäßig und konstruktiv. Nach der Zuspitzung des Ost-West-Konflikts durch den Bau der Berliner Mauer 1961 erließ Johannes XXIII. in nun bewußt vertretener »aktiver Neutralität« Friedensaufrufe und Warnungen vor dem Atomkrieg. Zu seiner Überraschung erhielt er – als »Mann des Friedens« – am 25. November 1961, seinem 80. Geburtstag,

Glückwünsche von Parteichef NIKITA CHRUSCHTSCHOW – das erste Anklopfen der Sowjets im Vatikan seit der Oktoberrevolution 1917, jetzt allerdings provoziert vom Papst selbst, der zuvor in Moskau über den italienischen Kommunistenführer Togliatti (sein Moskau-kritisches »Testament« wird den »Eurokommunismus« fördern) vertraulich sein Interesse an besseren Beziehungen signalisiert hatte. Den Bischöfen aus Osteuropa versprach Chruschtschow, sie dürften zum Konzil reisen. Nach der erneuten Zuspitzung des Ost-West-Konflikts in der Kubakrise im Oktober 1962, als das Konzil bereits zusammengetreten war, half ein Appell des Papstes, wieder nach beiden Seiten, mit, den jetzt einsetzenden Entspannungsprozeß in Gang zu setzen.

Aber war das nicht zuviel des Guten?, fragen nicht erst nach seinem Tod Roncallis Gegner in der Kurie. Daß der Papst sogar einen aus der Kirche (wegen ihrer Unterstützung des Faschismus) ausgetretenen Kommunisten, den ebenfalls aus Bergamo stammenden großen Bildhauer Giacomo Manzù, in den Vatikan kommen ließ, um sein Portrait und das äußerste linke der sieben großen Portale der Peterskirche (»la porta della morte« für die verstorbenen Kardinäle) zu gestalten. Daß er jenen spektakulären Besuch von Alexej Adschubej und seiner Frau Rada im Vatikan mit einer Privataudienz krönte: dies alles erschien der (früher faschistischen) alten Garde im Vatikan politisch dumm und gefährlich. In seiner Enzyklika »Mater et magistra« (1961) identifiziert Johannes XXIII. die »soziale Frage« nicht mehr mit der europäischen Arbeiterfrage. Ausführlich thematisiert er auch die Probleme von Boden, Landwirtschaft und Bauern. Eindeutig wie kein Papst vor ihm verurteilt er Kolonialismus und Unterentwicklung. Er wird für »Time Magazine« der »Mann des Jahres«. Für den rechten Flügel im Vatikan auch dies keine Empfehlung. Auch nicht der von ihm trotz kurialen Widerstands akzeptierte hochdotierte Balzan-Friedenspreis.

Doch noch nie seit der Reformation, ja, noch nie seit der ost-westlichen Kirchenspaltung im 11. Jahrhundert fand ein Papst so breite Zustimmung. In diesem Fall drücken all die offiziellen Beileidsbekundungen tatsächlich das aus, was zahllose Menschen fühlen. »Das Wesentliche ist der grundlegende Wandel in den Beziehungen zwischen der römisch-katholischen Kirche und den anderen Kirchen, der den Beginn eines wahren Dialogs gesetzt hat«, erklärt der Generalsekretär des Weltrates der Kirchen, Dr. Visser't Hooft. Und ähnliches ließe sich auch in bezug auf das Judentum, alle anderen Religionen und die Menschen der säkularen Welt überhaupt sagen. Selbst die sowjetischen Kriegsschiffe im Hafen von Genua flaggen Halbmast.

Die reaktionären Kräfte in der Kurie sehen sich mit einem Plebiszit der Weltöffentlichkeit konfrontiert, das sie erstaunt und verärgert. Nur eine Einschränkung muß gemacht werden: Die Vertrauenskundgebungen aller Welt für diesen Papst als Person bedeuten *keine Akzeptanz des Papsttums als Institution*. Dieses bleibt mit dem unreformiert mittelalterlichen Anspruch auf absolute Herrschaft in der Kirche und Unfehlbarkeit in der Lehre für die anderen Christen und erst recht alle säkularen Menschen wie eh und je inakzeptabel. Leider: Des Papstes Kurie in ihrem Kern hat den Paradigmenwechsel trotz aller Änderungswilligen nicht mitgemacht. Sie hat den Konzilspapst nicht geliebt und seine mehr vom Evangelium bestimmte Amtsführung auch nicht. Hundert Jahre würde es brauchen, sagt man dort, um seine Fehler zu korrigieren. Ein Symptom: Zweimal – im November 1964 und im Oktober 1965 – werden im Konzil einige Bischöfe den Vorschlag durchzubringen versuchen, Papst Johannes nicht durch ein bürokratisches Verfahren, sondern, wie bisweilen auf Synoden üblich, »per acclamationem« heiligzusprechen. Beide Male vermag die Kurie dies zu verhindern. Sei's drum – doch wer hätte ahnen können, daß es derselben Kurie gelingen wird, am 11. September 2000 Johannes XXIII. (unter gewaltigem Beifall der versammelten Volksmenge) und gleichzeitig(!) seinen Antipoden Pius IX. (unter deren fast völligem Schweigen) seligzusprechen, diesen autoritären Feind der Menschenrechte, Antisemiten, Egozentriker und Propagator seiner eigenen Unfehlbarkeit? Deshalb nochmals: Was soll hier noch »Heiliger« und was »Heiligsprechung«? Corruptio optimi pessima: die Verderbnis des Heiligen ist das Allerunheiligste.

Weder dem zögerlichen Paul VI. noch dem allzu kurz lebenden Johannes Paul I. oder gar dem autoritär-gespaltenen Johannes Paul II. wird es wie Johannes XXIII. zusammen mit dem von ihm einberufenen Zweiten Vatikanischen Konzil gelingen, die tiefsten Sehnsüchte der Menschen in und außerhalb der Christenheit anzusprechen – die *Sehnsucht nach Verständigung, Frieden, Gemeinschaft*, die Sehnsucht nach einer erneuerten Kirche in einer besseren Welt. Papa Roncalli wollte die Fenster der Kirche öffnen und hat sie geöffnet. Wahrhaftig, er ist *der größte Papst des 20. Jahrhunderts*.

Es waren diese fünf kurzen Jahre von 1958 bis 1963 ein »window of opportunity«: Ein höchst hoffnungsvoller Pontifikat ist mit Johannes XXIII. zu Ende gegangen. Alles bisher vom Konzil Geleistete ist nur ein Anfang. Die Aufgabe ist riesengroß, und der Ausgang unsicher. Und dann am 22. November desselben Jahres 1963, wie berichtet, das zweite Unglück: Präsident Kennedys Ermordung. Die Welt ist nun um eine weitere Hoffnung ärmer. Das *Doppelgestirn einer Konstellation der Hoffnung*, eines neuen Paradigmas von »Katholizismus« – der 82jährige Papst Symbol der menschenumgreifenden Güte und der 47jährige Präsident Symbol der Jugend und der »neuen Grenzen« – ist *versunken.* »Immer sind es die falschen, die früh gehen müssen, während andere bleiben ...«: solcher Hader mit Gottes Führung und Fügung ist auch mir nicht fremd.

Eine Anmerkung am Ende dieses Kapitels: Osterfest 2002: Nochmals lese ich zur Kontrolle meine hoffnungsvollen Seiten über die Kirche in Amerika im Jahr 1963 und über Johannes XXIII. Doch neben mir liegt die Osternummer von »Time Magazine« (1. 4. 2002) mit der schockierenden Titelgeschichte: *»Can the Catholic Church save itself?* – Kann die Katholische Kirche sich selber retten?«. Wie zuvor schon in »Newsweek« seitenweise schockierende Berichte über Kindesmißbrauch durch katholische Geistliche, aber auch über den katastrophalen Rückgang der Zahl der Priester, Nonnen und Priesteramtkandidaten und Zunahme der priesterlosen Pfarreien auf 27 Prozent (ähnlich in Europa!).

Wie, so fragen jetzt viele auch traditionellere Katholiken, Priester und Bischöfe, konnte es in den vergangenen vier Jahrzehnten zu dieser größten Krise in der Geschichte der Katholischen Kirche der Vereinigten Staaten und anderswo kommen? Die nächsten Kapitel werden darüber Auskunft geben, wie schon früh trotz aller richtigen Entscheidungen eine ganze Reihe falscher Weichenstellungen erfolgte: Probleme werden verdrängt, Mißstände verschleiert, Reformen verhindert, kirchliche Macht- und Prachtfassaden aufrechterhalten ...

VIII. Macht gegen Freiheit

»Wir müssen die Kritik, die uns umgibt,
in Demut hinnehmen, mit Überlegung
und auch mit Anerkennung hinnehmen.

Papst Paul VI., Rede an die römische Kurie

Statt Johannes ein Paulus

Eine Papstwahl ohne Überraschung: Am Freitag, dem 21. Juni 1963 –
im sechsten Wahlgang – wird der 67jährige GIOVANNI BATTISTA MONTINI
zum Papst gewählt. Die Wahl war von dem inzwischen 85jährigen
Kardinal Aloisi Masella als Kardinal-Kämmerer geleitet worden, der mir
vor 25 Jahren – schon so lange ist es her? – in San Pastore mit »bravo,
bravo« einen Krankenbesuch abgestattet hatte. Papst Johannes selber
hatte klare Zeichen gesetzt. Seinen Freund aus der Lombardei, der bei
Pius XII. 1958 in Ungnade gefallen war, erkor er sofort zum Kardinal,
ja, den aus dem Vatikan Vertriebenen ließ er für die erste Konzilssession
sogar als Sondergast im Vatikan logieren. Die Kurie jedenfalls liebt
Montini nicht, den undurchschaubaren Sympathisanten der »Linken«.
Sie hätte lieber den Kurienkardinal Antoniutti gewählt gesehen, vorher
bei Franco beliebter Nuntius in Spanien. Zur Not sogar Kardinal
Lercaro von Bologna, dessen Anhänger aber von Kardinal Suenens zur
Unterstützung Montinis überredet wurden. Schließlich kam es für den
sechsten Wahlgang zum Kompromiß zwischen der konziliar gesinnten
Mehrheit um Bea und Suenens und der kurialen Minderheit um
Ottaviani und Cicognani, die leicht die notwendige Zweidrittelmehrheit verhindern konnte. Montini erreichte 57 Stimmen – nur zwei
mehr als die erforderte Zweidrittelmehrheit. Auch am Ende wählten
ihn also 22 bis 25 Kardinäle nicht – der Kern einer künftigen konservativen Opposition? Montinis Wahl, von der progressiven Konzilsmehrheit erhofft, wird weithin begrüßt. Dieser Mann ist – »omnibus bene
perpensis, alles wohl durchdacht« – auch mein Wunschkandidat. Aber
wird er, jetzt im Amt, meinem Wunschbild, dem Wunschbild des Konzils entsprechen – oder wird er sich der Kurie fügen?

Große Überraschung – es ist dies immer die erste Willenskundgabe eines Papstes – *die Wahl des Namens* PAULUS. Ohne Angabe von Gründen. Seit dem Borghese-Papst Paul V. (1605-21), dessen Name übergroß die Fassade der Peterskirche »ziert«, hatte kein Papst mehr diesen Namen gewählt. Den Papstnamen Johannes konnte er, der Johannes bereits als Eigennamen trägt, nach neuerer Tradition nicht wählen. Und den Namen Pius hat er, der sich notorisch immer mehr von Pacelli entfremdet hatte, offensichtlich nicht wählen wollen. Also »Paulus«. Aber Paulus sicher nicht im Anschluß an jenen Paul V., der gegen die Republik Venedig noch einmal mit Bann und Interdikt das mittelalterliche Paradigma von Kirche mit päpstlichem Hoheitsanspruch durchsetzen wollte und in dessen Pontifikat der erste Galilei-Prozeß fiel. Sondern, wie Kardinal König gleich richtig verlauten läßt, im Anschluß an den Apostel Paulus und dessen weltweites Wirken im Dienst des Evangeliums Jesu Christi. Dem entspricht auch des neuen Papstes Wahlspruch: »In nomine Domini – Im Namen des Herrn«.

Ich selber, theologisch sehr von Paulus geprägt, hatte mir schon als Student einen Papst mit Namen Paulus gewünscht. Doch mein Professor in Kirchengeschichte an der Gregoriana, Freiherr LUDWIG VON HERTLING SJ, Verwandter des konservativen Philosophen und späteren Reichskanzlers (1917/18) Freiherr Georg von Hertling, praktizierte als seine Spezialität ein Zahlenspiel (und Examensfragen) mit Papstnamen. Und eines seiner »Forschungsergebnisse« war: »Omnes Papae cum numero sexto erant papae infelices – Alle Päpste mit der Zahl 6 waren *unglückliche Päpste*«. Damals durchzuckte mich sofort der Gedanke: ein neuer Papst mit dem Namen Paulus wäre schon von der Zählung her ein »Papa infelix – ein unglücklicher Papst«.

Aber jetzt, am Vormittag jenes 21. Juni 1963, sage ich mir als vernünftig denkender Mensch: Warum sollte diese rational völlig unbegründete Regel gelten? Warum soll es in einer Sechserreihe nicht auch einmal einen glücklichen Papst geben? P. von Hertling indes hatte auf Wunsch des Vatikans einen Artikel für die Ausgabe des Osservatore Romano zur Wahl des kommenden Papstes geschrieben und darin seine These von der Nummer sechs entfaltet. Diese Seiten des Osservatore waren bei der Wahl schon gedruckt. Und so enthielten die nach der Wahl auf dem Petersplatz verkauften Exemplare auch diesen Artikel – bis man die Peinlichkeit bemerkte und das Ganze ohne Hertlings Beitrag neu druckte. Zu seinem großen Vergnügen hat Hertling eine Nummer mit seinem Artikel ergattert, konnte aber nie erfahren, ob PAUL VI. diesen Artikel je zu sehen bekam. Seinen Namen geändert hätte er ohnehin nicht.

Wie unglücklich dieser Papst tatsächlich werden sollte, hat damals niemand ahnen können. Allerdings konnte man in bezug auf Herkunft, Werdegang und Mentalität einige Zweifel hegen, wie dieser Mann denn wohl seinen Pontifikat gestalten werde. Bei aller persönlichen Sympathie für Giovanni Battista Montini kann auch ich meine Bedenken nicht völlig unterdrücken. Für P. Gundlach aber, der Montini am liebsten »eliminiert« hätte, muß dessen Wahl zum Papst ein Schock gewesen sein: Zwei Tage später, am 23. Juni 1963, stirbt er, und bis heute rätselt man in eingeweihten Kreisen, ob »post hoc« oder »propter hoc«... Montini aber wird als (faktisch letzter!) Papst »gekrönt«: mit einer nach eigenen Vorstellungen neuangefertigten modernisierten Tiara, der dreifachen Krone des Weltenherrschers – ihm aufgesetzt von Kardinal Ottaviani, dem Chef des Sanctum Officium. Was solch zwiespältige Geste für den neuen Pontifikat bedeuten mag?

»Unser Hamlet von Mailand«

Als Student in Rom hatte ich Msgr. Montini anläßlich seiner seltenen öffentlichen Auftritte stets mit besonderem Respekt beobachtet. Beim Einzug in St. Peter hielt er anders als die übrigen hohen römischen Prälaten nicht rechts und links nach Bekannten Ausschau, sondern war gesammelt, die Augen gesenkt im Gebet, die Hände streng gefaltet. Mir sympathisch, daß Montini aus einer gutbürgerlichen, *demokratischen Familie* von Brescia stammt – ohne den Aristokratenfimmel des gutbürgerlichen Pacelli, der seine drei Neffen zu Fürsten (»Principi Pacelli«) und Finanzmagnaten (Giulio z. B. Aufsichtsratvorsitzender des Banco di Roma) machen ließ. Montinis Vater, ein Rechtsanwalt, war Redakteur der katholischen Zeitung und Parlamentsabgeordneter der katholischen Volkspartei bis zu deren Auflösung durch Mussolini. Seine Mutter Vorsitzende der katholischen Frauenvereinigung von Brescia, einer der beiden Brüder noch in den 60er Jahren Parlamentsabgeordneter der Democrazia Cristiana. Die Familie Montini stand selbstverständlich treu zu Kirche und Papsttum, beteiligte sich aber nicht an der antimodernistischen Kampagne, sondern hielt auch mit des Modernismus verdächtigten italienischen Autoren Verbindung.

Später erzählen mir Freunde in Brescia, wie der kleine Giovanni Montini, kränkelnd, seine Gymnasialbildung im Jesuitenkolleg abbrechen und privat beenden mußte und auch seine theologischen Studien am Priesterseminar als Externer machte, ein »Herrenbüblein«, das nur gerade für die Vorlesungen kam, freundlich nach allen Seiten grüßte und sich gleich nach der Vorlesung wieder verabschiedete. Der neue Papst also ein von Haus aus sehr ernsthafter, aber vielleicht nicht sehr kommunikativer Typ?

An der Gregoriana ist man stolz auf den Ex-Alumnus Montini, der seine Blitzkarriere freilich nicht in Rom, sondern in Mailand begonnen hatte: Schon mit 23 Jahren zum Priester geweiht, wird er dort im gleichen Jahr auch noch zum Doktor des Kanonischen Rechts promoviert. Ohne allen Zweifel eine *streng traditionalistische Ausbildung* in scholastischer Theologie und Kanonistik. Schon ein Jahr später schließt der zweifellos Hochbegabte diese »Schnellbleiche« ohne moderne Exegese, Kirchen- und Dogmengeschichte ab: erst jetzt an der Gregoriana, mit dem theologischen Doktor. Nicht die Theologie hat er im Kopf, sondern die Kurie. Noch im selben Jahr wird er in die Accademia dei Nobili, die päpstliche Diplomatenschule, aufgenommen und tritt nach einem halben Jahr an der Nuntiatur in Warschau schon mit 27 Jahren ins Staatssekretariat ein, wo er von 1924 bis zu seiner Beförderung auf den Erzbischofstuhl von Mailand 1954 bleiben wird. Der neue Papst also ein mustergültiger, absolut integrer Priester, aber bei aller Lektüre moderner theologischer Werke (Karl Adam!) vor allem kirchenpolitisch orientiert, ohne gründliche theologische Ausbildung und ohne Erfahrung eines Gemeindepfarrers vor Ort.

Als der Rektor des Germanikums Vorspel damals mit Montini im Staatssekretariat über den Bau des neuen Vatikansenders auf unserem großen Kollegsgut Santa Maria di Galeria verhandelte, äußerte er sich anschließend bewundernd über die scharfe Intelligenz und genaue Aktenkenntnis des unermüdlichen Arbeiters Montini. Dieser war zum zweifellos *perfekten Kirchendiplomaten* herangereift, der mit hohem juristischem Sachverstand und politischer Gewandtheit schon 1937 – im Zeichen zunehmender Bedrohung durch Faschismus und Nationalsozialismus – zu einem der beiden »Substitute« (»Stellvertreter« für die »ordentlichen« oder innerkirchlichen Angelegenheiten) des Kardinalstaatssekretärs Eugenio Pacelli aufsteigt – zusammen mit seinem Kollegen Tardini, der für die »außerordentlichen«, vorwiegend politischen Angelegenheiten zuständig ist. Beide werden, als Pacelli zum Papst gewählt wird, in ihren Ämtern bestätigt, aber keiner wird zum Staatssekretär gemacht, da Pius am liebsten sein eigener Staatssekretär war und bis zu seinem Tode blieb. Der neue Papst also, abgesehen von einem halben Jahr in Warschau nie im Ausland tätig, dafür drei Jahrzehnte ständig im Staatssekretariat und in täglichem Kontakt mit dem lange

Zeit bewunderten Pacelli, betrachtet die Welt trotz einiger Reisen zwangsläufig ganz aus römisch-kurialem Blickwinkel – was zugleich heißt: vor recht eingeschränktem katholischen Horizont.

Auf der Sommervilla der oberitalienischen Bischöfe in Gazzada hatte ich mit Montini, wie berichtet, zum ersten Mal auch persönliche Bekanntschaft machen können. Er, der schon als junger Beamter (Minutante) des Staatssekretariats sein *pastorales Engagement* unter den jungen Intellektuellen Roms und dann als Geistlicher Berater der Union katholischer Studenten für Rom und schließlich ganz Italien bewiesen hatte, zeigte nun auch als Erzbischof von Mailand großen Eifer für die Verwaltung, Seelsorge und liturgische Erneuerung dieser Diözese. Er suchte Kontakt mit allen Schichten, predigte in Kirchen, Krankenhäusern, Gefängnissen, auch Fabriken. Der neue Papst also ein zweifellos sozial gesinnter, menschenfreundlicher Bischof – nicht ein absolutistischer Herrscher wie Pacelli, aber auch nicht nur erster Kollege unter all seinen Bischofskollegen wie Roncalli, sondern ein stets auf seine Würde bedachter Hierarch. Er zitiert in seinen Hirtenbriefen, Predigten, Schriften fortschrittliche französische Theologen wie Congar, de Lubac, gar Teilhard, und deutsche wie Rahner und sogar mich. Aber es ist nicht ersichtlich, wie weit er ihre Gedanken innerlich in sich aufgenommen hat. Ausbildung und Werdegang lassen ihn jedenfalls die historische Relativität der mittelalterlichen hierarchischen Strukturen (Klerikalismus, Absolutismus, Zölibatismus) kaum durchschauen.

Aufgrund von Herkunft, Karriere und Mentalität ist es leicht verständlich, warum Giovanni Battista Montini schon früh als eine *Hamlet-Figur* gesehen wird: »il nostro Amleto di Milano«, dieses Wort wird sogar Papa Giovanni, selber eine Vater-Figur, zugeschrieben. So ganz anders als Roncalli mit seinem Humor, seiner allumfassenden Herzlichkeit, seiner in gläubigem Vertrauen wurzelnden Unbeschwertheit zeigt Montini wie Shakespeares Prinz von Dänemark mehr Neigung zum Grübeln und Zögern als zum Entscheiden, eher Melancholie als Frohsinn. Allerdings auch mehr Hang zu Selbstzweifel und Reflexion, eine Gabe, die man erst wieder angesichts seines allzu selbstsicheren Nachfolgers aus Polen richtig zu schätzen wissen wird. Montini – vielleicht der einzige Papst des 20. Jahrhunderts, der im weitesten Sinn ein »Intellektueller« genannt zu werden verdient. Ich bin froh, ihn persönlich zu kennen und hoffe in Sympathie, daß er sich mit seinen großen Gaben trotz aller Bedenken durchsetzen wird. Und bin gespannt auf seine ersten Entscheidungen, um die er ja nun als Papst nicht herumkommt.

Kontrolle der kurialen Macht?

Erfreulich: Paul VI. läßt sofort verlauten, daß er *das Konzil weiterführen will*. Und Bischöfe wie Theologen hoffen denn auch, daß er es noch entschlossener und zielbewußter tun wird als sein Vorgänger. Seine Antrittsenzyklika über den Dialog zeigt bei aller Romanozentrik, daß er mehr Führungsstärke zeigen und die mit dem Konzil angebahnte große Bewegung zur innerkirchlichen Erneuerung und konstruktiven Auseinandersetzung mit den drängenden Problemen der Welt stärken will.

Mit großer Spannung warte ich deshalb auf die *ersten Personalentscheidungen*. Mit diesen legt jeder Regierungschef den Kurs fest, und mit ihnen wird auch Montinis Pontifikat in dieser entscheidenden kirchengeschichtlichen Stunde stehen oder fallen. Stimmt es eben nicht, was immer wieder behauptet wird, einschneidende Korrekturen am hochkomplizierten Räderwerk der römischen Kurie seien von Anfang an zum Scheitern verurteilt. Nur das eine stimmt, daß ein Papst – ich habe schon bei Johannes XXIII. auf frühere Beispiele von Reformpäpsten hingewiesen – keinesfalls eine Reform allein durchführen kann, sondern auf kompetente, starke und unbedingt loyale Mitstreiter angewiesen ist.

Und da ist nun Paul VI. eine einzigartige Möglichkeit geboten, wie nicht einmal Papst Johannes sie hatte: Nicht nur sind jetzt mit dem Tod seines Vorgängers alle kurialen Ämter vakant und die Neubesetzung ganz und gar vom neuen Papst abhängig. Das ist bei jedem Pontifikatswechsel so. Aber Montini verfügt über eine Kenntnis der kirchlichen Institution, des kurialen Personals und buchstäblich jedes einzelnen Bischofs, wie sie sonst in der gesamten Kirche keiner besitzt. Und noch wichtiger: Er selbst hat viele Schwächen des kurialen Systems wahrgenommen, hat die Exzesse des päpstlichen Absolutismus unter Pacelli am eigenen Leib erfahren, ja, war mit vornehmer Gewalt nach Mailand abgeschoben worden. Nun ist er als Sieger in den Vatikan zurückgekommen, und Feinde wie Freunde Montinis rechnen mit entsprechenden Konsequenzen.

Und darüber hinaus eine geradezu *historische Chance für eine Kurienreform*: Dieser Papst hat das *ökumenische Konzil* hinter sich, die überwältigende Mehrheit der Bischöfe, die schon im Herbst wieder zusammenkommen werden. Schon in der ersten Konzilssession war der Ruf nach Reform der Kurie laut geworden. Und es besteht jetzt nicht der geringste Zweifel, daß ein entschiedener personeller Neuanfang, von vielen in der Kurie gefürchtet, von den Konzilsvätern außerordentlich begrüßt würde. Der Papst bräuchte nur (wie Leo IX. oder Paul III.) – ich bin wahrhaftig nicht der einzige, der so denkt – einige prominente Vertreter der kirchlichen Erneuerung unter den Kardinälen und Bischöfen auf die wenigen zentralen Posten zu berufen und mit ihnen die vom Konzil gewünschte Reform, vor allem Internationalisierung und Dezentralisierung, durchzuführen.

In der Tat wäre es für Paul VI. im Grunde einfach, allgemein anerkannte, vertrauenswürdige und (auch mir persönlich) wohlbekannte Führer der konziliaren Mehrheit (ihre Reden werde ich während der zweiten Konzilssession zur Publikation sammeln) in die Kurie zu berufen und auf sein Programm sowie kollegiale Zusammenarbeit zu verpflichten. Beispiele? Kardinal Suenens, Primas von Belgien, der »uomo ascendente«, der »kommende Mann«, nach Auffassung vieler ein exzellenter Staatssekretär. Oder Kardinal König, Erzbischof von Wien, ein hochgelehrter Theologe mit langjähriger pastoraler Erfahrung, ein ausgezeichneter Chef des radikal umzugestaltenden Sanctum Officium. Oder Kardinal Léger, der menschenfreundliche, souveräne Erzbischof von Montréal, ein verständnisvoller Chef der Bischofskongregation. Oder Kardinal Silva Henriquez, sozial aufgeschlossener Erzbischof von Santiago de Chile, Chef einer Kongregation für die Laien … Und natürlich auch Erzbischöfe, die im Konzil Format gezeigt haben: etwa Elchinger von Straßburg für die Studienkongregation, Eugene D'Souza von Bhopal/Indien für die Missionskongregation »Propaganda Fide«, Denis Hurley von Durban/Südafrika für »Justitia et Pax« …. Und natürlich als Chef des Einheitssekretariats nicht zu ersetzen Kardinal Bea.

Was für ein großartiges loyales »Kabinett«, mit dem der Papst hervorragend zusammenarbeiten und die Erneuerung der Kirche effizient steuern könnte! Was aber geschieht? Schon bei der ersten Huldigung bestätigt Paul VI. unauffällig nicht nur Kardinal Bea als Präsident des Einheitssekretariats, sondern auch den 82jährigen AMLETO CICOGNANI als Staatssekretär, obwohl die Ablösung dieses geschickten, hartnäckigen, ganz kurial denkenden Kirchenrechtlers (gerade kein »Hamlet«) allgemein erwartet wurde. Auch Msgr. Angelo Dell'Acqua, ein gewiß sehr fähiger Kurialer, bleibt als Substitut im Staatssekretariat auf seinem Posten. Damit ist nun die zentrale Schaltstelle im Palazzo Apostolico – der Staatssekretär im dritten Stock steht in täglichem Kontakt mit dem Papst im vierten – erneut ganz unter kurialer Kontrolle. Aber der Papst trifft eine noch sehr viel verhängnisvollere Fehlentscheidung: Wider Erwarten bestätigt er als Chef der noch wichtigeren kurialen Institution, des Sanctum Officium, eben jenen Kardinal ALFREDO OTTAVIANI, der mit seiner Behörde das Zentrum des Widerstandes gegen die konziliare Erneuerung darstellt, fest entschlossen zu verhindern, was zu verhindern ist. Auch den Präfekten der Studienkongregation, den Ottaviani-Freund Kardinal GIUSEPPE PIZZARDO, beläßt er im Amt. Der kuriale Machtblock, das vatikanische Pentagon, bleibt intakt – von niederen Chargen ganz zu schweigen. Nein, dieser hoffnungsvoll begrüßte sechste Paul wird kaum je ein großer charismatischer Führer der Kirche werden. Also vielleicht doch ein »Papa infelix«?

Diese Besetzung der Spitzenpositionen ist meine erste große Enttäuschung, und nicht nur meine. War Montini, wie gemunkelt wird, eine Wahlkapitulation eingegangen gegenüber Cicognani und Ottaviani: Konzil ja, aber mit derselben Führungsspitze? Doch sind Wahlkapitulationen vor Papstwahlen zulässig? Und gilt der päpstliche Jurisdiktionsprimat nicht auch für die Kurialen? Noch mehr als andere bin ich überzeugt, daß Paul VI. durch denselben strategischen Grundfehler wie Johannes XXIII. – mit einem »Kabinett« aus Antireformern eine Reform durchführen zu wollen – sich eine radikale Kurien- und Kirchenreform gründlich verbaut, wenn nicht bereits unmöglich gemacht hat. Denn die kurialen Bürokraten werden die ihnen vom Papst gnädig gewährten Machtpositionen benützen, um seine besten reformerischen Intentionen durch skrupellose Methoden zu vereiteln. Dies gilt ganz besonders von dem durch Paul VI. jetzt ebenfalls bestätigten Erzbischof PERICLE FELICI (seinen früheren Gegner) als Generalsekretär des Konzils, der Kennern zufolge nur an zwei Dinge glauben soll: ans nizänische Credo und ans Kardinalat. Dessen Generalsekretariat entwickelt sich rasch zur zentralen Schaltstelle für die Manipulation des Konzils; Felici, Cicognani und Ottaviani arbeiten bestens zusammen.

Dies ist leider das Hamletartige an diesem Papst: Er möchte und möchte doch nicht. Er zögert und blockiert durch seine Personalernennungen gerade jene Kurienreform, die er zwar wünscht, aber zugleich fürchtet. Denn: Montini, schon immer zur Ängstlichkeit neigend, hat wirklich Angst: vor den vatikanischen Potentaten und Cliquen, seinen früheren Kollegen, denen er viel verdankt und die auch mit einem Papst nicht immer gnädig umgehen – solange er sie machen läßt. Angst aber auch vor einer eher ungewissen Zukunft, falls er sich auf eine ernsthafte Kurien- und Kirchenreform einließe. Was also wird der Papst in dieser Situation tun? Er wird, auch dies ist für Montini bezeichnend, statt sofort Fakten zu schaffen, zunächst, wie wir sehen werden, über Kurienreform eine Rede halten. Ich selber erlebe die Zeit zwischen der ersten und zweiten Konzilssession in meiner Universitätsstadt.

Ein »Laboratorium« der Freiheit

Am 21. Juni 1963, dem Tag der Papstwahl, erwartet mich in Tübingen
für den Abend ein Fackelzug von vielen Dutzend Theologiestudenten.
»In Minschter isch's finschter«, rufen sie schwäbisch im Sprechchor. Sie
wollen verhindern, daß ich den Ruf in das »finstere Münster« annehme.
Mein Kollege Hermann Diem von der evangelischen Fakultät hält eine
Rede, in der er mich bittet, in Tübingen zu bleiben; »so was war noch
nie da«, schreibt mir ein evangelischer Pfarrer. Wie rasch waren sie vergangen, die drei Tübinger Jahre. Schon kurz vor Weihnachten 1962
hatte mir ein Anruf aus Münster signalisiert, meine Berufung, wie bei
meinem Abschied in Aussicht gestellt, sei bald perfekt. Und tatsächlich
erfolgt der Ruf durch ein Schreiben des Kultusministers von Nordrhein-
Westfalen, Professor Paul Mikat, vom 16. Mai 1963, verbunden mit der
Mitteilung, daß er mich bei der Berufungsverhandlung persönlich zu
begrüßen hoffe. Dies ist außerordentlich, ein deutlich positives Zeichen.

So richte ich mich denn auf Münster aus, das mir einfach die besseren Karten zu haben scheint. Ich fühlte mich ja damals sehr wohl in
dieser nach dem Krieg wieder rasch aufgebauten Stadt und Universität,
kam mit den Westfalen genausogut aus wie jetzt mit den Schwaben.
Den Lehrstuhl meines Lehrers Hermann Volk, jetzt Bischof von Mainz
und bald Kardinal, zu übernehmen, ist für mich zweifellos eine besondere Ehre. Die Katholisch-Theologische Fakultät, die größte Deutschlands, hat vielleicht dreimal so viel Studenten wie die Tübinger. Und so
gern ich in Tübingen die Grundlagenfragen der Fundamentaltheologie
behandle, so sehr habe ich nun nach drei Jahren Lust, in die Dogmatik
hinüberzuwechseln, wo meiner Lehre und Forschung sämtliche Gebiete
der Theologie offenstehen. Die erheblich größere Entfernung Münsters
von meiner Schweizer Heimat darf da nicht den Ausschlag geben.

Am Morgen nach dem Fackelzug – ein wenig wehmütig zwar ob
dieser Sympathieerklärung, aber trotzdem entschlossen – fahre ich denn
nach Münster und werde dort, wie zu erwarten, höchst freundlich aufgenommen. In Münster ist alles großzügiger als in Tübingen, was nicht
nur mit der Sparsamkeit der Schwaben zusammenhängt, sondern auch
mit der Kleinkariertheit der Tübinger Fakultätspolitik. »*Eine* theologische Disziplin – *ein* ordentlicher Professor«: Das gilt in Tübingen als
Dogma, was jede Verdoppelung eines Lehrstuhls ausschließt und die
Fakultät in einer Zeit allgemeiner universitärer Expansion künstlich
kleinhält. Alles letztlich, um die bestehende Machtkonstellation in der
Fakultät nicht zu gefährden.

In Münster gerade umgekehrt: »Je mehr Sie für sich beim Ministerium herausschlagen«, erklärt mir Seminardirektor Kötting, »umso eher können andere nachziehen.« Münster hat neben dem ersten Dogmatiklehrstuhl und dem Ökumenischen Institut bereits einen zweiten Dogmatiklehrstuhl: Lehrstuhlinhaber seit Sommersemester 1963 JOSEPH RATZINGER. Dieser hatte schon vier Monate zuvor aus Bonn geschrieben, er würde den Ruf nach Münster auf die zweite Professur für Dogmatik und Dogmengeschichte annehmen. Und da ich auf der Vorschlagsliste der Fakultät für die erste Dogmatikprofessur an erster Stelle stehe, wolle er mir mitteilen: »daß es mich sehr freuen würde, wenn wir gemeinsam versuchen könnten, die dogmatische Arbeit an der Universität Münster in Angriff zu nehmen«. Zugleich schlug er mir »einen neuen Typ von differenzierter Arbeit in der systematischen Theologie« vor: »daß etwa abwechselnd einer von beiden die Hauptvorlesung hält und dann der jeweils andere eine Spezialvorlesung«. Ich antwortete ihm, daß mich eine solche Zusammenarbeit sehr freuen würde: »Ich habe in Rom sehr rasch festgestellt, daß wir auf derselben ›Wellenlänge‹ sind, und das ist ja das Entscheidende.«

Bei meinem Besuch in Münster nun konnten wir uns reibungslos bezüglich einer Aufteilung der Stoffgebiete einigen. Ratzinger hat bisher zwei Assistenten. »Wenn Sie drei Assistentenstellen erlangen könnten, ist das sehr gut«, so Kötting. Bald mit der Münsteraner Fakultät handelseinig, fahre ich am 24. Juni 1963 in Nordrhein-Westfalens Landeshauptstadt Düsseldorf. Diese Fakultät sei grundsolide, nur etwas zu brav, erklärt mir Kultusminister Mikat, ein aufgeschlossener Katholik im Geist des Vatikanum II. Die dortige Theologie bedürfe der Blutauffrischung, dafür sichere er mir jede Unterstützung zu; drei Assistentenstellen machten keine Schwierigkeit. So fahre ich zurück, es scheint alles zugunsten Münsters zu sprechen. In Tübingen zurück, erhalte ich auch noch einen Brief der Studentenvertretung der Katholisch-Theologischen Fakultät Münster: sie wolle »nichts unversucht« lassen, mich »für Münster zu gewinnen«. Da ich Münster kenne, erübrige es sich, die Behauptung der Tübinger Studentenschaft zu widerlegen: »Sicher ist Ihnen das Lied von Münster bekannt, ›Schöne Stadt im Lindenkranze‹, in dem es heißt: ›Wer dich jemals nannte finster, selbst ein vir obscurus (Finsterling) war!‹«

Unterdessen aber hat man sich auch in Tübingen Gedanken gemacht. Eine Verdoppelung des Dogmatiklehrstuhls sei durchaus möglich; der Lehrstuhlinhaber, Professor Leo Scheffczyk, hätte dagegen keine Einwände, läßt man mich wissen. Man könnte einen neuen Lehrstuhl für dogmatische und ökumenische Theologie errichten. Nachdem man mir aber in Düsseldorf drei Stellen zugesichert hat, kommt mir die Idee, es ließe sich doch mit diesen drei Stellen ein Ökumenisches Institut begründen, wie es Münster schon hat. Dies hat nun eine kleine Querele mit Kollegen Scheffczyk zur Folge, welcher der Meinung ist, ich würde mir damit zuviel herausnehmen. Unabhängig davon wird er bald einen Ruf an die konservativere Katholisch-Theologische Fakultät in München annehmen, wo er sich geistig wohler fühle, wie er mir auf mein Drängen, doch in Tübingen zu bleiben, erklärt.

So springt die Tübinger Fakultät über ihren eigenen Schatten und beschließt ihr erstes Institut, das bis auf den heutigen Tag – davon wird noch die Rede sein müssen – ihr einziges bleiben soll. Da es mir in diesem Institut um die wirkliche Bereinigung der seit dem 16. Jahrhundert bestehenden Differenzen zwischen Katholiken und Protestanten durch intensive Studien geht, wähle ich dafür den ungewöhnlichen Namen »*Institut für ökumenische Forschung*«. Er gefällt so gut, daß er bald vom Straßburger Institut des Lutherischen Weltbundes übernommen wird. Leider ohne uns zur Taufe einzuladen, wie es für katholische Paten Sitte ist.

Am 3. September 1963 lasse ich das Ministerium in Düsseldorf und die Münsteraner Fakultät wissen, daß ich ihren Ruf leider nicht annehmen könne; doch schreibe ich dazu, daß in meinem vor der Habilitation stehenden Assistenten Dr. Walter Kasper ein qualifizierter Nachfolgekandidat zur Verfügung stehe. Joseph Ratzinger schreibt: »Ich persönlich hätte mich auf eine Zusammenarbeit mit Ihnen gefreut, kann aber Ihre Entscheidung verstehen …« Und später: »Über Ihre Nachrichten bezüglich Herrn Dr. Kasper habe ich mich sehr gefreut. Er ist tatsächlich bei uns ernsthaft im Gespräch …«

Im Bereich Fundamentaltheologie kommt jetzt ein großes Revirement in Gang. Es stehen einige Privatdozenten für Lehrstühle zur Auswahl: Bernhard Casper, Peter Hünermann, Walter Kasper, Peter Lengsfeld, Johann Baptist Metz … Aber in unserer Fakultät wünscht man als meinen Nachfolger einen alten Tübinger, seit kurzem Professor an der Theologischen Hochschule Passau: jenen MAX SECKLER, der in Paris eine Zeitlang mein Zimmernachbar war, sich bisher freilich nur durch Kenntnisse über Thomas von Aquin ausgewiesen hat. Ich schreibe Seckler nicht als Dekan, sondern als früherer Studienkollege: »Ich möchte nun für die Fakultät, zusammen mit Herrn Professor Möller, in einem persönlichen Gespräch einige grundsätzliche Fragen abklären. Wäre es Dir möglich, sobald als möglich dafür kurz nach Tübingen zu kommen?« Das Gespräch findet am 26. Januar 1964 in meiner Wohnung statt. Meine Bedenken (Fixierung auf den Thomismus usw.) werden zerstreut, und Secklers Berufung steht nichts mehr im Weg; zwei Tage später wird sie von der Fakultät beschlossen.

Die Gründung eines neuen Lehrstuhls in Tübingen und des damit verbundenen Instituts wird durch einen Vertrag des Landes Baden-Württemberg mit mir besiegelt (»Erhaltenszusage«, abgesegnet durch einen Senatsbeschluß vom 18. Januar 1964). Zum Glück ahne ich nicht, wie wichtig dieses Dokument zur Wahrung meiner akademischen Position sein wird, wenn schon fünf Jahre später die 1968er Umwälzung die traditionellen Strukturen der deutschen Universitäten und ihrer Institute erschüttern, und erst recht, wenn 1979 die Intervention des Vatikans meine akademische Stellung an der Universität Tübingen überhaupt in Frage stellen wird. 1963 scheint die Welt noch in Ordnung: die der Universität und die der Kirche. Aber die Freiheit der Theologie ist selbst in den außerordentlich günstigen Tübinger Verhältnissen noch keineswegs voll gewährleistet. Paradoxerweise wird sie nicht wie früher durch den Staat bedroht, sondern jetzt durch die Kirche.

Der Geist wahrer und falscher Freiheit

Mir scheint es wichtig, daß unser Institut für ökumenische Forschung von Anfang an der Öffentlichkeit in einer öffentlichkeitswirksamen Weise vorgestellt wird. Wie könnte dies besser geschehen als durch meinen USA-Vortrag über »Kirche und Freiheit«? So halte ich ihn zum ersten Mal auf deutsch, am 12. Februar 1964 um 17.00 Uhr im Festsaal der Universität, wieder voll besetzt. Eingeführt werde ich von Dekan HERBERT HAAG mit interessanten historischen Bezügen zum Tübinger Theologen Johann Adam Möhler, der mit seinem Frühwerk »Die Einheit der Kirche« (1825) die ökumenische Forschung eingeleitet habe. Anschließend ein Empfang in den Räumen des Instituts in der Nauklerstraße. Noch sind die Büchergestelle leer, aber in den folgenden Monaten füllen sie sich rasch. Und mit der Bibliothek nehmen wir auch einen bibliographischen Forschungskatalog in Angriff.

Meine programmatische Festrede findet begeisterte Zustimmung. Der Herausgeber und Chefredakteur der lokalen Zeitung, des »Schwäbischen Tagblatts«, ERNST MÜLLER, Dr. theol. h.c. der Mainzer Fakultät, referiert ausführlich über die einzelnen Teile der Rede und schreibt zum Schluß: »... eine beinahe evangelische (nicht protestantische) Weise des seelsorgerlichen Umganges mit Menschen im frohen Glauben, der nicht mit Sicherung und Bevormundung arbeitet, sondern im Vertrauen zur Wirksamkeit des Geistes ... Der protestantische Referent (Müller) dankt dem katholischen Theologen Küng herzlich und meint, daß er sich in der von Küng gezeichneten Kirche wohler fühlt als in seiner derzeitigen Landeskirche, falls Küngs Manifest einmal Wirklichkeit würde: ›Einheit, aber nicht Einerleiheit, unitas, aber nicht uniformitas, ein Zentrum, nicht Zentralismus‹.« Schließlich des Berichterstatters großes Aber – gegen eine von einem autoritären römischen Primat dominierte Kirche: »Aber er würde dann doch bei Küngs These wieder in den Protestantismus zurückfallen, wenn *eine* Kirche und *eine* Leitung verlangt würden. Gott und Christus sind die Leiter der Kirche, vom Primat des Bischofs von Rom, autoritär verordnet, über alle Bischöfe ist aber in der Schrift nicht die Rede.«

Damit spricht der Chefredakteur die in der Tat auch vom Konzil nicht gelöste »neue römische Frage« an, wie sie auch aus dem Glückwunsch des Dekans der evangelischen Schwesterfakultät, Professor HERMANN DIEM, herauszuhören ist, der über die kontroverse Theologie in Tübingen nach 1825 berichtet. Denn Möhler ist dann mit seinem Buch »Athanasius« (1827), seiner Schrift über den Zölibat (1828) und besonders mit seinem in zwanzig Auflagen erschienenen Bestseller »Symbolik« (1832) – er arbeitet einseitig das Unterscheidende zwischen Katholiken und Protestanten heraus – auf traditionelle römische Positionen zurückgefallen und hat in der Fakultät die Partei der »Möhlerianer« (»Römer«) begründet, die 1848 den Sieg über die Kritisch-Aufgeklärten erringen wird. Ein Vorgang, der sich in anderer Form zu unseren Lebzeiten wiederholen sollte. Ernst Müller schließt seinen Artikel mit der Frage: »Wann nun erfolgt die Wiedervereinigung der beiden Kirchen?« Und er antwortet: »Ein humorvoller schwäbischer Professor meint, am Jüngsten Tag, aber für Alt-Württemberger und Erzprotestanten erst am Abend. Auf keinen Fall sei die alte Apologie zu erneuern, neue Regeln für die Kontroversen seien zu finden. Vorgeschlagen wird, daß man dem anderen gegenüber kein Argument verwenden darf, das gegenüber der eigenen Selbstkritik nicht mehr zieht.«

Das also ist nach beiden Seiten gesagt. Denn das Pendant zur oft vermurksten Freiheit der Erzprotestanten ist die verkorkste Freiheit der Liberalkatholiken. Früher hatte ich einmal im Kreis meiner katholischen Tübinger Kollegen von »Kirche als Raum der Freiheit« gesprochen. Damals erntete ich ein dröhnendes Gelächter ohne allen sachlichen Kommentar, das mich befremdete und mir zu Herzen ging. Im höhnischen Lachen vereinigten sich die Skepsis des Philosophen und der Zynismus des Kirchenhistorikers mit dem Konformismus des Kirchenrechtlers und der Harmlosigkeit des Moraltheologen. Ein typisches Beispiel dafür, wie Kollegen der Theologie in fröhlicher Runde oft unbekümmert kritisch tönen und sich »frei« gebärden, in der Öffentlichkeit aber kaum ein freies, unerschrockenes Wort riskieren, um »was ins Ohr geflüstert wurde, von den Dächern zu verkünden« (vgl. Mt 10,27). Unsere Sprache kennt neben dem Zivil-Recht ein Kirchen-Recht, aber warum neben der Zivil-Courage keine Kirchen-Courage, gar Christen-Courage? Der Kirchenkritik meiner Kollegen stimme ich meist zu, aber soll ich als der weitaus Jüngste – die anderen haben ein Durchschnittsalter von fast 55 Jahren – immer Zivilcourage anmahnen, gar die Freiheit eines Christenmenschen? Wahrhaftig, ich will zumindest mein Institut für Ökumenische Forschung zu einer Arbeitsstätte, einem »Laboratorium« der Freiheit machen – Freiheit zur Suche nach der Wahrheit. Was mich das einmal kosten wird, ist mir freilich in keiner Weise klar – wenngleich ich bei meinem Vortrag über die Freiheit in Kirche und Theologie ständig Rom und den Papst im Blick behalte. Ich denke freilich auch an Karl Barth, mir in Sachen Zivil- und Kirchencourage immer ein Vorbild.

Karl Barth beim Papst

Mit dem Datum vom 17. September 1963 erhalte ich aus dem Vatikan mit dem Vermerk »vertraulich« einen Brief von Msgr. JOHANNES WILLEBRANDS, der mit mir schon in Gazzada über einen bestimmten Plan gesprochen hatte, aber unterdessen in Serbien war. Es geht um die Frage, ob man KARL BARTH zum Konzil einladen soll. Jetzt Willebrands: »Nachdem ich Seiner Eminenz (Bea) die Möglichkeit, Karl Barth als Gast des Sekretariates zum Konzil einzuladen, dargelegt hatte, war er im Prinzip damit einverstanden. Ich möchte Dich also bitten, daß Du Dich über diese Möglichkeit mit Karl Barth verständigst.« Die Gäste des Einheitssekretariats hätten praktisch die gleichen Rechte wie die Beobachter/Delegierten, welche die Kirchen vertreten. Sie genössen das gleiche Vertrauen und würden auch ihrerseits um ihr Vertrauen gebeten. »Sobald Du mit Karl Barth über die Möglichkeit einer Einladung gesprochen hast, berichte mir dann. Es geht natürlich nicht darum, ihn ›zu erobern‹; Du sollst ihm ganz frei die Möglichkeiten darlegen und jedes egoistische Moment unsererseits ausschalten. Mit bestem Dank für

Deinen Dienst und in der Hoffnung, Dich bald in Rom wiederzusehen, Dein Johannes.«

Ich rufe von Tübingen aus in Basel an. Es ginge nur um eine vertrauliche Voranfrage, sage ich Karl Barth: Ob er eine Einladung des
Sekretariats für die Einheit der Christen annehmen würde, persönlich
als »Beobachter« am Zweiten Vatikanischen Konzil teilzunehmen? Eine
sofortige Antwort sei nicht nötig. Ich merke an, daß das eine ungewöhnliche Anerkennung seines theologischen Wirkens von seiten
Roms sei. Und daß er auf diese Weise seine Stimme im Konzil unmittelbar zur Geltung bringen könnte, wofür es viele Möglichkeiten gibt.

Karl Barth, mittlerweile stolze 77 Jahre alt, will sich die Sache überlegen. Doch muß er sich schließlich angesichts der »ausgiebig frequen-
tierten Spitäler, durch höhere Gewalt verhindert, zum Verzicht ent-
schließen«. Erst eineinhalb Jahre später, 1966, als es ihm wieder besser
geht, reift in ihm – »vielleicht mit angeregt durch die herrliche katholische Kirchenmusik Mozarts, mit der man mich und viele andere kurz
vor meinem 80. Geburtstag erquickte, der Plan, die Arbeit an meiner
Selbstbiographie, die mich im Winter zuvor beschäftigt hatte, vorläufig
einzustellen, und mich noch einmal der theologischen Gegenwart zuzuwenden« (»Ad Limina Apostolorum« S. 9).

Gründlich studiert Barth in Basel die 16 Konzilsdokumente. Zu den
wichtigsten formuliert er zehn Fragenschemata mit Verständnisfragen
und kritischen Rückfragen. Im September 1966 ist er nun, begleitet
von seiner Frau und seinem katholischen Hausarzt, in Rom und diskutiert in fünf Arbeitstagen diese Fragen, die man in seinem Rechenschaftsbericht »Ad Limina Apostolorum« (1967) nachlesen kann. Immer
begleitet von einem Mitarbeiter des Einheitssekretariats, führt er Gespräche mit den Jesuiten auf der Dachterrasse der Gregoriana, aber auch
mit anderen Ordensleuten. Mit Kardinal Ottaviani und Erzbischof
Parente im Sanctum Officium und bei Kardinal Bea in seiner Residenz
an der Via Aurelia. Schließlich »im innersten Sanktuarium der römisch-
katholischen Kirche« mit dem Papst.

Auch dem Papst legt Karl Barth einige seiner Fragen vor, besonders
bezüglich des Status der »getrennten Brüder« und bezüglich der Mario-
logie. Doch zuerst hält der Papst, anders als sein Vorgänger stets auf
päpstliche Würde Gewicht legend, eine kleine Lobrede auf Barths theologische Arbeit und schwenkt dann gleich über zu sich selber: Es sei
eine sehr schwere Aufgabe, die ihm vom Herrn anvertrauten Schlüssel
Petri zu verwalten: »Les clés de St. Pierre sont très lourdes.« Karl Barth
verschweigt in seinem Rechenschaftsbericht den Gedanken, der ihm

bei diesen päpstlichen Aussagen durch den Kopf blitzte und den er mir nachher anvertraut: Mit Molière: »Tu l'as voulu, Georges Dandin, tu l'as voulu – Du hast es ja gewollt, Du hast es ja gewollt, Stellvertreter Christi zu sein. Da darfst Du Dich nicht wundern, daß diese Aufgabe schwer, vielleicht allzu schwer wird.« Erzählt mit der unausgesprochenen Pointe: Der Papst könnte seine überzogenen Titel und Ansprüche ja etwas zurücknehmen. Wenn er es nicht tut, hat er auch kein Mitleid verdient.

Doch ob eine Rücknahme überhaupt möglich ist? Ich bejahe die Frage. Denn in den ersten Jahrhunderten war es anders. Tatsächlich haben die römischen Bischöfe erst seit dem machtbewußten Leo dem Großen im 5. Jahrhundert eine Art Petrusmystik vertreten, als ob Petrus persönlich durch sie redete und handelte. Und erst seit dem machtbesessenen Gregor VII., dem früheren Mönch Hildebrand, im 11. Jahrhundert haben die Päpste nicht nur ihre äußere Macht und innerkirchliche Autorität, sondern auch ihre Titel ins Übermenschliche gesteigert. Gegenüber dem bisher üblichen »Stellvertreter *Petri*« bevorzugt und monopolisiert Innozenz III. auf dem Höhepunkt päpstlicher Macht den bis zum 12. Jahrhundert für jeden Bischof oder Priester gebrauchten Titel »Stellvertreter *Christi*«, ja, sogar »Stellvertreter *Gottes*«: allein der römische Bischof ist »Vicarius Christi«, gar »Vicarius Dei«.

Bedeutet es da nicht einen kleinen Schritt in die richtige Richtung, wenn Paul VI. sich zumindest in der Einleitung der Konzilsdokumente nach Gregor dem Großen als »Episcopus, servus servorum Dei«, »Bischof, Diener der Diener Gottes« bezeichnet? Die römische Kurie freilich tut nach wie vor alles, um die absolute Autorität und Macht des Papstes und damit auch ihre eigene ungeschmälert aufrechtzuerhalten. Und Paul VI. tut nichts dagegen. Ja, derselbe Papst, der so arg unter dem Gewicht der Schlüssel Petri seufzt, wird in seiner selbstgewollten Isolation schon früh auch noch eine merkwürdige Leidensmystik kultivieren – als ob gerade er mit seinem Amt persönlich das schwere Kreuz Christi auf sich genommen habe und andere Menschen nicht noch mehr zu leiden hätten. Bald wird er sich als erster Papst statt mit dem bischöflichen Hirtenstab ständig mit dem Gekreuzigten am Stab der Öffentlichkeit präsentieren: der Papst – ein »zweiter Christus«, ein »zweiter Gekreuzigter«? Mir erscheint das als Blasphemie. Pauls VI. Beichtvater wird jetzt, das beruhigt mich ein wenig, mein früherer hochgeschätzter nüchterner Metaphysik-Professor und Rektor der Gregoriana, jetzt mit mir Peritus, P. Paolo Dezza SJ. Und Papa Montini überrascht mich schließlich doch auch noch als Reformer.

Päpstlicher Appell zur Kurienreform

Etwas für die Kurialen *Unerhörtes* geschieht in Rom unmittelbar vor der zweiten Konzilssession, am 21. September 1963: PAUL VI. ruft seine *gesamte Kurie zu einer Sonderaudienz* zusammen, pünktlich um 10 Uhr in der Benediktionsaula über der Vorhalle von St. Peter. Wozu? Er fordert eine Reform der Kurie. Wie haben sich trotz aller Hemmnisse die Zeiten geändert! Erinnern wir uns doch des Schicksals von P. Riccardo Lombardi, der es ebenfalls gewagt hatte, aus kirchengetreuer Gesinnung durchaus sachlich die römische Kurie zu kritisieren und der dafür sogar unter Johannes XXIII. bitter abgestraft wurde. Nun aber nimmt Paul VI. selber die gutgesinnten Kritiker der römischen Kurie in Schutz, ja, bringt bedeutsame Vorschläge zur Reform vor. Nach der ersten bitteren Enttäuschung in Sachen Personalpolitik für mich und viele andere wieder Anlaß zur Hoffnung. Für den Papst angesichts der von ihm leider nicht veränderten kurialen Machtkonstellation ein nicht ungefährliches Unternehmen.

Die Rede wird anschließend veröffentlicht: Mit Lob für seine im Konzil viel kritisierten und gedemütigten Beamten spart der Papst nicht, verfügt bei dieser Gelegenheit auch die von seinem Vorgänger angekündigte Erhöhung aller vatikanischen Gehälter und Löhne und kündigt einen freien Tag an. Eine Captatio benevolentiae. In der Tat anerkennen auch Kritiker der römischen Kurie wie ich, welche Arbeit von manchen Leuten im Konkreten geleistet wird und wieviel die katholische Kirche in den letzten Jahrhunderten trotz aller Mißstände der ordnenden Kraft der Zentralorgane verdankt.

Aber der Papst verschweigt erfreulicherweise auch nicht die Mängel der Kurie, ja anerkennt die *Berechtigung der Kritik:* »Diese bildet einen Aufruf zur Wachsamkeit und zum Gehorsam, sie bildet eine Einladung zur Reform, einen Anreiz zur Vervollkommnung. Wir müssen die Kritik, die uns umgibt, in Demut hinnehmen, mit Überlegung und auch mit Anerkennung hinnehmen. Rom hat es nicht nötig, sich zu verteidigen, indem es sich taub stellt gegenüber den Eingebungen, die von aufrichtigen Stimmen kommen, besonders wenn es sich bei diesen Stimmen um Stimmen von Freunden und Brüdern handelt.« Auf unbegründete Anschuldigungen werde man sicher antworten, aber ohne Ausflüchte, Umschweife, Polemiken. Man werde indessen feststellen können, »daß heute das Bestreben nach Modernisierung der rechtlichen Strukturen und der Vertiefung geistlichen Bewußtseins nicht nur keinen Widerstand finden wird, soweit dies das Zentrum der Kirche, die

Römische Kurie, betrifft, sondern daß die Kurie selbst bei der ständigen Erneuerung, deren die Kirche als menschliche und irdische Institution immerfort bedarf, vorangehen wird.«

»Vorangehen wird«? Im kurialen Stil wird oft der Indikativ (der Tatsache) gebraucht, wo der Optativ (des Wunsches) oder der Imperativ (des Befehls) angebracht wäre. Klar ist jetzt jedenfalls auch für die römische Kurie: Das »Ecclesia semper reformanda« ist nicht unkatholisch! Daß auch in der Kurie selbst Reformen durchgeführt werden müßten, meint der Papst, sei leicht einzusehen. Die letzte Neuordnung dieses alten und vielschichtigen Organismus gehe bekanntlich auf Sixtus V. im Jahre 1588 zurück, wurde von Pius X. 1908 ergänzt und in dieser Form in den Codex Iuris Canonici von 1917 übernommen: »Viele Jahre sind vergangen. Es ist verständlich, daß eine solche Ordnung unter der Last ihres ehrwürdigen Alters zu leiden hat, daß sie die Unangepaßtheit ihrer Organe und ihrer Praxis an die Bedürfnisse und den Zustand der heutigen Zeit und zugleich die Notwendigkeit der Vereinfachung, der Dezentralisierung, der Erweiterung und Befähigung für neue Aufgaben spürt.« Aber: weiter als bis ins 16. Jahrhundert, in das entscheidende 11., sage ich mir, denkt Paul VI. offensichtlich nicht zurück.

Es seien gar *verschiedene Reformen«* notwendig: »Diese Reformen werden sicher ausgewogen sein und den ehrwürdigen und berechtigten Traditionen auf der einen und den Bedürfnissen der Zeit auf der anderen Seite Rechnung tragen. Sie werden sicher förderlich und wohltuend ausfallen, weil sie kein anderes Ziel haben werden, als das fallenzulassen, was an den Formen und Normen hinfällig und überflüssig ist, die die Römische Kurie leiten, und das zu verwirklichen, was ihre Handlungsfähigkeit verbessert, verlebendigt und wirksamer gestaltet. Sie werden von der Kurie selbst formuliert und promulgiert werden!«

»Von der Kurie selbst formuliert und promulgiert«? Sollte die Kurie im gegenwärtigen Zustand in der Lage sein, sich selbst zu reformieren? Gleicht das nicht dem Unternehmen des Baron von Münchhausen, der sich am eigenen Haarschopf aus dem Sumpf ziehen wollte? Und das Konzil? Immerhin fordert der Papst jetzt entschiedene *Internationalisierung* und *ökumenische Ausbildung der Kurie:* Diese werde »keine Angst davor haben, nach weiteren übernationalen Kriterien zusammengesetzt und durch eine bessere ökumenische Ausbildung geformt zu werden«. Werde »deshalb nicht eifersüchtig auf irdische Privilegien anderer Zeiten pochen noch auf äußere Formen, die nicht mehr dazu geeignet sind, wahre und hohe religiöse Werte einzuprägen und zu veranschaulichen«. Werde »nicht um ihre Vollmachten rechten, die heute, ohne die allgemeine kirchliche Ordnung zu verletzen, der Episkopat von sich aus und an Ort und Stelle besser ausüben kann«.

Papst Paul verdient volles Lob: Durch diese mutigen Worte hat er sich an die Spitze derer gestellt, die eine »Reformatio« nicht nur »in membris, an den Gliedern«, sondern auch »in capite, am Haupt« fordern, wie man auf früheren Reformkonzilien formulierte. Er macht sich damit zum Sprecher der Bischöfe und Theologen, ja ungezählter in Klerus und Volk, denen wenige Dinge so am Herzen liegen wie die Reform des Papsttums und der römischen Zentralverwaltung (»Vatikan«). Davon hängt nun einmal rebus sic stantibus Erfolg und Nachhaltigkeit der Erneuerungsbewegung ab.

Notwendig dafür: eine wirkliche Übereinstimmung der kurialen Organe mit dem Papst, und diese war ja nun gerade zur Zeit Johannes' XXIII. keineswegs gegeben. Deswegen wohl das unverhohlene Insistieren Pauls VI. auf dem *Gehorsam der Kurie:* »Wir sind Uns dessen gewiß, daß von der römischen Kurie niemals irgendein Zögern in bezug auf den obersten Willen des Papstes ausgehen und daß sie niemals in Verdacht kommen wird, daß ihr Urteil und ihre Gesinnung mit dem Urteil und der Gesinnung des Papstes nicht übereinstimmen.« Wieder der Indikativ statt des Optativs, gar Imperativs!

Offensichtlich ist sich Papa Montini der Gefolgschaft seiner Kurie keineswegs ganz »gewiß«. Denn am Schluß appelliert er nicht zufällig an sie, sich zu ihrer Reform »fest und offen zu bekennen«: »Wenn jemals die Zustimmung zu dem, was der Papst anordnet oder wünscht, von seiten der Kurie streng eindeutig sein muß (rigorosamente univoca), ja wenn diese Zustimmung ihr Gesetz und ihre Ehre ist, so ist gerade jetzt der Augenblick, sich fest und offen dazu zu bekennen …« Gilt dieses Einverständnis zwischen dem Papst und seiner Kurie »nur in großen geschichtlichen Augenblicken«? Nein: »Dieses Einverständnis hat für immer und für jede päpstliche Entscheidung Geltung; denn so geziemt es einem Organ, das ihm unmittelbar untersteht und ihm absoluten Gehorsam schuldet, für ein Organ, dessen der Papst sich bedient, um seine allgemeine Sendung auszudrücken.« Hier wird Klartext geredet: Nicht die Kurie hat für sich den Papst in Anspruch zu nehmen, sondern der Papst für sich die Kurie, sein Organ, das ihm »absoluten Gehorsam« schuldet.

Und was ist die *Reaktion der Kurie* auf diese so kühne, eindringliche päpstliche Mahnrede? Wo bleibt das »feste und offene Bekenntnis« zur Kurienreform von seiten der hohen und höchsten Zuhörer? Davon hört man erstaunlich wenig, und beunruhigt denke ich an die passive

Resistenz der Kurienkardinäle auf die Konzilsankündigung Johannes' XXIII. zurück. Zu Beginn der zweiten Konzilssession frage ich einen der Kurialen, die bei Pauls Reformrede anwesend waren: »Was habt Ihr auf des Papstes Rede hin getan?« Seine Antwort: »Wir haben *geschwiegen*, und schweigend haben wir allesamt den Saal verlassen.« Ich frage zurück: »Und warum geschwiegen?« Er lächelt: »Wer pro Reform geredet hätte, hätte sich bei vielen Kollegen unbeliebt gemacht. Und wer contra geredet hätte, hätte mit einer Denunziation beim Papst rechnen müssen.« Deshalb also schwiegen sie und – warten ab: Pazienza – mal sehen, ob dieser Paolo Sesto seinen kühnen Worten auch kühne Taten folgen läßt ... Was hat der Papst vor? Von Anfang an kümmert er sich um die stärkere Präsenz des Vatikan in den internationalen Organisationen (UNO, UNESCO), um die Fortführung der »Ostpolitik« und um eine Sammlung moderner Kunst im Vatikan ... Und sonst? Die so dringliche Reform der Kirche selbst und der Kurie?

Pauls VI. Konzilsprogramm

Am Mittwoch, dem 25. September 1963 fahre ich im Auto von Tübingen über Basel nach Sursee. Am Freitag, 27. September um 6 Uhr Abfahrt in Sursee, um 20 Uhr Ankunft in Rom. Ich bin nun offiziell vom Papst ernannter Konzilsberater, als solcher also nicht mehr dem Bischof CARL-JOSEPH LEIPRECHT von Rottenburg zugeordnet. Zum Glück: Dieser hatte mich nämlich – nachdem er mich im Jahr zuvor in einem Gespräch in meinem Haus gebeten hatte, sein persönlicher Peritus zu sein, und mich in der ersten Konzilssession zum offiziellen Konzilsperitus vorgeschlagen hatte – kurze Zeit vor Beginn der zweiten Session in wenig schöner Weise mit einem amtlich kühlen Brief überrascht: Er habe sich für seine Konzilskommission über die Orden den Jesuiten P. Friedrich Wulf SJ als Peritus geholt und verzichte deshalb auf meine Dienste. Dieses Mal kein persönliches Gespräch. Er »verzichtet« auf mich, das ist unter »Mitbrüdern« alles. Soll ich in Fällen wie diesem immer das Wechselbad der Gefühle schildern, die sich der Leser, der vielleicht ähnliche Erfahrungen gemacht hat, leicht selber vorstellen kann? Jedenfalls bin ich von ihm entlassen. Aber dafür jetzt auch freier. Über Leiprechts Schritt die Öffentlichkeit zu orientieren, scheint mir kontraproduktiv. Auch der Bischof ist nicht daran interessiert und zeigt sich bereit, zumindest für die zweite Konzilssession die Hotelkosten zu übernehmen.

Doch muß ich mir ein neues Logis suchen. Ich finde eines im kleinen Hotel Rivoli, nicht weit von der Villa San Francesco. Am nächsten Vormittag besuche ich den Bischof dort. Er ist freundlich wie immer und redet von seiner Arbeit in der Kommission für die Orden. Aber seine wahren Gründe behält er nach wie vor für sich. Und bis heute habe ich nicht herausgefunden, was ihn so handeln ließ. War sein »Verzicht« auf meine Dienste eine von der Kurie veranlaßte Quittung für meine Amerikareise? Hatte ich mich für seinen Geschmack allzu kühn vorgewagt? Wollte er sich einfach für die Zukunft gegenüber Nuntius und Kurie absichern? Wollte er, mußte er? Nachfragen hätte nicht geholfen.

Die übrigen Stunden des Tages beginne ich mit zunehmenden Bedenken das jetzt gedruckt vorliegende, überarbeitete Schema über die Kirche zu studieren. Um 17 Uhr treffe ich KARL RAHNER im Collegium Germanicum und lade ihn dann zum Abendessen ins Rivoli ein. Eingehend diskutieren wir die nicht einfache Lage vor der zweiten Session und viele anstehende theologische Fragen. Beide sind wir gespannt auf die Eröffnungsrede des neuen Papstes zur zweiten Session. Sie wird zweifellos programmatischen Charakter haben und manches über den künftigen Kurs dieses Pontifikates verraten.

Als wir am Sonntag, den 29. September 1963 zur Eröffnung der zweiten Konzilsperiode allesamt in die Peterskirche strömen, herrscht eine Stimmung der Hoffnung und des Neubeginns. Die Verbesserung des Konzilsreglements durch PAUL VI. und die Ansprache des Papstes über die Reform der römischen Kurie haben in Episkopat und Kirche eine positive Aufnahme gefunden. Und so lauschen denn auch wir Theologen auf den beiden Expertentribünen seiner wichtigen *Programmrede zur Eröffnung der zweiten Session* mit großer Aufmerksamkeit und Sympathie. Und werden nicht enttäuscht: Sie zeichnet sich aus durch Mut und Klarheit. Ich bin beruhigt: Paul VI. will den Weg Johannes' XXIII. auf diesem Konzil mit Kraft und Entschiedenheit weitergehen.

Es gibt Passagen in dieser Rede, über die ich mich ganz persönlich freuen kann: Das *Konzil* selbst wird theologisch, ganz wie in meiner Tübinger Antrittsrede dargelegt, als *Repräsentation der Kirche* gesehen. Auch daß im Konzil jene vier klassischen Merkmale von Kirche – Einheit, Katholizität, Heiligkeit und Apostolizität – als Imperative zum Ausdruck gebracht werden sollen, wird vom Papst klar ausgesprochen. Hat der Papst selbst oder vielleicht Msgr. Carlo Colombo aus Mailand, sein persönlicher Konzilstheologe, der hier auf der Expertentribüne in der vordersten Reihe direkt neben mir sitzt, »Strukturen der Kirche«

oder zumindest die Antrittsvorlesung zur Kenntnis genommen? In der Tat schaut mich Carlo Colombo mit glücklich bestätigendem Lächeln an, als der Papst in einer Deutlichkeit wie kein Papst nach der Reformation die mir schon in »Rechtfertigung« so wichtige *Christozentrik* zum Ausdruck bringt: »Christus ist unser Ausgangspunkt. Christus ist unser Führer und unser Weg, Christus ist unsere Hoffnung und unser Ziel.« Karl Barth wird zweifellos Freude haben an diesen Programmsätzen, und ich selber werde sie an die Spitze der Sammlung wegweisender »Konzilsreden« setzen, die ich mit dem amerikanischen Jesuiten Daniel O'Hanlon sammle, zum Teil übersetze und dann zusammen mit dem französischen Dominikaner Yves Congar am Ende der zweiten Konzilssession herausgebe.

Von diesem christozentrischen Ansatzpunkt her werden dem Konzil vom Papst dann folgende *vier Hauptaufgaben* gestellt, die ich nur voll und ganz unterschreiben kann: 1. Vertiefung des Selbstverständnisses der Kirche, 2. Die Erneuerung der Kirche, 3. Die Wiederherstellung der Einheit zwischen allen Christen, 4. Der Dialog der Kirche mit den Menschen unserer Zeit. Endlich verfügt das Konzil also über eine klar formulierte christologische Grundlage und ein kohärentes Konzept, und dieses entspricht weitgehend dem in »Konzil und Wiedervereinigung« vorgelegten. Im einzelnen macht der Papst weitere wichtige programmatische Aussagen, die jedoch, wenn man sie genauer durchdenkt, eine gewisse *Zweideutigkeit* aufzuweisen scheinen und bei mir Fragen wachrufen.

Da hören wir alle mit Zustimmung emphatische Worte über das *Papsttum als Dienst:* »Der Geringste unter euch, der Diener der Diener Gottes«, will »euch konkret zeigen, daß er mit euch zusammen sein, mit euch beten, sprechen, überlegen und arbeiten will«: »Gleich zu Beginn der Zweiten Session dieser großen Synode bezeugen Wir Gott, daß Wir keinerlei menschliche Machtansprüche erheben und keinerlei Verlangen nach persönlicher Herrschaft hegen, sondern nur den Wunsch und den Willen haben, den göttlichen Auftrag zu erfüllen, durch den Wir, Brüder, unter euch zum obersten Hirten von euch allen berufen worden sind.« Doch – ich frage mich: Gewiß, »menschliche Machtansprüche« sollen nicht erhoben werden, aber was heißt dann der »göttliche Auftrag zum obersten Hirten«? Meint das immer noch den mittelalterlichen Herrschaftsprimat des Papstes?

Bischöfe hören natürlich gerne die deutlichen Worte über den *Episkopat als Kollegium,* als eine brüderliche Gemeinschaft: »Ihr selbst geht auf das Apostelkollegium zurück und seid dessen wahre Erben.« Die

Diskussion über die Stellung der Bischöfe erwarte er »mit großer Hoffnung und ehrlichem Vertrauen«: »Denn unbeschadet der dogmatischen Erklärungen des Ersten Vatikanischen Ökumenischen Konzils über den Römischen Papst wird die Lehre vom Episkopat, dessen Aufgabe und dessen notwendige Verbindung mit Petrus zu untersuchen sein.« Aber – erneut frage ich mich: Inwiefern geht das Bischofskollegium auf das Apostelkollegium zurück? Und heißt »unbeschadet« vielleicht, daß der »Römische Papst« die im Vatikanum I definierten Absolutheitsansprüche doch nicht ernsthaft zugunsten einer kollegialen Kirchenleitung beschränken will?

Natürlich gefällt mir am Ende auch, wie der Papst die Aufgabe der Kirche als *Dienst an der Welt* versteht: Die Kirche habe »das ehrliche Verlangen, nicht über sie zu herrschen, sondern ihr zu dienen, nicht sie zu verachten, sondern ihre Würde zu erhöhen, nicht sie zu verurteilen, sondern ihr Trost und Heil zu bringen«. Positiv würdigt der Papst die jungen aufstrebenden Völker und die großen *Weltreligionen*, »die den Sinn für das Göttliche und den Begriff des einen höchsten transzendenten Schöpfergottes und Erhalters bewahrt haben und in echter Religiosität Gott verehren«: »In diesen Religionen sieht die katholische Kirche nicht ohne Bedauern Lücken, Mängel und Irrtümer. Aber sie kann nicht umhin, sich auch ihnen zuzuwenden, um ihnen zu sagen, daß die katholische Religion mit der schuldigen Hochachtung dem begegnet, was sie an Wahrem, Gutem und Menschlichem bei ihnen findet.« Trotzdem – ich frage mich: Wie steht die Kirche zu ihren ureigenen »Lücken, Mängeln und Irrtümern«, und kann das »Wahre, Gute und Menschliche« in den anderen Religionen auch Weg zum Heil sein?

Mein Gesamteindruck: Papa Montini, zweifellos guten Willens, belesen und reformwillig, aber scholastisch und ekklesiastisch denkend und in moderner Exegese und Dogmengeschichte wenig bewandert, scheint sich der historischen Hintergründe der gegenwärtigen Auseinandersetzung doch allzu wenig bewußt zu sein. Denn worum geht es im gegenwärtigen großen konziliaren Erneuerungsprozeß? Man kann es auf die Formel bringen:

Kirche als Pyramide oder als Gemeinschaft?

Dem Leser muß ich hier erneut theologische Hintergrundinformationen zumuten, ohne die er meinen eigenen Kampf in Sachen Kirchenreform kaum verstehen kann. Später werde ich mich oft darüber ärgern:

Unwissende und Halbwissende vor allem aus der Welt von Wirtschaft, Politik und Publizistik wollen einem immer wieder weismachen, die katholische Kirche sei nun einmal so: so hierarchisch, zentralistisch, absolutistisch. So sei sie immer gewesen und müsse auch immer so bleiben. Wir Reformer sollten doch nicht erwarten, daß der Papst nicht mehr Papst sei. Ja, wer den päpstlichen Absolutismus kritisiere, stelle das Papsttum selber in Frage. Mit Verlaub: Im Licht der Geschichte ist dies alles barer Unsinn!

In späteren Jahren werde ich es in Zusammenhang mit der Paradigmenanalyse noch sehr viel besser historisch belegen und auf den Begriff bringen können: Es geht im Grunde um die *Ablösung des seit dem Mittelalter herrschenden Kirchenmodells* (Paradigma). Und das ist natürlich eine Machtfrage erster Güte. Die katholische Kirche hat bis zum Konzil auf viele einen absolutistischen, für manche gar totalitären Eindruck gemacht. Nur Resultat ihrer straffen und für viele beunruhigend effektiven äußeren Organisation? Nein, ebenso Resultat eines durch Reformation und Moderne hindurch geretteten *hierarchisierten pyramidalen Kirchensystems*, wie ich es seit meiner Jugend kenne! Von der breiten Ebene des Volkes aufsteigend die »eigentliche« Kirche: Priester und Ordensleute, dann die Bischöfe und Erzbischöfe und Kardinäle, ganz oben der Papst.

In der juristisch-scholastischen Kirchenideologie, die ich seit den Gregoriana-Zeiten bestens kenne, wird dieses Modell theoretisch von ganz oben deduziert: vom Papst als der Quelle der Macht. Ihm werden seit dem mittelalterlichen Streit zwischen Papst und Kaiser – erst jetzt gibt es Traktate über die Kirche! – die längsten und eindringlichsten Kapitel gewidmet. Die Bischöfe (schon sehr viel kürzer behandelt) und die Priester (nur am Rande) erscheinen als untergeordnete Organe des Papstes, der als »Haupt« letztlich allein die Initiative hat und von dem alle Vollmacht in den untergeordneten Rängen ausgeht. Nicht verwunderlich, daß solche »Ekklesiologie« der »Ekklesia« selber, der »Kirche« als Gemeinschaft, dem Volk Gottes, bestenfalls kurze Kapitel widmet, die vor allem den Gehorsam in Lehre und Disziplin betonen. Und die Freiheit eines Christenmenschen (libertas Christiani)? Hier kein Thema. Nur die Freiheit der Institution Kirche (libertas Ecclesiae) – Freiheit nämlich vom Staat! Ein solches statisches Kirchenmodell ist gekennzeichnet durch Autoritarismus, Zentralismus und Absolutismus: durch die Vernachlässigung des Bischofskollegiums und der Lokalkirchen; durch die Übermacht des kurialen Apparates in Lehre und Leben; durch mangelnde Initiative und Kreativität auf allen unteren Stufen.

Was aber allzu wenige wissen: Dieses hierarchische Kirchenmodell ist gerade nicht das traditionell katholische! Es ist – natürlich in Rom schon im ersten Jahrtausend vorbereitet – im 11. Jahrhundert von jenem Papst Gregor VII. (Hildebrand) und den Männern der *»gregorianischen Reform«* mit allen Mitteln der Exkommunikation, des Interdikts und der Inquisition (vor allem gegen deutsche Kaiser und Theologen, gegen Episkopat und Klerus) durchgesetzt worden. Und dies unter Inanspruchnahme massiver Fälschungen (eines Pseudo-Isidor vor allem), welche die römischen Neuerungen des zweiten Jahrtausends als katholische Überlieferungen des ersten Jahrtausends präsentierten. In einer »Kleinen Geschichte der katholischen Kirche« (2002) habe ich mit äußerster Knappheit jene Entwicklung umrissen, die ich in »Das Christentum. Wesen und Geschichte« (1994) breit dargelegt hatte. Nein, hier geschah nach allem, was seriöse Kirchenhistoriker erarbeitet haben, nicht nur, wie in Rom vorgegeben, eine Traditionsbewahrung, sondern auch eine Traditionserfindung. Genauer: eine *Verdrängung, Verengung* und zum Teil sogar *Verfälschung des Katholischen durch das Römische*. Ein neues »römisch-katholisches« Modell. Erkämpft also im 11. Jahrhundert durch eine Revolution von oben – unter Inkaufnahme der Spaltung mit den Ostkirchen und später der lutherischen Reformation. Verschärft und zementiert durch die spätere antireformatorische und antimoderne Polemik, Apologetik und Politik.

Was wir in Rom als Studenten kaum je zu hören bekamen, was ich aber schon in meiner Tübinger Antrittsvorlesung herausgearbeitet habe: Das neutestamentliche und patristische und zum Teil selbst noch frühmittelalterliche Kirchenverständnis war anders ausgerichtet: nicht auf eine monarchische Spitze, sondern auf die *Gemeinschaft der Glaubenden* – die »communio fidelium«, und die Ämter im Dienst der Gemeinschaft. Darauf besinnt man sich jetzt im Konzil wieder, wie es eine der besten Konzilsreden, die von LÉON-ARTHUR ELCHINGER, Erzbischof-Koadjutor von Straßburg, zum Ausdruck bringt: Gestern habe man die Kirche vor allem als Institution betrachtet, heute erfahre man sie als Gemeinschaft. Gestern habe man vor allem auf den Papst geschaut, heute sehe man den mit dem Papst vereinten Bischof. Gestern habe man den Bischof allein betrachtet, heute die Bischöfe als Kollegium. Gestern habe die Theologie die Wichtigkeit der Hierarchie hervorgehoben, heute entdecke sie das Volk Gottes. Gestern habe sie vor allem gesagt, was trennt, heute, was vereint.

Historisch wie theologisch alles klar; doch jetzt mache ich mir Sorgen: *welches Modell von Kirche* wird sich *im Konzil* durchsetzen? Die

Reform des Gottesdienstes ist ja nur der Anfang, dem andere Reformen zu folgen haben, vor allem eine Korrektur des mittelalterlich-gegenreformatorischen Kirchenverständnisses. Hier besonders stellt sich die heikle Frage nach der Machtausübung in der Kirche. Das vorgesehene Dekret über die Kirche (»De Ecclesia«) – wie schon in der ohne alle Abstimmung und Beschlußfassung von der Kurie abgebrochenen Debatte der letzten Woche der ersten Konzilssession abzusehen – tritt jetzt immer mehr in die Mitte des Interesses. Und wie sieht das zwischen erster und zweiter Session in Rom revidierte Schema jetzt aus? Hier geht es um die zentrale römische Machtposition: wer in der katholischen Kirche nach dem Konzil letztendlich das Sagen hat – ob nach wie vor allein der Papst (= Kurie) als absoluter unfehlbarer Herrscher oder der Papst eingeordnet in das Bischofskollegium (= Kollegialität), und dieses womöglich repräsentiert von einem mitbestimmenden Bischofsrat? Sonnenklar, daß sich der harte Kern der Kurie gegen jeden drohenden Machtverlust mit allen Mitteln wehren wird.

Löwener »Vermittlung«

Noch heute, im Jahre 2002, kommt in mir Zorn hoch, wenn ich meine Originalakten des Konzils wieder zur Hand nehme und etwa im großformatigen, grau gebundenen Band des revidierten Entwurfs zur Kirchen-Konstitution zu blättern beginne. Überall am Rand stehen meine damaligen Fragezeichen. Einwände über Einwände. Wie konnte es in der Zwischensession zu einem solchen zutiefst *zwiespältigen zweiten Dekretsentwurf* kommen? Und was waren die umstrittenen Punkte? Heute erkenne ich es noch deutlicher als damals: Hier ging und geht es nicht um theologische Spitzfindigkeiten, sondern um die Grundfrage, ob sich das biblisch-orientierte Communio-Modell von Kirche oder aber wieder das mittelalterlich-absolutistische Pyramiden-Modell durchsetzt. Ein Blick hinter die Kulissen zeigt, wie es zur zwiespältigen Konzilskonstitution über die Kirche kam.

Der neue Entwurf ist nämlich ein *Kompromißprodukt*. Dafür verantwortlich eine Unterkommission der Theologischen Kommission unter Kurienkardinal Brown als Stellvertreter Ottavianis: sieben Bischöfe und sieben Theologen, in der Mehrheit progressiv, aber allesamt doch weithin der neuscholastischen Ekklesiologie verhaftet – jedenfalls kein einziger Fachexeget und Dogmenhistoriker darunter. Von mehreren Alternativ-Entwürfen kann sich der des Löwener Msgr. GÉRARD PHILIPS

durchsetzen – warum? Neben dem Dogmatiker Philips, dann Berichterstatter, ist der literarisch hochgebildete Fundamentaltheologe Moeller
hier tätig gewesen, weiter der Ökumeniker Thils und der Kirchenrechtler Onclin, die ich alle als meine theologischen Freunde betrachten
darf. Sie mögen mir verzeihen, wenn ich hier um der Sache willen in
der Folge eine sehr kritische Analyse vorlegen muß. Die kleine »bel-
gische Arbeitsgruppe« (»squadra belga«) aus der Universität Löwen, sehr
effizient unterstützt vom Rektor des Päpstlichen Belgischen Kollegs
Msgr. A. Prignon, hat bewundernswert zusammengearbeitet. Und in
ihrem Primas, Kardinal Suenens, haben sie den wohl besten Strategen
und Rhetor des Zweiten Vatikanischen Konzils für sich, der überdies in
der Koordinierungskommission zwischen den beiden Sessionen für das
Kirchenschema zuständig ist.

Das Hauptverdienst, so problematisch es ist, hat aber Gérard Philips.
Ich kenne ihn von Münster her: ein aufgeschlossener, aber im Grund
des Herzens konservativer Theologe, der in Ottavianis Vorbereitungskommission alles brav mitgemacht hatte. Philips trägt Wasser auf beiden
Schultern, empfiehlt sich aber gerade so seinem Erzbischof Suenens als
ein Mann der »via media«, der auch mit Ottaviani, Parente und Tromp
gut auskommt. Auf seinen Handel mit der Kurie wird Philips im nachkonziliaren Herder-Kommentar zur Kirchenkonstitution (1966) natürlich mit keinem Wort eingehen, und die späteren Konzilienhistoriker
werden ihn auch nicht durchschauen. Dabei spielt er in der Theologischen Kommission jetzt immer mehr die Rolle, die Tromp vor dem
Konzil spielte. Als Theologe längst nicht vom Format eines Congar,
Rahner oder Schillebeeckx, übertrifft der kleingewachsene freundliche
Prälat sie alle als (im belgischen Senat durch lange Jahre erprobter) Tak-
tierer und Formulierer von Konsenstexten. Alle Anregungen nimmt er
geschickt auf, verarbeitet sie und zieht unsichtbar die Fäden. Monseig-
neur versteht sich als der unermüdliche *Vermittler zwischen Kurie* (»Minorität« genannt) *und Konzil* (»Majorität« genannt), zwischen »Integri-
sten« und »Progressisten«, alten Schemata und neuen Bestrebungen.

Aber auf wessen Kosten? Das ist heute noch mehr als damals meine
Überzeugung: *auf Kosten der Wahrheit* – der der Bibel vor allem, Ur-
Kunde der Kirche. Denn eines geht auch dem gelehrten und gewieften
Löwener Dogmatiker leider weithin ab: eine solide Kenntnis des aktuel-
len Diskussionsstandes der neutestamentlichen Exegese; Bibeltexte be-
nützt er, unterstützt von ein, zwei traditionellen Exegeten, dogmatisch.
Weder von der Problematik einer »Kirchengründung« durch Jesus noch
von der charismatischen Gemeindeverfassung der paulinischen Gemein-

den noch von der Fragwürdigkeit der klassischen biblischen Texte über Petrus hat er seriöse Kenntnisse. In mehr als einem Gespräch versuche ich, ihn für die Brisanz dieser Fragen zu sensibilisieren.

Einmal in einem Seitenschiff von Sankt Peter stelle ich Philips die Testfrage: »*Wer* hat eigentlich in der Gemeinde von Korinth die *Eucharistie gefeiert*, wenn der Apostel Paulus in Übersee (etwa in Ephesos) war?« Philips zeigt sich – wie später leider auch Congar und andere – verblüfft und fragt ahnungslos, was ich meine. Es sei doch nach dem ersten Korintherbrief klar – sage ich, und dies sei nicht nur die Tübinger Perspektive, sondern die der kritischen Exegese überhaupt: In Korinth gab es keinen Bischof oder Presbyter (Timotheus oder Titus), den Paulus hätte ansprechen können, als ihm von Mißbräuchen bei der Eucharistiefeier berichtet wurde, manche, Sklaven wohl, zu spät kamen und andere bereits betrunken waren. In seinem Brief nach Korinth spricht Paulus doch nicht irgendeinen Amtsträger, sondern die Gemeinde als ganze an: »Wartet aufeinander« und so weiter ... Was das heißt? Das heißt, daß die Gemeinde von Korinth auch ohne den Apostel, aber auch ohne einen Bischof oder Presbyter Eucharistie gefeiert hat. Und was daraus für heute folgt? Daraus folgt, daß dem Neuen Testament zufolge katholische Gemeinden etwa im kommunistischen China, ja, zur Not jede Gruppe von Christen heute auch ohne einen Pfarrer theologisch gültig, wenn auch vielleicht nicht kirchenrechtlich legal Eucharistie feiern können! Daß aber auch protestantische Gemeinden mit Pfarrern, die nicht in der apostolischen Amtsnachfolge stehen, durchaus gültig das Abendmahl feiern können. »Tut dies zu meinem Gedächtnis« ist wie »Gehet hin, taufet und lehret« allen Jüngern Jesu und nicht nur irgendeiner Hierarchie gesagt. Alles in meinem Buch »Strukturen der Kirche« ausführlich dargelegt! Und unser Kirchenschema? Es ignoriert völlig solche grundlegenden Probleme. Und weil offiziell nie angegangen, blockiert man die Anerkennung der protestantischen Ämter und die Abendmahlsgemeinschaft der christlichen Kirchen noch im Jahr 2002.

Und Philips? Ich habe nicht den Eindruck, daß er sich über die Tragweite dieser Fragen im klaren ist. Ganz anders, paradoxerweise, der reaktionäre Kardinal ERNSTO RUFFINI. Schon am 6. Oktober 1963 wird er in der Aula mit genauem Verweis auf mein Buch »Strukturen der Kirche« (S. 194f) erklären: »Ohne Zweifel darf den Laien nie, auch nicht den besten, die Befähigung zum Vollzug der Eucharistie oder zur Vergebung der Sünden zukommen, welche, wie ein Peritus dieses Konzils kürzlich in einem Buch mit kirchlicher Druckerlaubnis behauptet, in einer gewandelten Zeit wahrscheinlich zugestanden werden könne.«

Gerade diese Frage müßte in der Kommission zumindest ernsthaft diskutiert werden – unter Beiziehung historisch-kritischer Exegeten!

Der verhängnisvolle Kompromiß

Am 17. April 1963 veröffentlicht *»Der Spiegel«* einen langen, ausgezeichnet informierenden Artikel aus der Feder Werner Harenbergs – mit Photos auch von Kardinal König, Bischof Volk, Karl Barth und Michael Schmaus – über mein theologisches Wirken von »Rechtfertigung« bis »Strukturen« in Deutschland, Rom und USA. Der Spiegel-Herausgeber Rudolf Augstein, gerade abwesend, ist nachher der Meinung, dies hätte die bessere Titelgeschichte gegeben als die über den Minister für gesamtdeutsche Angelegenheiten und späteren CDU-Chef Rainer Barzel. Natürlich hebt »Der Spiegel« bezüglich der Kirchenstrukturen die kritischen Passagen meines Buches heraus: vor allem, daß das Ökumenische Konzil nach dem Dogma von Konstanz die Oberhoheit hat über den Papst, daß dieser zurücktreten kann und in bestimmten Fällen wie Häresie, Schisma, Geisteskrankheit sogar automatisch das Amt verliert. Diese Einschränkungen des päpstlichen Absolutismus sind auch in der Kurie durchaus bekannt, werden aber normalerweise verschwiegen. Nur Papst Johannes wird gelegentlich vom Rektor der konservativen Lateran-Universität, Msgr. Piolanti, natürlich ohne Namensnennung angedroht, er würde im Fall der Häresie ipso facto sein Amt verlieren.

Jetzt in der Diskussion um das Kirchen-Dokument aber denkt man im Sanctum Officium nicht im Traum daran, die verschütteten urchristlichen kollegial-demokratischen Strukturen der Alten Kirche wieder zur Geltung zu bringen. Dort hat man die Brisanz dieser Fragen längst erfaßt und will dem Verfasser des Buches »Strukturen der Kirche« einen *Inquisitionsprozeß* anhängen. Ein erstes Warnzeichen: Nach einer dpa-Meldung vom 1. Oktober 1963 sollen aufgrund einer mündlichen Weisung des römischen Vikariats (hinter dem das Offizium steckt) meine Bücher, aber auch das des pfiffigen amerikanischen Publizisten XAVIER RYNNE (»Letters from the Vatican City«), hinter dem sich der Redemptoristenpater Murphy und ein Mitarbeiter des »New Yorker« verbergen, und das von ROBERT B. KAISER, des brillanten Korrespondenten von »Time« (»Inside the Council«), aus den Schaufenstern genommen werden. Sie sollen in Zukunft nur noch an Konzilsväter und »zuverlässige« Theologen verkauft werden dürfen. »Pope bans 3 authors«, ist auf der Titelseite des Londoner »Daily Express« und anderswo zu lesen. Sobald diese Inquisitionsaktion in die Medien gerät, zieht man sie zurück. Und Bob Kaisers höchst informelle und informative Sonntagabend-Parties können ungestört weitergehen. Die Exponenten der englischsprachigen Progressiven finde ich dort: Periti wie Gregory Baum, George Higgins, John Murray, Gus Weigel, Art Yzermans und Bischöfe wie Paul Hallinan (Atlanta), Mark McGrath (Panama), Thomas Roberts (früher Delhi) und viele andere.

Völlig unbekümmert um die eben ergangene Mahnung von Papst Paul an die Kurie, wohlwollende Kritik in Demut anzunehmen, wettert unterdessen der Assessor des Sanctum Officium, Erzbischof PIETRO PARENTE, gegen die jungen Reformer als »Sansculotten der Theologie«: »Viele Unverschämtheiten sind in diesen Monaten gegen die römische Kurie, ihre Bürokratie, ihren Dogmatismus, ihre disziplinäre Starre geschrieben worden. Vor allem ist es auf Kosten des Heiligen Offiziums geschehen, das die Spitze der römischen Kurie darstellt. Diese jugendlichen bilderstürmerischen Unverschämtheiten geben uns Gelegenheit, den Sansculotten ins Gedächtnis zu rufen, daß im Lichte der Geschichte ihr Übermut zum großen Teil die Tochter einer Täuschung ist.« Jeder im Konzil weiß, wer da vor allem gemeint ist.

Wie aber präsentiert sich nun der *überarbeitete Entwurf über die Kirche*, wie er am Anfang der zweiten Konzilsperiode von der »gemischten Kommission« (aus der Theologischen Kommission Ottavianis und dem Einheitssekretariat Beas) dem Konzil vorgelegt wird? Allzu früh hatte man sich im Konzil den Witz erzählt, der Palazzo des Heiligen Offiziums trage jetzt die Leuchtreklame: »Fly BEA«. Mein Gesamteindruck von diesem zweiten Schema? Eine Riesenenttäuschung: mehr als Bea hat sich in entscheidenden Punkten Ottaviani durchgesetzt! Zweifellos sind manche Fortschritte erzielt worden. Auf den ersten Blick können die Reformer frohlocken: Das Schema beginnt jetzt nicht mehr mit der Hierarchie, sondern mit zwei neuen Kapiteln, das erste über »die Kirche als Geheimnis« und das zweite – ein guter Vorschlag von Suenens – über »das Volk Gottes«, zu dem eben auch Papst und Bischöfe, Priester und Ordensleute gehören. Hier ist in der Tat das biblisch-patristische Communio-Modell zum Zuge gekommen, hier haben sich Desiderate des Konzils erfüllt.

Aber: hat dieser »Umbau« des Schemas tatsächlich »der pyramidalen Vorstellung von Kirche ganz offensichtlich ein Ende bereitet«? So der mir durchaus freundlich gesinnte Korrespondent von »De Maand« (Brüssel) JAN GROOTAERS später in Alberigos Konziliengeschichte. Welche Illusion! Das dritte Kapitel »Über die hierarchische Verfassung der

Kirche« zeigt es eklatant: Hier hat sich eindeutig die Kurie durchgesetzt! Statt der biblischen Dienststruktur wird erneut die mittelalterliche Herrschaftsstruktur zementiert: Über das Gottesvolk wird wieder die alles beherrschende hierarchische Pyramide aufgerichtet! Kein Versuch, die ganze Ämterordnung auf eine seriöse biblische und historische Basis zu stellen – statt zur Herrschaft zum Dienst bestellt. Keine kritische Überprüfung der römischen Primats- und Unfehlbarkeitsideologie, wie sie im Lauf des Jahrhunderts in tendenziöser Benützung der neutestamentlichen Petrus-Texte auf- und ausgebaut wurde. Die Folge: Die traditionelle Hierarchiekonzeption von Kapitel III degradiert das vorausgegangene Kapitel II über das Gottesvolk faktisch zum harmlosen Vorspiel. Denn in Kapitel III wird entschieden, wer im Volk Gottes allein das Sagen hat: die Hierarchie und letztlich allüberall allein der Papst.

Natürlich, wir Reformer freuen uns darüber, daß sich im dritten Kapitel eine neue Passage über die *Kollegialität* des Papstes mit den Bischöfen findet und eine andere über die Bischofsweihe, durch die (und nicht durch päpstliche Ernennung) der Bischof zum Bischof werde. Aber diese Passagen werden faktisch überspielt von der unkritischen vollumfänglichen Bestätigung der *Primatsdefinition* des Vatikanum I. Und daß die Bestätigung der *Unfehlbarkeit des Papstes* gar noch ergänzt wird durch einen Paragraphen über die *Unfehlbarkeit des Episkopats*, schmeichelt zwar theologisch schlecht informierten Bischöfen, bedeutet aber eine »Verschlimmbesserung«. Der Papst kann sich nämlich in Zukunft, etwa für die kommende Enzyklika »Humanae Vitae« gegen die Empfängnisverhütung, ganz einfach auf den angeblich unfehlbaren Konsens des Episkopats berufen. Aber durch Berufung auf die Unfehlbarkeit des Bischofskollegiums (das »ordentliche« Lehramt) wird Rom den immer mehr obsoleten päpstlichen Lehrabsolutismus geschickt verschleiern.

Von daher kann ich dem Urteil Jan Grootaers keinesfalls zustimmen, wenn er in seinem durchaus informativen Beitrag das revidierte Kirchenschema, durch die Löwener Brille betrachtet, zum »Meisterstück der Zwischensession 1962/63« hochjubelt und Philips' Kompromiß lichtvoll absetzt gegen den »Maximalismus gewisser radikaler Strömungen, die für einen völligen Austausch der alten Schemata durch neue Texte plädierten«. Wer ist hier gemeint? Muß ich von daher verstehen, daß Grootaers auf seinen mir mehr als einmal angekündigten Informationsbesuch in Tübingen schließlich doch verzichten wird? Wahrhaftig, warum sollte er sich seine wort- und faktenreiche Rechtfertigung der fatalen Kompromißlerei durch einige »radikale« Tübinger Fragen entlarven lassen?

Mein eigenes Fazit lautet schon im Oktober 1963 ganz anders: Ottaviani, Parente, Tromp und die römische Partei haben sich im Zentrum des Kirchenschemas klar durchgesetzt. Wie? Indem sie dem von den Löwenern optima fide geschmiedeten Kompromiß aus dem biblisch-orientierten Communio-Modell (Kap. I+II) und dem mittelalterlich-absolutistischen Pyramiden-Modell (Kap. III) im Prinzip (und unter Forderung vieler Korrekturen) zustimmten. Denn damit hat die Kurie (»Minderheit«) mit ihrem Pyramiden-Modell dem Konzil (»Mehrheit«) doch ihren Willen aufgezwungen. Auch YVES CONGAR hat dies klar so gesehen, als er am 23. 9. 1965 in sein Journal einträgt (unter Berufung auch auf de Lubac): »Die winzige Minderheit wird, wenigstens zum Teil, ihre Ziele erreichen. Man wird schließlich ihrem Geschrei (bezüglich Kap. III) nachgeben, wie Eltern, um Frieden zu haben, schließlich ihren aufsässigen Kindern nachgeben ...« Die nachkonziliare Kirche wird dafür teuer bezahlen. Mich selber macht die Lektüre dieses ganzen Dokuments zu Beginn der zweiten Session schon fast depressiv. Mein einziger Gedanke: Wie kann man jetzt noch dieses neue alte Kirchenschema zumindest an einigen wichtigen Punkten aufbrechen? Was kann man konkret tun?

Kommissionsarbeit – ja oder nein?

Mit niemandem spreche ich in diesen Tagen mehr als mit KARL RAHNER. Als Berater von Kardinal König ist er zur Theologischen Kommission eingeladen worden und war einer der sieben Theologen der Unterkommission zwischen den Sessionen. Trotzdem teilt er viele meiner Bedenken und meint: »Sie sprechen gut Latein und sind frech genug. Kommen Sie doch einfach mit in die Theologische Kommission!« Für mich die vielleicht schwierigste und folgenreichste Entscheidung der Konzilszeit. Ob der Leser mir dies nachfühlen kann?

An Wagemut fehlt es mir nicht. Aber Gründe pro und contra lassen mich zögern und Rahner um Bedenkzeit bitten:

Gewiß, ich bin jetzt vom Papst ernannter offizieller Konzilstheologe, und auf meinem Peritus-Ausweis bittet der Kardinalstaatssekretär »alle Zivil- wie Militärbehörden, dem Träger dieses Dokuments, der zu den Sachverständigen des II. Vatikanischen Konzils zählt, freies Geleit und, wenn notwendig, jedwede erforderliche Hilfe und Unterstützung zu gewähren«. Aber: so einfach, wie's dasteht, in die Theologische Kommission gehen, ohne in aller Form eingeladen zu sein? Soll ich, da dem Kommissionssekretär Tromp, Parente und anderen nur zu gut bekannt, riskieren, aus dem Sitzungssaal hinauskomplimentiert zu werden? Gewiß, ich bin, wenn es die Sache erfordert, unerschrocken. Aber welche Chancen habe ich als einzelner, vermutlich jüngster Experte, mich in diesem Gremium aus Kardinälen, Erzbischöfen und Bischöfen, welche die eigentlichen Kommissionsmitglieder sind, durchzusetzen? Als Berater ständig in die Debatten eingreifen? Meinen grundlegend anderen Standpunkt gerade zu Kapitel III wie hier in diesem Rückblick durch ein kleines Koreferat verständlich machen? Keine Chance.

Im Grunde wäre für Kapitel III ein völlig anderer Entwurf gefordert. Aber: würden Ottaviani, Tromp und die ihren in diesem »Articulus stantis et cadentis Curiae« überhaupt eine neue Grundsatzdebatte (»Maximalismus«) zulassen? Undenkbar. Gewiß könnte ich in der Kommission einige Einzelkorrekturen erreichen. Aber die kann ich unter Umständen über Bischofsinterventionen in der Konzilsaula wirkungsvoller einbringen.

Und die weiteren Konsequenzen für mich persönlich? Wenn ich in der Kommission mitmache, werde ich am Ende entweder mitunterschreiben oder protestieren müssen. Droht mir also nicht ein »Mitgegangen-mitgefangen«, das es mir nachher schwer machen wird, öffentlich eine kritische Position einzunehmen? Setze ich also nicht meine persönliche Glaubwürdigkeit aufs Spiel, bisher in der Öffentlichkeit mein vielleicht stärkster Trumpf?

Nach zwei oder drei Tagen treffe ich Rahner wieder und erkläre ihm, warum ich mich nicht in die Theologische Kommission einschleichen möchte. Ich hätte ja auch *andere Möglichkeiten aktiver Mitarbeit:* Ich kann Interventionen für Bischöfe verfassen, kann Vorträge vor Bischofsversammlungen halten, habe nicht nur vor den lateinamerikanischen und afrikanischen Bischöfen geredet, sondern auch vor denen Indiens, Canadas, der USA und Belgiens. Ich kann durch Gespräche inner- und außerhalb der Aula Anregungen geben, kann, wenn nötig, über die Medien einwirken. Sich Zugang zu dieser Kommission verschaffen? Auch später wird es in analogen Fällen mein Grundsatz sein, nicht den Seiteneingang, sondern den Haupteingang zu benützen.

Natürlich, man wird meine negative Entscheidung nach dem Konzil gegen mich ausspielen können. Und im nachhinein werden gerade jene *deutschen Bischöfe*, die mein kritisches Engagement gar nicht wünschten, die Mär verbreiten, ich hätte mich der Mitarbeit in der Kommission von vornherein verweigert. Tatsächlich werde ich in der ganzen Konzilszeit von keinem einzigen Bischof aus dem deutschen Sprachraum je um irgendeinen Dienst gebeten. Diesen »Herren« – sie begegnen mir stets sehr freundlich – bin ich zweifellos zu sehr der Mann, der in unbequemer Weise »heiße Eisen« anrührt: jung, forsch, »radikal« ... Bischof Hengsbach von Essen weiß die Erklärung: »Küng hat zu früh einen Lehrstuhl bekommen!« Kardinal Döpfner in seiner typischen Ja-aber-Art: »Küng hat mit allem recht, aber er kommt zu früh.« Und Bischof Leiprecht? Er wußte jedenfalls, daß ich im Sanctum Officium keine »persona grata« war.

So werde ich von verschiedenen Bischofskonferenzen zu Vorträgen eingeladen, von einer deutschsprachigen nie. Sowohl im Germanikum wie im Campo Santo vor der Goerres-Gesellschaft spreche ich über den Frühkatholizismus im Neuen Testament und die Konsequenzen der charismatischen paulinischen Kirchenverfassung für die heutige Zeit. Aber kein deutschsprachiger Bischof zeigt sich mir gegenüber je an solcher Problematik interessiert. Umgekehrt kommt mir verschiedentlich zu Ohren, daß bischöfliche Ordinariate (auf römische Weisung?) Theologiestudenten zunehmend abhalten, bei mir zu promovieren. In insgesamt vier Jahrzehnten Tübinger Lehrtätigkeit kein einziger Doktorand aus unserem Bistum Rottenburg; ein bereits fest Entschlossener (mein erster Ministrant) wird mir wieder abspenstig gemacht und zu Kasper nach Münster geschickt (wo dieser Priester – wehe, das wäre bei mir geschehen – heiratet). Insofern wird mich die negative Einstellung der Deutschen Bischofskonferenz zu meiner Theologie nach dem Konzil wenig überraschen.

Statt der Kommissionsarbeit, zu der ich unter anderen Bedingungen durchaus bereit gewesen wäre, sind mir nun freilich *publizistische Möglichkeiten* eröffnet, wie sie wenige andere haben. Denn aufgrund meiner Sprachkenntnisse, vieler Übersetzungen und früherer Reisen verfüge ich über Kontakte zu allen möglichen Journalisten – von mir besonders geschätzt Henri Fesquet von »Le Monde«, Michel van der Plas von »Elzevier's«/Amsterdam, Joseph Schmitz van Vorst von der »Frankfurter Allgemeinen Zeitung«, Ken Woodward von »Newsweek«, John Cogley von »Commonweal« und Bob Kaiser von »Time«. Ihnen allen sei hier mein Dank ausgedrückt. Während die Reporter der »New York Times« zu strikter Unparteilichkeit angehalten sind, darf Bob bei umfassender Information durchaus Position beziehen – für die, von der (vielleicht 10 Prozent zählenden) »kurialen Minderheit« immer wieder blockierte, reformfreudige »konziliare Mehrheit«. Dankbar aber bin ich auch den

Jesuiten von »Civiltà Cattolica« (Tucci), »Stimmen der Zeit« (Seibel), »America« (Campion, O'Hanlon, Graham) und »Études« (Rouquette). Erfreulich aktiv auch aus Holland Leo Alting van Geusau (sein Informationszentrum »doc« veröffentlicht viele wichtige Texte), Tom Stransky aus New York (später General der Paulist Fathers) und Jorge Mejía aus Buenos Aires (2001 wird er zusammen mit Roberto Tucci Kardinal und Präfekt der Vatikanischen Bibliothek!).

Immer wieder werde ich von Radiostationen oder Fernsehsendern angefragt. Ein historisches Datum für das Fernsehen überhaupt: Am 15. Oktober 1963 findet mit ungeheuerem Aufwand die erste »Telstar«-Sendung statt, in der live ein über drei Kontinente geführtes Gespräch ausgestrahlt wird: In Princeton der führende amerikanische Protestant Dr. James McCord, in London der Bischof Leslie Newbigin, Architekt der südindischen Kirchenunion und Präsident des Internationalen Missionsrates, in Rom der afrikanische Kardinal Laurean Rugambwa (Tansania) und ich. Eine weltweite Verbreitung unseres Gesprächs über Konzil und Ökumene war garantiert. Welche Gelegenheit!

Als ich den Löwener Theologen Charles Moeller einmal zu einem »Ricevimento« (Empfang) der Amerikaner fahre und mit ihm über jene Grundlagenprobleme der »hierarchischen Verfassung« der Kirche rede, meint er schließlich: »Cher ami, wenn ich Sie über die Probleme reden höre, müßte ich eigentlich aus der theologischen Kommission austreten.« »Pas du tout – keineswegs«, ist meine Antwort: »Es muß solche geben, die draußen bleiben, und solche, die drinnen wirken. Wir müssen beide für das Konzil zu erreichen versuchen, was wir können.«

Kampf um die Macht

Für mich ist unterdessen eines mehr als klar geworden: Unter der Leitung dieses Chefs des Sanctum Officium und seines ebenso autoritären Adlatus Tromp kann kein gründlich revidiertes Kirchenschema erarbeitet werden. Der Holländer war fähig, während der Sitzung mit der Faust auf den Tisch zu hauen und zu rufen: »Dies ist eine Frage, die durch die Enzyklika entschieden ist!« Er meinte natürlich die Enzyklika »Mystici corporis«, die er selbst geschrieben hatte. Die Unzufriedenheit über die Arbeit der Konzilskommissionen, und die der Theologischen besonders, ist weitverbreitet. Ob man nicht versuchen müßte, Kardinal ALFREDO OTTAVIANI als Kommissionspräsident zu ersetzen durch eine theologisch besser gebildete und weniger autoritäre Persönlichkeit?

Viele Bischöfe wünschen ausdrücklich eine gründliche Erneuerung der Kommissionen und ihrer Präsidenten. Und viele Vorschläge sind bereits gemacht zur personellen Erneuerung der zentralen Konzilsinstanzen. Soll man bezüglich Kardinal Ottaviani an den Papst schreiben und den mir bekannten Weg über seinen Privatsekretär, den hilfreichen Don Pasquale Macchi, benützen? Dies scheint mir allzu ambitiös und wenig aussichtsreich. Aber ich gewinne den wichtigsten Repräsentanten der mit Rom unierten Ostkirchen, den melkitischen Patriarchen von Antiochien, MAXIMOS IV. Sein persönlicher Referent Orest Kéramé (Beirut) dient als Mittelsmann. So verfasse ich denn in französisch einen wohlüberlegten Brief an Seine Heiligkeit, der um die Absetzung Kardinal Ottavianis bittet. Und Kéramé bestätigt mir, daß der Patriarch diesen Brief bei seiner Privataudienz an den Papst weitergegeben habe.

Und was ist die Antwort von PAUL VI. auf all die vielen Forderungen und Bitten nach Reform der Kommissionsarbeit? Ein typisch montinianisches Sowohl-als-auch: Einerseits sollen die kurialen Präsidenten und Kommissionssekretäre auf ihrem Posten bleiben; so kann der Papst einen Konflikt mit der Kurie vermeiden. Andererseits wird dem Konzil gnädig gestattet, eine Neuwahl von je vier neuen Mitgliedern für jede Kommission (wozu wieder ein vom Papst Ernannter hinzukommt) vorzunehmen und überdies für jede Kommission einen zweiten Vizepräsidenten und einen zweiten Sekretär selber zu wählen. Das Resultat? Die Gewichte werden zwar zugunsten des Konzils verschoben, aber nicht entscheidend: Die Kurie behält die Hebel der Macht in der Hand, und das System der konziliar-kurialen Kompromisse bleibt uns, geringfügig verbessert, erhalten. Es ist zum Verzweifeln.

Am 22. Oktober 1964 bin ich zu einem längeren Gespräch bei Kardinal AUGUSTIN BEA. Ich beklage mich in deutlichen Worten über die Manipulation des Konzils durch Kardinal Ottaviani, andere Kurienkardinäle und Generalsekretär Felici. Als Präsident des Einheitssekretariats hat er selber auch unter diesen Kurialen zu leiden. Des Altersweisen leise lächelnde Antwort: »Sie haben schon recht. Aber Sie können sie ja nicht alle erschießen.« Von Kardinal Bea heißt es, es gehe niemand ungetröstet von ihm weg. Aber wie soll man ein absolutistisches System wie das der französischen Könige verändern können, frage ich mich oft, ohne die Guillotine, die für Christenmenschen natürlich nicht in Frage kommt? Die Alternative, über die nachzudenken ist, wäre eine gewaltfreie »Glorious Revolution« im englischen Stil.

Zur besseren Koordination der Konzilsarbeit werden vom Papst *vier Moderatoren* bestimmt: Die Kardinäle Suenens, Döpfner, Lercaro (»die drei Synoptiker« genannt) repräsentieren die fortschrittliche »Mehrheit« des Konzils. Doch ihnen wird als Aufpasser der armenische Kurienkardinal Agagianian, römischer als die Römer, beigesellt. Ihre Aufgabe soll sein, die Diskussion in den Generalkongregationen zu leiten, die Vorschläge und Eingaben der Väter zu prüfen und an die entsprechenden Kommissionen weiterzugeben. Doch werden sie sich durchsetzen können? Auch hier wieder eine montinianische Halbheit: Ihre ursprünglich vorgesehene starke Position gegenüber dem Generalsekretär Felici schwächt der Papst sogleich wieder. Macht delegieren kann er ohnehin schlecht; darin bleibt er ein Schüler Pacellis. Das von Suenens dringend gewünschte und ausgearbeitete interne Reglement aber, um eine vertrauliche Zusammenarbeit der Moderatoren mit dem Papst und eine eigenständige Rolle gegenüber dem Konzil zu gewährleisten, approbiert Paul VI. einfach nicht. Ja, den von den Moderatoren eingesetzten Sekretär P. Giuseppe Dossetti, früher bekannter linker Politiker, jetzt Vertrauter Lercaros, läßt er auf Felicis Einspruch hin glatt ausbooten. Die Abgrenzung der Kompetenzen zwischen Moderatoren, Präsidium und Generalsekretariat läßt er absichtlich ungeklärt – zahllose Reibereien und Konflikte nimmt er damit bewußt in Kauf.

Der bedeutendste Erfolg der Kardinalmoderatoren wird die Probeabstimmung über die fünf Fragen bezüglich Bischofsweihe, Kollegialität und Diakonat sein, die sie, schon für den 15. Oktober 1963 angekündigt, schließlich gegen alle kurialen Verzögerungsaktionen am 30. Oktober endlich doch noch durchsetzen können. Es war das erste und letzte Mal, daß die Moderatoren eine solche Initiative ergreifen durften; sie erscheinen in der Folge weithin zu netten Galionsfiguren degradiert – zugunsten des Generalsekretärs Felici, der, mit Cicognani und Ottaviani im Rücken, das vom Papst erlaubte Machtvakuum geschickt und hartnäckig füllt.

Nur die Klage der orientalischen Kirchen, daß ihre in die ersten Jahrhunderte der Kirche zurückgehenden *Patriarchen* den in der heutigen Form aus dem Mittelalter stammenden Kardinälen (ursprünglich römische Stadtpfarrer) hintangesetzt würden, findet beim Papst Gehör, da sie wenig kostet: Die Patriarchen haben nun ihre Plätze nicht mehr wie in der ersten Session neben und nach den Kardinälen, sondern den Kardinälen gegenüber.

Mir sehr viel wichtiger: Noch immer fehlen diesem Konzil erstklassige *kritische Exegeten*, die das Kirchenbild auf eine durchgängig biblische Basis stellen könnten; Professor Schelkles zorniges Votum zum Offenbarungsschema will mir nicht aus dem Kopf gehen. Anläßlich eines

Dinners beim britischen Botschafter mit Bischof Moorman, dem Vertreter des Erzbischofs von Canterbury, und meinem Freund Jan Willebrands, Sekretär des Einheitssekretariats, werfe ich diese Frage auf. Willebrands antwortet, es seien doch die bekannten Löwener Exegeten Beda Rigaux und Lucien Cerfaux bei der gemischten Kommission dabei. Nichts gegen Löwen, sage ich, aber diese (der Kurie schon bei der Konzilsvorbereitung durchaus dienlichen) Professoren seien trotz ihrer unbestreitbaren Kenntnisse zu wenig kritisch und allein zuwenig stark.

Meine Anregung – wenn man schon P. Lyonnet oder P. Zerwick vom römischen Bibelinstitut nicht heranziehen will oder darf – zwei, drei international bekannte deutsche Exegeten wie etwa Schelkle (Tübingen), Schnackenburg (Würzburg) oder Vögtle (Freiburg) hinzuzunehmen, die sich in der aktuellen Diskussion um Kirche und Amt, wie in Tübingen und anderswo geführt, auskennen. Willebrands Antwort: »No, they are too heavy, sie sind zu schwierig.« So wird denn die *historisch-kritische Exegese* im Zweiten Vatikanischen Konzil faktisch *abwesend* bleiben. Und – was bleibt unter diesen Umständen zu tun? Man muß versuchen, dieses völlig ungenügende Kapitel III über die hierarchische Verfassung mindestens in einigen wichtigen Punkten zu ergänzen und zu verbessern. Dafür möchte ich mich jedenfalls mit aller Kraft einsetzen.

Korrektur von Konzilsdefinitionen

In einer kleinen Gruppe deutschsprachiger Periti besprechen wir schon zu Beginn der zweiten Session, für welche Themen wir Bischofsinterventionen ausarbeiten wollen. Erfreulicherweise erklärt sich KARL RAHNER bereit, mit mir eine Intervention zur traditionellen Drei-Ämter-Lehre auszuarbeiten, welche die diesbezügliche Definition von Trient korrigieren soll. Wir treffen uns einmal mehr im Germanikum, wo ich übrigens unter den Studenten auch Karl Lehmann kennenlerne, der, bereits Dr. phil., sich auf das Doktorat in Theologie vorbereitet, als Oberbibliothekar tätig ist und später Rahners Assistent werden sollte. Karl Rahner will die Intervention selber direkt in die Schreibmaschine tippen. Dabei als dritter P. Otto Semmelroth, ein guter Ekklesiologe, Urheber der These von der Kirche als »Ursakrament«, der sich in der Pause amüsiert darüber wundert, wie ich Karl Rahner zu widersprechen wage. Dabei hatte ich nur eben zu bemerken gewagt, man brauche ja nicht jeden Satz mit »cum« (dem Rahnerschen »da ja …«) anzufangen.

So lautet die zu korrigierende Verurteilung des *Trienter Konzils:* »Wer sagt, in der katholischen Kirche sei keine durch göttliche Anordnung eingesetzte Hierarchie, die aus Bischöfen, Priestern und Diakonen besteht, der sei ausgeschlossen« (Denzinger 966). Unsere *Korrektur* bezieht sich auf drei Punkte:

Trient: »Hierarchie«. Wir: »kirchlicher Dienst« (»ministerium ecclesiasticum«).

Trient: »göttliche Anordnung« bezogen auf die Ämtereinteilung in Bischöfe, Priester, Diakone. Wir: das »von Gott eingesetzt« bezogen nur auf den kirchlichen Dienst als solchen.

Trient: »Hierarchie, die aus Bischöfen, Priestern und Diakonen *besteht* (constat)«. Wir: »Der von Gott eingesetzte kirchliche Dienst wird in verschiedenen Ordnungen *ausgeübt* (exercetur) von jenen, die schon *von alters her* (ab antiquo; aber eben nicht: von Anfang an!) Bischöfe, Priester und Diakone *genannt* werden.«

Für Nichttheologen alles wohl etwas schwierig zu durchschauen, aber doch sehr wichtig. Warum? Anders als das tridentinische Dogma, das voraussetzt, die drei Ämter hätten schon von Anfang an so existiert und funktioniert, vermeidet unsere Neuformulierung bestimmte unhistorische Festlegungen. Nur so kann sie von der heutigen exegetisch-historischen Forschungslage her verantwortet werden und unter Umständen eine Neuordnung bewirken. Genau wie vorbereitet wird sie schließlich in der Konzilsaula im Namen des Deutschen Episkopats vorgetragen von Weihbischof Eduard Schick von Fulda, selber ursprünglich Exeget, und wird, kaum verändert, von der theologischen Kommission in Artikel 28 der Kirchenkonstitution aufgenommen.

An diesem Punkt wird unmißverständlich deutlich: Das Vatikanum II erhebt in seinem Kapitel über die Hierarchie gar nicht den Anspruch, eine vom Ursprung her gedeckte, exegetisch und historisch solide begründete Darlegung zu geben. Was die Theologische Kommission zu unserem neu formulierten Satz schreibt, kann ohne weiteres über das gesamte Hierarchie-Kapitel III geschrieben werden: »Wie immer es sich verhalten mag mit dem historischen Ursprung der Priester, Diakone oder anderer Dienste und mit dem genauen Sinn der Termini, die im Neuen Testament zu ihrer Bezeichnung gebraucht werden.« Das heißt im Klartext: Das Konzil hat damals *nur eine sehr zeitbedingte geschichtliche Gestalt der Ämter dargestellt:* also eine nicht am Ursprung, sondern an der gegenwärtigen Ordnung der Kirche orientierte theologisch-pastorale Beschreibung von Natur, Ordnung und Funktion der verschiedenen Ämter. Die Konsequenz: Eine solche muß nicht für alle Zukunft verpflichtend sein. Ob die katholischen Theologen der Nach-Konzilszeit genügend Konsequenzen aus diesen Einsichten gezogen haben?

In anderen von Trient falsch oder schief festgeschriebenen Verurteilungen macht es sich die Theologische Kommission leichter. Ob nur der Bischof (und nicht auch der Priester) Priester *ordinieren* könne, läßt die Kommission einfach offen. Und ob nur der Bischof (und nicht wie in den östlichen Kirchen auch der Priester) »ordentlicher Spender« der *Firmung* sein könne, löst die Kommission durch die kaum bemerkbare Veränderung zweier Buchstaben in der Konstitution: Für Trient war der Bischof der »Minister *ordinarius*« – der »ordentliche Spender« der Firmung; das schloß Priester aus. Für Vatikanum II ist er nur noch der »Minister *originarius*« oder der »ursprüngliche Spender«; das gestattet Firmungen auch durch Priester.

Dies sind nun leider *keine ehrlichen Eingeständnisse* von Fehlern und verantwortete Korrekturen, sondern theologische Tricks, die nicht auffallen sollen. Oder wie ich nach dem Konzil auf einem Kolloquium führender deutscher Kirchenhistoriker zu Ehren des 80jährigen Reformationshistorikers Joseph Lortz 1967 in Mainz in einem Diskussionsbeitrag zur Autorität ökumenischer Konzilsdekrete drastisch formulieren werde: Man habe »geschummelt«. Doch dies wird den berühmten Historiker des Konzils von Trient, Professor Hubert Jedin, derart in Wut versetzen, daß er sein Notizheft mit beiden Händen auf das Tischchen vor sich knallt und ganz unakademisch brüllt: »Ich protestiere, ich protestiere, so redet man nicht von einem Ökumenischen Konzil!«

Ruhig erwidere ich, das habe er wohl nicht als Historiker, sondern als Dogmatiker gesagt; ich jedenfalls würde nicht gegen, sondern für die Autorität des Konzils reden, der solche zweifelhaften Korrekturmethoden schaden. Aber die angeblich unfehlbare Autorität des Konzils ist offenkundig wieder eines jener »heißen Eisen«, an die selbst römisch-katholische Konzilshistoriker nicht rühren wollen. Weswegen denn auch in Alberigos vierbändiger Konzilsgeschichte über die Problematik der Drei-Ämter-Ordnung und ähnliches kaum Kritisches berichtet wird. Aber auch über die Hintergründe anderer wichtiger Konzilsaussagen wissen sie oft erstaunlich wenig zu sagen.

Die Laien und ihre Charismen

Das ist mir von seiten eines deutschsprachigen Bischofs während des ganzen Konzils nie widerfahren: Kardinal Léon Suenens, ein Mann ohne Berührungsängste, lädt mich am 15. Oktober 1963 ein, zu ihm in das Konferenzzentrum Domus Mariae an der Via Aurelia zu kommen. Und fragt ganz direkt, worüber er denn meiner Meinung nach noch eine Konzilsrede halten soll. Ich nenne ihm zwei, drei wichtige Anliegen. Sofort wählt er entschlossen ein Thema aus: die *Charismen in der Kirche*, die Geistesgaben. Dies entspricht seinem bisherigen Einsatz für die Laien und bedeutet für das Konzil eine neue Dimension des Kirchenverständnisses. So bittet er mich, ihm eine solche Rede auszuarbeiten – »aber nicht in zu gutem Latein«, fügt er schmunzelnd hinzu, »sonst verstehen es die Bischöfe nicht.«

Suenens findet meinen biblisch fundierten, ganz auf dem paulinischen Kirchenverständnis aufbauenden Entwurf überzeugend. Von seiner klaren, sonoren Stimme mit leicht französischem Akzent vorgetragen, macht die Rede einen starken Eindruck: Neben der hierarchischen Struktur der Kirche gebe es eine *charismatische Dimension*. Nicht nur die Hirten, sondern alle Christen hätten ihr eigenes Charisma, ihre geistliche Gabe, ihre persönliche Berufung. Neben den Charismen der Apostel seien in der Kirche besonders hochzuschätzen die Charismen der Propheten und der Lehrer. Ja, in der pastoralen Praxis seien gerade die unauffälligen Charismen der Laien, etwa in Katechese, Verkündigung, sozialem und caritativem Tun, ernst zu nehmen. »Der Hirten Aufgabe ist es – seien sie Hirten der Orts- und Einzelkirchen oder der Gesamtkirche –, die Charismen des Geistes in den Kirchen mit einer Art ›geistlichem Instinkt‹ zu entdecken, zu fördern und sich ausbreiten zu lassen. Der Hirten der Kirche Aufgabe ist es, aufmerksam und offenen Herzens die Laien zu hören, die einzeln und miteinander reich sind an eigenen Gaben und Charismen und die so oft eine größere Erfahrung in dem Leben der heutigen Welt haben, mit ihnen wieder und wieder ein lebendiges Gespräch zu führen.«

Daraus werden Schlußfolgerungen auf der doktrinären Ebene gezogen (Einarbeitung dieser charismatischen Dimension in die Kirchenkonstitution!) und auf der praktischen: Zahl und Universalität der Laienzuhörer seien beim Konzil zu verstärken. Eigens hinzugefügt aber hat der Kardinal die Forderung: »Es mögen als Zuhörer auch *Frauen eingeladen* werden, welche, wenn ich nicht irre, die Hälfte der Menschheit ausmachen.« Tosender Beifall besonders an dieser Stelle, aber auch am Ende der ganzen Rede.

Es ist die bisher »einflußreichste Rede des Konzils« (P. Hebblethwaite) und ging ein in den Art. 12 der Kirchenkonstitution. Nirgendwo in den Konzilsakten wird vermerkt, wer der ursprüngliche Verfasser der entsprechenden Interventionen ist. So wird mir denn im Jahre 2001 ein ignoranter englischer Dominikaner, ob der Lektüre meiner zuerst auf Englisch erscheinenden »Short History of the Catholic Church« höchst ergrimmt, ein Übergehen der charismatischen Struktur der Kirche vorwerfen. Sein Pech: Er zitiert gegen mich unwissentlich jenen Text aus der Kirchenkonstitution des Vatikanum II, den das Konzil ausgerechnet mir verdankt …

Bei solchen großen Reden (natürlich nicht nur wenn sie von mir stammen!) bin ich jeweils gern in St. Peter, während ich mich sonst angesichts vieler Wiederholungen und Belanglosigkeiten oft langweile und »Heimarbeit« der Präsenz in der Basilika vorziehe. Zum ersten Mal werden in der zweiten Session auch *Laien als Hörer* (»auditores«) zugelassen: in ihrer geringen Zahl und völlig passiven Assistenz eine nur symbolische, minimale Repräsentation der Laienschaft. Doch ihre Gegenwart führt dazu, daß in der Konzilsmesse jeden Morgen die Kommunion ausgeteilt wird. Am zweitletzten Tag der zweiten Session wird es zwei Laien, meinem früheren Philosophieprofessor an der Sorbonne und Papstfreund Jean Guitton (bei einem Empfang unseres gemeinsamen Pariser Verlegers Desclée de Brouwer sehe ich ihn wieder) und dem ebenfalls schon lange Montini verbundenen Advokaten Vittorino Veronese, gestattet werden, auch einmal in der Aula das Wort zu ergreifen. Bei diesen beiden konnte man sicher sein: die lassen nichts Unkonventionelles verlauten. Ihre Ansprachen machen denn auch auf die Konzilsväter keinerlei Eindruck.

Eine Frau aber darf nicht reden. Ich meinerseits gestehe gern, daß mir erst im Konzil die *brennende Aktualität der Frauenfrage* in der Kirche richtig aufgegangen ist, energisch angemahnt von den tapferen Damen der St. Joan's Alliance für Frauenrechte in der Kirche. Ein langer Weg noch bis zu meinem Buch »Die Frau im Christentum« (2001)!

Gegen Juridismus, Zentralismus, Triumphalismus

Trotz aller Mängel des Entwurfs signalisiert die einmonatige Debatte vom Oktober 1963 eine starke Tendenz zur Kirche als Gemeinschaft, als »communio« – gegen das herrschende hierarchische System, wie es von Kurialen und dem Generalsuperior der Spiritaner-Missionare, Erzbischof Marcel Lefebvre, vertreten wird, nach dem Konzil Chef der Traditionalistensekte mit Hauptquartier im schweizerischen Ecône/ Wallis.

Wo sich eine Gelegenheit bietet, beteilige ich mich also intensiv an der nicht einfachen lateinischen Ausarbeitung von *bischöflichen Konzils-reden*. Auf Latein in genau zehn Minuten in einigermaßen komplexen Fragen alles Wesentliche verständlich zu sagen, ist ein kleines Kabinett-stück. Und dabei muß nun immer ein Bischof gefunden werden, der die Rede, dann meist mit nur geringfügigen Veränderungen, in der Konzilsaula vorträgt. Dafür sind die Beziehungen von Karl Rahner, Otto Semmelroth, Aloys Grillmeier, Max Zerwick und anderen sehr hilfreich. Der Münchner »Dogmatikerpapst« Michael Schmaus hatte sich schon frühzeitig verabschiedet, weil seine neuscholastische Theo-logie offensichtlich nicht gefragt ist; hier hätten nur »die Teenager-Theologen« etwas zu sagen: damit meinte er Ratzinger und mich. Der Aachener Neuscholastiker Schauf aber arbeitet als Famulus von Tromp auf der kurialen Seite mit. Und der Historiker des Konzils von Trient, Hubert Jedin, fühlt sich in diesem eindeutig nicht mehr gegenre-formatorischen Konzil auch nicht recht zuhause; hier hätten die »Dogmatiker« das Sagen, meint er. Immerhin kann ich auf diese Weise verschiedene meiner Anliegen zur Sprache und schließlich in die Kon-zilstexte bringen …

Meine und vieler anderer prinzipielle Opposition zum juristischen, klerikalistischen und triumphalistischen Kirchenverständnis hat nichts zu tun mit dem mir später von Balthasar und anderen vorgehaltenen *»antirömischen Affekt«*. Unsinn: aufgrund meiner sieben Germanikerjahre liebe ich die Stadt Rom, bewege ich mich im römischen Milieu mit großer Leichtigkeit und habe weniger Berührungsängste als andere angesichts von Repräsentanten des vatikanischen Establishments. Ich argumentiere nicht emotional, sondern rational und bin nicht für die Abschaffung, sondern die *gründliche Reform der römischen Kurie* (mein »ceterum censeo«: »Romanam curiam esse reformandam« – »Im übrigen bin ich der Meinung: die römische Kurie muß reformiert werden«). Den apostolischen Delegaten Egidio Vagnozzi spreche ich in St. Peter mit leichter Ironie auf seine Aktivitäten gegen mich in den USA an (er habe für mich ja nur Propaganda gemacht). Ebenso Kardinal Ruffini nach einer Sitzung vor der Basilika. Seine Reden gegen meine Bücher in römischen Buchhandlungen hätten mir nicht geschadet.

Ein echter Freund ist mir neben Msgr. ANTONIO TRAVIA der frühere Nuntius in Santo Domingo, Erzbischof EMANUELE CLARIZIO. Mit beiden treffe ich mich hin und wieder bei gemeinsamen Essen, da sie sich ebenso ernsthaft für meine Ansichten über Kirche und Theologie interes-sieren wie ich mich für die ihren über Kurie und Kirche. Auf die Bitte

Clarizios gewinne ich für ein Abendessen mit ihm und Travia in seinem Appartamento sogar Yves Congar, Henri de Lubac und Charles Moeller. Gerade durch persönliche Kontakte kann man sowohl den reformerischen Kräften im Vatikan Unterstützung verleihen als auch den früher von der Inquisition Verfolgten eine kleine Genugtuung verschaffen.

Ungezwungener und unbeschwerter geht es freilich bei den »Ricevimenti« zu, welche *amerikanische Bischöfe und Periti* meist am Wochenende geben, etwa im Hilton oder auch beim Time-Korrespondenten Bob Kaiser. Regelmäßig treffe ich dabei auch meine zahlreichen amerikanischen Freunde. Überall hier, wo Bischöfe, Experten, Beobachter und Journalisten sich unhierarchisch freundschaftlich mischen, wird Kirche als »Gemeinschaft«, »Communio« sichtbar und greifbar. Besucher des Konzils wie der führende amerikanische Publizist *Walter Lippmann*, der mich zu einem Gespräch in sein Hotel einlädt, oder der genannte Professor *Ralf Dahrendorf*, mit dem ich beinahe zwei Tage in der Konzilsaula, auf dem Palatin, in den Castelli Romani und am Abend schließlich in Trastevere verbringe: sie alle sind positiv überrascht von all dem, was in der bisher so autoritären katholischen Kirche möglich geworden ist. Und doch – wie viele grundlegende Probleme sind noch immer ungelöst!

Kollegialität, Diakonat, Zölibat?

Eine der Fragen, die das Konzil am meisten erregen, ist die gemeinsame, *kollegiale Verantwortung der Bischöfe* zusammen mit dem Papst für die Gesamtkirche: Gegen eine von Bibel, alter katholischer Tradition und gegenwärtiger Situation her dringend geforderte bessere Ausbalancierung der Primatsdefinition des Vatikanum I wenden sich starke kuriale Kräfte, die sogar hinter das revidierte Schema zurückgehen wollen. Befürworter und Gegner der Kollegialität des Episkopats halten sich in der Debatte beinahe die Waage, da die kuriale Partei alle ihre Kräfte in die Schlacht wirft. Jene Rede für die Kollegialität, die von Bischof Rusch (Innsbruck) im Namen des österreichischen Episkopats vorgetragen wird, habe ich erarbeitet.

Wie jedermann bin ich ungeheuer gespannt auf die *Probeabstimmung vom 30. Oktober 1963:* Da wird den Konzilsvätern von den Moderatoren folgende (der Kurie Wort für Wort mühselig abgerungene) Frage für ein schriftliches und geheimes Votum unterbreitet: »Wünschen die Väter, daß das Schema so gefaßt wird, daß gesagt wird, das Corpus oder

Kollegium der Bischöfe sei im Amt der Verkündigung, der Heiligung und im Hirtenamt Nachfolger des Apostelkollegiums und daß es zusammen mit seinem Haupt, dem römischen Papst, und niemals ohne dieses Haupt (dessen Primat gegenüber allen Hirten und Gläubigen unangetastet und ungeschmälert bleibt), *mit voller und höchster Vollmacht für die Gesamtkirche ausgestattet* sei?« Die Frage wird mit 1.808 gegen 336 Stimmen bejaht. Großer Applaus brandet auf in der Aula. Das wahre Kräfteverhältnis im Konzil ist sichtbar geworden. Man nennt diese historische Probeabstimmung – ein ähnliches Resultat ergibt sich bezüglich der entscheidenden Bedeutung der Bischofsweihe – jetzt die friedliche »Oktoberrevolution« der katholischen Kirche. Eine Schlacht war gewonnen, aber auch der Krieg? Keineswegs, bleibt doch der päpstliche Jurisdiktionsprimat »unangetastet und ungeschmälert«, und die Kurie an den Hebeln der Macht.

Und wie steht es nun mit dem *Priesterzölibat*, der ja angesichts des Priestermangels in vielen Ländern der Erde ein kirchliches Strukturproblem ersten Ranges darstellt? Darüber wird nicht abgestimmt, ja, nicht einmal geredet. Und warum? Weil man darüber in der Konzilsaula nicht reden darf. Bischof SERGIO MÉNDEZ ARCEO von Cuernavaca (Mexiko), mit dem ich befreundet bin, erzählt mir, daß er sich im Generalsekretariat des Konzils in die Rednerliste eingetragen habe mit der dort geforderten Themaangabe: »Zölibat«. Ein gerade für die Kirche Lateinamerikas dramatisches Problem. Aber kurz darauf erfährt er vom Generalsekretär des Konzils, dem jovial-brutalen Kurienbischof Felici, er habe diese Redeeintragung ausgestrichen, denn darüber zu reden sei nicht gestattet. »Und warum?«, fragt der Bischof. Die hochnäsige Antwort wie so oft: »*Ex auctoritate superiore*, aufgrund höherer Autorität.« Mit diesem beeindruckenden Terminus meinen die Kurialen den Papst – ob sie ihn gefragt haben oder nicht. Da muß man schon im Kurialjargon zurückfragen: »ex ore ipsissimi – aus seinem eigenen Mund?« Der Papst ist für die Kurialen, Kollegialität der Bischöfe hin oder her, noch immer als absoluter Herrscher hoch über dem Konzil angesiedelt; jeder Kuriale aber meint, den Papst zu vertreten. Und so erklärt die autoritäre kuriale Zensur das erstaunliche Phänomen, daß das für die Seelsorge auf der ganzen Welt zentrale Zölibatsproblem, welches die nachkonziliare Zeit bis heute belasten wird, im Zweiten Vatikanischen Konzil mit keinem Wort behandelt wird. Nur die mit Rom unierten Ostkirchen setzen es schließlich doch durch, daß das Verheiratetsein ihres Klerus in der Konstitution über die Ostkirchen – ohne Tadel einigermaßen positiv – erwähnt wird.

Aber es gibt eine dritte heftig umstrittene Frage, die in sich gar nicht sehr wichtig ist, aber wegen ihrer Auswirkung – der möglichen Schwächung des Priesterzölibats – von der kurialen Partei mit der gleichen Intensität bekämpft wird: die mögliche Einführung eines *ständigen Diakonenamtes* in der Kirche. Allerdings hat die progressive Mehrheit auch hier schon bei der Fragestellung zwei verhängnisvolle Zugeständnisse gemacht: die entscheidende Frage *verheirateter* Diakone wird nämlich offengelassen, wie von der Kurie verlangt. Die Frage *weiblicher* Diakone, obwohl im Neuen Testament klar erwähnt, wird einfach verschwiegen (sie vertrage sich nicht mit dem prinzipiell männlichen Charakter des Kirchenamtes!). Immerhin wird die Einführung des ständigen Diakonats mit 1.588 gegen 525 Stimmen bejaht. Also eine (nur halb) gewonnene Schlacht.

Ich bin froh, daß nach all den Debatten und Abstimmungen für die Zeit vom 30. Oktober bis zum 8. November 1963 (die Feste Allerheiligen und Allerseelen) eine *Pause* der Generalkongregationen angekündigt wird. Viele Bischöfe und Theologen fahren nach Hause. Kurz entschlossen fliege ich gleich am ersten »Ferientag« über Zürich nach Stuttgart und kann in Tübingen in den nächsten Tagen viel Liegengebliebenes erledigen. Bevor ich am 6. November wieder nach Rom zurückfliege, lege ich noch eine kurze Zwischenstation in Sursee ein – und freue mich nicht nur, meine Familie wiederzusehen, sondern auch am See den Bau meines kleinen Hauses begutachten zu können. Schon am nächsten Tag ist in Rom ein Abendessen mit Yves Congar und Charles Moeller vorgesehen und zwei Tage später eines mit Charles Moeller und Msgr. Philips von Löwen, in denen es vor allem um die unbefriedigenden Abschnitte des Kirchenschemas geht – alles in angenehmer freundschaftlicher Atmosphäre. Aber auch mit praktischen Folgen? Über eine ganz bestimmte Frage kann man jedenfalls weniger leicht reden; sie ist tabuisiert:

Die verdrängte Frage kirchlicher Unfehlbarkeit

Es ist offensichtlich, daß das kirchliche Lehramt allergrößte Schwierigkeiten hat, *Irrtümer*, welche auch immer, *offen zuzugeben*, obwohl solche auch jedem wohlinformierten Katholiken bekannt sind: von der Verurteilung Galileis und der chinesischen Gottesnamen und Riten über die Verurteilung der Religionsfreiheit, der Menschenrechte und der Evolutionslehre bis zu den allesamt historisch irrigen Dekreten der Bibelkommission unter Pius X. Der »Vatikan« irrt nicht! Gerne erwecken die Kurialen den Eindruck, mit der (unfehlbaren) Autorität des Papstes zu sprechen. Ob es ihnen je zu denken gab, daß die Unfehlbarkeit, die das Vatikanum I feierlichen Entscheidungen des Papstes zusprach, sowohl von den orthodoxen Kirchen des Ostens wie von den Kirchen der Reformation (von den Alt- oder Christkatholiken ganz zu schweigen) scharf abgelehnt wird? In »Strukturen der Kirche« habe ich die Problematik dieser erst 1870 vom Vatikanum I definierten *römisch-katholischen Sonderlehre* aufgewiesen, aber zugleich auch die Richtung aufgezeigt für eine theologische Lösung. Verschiedentlich habe ich diese in Vorträgen vor Kundigen (auch im Tübinger Wilhelmstift oder auf einem Schweizer Germanikertreffen) getestet. Am 26. November 1963 veröffentliche ich einen vielbeachteten Artikel in der Frankfurter Allgemeinen Zeitung über die historische Kontingenz von Konzilsdekreten unter dem Titel: »Stückwerk ist unser Erkennen«. Er läuft auf den zutiefst bruchstückhaften Charakter auch von »unfehlbaren« Glaubensformulierungen hinaus.

Als Konzilstheologe fühle ich ja nun eine besondere Verantwortung, die tabuisierte Problematik der Unfehlbarkeit gerade im Konzil selber zur Sprache zu bringen, auch wenn darüber nicht einmal im Einheitssekretariat offen geredet wird, wiewohl sie für die katholische wie nichtkatholische Christenheit von erstrangiger Bedeutung ist. Es quält mich immer wieder die Frage, ob ich nicht eine *Rede über dieses Dogma aller Dogmen* schreiben soll. Natürlich bin ich mir darüber im klaren: Die Frage der Unfehlbarkeit von Kirche und Papst ist für den Vatikan ebenso heikel wie für den Kreml die Unfehlbarkeit von kommunistischer Partei und Generalsekretär: Wer irren kann, kann auch kritisiert und korrigiert werden. Das rührt zentral an die Machtstruktur.

Ob der Leser meine innere Qual nachempfinden kann? Wann immer ich die Frage nach einer Intervention überlege, ist das *Ergebnis* in jedem Punkt negativ:

Es ist unmöglich, diese Problematik in zehn Minuten abzuhandeln.

Auf Latein können sie viele Konzilsväter schwer verstehen.

Kein Bischof wird bereit sein, eine solche Rede zu halten.

Der Generalsekretär wird das Thema vermutlich gar nicht zulassen.

Die Kurie (auch der Papst?) wird unverzüglich reagieren.

Die Theologische Kommission schließlich wird eine solche Intervention ignorieren oder domestizieren. Dies zeigte sich ja schon bei anderen, weniger brisanten Fragen.

Unfehlbare Bibel?

Ignorieren? Das kann das Konzil durchaus. Ignoriert werden beispielsweise so wichtige Interventionen wie die orientalischer Bischöfe über die – in den östlichen Kirchen sehr viel menschenfreundlicher behandelte – *Ehescheidung* oder auch die *Mischehe*. Ignoriert wird auch die mutige Rede des Schweizer Missionsbischofs Ammann OSB über die *Nuntien* und ihre Polizeiaufsicht über die Bischöfe: Nuntiaturen als »Denunziaturen«.

Domestizieren? Wahrhaftig! Domestiziert wird etwa die mutige Rede des Wiener Kardinals FRANZ KÖNIG über die *Unfehlbarkeit (Inerranz) der Bibel* vom 24. September 1964, obwohl von verschiedenen weiteren Rednern positiv kommentiert. Auch diese Rede habe ich im Kreis der deutschen Periti angeregt und dann zusammen mit Professor Zerwick vom Päpstlichen Bibelinstitut ausgearbeitet. Paradoxerweise läßt sich ja über die Unfehlbarkeit der Bibel noch eher offen reden als über die des Papstes, wiewohl diese ihrerseits in der Bibel begründet sein soll. Man kann einfach von unbestreitbaren konkreten Irrtümern in der Bibel ausgehen.

Die Orientalistik beweise, führt Kardinal König aus, »daß in der Heiligen Schrift die historischen und naturwissenschaftlichen Angaben bisweilen von der Wahrheit abweichen«. Nach Mk 2,26 zum Beispiel hätte David unter dem Hohenpriester Abiathar das Haus Gottes betreten und die Schaubrote gegessen; in Wahrheit geschah es jedoch nach 1 Sam 21,1ff nicht unter Abiathar, sondern unter seinem Vater Abimelech. In Mt 27,9 wird die Erfüllung einer Prophetie des »Jeremia« berichtet, die in Wahrheit eine Prophetie des Zacharias (11,13) ist usw.

Es sollte somit nach dem Kardinal in der Frage der Irrtumslosigkeit »aufrichtig, unzweideutig, ungekünstelt und furchtlos geredet werden«. Eine ungeschichtliche Einstellung in diesen Dingen rette die Autorität der Bibel nicht, sondern mache nur die Exegese unglaubwürdig. Ein Abweichen von der Wahrheit in historischen und naturwissenschaftlichen Fragen gefährde die Autorität der Schrift heute in keiner Weise. Hier würde theologisch vielmehr die Herablassung Gottes sichtbar. Gott nimmt nun einmal den menschlichen Autor mit allen seinen Schwächen und seinen Versehen an – und kommt damit doch zu seinem Ziel: den Menschen die »Wahrheit der Offenbarung zu lehren«. Konzilstheologe ALOYS GRILLMEIER bemerkt dazu später als Kommentator: »Damit gibt der Kardinal von Wien auch implizit jene aus aprioristischem und ungeschichtlichem Denken stammende Prämisse auf, die in der Inerranzlehre seit der Väterzeit eine Rolle gespielt hat: Wer bei einem Hagiographen irgendeinen Irrtum zugibt, gibt notwendig einen Irrtum Gottes selber zu.«

Aber was kommt nun bei der ganzen Diskussion in der Kommission heraus? Ein Kompromiß, wie ich von JOSEPH RATZINGER in einem Seitenschiff von St. Peter erklärt bekomme. Leider ein *fauler Kompromiß*. Abgesehen vom ständigen kurialen Druck auf Konzil und Theologische Kommission war »die neue Sicht und Motivation der Inspirations- und Inerranzlehre ... leider im theologischen Schrifttum zu wenig vorbereitet und daher für die Mehrzahl der Väter ungewohnt« (Grillmeier). Was wäre die klare Lösung gewesen? Den Ausdruck »ohne jeden Irrtum« (sine ullo errore) *wegzulassen* und dafür positiv zu formulieren, daß die biblischen Bücher »die Wahrheit unversehrt und unerschütterlich (integre et inconcusse) lehren«. Genau so hatte es Kardinal König – das verschweigt Grillmeier in seinem Kommentar – vorgeschlagen.

Und was geschieht? Die Kommission nimmt zwei positive Worte »sicher und treu« (firmiter und fideliter) dankbar auf, läßt aber das »ohne jeden Irrtum« zugleich stehen! Nur daß man statt »ohne *jeden* Irrtum« jetzt nur noch *»ohne Irrtum«* sagt! Diese Lösung hat mit Politik viel und mit Theologie nichts zu tun. Der völlig zweideutige Text heißt nun: »Da also alles, was die inspirierten Verfasser oder Hagiographen aussagen, als vom Heiligen Geist ausgesagt zu gelten hat, ist von den Büchern der Schrift zu bekennen, daß sie *sicher, getreu und ohne Irrtum* die Wahrheit lehren, die Gott um unseres Heiles willen in heiligen Schriften aufgezeichnet haben wollte« (Art. 11). Damit war die Rede Kardinal Königs domestiziert und das Problem der Unfehlbarkeit (Inerranz) und der Inspiration der Bibel sowie der Verhältnisbestimmung von Schrift und Tradition überhaupt – nach einer ganzen Reihe kurialer Manöver und massiver Interventionen Pauls VI. bei der theologischen Kommission – ohne Lösung geblieben. Und dies leider – wenn ich nicht irre – mit Zustimmung von Kardinal König, dem Vorsitzenden der für Inerranz zuständigen Subkommission; in solchen Auseinandersetzungen zieht er gerne die Diplomatie dem Kampf vor.

Ob ich, wenn ich in der Theologischen Kommission dabeigewesen wäre, diesen Kompromiß zugunsten einer ehrlichen Aussage hätte verhindern können? Mit der Unterstützung Kardinal Königs vielleicht. Doch hätte dies in jedem Fall zu einem ernsthaften Streit mit den Kurialen geführt, mit Ottaviani und besonders mit Tromp, dessen Gregoriana-Traktat über die Inspiration der Bibel (nach P. Bea eine »vivisectio« der Inspiration) unser Examensstoff war. Und mehr als eine einzige solche

Auseinandersetzung hätte ich mir kaum leisten können, wollte ich mich in dieser Kommission nicht völlig unmöglich machen. Kurz, dies alles bestätigt leider meine anfangs getroffene Entscheidung, an solcher kurial gegängelter Kommissionsarbeit nicht teilzunehmen.

Eine *schwere Hypothek* für die nachkonziliare Theologie und Kirche: Die traditionelle Auffassung von wortwörtlicher Inspiration und Inerranz der Schrift sei nach dieser Konzilsdiskussion aufzugeben, meint zwar in einem späteren Kommentar richtig P. ALOYS GRILLMEIER: »Es bleibt der Theologie überlassen, von dem neuen Ansatz aus die Inerranz voller durchzudenken.« Was aber auch P. Grillmeier nicht tut. Sonst würde er sich in der Auseinandersetzung ein Jahrzehnt später um mein Buch »Christ sein« (1974) nicht in die von Balthasar (auf Anregung der deutschen Bischofskonferenz) organisierte Phalanx einer Gegenveröffentlichung einreihen lassen: Gegen meine auf solider historisch-kritischer Basis aufgebaute Christologie, die allgemein die Zustimmung der Exegeten findet, stellt er unkritisch die Christologie der hellenistischen Kirchenväter, die er gründlich, aber dogmatisch voreingenommen erforscht hatte. Und genau diese Kirchenväter waren es ja, die uns, wie er selber sagt, »jene aus aprioristischem und ungeschichtlichem Denken stammende Prämisse« der »Inerranzlehre seit der Väterzeit« beschert hatten.

Dabei hätte der Frankfurter Jesuit – später um seiner Arbeit und perfekten römischen Orthodoxie willen im Alter von 84 verdientermaßen zum Kardinal (ohne Papstwahlrecht!) ernannt – nur aus Artikel 5 der Kirchenkonstitution die Konsequenzen ziehen müssen: Dieser setzt nach dem hochdogmatischen trinitarischen Vorbau dann doch in einem Paragraphen erfreulich nüchtern bei der Verkündigung Jesu von Nazaret ein, deren Inhalt nun einmal nicht die Gründung einer Kirche, sondern das Kommen des Gottesreiches ist.

Wichtige Anliegen eingebracht

Ein Entwurf über *Jesu Verkündigung* des Gottesreiches (Art. 5) ist, Grillmeier war dabei, von mir selber in der deutschen Peritigruppe vorgeschlagen und mit P. Zerwick zusammen ausgearbeitet worden. Mein zweiter Text – für die reformatorische Theologie von entscheidender Bedeutung – über die Sündhaftigkeit und ständige *Reformbedürftigkeit der Kirche* (Art. 8), den mir der Kopenhagener Professor Skydsgaard, Beobachter des Lutherischen Weltbundes, genau überprüft, wird vorgetragen von Bischof László (Burgenland) im Namen der österreichischen Bischofskonferenz. Mein drittes Anliegen ist die *Ortskirche* (Art. 26), die seit der Gregorianischen Reform zugunsten der »universalen« (= römischen) Kirche vernachlässigt wird. Die von mir vorbereitete Rede wird vorgetragen von Weihbischof Schick (Fulda) im Namen der deutschen Bischofskonferenz. Zu erwähnen in diesem Zusammenhang auch die von mir stammende und von Kardinal Döpfner vorgetragene weniger intellektualistisch-apologetische Umschreibung des Glaubensaktes: statt nur »dem offenbarenden Gott einen vollen Gehorsam des Intellekts und des Willens zu leisten« (Vatikanum I) jetzt ein Glaubensgehorsam, »durch den sich der Mensch in seiner Ganzheit frei Gott überantwortet« (Vatikanum II, Art. 5 über die Offenbarung).

Der Löwener CHARLES MOELLER, als Berater der Theologischen Kommission an der Redaktion des neuen Entwurfs entscheidend beteiligt, kennt den eigentlichen Autor und fragt mich deshalb, wo meiner Meinung nach die Passage über die Ortskirche eingefügt werden soll. Meine Antwort: »Weil Kirche im neutestamentlichen Gebrauch ganz ursprünglich Ortskirche ist, im erstmöglichen Abschnitt des ersten Kapitels!« Darauf er: »Leider nicht mehr möglich – wir haben eben die Redaktion von Kapitel I über das Geheimnis der Kirche und II über das Volk Gottes abgeschlossen.« Dies ist die Erklärung für die seltsame Tatsache, daß die vom Neuen Testament her so zentrale Aussage über die Kirche als Ortskirche im Kapitel III über die Hierarchie im Abschnitt über die Bischöfe – unmittelbar im Anschluß an den Paragraphen über bischöfliche und päpstliche Unfehlbarkeit! – versteckt ist. Nein, man soll in Konzilstexten nicht überall den Heiligen Geist am Werk sehen …

Aus all dem versteht der Leser leicht, warum ich im Rückblick auf die Kirchenkonstitution, wie sie in der dritten Konzilsperiode (1964) schließlich verkündet wird, glücklich und unglücklich zugleich bin. *Glücklich*, weil es mir gelang, über bischöfliche Konzilsreden viele meiner Anliegen in die Konstitution einzubringen: Jesu Verkündigung des Gottesreiches, Kirche als Ortskirche, die charismatische Dimension der Kirche, die historische Relativität der Drei-Ämter-Ordnung Bischöfe – Priester – Diakone; die Sündhaftigkeit und bleibende Reformbedürftigkeit der Kirche und schließlich, mit vielen anderen Interventionen zusammen, die Kollegialität der Bischöfe mit dem Papst – die Grundvorstellung von der Kirche als Gottesvolk überall vorausgesetzt.

Unglücklich aber bin ich, weil dies alles nicht konsequent vom Neuen Testament her entwickelt wird. Weil die biblisch orientierten Texte über die Kirche als Geheimnis und Gottesvolk von juristischen Erwägungen über die Hierarchie konterkariert werden. Weil schließlich alles überwölbt ist von dem nicht mehr rückgängig zu machenden Kompromiß zwischen dem biblisch orientierten Communio-Modell und dem mittelalterlichen päpstlich-absolutischen Pyramiden-Modell. Und welches, frage ich mich, wird in der nachkonziliaren Zeit wohl dominieren? Das erste, hoffe ich. Erneut das zweite, fürchte ich. Leider zu Recht, wie sich im nachhinein feststellen läßt: Hier liegt ein Hauptgrund der nachkonziliaren Misere, wie sie die genannte Osterausgabe von »Time« 2002 feststellen wird.

Was also tun? Was kann ich als einzelner Theologe tun – abgesehen von bischöflichen Konzilsreden, Vorträgen, Medienarbeit? Ich habe es mir reiflich überlegt: Weil sich der mit Kapitel III über die hierarchische Verfassung gegebene Bruch in der kommenden Konstitution über die Kirche nicht mehr einfach sanieren läßt. Weil man alle die konziliaren Ausführungen über Primat, Episkopat, Presbyterat und Diakonat vom Neuen Testament her überprüfen und auf eine neue Basis stellen müßte. Und weil diesbezüglich von der Konzilsdiskussion nicht allzuviel erwartet werden darf, da der Großteil der Bischöfe keine Fachtheologen und der Großteil der Theologen keine Fachexegeten sind und die wenigen Fachexegeten nicht kritisch genug – aus allen diesen Gründen entschließe ich mich, nach allem qualvollem Hin und Her in Kopf und Herz, für einen grundsätzlich anderen Weg: Ich will in Sachen Kirche meinen eigenen Entwurf vorlegen, konsequent und stringent ohne die Zwänge konziliarer Kommissionen und die Peinlichkeiten theologischer Kompromisse mit der Kurie. Ich entschließe mich zu einem Buch über das Thema Kirche.

Wie ein Buch entsteht

Ich weiß nicht mehr, an welchem Tag genau im Oktober 1963 es war (gegen Abend sitze ich jedenfalls mit dem kanadischen Ökumeniker Gregory Baum bei einem Kaffee an der Via Vittorio Veneto und weihe ihn ein): Nach vielleicht zwei Wochen des Grübelns und Grämens über das im Konzil in der Kirchenkonstitution offensichtlich nicht zu Erreichende hatte sich mir plötzlich die Einsicht aufgedrängt: Formuliere selber die neue theologische Synthese! Vom Konzil ist sie unter den gegebenen Umständen nicht zu erwarten. Nach dem Konzil wird man um eine weiter ausgreifende Interpretation der Konzilskonstitution –

zur Weiterarbeit in Kirche und Ökumene – froh sein. Praktisch heißt dies: Statt die Kräfte in der Theologischen Kommission zu vergeuden, investiere ich sie in eine ekklesiologische Synthese im Geist des Konzils.

Ein kühner Plan: kein langweiliger Kommentar zu einzelnen Kapiteln und Sätzen der Kirchenkonstitution; dafür werden sich nach dem Konzil genügend konforme Schriftgelehrte finden. Aber auch keine Detailkritik einzelner Aussagen; dies langweilt mich und ist wenig fruchtbar. Vielmehr eine von der Schrift her Schritt um Schritt begründete und vor der Geschichte verantwortete *Gesamtschau dessen, was Kirche von ihrem Ursprung her ist und heute sein soll.*

Jedenfalls setze ich mich noch am selben Tag in meinem kleinen Hotelzimmer an meinen Arbeitstisch. In vielleicht zwei Stunden völliger Selbstvergessenheit entwerfe ich eine für mich kohärente, konsequente und transparente Konzeption des Buches, das den schlichten und zugleich anspruchsvollen Titel »Wesen der Kirche« oder *»Die Kirche«* tragen soll. Fünf große Kapitel, die nicht wie die ersten Kirchentraktate im Mittelalter mit dem Papst einsetzen, sondern mit ihm enden. Jedes Kapitel in drei bis vier Abschnitte und diese wieder in mehrere Unterabteilungen unterteilt. Alles möglichst elementar:

Glaube »an« die Kirche? Ortskirche oder Gesamtkirche?

Grundstruktur: Gottesvolk, Geistesgeschöpf, Christusleib.

Dimensionen: die eine, heilige, katholische und apostolische Kirche.

Dienste: Ämter und Gemeinde – Petrusamt.

Kirche und Welt.

Was hier einfach aussieht, ist ausgearbeitet höchst komplex, was sich harmlos ausnimmt, höchst brisant. Auf dasselbe kleine Notizblatt kritzle ich unten am Rand die zu benützende *Literatur:* Für die katholische Exegese Cerfaux, Schnackenburg und Schlier, für die evangelische Bultmann, Campenhausen, Käsemann und Schweizer. Für die katholische Dogmatik Adam, Balthasar, Congar, de Lubac, Möhler, für die evangelische Barth, Brunner, Diem, Ebeling, Elert, Prenter, Schlink und Weber. Alles mir bereits gut (meist auch persönlich) bekannte und vor allem allgemein anerkannte Autoren. Doch – wie ihre zahllosen Anregungen aufnehmen, wie die Differenzen und die Konvergenzen verarbeiten, wie die eigene Sicht überzeugend darlegen? Alles keine leichte Aufgabe.

Ob ich wohl mit diesem Buch ungefähr gleichzeitig mit dem Konzil fertig sein kann? Über die zu leistende ungeheure Arbeit mache ich mir keine Illusionen. Denn dies würde kein zügig durchzulesendes, relativ kleines Buch wie die 250 Seiten von »Konzil und Wiedervereinigung«, sondern eher wie »Rechtfertigung« ein Opus von sicher mehreren hundert Seiten (trotz aller Kürzungen und viel Kleindruck werden es schließlich 600 Seiten sein). Kein Buch, wie es manchmal Naturwissenschaftler schreiben, die Detailuntersuchungen von Mitarbeitern resümieren. Auch kein Kollektivwerk oder Teamwork: den Weg durch den Dschungel der Probleme muß ich mir bei aller unschätzbaren Sekretariatshilfe schon selber bahnen, die eigentliche Denkarbeit selber leisten. Nur so wird es gedanklich und sprachlich ein Werk aus einem Guß, eine glaubwürdige und nachvollziehbare Synthese.

Komposition ist nun einmal mehr Kunst als Handwerk. Gerne vergleiche ich ein Buch mit einer großen Symphonie: Die Themen habe ich zuerst im Kopf oder gar schon notiert; sie beruhen meist auf Intuitionen. Manche Vorarbeiten (in diesem Fall bereits zwei Bücher) habe ich schon hinter mir. Aber die eigentliche kompositorische Durchführung samt Orchestrierung und einer höchst komplexen Partitur, um ein möglichst vollständiges »Klangbild« zu erreichen, beginnt erst jetzt. Und ich werde denn auch mit äußerster Anstrengung – wie vieles andere muß noch parallel dazu laufen! – reichlich erschöpft erst ein Jahr nach Konzilsschluß fertig sein.

Es ist für mich eine Selbstverständlichkeit, alle Korrekturvorschläge und Anregungen – vor allem die meiner Mitarbeiterinnen und Mitarbeiter – bereitwillig soweit wie möglich aufzunehmen. Denn mein Buch wird ja nicht nur von wohlwollenden Lesern, sondern auch von überkritischen Fachkollegen und von noch ganz anderen Instanzen überprüft werden, nicht zuletzt vom römischen Sanctum Officium, das in der Kirche nach wie vor das Sagen haben will. Man muß schon die Macht und die Mechanismen dieser kurialen Behörde verstehen, um die jetzt kommenden Konflikte einordnen zu können.

Die Macht des römischen »Sicherheitshauptamtes«

Der neuralgische Punkt jeder Kurienreform ist die Reform, ja manche meinen gar Abschaffung, des *»Heiligen Offiziums«*, das als Inquisition bekanntlich eine jahrhundertelange fatale Geschichte hat, sich aber seit der Antimodernistenkampagne Anfang des 20. Jahrhunderts stolz den Titel »suprema«, »oberste« Kongregation der Kurie, zugelegt hat: das eigentliche *Machtzentrum des Vatikans*. Über seine Einflußmöglichkeiten macht sich auch der katholische Durchschnittskleriker kaum eine Vorstellung. Denn ohne das Sanctum Officium läuft im Vatikan gar nichts:

Es ist zuständig für alle Angelegenheiten der Glaubens- und Sittenlehre – und was gehört da im Vatikan nicht dazu?

Es arbeitet in absoluter Geheimhaltung und kann jede Entscheidung
einer anderen Kongregation annullieren, blockieren, abändern, durch
eine neue ersetzen.

Es kontrolliert ganz direkt die mächtigsten Ministerien, an deren
Spitze ausschließlich Mitglieder des Sanctum Officium stehen: für die
Bischöfe und Diözesen die Konsistorialkongregation (Kardinal Antoniutti); für die Disziplin des Klerus und der Gläubigen die Konzilskon-
gregation (Kardinal Ciriaci); für die Erziehung, Ausbildung und kirchlichen Lehranstalten die Studienkongregation (Kardinal Pizzardo); für
die politisch-religiösen Fragen der Kirche (Außenpolitik) die Kongregation für außerordentliche kirchliche Angelegenheiten (Kardinal Cicognani). Das »vatikanische Pentagon«: alles in allem notorisch engstirnige
Männer, deren Stellvertreter ebenfalls im Sanctum Officium Sitz haben
und deren theologische Berater alle aus einer, nämlich der römisch-
neuscholastischen Schule stammen.

Jetzt, im Jahr 2002, da ich diese Zeilen schreibe, haben sich natürlich
die Personen und der Name geändert, nicht aber das System und nur
bedingt seine Verfahrensweisen: vatikanisches Mobbing hat die Scheiterhaufen abgelöst. Gerade eben wieder sind drei verdiente deutschsprachige Theologen – der deutsche Benediktiner und Mystiker Willigis
Jäger, der Schweizer Theologieprofessor in Rom Joseph Imbach und
der brasilianische Befreiungstheologe Paolo Suess – mit Kirchenstrafen
belegt worden. Ähnlich zuvor die vielgelesenen Theologen Eugen
Drewermann (Paderborn), Jacques Dupuis (Gregoriana) und Tissa Balasuriya (Sri Lanka). Im Kurialjargon wird vom Ex-Sanctum Officium
(»Glaubenskongregation«) »zum Schutz der Gläubigen« trocken büro-
kratisch und ohne die geringste menschliche, gar christliche Empfin-
dung befohlen, sie mögen »sich jeglicher Art öffentlichen Wirkens
(Vorträge, Veröffentlichungen …) enthalten«. Ordensobere oder Bischöfe geben die Befehle meist notgedrungen weiter. Mein Gott, werden
wir je vom Krebsübel der Inquisition erlöst werden?

ANGELO RONCALLI, typisch für ihn, hatte sich als Papst damit begnügt,
sein eigenes Inquisitionsdossier kommen zu lassen. Er wollte endlich
wissen, wer ihn schon in jungen Jahren denunziert hatte: ein Pfarrer aus
Bergamo, schon längst verstorben. Doch jetzt, unmittelbar nach der
ersten Konzilssession, also noch zur Zeit Johannes' XXIII., geht die
Meldung durch die Weltpresse, der katholische Studentenseelsorger an
der Freien Universität von Amsterdam, P. JAN VAN KILSDONK SJ, sei

Gegenstand eines »Monitum« (Mahnung) des »Heiligen Offiziums« an den Bischof von Haarlem, J. van Dodewaard. Die Anordnung lautet: Absetzung des beliebten Studentenpfarrers. Warum?

In einer Rede vor einer Vereinigung katholischer Intellektueller in Rotterdam hatte van Kilsdonk Kurie und Sanctum Officium ganz direkt zu kritisieren gewagt. Die Kurie beschränke die Freiheit des Papstes, beherrsche die Bischöfe und behindere dadurch den fruchtbaren Kontakt zwischen Papst und Episkopat. Das »Heilige Offizium« habe sich den Ruf eines Bollwerks erworben (Anspielung auf Ottavianis Buch »Il baluardo«, »das Bollwerk«), das keinerlei Kritik von außen an sich herankommen lasse. Ein Beispiel für den *geistlichen Terror* des »Heiligen Offiziums«: das Vorgehen gegen P. Lombardi, der in seinem Konzilsbuch die durchaus berechtigte Reform der Kurie gefordert hatte. Ein anderes: das Monitum bezüglich des großartigen Werkes des über den Tod hinaus verfolgten Teilhard de Chardin noch im Sommer 1962. Nicht zuletzt deshalb hatte der amerikanische Jesuit Robert A. Graham in der Zeitschrift »America« gegenüber dem Sanctum Officium, das sich praktisch die Direktiven für die gesamte kirchliche Forschungsarbeit angemaßt habe, die »Civil Rights« und eine »Charta für katholische Intellektuelle« angemahnt. Der tapfere holländische Jesuit fordert deshalb am Schluß seiner Rede eine »loyale Opposition« gegen solches Vorgehen. Klar, nach allem, was ich selber in meinen Vorträgen gesagt habe, kann ich mich über solche Bestätigung nur freuen.

Der römischen Repressionsmaßnahme folgt in den Niederlanden ein Sturm der Entrüstung: zahlreiche Protestschreiben und geharnischte Zeitungsartikel, die dem Vatikan zeigen, daß Katholiken, Reformierte und Sozialisten in dieser Sache einig sind – gegen die Verletzung der Menschenrechte und Störung des neuen hoffnungsvollen ökumenischen Klimas. Eine ganze Reihe prominenter Theologen beider Konfessionen beeindruckt nicht nur die zunächst zaghaften Bischöfe, darunter Kardinal Alfrink, Primas der Niederlande, sondern schließlich auch die römische Kurie und Papst Paul VI. Nur wenige Leserzuschriften konservativer Katholiken fordern die bisher übliche Unterwerfung »unter die oberste Autorität«, angeblich noch immer das Wichtigste im Leben eines Katholiken. Der Ausgang dieser Kontroverse ist erfreulich. Das »Heilige Offizium« macht einen taktischen Rückzieher und überläßt weitere Maßnahmen dem Ortsbischof, der natürlich den Studentenpfarrer an seinem Platz beläßt. Dieses eine Mal hat sich die Kirche der Niederlande gegen die Kurie durchgesetzt.

Peinliche Parallelen

Aber die Frage bleibt für das Konzil aktuell. Soll es in diesem Stil weitergehen? War die Rede vom »geistlichen Terror« wirklich übertrieben? In Frankreich, wo das Wort »terreur« mit Robespierre verbunden ist, sprach man schon in den letzten Jahren Pius' XII., der, alt und krank geworden, das Sanctum Officium nicht mehr beherrschte, von einer »terreur intellectuelle«. Im 20. Jahrhundert wurde der Ausdruck des »Terrors« sonst vor allem für die Sowjetinquisition Stalins gebraucht. Manche katholische Insider sind indes der Überzeugung, man habe in der römischen Inquisitionsbehörde bei allen Unterschieden so etwas wie ein *»geistliches« Gegenstück zur politischen Geheimpolizei* im Sowjetimperium vor sich. Auch im geistlichen Imperium Romanum eine weltweit möglichst geheim arbeitende Organisation mit weitreichenden Vollmachten, um in einem schonungslosen Kampf gegen die »Feinde«, Abweichler, Dissidenten, Umstürzler – echte oder angebliche – die »Staatssicherheit« zu garantieren und das eigene System zu stabilisieren. Wie die politische Polizei des Sowjetimperiums, die ihren verhaßten Namen verschiedentlich änderte (Tscheka, GPU, NKWD, MGB, seit 1954 KGB), *faktisch über dem Recht* steht, so auch die vatikanische; auch die Congregatio Sancti Officii Romanae et Universalis Inquisitionis änderte den Namen (schlicht Sanctum Officium, später dann Kongregation für die Glaubenslehre), behielt aber die Methode bei. Dieser schon über vierhundert Jahre alten »geistlichen« Sicherheitsbehörde verdankt die katholische Kirche die bekannten katastrophalen *Fehlentscheide*: vom Fall Galilei und dem chinesischen Ritenstreit über die Indizierungen der bedeutendsten Denker Europas (Descartes, Kant, Sartre usw.) und die Verurteilung von Religionsfreiheit und Menschenrechten bis zum Fall Teilhard de Chardin, dem Verbot der französischen Arbeiterpriester und den schonungslosen Theologensäuberungen unter Pius X. und Pius XII.

Keine Übertreibung also: Wie das KGB sich als »Schwert und Schild der Partei« zur Sicherung der Herrschaft versteht, so versteht sich auch Kardinal Ottaviani nach einer Selbstaussage verniedlichend als »der alte Carabiniere (Polizist) der Kirche«, der mit seiner Organisation für die *Sicherung der ideologischen Ordnung* (»die katholische Wahrheit«) in der Kirche zu sorgen hat. Faktisch argumentiert er auch im Konzil immer wieder mit dem römischen Totschlagargument: »Das ist der Wille des Heiligen Vaters«. Auch die vatikanische Glaubenspolizei überwacht soweit wie möglich das wissenschaftliche und kulturelle Leben, die wichtigen Stellen des kirchlichen Apparates und die diplomatischen Vertretungen im Ausland, ist zuständig auch für die »Zölibatsfälle«. Das Sanctum Officium hat geheimen direkten Zugriff auf Nuntiaturen, Bischöfe und Ordensobere in allen Nationen. Tagtäglich empfängt der Chef des »Heiligen Offiziums« von überall her *die allergeheimsten Informationen«*, um auf sie tagtäglich in allergeheimster Weise zu reagieren. Bischöfe, Ordensobere und Nuntien haben dem obersten Glaubenswächter und seinem »Heiligen Büro« (»Politbüro«) unbedingten Gehorsam zu leisten. Und zwar unter dem Siegel des »Geheimnisses des Heiligen Offiziums«, das mit der höchsten Exkommunikationsstufe geschützt ist, von dessen Verletzung allein der Papst persönlich Absolution erteilen kann. So sichert man sich auf »geistliche« Weise die Macht.

Nur bei bekannteren *Opfern* vernimmt man etwas in der Öffentlichkeit. Gewiß, physisch verbrannt wird heute niemand mehr, dafür psychisch und beruflich vernichtet, wo immer zum »Wohl der Kirche« notwendig. Man erinnere sich an den Fall Teilhard oder den Fall Congar. Doch auch im römischen System sind die bekannten Namen und »großen« Fälle, von denen in diesen Erinnerungen die Rede ist, nur die Spitze des Eisbergs. Nicht weniger schlimm als die öffentliche Verurteilung der wenigen, zu der man nur im Fall großer öffentlicher Resonanz Zuflucht nimmt, ist die geheime Schikanierung ungezählter, die über einen Bischof oder Ordensoberen zur »Ordnung« gerufen und unter Umständen ohne viel Federlesens kaltgestellt, abgesetzt, versetzt, unter besondere Zensur gestellt oder mit Publikations- und Redeverbot belegt werden. Der offizielle Brief des Sanctum Officium (oder einer anderen römischen Kongregation) wird bei solcher Gelegenheit dem Beschuldigten von seinem eigenen Oberen meist nicht ausgehändigt, sondern bestenfalls vorgelesen, damit der Gemaßregelte möglichst keine Beweismittel in den Händen hält. Das indirekte und durchaus beabsichtigte Resultat all dieser Maßnahmen ist die *Angst*: der ständige Druck besonders auf Bischöfe und Theologen, die bei jeder Veröffentlichung eines Buches oder Artikels prophylaktisch »Vorsicht« walten lassen müssen und deshalb »Gewagtes« gar nicht erst zu schreiben wagen. Selbst Staatssekretariat und Papst scheuen vor Interventionen zurück, wenn eine Sache einmal bei der »höchsten Kongregation« anhängig ist.

Zugegeben: Ich bin an der Reform des Offiziums auch ganz persönlich interessiert. Habe ich ja dort bekanntlich jene *Protokollnummer 399/57i*, unter der seit dem Jahr meiner Promotion 1957 einiges bezüglich meiner Schriften und meiner Reden in Europa und USA insbesondere gegen Vorzensur und Index abgelegt wurde. Auch muß ich mit einem

Verfahren gegen meine »Strukturen der Kirche« rechnen. Ob das Konzil hier rechtzeitig etwas ändern wird?

Ein Kardinal gegen die Inquisition

Wie sehr die Furcht vor diesem Institut der Inquisition selbst im Konzil verbreitet ist, zeigt sich an der Tatsache, daß nur ein einziger Bischof es wagt, die inquisitorischen Praktiken des Sanctum Officium öffentlich und direkt anzuprangern, obwohl Hunderte genau das gleiche denken. Diesen Ruhm hat erneut der 76jährige, geistig höchst präsente Erzbischof von Köln, Kardinal JOSEF FRINGS. Wieder mit seiner leicht überhöhten, durchdringenden Stimme, die Latein mit deutschem Akzent ausspricht, weckt er in der Debatte über das Schema »Von den Bischöfen und der Leitung der Diözesen« am 8. November 1963 sofort die besondere Aufmerksamkeit der Konzilsversammlung. Und als Bischöfe und Theologen merken, daß er in klarer Weise jene Institution angreift, die von allen kurialen Institutionen mit Abstand die unbeliebteste ist, kann man in der Konzilsaula eine Stecknadel fallen hören.

Kardinal Frings kritisiert vor allem, daß das Sanctum Officium *über dem allgemeinen Kirchenrecht* steht: Er fordert, daß auch das Sanctum Officium den Normen des Codex Iuris Canonici unterstellt und das administrative und gerichtliche Verfahren klar unterschieden würden. Und fügt hinzu: »Die Verfahrensweise des Sanctum Officium entspricht in vielem nicht mehr der heutigen Zeit, *gereicht der Kirche zum Schaden und ist für viele ein Skandal.*« Jetzt brandet in der Konzilsaula Beifall auf. »Plausus in aula«, wird in den offiziellen Konzilsakten protokollarisch kurz angemerkt. Auf der nächsten Seite der gedruckten Akten erscheint merkwürdigerweise eine schriftlich nachgereichte Fassung des Votums, wo es einschränkend heißt, die Praxis des Sanctum Officium sei »den Nichtkatholiken (Acatholicis) ein Skandal«. Wer wohl diese Manipulation zu verantworten hat? Immerhin wird auch in dieser Fassung die Schlußfolgerung des Kardinals richtig wiedergegeben, die für mich einmal von großer Bedeutung werden sollte: »Zu fordern ist, daß auch in dieser Kongregation niemand in bezug auf den rechten Glauben angeklagt, beurteilt oder verurteilt werde, ohne daß er (und sein Bischof) vorher selber gehört worden sei; ohne daß er vorher die Argumente kennt, die gegen ihn oder das von ihm geschriebene Buch sprechen; ohne daß ihm vorher die Gelegenheit gegeben wird, sich selbst oder sein Buch zu korrigieren.«

Eine weitere populäre Reformforderung von Kardinal Frings bezieht sich auf die *vatikanische Bischofsinflation:* Die Zahl der Bischöfe in der römischen Kurie sei zu vermindern, und niemand solle zum Bischof geweiht werden, der nicht wirklich Bischof sei: »Der Episkopat selber ist ein Amt und nicht eine Ehre und Zierde für ein anderes Amt. Wer zum Bischof geweiht wird, der sei denn auch Bischof und nichts anderes ... Ich schlage also vor, es möge festgelegt werden, daß die Zahl der Bischöfe und der Priester in der römischen Kurie zu vermindern sei und zu ihr auch Laien zugelassen werden mögen. Dixi. Ich habe gesprochen.« Wie viele vatikanische Würdenträger würden da wohl ihre Mitra in den vatikanischen Museen deponieren müssen – und wie viele sie gar nie aufgesetzt bekommen?

Das alles waren klare Worte. Man hätte ruhig hinzufügen können, daß die Verfahrensweisen des Offiziums auch der *Allgemeinen Erklärung der Menschenrechte* durch die Vereinten Nationen (10. 12. 1948) widersprechen. Artikel 10: »Jedermann hat in voller Gleichheit das Recht auf eine faire und öffentliche Untersuchung durch ein unabhängiges und unparteiisches Gericht zur Beurteilung seiner Rechte und Pflichten und jeglicher gegen ihn gerichteten Anschuldigung.« Und Artikel 11,1: »Jedermann, der eines strafbaren Vergehens angeklagt ist, hat das Recht, als unschuldig betrachtet zu werden, bis seine Schuld bewiesen ist, nach dem Gesetz in einem öffentlichen Verfahren, in dem er alle zu seiner Verteidigung notwendigen Rechtsmittel hatte.«

Rauschender Beifall in der Aula nach der Intervention des Kölner Kardinals, in den Akten nicht vermerkt. Rot angelaufen und bebend vor Zorn ergreift kurz darauf Kardinal ALFREDO OTTAVIANI das Wort zur Replik: »Es sei mir gestattet, aufs feierlichste (altissime) zu protestieren gegen die Worte, die vorgebracht wurden gegen diese Höchste Kongregation des Heiligen Offiziums (»Suprema Congregatio sancti officii), deren Präses der Papst selber ist ... (Beifall von der kurialen Seite). Diese Worte geschahen aus Unwissenheit, um kein schlimmeres Wort zu gebrauchen ...« Er rühmt die Arbeit seiner Kongregation, deren Konsultoren beste Leute aus den römischen Universitäten seien. Und verschweigt, daß alle Mitglieder des Offiziums mit einer Ausnahme Italiener sind und die Konsultoren zwar verschiedenen Nationen, aber derselben konservativen Richtung angehören. Und ob der Papst nach seiner Reformansprache noch mit den Prozeduren seiner untergeordneten Organe einfach identifiziert werden kann?

Keine Frage: Die Kritik des Kölner Kardinals hat getroffen, und der Hauptbetroffene hat, wie vorauszusehen, aufgeschrien. Die Notwendigkeit einer grundlegenden Reform des Offiziums ist durch diesen in der ganzen Weltpresse berichteten und eindeutig kommentierten »Clash« zwischen den beiden Kardinälen vor aller Augen demonstriert worden. Und in Paris benützt der schon 1955 vom Sanctum Officium mit seiner Dissertation auf den Index gesetzte langjährige Arzt, dann Theologe und Priester MARC ORAISON die Rede von Frings, um anhand seines eigenen Verfahrens in »Le Monde« die kafkaesken Methoden dieser römischen Institution eindrucksvoll zu decouvrieren. Für Ottaviani eine PR-Katastrophe.

Wer aber ist der *theologische Berater* von Kardinal Frings, der an dieser Stellungnahme ein Hauptverdienst haben dürfte? Es ist kein anderer als mein geschätzter Kollege JOSEPH RATZINGER, jetzt noch Professor in Bonn, bald in Münster und schließlich in Tübingen. In diesen Jahren schreibt er prophetisch anklagende Sätze und gebraucht ebenfalls das Wort *Skandal*, und zwar nicht nur für die »Nichtkatholiken«: »Sekundärer, selbst gemachter und so schuldhafter Skandal ist es, wenn unter dem Vorwand, die Rechte Gottes zu verteidigen, nur eine bestimmte gesellschaftliche Situation und die in ihr gewonnenen Machtpositionen verteidigt werden. Sekundärer, selbst gemachter und so schuldhafter Skandal ist es, wenn unter dem Vorwand, die Unabänderlichkeit des Glaubens zu schützen, nur die eigene Gestrigkeit verteidigt wird. Sekundärer, selbst gemachter und so schuldhafter Skandal ist es, wenn unter dem Vorwand, die Ganzheit der Wahrheit zu sichern, Schulmeinungen verewigt werden, die sich in einer Zeit als selbstverständlich aufgedrängt haben, aber längst der Revision und der neuen Rückfrage auf die eigentliche Forderung des Ursprünglichen bedürfen. Das Gefährliche aber ist, daß dieser sekundäre Skandal sich immer wieder mit dem primären (des Evangeliums selbst) identifiziert und ihn dadurch unzugänglich macht, den eigentlich christlichen Anspruch und seine Schwere hinter den Ansprüchen seiner Boten verdeckt« (Das neue Volk Gottes. 1969, S. 302-321, 318). Das könnte auch von dem »streitbaren« Inquisitionskritiker Hans Küng stammen …

Jawohl, dies ist derselbe Ratzinger, der einmal selber Chef der Inquisitionsbehörde werden wird und der dann nach eigenem Zeugnis »tagtäglich aus allen Kontinenten die allergeheimsten Informationen erhält« (und natürlich auch die allergeheimsten Instruktionen wieder in alle Kontinente hinausgehen läßt). Er wird es sein, der selbst immer wieder denselben »selbst gemachten und so schuldhaften Skandal« produziert. Manche werden ihm deshalb vorwerfen, er habe das Erbe des Konzilskardinals Frings verraten. Ich würde ihm eher vorwerfen, er habe sein ureigenes Erbe vertan. Wie immer: Ob bezüglich des Offiziums der Inquisition Papst und Bischöfe jetzt nicht nach dem Rechten schauen müßten? Ganz praktisch: statt der »obersten Kongregation des Heiligen Offiziums« ein oberster Rat des Episkopats?

Ein oberster Bischofsrat?

Das Konzil, im Ringen um mehr Rechte für Bischöfe und Ortskirchen, steht in einem *Machtkampf* – vielleicht am ehesten zu vergleichen mit dem Kampf des englischen Parlaments um seine Rechte mit dem absolutistischen König. Ob sich das Konzil zu einer »Glorious Revolution« aufraffen wird? Der Summus Pontifex wird im Konzil nie direkt kritisiert, wohl aber sein Verhältnis zu den Bischöfen, wie es besonders im Konzilsschema über die Hirtenaufgabe der Bischöfe zur Sprache gebracht wird. Das Programmwort lautet *Kollegialität:* Sie wird im Konzil erfahren. Ein Mann, der aufgrund »göttlichen Rechts« Bischof ist (»Bruder« des Bischofs von Rom), kann einem Mann, der nur aufgrund päpstlicher Ernennung Kardinal ist (»Sohn« oder »Kreatur« des Papstes), durchaus ins Angesicht widerstehen. Bischöfe erfahren dabei, daß auch die meisten anderen den Geist, der in der Kurie herrscht, ablehnen. Und sie erfahren sich alle als Mitglied eines Kollegiums, das Kollegialität kennzeichnet. Offen wird jetzt gefordert: Der Hof des Papstes, eine Institution menschlichen Rechtes, dürfe nicht das Bischofskollegium in der universellen Kirchenleitung ersetzen. In der Kurie soll der Bischofstitel nicht *honoris causa* verliehen werden. Die Kurialbeamten sollen die Diener der Bischöfe sein und sich nicht als ihre Herren aufführen. Die Kurie dürfe nicht von einer einzigen Nation dominiert werden. Und noch viele andere Forderungen.

Natürlich bin auch ich überzeugt, daß Paul VI. persönlich ein hochmotivierter und demütiger Christenmensch ist. Der Primatsanspruch ist nicht sein persönliches, sondern ein sachliches Problem, ihm von der Geschichte überkommen. Die Konzilsväter wollen ihm denn auch keine Reform seines eigenen Verwaltungsapparates aufzwingen, doch möchten sie ihm konstruktive Vorschläge machen, die vom Papst aufgenommen werden sollten. Wie jeder Verwaltungsapparat und jede Funktionärshierarchie tendiert ja auch »der Vatikan« zur Verselbständigung und Petrifizierung, zur Verewigung seiner zeitgebundenen Formen und Funktionen, zum Machterhalt und zur Kompetenzenaufhäufung. Um welche praktischen Reformvorschläge geht es den Bischöfen konkret? Auch mir ein wichtiges Anliegen: neben den Bischofskonferenzen ein gewählter Bischofsrat.

Verschiedene Bischöfe haben in ihren Voten erklärt, es reiche zur Reform der Kurie nicht aus, einige der ihren in die römischen Kongregationen aufzunehmen. Man befürchtet nicht ohne Grund eine Romanisierung und Kurialisierung solcher nicht immer charakterfesten Bischöfe. Was viele Kardinäle und Bischöfe aus den verschiedensten Ländern und Kontinenten fordern, ist vielmehr ein *repräsentativer oberster Bischofsrat:* zusammengesetzt aus den auf Zeit gewählten Vertretern der Bischofskonferenzen, die periodisch zwei-, dreimal im Jahr in Rom zusammen mit dem Papst über die wichtigsten Probleme der Gesamtkirche beraten und entscheiden. Nein, keine neue kuriale Kongregation über den anderen, vielmehr ein von der Kurie unabhängiger Senat der Kirche. Ein episkopales Kollegium, das zusammen mit dem Papst gesetzgeberische Befugnis über die Gesamtkirche hat – und die römische Kurie samt Sanctum Officium wieder als rein exekutives, untergeordnetes Administrativorgan. Ob sie das hinnehmen wird?

Durch einen obersten Senat würde die Lehre von der gemeinsamen kollegialen Verantwortlichkeit des Gesamtepiskopats (mit dem Papst) in die Praxis übergeführt. Die Teilnahme des Weltepiskopats an der Leitung der Gesamtkirche wäre – bis zu einem gewissen Grade wenigstens – gewährleistet, eine echt katholische Repräsentation der verschiedenen Nationen und Probleme im Zentrum der katholischen Kirche garantiert. Wie ich es schon früh formulierte: Es ist an der Zeit, daß sich die katholische Kirche – mutatis mutandis – von einem römischen »Empire« zu einem katholischen »Commonwealth« umgestaltet. Die im 11. Jahrhundert grundgelegte zentralistisch-absolutistische Verwaltungs- und Rechtsstruktur der römischen Kurie ist in der heutigen demokratischen Zeit obsolet geworden. Erst recht widerspricht sie einem biblisch orientierten Kirchenbild. Sie schadet der Kirche immens bei der Erfüllung ihrer Aufgabe. Höchste Zeit also für eine mehr an der apostolischen Kirche orientierte, brüderlich-solidarische Kirchenleitung, welche wie im ersten Jahrtausend die Eigenbedeutung der einzelnen Lokal- und Partikularkirchen in einer offenen Katholizität respektiert! Aber – ob der Papst, der absolutistische Kirchenmonarch, bereit ist, Macht zumindest im Geist einer »konstitutionellen Monarchie« abzugeben? Mit allen möglichen kurialen Verhinderungsaktionen ist zu rechnen. Auf die weltliche Macht haben die Päpste 1870 nur unter militärischer und politischer Gewalt verzichtet. Wird dieser Papst 1970 auf geistliche Macht vielleicht freiwillig – im Geist der Bergpredigt – verzichten?

Universitätsstadt Tübingen mit Stiftskirche und Schloß Hohentübingen

Präsident John F. Kennedy † 1963

Erster USA-Vortrag in Boston 1963: mit Kardinal Richard Cushing (Boston)
und Athenagoras, orthodoxer Metropolit von Kanada

Vier Lehrverbote in Washington (von links) für Gustav Weigel, Godfrey Diekmann (Gastgeber Msgr. Vincent Yzermans), John Courtney Murray, Hans Küng

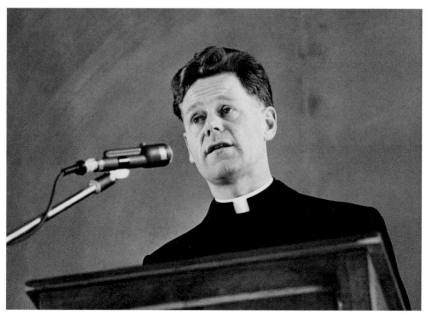

Erstes Ehrendoktorat University of St. Louis/Missouri 1963

University of San Francisco: »Kirche und Freiheit« 1963

Mein täglicher Arbeitsplatz

»Seehaus« am Sempachersee

Die ersten Bücher 1957–1967   Indexabteilung: Protokoll-Nr. 399/57i

Meine Schwestern Hildegard, Irene, Marlis, Margit, Rita

Ferien in Sursee mit meinen Nichten Sonja, Carmen, Sibyl

Eine Altersgrenze für den Papst?

Neben Kurie und Bischofsrat kommen andere sehr praktische Fragen zur Sprache. Eine wichtige: *eine Altersgrenze für Bischöfe?* Es ist erneut der Primas von Belgien, Kardinal Suenens, der auch in dieser Frage ein mutiges, klares Votum für eine Altersgrenze von 75 Jahren vorträgt. Gegen eine solche Altersgrenze führe man zwar neben pseudodogmatischen Gründen (»mystische Ehe« des Bischofs mit seiner Diözese) gerne auch große Ausnahmegestalten an, die aber eher die Regel bestätigen. In unserer schnellebigen Zeit sei es jedoch dringlich, sich nicht mit Ermahnungen zum rechtzeitigen Rücktritt zu begnügen, sondern eine gesetzliche Regelung anzustreben. Eine Kluft zwischen Bischof und Volk und eine Vergreisung des Episkopats sei heute aus verschiedenen Gründen gefährlicher als früher. Das Bischofsamt solle stets als Dienst am Gottesvolk erscheinen, von dem man zurücktritt, wenn man den Dienst nicht mehr in der heute erforderten vollen Spannkraft zu leisten vermag. Soll das aber nicht auch für Päpste gelten?

Anläßlich eines Vortrags vor Bischöfen im belgischen Kolleg am 23. Oktober 1963 frage ich Kardinal Suenens unter vier Augen, warum er denn den *Papst ausgenommen* habe. Ist am »heiligen Stuhl« Kleben heiliger als das Kleben an anderen Stühlen? Seine Antwort ist entwaffnend: Ohne diese Ausklammerung des Papstes käme ganz bestimmt keine Mehrheit für eine Altersgrenze zustande. Weder Suenens noch ich ahnen damals, daß uns einmal ein Pontifikat von bald 25 Jahren beschert sein würde von einem Papst, der meint, er (und kein anderer) »müsse« auch noch als schwerkranker und behinderter Mann die Kirche ins dritte Jahrtausend führen. Ob man nicht zumindest dann an eine Altersgrenze auch für den Papst denken müßte, wenn dieser die ja auch im Kirchenrecht Kanon 332 § 2 festgeschriebene Möglichkeit des freiwilligen Rücktritts vom Amt nicht wahrnimmt?

Auch das *Subsidiaritätsprinzip* kommt in der zweiten Session zur Sprache. Selbstverständlich gilt es nicht nur für das Verhältnis Papst/Bischöfe, sondern auch (was nicht allen Bischöfen klar ist) für das Verhältnis Bischof/Pfarrer und überhaupt Klerus/Laien. Insofern ist die Dezentralisation auch auf der Ebene der Diözesen durchzuführen. Denn auch auf der Ebene der Diözesen ist die *Kollegialität* zu realisieren. Wie der Begriff des Bischofskollegiums im Laufe der Zeit verblaßt und fast vergessen worden ist, so auch der Begriff des *Presbyterkollegiums.* Es wäre durch einen Priesterrat oder – zeitgemäßer mit Laien zusammen – durch einen *Pastoralrat* zu erneuern.

Viele Fragen und Vorschläge, aber bisher wenig Entscheidungen. Ich bin richtig froh, daß ich mit zwei echten, völlig unklerikalen Laien am Wochenende des 16./17. November 1963 richtiggehend ausspannen darf. Mit dem Musikwissenschaftler Dr. HELMUT HUCKE – seit meiner Germanikerzeit bin ich mit ihm befreundet – und seiner Frau mache ich bei strahlendem Wetter eine Autofahrt nach Caserta, Neapel und Salerno. Dort wollte ich unbedingt einmal das Grab des unglückseligen, aber selig- und heiliggesprochenen Papstes GREGOR VII. besuchen, der im 11. Jahrhundert das absolutistische Papsttum mit allen Mitteln erkämpft hat. Von den Truppen des von ihm gebannten (Canossa!) Königs Heinrich IV. in der Engelsburg wochenlang belagert und von den in der Stadt plündernden Normannen befreit, starb dieser »heilige Satan« (so sein Mitkardinal Petrus Damiani) in Salerno. Man liest hier seine angeblich letzten Worte: »Ich liebte die Gerechtigkeit und haßte das Unrecht, deshalb sterbe ich in der Verbannung.« Wirklich deshalb? Natürlich sprechen wir auch über die Politik, italienische vor allem, wo sich dramatische Entwicklungen abzeichnen, auch für den Papst.

Politische Krise in Italien

Mit dem Konzil hätte alles gut weitergehen können – aber mit *Italien?* Seit 1960 ist in diesem Land, gerade um den Kommunisten Stimmen abzujagen, eine »Apertura a sinistra« im Gespräch: eine Öffnung der Democrazia Cristiana gegenüber den Sozialisten. Eine »Mitte-Links-Koalition« unter Ministerpräsident Fanfani mit parlamentarischer Duldung durch die Sozialisten war noch vor der Eröffnung des Konzils, am 21. Februar 1962, zustande gekommen. Aber durch die kommunistischen Wahlgewinne (trotz der Exkommunikationsdrohungen Ottavianis!) gerät sie schon im April 1963 in die Krise. Das Übergangskabinett Leone muß nach quälenden Monaten bereits am 5. November 1963, also mitten in der zweiten Konzilssession, demissionieren.

Regierungskrise – wie soll es weitergehen? Die Kommunisten ante portas? Italien, und vielleicht auch bald Frankreich, sozialistisch, gar kommunistisch? Italiens konservative Kreise in Politik, Wirtschaft und Publizistik sind aufs höchste alarmiert. Und die Konservativen des Vatikans, für die ebenfalls erhebliche finanzielle und wirtschaftliche Interessen auf dem Spiele stehen, nicht weniger. Hat der *»Giovannismo«* des verstorbenen Papstes – so spricht man jetzt in der Kurie von Johannes' XXIII. Reden von christlicher Liebe, Verständigung und Zusammenarbeit – nicht offensichtlich verheerende Folgen? Zwischen der christlichen Religion und dem materialistischen Atheismus gebe es zwar kein Einvernehmen, aber zwischen Katholiken und kommunistischen Regierungen könne und müsse sich eine praktische Kooperation auf sozialem und politischem Gebiet erreichen lassen: Für Ottaviani und die Seinen ist dieser »sinistrismo ecclesiastico«, der den »sinistrismo politico« unterstützt, eine selbstzerstörerische Politik.

Und zu all dem, lamentieren sie, noch dieses *Konzil:* wo man mit den linken Tendenzen sympathisiert; wo man am 30. Oktober die antikurialen vier Fragen der Moderatoren mit überwältigenden Mehrheiten bejaht hat; wo man zum Großangriff auf die oberste Kongregation des Heiligen Offiziums ansetzt (über 500 Konzilsväter fordern in einer Petition seine Reform!); wo man mit Hilfe der verderblichen »Kollegialität« den Primat des Papstes untergräbt (über 100 Konzilsväter fordern einen Bischofsrat!); wo man sogar mit den Juden, den alten Feinden der Kirche, Frieden schließen, ja, eine von den Päpsten vielfach verdammte allgemeine Religions- und Gewissensfreiheit proklamieren will. Ist das nicht alles unkatholisch, gar politisch selbstmörderisch?

Keine Frage, Paul VI. ist seit der Abstimmung des 30. Oktober – für die Kurie der Höhepunkt des inakzeptablen »Konziliarismus« – unter massiven Druck geraten, von dem man freilich im Konzil zunächst wenig merkt. Von der italienischen Politik und Wirtschaft wie von den kurialen Potentaten mit Ausnahme von Kardinal Bea wird der Papst gedrängt, zwar nicht das Konzil abzubrechen, aber den »Giovannismo« der umfassenden Liebe gegenüber »allen Menschen guten Willens« aufzugeben. Also das modernisierende »Aggiornamento« stoppen, den verhängnisvollen »aperturismo« gegenüber Protestanten, Nichtchristen (jetzt auch noch ein Sekretariat für nichtchristliche Religionen!), Juden, Sozialisten, Kommunisten, den Sowjets beenden. Um der Kirche willen, ja, um Italiens, Roms, des Papsttums willen, die auf keinen Fall weiter geschwächt werden dürfen! Statt »Konziliarismus« die »katholische Tradition«: Trient, Vatikanum I, die »Romanità«. In den römischen Kongregationen lamentiert man schon des längeren über »questo maledetto concilio che manda in rovina la chiesa – dieses verdammte Konzil, das die Kirche in den Ruin führt«.

Mit der italienischen Regierungskrise erscheint den Konservativen im Vatikan der Zeitpunkt für die schon lange vorbereitete offene *Gegenoffensive* gekommen. Kardinal Siri und die italienische Bischofskonferenz attackieren mit größter Schärfe die drohende erste Regierung aus Christdemokraten und Sozialisten. Kurienkardinäle drängen den Papst jetzt mit theologischen und politischen Argumenten zur Rückbesinnung auf die bewährte römische Linie, die man vorher schon durch einen Kongreß über Trient und die tridentinische Reform vorbereitet hatte. Am 4. November läßt denn auch der Papst den von den Konservativen verfaßten Brief zur 400-Jahrfeier des Konzils von Trient und die Seminarerziehung verlesen, der die Konzilsväter in seiner Rückschrittlichkeit und Weltfremdheit erstaunt. In Konzil und Stadt kreisen anonyme Hetzschriften »Das Konzil und die Drohung des mitteleuropäischen Blocks« und »Die Juden und das Konzil im Lichte der Heiligen Schrift und der Überlieferung«. Kardinal Ottaviani erklärt öffentlich, daß eine obligatorische beratende Körperschaft von Bischöfen zur Unterstützung des Papstes dessen primatiale Macht beschränken würde.

Am 5. November empfängt Paul VI. Staatspräsident Segni, der einen Ministerpräsidenten für ein neues Kabinett sucht. Im Konzil aber hört man am 7. November mit Beifall die Forderungen Kardinal Königs nach Kollegialität und einem Bischofssenat und am 8. November die Rede von Frings gegen das Sanctum Officium. Darauf jene heftige Antwort Ottavianis, der nach wie vor der Überzeugung ist, daß in Sachen des Glaubens und der Sitten seine Theologische Kommission als verlängerter Arm des Heiligen Offiziums – dieses ist doch nach wie vor die »oberste« Kongregation! – auch dem Konzil übergeordnet sei. Am selben Tag sollen die Kardinäle Ottaviani, Antoniutti und Siri, so das Gerücht, den Papst zur Revision seines Standpunkts bewegt haben.

Es fällt denn auch auf: Am 10. November besucht Paul VI. die Laterankirche und betont dort aufs allerstärkste seine Würde als Nachfolger Petri, Stellvertreter Christi und Oberhirte der universalen Kirche (»erkennt in Unserer Person die Größe Unserer erhabenen und pontifikalen Aufgabe an«) und hält wie ein mittelalterlicher Papst eine schwülstige Lobrede auf den Ruhm, die Glorie und unfehlbare Vorrangstellung Roms (»Wir grüßen Dich, Rom, du Sitz Unserer Ehre, mit dankbarem und liebevollem Herzen …«). Am selben Tag erhält der Papst die Nachricht, Aldo Moro werde mit den Sozialisten eine Mitte-Links Regierung bilden.

Der Papst auf antikonziliarem Kurs

Erst in der zweiten Sitzungsperiode kommt das Sekretariat für die Einheit mit seinem Schema über den Ökumenismus zum Zuge. Doch schon Mitte November scheint Paul VI. unter dem Druck der konservativen

Kreise entschieden zu haben, daß von diesem Ökumenismus-Entwurf gerade die brisanten Kapitel IV über das Judentum und V über die Religionsfreiheit für eine prinzipielle Abstimmung nicht in Frage kommen (das letztere wird übrigens erneut verspätet erst am 19. November in die Hände der Konzilsväter kommen). Kardinal Bea aber, vom Papst zur Zurückhaltung aufgefordert, mobilisiert nicht seine Freunde, sondern schweigt, als Jesuit Gehorsam gewöhnt, und verordnet dieselbe Zurückhaltung seinem Sekretariat. So gewinnen die Konservativen in der Kurie die Oberhand, und die Kurie bevormundet mit der Zeit immer stärker das Konzil.

Vieles, was ich in der zweiten Konzilssession 1963 noch nicht durchschaue, wird mir in der dritten 1964 klar: Es gibt Zusammenhänge zwischen der fieberhaften Tätigkeit in Konzil und Kurie von Ende Oktober bis Mitte November 1963 und der italienischen Innenpolitik, was aber von unseren Konzilsgeschichtsschreibern unter Alberigo am Ende des Jahrhunderts weithin im Schatten gelassen wird. Dabei waren sie genau analysiert worden von einem kenntnisreichen und scharfsinnigen Autor unter dem Pseudonym MICHAEL SERAFIAN (»The Pilgrim«, »Der Pilger«, New York/Hamburg 1964), der mir von ein, zwei Begegnungen her bekannt ist. Der Konzilsgeschichtler Alberto Melloni aber, Freund Alberigos, weist nur in zwei Fußnoten auf dieses höchst unbequeme Buch hin. Statt den dramatischen unheilschwangeren kirchlich-politischen Verwicklungen nachzugehen und Serafian eventuell zu korrigieren, diskreditiert er das von Fakten und erwägenswerten Beobachtungen strotzende Buch, das sich in die Lage Papa Montinis zu versetzen weiß, kurzerhand als »antipäpstliche Anschwärzung«, als »denigrazione antimontiniana« (Storia del Concilio Vaticano II, Band III, S. 102). Das heißt: Statt die Verantwortung Pauls VI. selbst für die wachsende Entfremdung zwischen Papst und Konzil herauszuarbeiten, versucht Melloni, Papa Montini möglichst zu entlasten.

Gewiß kennen auch Melloni und Alberigo den wahren Autor von »The Pilgrim« dem Namen nach und wissen auch, daß sich hinter »Serafian« mehr verbirgt als, wie sie kryptisch schreiben, »ein Ire, in diesem Moment Jesuit in Rom«. Es ist nämlich kein geringerer als P. MALACHY MARTIN SJ., persönlicher Mitarbeiter Kardinal Beas, Professor am päpstlichen Bibelinstitut und Freund von Beas Sekretär Stephan Schmidt SJ, ein Mann, der über einzigartige Insiderkenntnisse über das Konzil wie über die Kurie verfügt. Dieser brillante Jesuit von freilich zwiespältigem Charakter und manchmal zweifelhafter Glaubwürdigkeit gibt nach der Veröffentlichung seines Buches schon 1964 seinen Posten bei Kardinal

Bea auf, leider freilich auch seine Ordenszugehörigkeit und sein Priestertum. Man darf spekulieren: als Konsequenz seines Buches, aus Verzweiflung über die gesamte kirchenpolitische Entwicklung oder wegen der Affäre mit der Frau des Time-Korrespondenten Bob Kaiser? Eine wahrhaft tragische »true story«, von ROBERT B. KAISER, der mir damals darüber kein Wort sagte, erst 2002 (drei Jahre nach Martins Tod in New York) in seinem Buch unter dem Titel »Clerical Error« (nämlich Martins und der Kleriker, die ihn decken) in allen Details beschrieben. Kaiser gibt deshalb nach der zweiten Session seine Konzilsberichterstattung auf, erinnert sich aber noch nach fast vier Jahrzehnten, wie »entsetzt« er während der zweiten Session war, »als die verschanzten alten Mächte (wiewohl sie nur eine winzige Minderheit waren) den Trend umzukehren verstanden«: »Die Siege der ersten Session und die Niederlagen der zweiten bedeuteten für mich mehr als sie für einen objektiven Reporter bedeutet hätten.« Peter Hebblethwaite nennt in seiner Biographie Pauls VI. (1993) die Schrift »Der Pilger« Martins »weitaus bestes Buch«, zitiert es verschiedentlich, geht aber auf die unbequemen hochpolitischen Aspekte ebenfalls nicht ein.

Was da im Oktober/November 1963 hinter dem Portone di Bronzo des Vatikans vor sich ging? Ohne Archivkenntnisse ist das schwierig nachzuprüfen, aber auch nachkonziliare Historiker hätten (wie ich schon damals) ein paar Jahrzehnte später aufgrund der berichteten Fakten feststellen können: Während Paul VI. mit seinen Ansprachen zur Kurienreform und zur Konzilseröffnung sich anfangs deutlich hinter die konziliare Erneuerung stellte, die Kollegialität favorisierte, fortschrittliche Moderatoren einsetzte und dem Konzil zunächst alle Freiheit ließ, verfolgt er jetzt, wiewohl im Prinzip über den Parteien, faktisch eine im Grunde *antikonziliare Politik*. Was ich wie die allermeisten im Konzil erst gegen Ende der dritten Konzilsperiode in der »schwarzen Woche« des November 1964 in der ganzen Tragweite erfassen werde, ist offensichtlich bereits in der zweiten Hälfte der zweiten Periode 1963 vorbereitet worden: Paul VI. hat eine deutliche *Parteinahme zugunsten der Kurie* vollzogen und macht deren Spiel jetzt weithin mit. Ob es sich hier um eine eigentliche »Kehrtwendung« handelt, wie M. Martin meint, oder um ein montinianisches Hin und Her zwischen den Fronten, das es allen recht machen will und schließlich dem stärkeren Druck (und der kam jetzt zweifellos von »rechts« in Kurie und Staat), nachgibt, muß ich offenlassen – bis zur Öffnung der Archive.

Faktum ist: Papa Montini läßt in der zweiten Konzilssession 1963 zum Ärger des Konzils, insbesondere der Amerikaner, nur über die ersten drei Kapitel des Ökumenismus-Dekrets diskutieren. Über die Kapitel IV (Judentum!) und Kapitel V (Religionsfreiheit!) wird den Bischöfen in einer beschämenden Verzögerungstaktik immer wieder eine Abstimmung versprochen – bis es zu spät ist. Am 2. Dezember erhält Kardinal Bea frühmorgens den päpstlichen Befehl durch Kardinalstaatssekretär Cicognani: Er, Bea, habe in seiner für denselben Vormittag angekündigten Rede dem Konzil – wahrheitswidrig – zu erklären, allein aus unüberwindlichen Zeitgründen sei eine Abstimmung leider nicht mehr möglich. Vor Ende der Rede – Bea wollte noch auf Papst Johannes zu sprechen kommen – schaltet ihm der Moderator Kardinal Agagianian das Mikrophon ab. Für das Konzil und natürlich auch für mich selbst ist die eklatante Verhinderung einer Stellungnahme zum Judentum und zur Religionsfreiheit eine Riesenenttäuschung, wird aber ohne Protest hingenommen. Immerhin, sagt man, darf jetzt über die ersten drei Kapitel des Ökumenismusdekrets abgestimmt werden. Mit überwältigender Mehrheit werden sie angenommen. Besser den Spatz in der Hand als die Taube auf dem Dach, gewiß, aber mir ist das zuwenig.

Ökumenische Öffnung

Paul VI. hat mit seiner Eröffnungsansprache dem Konzil zunächst auch wichtige ökumenische Impulse gegeben: Außerhalb der Kirche gibt es für ihn nicht nur einzelne Christen, sondern *»ehrwürdige christliche Gemeinschaften«*. Mit der römisch-katholischen Kirche teilen sie nicht nur ein gemeinsames religiöses Erbe, sondern haben dieses Erbe auch positiv weiterentwickelt. Das Bemühen der ökumenisch gesinnten Theologen auf beiden Seiten, die die Wahrheit auch auf der je anderen Seite zu sehen versuchen, wird ausdrücklich gelobt.

Aber das *Schuldbekenntnis*, das Paul VI. als erster Papst nach Hadrian VI. zur Zeit Luthers abgelegt hat, ist mit einem montinianischen »Wenn« verbunden – bezüglich der eigenen Schuld, nicht aber bezüglich des »der Kirche zugefügten Unrechts«: »Wenn uns eine Schuld an dieser Trennung zuzuschreiben ist, so bitten wir demütig Gott um Verzeihung und bitten auch die Brüder um Vergebung, wenn sie sich von uns verletzt fühlen. Was uns betrifft, sind wir bereit, der Kirche zugefügtes Unrecht zu verzeihen und den großen Schmerz ob der langen Zwietracht und Trennung zu vergessen.«

Das tönt recht paternalistisch. Doch allein die Tatsache, daß die Wiedervereinigung der getrennten Christen auf dem Zweiten Vatikanischen Konzil diskutiert wird, ist schon ein kirchengeschichtliches Ereignis. Es dürfte die konservativen Kreise der Kurie erschreckt haben, wie nicht nur aus dem zentraleuropäischen Raum, sondern auch aus Italien, Spanien, Nord- und Südamerika, aus Afrika und Asien höchst eindrucksvolle Stimmen für den »Ökumenismus« – nicht so sehr als Theorie und Doktrin, sondern als pastorale Aktion und Bewegung – laut werden. Die Diskussion dauert vom 18. November bis gegen Ende der zweiten Session.

Das vom Einheitssekretariat am 18. November 1963 vorgelegte revidierte Ökumenismus-Schema (das von der Ostkirchen-Kommission vorbereitete war in der ersten Session verworfen worden) will keine umfassende Abhandlung bieten über die Vorbereitung der Wiedervereinigung der getrennten Christen. Nur *einige pastorale Prinzipien und Weisungen*, die erforderlich sind, um deren ernste Vorbereitung einzuleiten; sie sind in erster Linie für die Katholiken bestimmt. Der Vergleich des neuen Schemas mit dem früheren zeigt mir, daß, wie von Jan Willebrands mitgeteilt, unter anderem die Lektüre von »Konzil und Wiedervereinigung« im Einheitssekretariat Wirkungen gezeigt hat: Die *Reform der katholischen Kirche* – die liturgische, biblische, pastorale Erneuerung – wird als *Voraussetzung der Wiedervereinigung* stark betont. Ebenso die Notwendigkeit der inneren Umkehr und des echt evangelischen Lebens auch der Katholiken. Es folgen dann praktische Richtlinien: für das gemeinsame Gebet von katholischen und anderen Christen; für gegenseitiges besseres Sich-Kennenlernen und den ökumenischen Dialog; für die ökumenische Formung der Amtsträger und Laien, Theologiestudenten und Missionare; für eine ökumenische Darlegung des katholischen Glaubens; für die praktische Zusammenarbeit mit den anderen Christen. Dies alles bedeutet für die katholische Kirche einen zur Zeit Pius' XII. unvorstellbaren Fortschritt hin zur Ökumene.

Doch vielen Beobachtern der anderen christlichen Kirchen kommt das Schema in der vorgelegten Form noch sehr unbefriedigend vor, zu juristisch und statisch. Wie soll die katholische Kirche begründen können, daß alle anderen Kirchen nur Teile der Wahrheit präsentieren, sie allein aber die *Totalität der Wahrheit* besitze? Die katholische Kirche hat doch gewichtige Wahrheiten des Evangeliums wie die Rechtfertigung des Sünders oder die Freiheit eines Christenmenschen lange Zeit vergessen, übersehen, vernachlässigt. Und nur die orthodoxen Kirchen, nicht aber die evangelischen Kirchen »Kirchen« nennen? Das würde viele evangelische Christen vor den Kopf stoßen. Das Kriterium der bischöflichen Sukzession und Kirchenverfassung (und der damit verbundenen Abendmahlfeier) erscheint willkürlich. Es ist weder dem biblischen (paulinischen!) Befund noch der Problematik der protestantischen Reformation angemessen. Doch auch im Einheitssekretariat fehlen kundige Exegeten und Dogmenhistoriker; guter Wille allein kann aber solides Wissen nicht ersetzen.

In der Konzilsdebatte über das Schema wird nun in aller Form gefordert, daß auch die protestantischen Kirchen *Kirchen* genannt werden. Notwendig dazu ein unzweideutiges Bekenntnis zur katholischen Mitschuld an der Kirchenspaltung und die kritische Konfrontation mit der Wahrheit, der in der katholischen Kirche nicht immer genug Raum und Freiheit gewährt wurde. Wichtig schließlich der positive heilsgeschichtliche Sinn der Kirchenspaltung: Auch in menschlichen Spaltungen sei Gottes gnädige Vorsehung zu erkennen. Die »Konversion«, zu Christus nämlich, sei von allen, auch von den Katholiken, gefordert. Intellektuelle Demut also gegenüber anderen christlichen Gemeinschaften und freie Arbeit der Theologen – Voraussetzung für die ökumenische Verständigung ... Keine »Rückkehr« zur katholischen Kirche, sondern – so wird der Titel des Dekrets schließlich heißen – die »Wiederherstellung der Einheit«: »Unitatis redintegratio«.

Schon am 21. November 1963 wird eine Abstimmung gehalten: aber nur darüber, ob die ersten drei Kapitel des ökumenischen Schemas (Leitlinien der ökumenischen Bewegung, Praxis der ökumenischen Bewegung, Einstellung zu den von der katholischen Kirche getrennten Christen) als Grundlage der Diskussion angenommen werden können. Mit der erstaunlichen Mehrheit von über 95 Prozent wird dies bejaht. Die Abstimmung beweist, welch langer und großer Weg in den letzten fünf Jahren zurückgelegt wurde. Keine Rede in diesem Dekret allerdings von dem, was noch in Pauls VI. Antrittsenzyklika »Ecclesiam Suam« zu lesen war: Das Papsttum mit seinem Anspruch auf einen Primat der Ehre und der Jurisdiktion sei ein »Hindernis« für die christliche Einheit.

Immerhin wird ein zweites gewichtiges Hindernis erfreulicherweise erst gar nicht aufgerichtet: trotz aller emotionalen Agitation von Marianisten *kein neues Mariendogma* und auch kein separates Mariendokument. Mit freilich nur 40 Stimmen Mehrheit votiert das Konzil am 29. Oktober 1963 für ein in die Kirchenkonstitution integriertes Kapitel über Maria, das auch vor Übertreibungen der Marienverehrung warnen soll. Die neuere Theologie geht ohnehin in eine andere Richtung, was deutlich wird im internationalen Projekt »Concilium«.

Pro und contra »Concilium«

Während der zweiten Konzilsperiode 1963 haben Rahner, Schille-beeckx und ich verschiedentlich Gelegenheit, Inhalt und Struktur der geplanten Internationalen Zeitschrift für Theologie »Concilium« zu besprechen und auch weitere Mitdirektoren und Mitarbeiter unter den Konzilstheologen anzuwerben. Unser holländischer Verleger Paul Brand hat in einem römischen Hotel ein kleines Sekretariat eingerichtet. Am 19. Oktober 1963 versammelt sich das Direktionskomitee, um die noch fehlenden Posten in verschiedenen Sektionen zu ergänzen. Am 28. November dann das Direktionskomitee mit allen Mitarbeitern und vielen Sympathisanten im Zentrum Unitas an der Piazza Navona. Schillebeeckx eröffnet die Sitzung auf französisch, Karl Rahner präsentiert »Concilium« auf Latein und der Löwener Kirchenhistoriker Roger Aubert auf französisch, und ich erkläre die innere Organisation der zehn Redaktionskomitees auf englisch.

In den folgenden Tagen treffen sich die Sektionsdirektoren mit Kollegen ihrer Disziplinen, so etwa in der Sektion »Dogma« Schillebeeckx mit B. Dupuy (Paris), P. Fransen (Löwen), J. Neuner (Poona-Indien) und J. Ratzinger (Münster). In der Sektion »Ökumenismus« treffe ich mich mit den Ökumenikern A. Fiolet (Niederlande), B. Lambert (Kanada), M. Le Guillou (Frankreich), J. Mejía (Argentinien), E. Vogt (Norwegen), W. de Vries und J. Witte (Rom). Und ähnlich in allen anderen acht Sektionen. So baut sich, vom Konzil zusammengeführt, ein internationales Netz der Theologie auf, das einen Großteil der in den verschiedenen Disziplinen Führenden umfaßt. Congar wird der Autor des ersten, Ratzinger Autor des zweiten Artikels der ersten Nummer sein. Sie wird wegen der äußerst komplexen Vorbereitungen in den verschiedenen Sprachen allerdings nicht wie zuerst geplant im Januar 1964, sondern erst im Januar 1965 erscheinen.

Einer der wenigen, der unserer Einladung zur Mitarbeit nicht gefolgt war, ist der französische Jesuit JEAN DANIÉLOU, früher einmal Exponent der »Nouvelle théologie«. Von Verurteilung verschont (wiewohl Autor des vielleicht anfechtbarsten Artikels, so Rahner), bemüht sich der wendige, nervöse kleine Pater jetzt um römische Orthodoxie und hetzt überall gegen unsere geplante Zeitschrift. Als ich bei einem privaten Abendessen seinen Ordensbruder und früheren Kampfgefährten HENRI DE LUBAC auf Daniélou anspreche, lautet seine kurze Antwort: »Oh, vous savez, il était toujours comme ça – so war er immer.« Daniélou entwickelt sich zum Hauptagitator gegen »Concilium« und posaunt überall herum: »Schon in einem Jahr wird diese Zeitschrift tot sein. Die Kurie wird sie nicht am Leben lassen.« Er erreicht immerhin, daß die französischen Jesuiten nicht mitmachen und de Lubac, ein nobler Mann, sich zurückziehen muß. Unsere Zeitschrift aber bleibt, auch ohne Daniélou, am Leben. Aufgrund seiner römischen Konformität verdientermaßen schon 1969 Kardinal (wird ein bedeutender Theologe zahnlos, ist er reif für das Kardinalat), gibt er 1974 unter mysteriösen Umständen sein Leben auf – in einem Stiegenhaus auf »Seelsorge-besuch« bei einer Prostituierten. Mir persönlich hat er nichts Böses getan. Requiescat in pace.

Natürlich hat Daniélou sofort richtig erkannt: In der römischen Kurie betrachtet man unser Unternehmen mit größtem Mißtrauen und, nachdem es schon nicht zu torpedieren ist, versucht man es wenigstens zu domestizieren. Zum Sprecher der Kurie macht sich ein Mitglied unserer Equipe, der Mailänder Dogmatiker Msgr. CARLO COLOMBO, Haustheologe Montinis und bald Bischof. Auch er liebt es, sich auf »die höhere Autorität« zu berufen, wobei alles Schriftliche vermieden wird und es nie richtig klar wird, ob er dabei den Papst persönlich oder das Staatssekretariat oder das Sanctum Officium hinter sich hat.

Im November 1963 lädt Colombo RAHNER, SCHILLEBEECKX und BRAND in das Café San Pietro beim Vatikan ein und eröffnet ihnen: »Aufgrund höherer Autorität muß ich Ihnen sagen, daß die Ernennung von Hans Küng zum Direktor der Ökumene-Sektion unmöglich ist.« Man möge stattdessen Msgr. Willebrands nehmen. Normalerweise genügt ein solcher Hinweis auf »höhere Autorität«, und jeder Widerstand bricht zusammen. Nicht in unserem Fall. Einmütig stellen sich die drei Freunde hinter mich und beharren darauf: Küng muß als der kompetente Mann auf dem Gebiet des Ökumenismus diese Sektion leiten. Auch Colombos Kompromißvorschlag, mich zum »Directeur adjoint« zu machen (ein Posten, der für Walter Kasper vorgesehen ist), wird von ihnen nicht akzeptiert.

Wieder einmal kommt es auf einzelne an, ob sie die Zivilcourage zum Widerstand aufbringen. In Dankbarkeit werde ich die amerikanische und die englische Ausgabe von »Strukturen der Kirche« Karl Rahner widmen, »der keine Mühe gescheut hat, um mir mit seinem kompetenten Rat zur Seite zu stehen«. »Ich bin sehr gerührt und dankbar«, antwortet Rahner, »daß Sie mir auch die englische Ausgabe gewidmet haben.« Aber die Episode im Café San Pietro war natürlich nur der Auftakt zu weiteren »macchinazioni« im Schatten des »cupelone di San Pietro«. Das ist uns allen klar.

Concilium widersteht Kurie

Am 24. Februar 1964 schreibt CARLO COLOMBO an Eduard Schille-beeckx, den Direktor der Sektion Dogma, zu deren Redaktionskomitee auch Colombo selber gehört, als Antwort auf das redaktionelle Schema der ersten Nummer von »Concilium« einen Brief mit neuen Forderungen. Jetzt präziser: Nach einem Gespräch mit »les plus hautes autorités« (Papst? Ottaviani?) müsse er aufgrund einer mündlichen Anordnung des Kardinalstaatssekretärs mitteilen, daß die Zeitschrift »Concilium« erscheinen dürfe unter folgenden drei Bedingungen: a) Die Redaktionskomitees der einzelnen Sektionen müssen erweitert werden durch Repräsentanten der römischen Theologie. b) Es muß ein Bischofskomitee eingesetzt werden, das die Aktivitäten der Redaktionen verfolgen kann, um »die perfekte doktrinäre Sicherheit wie die Opportunität der Veröffentlichung zu garantieren«. c) Der Titel der Zeitschrift »Concilium« muß in einer Weise erscheinen, daß sie nicht als Organ des Konzils, auch nicht einmal als dessen offiziöses Organ, erscheint.

Am 24. Oktober 1964 um 9.00 Uhr erste Jahresversammlung des Direktionskomitees von »Concilium« im Foyer Unitas bei der deutschen Nationalkirche »Anima« unter dem Vorsitz von Schillebeeckx. Erneut formuliert Monsignore Colombo seine Forderung nach einem »Bischofskomitee«. Dieses Mal sind es erfreulicherweise YVES CONGAR und Msgr. NEOPHYTOS EDELBY von Damaskus, die ihm höchst deutlich replizieren: Congar insistiert auf der Unterscheidung zwischen der »pastoralen Autorität« der Bischöfe und dem »wissenschaftlichen Magisterium« der Theologen, das seine Eigenständigkeit habe. Edelby, Repräsentant der östlichen Orthodoxie, unterstützt Congar, daß man auf keinen Fall eine »supervision romaine« akzeptieren werde. Dies wird in der Tat auch in Zukunft die Linie der Zeitschrift sein. Von all dem unbeeindruckt konzentrieren wir uns schließlich auf die vielen organisatorischen Fragen. Um 10.30 Uhr kommen die Verleger unserer verschiedenen Ausgaben hinzu, und um 11.30 Uhr findet eine Versammlung mit weiteren in Rom anwesenden, an »Concilium« interessierten Theologen statt.

P. Vanhengel, jetzt Sekretär von »Concilium«, hatte schon früh Kontakt mit dem niederländischen Geschäftsmann Antoine van den Boogaard aufgenommen. Die beiden schlagen Paul Brand unter Zustimmung von Schillebeeckx vor, man möge aus »Concilium«, bisher Paul Brands Verlagsunternehmen, eine *gemeinnützige Stiftung* machen. Brand, von dieser Idee keineswegs begeistert, läßt sich von mir überzeugen, daß bei einer mehrsprachigen Ausgabe der Zeitschrift mit verschiedenen Verlegern, jetzt ein wirklich internationales Unternehmen, eine Stiftung von Vorteil sein könne. Am 5. Juni 1965 wird die »Stichting Concilium« mit Sitz in Nijmegen gegründet; mit van den Boogaard entwerfe ich am 7. August in meinem Seehaus die Grundzüge für ihr »Règlement interne«. Am 23. Oktober findet in Rom, jetzt unter meinem Vorsitz, die zweite Versammlung des Direktionskomitees statt mit 48 Theologen aus aller Welt. Diesem Règlement entsprechend, werden Congar, Rahner, Schillebeeckx und ich als die vier Theologen in die Stiftung gewählt.

In Zukunft wird die Arbeit für Concilium jedes Jahr von mir nicht geringe Zeit beanspruchen: Einerseits die Leitung der Sektion Ökumenismus (wie für Rahner die der Pastoraltheologie und für Schillebeeckx die des Dogma). Andererseits die Sitzungen der Stiftung, in der über finanzielle und organisatorische Angelegenheiten gesprochen und zugleich die Jahresversammlungen und personalpolitische Entscheidungen vorbereitet werden. Es bedeutet für mich Jüngeren eine große Bereicherung, mit den bedeutendsten katholischen Theologen der Gegenwart im kleinen Kreis zusammenzuarbeiten – mit CONGAR, RAHNER und SCHILLEBEECKX. Meine Fakultätserfahrung, daß man mit starken Partnern besser durchkommt als mit schwachen, bestätigt sich dabei voll. Gemeinsam halten wir römischen Pressionen stand, und gemeinsam planen wir neue Aktionen, unter anderem die berühmte »Erklärung für die Freiheit der Theologie« (1968), die schließlich von 1.360 katholischen Theologen und Theologinnen aus aller Welt unterschrieben werden wird.

Diese Erklärung war von mir angeregt und vorbereitet worden. Nicht zuletzt deshalb hat man in Rom und unter katholischen Theologen oft über meinen persönlichen Einfluß bei »Concilium« – tadelnd oder lobend – gesprochen. Keine Frage, daß ich mich mit dieser Zeitschrift durch Jahrzehnte hindurch völlig identifiziert habe. Aber: »Concilium« war nie die Zeitschrift eines einzelnen oder einzelner Theologen, die da ihre Sonderideen vertraten. Vielmehr eine Zeitschrift, die auf Teamarbeit in gegenseitigem Vertrauen und auf internationaler Kooperation und Freundschaft beruht und bei aller Kritik auf das »Bonum commune« der Kirche ausgerichtet ist. Die Jahresversammlung jeweils in der Pfingstwoche – ein einzigartiger Umschlagplatz theologischer Ideen!

Doch will ich nicht leugnen, daß ich meine Position gerade in der Abwehr römischer Interventionen mit großer Entschiedenheit vertreten habe, aber, wie ich meine, immer im Interesse der gemeinsamen Sache. Mein Kronzeuge der Gründer und erste Verleger von »Concilium« PAUL BRAND: »Von Anfang hat es Hans Küng verstanden, Programme zu entwerfen, Konzepte auszuarbeiten und Vorschläge zu entwickeln, die dann in allgemeinen Diskussionen besprochen, weiterentwickelt und umgestaltet wurden. Er konnte und kann Diskussionen notfalls kontrovers führen und nachdrücklich bestimmen – bis tief in die Nächte hinein. Aber alle, die daran beteiligt waren, konnten auch bald entdecken, daß diese Kontroversen im Dienst der Zeitschrift standen und immer auf Konsens ausgerichtet waren.« So im Arbeitsbuch anläßlich meines 65. Geburtstags. »Treue und vorbehaltloses Engagement«: ein Kompliment, das ich Paul Brand zurückgeben kann und das denn auch die Basis bildet für unsere freundschaftlichen Beziehungen bis auf den heutigen Tag.

Päpstliche Mißachtung der Theologie

»In Moskau weiß man nichts, aber man versteht alles. In Rom weiß man alles, aber man versteht nichts«, höre ich von dem Schriftsteller LUIGI BARZINI, früher Moskau-Korrespondent des »Corriere della Sera«, der den kritischen Bestseller über die »Manners and Morals« der Italiener (»The Italians« 1964, wohlweislich zuerst englisch) geschrieben und der mich in seine schöne Villa an der Via Cassia eingeladen hat. »Man versteht nichts«, sage ich, »weil man nichts verstehen will. Die römische Kurie hält nach wie vor nichts von einer ernsthaften wissenschaftlichen Theologie. Wie man früher die Philosophie als Magd (ancilla) der Theologie behandelte, so jetzt die *Theologie als Magd des ›Lehramts‹*.« Daß es traditionellerweise neben der pastoralen Autorität der Bischöfe das wissenschaftliche Magisterium der Theologen gibt, wie von Congar gegen Colombo ins Feld geführt, versucht man einfach zu ignorieren. Mehr als einmal waren wir Konzilstheologen von Kardinaldekan Tisserant geschulmeistert worden, brav zu sein und in der Konzilsaula ja keine Papiere zu verteilen. Im Grunde hat man Angst vor der Theologie, ja, vor einem »Konzil der Theologen«.

Ein Musterbeispiel für diese autoritäre Einstellung erhalten wir Konzilstheologen, die wir für den allergrößten Teil der bischöflichen Interventionen die faktischen Autoren sind, in der uns von PAUL VI. gewährten *Audienz für die Periti* – gegen Ende der zweiten Session, am Samstag, dem 30. November 1963, im Palazzo Apostolico. Gewiß lobt uns der Papst und dankt uns, aber nur als den braven Gehilfen der Bischöfe. Und was er von uns erwartet ist kein Quentchen eigenständigen Denkens, ehrlicher Kritik oder konstruktiver Vorschläge, sondern einzig und allein gehorsame Knechtsdienste gegenüber der Hierarchie: Servilität. Gleich zu Beginn der päpstlichen Ansprache merke ich, woher der Wind weht und gestatte mir ein Gedankenexperiment: Wie tönte das alles, wenn dieselbe Ansprache nicht an Konzilstheologen, sondern an die bischöflichen *Chauffeure* gehalten würde? Wahrhaftig, jeder Satz hätte auch den Chauffeuren gesagt werden können!

Nein, für eine solche Ansprache hätte man uns nicht zu einer Papstaudienz einzuladen brauchen. So hätte auch Ottaviani reden können. »C'est une honte, es ist eine Schande«, sagt mir YVES CONGAR halblaut beim Verlassen des Audienzsaales. Drei Tage später, am 3. Dezember nachmittags, gewährt der Papst tatsächlich auch den bischöflichen Chauffeuren eine Audienz. Es scheint mir nicht der Mühe wert, das Gedankenexperiment umzukehren und herauszufinden, ob die Chauffeur-Ansprache auch für Konzilstheologen hätte gehalten werden können ... Sicher war es derselbe Inhalt und dasselbe Niveau.

Diese wenig erfreuliche Erfahrung hindert uns selbstverständlich nicht, unseren theologischen Pflichten nachzukommen. DANIEL O'HANLON, Jesuit aus Kalifornien, und ich arbeiten gerade in den letzten Tagen der zweiten Konzilssession intensiv daran, unseren Band bischöflicher *Konzilsreden* so rasch wie möglich gleichzeitig in englischer, deutscher, französischer, spanischer und holländischer Ausgabe zur Publikation vorzubereiten. Wir gewinnen YVES CONGAR als dritten Herausgeber. Am selben 3. Dezember können wir unsere Arbeit im wesentlichen abschließen. Die Übersetzungen werden folgen.

Bei der technischen Abwicklung in einem gemieteten Raum in der Nähe des Vatikans hilft uns ein äußerst freundlicher, junger amerikanischer Theologe mit Namen MICHAEL NOVAK, den ich mit seiner Frau, einer Malerin, schon vorher kennengelernt hatte. Während unserer Editorentätigkeit offenbart er mir den Wunsch, in Tübingen zu promovieren, was ich durchaus mit Sympathie vernehme. Doch vertrauliche Erkundigungen bei amerikanischen Kollegen ergeben, daß Michael vorher schon ein oder zwei Mal eine Promotion in Harvard vergebens versucht hatte; er sollte besser ein Doktorat bei einer zweitrangigen amerikanischen Universität anstreben, sagt man mir, als unter den (nicht zuletzt sprachlich) erschwerten Bedingungen in Tübingen. Dies alles versuche ich Novak – zu seinem eigenen Vorteil – freundlich nahezubringen. Er aber ist bitter enttäuscht. Nach dem Konzil wird er sich rächen: durch eine gehässige Titelgeschichte im New York Sunday Times Magazin; originell allein die Karikatur von mir auf der Titelseite. Und Novak? Der »linke« katholische Reformer promoviert an irgendeiner amerikanischen Universität, reitet dann eine Zeitlang unter Berufung auf seine polnische Herkunft auf der Welle der »ethnicity« und findet schließlich Land unter den Füßen beim wohldotierten »rechten« Enterprise Institute in Washington, wo er dann im Licht päpstlicher Enzykliken für einen »christlichen Kapitalismus« wirbt. Damit hat er in jeder Hinsicht ausgesorgt. Erst drei Jahrzehnte später, am Weltwirtschaftsforum 1997 in Davos, werde ich ihn wiedersehen – meinerseits ist nichts vergessen, aber alles verziehen.

Zurück zur Konzilsaula: Statt einer Abstimmung über die Kapitel IV (Judentum) und V (Religionsfreiheit) des Ökumenismus-Dekrets, für die angeblich die Zeit fehlt, findet am Vormittag des 3. Dezember 1963 in Anwesenheit des Papstes eine – nach Auffassung der meisten Bischöfe völlig überflüssige – Gedenkfeier für das gegenreformatorische *Konzil von Trient* statt. Eine unmißverständliche Antwort von Papst und Kurie auf die faktische Abkehr des Konzils von der Trienter Mentalität. Bei dieser Gelegenheit dürfen zwei Männer als erste *Laien* im Konzil reden: die bereits genannten Montini-Freunde Jean Guitton und Vittorino Veronese. Unverblümt werden diese Reden von der Kurie als »Ehrerbietungsbezeugungen« bezeichnet.

Die Konzilsväter des Vatikanum II lassen teilnahmslos, aber auch ohne Widerspruch über sich ergehen, was Papst und Kurie ihnen oktroyiert haben. Wieder hört man den Konzilswitz über Kardinal Ottaviani auf dem Weg nach Trient, findet ihn aber nicht mehr so lustig wie zu Anfang des Konzils. Ottaviani, ein gebranntes Kind, ist dieses Mal klug genug und hält die Gedenkrede auf Trient nicht selbst. Auch der dafür bestimmte Kardinal Urbani läßt natürlich jegliche geschichtliche Relativierung der Trienter Dekrete vermissen: kein Wort von der Aufforderung Johannes' XXIII., die »Substanz« der alten Lehre in eine moderne Zeit und Sprache hineinzuübersetzen. Die ganze Zeremonie ist eine Farce ohne Informationswert zugunsten des mittelalterlich-gegenreformatorischen Systems. Und eine Mahnung an Bischöfe und Theologen: Eine andere als traditionalistische Einstellung zu diesem Konzil der Gegenreformation kann ernste Folgen haben, wie ich selber schon am nächsten Tag erfahre.

Erstes Inquisitionsverfahren in Rom

Daß mit der von großem Applaus begleiteten Rede von Kardinal Frings das »Heilige Offizium« in keiner Weise lahmgelegt worden ist, zeigt sich mir bereits am folgenden Tag, dem 4. Dezember 1963, dem letzten Tag der zweiten Konzilssession. In ihr wird schließlich die Liturgiekonstitution aufgrund der zahllosen Kompromisse mit nur noch vier Gegenstimmen verabschiedet, dazu die harmlose, moralisierende Erklärung über die Medien, die nichts von einem Medienzeitalter erahnen läßt. Das recht magere Ergebnis einer ganzen vielwöchigen Konzilssession. Aber dies wird überspielt durch die Ankündigung des Papstes, eine *Pilgerreise in das Heilige Land* zu machen, um dort den ökumenischen Patriarchen Athenagoras von Konstantinopel zu treffen. Zur Versöhnung mit der östlichen Orthodoxie? Jedenfalls großer Beifall der Konzilsväter: Bricht eine neue Epoche zwischen West- und Ostkirche an? Der Friedenskuß zwischen Papst und Patriarchen, vor allem die gemeinsame Lesung des Evangeliums, abwechselnd auf Latein und Griechisch, werden eine hohe Symbolkraft haben.

Aber für denselben Tag um 17.00 Uhr habe ich über den Bischof von Rottenburg eine *Vorladung des »Heiligen Offiziums«* zu einer Verhandlung über mein Buch »Strukturen der Kirche« erhalten. Sie soll – gnädigerweise – in der Villa San Francesco, wo der Bischof sich noch immer aufhält, stattfinden. Erschienen sind neben Bischof Leiprecht der Bischof von Basel, Franziskus von Streng, und zwei Gregoriana-Professoren, der deutsche Kirchenrechtler Wilhelm Bertrams und der holländische Ökumeniker Johannes Witte. Alles unter dem Vorsitz – und auch das ist ein gutes Omen – von Kardinal AUGUSTIN BEA.

Im Lauf der Verhandlungen werde ich mit acht Fragen konfrontiert, die sich zuallermeist um Kirchenverfassung und kirchliche Ämter drehen: über den Konsens in der Kirche, das Gewissensurteil, Glauben und Glaubensformulierungen, das Konzil von Konstanz, die Laien und das Konzil, die Gültigkeit polemischer Konzilsdefinitionen .... Ich beantworte sie alle ohne Nervosität. Bea immer sehr gütig: »Sie meinen doch sicher ...« Oder: »Sie meinen doch sicher nicht ...«. So fiel es mir nicht schwer, die Fragen des Sanctum Officium zur Befriedigung der Herren zu beantworten. Ich denke an die öffentliche Disputation an der Gregoriana vor einem Jahrzehnt zurück; immerhin muß ich nicht in Syllogismen antworten, die geheime »Inquisitio« verläuft auf deutsch. Am Ende erklärt der Kardinal, ich möge doch die acht Fragen, wie ich sie hier mündlich auf deutsch beantwortet habe, in Tübingen auch noch schriftlich knapp auf Latein beantworten. Was ich gerne verspreche, nachdem dieses Verhör offensichtlich für mich positiv ausgefallen ist.

Am nächsten Morgen, am 5. Dezember, fahre ich unverdrossen schon um 5.30 Uhr von Rom Richtung Bologna-Milano-Gotthard und bin glücklich bereits 18.30 Uhr in Luzern, wo ich immer meinem alten Pfarrhaus einen Besuch abstatte und dann nach Sursee weiterfahre, wo ich mit Eltern und Geschwistern ein frohes Wiedersehen feiere. Endlich in Tübingen, nehme ich an der Fakultätssitzung und an der Sitzung des Großen Senats mit Rektorwahl teil und halte eine doppelstündige Vorlesung über die Ergebnisse der zweiten Konzilssession. Gott sei Dank – wieder zuhause!

Am 16. Dezember fahre ich mit den Brüdern Kurt und Walter Helbling, zwei Luzerner Theologiestudenten, nach Straßburg. Dort soll nämlich YVES CONGAR – eine Art Satisfaktion von seiten des jetzigen Dominikanergenerals – zum »Maître en théologie, Magister der Theologie« proklamiert werden, was ihm in jüngeren Jahren verweigert worden war. Welch ein Paradox: Der »Maître Général«, kein großer Theologe, ernennt den großen Theologen Yves Congar, von allen Theologen längst als Meister anerkannt, zum »Meister der Theologie«. Selbstverständlich folge ich der Einladung des Priors, der mir schreibt, Congar – im Orden bekannt als »marcassin (Frischling, junges Wildschwein) des Ardennes« – liebe keine offiziellen Zeremonien und großen Reden, wohl aber ein Zusammensein mit Freunden. Und ich würde zu jenen langjährigen Gefährten zählen, mit denen ihn gemeinsame Arbeiten, Hoffnungen und Prüfungen verbinden. Eine große Freude für mich, am gemeinsamen Mittagessen in der Dominikanerresidenz und am nachfolgenden Symposion teilzunehmen, wo wir alle eifrig über Geschichte und Perspektiven der »ökumenischen Bewegung« diskutieren.

Am Dienstag, den 17. Dezember findet noch eine Unterredung mit Nuntius CORRADO BAFILE statt. Am 10. Januar 1964 schicke ich die von mir geforderten Erklärungen nach Rom: »Explicationes quaedam auctoris librum suum ›Strukturen der Kirche‹ spectantes« (9 Seiten). Das Verfahren des Sanctum Officium gegen »Strukturen der Kirche« wird daraufhin eingestellt. Am 20. Januar 1964 schickt mir der Bischof CARL JOSEPH LEIPRECHT von Rottenburg »herzliche Glückwünsche« zu meiner Wahl als Dekan der Katholisch-Theologischen Fakultät; damit werde mein »Arbeitspensum noch vermehrt«. Er möchte mich deshalb »für die nächste Session des Konzils entlasten … Sie können daher über die kommenden Semester verfügen, ohne von mir für das Konzil beansprucht zu werden.« Nach der Entlassung die Entlastung? Mit diesem Brief entlastet der Bischof, der mich im Jahr zuvor als seinen persönlichen Peritus entlassen hatte, schlauerweise allein sich selbst: für meinen Aufenthalt in Rom brauchte er keinen Finanzbeitrag mehr zu leisten. Es ist zum Lachen: »Für das Konzil beansprucht« wurde ich von ihm in der vergangenen Konzilssession ohnehin nicht. Keine Minute.

Wie sehr man in Rottenburg noch immer »stilo Romano« denkt und handelt, ergibt sich aus dem hochfeierlichen »Decretum episcopi«, das der Bischof den Mitgliedern des Domkapitels, den Professoren der Katholisch-Theologischen Fakultät, hauptamtlichen geistlichen Religionslehrern und anderen Verantwortlichen zustellt – wozu? Zur Befreiung vom kirchlichen Verbot, auf dem Index stehende Bücher zu lesen. Alle die Genannten seien nun »per decretum« der Obrigkeit vom Bücherverbot befreit. Wie wenn sie sich daran gehalten hätten. Ob eine kleine Mitteilung im Amtsblatt nicht genügt hätte? Des weiteren sollte ich nun freilich zu meinem Leidwesen feststellen, daß die Inquisition weiterhin nicht nur in Rom am Werk ist, sondern leider auch ganz in der Nähe, eben in Rottenburg.

Inquisition auch in der Bischofsstadt

Meine Wahl zum *Dekan* der Katholisch-Theologischen Fakultät, zu der der Bischof gratuliert, habe ich in meiner Agenda gar nicht verzeichnet. Ich nahm dieses Ereignis geschäftsmäßig, habe mich zuerst wegen meiner Konzilsteilnahme nachdrücklich gewehrt und hätte ohnehin lieber zwei bis drei Jahre gewartet und Erfahrungen gesammelt. Doch ein Ausweichen war nicht möglich. Im Januar 1964 gewählt, trete ich im Sommersemester die Nachfolge des Dekans Herbert Haag an, der sein Amt zur besten Zufriedenheit der Fakultät auch noch ein zweites Jahr wahrgenommen hatte. Rasch stelle ich fest: Das Funktionieren der Universität lernt man erst als Dekan von innen heraus richtig kennen. Und ich finde es sehr interessant, in den Sitzungen des Kleinen Senats mit Rektor, den Dekanen der anderen Fakultäten und einigen Wahlsenatoren näher in Kontakt zu kommen, um über die Probleme der Universität und der anderen Disziplinen zu diskutieren. Wir leben 1964 in einer Zeit, wo man an der Universität aufgrund der guten Finanzlage der öffentlichen Hand im personellen und baulichen Bereich einiges bewegen kann.

Neben all dem akademischen Betrieb finden zweimal im Jahr *Feste* statt: das Rektorfest im Winter im Hauptgebäude »Neue Aula«, das

Sommerfest oben auf dem Schloß Hohentübingen. Die Theologen beider Fakultäten glänzen zumeist durch Abwesenheit. Ich nehme wann immer möglich daran teil. Ich bin kein »Festbruder«, aber in froher Stimmung kann man alte Bekanntschaften auffrischen und neue schliessen. Normalerweise erhalte ich immer eine nette Tischdame zugewiesen. Doch als meine jüngste Schwester Irene ein Semester Romanistik in Tübingen studiert und in meinem Haus wohnt, ziehe ich mit ihr, sie wunderhübsch in einem blütenweißen Kleid, in den Rittersaal des Schlosses ein, um den Rektor zu begrüßen. Alle Blicke auf uns gerichtet. Staunen rundum: »Hat er nun doch geheiratet?« Dann Raunen: »Es ist ›nur‹ seine Schwester ...«

Mein Kommentar: »Würde ich morgens um 8.00 Uhr beim Sanctum Officium um Zölibatsdispens einkommen, hätte ich sie garantiert schon um 12.00 in den Händen, weil man dort fürchtet, ich könnte bis 18.00 Uhr meine Meinung geändert haben.« Nach dortiger Auffassung würde sich nämlich mit einer Heirat auch meine Theologie erledigen. Aber diese Freude kann und will ich dem Vatikan nicht machen. Mit Rektor Theodor Eschenburg schöpfe ich um Mitternacht Luft unter dem Portal: »Magnifizenz, mir imponiert, wie Sie Ihr Amt ohne das übliche Seufzen und Ächzen tragen; es scheint Ihnen richtig Spaß zu machen?« Seine Antwort kurz hanseatisch: »Ist doch toll, was?« Das kann ich für mich auf meine Weise auch sagen.

Doch meine Bewährungsprobe als Dekan kommt bald. Der Verdoppelung des Dogmatiklehrstuhls soll die der Kirchengeschichte folgen. Das Berufungsverfahren läuft schon seit Dezember 1962. Nummer 1 auf der Liste für alte Kirchengeschichte und Patrologie ist nach einstimmigem Beschluß von Fakultät und Großem Senat Professor ALFRED STUIBER, Extraordinarius an der Universität Bonn, der bei uns im Wintersemester 1960/61 ohne Beanstandung und Aufsehen eine Lehrstuhlvertretung innehatte. Ein sehr solider, aber recht trockener Gelehrter, gewiß kritisch, aber jedenfalls verschieden von unserem Kirchengeschichtler Fink, dessen geistreicher Spott und Witz im bischöflichen Ordinariat Rottenburg berüchtigt ist. Einen zweiten Fink wollte man zweifellos nicht haben, aber gegen Stuiber erwarten wir keine Einwände.

Doch die Überraschung: Statt des »Nihil obstat« erfolgt vom Rottenburger Bischof Dr. CARL-JOSEPH LEIPRECHT ein »Veto« gegen die Berufung – konkordatsgemäß gegen Stuibers Lehre (nicht Lebenswandel). Aber, gut römisch, ohne die geringste Begründung. Und dies in einem demokratischen Rechtsstaat, wiewohl Stuiber in Bonn unangefochten die »venia legendi« (Lehrerlaubnis) besitzt. So etwas kann unsere Fakultät nicht akzeptieren – um ihrer eigenen Glaubwürdigkeit und des guten Rufes und Fortkommens eines verdienten Wissenschaftlers willen. Widerstand ist geboten, das ist von Anfang an klar: ich werde mich als Dekan entschieden für Stuiber und die akademische Forschungs- und Lehrfreiheit einsetzen.

Nachdem sich der Bischof konstant weigert, dem Kultusminister oder der Fakultät Gründe für seine Anfechtung von Stuibers Lehre zu geben (wie kann gerade ein Kirchenhistoriker »häretisch« werden?) und er Stuiber rechtliches Gehör verweigert, wendet sich die Fakultät an den Großen Senat. Dort halte ich ein eindringliches Plädoyer für Stuibers Berufung und fordere den Senat im Namen der Fakultät zu deutlichem Protest gegen das Vorgehen Rottenburgs auf. So etwas ist bisher noch nie vorgekommen: ein *einstimmiges Votum des Großen Senats gegen den Ortsbischof* wegen Verletzung des Konkordatsrechtes. Für Bischof Leiprecht in der Öffentlichkeit höchst unangenehm, für die Fakultät ein Plus – offensichtlich sind diese katholischen Theologen neuerdings auch zum *Widerstand gegen »die Inquisition«* fähig, wenn es um die verfassungsmäßig garantierte Frage der Freiheit von Lehre und Forschung geht.

Politiker kneifen

Beginn eines längeren Tauziehens mit vielen Schreiben und Telefonaten, bei dem die Kräfte ungefähr gleich stark sind. Eine Pattsituation für den Kultusminister Dr. GERHARD STORZ und seinen Nachfolger, den evangelischen (!) Theologen Professor Dr. WILHELM HAHN, der »heilfroh« sei, daß er den Streit mit dem Bischof vermeiden und die Entscheidung dem Ministerpräsidenten von Baden-Württemberg überlassen kann. Politiker lieben es nicht, sich mit den Kirchen anzulegen. »Nach meinen Informationen aus der Nuntiatur in Godesberg will man dort ›Frieden mit dem Staat um jeden Preis‹«, schreibt mir Professor Stuiber am 9. November 1964. »Der Minister könnte also die Berufung aussprechen ohne fürchten zu müssen, daß es wirklich zu einem Konkordatsstreit kommt, der nun ja in Rottenburg beginnen müßte und den der Nuntius abbiegen würde ... Vielen Dank für Ihre Mühen, wenn die Tübinger Fakultät mit meinem Fall doch auch für alle kämpft, muß ich ihr sehr dankbar sein. Viele Grüße auch an den Kollegen Haag. Mit guten Wünschen für Mittwoch abend ...«

Auf Mittwoch abend, den 11. November 1964, lädt Ministerpräsident KURT GEORG KIESINGER, der meine Ernennungsurkunde zum

Ordentlichen Professor 1960 unterschrieben hatte, mich als Dekan und Prodekan Herbert Haag zu einem persönlichen Gespräch in seine Tübinger Wohnung ein. So lerne ich denn jenes Haus von innen kennen, das mir wenige Jahre später, da Kiesinger als Bundeskanzler nach Bonn, beziehungsweise vor die Stadt zum Schloß Bebenhausen zieht, zum Kauf angeboten wird. Allerdings werde ich dann ein Haus an derselben Straße weiter bergauf vorziehen, weil es heller ist und mir eine wunderbare Aussicht auf die Schwäbische Alb gestattet.

Ministerpräsident Kiesinger, schon damals wegen seiner schöngeistigen Reden »König Silberzunge« genannt, möchte es weder mit der Kirche noch mit der Universität verderben. Das Dilemma: Der Staat soll ohne die Zustimmung der Kirche keine Berufung vornehmen – aber die Fakultät ihrerseits weigert sich, eine neue Liste vorzulegen. Denn mangelnde kirchliche Gesinnung, da Stuiber sich angeblich im Kolleg abfällig über kirchliche Instanzen geäußert habe, wie vom Bischof nachträglich behauptet – das war ja nun wahrhaftig kein Einwand gegen »Lehre und Lebensführung«. Kiesinger will die Sache »nach streng rechtsstaatlichen Kriterien« entscheiden. Sein Ausweg: zwei anerkannte Rechtsgelehrte um Gutachten bitten, und das dauert. Er fragt einen Monat später allein den Kölner Juristen Professor Hans Peters an, und der schickt am 16. 1. 1965 ein für Stuiber negatives Rechtsgutachten, das von der Fakultät, weil gegen Stuiber nach wie vor keine Gründe angegeben werden, sofort angefochten wird. Der für Bonn zuständige Kölner Kardinal Frings erklärt Stuiber in einer Audienz, daß gegen dessen Lehre (und Lebenswandel) keinerlei Einwendungen bestünden und er sich beim Rottenburger Bischof für ihn verwenden wolle. Doch Kiesinger wartet weiter ab. So kann man eine Entscheidung hinausziehen – bis sie sich erübrigt.

Erst viele Monate später wird diese Pattsituation von außen beendet: Stuiber hat am 6. August einen Ruf von der neuen Universität Bochum erhalten und wird ihn annehmen. Keine Rede auch dort von kirchlichen Einwendungen gegen seine Lehre. Was hinter den Kulissen alles lief, weiß ich nicht. Gewiß ist man auch in Rottenburg »heilfroh«, daß es auf diese Weise zu einer Lösung gekommen ist, mit der beide Seiten ihr Gesicht wahren können. Wir jedenfalls haben die *akademische Freiheit auch gegen eine inquisitorische Kirchenleitung* hochgehalten, und meine Bibliothek ziert seitdem die »siebte, völlig neubearbeitete Auflage« der klassischen »Patrologie« von Altaner, mir vom Neuherausgeber Prof. Dr. Alfred Stuiber mit schlichter Visitenkarte zugeeignet: »Herzliche Grüße! 23-11-1966«.

Und Rottenburg? Der Bischof, auf seine Weise auch Politiker, möchte die ganze Angelegenheit mit der Fakultät bereinigen. Seinem Prestige hat diese auch in der Öffentlichkeit diskutierte Affäre geschadet, dem der Fakultät jedenfalls nicht. Wer »entlastet« nun den Bischof? Er, der mich als Peritus »entlassen« und »entlastet« hatte, lädt mich zum Kaffee ein. Ich bin nicht nachtragend, doch eine solche Einladung will ich als Dekan ohne formelle Zustimmung meiner Fakultät nicht annehmen. Tatsächlich melden sich in der Fakultätssitzung Stimmen, die für die Ablehnung dieser Einladung sind, und zwar besonders vom Kirchenhistoriker Fink, der sich ansonsten bei dieser Auseinandersetzung schlau im Hintergrund zu halten wußte. Doch ich bin gegen eine Aufrechterhaltung »belasteter Beziehungen« zwischen Bischof und Fakultät. Als derjenige, der den akademischen »Krieg« gegen den Bischof vor allem geführt hat, setze ich mich jetzt auch entschieden für den »Frieden« ein und kann in der Abstimmung fast Einstimmigkeit erreichen.

Der Kaffee findet im neuen kühl-modernen bischöflichen Palais von Rottenburg in angenehmer Atmosphäre statt. Ich erhalte vom Bischof zu Händen der Fakultät die Zusicherung, daß sich solches nicht wiederholen soll. Ein Erfolg. Was derselbe Bischof wohl getan hätte, frage ich mich im nachhinein, würde von ihm einmal ein römisch angeordnetes Einschreiten gegen den gefordert, dem er eben eine solche Zusicherung einst gab? Doch Bischof Leiprecht, der mir persönlich bei allen Differenzen letztlich wohlgesonnen blieb und ich ihm auch, wird dann leider längst nicht mehr im Amt und auch nicht mehr am Leben sein. Beim Ausscheiden aus dem Amt, höre ich aus Rottenburg, hat er das ganze Dossier Küng mitgenommen – und es später vernichtet. Warum, wozu?

Mit dem besten Willen kann ich die verschiedenen Gespräche mit ihm nicht rekonstruieren, die sich meist um irgendwelche römischen Querelen drehten. Es wurde auch mir das jeweilige Schreiben aus den römischen Dikasterien vorgelesen, ohne daß ich es in die Hände bekam. Im Grunde sind die Details uninteressant. Denn alles drehte sich ständig um dasselbe: »Lehre der Kirche«, »Lehramt«, »nicht genug römisch-katholisch gesinnt«. Und ich versuche dann immer möglichst deutlich zu machen, daß ich trotzdem und gerade so wahrhaft katholisch bin und es auch bleiben werde. Aus dem Vatikan höre ich, Kardinal Ottaviani hätte an seinem Geburtstag, dem ersten Weihnachtstag, zu seinem Assessor Erzbischof Parente gesagt: »Heute spendiere ich eine Pizza für alle Gefangenen in den Kerkern – ausgenommen für Küng, Rahner und unseren ehrwürdigen Bruder!« Mit letzterem meinte er niemand anderen als Kardinal Bea.

Wie wird wohl, so frage ich mich immer wieder, der große Streit um den weiteren Weg der katholischen Kirche im 20. Jahrhundert ausgehen? Noch ist nichts definitiv entschieden, auch für mich persönlich nicht. In den Kerkern der Inquisition möchte ich freilich nicht landen und auch nicht auf römische Pizze angewiesen sein. Umso wichtiger ist es, daß ich mich auf meine Arbeit konzentriere und in der Theologie meinen Mann stelle.

Arbeit – und die Muße?

In jeder freien Minute – schon im Konzil und erst recht zwischen den Sessionen – sitze ich an meinem Buch »Die Kirche«. An der Gesamtkonzeption von 1963 ändern sich nur zwei wesentliche Dinge: Aus sachlich-historischen Gründen scheint es mir notwendig zu sein, nach dem ersten Kapitel über Kirche und Glaube ein weiteres einzuschieben über die Frage »Jesus und die Gründung einer Kirche«: Wie soll ich über die Kirche *Jesu* Christi reden können, ohne genau zu wissen, was dieser Jesus von Nazaret selber wollte oder nicht wollte? Gerade dieses Kapitel ist aufgrund der notwendigen neutestamentlichen Studien mit einem unerwartet hohen Arbeitsaufwand verbunden. Aus zeitlichen Gründen werde ich dann aber das letzte Kapitel über Kirche und Welt zu einem Epilog kürzen: Im Haupttext ist dazu schon vieles gesagt, die noch erträgliche Seitenzahl ist bereits erreicht, ich bin total erschöpft, und die politische Problematik befindet sich, ein, zwei Jahre vor 1968, ohnehin im Fluß.

Nicht selten werde ich später gefragt: *Wie* war es, wie ist es möglich, solche umfangreichen und komplexen Bücher *in relativ kurzer Zeit* zu schreiben? Als Antwort auf diese Frage für das Buch »Die Kirche«, aber auch für manche folgende, scheinen mir drei Momente wichtig:

Das Erste: Ich muß das Buch schon weithin im Kopf haben, bevor ich es zu schreiben beginne – eine klare Vision und Disposition und dazu viel bereits erarbeitetes Material.

Das Zweite: Tag und Nacht in Semester und Semesterferien konzentriert arbeiten und mit wenig Schlaf auskommen. Jahrzehntelang begnüge ich mich mit gut fünf Stunden, plus eine Viertelstunde Siesta nach dem Mittagessen.

Das Dritte: Möglichst wenig Mühe mit dem technischen Ablauf. Ich schreibe zuerst alles Zeile um Zeile von Hand, und dies in zwei bis drei Fassungen. Die Literatur habe ich in meiner systematisch strukturierten und mit den Jahren immer mehr ausgebauten Bibliothek im Haus oder kann sie aus der Universitätsbibliothek oder anderen Bibliotheken kommen lassen. Das von Hand Geschriebene diktiere ich in ein Gerät, kontrolliere es ein erstes Mal beim Hören und lasse es erst jetzt von meiner Sekretärin tippen. Das Getippte wird zuerst von mir selbst korrigiert und geht dann zu Korrektur und Kritik an meine Assistenten – im Fall von »Die Kirche« an Dr. Gotthold Hasenhüttl und Dr. Alexandre Ganoczy. Bei späteren Büchern werden die Entwürfe auch Fachkollegen und Freunden zur kritischen Prüfung gegeben. Und dann korrigiere, ergänze, verändere ich selber alles immer wieder – bis unmittelbar vor der Drucklegung. Normale Manuskriptseiten werden vielleicht sechsmal, schwierige unter Umständen zwölfmal neu getippt. Später mit dem Computer wird alles sehr viel einfacher werden.

Angesichts dieser eher ungewöhnlichen Arbeitsfülle und des Arbeitstempos werde ich manchmal gefragt: »Und was haben Sie *sonst vom Leben?*« Da kann ich zunächst ganz einfach antworten: Keine Sorge, ich habe in jeder Hinsicht viel vom Leben. Ich langweile mich nie. Die Theologie ist mein Leben, und ich sah es stets als interessante Lebensaufgabe, über Gott und die Welt nachdenken zu dürfen. Und so wird mir denn die *Arbeit* zum *Hobby*; Arbeitszeit wird Freizeit, und Freizeit Arbeitszeit.

Dabei bin ich nicht etwa ein »Workaholic«, der sich nicht erholen kann. Neben ein paar täglichen Freiübungen gehört Schwimmen, wann immer ich Gelegenheit habe, zum Tagesablauf und Skifahren zu meinen Winterferien. Ich gestehe auch, daß die Jahr um Jahr zunehmende Korrespondenz mir eine Last bedeutet, die rein administrative Arbeit eine Pflicht und die körperliche Arbeit eine – möglichst zu vermeidende – Bürde. Aber meine eigentliche, geistige, kreative Arbeit bedeutet mir Lust, und ich kann von morgens bis nach Mitternacht daran bleiben. Allerdings benütze ich mein Dienstzimmer an der Universität hauptsächlich für Besprechungen und Kolloquien und stelle es immer gerne Mitarbeitern oder Besuchern zur Verfügung. Ich arbeite daheim und habe deshalb auch mein Sekretariat seit eh und je in meinem Haus. An einer Maschine aber kann ich nicht kreativ sein. Ich brauche den Blick hinaus in die Natur, in den Garten, die Landschaft und arbeite, wann immer es geht, gern draußen. Ein Notizblock genügt mir für die ersten Entwürfe. Im Seehaus freilich beschränke ich mich möglichst aufs Lesen vorzüglich jener großen Werke, die Zeit beanspruchen.

Doch was wäre alle Arbeit ohne *Musik*, die das Geistige zum Sinnlichen macht und das Sinnliche zum Geistigen. Es fehlt mir etwas, wenn ich auf sie – etwa im Konzil (die RAI hat schreckliche Musik-programme) oder auf Reisen – verzichten muß. Ich mag keine undefinierbare Dauerberieselung, sondern je nach Tageszeit das Angemessene. Das klassische Morgenprogramm – unterbrochen von Nachrichten und Presseschau – macht mich gleich munter. Wenn ich ernsthafte Literatur lesen muß, kann ich freilich nicht gleichzeitig Musik rezipieren. Doch atme ich richtig auf, wenn ich müde nach Hause komme oder auch sonst die Zeit zum Musikhören gekommen ist. Musik erwärmt mein Herz und hält meinen Kopf wach. Wie in meine leistungsfähige Bibliothek, so habe ich auch viel Zeit und Geld in meine historisch aufgebaute Plattensammlung – von der Gregorianik bis zur klassischen Moderne – investiert. Und ob Renaissance, Barock, Klassik oder Romantik: Je nach Stimmung höre ich manchmal mehr Ruhig-Inniges, Fröhlich-Lebhaftes oder Dramatisch-Pathetisches. Dabei wird Beethoven mit der Zeit als der Meister aller Meister abgelöst von Mozart.

Entspannen kann ich mich vor allem im *Gespräch*. Ich lebe ja nicht einsam; das Eremitendasein hat mich nie gereizt. Ob in der Familie, im Germanikum oder jetzt an der Universität, ich war nie allein. Anders als andere Professoren, die sich von den Assistenten lieber abschotten, weihe ich meine Mitarbeiter und Mitarbeiterinnen in möglichst viel ein. Mich interessieren ihre Fragen, Meinungen, Ratschläge, und ich diskutiere gerne mit ihnen, oft bis spät in die Nacht hinein. Und dies nicht nur über Theologie, sondern auch über die Lage von Kirche und Welt und alles mögliche. Bei uns wird intensiv gearbeitet, aber auch viel gelacht. Ich halte es mit Immanuel Kant: »Der Himmel hat den Menschen als Gegengewicht zu den vielen Mühseligkeiten des Lebens drei Dinge gegeben: die Hoffnung, den Schlaf und das Lachen.«

Gerne führe ich Gespräche mit Kollegen und Freunden aller Fakultäten, werde viel eingeladen und lade viel ein. Ich kann bescheiden leben, essen und trinken, kann aber auch genießen. Nach dem Vorbild meines Vaters sorge ich für einen guten Wein im Keller und führe ein gastliches Haus, wie ich es von Jugend an gewohnt war. Ungezählte Besucher aus aller Welt werden im Lauf der Jahre bei mir zu Gast sein. Auch wenn ich Gäste aus anderen Religionen oder von keiner Religion habe, unterlasse ich es nie, ein *Tischgebet* zu sprechen. Die Vertikale ins Unendliche gehört bei mir selbstverständlich zum Horizont auf Erden. Zu sehr bin ich überzeugt, daß alles, auch meine Ideen und Leistungen, geschenkt sind, als daß ich nicht an jedem neuen Tag schon vor dem Frühstück zum Ausdruck bringen möchte: einen Dank für die geruhsame Nacht und eine Bitte für das, was ich vorhabe, oftmals auch anderer gedenkend, die mir gerade Sorgen bereiten. Ein Gebet auch mittags, und so auch abends: Dank für den Tag und Bitte für die Nacht. Das Gebet ist, sagt Mahatma Gandhi, der Schlüssel für den Morgen und der Türriegel für den Abend. Feste Formeln brauche ich dafür selten: nicht plappern wie die Heiden, die meinen, sie werden nur erhört, wenn sie viele Worte machen (vgl. Mt 6,7). Es braucht im Alltag ja oft nur einen vertrauensvoll »nach oben« gesandten Gedanken, um sich der Transzendenz zu versichern.

So treibe ich denn mit Freuden jeden Tag Theologie. Zu den mich umgebenden Frauen und Männern habe ich, von wenigen Konflikten abgesehen, ein sehr gutes Verhältnis. Ich führe ein zufriedenes und – trotz aller Sorgen und Kämpfe – glückliches Leben.

IX. Rückfall in die alte Unfreiheit?

> »Über dem Papst als Ausdruck für den
> bindenden Anspruch der kirchlichen Autorität
> steht noch das eigene Gewissen,
> dem zuallererst zu gehorchen ist,
> notfalls auch gegen die Forderung
> der kirchlichen Autorität.«

Joseph Ratzinger, 1968

Nervosität vor der dritten Konzilsperiode

Nachdem sich Paul VI. in der zweiten Hälfte der zweiten Konzilsperiode im Gegensatz zu seinem Vorgänger mehr als Bremser denn als
Inspirator des Konzils erwiesen hat, ist die hoffnungsvolle Aufbruchs-
stimmung einer nervösen Ungewißheit gewichen. Immer mehr spricht
sich herum, daß sich die Atmosphäre im Vatikan verändert hat. Am
24. Juli 1964 schreibt mir der frühere Betreuer Msgr. Montinis im Kloster Engelberg, P. Dr. ANSELM FELLMANN aus Sursee, er habe den Papst
in Rom besucht und dieser sei auch auf mich zu sprechen gekommen:
»Darf ich Ihnen sagen – er bat mich darum –, daß er mit Ihnen resp.
Ihren letzten schriftlichen Arbeiten nicht ganz zufrieden ist, ja darüber
betrübt ist. Er möchte Sie bitten, sich etwas zu mäßigen. Er liest auch
Ihre Bücher. Das erste durfte ich ihm in Ihrem Auftrag vermitteln. –
Ich hätte Ihnen das lieber *gesagt* als *geschrieben*; ich hatte aber dann keine
Gelegenheit. – Ich bitte um Diskretion. Mit freundlichen Grüßen.«

An der Basis aber sind viele über den Papst betrübt, wie ich zur
Genüge weiß. Mein Freund aus Oxfords Zeiten etwa, PETER NELSON,
jetzt in einer kleinen Pfarrei Schottlands, schreibt mir am 4. April 1964:
»Persönlich bin ich in diesem Moment sehr deprimiert. Bisher habe ich
in diesem Pontifikat noch keinen Schimmer von Hoffnung entdecken
können: Es hat den Anschein, als ob alles wieder sei wie unter Pius XII.
Liege ich falsch? Ich hoffe es, aber ich fürchte das Schlimmste.«

Selbst im Sekretariat für die Einheit der Christen macht sich eine bestimmte Engstirnigkeit bemerkbar. »Ich bin wieder einmal in Rom, um
an der Sitzung des Sekretariates teilzunehmen«, schreibt mir GREGORY
BAUM aus Rom am 23. Februar 1964, »und möchte Dir bei der Gelegenheit meine besten Grüße schicken. Es ist schade, daß Du nicht zu uns

gehörst. Ich habe dem Sekretariat von Kanada aus geschrieben, man möchte Dich doch einladen, aber scheinbar hat man gemeint, wir seien schon genug.« Daß dies wohl nicht der Grund ist, hat mir Professor Josef Feiner verraten, das mir durchaus wohlgesonnene schweizerische Mitglied des Sekretariats: »Sie sind ja fähig, jede Kommission zu sprengen.« Wohl wahr – wenn diese Kommission der Verschleierung der Wahrheit und der kirchlichen Selbstgerechtigkeit Vorschub leistet.

Natürlich will das im Sekretariat für die Einheit der Christen – ich kenne die meisten persönlich – im Grunde niemand. Aber das Resultat der Diskussion ist eben doch auch hier ein Kompromiß, wie Gregory Baum gleich anschließend schreibt: »Das Schema (über den Ökumenismus) hat sich etwas verbessert, doch ist die Theologie dieselbe geblieben: in der Mitte die Kirche Roms mit der Fülle aller Weisheit und Gnadenmittel, umringt von anderen Kirchen und Gemeinschaften, die in verschiedenem Maße von der Weisheit und den Gnadenmitteln der katholischen Kirche etwas mitgekriegt haben.« Das wäre in der Tat eine Konzeption gewesen, die ich »gesprengt« hätte. Und dies nicht aus Übermut, sondern eben aus dem Grund, auf den mein Freund Gregory verweist: »Es ist uns nicht gelungen, obwohl Ansätze da sind – zu sagen, daß Ziel und Maß der anderen Kirchen *nicht* die Katholische Kirche ist, sondern daß Ziel und Maß *aller* Kirchen Christus und seine Heilstat sind. Vielleicht kommt das im Dritten Vatikanum. Ein paar offene Türen gibt es in unserem verbesserten Schema schon.«

Im übrigen beklagt sich auch Baum über den Brief des Kardinalstaatssekretärs AMLETO CICOGNANI an die Konzilsperiti, den ich bezeichnenderweise nicht bekommen habe: »Es wird uns dort verboten unseren Mund aufzutun. Die Reaktion in Rom geht dahin, daß man das Schreiben gar nicht beachten soll. Merkwürdigerweise ist der Brief gar nicht in die Presse gekommen.« Immerhin aber haben ihn auch meine amerikanischen Freunde bekommen. MARK HURLEY, Kanzler der Diözese von Stockton (Kalifornien und späterer Bischof von Santa Rosa) schreibt mir: »Wie wir hier drüben sagen, they sent out a muzzle, sie haben uns einen Maulkorb geschickt.« Während der nächsten Konzilsperiode wird sich – mit Generalsekretär Felici – besonders »le barbu« (»der Bärtige«, so sein kurialer Spitzname), nämlich der französische Dekan des Kardinalskollegiums EUGENE TISSERANT, hervortun, um öffentliche Mahnungen an die theologischen Sachverständigen zu richten, in der Aula keine »nichtautorisierten« Papiere zu verteilen und sich überhaupt zurückzuhalten. Erstaunlich, nein, nicht erstaunlich, wie sich die verschiedenen Organe der Kurie immer wieder in die Hände arbeiten.

Generalsekretär Felici wird sogar gegen Bischöfe handgreiflich: Dem Mainzer Weihbischof JOSEF MARIA REUSS entreißt er in St. Peter brutal sein Bündel Papiere über Geburtenregelung und Pille ... Die Verhütungsaktion eines zölibatären Kurialen. Aber für ihn steht da viel auf dem Spiel.

Kampf um die öffentliche Meinung

Es ist klar, daß in dieser ambivalenten Situation unsere Veröffentlichung von bischöflichen *Konzilsreden* ein Politikum nicht geringen Ranges darstellt. Mitherausgeber sind – wie berichtet – DANIEL O'HANLON und YVES CONGAR. Keine Frage, daß die Kurie Angst vor der Wahrheit hat; das Kirchenvolk soll nicht hören, was im Konzil gesagt wurde. Deshalb drängt man auf Geheimhaltung. Das »Konzilsgeheimnis« – eine »heilige Kuh« im Besitz der Kurie. Zwar war es in der zweiten Konzilsperiode gelockert worden: Ein eigenes Pressekomitee ist für die umfassendere Information der Medien zuständig. Doch besitzen die offiziellen Pressesprecher noch immer das Informationsmonopol. Die Bischöfe sind weiterhin an die Geheimhaltungsvorschrift gebunden, und die Drucksachen bleiben alle – wenn auch oft vergeblich – »sub secreto«.

Merkwürdigerweise erhalte ich selber, der ich wohl im Vatikan als der »Hauptschuldige« für die Veröffentlichung der Konzilsreden angesehen werde, keine Rüge: Ob man negative Publizität fürchtet oder angesichts der rasch erfolgten Veröffentlichung der deutschen Ausgabe eine Intervention für nicht mehr nützlich ansieht? An den amerikanischen Jesuiten DANIEL O'HANLON aber ergeht – wie in solchen Fällen immer auf dem geheimen Dienstweg über den Jesuitengeneral und den Provinzial (der kalifornischen Provinz) – eine Mahnung des Generalsekretärs des Konzils Felici, die Publikation dieser Reden würde das »Konzilsgeheimnis« verletzen. Glücklicherweise aber war auch die amerikanische Ausgabe fast gleichzeitig mit der deutschen erschienen, so daß auch hier die römische Intervention zu spät kommt. O'Hanlon schickt eine Erklärung an seinen Provinzial und damit ist die Sache zunächst erledigt.

Die französische Ausgabe aber ist noch nicht erschienen. Und YVES CONGAR berichtet mir, daß er von Kardinalstaatssekretär Cicognani, beziehungsweise Kardinal Ottaviani, ein Schreiben bekommen habe, welches die Veröffentlichung der Bischofsreden tadelt. Er überlege sich,

ob er die vorbereitete französische Ausgabe überhaupt noch verantworten könne. Ich antworte ihm nach meiner Rückkehr aus Sursee, wo ich
zu meiner großen Freude mein kleines Haus am See einrichten durfte,
am 22. April 1964: Rechtlich gesehen seien nur die Entwürfe der Konzilsdokumente und die Kommissionssitzungen »sub secreto«; wir hätten
die ausdrückliche Erlaubnis jedes einzelnen Bischofs, und manche Auszüge aus Konzilsreden seien ohnehin bereits in der Presse erschienen.
Nicht was die Kurienleute für erlaubt oder unerlaubt *erklären*, gelte für
uns, sondern was erlaubt oder unerlaubt *ist*. Das gelte auch für den Brief
von Kardinal Cicognani. Es bestehe keine Pflicht, irgendeine kuriale
Instanz vorher um Erlaubnis zu fragen. Die Kurie liebt natürlich die
Uniformität der kirchlichen öffentlichen Meinung. Hätten wir Theologen uns vor und während der bisherigen Konzilssessionen an die Wünsche der Kurie gehalten und hätten wir nicht klare »courants d'opinion«
geschaffen, wäre auf dem Konzil noch weniger herausgekommen.

Nun schreibt mir auch Congar, das Klima in Rom habe sich geändert. Doch dies scheint mir ein Grund mehr zu sein *für* die Publikation:
»Das Hauptproblem liegt doch offenkundig darin, daß wir einen Papst
haben, der – aus welchen Gründen auch immer– seinen großen und
mutigen Worten bis jetzt noch keine ebenso großen und mutigen Taten
folgen ließ. Das ceterum censeo ist: Romanam curiam esse reformandam. Wenn das dem Konzil nicht gelingt, können wir bald wieder von
vorne beginnen. Und dazu soll ja die Publikation der Konzilsreden
besonders helfen. Vom römischen Klima, meine ich, dürfen wir uns
darin gerade zuletzt beeinflussen lassen. Vielmehr braucht es eine aktive
Mobilisierung der öffentlichen Meinung in der Kirche, um dem Papst
für Taten Rückhalt zu geben.«

So drücke ich denn meine Hoffnung aus, daß auch die französische
Ausgabe erscheinen möge, bevor es zu spät ist. Congars Name sei ja
nun als Mitherausgeber der deutschen und der amerikanischen Ausgabe
bekannt, und es würde nur zu Mißverständnissen führen, wenn er als
Herausgeber der französischen Ausgabe nicht erschiene oder diese
überhaupt nicht publiziert würde. Gewiß möchte ich ihm die Freiheit
lassen, über das Los der französischen Ausgabe zu entscheiden; meinetwegen soll er nicht in Gewissenskonflikte kommen. Aber meine Auffassung ist klar: »Wir haben unseren gemeinsamen Entschluß gerade als
periti conciliares gefaßt. Ich meine darin in keiner grundsätzlich anderen
Lage zu sein als Sie, wenn ich auch – nach reiflicher Überlegung und
nach meinem freien Entschluß – als peritus conciliaris kein Interesse
gezeigt habe, bei *dieser* Theologischen Kommission unter *dieser* Leitung

mitzuarbeiten. Daß wir bei unserem Unternehmen als ›partisans‹ einer bestimmten Theologie erscheinen, war von vorneherein unvermeidbar und doch wohl auch nichts Neues. Parente etc. (vom S. Officium) haben sich viele Male öffentlich als partisans einer anderen bestimmten Theologie erklärt. Daß man von solchen Leuten für eine persona non grata gehalten wird, habe ich mit Gleichmut zu ertragen, wie Sie selbst dies so lange vorbildlich ertragen haben. Mir würde es mehr Bedenken machen, wenn ich bei diesen Leuten persona grata würde. Es geht um nicht mehr und nicht weniger als um den unprätentiösen Dienst am Evangelium, ohne alle Angst, opportune importune.« Ich schließe mit den Worten: »Unsere unterschiedlichen Auffassungen in dieser Sache schließen sicher nicht aus, dass wir weiterhin gute Freunde sind. Was ich Ihnen und Ihrer Theologie verdanke, werde ich mein Leben lang nicht vergessen. Avançons. In Herzlichkeit.« Das Ergebnis? Yves Congar stimmt zu, auch die französische Ausgabe erscheint.

Vom Catholic Information Center der Paulist Fathers in Boston schreibt mir ROBERT F. QUINN: »Ihr Buch ›Konzilsreden des Vatikanum II‹ läuft sehr gut in den USA. Es ist weithin akzeptiert und gepriesen als großer Schritt vorwärts zum Verständnis der Probleme des Konzils. Wir verteilen hier hunderte von ihnen in unserem Zentrum« (24. 4. 1964). Im Kampf um die öffentliche Meinung hat die fortschrittliche Mehrheit sich durchsetzen können: Nie mehr in diesem Jahrhundert wird die katholische Kirche einen so hohen Grad an öffentlicher Zustimmung weit über ihre Mitglieder hinaus erreichen.

Römische oder ökumenische Optik?

Die dritte Konzilsperiode beginnt schon früh, am 14. September 1964. Am Vortag, wieder in Sursee übernachtend, fahre ich schon um 4 Uhr morgens los und bin bereits um 15 Uhr in Rom. In dieser Session wohne ich in dem von Schwestern gut betreuten Istituto San Tommaso di Villanova (Viale Romania 7). In amerikanischen Kreisen »the rebels' roost, der Rebellen Schlafplatz« genannt. Eine höchst angenehme und interessante Gesellschaft von Gleichgesinnten und Freunden: mittags zusammen mit französischen Bischöfen (Léon-Arthur Elchinger von Straßburg, Paul Joseph Schmitt von Metz und Pierre Boillon von Verdun) und Theologen (dem Dominikaner Henri Féret und dem Löwener Kirchenrechtler Willy Onclin). Abends, oft bis Mitternacht zusammen mit amerikanischen Bischöfen (Ernest Primeau von Manchester,

Paul Schulte von Indianapolis) und Periti: John Courtney Murray SJ, Msgr. George Higgins von der National Catholic Welfare Conference in Washington, John Quinn von der Erzdiözese Chicago und mehrere andere. Immer geht es lebhaft und freundschaftlich zu, unkompliziert wie unter deutschen Professoren wenig üblich. Es ist mehr als eine Förmlichkeit, wenn mir mehrere nachher schreiben, sie hofften sehr, mich in der vierten Session in dieser Residenz wiederzusehen. Ich selbst fühle mich durch die so verschiedenartigen und doch in bezug auf die Grundlinie einmütigen Freunde ermutigt und auch immer bestens informiert. Bisweilen tauchen interessante Besucher auf, so aus dem Staatssekretariat Msgr. Marcinkus (bei der Primiz meines Freundes Robert Trisco war er Diakon und ich Subdiakon), der, für die vatikanischen Finanzen zuständig, später im Skandal des Banco Ambrosiano die höchst ominöse Hauptrolle spielen sollte.

Zu Beginn der dritten Konzilsperiode hatte eine Gruppe konservativer Kardinäle und Ordensoberen den Papst in einem Brief auf die Gefahren aufmerksam gemacht, die »der Kirche« (für sie identisch mit der Kurie) durch das Konzil (das sie im Grunde ablehnen) drohen. Kardinal Siri, der zu dieser Gruppe gehört, antwortet dem Papst in einer Audienz (nach seiner Tagebuchnotiz vom 9. Oktober 1964) auf die Frage, wann er das Konzil beenden solle: »Se possibile subito, perché l'aria del concilio fa male – wenn möglich sofort, die Luft des Konzils macht einem übel.« Schlimmer ist, daß der Papst, der Schiedsrichter sein möchte, sich, wie schon in der zweiten Hälfte der zweiten Konzilsperiode sichtbar, immer mehr hinter das kuriale Machtkartell stellt. Zwar würde er »die Dinge in einer sehr tiefen und dramatischen Weise empfinden«, schreibt YVES CONGAR zur selben Zeit in sein Tagebuch, aber Paul VI. habe »nicht die theologische Vision, die seine Öffnung erfordern würde«, sondern sei »sehr gebunden an eine römische Optik« (14. 9. 1964). Das ist der entscheidende Punkt, warum diese dritte Konzilsperiode mit einer »settimana nera«, einer »schwarzen Woche« enden wird.

Wichtigste Diskussionsthemen der dritten Konzilssession sind durch die zweite bereits vorgegeben: das Schema über die Kirche und das Kapitel über Maria, das Schema über die Bischöfe und das verbesserte Ökumenismus-Schema. Endlich beginnt jetzt auch die Debatte über die Religionsfreiheit (eingeführt von Bischof de Smedt) und dann über die Juden und die Nichtchristen (eingeführt von Kardinal Bea) – worüber eigens zu berichten sein wird. Über die Schemata »Die christliche Erziehung« und »Die Erneuerung des Ordenslebens«, für die Bischof Leiprecht mit zuständig ist, lohnt sich ein Bericht kaum.

Kuriositäten: Es werden jetzt auch einige *Frauen* als »Auditorinnen« (Hörerinnen) zum Konzil zugelassen; immerhin soll ja auch ein Schema über das »Laienapostolat« und ein anderes über »die Kirche in der Welt von heute« diskutiert werden, was ohne Frauen doch wohl komisch wirkte. Den Ehefrauen der nichtkatholischen Beobachter gewährt der Papst sogar eine Sonderaudienz. Und oh Wunder, schließlich werden sogar einige *Pfarrer* zum Konzil zugelassen. Und diese dürfen sogar einmal – welches Privileg für die »poveri sacerdoti« – mit Seiner Exzellenz Felici, der sich immer wichtiger macht, in St. Peter »konzelebrieren«. Ich gehöre nicht zu jenen Katholiken, die sich über minimale Fortschritte in einem verkrusteten Kirchensystem maximal zu freuen vermögen.

Mitte November 1964 gehen die Urteile über das Erreichte innerhalb wie außerhalb des Konzils weit auseinander, verschieden je nachdem, ob die Bewertungskriterien theoretisch oder praktisch, innerkatholisch oder ökumenisch, grundsätzlich oder pragmatisch sind. Ich bin selber im Zweifel:

Wenn ich an das *theoretisch Beschlossene* denke, bin ich Optimist, doch wenn ich auf das *praktisch Ausgeführte* achte, habe ich Grund zum Pessimismus. Als Optimist kann ich zum Beispiel die Feststellung einer gemeinsamen Kirchenleitung von Papst *und* Bischöfen als einen entscheidenden Kontrapunkt zur einseitigen Definition des päpstlichen Primates auf dem Ersten Vatikanum begrüßen. Aber als Pessimist muß ich zu bedenken geben, daß dieser Beschluß der Kollegialität in Rom selbst bisher faktisch noch nichts geändert hat.

Beurteile ich das Erreichte vom *binnenkatholischen Standpunkt* her, sieht vieles positiv aus, aber unter *ökumenischem Blickwinkel* ist vieles unbefriedigend. Innerkatholisch bedeutet zum Beispiel die volle Bejahung der historisch-kritischen Methode in der Exegese (bezüglich literarischer Gattungen, Literalsinn usw.) im neugefaßten Offenbarungsschema, die mit der Menschlichkeit und Gebrechlichkeit des Schriftwortes ernst macht, einen großen Sieg der modernen Exegese über die auch noch unter Johannes XXIII. im ersten Schema zutage getretenen reaktionären Tendenzen. Doch ökumenisch betrachtet nimmt die Beschreibung der Inspiration der Bibel auf moderne Exegese und Historie nicht die geringste Rücksicht, und es wird, trotz der heute leicht feststellbaren profanen, naturwissenschaftlichen und historischen Irrtümer, dogmatisch ein »ohne Irrtum« behauptet.

Wenn ich auf *grundsätzlich-theologische Lösungen* aus bin, wird mein Urteil anders lauten, als wenn ich mich von vornherein mit dem *politisch Möglichen* begnüge. Als taktisch-pragmatisch Denkender werde ich die theologisch wie praktisch affirmierte Kollegialität des Papstes und der Bischöfe als ekklesiologische Hauptleistung des Vatikanum II loben. Aber als grundsätzlich Denkender muß ich sagen, daß die Kollegialität ein Charakteristikum der Kirche als solcher (als Gemeinschaft der Glaubenden und Volk Gottes) ist und daß so nicht nur die Kollegialität des Papstes mit den Bischöfen, sondern auch die des Bischofs mit den Pfarrern und die der Pfarrer mit den Gemeindegliedern theologisch wie praktisch zu realisieren sei.

Was die Stimmung im Konzil betrifft, so ist jetzt auch den Naivsten deutlich geworden, worauf ich von Anfang an aufmerksam gemacht habe: Am meisten bremst und hindert das Konzil der sich jetzt überall auswirkende *Antagonismus*, nein, nicht zwischen »Konzilsmajorität« und »Konzilsminorität«, wie man gerne sagt, sondern *zwischen Konzil und kurialem Machtkartell*. Klein an Zahl und ohne Kirchenvolk hinter sich, ist dieses unter der Ägide Ottavianis, Cicognanis und Felicis doch außerordentlich mächtig: im Besitz der wichtigsten Schaltstellen der Kurie (römische Kongregationen) und des Konzils (der Kommissionen). Kurial sind die Präsidenten, kurial die Vizepräsidenten, kurial die Sekretäre der allermeisten Konzilskommissionen, kurial ist das sich überall einmischende Generalsekretariat des Konzils unter dem »maestro machiavellista« Felici, das auch vor der illegalen Veränderung von Konzilstexten in der vatikanischen Druckerei nicht zurückschreckt. Wie anders wäre doch alles seit Konzilsbeginn gelaufen, wenn die Kommissionen nicht von Kurialen geführt worden wären! An der Kurie, nicht am Konzil liegt es, weswegen viele Worte und Taten des Konzils nicht eindeutige Entscheidungen, sondern zweideutige Kompromisse sind und manchen Worten keine Taten folgten. Die Mehrheit und ihre Sprecher scheinen angesichts immer neuen kurialen Sandes im konziliaren Getriebe an Dynamik verloren zu haben. Das unablässige Gerangel und Geplänkel in den Kommissionen und in der Aula läßt Müdigkeit aufkommen. Und doch – man muß auf das Ganze sehen:

Eine erfüllte Prophezeiung

Das ganze Konzil doch eine *leere* Hoffnung? Nein, trotz aller großen Schwierigkeiten und schweren Hemmnisse hege ich noch immer eine durchaus *begründete* Hoffnung. Denn:

Keine Türen wurden geschlossen: keine negativen oder positiven Definitionen und Dogmatisierungen.

Ungezählte Türen wurden geöffnet: Über alle Fragen wird in der katholischen Kirche jetzt diskutiert – über Geburtenkontrolle und Zölibat freilich nur außerhalb des Konzils.

Grundsätze wie »Ecclesia semper reformanda«, die 1960 auch katholische Ökumeniker noch für urprotestantisch hielten, finden sich heute in Konzilsdekreten.

Ein neuer Geist ist lebendig geworden: ein Geist der Erneuerung und Reform, der ökumenischen Verständigung und des Dialogs mit der modernen Welt unter Bischöfen, Theologen und in der katholischen Kirche überhaupt. Nie mehr wird die katholische Kirche dieselbe sein wie vor dem Konzil.

Nach der Gottesdienstreform, am Ende der zweiten Konzilsperiode beschlossen, werden nun in der dritten Session drei weitere wichtige Konstitutionen verabschiedet: über die Kirche, den Ökumenismus und die orientalischen Kirchen. Während die Konstitution über die Kirche mit ihrem Hierarchie-Kapitel III am entscheidenden Punkt das römische System bestätigt, eröffnet besonders die Konstitution *»Über den Ökumenismus«* neue Wege und eine neue Zukunft. Schon eine schlichte Aufzählung einiger Stichworte läßt nun mein Buch »Konzil und Wiedervereinigung« als eine erfüllte Prophezeiung erscheinen:

Schuld an der Kirchenspaltung auf beiden Seiten, Bitte um Verzeihung gegenüber den anderen Christen. Die katholische Kirche als Kirche der Sünder steter Reform bedürftig, im praktischen kirchlichen Leben, aber auch in der Lehre. Das Evangelium als Norm der Erneuerung. Auch nichtkatholische christliche Gemeinschaften werden Kirchen oder kirchliche Gemeinschaften genannt. Ökumenische Haltung notwendig, gegenseitiges Kennenlernen der Kirchen, Dialog, Anerkennung des Guten bei den Anderen, Lernen von den Anderen. Zusammenarbeit auf allen Gebieten, gemeinsames Gebet der getrennten Christen, wachsende Gemeinschaft auch in den gottesdienstlichen Feiern. Theologengespräche auf gleicher Ebene; die eigene Theologie, besonders auch die geschichtlichen Fächer, in ökumenischem Geist treiben und vieles mehr. Welche Kirche hat, alles bisher Geleistete zusammen gesehen, in kaum drei Jahren für ihre eigene Erneuerung und ökumenische Öffnung mehr getan als die katholische Kirche seit Konzilsbeginn?

So also sieht die Lage Mitte November aus, und dies ist die Bilanz der dritten Konzilssession, die ich am 18./19. November 1964 in der Frankfurter Allgemeinen Zeitung veröffentliche. Am selben Tag kündigt Paul VI. überraschend seine Reise nach Indien an. Ich selber bin schon am 14. November nach Indien abgeflogen. Konnte ich doch der

Überzeugung sein, daß ich guten Gewissens das Konzil vorzeitig verlassen darf, um während der beiden letzten Konzilswochen an einem anderen Platz mehr zu bewirken. Niemand ahnte, daß die Woche vom 14. bis 21. November 1964 als die »settimana nera des Vatikanum II« in die Geschichte eingehen würde. Der Ausdruck »schwarze Woche« stammt vom mutigsten und beliebtesten Bischof der Niederlande, Msgr. WILLEM M. BEKKERS ('s-Hertogenbosch), auch einer der allzu früh verstorbenen Freunde.

Indien – Christenheit als Minderheit

Schon während der zweiten Session des Konzils hatte mich der seit langem in Indien tätige Theologe P. JOSEF NEUNER SJ, der früher einmal den »Denzinger« der konziliaren und päpstlichen Lehrdefinitionen ins Deutsche übersetzt, sich dann aber in bewundernswerter Weise in die Welt des Hinduismus eingearbeitet hatte, gefragt, ob ich in der zweiten Novemberhälfte 1964 nach Indien kommen könne. In der dritten Konzilssession, am 22. September, halte ich in Rom einen Vortrag für Kardinal VALERIAN GRACIAS von Bombay und die indischen Bischöfe. Ich habe mehr als eine Unterhaltung mit diesem Haupt des indischen Episkopats, und Gracias ist es auch, der mich definitiv nach Indien einlädt. Unmittelbar vor dem großen Eucharistischen Kongreß, zu welchem dann auch der Papst vom 2.-5. Dezember zum ersten Mal nach Indien kommen wird, soll in Bombay ein großes Symposion katholischer Theologen aus ganz Indien stattfinden.

Als erster von vier Referenten an diesem Symposion unter dem Titel *»Christliche Offenbarung und nichtchristliche Religionen«* kann ich über ein Thema sprechen, das mir seit langem von zentraler Bedeutung ist: *»Die Weltreligionen in Gottes Heilsplan«.* Was ich in meinen römischen Studienjahren durchdacht und nachher immer weiterentwickelt habe, kann ich nun, nicht zuletzt inspiriert von neueren Veröffentlichungen Karl Rahners und Joseph Ratzingers, in einer Synthese vorlegen.

Ich gehe aus von der toleranten Auffassung des indischen Religionsphilosophen SARVAPALLI RADHAKRISHNAN, Indiens erstem Staatspräsidenten, der alle Religionen auf ihre Weise gelten läßt und deshalb von Christen des Relativismus und Indifferentismus angeklagt wird. Ich vergleiche diese Auffassung mit der rigorosen katholischen Formulierung des Dogmas »Außerhalb der Kirche kein Heil« durch Papst BONIFAZ VIII., der allein die dem Papst unterworfene »Kreatur« zum ewigen

Heil gelangen lassen will. Eine unmenschliche Aussage, wenn man von heute aus auf Vergangenheit, Gegenwart und Zukunft der Gesamtmenschheit schaut, vor der die römisch-katholische Christenheit als kleine Minderheit erscheint.

So stelle ich den *Monopolanspruch der katholischen Kirche auf den Prüfstand*. Daß schon im Alten wie im Neuen Testament eine ganz andere universale Perspektive festzustellen ist, daß Gott da als der Schöpfer aller Menschen und »Adam« nicht als erster Jude, erster Christ oder erster Muslim, sondern als erster Mensch erscheint, zeige ich in einem Überblick über die verschiedenen biblischen Zeugnisse unzweideutig auf, welche die »Heiden« in einem freundlichen Licht zeigen, und ziehe daraus die Konsequenzen, die hier nicht im einzelnen darzulegen sind.

Eines ist jedenfalls sicher: Die ekklesiozentrische Sicht des »Außerhalb der Kirche kein Heil« kann nicht mehr aufrechterhalten werden; eine theozentrische Sicht muß auch den Weltreligionen als solchen (und nicht nur den einzelnen Nichtchristen) eine Funktion im Heilsplan Gottes zuschreiben. Die *Weltreligionen* erscheinen dabei, so formuliere ich herausfordernd im Gegensatz zur üblichen Terminologie, als *normale, »ordentliche Wege« zum Heil*, der christliche Glaube aber als der große, sehr spezielle, »außerordentliche Weg«.

Später werde ich diese Terminologie eher vermeiden, aber immer wird es mir darum gehen, zwischen den Extremen des Indifferentismus und des Exklusivismus den Weg zu finden und dabei keine naiv idealisierende, sondern eine realistische Sicht der Weltreligionen zu vertreten: die Religionen in ihrer Ambivalenz, in ihrer Wahrheit und in ihrem Irrtum. Allerdings auch eine selbstkritische Einschätzung des Christentums, das keineswegs als die vollkommene, »perfekte« Größe mit absolutem Wahrheitsanspruch und Heilsmonopol den unvollkommenen, »defizitären« Weltreligionen entgegengesetzt werden darf, wie dies dann eingebildeterweise gerade Joseph Ratzinger als oberster Glaubenshüter noch im Jahre 2000 in seiner Erklärung »Dominus Jesus« zu tun versucht. Auch gleichzeitige Inquisitionsverfahren gegen Theologen eines religiösen Pluralismus, wie gegen die bereits genannten Jacques Dupuis und Tissa Balasuriya und auch gegen Paul Knitter in Cincinnati, zeigen, wie wenig man bis heute in Rom Ernst macht mit der *Erklärung »Nostra Aetate« des Vatikanum II* über das Verhältnis der Kirche zu den nichtchristlichen Religionen, die gerade noch zwei Wochen vor meiner Abreise nach Indien im Prinzip verabschiedet worden ist.

Wie zu erwarten, gibt es schon im Jahre 1964 in Bombay eine intensive Diskussion dieser Auffassung. Die Presse hat man, was ein Fehler war, ausgeschlossen aus Angst vor tendenziösen Berichten. Doch kann man nicht verhindern, daß in »Le Monde« ein nun wirklich tendenziöser ganzseitiger Bericht erscheint, der vom Londoner »Tablet« aufgenommen wird und viele Mißverständnisse verbreitet, längst bevor in den »Informations Catholiques Internationales« eine objektive Zusammenfassung der Kongreßresultate durch die Organisatoren selber erscheint. Diese machen zurecht geltend: Nicht die Theologie hat ja nun alle diese Probleme erfunden. Die Realität der Welt selbst, die in eine neue Epoche eingetreten ist, hat sie gestellt. Und schon angesichts der hunderte von Millionen Hindus, denen man in Indien begegnet, muß einem doch Herz und Hirn aufgehen für eine umfassendere Sicht des Heils.

Ich halte in Bombay am 26. November 1964 auch einen öffentlichen Vortrag und finde hier viel Beifall beim Publikum. Aber vier Tage später, unmittelbar vor der Ankunft des Papstes auf dem internationalen Eucharistischen Kongreß selber zu sprechen, ist mir aus Zeitgründen nicht möglich. Auch nicht, eine dringliche Einladung von Msgr. Clarizio zum Internationalen Mariologenkongreß in Santo Domingo anzunehmen, die mich in New Delhi erreicht. Da bin ich schon längst auf der Weiterreise nach Osten. Warum nach Osten?

Eine Reise um die Welt

Kurz zurückgeblendet: Einmal im Semester finden sich in Tübingen Herbert Haag und ich zu einem Abendessen ein mit dem Chef der Chirurgischen Klinik, dem Zürcher Professor Naegeli. Dieser bescheiden lebende Chirurg wird nun emeritiert, frei von allen ihn oft Tag und Nacht beanspruchenden Pflichten. »Was machen Sie denn nach Ihrer Emeritierung?«, frage ich ihn. »Eine Reise um die Welt«, sagt er, »drei, vier Monate zusammen mit meinem Bruder.«

Wer hätte nicht einen solchen Wunsch: eine Reise rund um die Welt! Vielleicht auch ich, wenn ich einmal emeritiert sein werde? Das aber wäre erst in 33 Jahren! Und nun ist kaum ein Jahr vergangen, und ich bin schon auf meiner ersten Reise um die Welt, zwar nicht drei Monate, auch nicht wie Jules Vernes in seinem Zukunftsroman »In 80 Tagen um die Welt«, sondern – die Science hat die Fiction eingeholt – in 25 Tagen. Ja, ich will die Welt nicht nur vom elfenbeinernen Turm der Akademia aus betrachten, ich will die verschiedenen Weltkulturen vor Ort kennenlernen. Auf der PanAm Linie Nr. 1 ist es wunderbar zu fliegen, nirgendwo Massentourismus, kaum Verspätungen. Später werde ich eine so mit jeder Stunde kalkulierende Reise kaum mehr wagen, zu unsicher sind unterdessen die Flugzeiten geworden. Natürlich habe ich, zusammen mit meinem Assistenten Dr. Gotthold Hasenhüttl, überall nur Tage, doch zumeist unter ausgezeichneter Führung, zur Verfügung. Gerade diese intensiven, geballten ersten Eindrücke von den verschiedenen »Weltkulturstätten« lassen mich nachher die Welt und vor allem Asien ganz anders sehen und Bücher anders lesen. Ja, eine Stadt ein einziges Mal sehen ist mehr, als zwölf Bücher über sie lesen. Vieles werde ich später wiedersehen. Und lesen, auch auf den Reisen, kann ich nie genug.

Vor Bombay war ich zuerst in *Teheran,* wo ich am 14. November 1964 eintreffe. Das Regime des Schahs ist ein Vorbild für die westlichen Entwicklungsstrategen und -politiker, die davon ausgehen, daß der Islam zu einer »quantité négligeable« geworden ist. Auch mich interessieren in diesen kurzen beiden Tagen nicht nur die eher neuen Moscheen und der Bazar, sondern vor allem das Nationalmuseum mit seinen Schätzen persischer Kunst aus 3.000 Jahren. Noch hat der Schah, Sohn eines Emporkömmlings aus einem Militärputsch, nicht die größenwahnsinnige Idee geäußert, hinter die islamische Zeitrechnung zurückzugehen und seine Herrschaft aus der Zeit Kyros des Großen und der altpersischen Achämeniden zu legitimieren; noch verfolgt er nicht den verhängnisvollen Plan, sich in Persepolis zum Großkönig krönen zu lassen. In Teheran kaufe ich mir mit Hilfe eines Bekannten aus der österreichischen Botschaft zu einem mäßigen Preis einen alten rostbraunen Afghanteppich, der bis heute mein Studierzimmer ziert. Wenn ich Jahrzehnte später zu den Mullahs in Teheran sprechen darf, werde ich in der Einleitung an diesen ersten Besuch anknüpfen.

Zugleich aber erinnert mich das Datum vom 14. November an den Beginn der *»schwarzen Woche« des Konzils.* Erst im nachhinein höre ich Genaueres von den skandalösen Vorgängen der nächsten Tage in Rom: Verschiebung der Abstimmung über das Religionsfreiheit-Dekret; oktroyierte »Nota praevia« über den uneingeschränkten päpstlichen Primat; eigenmächtige päpstliche Veränderungen am bereits vom Konzil approbierten Ökumenismus-Dekret; gegen den Willen des Konzils Proklamation Marias als »Mutter der Kirche« … Ob manchmal nicht nur Schahs, sondern auch Päpste in der Gefahr des autokratischen Größenwahns sind?

Von Teheran gelange ich nach *New Delhi,* wo ich vor allem die Gedenkstätte für Mahatma Gandhi und die großartigen Monumente des indischen Islam sehen und mit indischen Theologen sprechen will. Weiter zuerst im Zug, dann recht mühselig per Auto im Dreieck nach Agra (Taj Mahal), nach Fatepur Sikri (im 16. Jahrhundert Residenz des toleranten, für die Verständigung der Religionen wichtigen Groß-moguls Akbar des Großen) und schließlich in das rosafarbene Jaipur. Erneut in Delhi, ab da wieder im Flugzeug nach Indiens ältester und heiligster Pilgerstadt *Benares*; die dortige Fahrt auf dem Ganges werde ich mehr als 30 Jahre später mit unserem Filmteam für die siebenteilige SWR-Fernsehserie »Spurensuche. Die Weltreligionen auf dem Weg« wiederholen. Ohne die zahllosen Reiseerfahrungen seit den 60er Jahren gäbe es weder eine Konzeption noch eine Realisation der »Spuren-suche« in den 90er Jahren.

Schon damals über Patna und ursprüngliches Buddha-Land mit einem früheren Militärflugzeug zum Hindukönigreich Nepal. Vom Cockpit aus darf ich den Aufstieg aus der braunen indischen Tiefebene hinauf über die verschiedenen Vegetationsstufen beobachten, bis sich plötzlich wohlgepflegte Reisterrassen zeigen und hinter einer Bergkuppe schließ-lich die ganze gloriose weiße Himalayakette im Sonnenlicht. Im *Kat-mandu-Tal*, bis zum Ende des Zweiten Weltkriegs ein verschlossenes Land und anfangs der 60er Jahre noch von keinen Touristenmassen heimgesucht, läßt sich die Stadt mit den nahegelegenen großen bud-dhistischen Kloster- und Stupabauten in aller Ruhe besichtigen. Ohne Begleitung wie die des in Nepal hochangesehenen amerikanischen Jesuiten MARSHALL MORAN, Gründer von Schulen und als einziger nepalesischer Funkamateur in der Welt bekannt, hätte ich das alles keinesfalls so intensiv erleben können.

Dann wieder der Flug in den Süden, in das schwülheiße *Kalkutta*, größte Stadtregion Indiens mit vielen elenden Gestalten Tag und Nacht auf den Straßen und riesigen Slumvierteln. Wie auch in Delhi ein öffentlicher Vortrag, der Anlaß zum ersten ökumenischen Treffen in dieser Stadt wird: »You helped us to ›break the ice‹«, schreibt man mir nachher, und die unmittelbaren Folgen dieses »Eisbrechens« sind ge-meinsame Gebetsgottesdienste aller Christen in der kommenden Welt-gebetsoktav unter großer Anteilnahme. Mit P. FALLON (belgischer Her-kunft), einem ausgezeichneten Kenner Bengalens und des Hinduismus und entschiedenen Vertreter der Indigenisierung, nehme ich an einer Eucharistiefeier in indischer Form teil. Dadurch, daß ich immer wieder aktiv tätig und ständig mit Einheimischen in Kontakt bin, erhalte ich in kurzer Zeit so viele Informationen wie der Durchschnittstourist in Wochen nicht.

Von Bombay geht es am 28. November weiter nach Osten, mit Ziel-punkt *Washington D. C.* Nein, kein Irrtum: Washington, genauer die Georgetown University, die mich zu ihrem 200-Jahr-Jubiläum als Gast-redner eingeladen hat, ist neben dem Bombay-Symposion zweiter Anlaß meiner Reise. Und warum sollte ich von Indien erst nach Europa zurück und über den Atlantik nach Amerika fliegen, wenn ich auch über Japan und den Pazifik an mein Ziel gelange? Alle Städte, die ich anfliege, werde ich später noch mehr als einmal besuchen. Aber der erste gewaltige Eindruck wird eben nachher kaum noch überboten: Zuerst *Bangkok*, wo man noch ohne Verkehrsprobleme am alten Stadtkern, bei den großen Tempel- und Klosteranlagen (Wats) am Menam-Fluß woh-nen und eine Fahrt durch die Kanäle (Khlongs) machen kann. Dann *Hongkong*, zu dessen moderner Fassade das wuselnde chinesische Leben brodelt, alles vor wunderbarer landschaftlicher Kulisse. Schließlich *Tokio*, Japans pulsierende Hauptstadt mit ihren ungeheuren Menschenmengen. Zum ersten Mal erlebe ich so Asien, ganz fasziniert vor allem von den Menschen in ihrer Vielfalt: indische, thailändische, chinesische, japani-sche Gesichter, Frauen, Männer, Kinder ... Ich erfahre nationale, ethni-sche, religiöse Verschiedenheit nicht als Bedrohung, sondern als Berei-cherung. Beinahe kommt es mir langweilig vor, als ich – mit einem Tag Gewinn über der Datumsgrenze – schließlich wieder im mir be-kannten *San Francisco* überwiegend weiße Gesichter sehe.

Pünktlich am 2. Dezember in Washington. Die Georgetown Uni-versity hat »Freiheit« – mein großes Thema vom vergangenen Jahr – zum Generalthema dieses Symposions gemacht. Ich halte meinen Jubi-läumsvortrag: »The Theologian and the Church«. Nachher wieder kurz in New York, halte ich denselben Vortrag in Chicago und fliege schließ-lich über New York nach Stuttgart zurück, wo ich am 8. Dezember eintreffe. Wahrhaftig, was ich in diesen 25 Tagen aufnehmen konnte, das habe ich aufgenommen: Nicht als Globetrotter oder Weltenbumm-ler bin ich gereist, sondern als Theologe, der die Religionen und Kul-turen statt nur aus Büchern kennen aus der unmittelbaren Begegnung verstehen möchte. Wie sehr mir dies für den späteren interreligiösen Dialog helfen würde, konnte ich damals noch nicht ahnen.

Aber – zurück in Tübingen holt mich die Realität von Kirche und Konzil wieder ein. Unmittelbar vor meiner Weltreise, am 9. November 1964, hat mir der Straßburger Bischof LÉON-ARTHUR ELCHINGER – am 31. Oktober hatte er im Konzil eine mutige Rede zur Rehabilitierung Galileis gehalten, die erst später ihre Früchte tragen sollte – aus Rom geschrieben: »Le combat continue (der Kampf geht weiter). Le grand chef est redevenu très ›hésitant‹ sur le chap. 3 de Ecclesia.« Auf deutsch: Der große Boß ist wieder sehr »zögerlich« geworden bezüglich des Kapitel III (»über die Hierarchie«) der Kirchenkonstitution. Aber Elchinger hofft auf den Heiligen Geist; man werde die »Fenster« und die »Türen« nicht mehr schließen können. Und gerade das stimmt leider nur zum Teil.

Rückschlag: die »schwarze Woche« des Konzils

Im nachhinein bedaure ich sehr, in der »settimana nera« der dritten Konzilssession nicht in Rom gewesen zu sein. Zwar hätte ich sicher nicht alles verhindern können, was sich da abspielte, aber einiges vielleicht doch wie im Fall der Judenerklärung, deren Absetzung in Zusammenarbeit von Periti und Bischöfen verhindert werden konnte. Davon wird noch die Rede sein. Mindestens wäre ein heftiger öffentlicher Protest organisierbar gewesen gegen alles, was sich da zur Empörung der Konzilsversammlung abspielte und was zumindest die kirchliche, wenn nicht auch die weltliche Öffentlichkeit alarmieren mußte.

Die von der ersten Session an feststellbare *Spannung zwischen dem fortschrittlichen Konzil selbst und der reaktionären Kurie* hatte sich in der zweiten aufgeladen und jetzt in der dritten *entladen* – zugunsten der Kurie! Leider. Hätten nur diejenigen Bischöfe im Konzil Sitze, die – als Residenzialbischöfe oder als Weihbischöfe – ein Kirchenvolk (Diözese) hinter sich haben, dann wären alle kurialen »Ehrenbischöfe«, die nur eine allerdings sehr mächtige kirchliche Bürokratie vertreten, vom Konzil, seiner Leitung und seinen Kommissionen ausgeschlossen geblieben: die reaktionäre »Minorität« würde nach bisherigen Erfahrungen und Abstimmungsergebnissen auf einige wenige einflußlose Außenseiter zusammenschmelzen. Weil es sich aber faktisch umgekehrt verhält, weil die Kurie den konziliaren Apparat und Verhandlungsweg weitgehend beherrscht, kommt es zu den peinlichen Vorfällen, die in der letzten dramatischen Woche der dritten Session Bischöfe und Theologen tief aufwühlen und in der Welt allgemein als Rückschlag für das Konzil und seine konstruktive Zielsetzung empfunden werden.

Als schwerwiegend wird indes nicht in erster Linie die schon lange bekannte Obstruktion der Kurie angesehen. Vielmehr, daß der Großteil der Bischöfe, Theologen und Beobachter der anderen christlichen Kirchen den fatalen Eindruck erhalten: PAUL VI. selber – aus Angst, Schwäche oder Resignation, aus theologischer Unsicherheit, Rücksichtnahme auf seine Umgebung und die italienische Innenpolitik oder warum auch immer – stellt sich jetzt selber weithin *hinter die Obstruktionsmanöver der Kurie* und gibt so Michael Serafian /Malachy Martin recht. Jetzt läßt sich nicht mehr übersehen: Paul VI. will eine Modernisierung der katholischen Kirche – aber ohne ihr Verhaftetsein im römischen Mittelalter aufzugeben. Er will die Kollegialität – aber ohne den Papalismus des 11. Jahrhunderts rückgängig zu machen. Er will die Reform der Kurie – aber ohne das Sanctum Officium abzuschaffen und Ottaviani fallen zu lassen.

Ein *Papst der Widersprüche*, der zugleich Johannes XXIII. und Pius XII. seligsprechen möchte, der, wiewohl ökumenisch und weltoffen gesinnt, auch in dieser dritten Konzilssession die Machenschaften gegen die Judenerklärung und eine ständige weitere Verzögerung zugelassen hat. Der sich persönlich für ein Missionsschema engagierte, das, ganz unter dem Blickwinkel der römischen Missionskongregation ausgearbeitet, vom Konzil mit großer Mehrheit als vollkommen ungenügend abgelehnt wird. Der die umstrittenen Fragen der Sexualmoral, besonders die der Empfängnisverhütung, vom Konzil an eine kurial dominierte Kommission verwies. Der es an jener Unterstützung mangeln ließ, die er dem Konzil noch bis ungefähr zur Mitte der zweiten Konzilsperiode hatte angedeihen lassen, und jetzt Reden hält, die von einer ganz anderen Tonart getragen sind, verglichen mit seinen vielversprechenden Reden zur Kurienreform und zur Eröffnung der zweiten Session.

Ich brauche hier die Entwicklung der Krise am Ende der dritten Session nicht im einzelnen nacherzählen. Es genügt, summarisch aufzulisten, *was Paul VI. in der »schwarzen Woche« höchstpersönlich zu verantworten hat:*

Er verfügt für das bereits vielfach vom Konzil approbierte Schema über den *Ökumenismus* in letzter Minute vor der Schlußabstimmung eine ganze Reihe kleinkarierter Veränderungen, die, für die nichtkatholischen Christen wenig freundlich, dem Konzil einfach oktroyiert werden (zum Beispiel: es wird nicht mehr gesagt, die evangelischen Christen »finden« Gott in der Heiligen Schrift, sondern nur noch, daß sie ihn »suchen«).

Er bejaht eine mit formalen Vorwänden durchgesetzte weitere Verschiebung der Erklärung über die *Religionsfreiheit*, die nun schon seit drei Konzilssessionen von der Kurie verhindert und vom Konzil und der ganzen Welt mit Ungeduld erwartet wird, eine Verschiebung, die zu einem massiven Protest von weit über tausend Bischöfen führt.

Er promulgiert ohne irgendeine Notwendigkeit gegen den ausdrücklichen Willen der Konzilsmehrheit den mißverständlichen Titel *»Maria,*

Mutter der Kirche« (»mater ecclesiae«), was in der nichtkatholischen Christenheit Unwillen und Zweifel am echten ökumenischen Verständigungswillen des Papstes weckt.

Ja, er nötigt dem Konzil durch Generalsekretär Felici »durch höhere Autorität« eine vier Paragraphen umfassende *»Nota praevia explicativa« zugunsten seines Primats* auf, die als solche nie zur Abstimmung unterbreitet wird, welche die Kollegialität total verwässert und einen Rückfall auf die uneingeschränkte Primatsdefinition des Vatikanum I bedeutet. Eine glatte Erpressung, so empfinden es viele Bischöfe: Entweder sie akzeptieren diese päpstliche »Interpretation« der Kollegialität oder es gibt überhaupt keine Konstitution über die Kirche. So wird dem fatalzweideutigen Kompromiß des Konzils zwischen Kapitel I-II (Kirche als Volk Gottes) und Kap. III. (Kirche als Hierarchie) die eindeutig-kuriale Interpretation des Papstes vorgeschaltet. Wieder die mittelalterlichen Strukturen der Kirche!

Wen es interessiert, welchen kurialen Kabalen und Intrigen, Machenschaften und Ränkespielen das Konzil von Anfang bis Ende ausgesetzt war, der lese in Alberigos Geschichte des Vatikanum II (Band IV) die 66 Seiten, die L. A. G. TAGLE aus Tagaytay (Philippinen) mit viel Mühe über den »Novembersturm: die ›schwarze Woche‹« geschrieben hat. Seinem *Urteil über die kuriale Partei* kann ich nur zustimmen: »Die Minorität verfolgt während der ganzen dritten Periode unermüdlich einen Plan, und die ›schwarze Woche‹ ist der Abschluß ihres konstanten und täglichen eifrigen Bemühens. Sie hat jegliches Verfahrensmittel gesucht, um die konziliaren Arbeiten zu blockieren; sie hat auf das Temperament Pauls VI. spekuliert, um kleine Schlachten zu gewinnen. Die Strategie und der Disput während der ›schwarzen Woche‹ stellen die Zweideutigkeit der konziliaren Dokumente ins Licht: Aber ihrer Einwände Rechnung zu tragen, vermehrt noch die theologischen Kompromisse in den Texten.« (IV, 480). Merkwürdig nur, wie dann derselbe römisch-katholische Historiker nicht genug Erklärungen und *Entschuldigungen für den Papst* finden kann, um die antikonziliare Politik Pauls VI. zu »interpretieren« und zu rechtfertigen, was im Schlußabschnitt geradezu zur Salbaderei ausartet.

Ich muß bekennen: Noch mehr als damals fühle ich mich heute, wo ich manche Hintergründe sehr viel genauer kenne, abgestoßen von diesem Spiel, das mit dem eigentlich Christlichen wenig und (trotz aller Unterschiede) mit Hof und Mentalität der Cäsaren viel zu tun hat. Der Großteil der Bischöfe zeigt sich schockiert, aber unfähig zu einer effektiven Reaktion. Wie unfähig, zeigt der Moderator am 20. November,

Kardinal JULIUS DÖPFNER, in unfreiwilliger Komik. Er bringt am Schluß der Sitzung unserem »geliebtesten Vater Paul VI., der ... den Weg des Konzils mit solcher Aufmerksamkeit und Sorgfalt verfolgte, die Gefühle kindlicher Dankbarkeit entgegen ...« (IV, 424)! Ob ihm Felici diesen Text auf Latein untergeschoben hat, frage ich mich. Sicher ist nur, daß diese »schwarzen Tage« überall in der Kirche Schockwellen und eine Frustration mit bleibenden Folgen auslösen. Seit der schwarzen Woche läßt sich das Mißtrauen gegenüber diesem Papst bei vielen nicht mehr ausrotten.

Ein schlechtes Vorspiel für die kommende vierte und letzte Konzils-session. Ein schlechtes vor allem für die nachkonziliare Zeit: Will man im Vatikan allen Ernstes doch wieder in der bisherigen absolutistischen Weise die Kirche weiterregieren? Mit Recht spricht der evangelische Konzilsbeobachter Dr. HERMANN DIETZFELBINGER von einem »Angriff auf die Fundamente des Konzils überhaupt, aus dem dieses als der Un-terlegene hervorging«: »Der Angriff betraf, ganz abgesehen von seiner grundsätzlichen Intention, zu gleicher Zeit drei Punkte: die Kollegia-lität, den Ökumenismus und die Religionsfreiheit.« Was nützt es da, wenn Paul VI., Freund großer Gesten ohne große Konsequenzen, am 13. November 1964 nach einem byzantinischen Gottesdienst die seit dem Mittelalter übliche, mit drei Kronen geschmückte und nach eige-nen Vorstellungen ein Jahr zuvor extra neu angefertigte teure »*Tiara*« definitiv ablegt und sie »den Armen« schenkt. Welchen Armen? Die ganze Zwiespältigkeit auch dieses Gestus wird sofort sichtbar: Es ist Kardinal FRANCIS SPELLMAN, der die Tiara erhält und sie in New York, einer der reichsten Diözesen der Welt, auf einem Bankett präsentiert, worauf sie dann in seiner St. Patricks Kathedrale ausgestellt wird. Almo-sen willkommen.

Vom Konzilspapst zum Papst der Kurie

Angesichts dieser Situation am Ende der dritten Konzilssession, die in der gesamten Weltpresse sehr kritischen Widerhall findet, halte ich es, aus den USA nach Tübingen zurückgekehrt, für dringend geboten, meine Mitte November veröffentlichte, relativ hoffnungsvolle Zwi-schenbilanz des Konzils zu korrigieren. Muß ich doch zur Kenntnis nehmen, wovon alle Zeitungen voll sind: daß das Prestige, nein, die Glaubwürdigkeit des Papstes einen gewaltigen Schlag erhalten hat, die kein noch so triumphaler Empfang in Indien wettmachen kann. Ja, ich muß jetzt ausdrücklich feststellen: Das *Vertrauen zum Papst*, das in den Tagen Johannes XXIII. einen kaum mehr gesehenen Höhepunkt erreicht hat, ist bei vielen inner- und außerhalb der katholischen Kirche *auf einen Nullpunkt abgesunken.* Für diese öffentliche Feststellung wird mich Kardinal Ottaviani im Sanctum Officium noch persönlich zur Rechenschaft ziehen.

Doch soll ich, um dies zu belegen, von den bitteren Worten und Reaktionen berichten, die ich während und nach meiner Vortragsreise rund um die Welt von so vielen Gutgesinnten zu hören bekam? Der Benediktiner Dr. ANSGAR AHLBRECHT, Herausgeber der ökumenischen Zeitschrift »Una Sancta«, in der letzten Konzilswoche in der Aula dabei, schreibt mir, wie ihm meine Kritik »aus der Seele gesprochen ist«: »Ich habe noch in den Ohren, was bekannte Konzilsväter und Periti damals freimütig aussprachen. Umso enttäuschender aber dann bei der Rückkehr in die Heimat die allgemeine Verharmlosung ... Das relativ unabhängige Amt des Professors an einer deutschen Universität scheint die letzte Stellung zu sein, in der sich das Amt der Propheten noch behaupten kann. Aber nicht einmal alle unsere Professoren (= Bekenner) haben den Mut, ihrem Namen Ehre zu machen.« Noch schärfer die Kritik eines Theologen aus den USA, der sich entsetzt zeigt über »des Papstes Schwäche und Kapitulation und seinen Mangel an Gehorsam gegenüber der Stimme des Geistes, der in der ganzen Kirche spricht«: Des Papstes Indienreise – »nichts als eine große Show«. Das »päpstliche Syndrom« zeige, was »mit der katholischen Kirche nicht stimmt«. So könne »nur eine oberflächliche Reform erwartet werden«. Zwei Zeugnisse für viele.

Dies ist meine Überzeugung: all die kritischen Zeitungskommentare sowie Michael Serafians/Malachy Martins Buch können nicht durch eine den springenden Punkt vernachlässigende Apologetik widerlegt werden, sondern nur durch Taten PAULS VI. selbst. Trotz aller Enttäuschungen hoffe ich noch immer mit zahllosen Katholiken und Nichtkatholiken auf die rasche Ausführung dessen, was der Papst seiner Kirche und der Welt feierlich versprochen hat: eine ernsthafte, tiefgreifende – struktur- wie personenumfassende – Reform der römischen Kurie. Und das heißt nun einmal nach der Auffassung des Konzils:

1. eine *Internationalisierung* der römischen Kurie;
2. eine *Kollegialisierung* durch einen Bischofsrat, der sich in Rom periodisch versammelt und, der Kurie übergeordnet, mit dem Papst kollegial die entscheidenden Direktiven für die Kirchenleitung erarbeitet.
3. eine *Dezentralisierung* der kurialen Macht an die nationalen Bischofskonferenzen oder Ortskirchen.

Das Konzil steht ganz und gar hinter diesem Programm. Es hat die Grundlagen dazu besonders im Schema über »Die Seelsorgsaufgaben der Bischöfe« beschlossen, das wider Erwarten ebenfalls nicht promulgiert werden kann. Allerdings ist die *Befürchtung im Episkopat weitverbreitet: Die Konzilsbeschlüsse könnten toter Buchstabe bleiben.* Im Vatikan kursiert das Dictum: »Konzilien vergehen, Päpste vergehen, die Curia Romana bleibt bestehen!« Wird es je möglich sein, diesen traditions- und listenreichen bürokratischen Apparat, der im Grunde nicht nur dem Konzil, sondern auch dem Montini-Papst wenig freundlich gesinnt ist, auf die ihm – im Dienst am Papst zustehenden – Funktionen zu beschränken? Wird eines Tages die katholische Kirche doch noch aus einem römischen Imperium zu einem katholischen Commonwealth werden?

Immerhin hat das *Opus Dei*, diese finanzstarke, faschistoide römisch-katholische Geheimorganisation, unter diesem Papst noch keinen entscheidenden Einfluß. Doch läßt sich seine wachsende Bedeutung im Vatikan nicht übersehen. Auch HANS URS VON BALTHASAR ist darüber beunruhigt: »Bitte denke an die Sache mit Opus Dei: es ist mir *entscheidend wichtig* zu wissen, warum es nicht mehr *Institutum Saeculare* ist – und ob es wahr ist, daß so viele Klagen, besonders aus Spanien, darüber in Rom vorliegen. Larraona (der Kardinalpräfekt der Ritenkongregation) wird alles wissen, aber vielleicht erfährt man mehr bei Philippe.« Balthasar wird eine äußerst scharfsinnige Analyse der Opus-Dei-Ideologie veröffentlichen, die sicher nicht nur vom Konkurrenzdenken – Balthasar hat sein eigenes Konzept von Laienorden – bestimmt ist. Auch ich selber werde in St. Peter von Msgr. Alvaro del Portillo, Stellvertreter (und später Nachfolger) des »Sektengründers« Escriva de Balanguer, angesprochen, ob ich Interesse an einem Gespräch über »das Opus Dei« hätte. Mit meinem Nein habe ich mir sicher keine Freunde gemacht. Aber »principiis obsta – wehret den Anfängen«!

Ominöse Weichenstellungen vor der vierten Konzilsperiode

Die *vierte Periode* wird zeigen, ob das Konzil, das so manche Schlachten gewonnen hat, schließlich doch den Krieg verlieren wird. Noch bleiben viele wichtige Themen auf der Traktandenordnung: erneute Diskussion über die Dekretsentwürfe für »die Kirche in der modernen Welt«, die Religionsfreiheit, die Missionen, die Priester. Weiter Abstimmungen über die Entwürfe »Offenbarung« und »Laienapostolat«.

Schließlich Abstimmungen bezüglich der Verbesserung der Entwürfe über die seelsorgerlichen Aufgaben der Bischöfe, die Ordensleute, die Priesterseminarien, die christliche Erziehung, das Verhältnis der Kirche zu den Juden und den nichtchristlichen Religionen. Ein Mammutprogramm.

Schon am 23. Juli 1965 hatte ich einen alarmierenden Brief des schon verschiedentlich genannten Bischofs von Straßburg erhalten. LÉON-ARTHUR ELCHINGER fordert mich auf, einen leider sehr notwendig gewordenen Artikel über den Bischofsrat zu schreiben. Denn er hatte gehört, »daß der Heilige Vater nicht mehr für das Projekt sei, dessen Promotor er früher war«. Durch den Kommissionspräsidenten Kardinal PAOLO MARELLA habe der Papst verlangt, den diesbezüglichen Text zu modifizieren, was dieser aber abgelehnt habe mit der Begründung, dies könne nur der Papst selber »à titre personnel et ›auctoritative‹« verlangen. Ich besuche Elchinger und Congar wenige Tage später im Zusammenhang einer Exkursion unseres Instituts für ökumenische Forschung in Straßburg, und wir tauschen unsere Informationen und Sorgen aus. Am 28. August 1965 veröffentliche ich ein ausführliches *Plädoyer für einen Bischofsrat* in der Frankfurter Allgemeinen Zeitung unter dem Titel »Und nach dem Konzil?«, übernommen von anderen Organen. Es endet mit dem Satz: »Kommt kein Bischofsrat oder kommt kein echter (mitentscheidender) Bischofsrat, dann sind ernste Befürchtungen für die Zeit nach dem Konzil in jedem Fall begründet.«

Die *Begegnung* PAULS VI. *mit dem Patriarchen* ATHENAGORAS I. *von Konstantinopel in Jerusalem* wird beim Abschluß des Konzils am 7. Dezember 1965 die gegenseitige Aufhebung der Ex-Communicatio bringen, aber paradoxerweise keine Wiederherstellung der Communio, der eucharistischen Gemeinschaft. Da hätte der Bischof des Ersten Rom den seit dem 11. Jahrhundert beanspruchten Jurisdiktionsprimat über alle Kirchen und Gläubigen und die im 19. Jahrhundert definierte Unfehlbarkeit im Geist des gemeinsamen ersten Jahrtausends korrigieren müssen – was vom Patriarchen des Zweiten Rom (Konstantinopel) und von allen östlichen Kirchen selbstverständlich erwartet wird.

Doch Paul VI. hat wieder einmal nur symbolisch und politisch-taktisch gehandelt, dies erfahre ich indirekt durch YVES CONGAR. Er war nach dem Jerusalem-Ereignis beim Papst gewesen und hatte diesen gefragt: »Hinter Ihrer Begegnung steckt doch eine Theologie.« »Nein«, hat ihm Paul VI. geantwortet, »dahinter steckt keine Theologie.« Für ihn war die Begegnung mit dem ökumenischen Patriarchen in erster Linie eine kirchenpolitische und publizitätsträchtige Aktion, aus der für die katholische Kirche selber nichts Entscheidendes folgen muß. Jedenfalls keine kritische Selbstbesinnung über die angemaßten mittelalterlichen Machtansprüche Roms gegenüber dem Osten, keine Anerkennung der altkirchlichen Autonomie dieser apostolischen Kirchen. Für Congar wie mich eine erneute Bestätigung: Paul VI. besitzt nur eine römische und nicht eine ökumenische Zukunftsvision der Christenheit. Eklatant deutlich wird dies durch drei einsame päpstliche Vorentscheidungen, welche die letzte Konzilssession, ja die gesamte nachkonziliare Zeit, in gefährlicher Weise präjudizieren. Die angesprochene Misere (leider nicht nur) der amerikanischen Kirche im Jahr 2002 läßt sich weithin von diesen *drei ominösen Weichenstellungen* her erklären.

Ein erstes böses Omen ist – nach Pauls VI. Antrittsenzyklika »Ecclesiam Suam« (1963), deren unökumenischer Romanismus und mangelnde biblische Begründung jetzt mehr in den Vordergrund rückt – seine *Enzyklika »Mysterium fidei« über die Eucharistie*, die er zum Ärger vieler Bischöfe mit dem Blick auf holländische Theologen (Schillebeeckx, Schoonenberg) am 12. September 1965, also unmittelbar vor dem Zusammentritt des Konzils zur vierten Session, veröffentlicht. Darin zeigt sich der Papst einer römischen Schultheologie verpflichtet, auf die weder die Exegese noch die historische Forschung noch die theologischen Reflexionen der letzten Jahrzehnte irgendwelchen Eindruck gemacht hat. Der Satz Johannes' XXIII. vom wechselnden Kleid der Glaubensformulierungen bei gleichbleibender Glaubenssubstanz wird nicht nur verschwiegen, sondern faktisch verleugnet. Man fragt sich: Soll es wie eh und je weitergehen mit der *mittelalterlichen Theologie* – als ob die römische Neuscholastik im Konzil keinen Schiffbruch erlitten hätte?

Ein zweites böses Omen gleich zu Beginn der vierten Konzilssession, am 15. September 1965: Da setzt der Papst aus eigener Machtvollkommenheit – Motu proprio »Apostolica sollicitudo« (aus »apostolischer Sorge«?) – einen *Bischofsrat nach seinem eigenen Gusto* ein und überspielt so einmal mehr Konzil und Episkopat. Denn die vorgesehene Versammlung von Vertretern der Bischofskonferenzen der einzelnen Länder und Ordensgemeinschaften soll »Bischofssynode« heißen – schon ihr Name unterstreicht den nicht-permanenten Charakter – und, anders als das Konzil es wollte, nicht die geringste Entscheidungsbefugnis besitzen. Sie ist also *kein echter Bischofsrat!* Der Papst allein beruft und leitet sie, bestimmt den Gegenstand der Beratungen und bestätigt die zu wählenden Synodalen. Diese dürfen zwar den Papst informieren und beraten. Doch der Papst selbst läßt durch seine Bürokraten nachträglich zusammenfassen, was die Wünsche der Bischöfe angeblich sind. Und welche, wenn überhaupt, realisiert werden sollen. Man fragt sich: Soll es also wie eh und je weitergehen mit der *mittelalterlichen Kirchenregierung:* die Bischofssynode als kollegiales Feigenblatt für den nackten päpstlichen Absolutismus?

Dabei anzumerken: Papst und Kurie sind mit der Proklamation dieser beiden dem Konzil oktroyierten Dokumente noch immer nicht zufrieden. Wie in autoritären Systemen üblich, erwarten sie vom Konzil einen Unterwerfungsgestus und erhalten ihn auch: Die Versammlung stimmt am 20. September »mit Beifall« (also ohne Diskussion) einem einfach verlesenen Brief zu, in welchem dem Papst vom Konzil für die Errichtung der Bischofssynode und für die Eucharistieenzyklika auch noch überschwenglich gedankt wird – was wiederum vom Staatssekretär in einem Brief vom 29. September höflichst verdankt wird. Welch beschämender Byzantinismus.

Ein drittes böses Omen: Mitten in der Debatte um die Erneuerung des Ordenslebens am 11. Oktober 1965 wird im Konzil ein Brief des Papstes verlesen, es entspreche nicht seinem Willen, das Problem des *Priesterzölibats* in der Konzilsaula zu behandeln; eventuelle Vorschläge darüber könnten direkt an ihn gerichtet werden – natürlich mit Null-Effekt. Auch in diesem Fall drückt schon am nächsten Tag ein Brief Kardinal Tisserants – als wäre man auf einem totalitären Parteikongreß – die angebliche Zustimmung der Konzilsväter zum Papstbrief aus. Man fragt sich: Soll es also wie eh und je weitergehen mit der *mittelalterlichen Klerusdisziplin* – als ob das Zölibatsgesetz des 11. Jahrhunderts nicht im Widerspruch zum Evangelium und zum Menschenrecht auf Ehe stünde und die katholischen Gemeinden zunehmend des Priesternachwuchses und der Seelsorge beraubte? Wo bleibt angesichts solcher Manipulationen die *Freiheit* des Konzils? Mit Bitterkeit denke ich an diese Ereignisse zurück im Jahr 2002, da alle Medien voll sind von Skandalmeldungen über sexuellen Kindesmißbrauch durch Priester und das Versagen der Bischöfe in dieser meiner Kirche von Kalifornien bis Polen, so daß jetzt selbst das offizielle Organ der besonders hart betroffenen Erzdiözese Boston und wenige tapfere Bischöfe eine Revision des Zwangszölibats zur Diskussion stellen.

Blockade der Religionsfreiheit

Nur zu gut erinnere ich mich an den März 1953, als Kardinal ALFREDO OTTAVIANI seine Rede über Staat und Kirche an der Lateranuniversität hielt. Sie hatte auch bei uns im Germanikum für Aufsehen gesorgt. Der frühere Professor des Kirchenrechts verteidigte an seiner Universität gemäß seinem Lehrbuch des Staatskirchenrechts (»Ius publicum externum«) mit Vehemenz und Insistenz den katholischen Staat – im selben Jahr 1953 durch ein Konkordat mit dem faschistischen Spanien festgeschrieben. Der Irrtum habe keinerlei Recht. Ein Kompromiß mit den Irrenden führe in die Irre. Toleranz sei nur Duldung eines unrechten Zustandes, den man wo immer möglich verhindern müsse und nur zur Vermeidung größerer Übel dulden könne. Die Rede des damaligen Prosekretärs des Heiligen Offiziums wurde als theoretische Rechtfertigung der Unterdrückung der Protestanten in Spanien und Südamerika (keine Bibelverbreitung, Pfarrerausbildung usw.) verstanden und löste eine heftige internationale Reaktion aus. PIUS XII. sah sich genötigt, diplomatisch tätig zu werden und eine eigene Ansprache zur Toleranz zu halten, die an der Gregoriana entstand. Doch rechtfertigte er Toleranz nicht etwa grundsätzlich, sondern rein pragmatisch-taktisch: weil sonst auch Katholiken in protestantischen Ländern unterdrückt werden könnten.

Die Religionsfreiheit ist auf dem Konzil das große Anliegen insbesondere der amerikanischen Bischöfe (die Europäer verhalten sich in dieser Frage zunächst eher passiv), und der Inspirator ihrer Reden ist mein von Ottaviani und Fenton angegriffener Freund JOHN COURTNEY MURRAY. Der New Yorker Jesuit hatte die Religionsfreiheit in mehreren Veröffentlichungen von den unveräußerlichen Menschenrechten her auf der Grundlage des modernen Verfassungsrechts begründet. Deshalb war er nun schließlich doch noch vom sonst höchst konservativen Kardinal Spellman für die zweite Session als Peritus nach Rom mitgebracht worden; er soll bei der Neubearbeitung des Konzilsschemas behilflich sein.

Doch Murray ist bitter enttäuscht, weil durch machiavellistische Manipulationen der Kurie eine Abstimmung über das vorliegende Schema während der ganzen zweiten Konzilssession immer und immer wieder verhindert wird, aber auch, weil die amerikanischen Bischöfe auf einen öffentlichen Protest verzichten. Am 30. November 1963 hatte ich Murray zusammen mit unseren Freunden Bischof Primeau (Manchester/USA) und den amerikanischen Periti George Higgins und John Quinn zum Abendessen eingeladen. John ist schlechter Laune. Am nächsten Tag schreibt er mir ein Brieflein, er sei »extrem müde, deprimiert und entmutigt« gewesen. Der letzte Schlag sei noch die Nachricht von Bischof Primeau gewesen, »daß die amerikanischen Bischöfe nichts tun würden (der Vorschlag war, daß sie dem Papst einen Brief schicken und darin ihr Mißfallen und Bedauern über diese Aktion der Kurie ausdrükken, die sie als einen Wortbruch ihnen gegenüber und eine Verletzung der Freiheit des Konzils ansehen; es war auch vorgeschlagen, ein Statement für das amerikanische Volk abzugeben, daß sie an ihrer Position festhalten etc.). Auf jeden Fall wurde ich dann ein wenig zornig und benahm mich schlecht und entschuldige mich.« Es rührt mich sehr, daß er, der so viel Ältere, hinzufügt: »Ich habe Dich bewundert, seit ich Dein Buch über Rechtfertigung las. Und ich bin glücklich, jetzt Dein Freund zu sein. Und ich bin sicher, daß die Freundschaft fortdauern wird ...«

In der Folge aber hatte Murray in der Kommission doch eine entscheidende Rolle gespielt. Während französische Theologen in der Religionsfreiheit mehr eine theologische und moralische Frage sehen, von der sie juristische und politische Konsequenzen ableiten, ist sie für Murray (unterstützt vom hervorragenden Msgr. Pietro Pavan, dem Inspirator der Enzyklika »Pacem in terris«) primär eine juristisch-politische Frage, die von theologischen und moralischen Argumenten gestützt werden kann; dabei wird der Staat gleichzeitig als absolut inkompetent angesehen, um über die Wahrheit einer Religion zu richten.

Am 15. September 1964 nun war die neugefaßte »*Erklärung über die Religionsfreiheit*« vorgelegt worden, und zwar durch den wortmächtigen Bischof de Smedt von Brügge; 64 Redner hatten sich in der Debatte zu Wort gemeldet. Man fragt sich: Warum wird denn von seiten der Kurie gerade gegen die Religionsfreiheit eine solch obstinate Obstruktion betrieben? Weil man – auch ganz abgesehen von den involvierten Machtfragen – zugeben müßte, daß sich das römische Lehramt diesbezüglich *schwerwiegend geirrt* hat. Von »Unfehlbarkeit« keine Spur. Die Päpste des 19. Jahrhunderts haben die Religionsfreiheit ja wiederholt nicht nur scharf abgelehnt, sondern sie geradezu als »Pest«, »Delirium« (Gregor XVI.) und verderbliches Produkt des modernen Zeitgeistes bezeichnet.

Und wie soll man jetzt – nachdem man keine Irrtümer der »Kirche« zugeben kann oder will! – von der (»unfehlbaren«) Ablehnung zur (»unfehlbaren«) Bejahung der Religionsfreiheit kommen? Vergebens hat man versucht, die aus den Gottesbeweisen gewohnte scholastische Terminologie in Anwendung zu bringen: von der Negation zur Affirmation komme man über die »via affirmativa, via negativa und via eminentiae«. Die Bischöfe finden solch verquere und von der Geschichte nicht gestützte Argumentation mit Recht »zu kompliziert«. Man läßt sie schließlich weg – und verzichtet damit allerdings auch auf jede Begründung der erstaunlichen Kehrtwende und so auf ein Eingeständnis eines lehramtlichen Irrtums erster Klasse! So steht nun die ganze Erklärung sozusagen nackt da, ohne jenes die historische Scham bedeckende Gewand einer neuscholastischen »Beweisführung«. Da kann man nun zum neuen Dekret nur noch Ja oder Nein sagen. Und die Mehrheit des Konzils, das weiß man schon, will Ja sagen. Aber zu ihrem Unwillen darf sie noch nicht abstimmen. Das Konzil ist von einem fairen demokratischen Procedere noch himmelweit entfernt und ärgert sich ständig über Kurie und Papst. Dabei verknüpft sich jetzt eine andere höchst brisante Frage mit dem Thema der Religionsfreiheit: die Frage des Verhältnisses Kirche – Juden.

Kampf um die Judenerklärung

Eine neue Einstellung zum Judentum erscheint vielen traditionellen Katholiken – besonders in der römischen Kurie – als eine Zumutung. Schon am 23. Februar 1964 hatte mir mein Freund GREGORY BAUM (Toronto) geschrieben, der mit dem hochverdienten Msgr. JOHN OESTERREICHER (Seton Hall University) der entscheidende (ebenfalls aus dem Judentum stammende) Vorkämpfer für eine Judenerklärung im Einheitssekretariat ist: »Die Opposition gegen Kapitel IV über die Juden ist ziemlich groß: Die Bischöfe der arabischen Länder fürchten Unannehmlichkeiten und die aus den Missionsländern sträuben sich gegen eine Bevorzugung der Juden. Doch haben auch viele Bischöfe positiv reagiert. Merkwürdigerweise hat kein einziger deutscher Bischof betreffs Kapitel IV an das Sekretariat geschrieben! Ich persönlich finde das eine Schande.« Gregory Baum mußte in den 30er Jahren als Kind mit seinen Eltern aus Berlin auswandern.

Nach den peinlichen kurialen Verzögerungsaktionen der zweiten Session hatte die Judenerklärung für die dritte Session 1964 erneut auf der Tagesordnung gestanden. Am 23. September präsentiert Kardinal AUGUSTIN BEA ruhig und gemessen – schon am Anfang und erst recht am Ende seiner Rede mit demonstrativem Applaus bedacht – den Rapport zur »Erklärung über die Juden und die Nichtchristen«. Vorher hatten nun erfreulicherweise die deutschen Bischöfe doch eine Erklärung abgegeben, die das vorgesehene Konzilsdokument unterstützt und zugleich an die Verbrechen erinnert, die im Namen des deutschen Volkes an den Juden verübt wurden. Es ist dies ja das erste ökumenische Konzil nach Auschwitz. Und die Welt horcht auf, als sie vernimmt, daß die katholische Kirche nach langen Jahrhunderten eines offenen oder verdeckten Antijudaismus innerhalb der Kirche tief eingewurzelte religiöse Vorurteile gegenüber dem alten Gottesvolk Israel korrigieren will: Die Juden seien *nicht Gottesmörder und nicht von Gott verflucht.* Zu politischen Fragen, im Klartext: zum Staat Israel, will man freilich nicht Stellung nehmen.

Aber auch nach dem Abschluß der sehr positiv verlaufenden Konzilsdiskussion – neben Kardinal Ruffini melden sich nur wenige negative Stimmen – hatte die kuriale Obstruktion angehalten. Am Freitag, dem 9. Oktober 1964 gegen Abend, hatte unsere Gruppe französischer und amerikanischer Bischöfe und Theologen in der »Villanova« aus dem Einheitssekretariat Kardinal Beas die Nachricht erhalten, Papa Montini habe außen- und kirchenpolitischem Druck nachgegeben und sich entschieden, die Erklärungen über die Juden und über die Religionsfreiheit im Konzil zu blockieren und sie kurial dominierten Gremien zur erneuten Prüfung zu übergeben. Eile tut not.

Sofort organisieren wir den Widerstand. Am Samstag morgen mobilisiert Bischof Elchinger die französischen Kardinäle Liénart und Joseph Lefèbvre (Bourges), die Amerikaner aber die Kardinäle Meyer und Ritter. Ich selber rufe Joseph Ratzinger in der »Anima« an, damit er sofort Kardinal Frings orientiere, ebenso Karl Rahner, damit er mit den Kardinälen König und Döpfner Kontakt aufnehme. Am Sonntag schon treffen sich auf Einladung von Kardinal Frings die genannten Kardinäle in der »Anima«, dazu noch Alfrink, Silva Henriquez und Léger (Suenens ist für die Wahlen in Belgien). Sie verfassen ein Protestschreiben an den Papst mit den Eingangsworten »magno cum dolore – mit großem Schmerz«, das schließlich mit 13 Unterschriften gewichtiger Kardinäle an den Papst geht.

Zugleich aber übernehme ich ganz persönlich dafür die Verantwortung, die gebotene Geheimhaltung zu durchbrechen und die Öffentlichkeit zu orientieren. Noch am Samstag rufe ich mir bekannte, noch völlig ahnungslose Korrespondenten des römischen »Messaggero«, der »Frankfurter Allgemeinen Zeitung« (Schmitz van Vorst) und von »Le Monde« (Henri Fesquet) an und orientiere sie über die skandalösen Machenschaften gegen die beiden Erklärungen, hinter denen vor allem Generalsekretär Felici (wie man nachträglich feststellen wird) steckt. Das Resultat sind am Montag früh groß aufgemachte Berichte auf der Titelseite dieser Zeitungen und ein unbeschreiblicher Sturm in der internationalen Presse; der Direktor des lateinamerikanischen Informationszentrums Antonio Cruzat aber, für die Weitergabe des Schreibens der 13 Kardinäle an die Presse verantwortlich, verliert unglücklicherweise seinen Posten. Persönliche Interventionen der Kardinäle Bea und Frings beim Papst folgen. Ergebnis: Beide Entwürfe bleiben auf der Tagesordnung des Konzils. Und in der schließlich und endlich zugelassenen Grundabstimmung am 20. November 1964 werden 1.770 Bischöfe für und nur 185 gegen den Entwurf des Judendekrets stimmen. Entschlossener organisierter Widerstand kann also bei diesem Papst durchaus etwas erreichen.

Schließlich doch zwei epochale Neuorientierungen

Für die vierte und letzte Konzilssession 1965 werden nun sogar zwei völlig eigenständige Erklärungen zur Religionsfreiheit und zum Judentum ausgearbeitet. Letztere wird – wie orientalische Bischöfe fordern – auf die Muslime ausgeweitet, ja, wird schließlich aufgrund asiatischer Interventionen zu einer Erklärung über die Weltreligionen überhaupt. So ist aus Bösem schließlich doch noch Gutes entstanden.

Doch können es die kurialen Opponenten nicht lassen, bis zum Schluß noch die Erklärung in kleinkarierter Weise abzuschwächen: statt Judenhaß, Judenverfolgung und (zum ersten Mal ausdrücklich genannt) Antisemitismus zu »verurteilen« (condemnare), will man sich mit »beklagen« (deplorare) begnügen – warum? Man würde ja sonst frühere (unfehlbare!) Päpste verurteilen! Doch ändert dies nichts an der hocherfreulichen Tatsache: Mit dieser von Johannes XXIII. angestoßenen Erklärung vollzieht die katholische Kirche eine *epochale Wende gegenüber dem Judentum*. In der feierlichen Schlußabstimmung am 28. Oktober 1965, dem Tag der Promulgation, stimmen 2.312 Bischöfe für und nur noch 88 gegen die Erklärung »Nostra aetate« über das Verhältnis der Kirche zu den nichtchristlichen Religionen.

Hier wird zum ersten Mal feierlich festgestellt, daß die *Kirche mit der jüdischen Religion in einzigartiger Weise verbunden* ist: Auf Israels Väter und heilige Schriften beruft auch sie sich. Aus Israel sind Jesus und die junge Kirche hervorgegangen. Auch wenn der Großteil der Juden Jesus damals als Messias abgelehnt hat, sind sie nicht von Gott verflucht. Sie bleiben sein auserwähltes Volk. Jesu Tod kann weder allen damaligen noch erst recht allen heutigen Juden angerechnet werden. Predigt, Katechese, Studien und Gespräche sollen der gegenseitigen Kenntnis und Hochschätzung helfen. Alle Erscheinungen des Antisemitismus beklagt die Kirche. Sie verwirft jede Diskriminierung aus Gründen von

Rasse, Hautfarbe, Stand oder Religion. Sie bekennt sich zur Brüderlichkeit aller Menschen unter dem einen Vater.

Für mich persönlich wird allerdings noch ein unangenehmes Nachspiel folgen. In meinen Kommentaren zu dieser Erklärung wiederhole ich öfter den Satz: »Der *nationalsozialistische Antisemitismus* wäre nicht möglich gewesen ohne den jahrhundertelangen *Antijudaismus der christlichen Kirchen*.« Dies trägt mir den ersten offiziellen Tadel des Vorsitzenden der Deutschen Bischofskonferenz ein. In einem geharnischten längeren Brief wirft mir Kardinal JULIUS DÖPFNER – jetzt nicht mehr im vertrauten Du der Germaniker, sondern im offiziellen Sie – vor, wie denn der »Herr Professor« eine solche unverantwortliche Aussage machen könne. Dieser antwortet dem Kardinal mit einem ruhigen, aber bestimmten Brief und verweist ihn für die Begründung dieses Satzes auf das beigelegte, bereits fertiggestellte Kapitel C I,3 des Buches »Die Kirche«, in dem der Verfasser, wie schon auf der ersten USA-Reise vorgenommen, die »vielhundertjährige, unbeschreiblich entsetzliche Leidens- und Todesgeschichte, die im nazistischen Millionenmord am Judenvolk monströs kulminierte«, ausführlich schildert.

Von Kardinal Döpfner keine Antwort auf diesen Brief. Vermutlich hatte zu seinem Tadel die heftige Diskussion um das am 20. Januar 1963 in Berlin uraufgeführte »christliche Trauerspiel« ROLF HOCHHUTHS mit dem Titel »*Der Stellvertreter*« beigetragen. Wie die Kurie so reagierten auch deutsche Bischöfe statt mit Selbstbesinnung im Geist des Judendekrets mit apologetischen Angriffen. Besser hätten sie sich an Johannes XXIII. gehalten, der auf die Frage, was man gegen Hochhuths Drama tun könne, Hannah Arendt zufolge gesagt haben soll: »Tun? Was kann man gegen die Wahrheit tun?«

In dieser vierten und letzten Session kommt es am 19. November 1965 endlich auch zur Abstimmung über die *Erklärung zur Religionsfreiheit*. Das ebenfalls erfreuliche Resultat: 1.954 Ja und 249 Nein! Wenn ich mich erinnere – es sind erst zehn Jahre vergangen seit meinem Abschied von Rom: was hat sich doch da alles verändert! Die Erklärung beginnt mit den schönen Worten »Dignitatis humanae«. Was aber soll nun in Zukunft anders sein? Folgende Kernaussagen: 1. Jeder Mensch hat das *Recht auf Religions- und Gewissensfreiheit*. 2. Jede Religionsgemeinschaft hat das *Recht auf ungehinderte öffentliche Religionsausübung* nach ihren eigenen Gesetzen. Und 3. Von Gesellschaft, Staat und Kirche muß die *Religionsfreiheit geschützt und gefördert werden*.

Alles dies wird in der neunten öffentlichen Sitzung unmittelbar vor Konzilsschluß am 7. Dezember promulgiert; jetzt mit 2.308 Ja-Stimmen

und nur noch 70 Nein-Stimmen! Mit der Erklärung für die Religionsfreiheit vollzieht die katholische Kirche eine weitere Neuorientierung:
eine *epochale Wende zur Moderne,* für welche die Religions- und Gewissensfreiheit zu den grundlegenden Menschenrechten gehört.

Zugleich wird immer klarer: Das Zweite Vatikanum bedeutet *für die
traditionalistische römische Theologie ein Fiasko.* Mit den wesentlich von ihr
vorbereiteten Schemata war sie im Konzil überall auf Widerstand gestoßen. In den Debatten konnte sie zwar opponieren und blockieren, aber
kaum einen konstruktiven Beitrag liefern. Sie war nun einmal nicht in
der modernen Welt zu Hause, sondern im Mittelalter; selbst Thomas
von Aquin wurde in diesem Konzil kaum je als Autorität zitiert, nur
wieder einmal vom Papst selbst auf einem römischen Thomistenkon-
greß unmittelbar vor der vierten Konzilsperiode als maßgebender Kir-
chenlehrer gepriesen – von den kleineren Größen der Neuscholastik,
die unsere Lehrbücher an der Gregoriana bevölkerten, ganz zu schweigen. Doch man täusche sich nicht, und die paar Dutzend Nein-Stimmen der Hardliner geben zu denken: Das Sanctum Officium und der
reaktionäre Kern der Kurie hatten keineswegs abgedankt. Und sie haben
überall auf der Welt von ihr geförderte Gesinnungsgenossen und Hel-
fer. Einer von ihnen: der Primas von Polen.

Kirche und Freiheit in Polen

Man könnte erwarten, daß das Interesse am Thema *Freiheit und Kirche*
kaum irgendwo so groß ist wie in dieser tapferen Nation, die Jahrzehnte
der Unterdrückung unter zwei totalitären Regimen zu erleiden hatte,
dem nazistischen von 1939–45 und dem kommunistischen von 1945 bis
in die Gegenwart. Die katholische Kirche Polens, sich mit der Nation
identifizierend, präsentierte sich in all diesen Jahren als ein Hort der
Freiheit. Aber – war sie es wirklich?

In der ersten und zweiten Konzilssession fiel der *polnische Episkopat*
auf, weil er kaum einen konstruktiven Beitrag zur Reform der Kirche
brachte. Vielmehr setzte man sich vor allem für die marianische Frömmigkeit und die Beibehaltung des mittelalterlichen Latein ein. Keine
Spur von biblischer, liturgischer und ökumenischer Erneuerung. Man
will offenkundig keine Kirche des »Aggiornamento« und beschwört
lieber den »Geist des Martyriums und des Todeskampfes«. Auf diese
Weise hegt und pflegt man den Mythos einer Kirche des Widerstandes
und verschweigt, wie viel Anpassung und Kollaboration in der Zeit des

Nationalsozialismus und vor allem des Kommunismus das Überleben der Kirche ermöglicht hat. Daß der Antisemitismus auch im Vorkriegspolen tief verwurzelt und verbreitet war (erschreckender Hirtenbrief von Kardinal Hlond im Jahre 1936!), wird ebenso verschwiegen wie die Tatsache, daß es keine offizielle Äußerung des polnischen Episkopats zur Vernichtung der Millionen polnischer Juden durch die Nazis gibt; in den Statistiken der Ermordeten zählt man sie dann einfach als »Polen«. Der befreite griechisch-katholische Metropolit Josyf Slipyi beklagt sich in Rom bitter, die polnische Hierarchie habe auch die Zerstörung des Restes der mit Rom unierten griechisch-katholischen Kirche in Polen nicht verhindert, vielmehr die Zwangs-Latinisierung gefördert.

Und doch ist unter vielen *katholischen Intellektuellen Polens* der Gedanke der konziliaren Erneuerung durchaus lebendig. Damit meine ich nicht die unter den Journalisten in Rom auch präsente prokommunistische katholische Pax-Gruppe, deren Vertreter mich besucht, mehr als einmal um eine Option für eines meiner Bücher bittet, aber faktisch nie eines publiziert – Angst von »links«. Vielmehr meine ich die regimekritische katholische *Znak-Gruppe*, die im Sejm, dem polnischen Parlament, mit nur fünf Abgeordneten vertreten ist, aber faktisch den Großteil des polnischen Volkes repräsentiert. Für sie ist JERZY TUROWICZ im Konzil, der Chefredakteur der einflußreichen Wochenzeitschrift »Tygodnik Powszechny« aus Krakau, der mit mir schon früh Kontakt aufgenommen hat. Wir verstehen uns ausgezeichnet und vereinbaren eine polnische Ausgabe von »Konzil und Wiedervereinigung«, die nach der englisch-amerikanischen, holländischen, französischen und spanischen sogar noch vor der italienischen (und japanischen) im Jahre 1964 in Krakau erscheint. Die polnische Theologin Halina Bortnowska veröffentlicht im folgenden Jahr in »Tygodnik Powszechny« einen langen positiven Artikel über meine Theologie (»Ludzie soboru – Menschen des Konzils: Hans Küng«).

Auch druckt »Tygodnik Powszechny« am 22. September 1963 meinen Amerikavortrag über Kirche und Freiheit ab. Und wer regt sich über diese Publikation heftig auf? Nicht die kommunistische Partei oder der polnische Staat, sondern der Primas der polnischen Kirche, Kardinal STEFAN WYSZYNSKI, der den intellektuellen Kreisen Krakaus sehr reserviert gegenübersteht. Oft habe ich ihn am Präsidialtisch beobachten können: eine zweifellos imponierende starke Persönlichkeit, unbestritten Symbol für die Stärke des polnischen Katholizismus gegenüber dem kommunistischen Regime und für die enge Verbindung von Katholizismus und polnischer Nation. Aber zugleich autoritär sowohl gegenüber dem Staat wie in der Kirche: ein Hierarch, der besser in das Vatikanum I gepaßt hätte als in das Vatikanum II. Er weiß es in Rom zu verhindern, daß ein zweiter polnischer Kardinal – vermutlich Karol Wojtyla, neuerdings Erzbischof von Krakau! – kreiert wird und beklagt sich gegenüber der Regierung über seine geringen finanziellen Mittel, wiewohl er mit zehntausend offiziell deklarierten Dollars aus Rom nach Polen zurückkehrt. Dieser Herr rügt scharf die Redaktion der Zeitschrift, die meinen Artikel veröffentlicht hat und verlangt die Publikation eines Gegenartikels. Denn er verteidigt zwar die Freiheit der Kirche (gegenüber dem Staat), aber duldet keine Freiheit in der Kirche (für Volk und Klerus). Doch die Redaktion lehnt die Forderung des Kardinals mutig ab. Später indessen gelingt es demselben Wyszynski, die polnische Ausgabe der Zeitschrift »Concilium« nach nur zweijährigem Erscheinen abzuwürgen. Auch die polnische Ausgabe meiner Konzilsaufsätze »Kirche im Konzil« wird – trotz der Bemühungen der tapferen Sr. Joanna Lossow vom sehr aktiven Zentrum für die Einheit der Christen des Erzbistums Warschau – blockiert. Ob vom Staat oder von der Kirche oder von beiden?

In der Stiftung »Concilium« werden wir nach dem Konzil überlegen, ob nicht eine Delegation von uns zum neuen Erzbischof von Krakau, Karol Wojtyla, fahren soll, der als offener gilt als der Primas; dieser hatte damals den Weihbischof Wojtyla auf die sechste, die letzte Stelle seiner Vorschlagsliste gesetzt. Unsere Reise kam aus technischen Gründen nicht zustande, hätte aber, sagt man sich im nachhinein, wohl kaum viel genützt. Denn auch von Wojtyla hat man im Konzil bisher nichts Kühnes gehört; nur eine sehr konventionelle Rede über die Berufung zur Heiligkeit als dem Ziel der Kirche und über die »evangelischen Räte«, natürlich ohne das Problem von Ehelosigkeit und Zölibatsgesetz auch nur zu erwähnen. Persönlich habe ich den Weihbischof, dann Erzbischof Wojtyla im Konzil nie bewußt wahrgenommen, während ich guten Grund habe anzunehmen, daß er mich als allgemein bekannten jüngsten Konzilstheologen mit dem blonden Schopf, statt im üblichen Talar im schwarzen Anzug, sehr wohl wahrgenommen hat, ohne mich aber je anzusprechen. Wojtyla, wie berichtet als Doktorand an der Gregoriana abgelehnt, verfügt schon früh über Beziehungen zum finanzkräftigen Opus Dei. Er wird zum Mitglied der päpstlichen »Pillenkommission« ernannt, nimmt aber an keiner einzigen Sitzung teil. Stattdessen schickt er, intrigierend hinter dem Rücken der progressiven Kommissionsmehrheit, in den Vatikan Texte, die vermutlich zur Vorbereitung der Enzyklika »Humanae vitae« benützt worden sind.

Freiheit in der Kirche Polens? Und Freiheit in der Kirche Roms? Die
Dinge spitzen sich für mich persönlich zu.

Zum Gespräch beim Großinquisitor

Auf Donnerstag, 14. Oktober 1965, 12 Uhr hat er mich bestellt – in
den Palazzo des Sanctum Officium im ersten Stock. Sein Auftritt hätte
nicht theatralischer inszeniert werden können: Beim ersten mächtigen
Glockenschlag der Peterskirche werden die beiden Flügeltüren des Saales
gleichzeitig mit einem Knall von einem Monsignore aufgestoßen, und
im Türrahmen steht er in seiner ganzen purpurnen Pracht: der viel-
gefürchtete Großinquisitor, der Chef des Sanctum Officium, Kardinal
ALFREDO OTTAVIANI. Und schlägt das Kreuz und betet laut: »Angelus
Domini nuntiavit Mariae – der Engel des Herrn brachte Maria die Botschaft.« Ich antworte mit fester Stimme auf Latein: »Et concepit de
Spiritu Sancto – Und empfing vom Heiligen Geist.« Und so abwechselnd der ganze »Angelus Domini« mit seinen drei Ave Maria. Ich kann
den Gedanken nicht verscheuchen, wie da wohl andere, an solche
fromme römische Sitten nicht gewöhnt, verdattert dagestanden hätten.

Erst dann begrüßt mich der Kardinal, und wir setzen uns auf die
barocken rot-goldenen Sessel. Das eine Auge aufgrund einer Alters-
schwäche halb geschlossen, starrt er mich mit dem anderen umso mehr
an – aber wieviel sieht er? Ich möge nicht gleich anschließend auf der
Piazza di San Pietro eine Pressekonferenz abhalten, meint er einleitend.
Nichts fürchtet man in der Tat bei der Inquisition so sehr wie die
Öffentlichkeit. Dann spricht der Kardinal mich mit deutlich lokalrömi-
scher Aussprache des Italienischen (»romanaccio«) an auf meinen kritischen Artikel nach der dritten Konzilssession. Besonders regt ihn auf,
daß ich behauptet habe, die Glaubwürdigkeit des Papstes sei infolge der
Ereignisse der »settimana nera« auf Null abgesunken. Er belehrt mich
über die Bedeutung des Papsttums in schwieriger Zeit. Ich sei schließlich in Rom groß geworden, hätte hier sieben Jahre gelebt und studiert
und viel empfangen. Da dürfe man doch erwarten, daß ich treu zum
Papst stehe, ganz und gar loyal in uneingeschränkter Solidarität. Ich höre
den Kardinal an, ohne zu unterbrechen. Er gilt als wandelndes Lexikon
aller römischen Vorschriften, Dogmen, Prinzipien – ohne jedes Senso-
rium jedoch für das, was heute so viele Katholiken zutiefst aufwühlt.

Natürlich hätte ich nun im einzelnen erklären können, nicht den
Papst lehne ich ab, sondern den Papalismus, nicht das römische Zen-

trum, sondern dessen – nun auch im Konzil kritisierten – Zentralismus, Juridismus und Triumphalismus. Aber soll ich mich auf eine theologische Diskussion einlassen mit einem Kirchenrechtler und Dogmatiker, der weder von Exegese noch von Dogmengeschichte etwas versteht und der vor dem Konzil kirchlichen Buchzensoren erklärt hatte, die moderne katholische Theologie komme ihm vor »wie ein Kreuzworträtsel«? Der aber trotzdem der Überzeugung ist, er, der oberste Glaubenshüter, sei in jedem Fall – selbst gegenüber dem Konzil – im Recht, weil er für den Papst selber steht? Ottaviani lebt und denkt – so werde ich es freilich erst später analysieren können – in einem anderen »Paradigma«, lebt noch ganz in der mittelalterlich-gegenreformatorisch-antimodernen Konstellation von Kirche und Gesellschaft. Und deswegen kann ich mit ihm von meinem modern-postmodernen Paradigma aus so schwierig diskutieren wie ein Vertreter des modernen kopernikanischen Weltbildes mit einem Vertreter des alten ptolemäischen. Sonne, Mond und Sterne, Gott, Christus und die Kirche sind zwar für uns beide dieselben, aber wie wir diese Größen sehen, ist ganz und gar verschieden, verschieden eben je nach der »Konstellation«, dem Paradigma. Wir leben in der selben Kirche und doch in einer anderen Welt.

Ich beobachte den Kardinal mit seinem Cäsarenkopf aufmerksam, während er seinen Monolog hält und fühle mit ihm beinahe so etwas wie Mitleid. Er, der den gefährlichen Spruch »Semper idem – immer derselbe« im Wappen trägt, ist im Dienst der Kurie alt geworden, fast erblindet und hoffnungslos hinter der Entwicklung von Theologie und Kirche zurückgeblieben. Doch nicht einmal eine Eiche kann »immer dieselbe« sein, wenn sie sich nicht »immer wieder verändert«, Blätter abwirft und neue sprießen läßt und wächst.

Ihm gegenübersitzend, erinnere ich mich an die geradezu tragische Szene, wie Ottaviani schon am Ende der ersten Session das letzte seiner vier Schemata mit dem bezeichnenden Titel »De ecclesiae militantis natura – über die Natur der streitenden Kirche« vorgetragen hatte mit einem scharfen Kapitel über Autorität und die absolute Notwendigkeit der römischen Kirche für das Heil. Während er jedoch bei seiner ersten Konzilsrede am 14. Oktober selbstbewußt und selbstsicher geredet hatte, so jetzt eher gedämpft und traurig, wohl wissend, daß er die Zielscheibe der meisten, auch grausamen Konzilswitze ist (»o Gott, schließe seine Augen in deiner Allmacht auf ewig«). Doch mit seinem völlig aussichtslosen Schema wollte er zumindest mit Würde untergehen und sagte: »Ich erwarte die üblichen Litaneien von euch allen zu hören: es ist nicht ökumenisch und ist zu scholastisch, es ist nicht pastoral und zu negativ und ähnliche Klagen. Dieses Mal will ich euch ein Geständnis machen: diejenigen, die schon gewöhnt sind zu sagen ›tolle, tolle, substitue illud – nimm es weg und ersetze es‹, sind schon bereit zur Schlacht. Und ich will auch etwas anderes offenbaren: Schon bevor dieses Schema verteilt wurde, war ein alternatives Schema vorbereitet. So ist alles, was mir bleibt, zu verstummen. Denn wie die Schrift sagt: ›wo niemand hört, ist es sinnlos zu reden‹ (Acta I,4 p.9).« Der Kardinal hatte das Mikrophon eingeschaltet gelassen und sich aus der Aula unter allgemeiner Heiterkeit entfernt. Er wußte, im Konzil hatte er verloren. Nicht aber in der Kurie.

Was soll ich dem Chef des Offiziums nun sagen? Nachdem ich ihm sehr lange zugehört habe, unterbreche ich ihn freundlich: »Eminenza, darf ich nun auch etwas sagen?« Er: »Sì, sì, si capisce.« Ich: »Eminenza, Lei sa: sono ancora giovane. – Sie wissen, ich bin noch jung.« Da geht plötzlich ein Leuchten über das zerfurchte Gesicht des halbblinden 75jährigen Bäckersohnes aus Trastevere, der sich durch all die Jahre um ein dortiges Waisenhaus kümmerte: »Sì, sì, questo è vero, Sie sind noch jung, und als ich noch jung war, da hab ich auch viele Dinge gemacht, die ich später nicht mehr machte ...« Und so redet er weiter – offenkundig war er doch nicht so ganz »immer derselbe«. Ich hatte zu seinem Herzen gesprochen, und er hat es mir ein wenig geöffnet. Dann versuche ich ihm einiges verständlich zu machen, wie ich zu Rom und dem Papst stehe.

Schließlich sagt er: Ich hätte doch an der Gregoriana studiert, deshalb solle ich dort mit zwei meiner Professoren reden, mit P. Bertrams, dem Kirchenrechtler, und mit P. Hentrich, früher zweiter Privatsekretär Pius XII. So werde ich denn in Gnaden ungestraft entlassen. Acht Tage später gehe ich an die Gregoriana und spreche mit den beiden Jesuiten, die mir ins Gewissen reden, aber – von einem kleinen Zornanfall des sonst so ruhigen P. Bertrams abgesehen – mich in keiner Weise bedrohen. Eines habe ich dabei eingesehen: Ich habe in meiner scharfen Kritik am Papst unterlassen zu erwähnen, daß er von seinem Standpunkt aus durchaus in guter Absicht gehandelt habe. Das hatte man mir vorgehalten: Was ich den Protestanten immer ausdrücklich zugestehe, hätte ich ja doch auch dem Papst zugestehen können. Das sehe ich ein. Aber daß ich es nicht getan hatte, geschah nicht, weil ich des Papstes gute Absichten bezweifelte, sondern weil ich sie als selbstverständlich voraussetzte. Giovanni Battista Montini ist für mich der Gefangene des römischen Systems!

Schon nach Veröffentlichung meiner kritischen Analyse der »settimana nera« in der dritten Konzilsperiode hatte ich am 17. Februar 1965 an den persönlichen Theologen des Papstes, jetzt als Bischof Sua Eccellenza Carlo Colombo, geschrieben: »Was ich über den Papst und seine Haltung geschrieben habe, tat ich, um gerade den Papst in seinen ursprünglichen Intentionen zu stützen. Niemand bezweifelt seine guten Absichten und sein ehrliches Wollen zum Heil von Kirche, Christenheit und Menschheit. Viele fürchten nur und immer mehr, daß manche Leute um ihn sich den entschiedenen Aktionen, welche man entsprechend diesen Intentionen in der ganzen Welt erwartet, entgegenstellen. Dem Mißtrauen, welchem der Papst heute in sehr weiten und sehr wichtigen Kreisen von Kirche und Welt begegnet, muss mit allen Mitteln entgegengearbeitet werden. – So hoffe ich, daß mein Beitrag als zwar kritische, aber in seiner ganzen Zielsetzung konstruktive Hilfe erkannt wird. Nichts würde mich mehr freuen, als wenn ich für den Papst im Dienst an der Kirche noch mehr tun könnte. Ich möchte es Ihnen überlassen, diesen Artikel – falls Ihnen dies richtig erscheint – Seiner Heiligkeit weiterzugeben. Es wäre mir außerordentlich daran gelegen, nicht nur daß mir eine bona fides zugebilligt wird, sondern auch, daß die in diesem Artikel ausgedrückten Anliegen so vieler Menschen in ihrer positiven Ausrichtung verstanden werden. Ich kann gar nicht sagen, wie viel die Kirche, die Christenheit, die Welt gerade von Papst Paul VI. erwarten.«

Aber ich kann nicht leugnen, daß ich es in meinem – ohnehin schon überlangen – publizierten Artikel versäumt habe, die guten Intentionen Pauls VI. hervorzuheben. Und so nehme ich mir vor, diese in Zukunft stets zu erwähnen. Jedenfalls ist dies mit ein Grund, weswegen ich nun dem Papst selber Ende November 1965 einen erklärenden Brief schreibe. Ich möchte, wenn möglich, noch einmal mit ihm persönlich Kontakt haben und über die noch immer nicht entschiedene Frage der Geburtenregelung reden, bevor das Konzil am 8. Dezember zu Ende geht und ich nach Tübingen zurückkehre. Eine Audienz zu erreichen, dürfte freilich außerordentlich schwer sein. Denn in diesen letzten Tagen des Konzils ist er, da er unter anderem alle Bischofskonferenzen einzeln verabschiedet, überbeschäftigt. Ich lasse meinen Brief über seinen Privatsekretär Don Pasquale Macchi an den Papst gehen, und zu meinem Erstaunen erhalte ich innerhalb dreier Tage die Antwort. Sie ist positiv. Papst Paul VI. – ganz anders als später sein polnischer Nachfolger – ist sofort bereit, mich zu empfangen und nicht wie so oft in einer kleinen Gruppe (Spezialaudienz), sondern unter vier Augen (Privataudienz).

Bei Paul VI.: »In den Dienst der Kirche treten«?

Auch Yves Congar berichtet in seinen Memoiren von einer Privataudienz bei Paul VI. Die römische Kurie brauche dringend fähige jüngere Kräfte, habe der Papst ihm gesagt, und er habe dabei besonders an Küng und Ratzinger gedacht, aber – Küng schiene doch nicht genügend »Liebe zur Kirche« zu haben. Wie Joseph Ratzinger dem Papst seine »Liebe zur Kirche« kundtat, weiß ich nicht. Aber was ich selber dem Papst sagte, ist mir genau in Erinnerung geblieben.

Unmittelbar also vor dem Konzilsende, am Donnerstag, dem 2. Dezember 1965 gegen 12.15 Uhr, bin ich auf dem Weg zur Privataudienz bei Paul VI. Mit meinem Peritus-Ausweis im Auto hinauf zum Damasushof und von dort im kleinen Lift hinauf in den vierten Stock. Freundlich salutieren die Schweizer Gardisten, einen ihrer Landsleute erkennend. Empfang durch die Monsignori des Protokolls (»Anticamera«). Gang durch etwa ein Dutzend unter Paul VI. geschmackvoll modernisierte, nicht mehr rot-gold, sondern beige und grau gehaltene und mit kostbaren Kunstwerken ausgestattete große Säle, für Spezialaudienzen verwendet. Dabei bimmelt es geheimnisvoll. Es sind, so entdecke ich schließlich, die Orden am Band des Cameriere della Spada in spanischer Hoftracht, der mich begleitet. Von dem im Vorzimmer diensttuenden Monsignore wird mir nach kurzem Warten im letzten Saal die Tür zur ebenfalls renovierten, großartigen päpstlichen Privatbibliothek geöffnet. Aber statt, wie Pius XII., am anderen Ende des weiträumigen Saales, erwartet mich Paul VI. direkt rechts neben der Tür, an seinem Schreibtisch sitzend. Um so dem Besucher die Hemmungen zu nehmen und die früher üblichen drei Kniebeugungen zu ersparen? Jedenfalls, ob beabsichtigt oder nicht, ein gelungener kleiner Überraschungscoup.

Papa Montini – das weiß ich von früheren Begegnungen – wirkt unter vier Augen sehr viel sympathischer und menschlicher als bei seinen oft steifen öffentlichen Auftritten. Stirnglatze, scharf geschnittene Nase, seine Augen sind unter den buschigen Augenbrauen freundlich und forschend zugleich auf mich gerichtet. Als ich Platz nehme, hält er mir eine kleine Ansprache. Seine Stimme ist rauher als seine zarte Gestalt erwarten läßt. Offensichtlich hat er sich die Führung des Gesprächs genau überlegt. Zuerst lobt er mit einem korrekten, aber letztlich undurchdringlichen Lächeln über Gebühr meine ungewöhnlichen »doni«, »Gaben«. Es erinnere ihn an meinen Tübinger Vorgänger Karl Adam, dessen »Wesen des Katholizismus« ein Freund von ihm in den 20er Jahren ins Italienische übersetzt und das er noch nach dem Einschreiten des Sanctum Officium unter der Hand weitergegeben hatte (letzteres verrät er mir nicht). Wie Adam vermöge ich über die »mura della Chiesa«, »die Mauern der Kirche«, hinaus in der Öffentlichkeit für die christliche Wahrheit einzutreten; das sei heute wichtiger denn je.

Natürlich freue ich mich über diese Anerkennung; vor mir sitzt immerhin der Summus Pontifex. Doch plötzlich macht Paul VI. eine überraschend unsanfte Volte und lächelt nicht mehr: Wenn er indessen all das überschaue, was ich geschrieben hätte, möchte er doch eigentlich lieber, ich hätte »nichts geschrieben«. »Niente« – das ist nicht gerade ein ermutigendes Kompliment für einen jungen katholischen Theologen aus dem Munde des obersten Chefs persönlich. Sicher hofft er, der in seiner Karriere gelernt hat, die Wirkungen seiner Worte genau zu berechnen, daß dieser Peitschenhieb nach dem Zuckerbrot sitzt.

Ich würde ja nun viel über die »libertà«, die *Freiheit* in der Kirche schreiben, fährt Papst Paul fort, jetzt mit leicht ironischem Lächeln (so müssen die Cäsaren arme Poeten angelächelt haben), um dann auf sein eigentliches Anliegen zuzusteuern. »Wieviel Gutes könnten Sie doch tun«, so Paul jetzt mit Nachdruck, »wenn Sie Ihre großen Gaben in den *Dienst der Kirche* stellen würden«: »nel servizio della Chiesa«! In den Dienst der Kirche? Ich antworte leise, nun meinerseits lächelnd: »Santità, io sono già nel servizio della Chiesa«, »Ich bin doch schon im Dienst der Kirche.«

Doch Paulus Papa Sextus hat natürlich gut römisch mit »Kirche« die spezifisch römische Kirche gemeint und fährt fort: »Deve avere fiducia in me. Sie müssen Vertrauen zu mir haben«. Meine Antwort: »Ich habe Vertrauen zu Ihnen, Santità, ma non in tutti quelli che sono intorno a Lei, aber nicht zu all denen, die um Sie herum sind.« Solche im kurialen Milieu unübliche Direktheit läßt den sonst stets gemessenen Kirchendiplomaten mit hochgehobenen Armen ein emotionales »Ma – aber« ausstoßen. Aber – wenn er nach »Tubinga« käme und da durch die Straßen ginge, würden ihm zunächst auch viele unbekannte, verschlossene, finstere Gesichter begegnen, aber die würden sich aufhellen, wenn er sie näher kennenlernte. So auch in der Curia Romana ...

Schon wieder ganz beherrscht fährt Papa Montini fort: Ich bräuchte ja keineswegs mit allem, was hier geschehe, von vornherein einverstanden zu sein. Nur müßte ich mich halt – und des Papstes schlanke Hände machen die Geste des Auf-die-Linie-Bringens – ein wenig einpassen. Das also ist die Bedingung: mich einpassen, anpassen – darum geht es. Was dies bedeutet, ist mir, dem in Rom Herangebildeten, völlig klar. Klarer möglicherweise als dem Nicht-Römer Ratzinger, der offensichtlich den auch ihm in irgendeiner Form vom Papst direkt oder indirekt offerierten Weg in der Folge eingeschlagen hat, und dies mit nicht wenig Erfolg.

Hätte ich mich vielleicht doch im Sinn des Papstes entscheiden sollen? Die große Chance meines Lebens – habe ich sie verpaßt? Antwort: Daß ich im römischen System einiges Gute bewirken könnte, will ich nicht bestreiten; das ist ein Erstes. Und daß ich jederzeit auf den römischen Weg einschwenken könnte, das ist ein Zweites; bald wird ein weiterer Austausch erfolgen. Und daß ich dies aus guten Gründen nicht tun kann, kein Anpasser werden darf, werden will, das ist ein Drittes.

In der Folge bringe ich das Gespräch auf die umstrittene Frage der *Empfängnisverhütung*, überreiche ihm ein aus einem Dutzend Punkten bestehendes kleines Memorandum, das er an die Kommission weitergeben wird, und ende schließlich aufgrund der päpstlichen Bedenken gegen die Pille unerwarteterweise bei der Frage der *Unfehlbarkeit*, wovon im zweiten Band meiner Lebenserinnerungen ausführlich die Rede sein wird. Jedenfalls wird mir nachher vom Ärger des konservativen amerikanischen Moraltheologen John Ford SJ berichtet, daß der Papst, den er vorher von seiner konservativen Auffassung überzeugt hatte, nach dem Gespräch mit mir wieder schwankend geworden sei.

Für das Gespräch waren 10 bis 15 Minuten vorgesehen. Schon zweimal hatte der diensttuende Monsignore leise die Tür geöffnet, um die Zeit anzumahnen. Doch wird er mit einer sanften Bewegung der linken Hand zurückgeschickt (hier sagt der Papst, wann Zeit ist). Schließlich hat sich das Gespräch auf fast dreiviertel Stunden ausgedehnt. Mit größter Freundlichkeit verabschiedet mich Paul VI. Für meine Mutter gibt er mir einen Rosenkranz aus weißen Perlen mit. Mir selber aber ein Neues Testament in griechischer und lateinischer Sprache (Ausgabe von Merk-Lyonnet vom Päpstlichen Bibelinstitut!). Langsam signiert er es: »Paulus P. P. VI – 2. XII. 1965.« Und gibt mir seinen Segen.

Natürlich nimmt mich wunder, wer denn da draußen im Empfangssaal so lange warten muß. Als ich in schwarzem, normalem Anzug aus der Privatbibliothek trete, sehe ich da in seiner ganzen hierarchischen Pracht mit seinem violetten Mantel den in jeder Hinsicht gewichtigen Generalsekretär des Konzils sitzen, Erzbischof PERICLE FELICI, der sich sicher doppelt geärgert hat über die zeitliche Verzögerung, als er hörte, welch hochgefährlichem Theologen der Papst so viel Zeit schenkt. Aber natürlich weiß ich, was sich gehört: »Eccellenza!« – verneige ich mich im Vorbeigehen lächelnd mit großer Gentilezza, und Exzellenz, gut römisch, grüßt mit einem Lächeln zurück (so muß es sein, wenn eine Zitrone zu lachen versucht).

Aber mit jener Papstaudienz des Jahres 1965 sehe ich mich plötzlich drastisch mit der Frage konfrontiert: *Für wen* treibst du eigentlich *Theologie,* wenn du schon weiter Theologie treiben willst? Meine Theologie ist offensichtlich nicht für den Papst (und die Seinen), der meine Theologie, wie sie nun einmal ist, offensichtlich nicht mag und nicht will. Dann eben bewußt für die Menschen, die meine Theologie brauchen können. Und ich erinnere mich dabei zum Trost an den, der nicht gesagt hat, »Mich erbarmt des Hohenpriesters« (wiewohl dieser vielleicht auch Erbarmen verdient hätte), sondern »Mich erbarmt des Volkes«. Deshalb ab da noch entschiedener: *Theologie für die Menschen.* Ja, das ist in aller Freiheit mein Weg. Mit dem von Bing Crosby gespielten jungen und auch nicht ganz eingepaßten Vikar: »Going my way«. Und schon bald erhalte ich eine Bestätigung, daß ich auf dem richtigen Weg bin. Es wird jetzt deutlicher, wie Papa Montini den »servizio della Chiesa = della Curia« versteht.

Kurienreform mit Janusgesicht

Janus ist kein katholischer Heiliger. Janus ist ein römischer Gott: der Gott der »janua«, der »Tür«: der Gott des Eingangs und Ausgangs also, der zugleich rückwärts und vorwärts schaut, in die Vergangenheit und in die Zukunft. Ein Gott deshalb mit zwei Gesichtern dargestellt und von alters her die Doppelgesichtigkeit, Zweideutigkeit, auch Zwiespältigkeit symbolisierend.

Erst zum feierlichen Abschluß des Zweiten Vatikanischen Konzils, am 6. Dezember 1965, veröffentlicht PAUL VI. das »Motu proprio« (»aus eigenem Antrieb«) »Integrae servandae«: Mit der *Reform des Sanctum Officium* wird hier der erste gewichtige Schritt einer *Kurienreform* vollzogen, deren Gesamtkonzeption dann mit der apostolischen Konstitution »Regimini Ecclesiae« 1967 sichtbar werden wird. Es ist eine Reform mit zwei Gesichtern – hier gilt es genau zu analysieren. Denn an diesem Punkt wurzelt die Ambivalenz der nachkonziliaren Entwicklung und die mit dem vatikanischen Regierungsapparat gegebenen Krisen, gründen die vielen Probleme, die auch ich ganz persönlich in der Folgezeit mit der römischen Kirche haben werden.

Papst Montini wollte zweifellos von Anfang an eine ernsthafte Reform der Kurie und arbeitete seit 1963 daran. Das sprach sich auch in den Kreisen um das Sanctum Officium herum und erregte Besorgnis. Jetzt, als dieses Dokument veröffentlicht wird, ist man in diesen Kreisen entrüstet, aber darf natürlich nicht öffentlich widersprechen. »Erinnert Euch, dies ist un giorno nero, ein schwarzer Tag der Kirchengeschichte«, erklärt Kardinal ALFREDO OTTAVIANI vor einer Gruppe von Mitarbeitern. Warum? Weil das Sanctum Officium den stolzen Titel »Suprema« = »oberste« Kongregation einbüßt.

Damit ist ihm in der Tat nicht nur ein Titel aberkannt worden, den es sich nach dem Vorbild der spanischen Inquisition selber erst im 20. Jahrhundert zugelegt hatte. Damit ist ihm auch der angemaßte faktische Primat in allen Glaubens- und Sittenfragen aberkannt worden. Selbst die Päpste – zwar formal Präfekten der Kongregation – wagten ja kaum zu widersprechen, wenn der Sekretär der Kongregation jeweils am Freitag die wichtigsten Beschlüsse der Woche zum Absegnen vorlegt, die am Montag von den Konsultoren vorbereitet und am Mittwoch (um jeweils eine Woche verschoben) von den Mitgliedern der Kongregation, darunter die Mitglieder des vatikanischen Pentagons, verabschiedet worden waren. Die »Suprema Congregatio« nahm an, daß der Papst, ihr Präfekt, alle ihre Beschlüsse selbstverständlich absegnet.

Und was geschieht jetzt mit diesem Sanctum Officium? Der Germaniker Hermann Schwedt, früher selber Mitarbeiter, analysiert im Berichtsband »Studientag Bistum Aachen« (29. 11. 1997) präzis: Das *»Sicherheitshauptamt« des katholischen Glaubens* wird von Paul VI. *degradiert* zu einer normalen Kongregation der römischen Kurie, mit einem Kardinal als Präfekten und einem neuen Namen »Kongregation für die Glaubenslehre«. Und diese soll nicht mehr nur für die »Sicherung« des Glaubens, sondern vor allem für die »Förderung« des Glaubens zuständig sein. Dabei soll die Kongregation Bücher nicht mehr (wie in CIC Canon 247 festgelegt) »verbieten« (»prohibere«), sondern nur noch »mißbilligen« (»reprobare«). Damit ist so ganz nebenbei, zunächst kaum bemerkt, der *Index der verbotenen Bücher faktisch abgeschafft* worden, ohne daß der Papst dies freilich klar ausspricht.

So sehr würgt Kardinal Ottaviani an dieser Neudefinition des Sanctum Officium, daß er erst vier Monate später, am 13. April 1966 – und dies nur in einem Illustrierten-Interview auf Nachfrage – bestätigt, der Index werde nicht mehr aufgelegt, er bleibe ein »historisches Dokument«. Und erst am 14. Juli 1966 erfolgt aufgrund vieler Anfragen eine offizielle »Notificatio = Bekanntmachung« des Ex-Sanctum Officium selbst, der Index sei keine Rechtsnorm mehr und besitze nur noch »moralischen Wert«. Unterdessen hatte die Kongregation als neuen

Subsekretär den Löwener Professor Charles Moeller erhalten, dessen Einfluß in diesem Machtgefüge unter dem alten Chef freilich beschränkt bleiben sollte. Weil indessen noch immer Unklarheit besteht, veröffentlicht das Ex-Sanctum Officium schließlich am 15. November 1966 ein offizielles »Decretum«, das die entsprechenden Canones in aller Form aufhebt und von den bei Lektüre verbotener Bücher zugezogenen Kirchenstrafen absolviert. Jetzt erst sind die Kanonisten mit der Auskunft der Kongregation zufrieden. Fast ein Jahr also hat der »Verdauungsvorgang« der Kongregation bezüglich des Index gedauert. Aber man täuscht sich sehr, wenn man meint, die alte Garde um den »vecchio carabiniere« Ottaviani habe bereits abgedankt.

Die Zurückdrängung des ungebührlichen Einflusses des Sanctum Officium (dessen Mitglied ex officio auch Montini viele Jahre war) ist nur ein Teil der Kurienreform. Die zentrale Maßnahme wird 1967 publiziert werden: die Erhebung des »päpstlichen Staatssekretariats«, in welchem Montini durch Jahrzehnte buchstäblich sein Zuhause hatte, zum vatikanischen »Superministerium«. Und dies ist es, was den Zorn Ottavianis und der Seinen verdoppelt: Die ideologische Leitung der Kirche – so versteht er sein Amt – soll jetzt von der Theologie an die Diplomatie übergehen!? Was katholische Glaubenslehre in umstrittenen Fällen ist, soll nicht wie seit Jahrhunderten von dieser ehrwürdigen Inquisitionsbehörde entschieden werden, sondern vom politischen Organ der Kurie!? Auf diese Weise gefährdet man doch die strenge Kohärenz und Konsequenz der römisch-katholischen Glaubensdoktrin. So gefährdet man die Grundlagen des »Baluardo«, der römischen »Festung«.

Doch diesbezüglich macht sich Ottaviani allzu viele Sorgen. Papst Paul will die Bastionen der Festung nicht schleifen, sondern konsolidieren. Pius XII. hatte als absolutistischer Herrscher und eigener Staatssekretär mit Hilfe eines deutschen »Küchenkabinetts« weithin an der Kurie vorbeiregiert. Johannes XXIII. hatte die verschiedenen Ämter der Kurie wieder im alten Stil weitermachen lassen, sich aber zu Einzelentscheidungen für ihm wichtige Aktionen wie etwa die Konzilseinberufung die Freiheit genommen. Paul VI. nun will die Kurie neu organisieren: die Alleingänge des Sanctum Officium und anderer Ämter beenden und sie alle einem koordinierenden Hauptamt unterordnen, über das er selber die tagtägliche Kontrolle hat. Und dieses ist nun einmal das Staatssekretariat, direkt unter ihm im dritten Stock seines eigenen Palazzo angesiedelt und ständig verfügbar.

Ich erinnere mich an meine Unterredung mit Kardinal Montini vor dem Konzil, wo er angesichts meines Desiderats der Dezentralisierung davon sprach, daß die Dienste der Kurie ja jetzt »molto svelti, sehr rasch« seien; man könne ja leicht telefonieren und ähnliches mehr. Tatsächlich geht es in seiner Kurienreform um eine Zentralisierung und Restrukturierung der Kurie; ihre Effizienz soll gesteigert und die eigene päpstliche Handlungsfreiheit zurückgewonnen werden. Fazit: Im Grunde *keine grundlegende Reform, vielmehr eine Modernisierung der Kurie* – im Geist des alten Absolutismus! Nicht von ungefähr hat ja der Papst schon in seiner Ansprache zur Kurienreform von 1963 von der Kurie »absoluten Gehorsam« gefordert.

Doch so in Gehorsam mit verschränkten Armen vor dem Papst knien, wie der neue Jesuitengeneral Pedro Arrupe auf einem in diesen Tagen vom Vatikan verbreiteten Photo, wo Paul VI. die rechte Hand hoch zum Segnen (oder zum Drohen) erhebt? Nein, das widerspricht meinem Verständnis von der Freiheit eines Christenmenschen. Und meine Vorträge in den letzten Konzilswochen über »Kirche und Freiheit« und »Kirche und Wahrhaftigkeit« besagen das genaue Gegenteil und finden unter Konzilsvätern wie in den Medien ein breites Echo. Für die erste von mir herausgegebene Ökumenismus-Nummer unserer neuen Internationalen Zeitschrift für Theologie »Concilium« schreibe ich, ganz auf der Linie der Suenens-Rede, einen programmatischen Artikel über die *»charismatische Struktur der Kirche«:* Charisma verstanden als Dienst, aber nicht am Papst, sondern an der Gemeinschaft der Christen, die alle (auch der Bischof von Rom) als Brüder und Schwestern im Gehorsam unter dem einen Herrn und Gott stehen. Das ist christlich, das andere »römisch«.

Gegen die Intentionen des Konzils

Ist eine solche »Reform« der Kurie im Sinn des Konzils? Nein, *mit den großen Zielen des Konzils hat solche Kurienmodernisierung wenig zu tun.* War dieses Konzil nicht von der ersten Session an gekennzeichnet durch eine Aktivierung des Bischofskollegiums und der Ortskirche? Und das entsprechende Zurücktreten der Zentraladministration, von Johannes XXIII. unterstützt durch einen zurückhaltenden Gebrauch der Primatialgewalt? Und erwarben sich Papst, Konzil und Kirche nicht gerade so nach außen eine ganz neue Glaubwürdigkeit? Paul VI. aber, jetzt wieder vor allem Papst der Kurie, hat dem Konzil nicht umsonst seine berüchtigte »Nota praevia« über seinen Herrschaftsprimat oktroyiert: Im inneren Widerspruch zu den klaren Aussagen des Vatikanum II über die

Kollegialität des Bischofskollegiums und dem Willen des Episkopats soll erneut eine ungeschmälerte, uneingeschränkte Primatsausübung im Sinn des Vatikanum I ermöglicht und neu legitimiert werden. Macht abgeben im Geist der Bergpredigt? Daran dachte dieser Papst keinen Moment. Seine Macht mit Bischöfen und Ortskirchen im Sinn der alten katholischen Tradition teilen? Gerade das will dieser Papst nicht.

Das Janusköpfige dieser Kurienreform bedrückt mich. Von einem neuen, konziliaren Geist jedenfalls kaum eine Spur. Gemessen an den großen Intentionen des Konzils eine riesige Enttäuschung. Denn worunter wird die nachkonziliare Kirche bis ins dritte Jahrtausend hinein vor allem leiden? Daß ihr die *Führung im Geiste des Konzils* fehlt. Das Konzil hatte unbestreitbar eine Internationalisierung, Kollegialisierung und Dezentralisierung der römischen Zentralverwaltung gefordert. Was aber hat es von diesem Papst erhalten? In drei Sätzen gesagt:

Eine *nur äußerliche Internationalisierung*: im Vatikan größere Repräsentation der verschiedenen Nationalitäten, nicht aber der verschiedenen Mentalitäten.

Eine *nur scheinbare Kollegialisierung:* Der zur gelegentlichen Bischofssynode kastrierte Bischofsrat wird endlos debattieren und »konsultieren«, aber rein nichts entscheiden dürfen.

Eine *nur kosmetische Dezentralisierung:* Unbedeutende Vollmachten werden jetzt am Ende des Konzils den Bischöfen zurückgegeben, als gnädig gewährtes Privileg des römischen Pontifex, nicht als Wiederherstellung der ursprünglichen katholischen Ordnung.

Peter Hebblethwaite hat Paul VI. den »ersten modernen Papst« genannt. Doch in diesem Punkt hat er leider nur zur Hälfte recht. Und gerade deshalb wird Montini – Zahl VI hin oder her – ein »*Papa infelix*« werden, gequält und innerlich zerrissen. Gewiß blickt er nach vorne: Er möchte Kurie wie Kirche »modernisieren«, dafür Leute wie Ratzinger und mich gewinnen, und sich in der »Außenpolitik« aufrichtig für Frieden und soziale Reformen in der Welt einsetzen. Diesem Zweck dient ja auch seine Reise nach New York und die Rede vor der UNO am 4. Oktober 1964. Auch seine unvergessene Sozialenzyklika »Populorum progressio« vom 21. März 1967. Zugleich jedoch mit wertvollen Vorstößen für Dritte Welt und Entwicklungspolitik orientiert sich dieser Papst nach rückwärts: an der Vergangenheit, aber nicht etwa am Neuen Testament und an der Kirche des ersten Jahrtausends. Vielmehr an den Prinzipien der Gregorianischen Reform des 11. Jahrhunderts, die er – exegetisch und historisch-kritisch ungebildet – nicht durchschaut. Nur unter dieser Voraussetzung, wenn überhaupt, ist seine Fixierung auf das

Papsttum und auf Rom zu entschuldigen. Das mittelalterliche römische System soll intakt bleiben, ernsthafte innenpolitische Reformen des Machtgefüges kommen nicht in Frage. Deshalb hält er unmittelbar nach seiner Rückkehr aus New York in der Konzilsaula eine traditionelle lateinische(!) Rede und kündigt etwas später die Seligsprechung nicht nur von Johannes XXIII., sondern auch von Pius XII. an. Nur nach außen zeigt er sich modern, sozial, liberal. Nein, Papst Montini ist nicht ein liberaler oder auch nur ein kollegialer, er ist, leider muß es gesagt sein, ein durch und durch *kurialer Papst*.

Und einem solchen Papst sollte ich mich »im Dienst an der Kirche« in »absolutem Gehorsam« ausliefern? Der Leser wird nach allem, was ich erzählte, verstehen: Es ist wirklich keine geistige Arroganz und moralische Überheblichkeit, wenn ich, geborener Republikaner und getaufter Christenmensch, mich in diesen Dienst nicht einspannen lassen möchte, auf welchem schönen Posten und mit welchem violetten oder roten Mäntelchen und Prälatenkäppchen auch immer. Man bedenke: Nicht einmal den Übergang von der absolutistischen zur konstitutionellen Monarchie hat der Papst dem Konzil zugestanden. Auch den vorgesehenen neuen Kodex des Kirchenrechts wird sein Staatssekretär mit den Kurialen überwachen und er selber aus eigener Machtvollkommenheit erlassen. Im Klartext: Dieser völlig überholte fürstliche Absolutismus und seine (in ihren Kleidern in vielem skurril wirkenden) Hofschranzen haben mit dem freiheitlichen Staatswesen, in welchem ich aufgewachsen bin, nichts gemein. Nichts gemein auch mit meiner Gelehrtenrepublik, in der mir die Freiheit von Forschung und Lehre durch die Verfassung garantiert ist. Nichts gemein erst recht mit dem freiheitlichen Kirchenwesen, wie es uns im Neuen Testament vorgezeichnet ist und in der alten Kirchengeschichte vorgelebt wurde. Nichts gemein auch mit der besten Tübinger Tradition, wie sie der junge J. A. Möhler, der schon früh auch Congar und die großen Franzosen begeisterte, »im Geist der Kirchenväter der ersten drei Jahrhunderte« vor fast 200 Jahren formulierte: »Es muß aber weder einer noch jeder alles sein wollen; alles können nur alle sein, und die Einheit aller nur ein Ganzes. Das ist die Idee der katholischen Kirche« (»Die Einheit in der Kirche« § 70, 1825).

Etwas muß ich zugeben: Auch ich rechne am Ende des Konzils keineswegs damit, daß es der unterlegenen alten Garde um das Sanctum Officium so leicht und so rasch gelingen würde, nach der Abreise der Konzilsväter den um seine Handlungsfreiheit besorgten Papst unter Druck zu setzen, die verlorenen Positionen zurückzugewinnen und die eigene doktrinäre Linie in Dogma, Moral und Kirchendisziplin durchzusetzen. Und dies trotz aller schönen Aussagen in der ebenfalls in dieser letzten Konzilssession verabschiedeten Pastoralkonstitution über *»Die Kirche in der Welt von heute«*, in der sich das Konzil dem – nach der protestantischen Reformation – zweiten epochalen Paradigmenwechsel auf der ganzen Linie ehrlich zu stellen versucht: der Wende zur Moderne.

Von der Generalverurteilung zur Akzeptanz der Moderne

Die Kirche und die Welt von heute: wahrhaftig, darüber läßt sich unendlich viel sagen. Und ich habe durchaus mitgeklatscht, als Kardinal Suenens, wie immer klar und kraftvoll, schon gegen Ende der ersten Konzilssession, am 4. Dezember 1962, die fehlende Strukturierung der Konzilsarbeit kritisierte und vorschlug, dieses Konzil müsse in seiner künftigen Arbeit zwei Richtungen einschlagen: Einerseits *»ad intra = nach innen«:* Was sagt die Kirche über sich selbst? Andererseits *»ad extra = nach außen«:* Wie versteht sich die Kirche im Dialog mit der Welt?

Allerdings gestehe ich, daß ich mit anderen deutschsprachigen Periti von Anfang an eher reserviert war gegenüber einer allumfassenden Pastoralkonstitution über Kirche und moderne Welt, die von der Einstellung der Kirche zum menschlichen Leben über die Fragen der sozialen Gerechtigkeit und die Evangelisierung der Armen bis hin zur internationalen Friedenssicherung – sozusagen von der Pille bis zur Bombe – alles mögliche langatmig behandeln sollte. Zu komplex erscheinen mir diese Fragen, zu verschieden auch je nach Weltregionen.

Persönlich hätte ich es vorgezogen, wenn man sich auf einige wenige kontroverse Sachfragen konzentriert hätte. Etwa Fragen wie Geburtenregelung, Ehescheidung oder Mischehe, wo nämlich die Kirchenleitung nicht nur (was sie liebt) anderen predigen, sondern selber auch (was sie nicht liebt) zur konstruktiven Lösung beitragen könnte und sollte. Vor allem aber schien mir wichtig, einige der Grundwerte und Grundhaltungen zu reflektieren, die seit der Aufklärung des 18. Jahrhunderts als Grundtugenden gelten und für die moderne Gesellschaft von entscheidender Bedeutung sind. *Moderne Grundtugenden*, die aber gerade von der katholischen Kirche in entscheidenden Punkten vernachlässigt, ignoriert, gar unterdrückt wurden.

Ich denke vor allem an *Grundwert und Grundtugend der Freiheit*, wie ich sie in diesen Jahren auch publizistisch immer wieder von verschiedenen Seiten beleuchtet habe, was Papa Montini offensichtlich nicht schätzt. In der von mir herausgegebenen Serie veröffentliche ich mehrere »Theologische Meditationen«: Über die Freiheit des Einzelnen »Freiheit in der Welt« (Thomas Morus). Über die Freiheit der Theologie »Theologe und Kirche«. Über die Freiheit in der Kirche »Kirche und Freiheit«. Über Freiheit der Religionen »Christenheit als Minderheit«. Sie erscheinen schon 1965 gesammelt in einem Band zuerst auf englisch unter dem Titel »Freedom Today«, später auch auf deutsch und in anderen Sprachen: »Freiheit des Christen« ist das Generalthema.

Aber immer wichtiger werden mir auch der *Grundwert und die Grundtugend der Wahrhaftigkeit,* über die ich bisher noch wenig gesagt habe. In der Tat fühle ich mich schon während der dritten Konzilsperiode aufgerufen, im Centro Unitas an der Piazza Navona am 7. Oktober 1964 zum ersten Mal einen Vortrag über »Kirche und Wahrhaftigkeit« zu halten, der großes Echo findet und über Zeitungen wie »Le Monde« auch unter sehr vielen Konzilsvätern Verbreitung findet. Von ihm wird später in einem anderen Kontext ausführlich die Rede sein müssen. Es genügt hier, einige zentrale Punkte hervorzuheben.

Im Einleitungsteil das Pathos der Wahrhaftigkeit im 20. Jahrhundert, von moderner Kunst und Literatur über Psychologie, Soziologie und Philosophie bis zum Alltag, und von daher Wahrhaftigkeit als Grundforderung an die Kirche in der Welt von heute. Im zweiten Teil dann die geschichtlichen Hintergründe der Vernachlässigung der Wahrhaftigkeit (zugunsten der »Keuschheit«) in Moraltheologie und Theologie überhaupt. Im dritten Teil Wahrhaftigkeit als Forderung der Botschaft Jesu, seine scharfen Reden gegen die Heuchelei und deren Anwendung auf die Kirche. Im vierten Teil schließlich Konsequenzen für die Zukunft: nein, kein Wahrhaftigkeitsfanatismus, aber Wahrhaftigkeit der Tat – in kirchlicher Verkündigung, Dogmatik, Exegese und vor allem Morallehre. Anstatt nur viele schöne und tiefsinnige Allgemeinheiten über Liebe und Ehe zu proklamieren, sollte das Konzil, fordere ich, in Fragen etwa der Empfängnisverhütung – unbekümmert um frühere zeitbedingte Antworten – eine konkrete, ehrliche und verständnisvolle positive Antwort geben. Das heißt: Die Verantwortung für die Geburtenregelung ist dem Gewissensentscheid der Ehepartner zu überlassen; Methodenfragen sind Sache der kompetenten Fachleute.

Erfüllt die neue Pastoralkonstitution diese Forderung nach Wahrhaftigkeit? Man kann nicht bestreiten, daß sie als ganze, wie schon die Erklärung zur Religionsfreiheit, einer entschiedenen *Wende der katholischen Kirche gegenüber der modernen Welt* Ausdruck verleiht und den epochalen Paradigmenwechsel seit der Aufklärung ernstzunehmen versucht.

Man vergleiche das neue Dokument von 1964/65 nur mit der General-
verurteilung der Moderne von 1864, also vor genau hundert Jahren, in
welchem der Unfehlbarkeitspapst Pius IX. eine »Sammlung (Syllabus)
moderner Irrtümer« verurteilt und kompromißlos das mittelalterlich-
gegenreformatorische Lehr- und Machtgefüge verteidigt hatte. Dieser
Syllabus gipfelte im »Irrtum«, der römische Pontifex könne und müsse
»sich mit dem Fortschritt, mit dem Liberalismus und mit der neuen
Kultur versöhnen und einigen« (Denzinger 1780). Und jetzt?

Die Pastoralkonstitution »Gaudium et spes« über »Die Kirche in der
Welt von heute« von 1964 ganz anders: In Zukunft soll die Haltung der
Kirche zum Fortschritt der Menschheit grundsätzlich positiv, wenngleich
nicht unkritisch sein. Die Kirche soll sich mit der übrigen Menschheit
zutiefst solidarisch erklären und mit ihr zusammenarbeiten. Überall die
Zeichen der Zeit erkennen und im Lichte des Evangeliums deuten, die
Fragen nicht ablehnen, sondern beantworten. Also statt Polemik Dialog, statt Eroberung überzeugendes Zeugnis. Gerade von ihrer eigenen
Botschaft her ein entschlossenes Eintreten für Würde, Freiheit und
Rechte des Menschen, für Entwicklung und Verbesserung der menschlichen Gemeinschaft und ihrer Institutionen, für eine gesunde Dynamik
allen menschlichen Schaffens. – Was hätten die Pius-Päpste zu all dem
gesagt? Wahrhaftig, eine Wende ist unbestreitbar.

Und worin zeigt sich diese positive Haltung konkret? In der verste-
henden und selbstkritischen Einstellung zu den verschiedenen Formen
des Atheismus (der Kommunismus wird, zur Vermeidung von Mißverständnissen, trotz des Postulats einer größeren Zahl von Konzilsvätern
nicht genannt). Weiter in der Bejahung der verantwortungsbewußten
Freiheit im geistigen und kulturellen Schaffen, der berechtigten Autonomie der Wissenschaften und der lebendigen Forschung der Theologie.
Dann in einem besonderen Eintreten für die Schwachen (Völker und
einzelne) im wirtschaftlichen, sozialen und politischen Leben. Ebenso
in einer scharfen Ablehnung des Krieges und in der Zustimmung zur
Mitarbeit an einer internationalen Völkergemeinschaft. Schließlich in
der Betonung der gegenseitigen Liebe und der menschlichen Verantwortung im Eheleben. Alles deutliche Zeichen einer Wende zur
Moderne. Aber gerade an diesem letzten Punkt zeigt sich der Pferdefuß
dieser Konstitution – erneut Folge der bekannten Kompromißlerei
zwischen Konzil und Kurie.

Geburtenkontrolle als Testfall

Man hat der Pastoralkonstitution nachher von konservativer Seite den Vorwurf gemacht, sie sei zu fortschrittsfreudig. Aber das läßt sich im Rückblick leichter sagen als in den frühen 60er Jahren, wo man die negativen Seiten des Fortschritts auch in der Gesellschaft ganz allgemein noch nicht so deutlich wahrnahm und die Kirche eine Menge aufzuholen hatte. Wir wollten zurecht einen Kontrapunkt setzen zum kirchlichen Kulturpessimismus und selbstgerechten Moralismus der vergangenen Jahrhunderte. Nein, die Schwäche der Konstitution liegt darin, daß sie bei Themen wie Ehe und Familie – zweifellos im Brennpunkt des Interesses auch der breiten Öffentlichkeit – sehr weitschweifig über allgemeine Aspekte wie Heiligkeit, Liebe, Fruchtbarkeit spricht, aber am entscheidenden Punkt, nämlich der *verantworteten Elternschaft*, konkret der Geburtenregelung und Empfängnisverhütung, *zutiefst zweideutig* bleibt.

Schon in der Kommission kam es zu heftigen Auseinandersetzungen zwischen Konziliaren und Kurialen, vor allem zwischen dem reformorientierten Erzbischof MARK MCGRATH von Panama, auf dessen Einladung hin ich einmal in einer Gruppe der Konzilsväter aus dem Holy Cross-Orden gesprochen hatte, und dem Mann Ottavianis, dem Franziskanerpater P. ERMENGILDO LIO, der später ein dickes Werk für die Unfehlbarkeit der in der Enzyklika »Humanae vitae« vertretenen Lehre gegen die Empfängnisverhütung schreiben wird. Ein Höhepunkt der Debatte dann in der Aula selber während der dritten Session ist – nach den heftigen Angriffen Kardinal Ruffinis (Palermo) und Erzbischof Heenans (London) – der Vormittag mit den drei Reden von Patriarch Maximos, Kardinal Léger und Kardinal Suenens, die sich alle drei deutlich *für die Revision der kirchlichen Lehre über die* »künstliche« *Geburtenregelung* (Pille oder sonstige Methoden) aussprechen und großen Beifall im Plenum finden. Am Ende der Sitzung verlasse ich St. Peter zusammen mit Kardinal LÉON SUENENS. Ich gratuliere ihm zu seiner mutigen Intervention. Er meint, die Forderung nach einer theologischen Neuorientierung sei nun zum ersten Mal im Konzil öffentlich ausgesprochen worden. Der Papst wolle sie jetzt einer päpstlichen Kommission überlassen, aber da könne man optimistisch sein. Wir sollten uns beide täuschen.

Die kuriale Partei hatte natürlich keineswegs aufgegeben. Die üblichen Tricks: Manipulation der Kommission, Ausschluß von Theologen und Laienexperten, direkte Interventionen des Papstes. Die Kurzschlußlösung (»Enthaltsamkeit« als Mittel der Geburtenkontrolle) können die

Kurialen zwar nicht durchsetzen, aber eine konsequente Lösung im Sinn der verantworteten Elternschaft hoffen sie verhindern zu können. Die ebenfalls drängende, von Kardinal Frings zur Sprache gebrachte *Mischehenfrage*, ursprünglich im selben Konzilsdokument angesprochen, läßt man ebenfalls unter den Tisch fallen; auch sie will der Papst persönlich beantworten – leider negativ. Der Vorschlag für eine Tolerierung der *Wiederverheiratung des verlassenen Ehepartners*, wie sie nach der Praxis der orientalischen Kirchen vorgeschlagen und im Konzil mit Beifall bedacht wird – auch er findet in der Kommission kein Gehör. Im Konzilsplenum keine Diskussionen über solche drängenden Fragen, dafür so manche überflüssigen Interventionen bezüglich bestimmter Formulierungen und Argumentationen.

Am 16. November 1965 wird das immer wieder überarbeitete und diskutierte Kapitel über Ehe und Familie zu einer ersten Abstimmung vorgelegt. Heftige Warnungen erneut von Kardinal Ottaviani, das Prinzip der verantworteten Elternschaft sei mit dem katholischen Glauben nicht vereinbar. Umsonst. Zwei Abstimmungen ergeben über 2.000 Placet und nur 91, bzw. 144 Non placet. Aber tausende von Verbesserungsvorschlägen werden eingereicht und in Tag- und Nachtarbeit von der betreffenden Subkommission bearbeitet.

Doch Ende November wieder einmal eine dramatische *Intervention Pauls VI.* Über das Staatssekretariat wird eine ganze Reihe von »Modi« urgiert, die den schon mit der notwendigen Zwei-Drittel-Mehrheit angenommenen Text an mehreren Punkten im Sinn der kurialen Minorität verändern würden. Die elementarsten Regeln einer jeden Parlamentsversammlung werden in dieser Kirchenversammlung immer wieder vom absoluten Herrscher eigenmächtig übergangen. Die Kommission perplex, verärgert, verwirrt: Befehl oder nur Anregung des Papstes? Nur Anregung, beschwichtigt man, aber – trotzdem – zu berücksichtigen. Was also tun? »Die Kommissionsmehrheit handelte mit solcher Weisheit und Würde, daß sie der Bewunderung der Nachwelt würdig ist«, wird in einem nachkonziliaren Herder-Kommentar (III,424) mein Peritus-Kollege, der berühmte Moraltheologe BERNHARD HÄRING, feststellen, der das Hauptverdienst an diesem Text und auch am tapferen Widerstand gegen die kurialen Pressionen hat. Doch seinem beschönigenden Urteil kann ich mich nicht anschließen. Realistisch betrachtet, ist der nach der päpstlichen »Anregung« modifizierte und in der Schlußabstimmung definitiv angenommene Text *einer der faulsten Kompromisse zwischen Konzil und Kurie* in der Geschichte des Vatikanum II. Warum? Der Leser vergleiche nur kurz zwei entscheidende Texte:

Einerseits in Artikel 50 erfreulicherweise die *Bejahung verantworteter Elternschaft:* »Das Urteil müssen die Eheleute letztlich selbst fällen.« Die bisherige hierarchische Überordnung des einen Ehezieles (Fortpflanzung) über das andere (liebende Vereinigung) hat man zugunsten einer Verschmelzung beider aufgegeben (wie viele Jahre früher vom damals verurteilten Münsteraner Doms vorgeschlagen) und damit auch die rein physiologisch-biologische Betrachtungsweise der Geschlechtlichkeit zugunsten einer personal-ganzheitlichen.

Andererseits in Artikel 51 die *Bestreitung der persönlichen »Verantwortung der Kinder der Kirche«:* »Das ist nicht möglich ohne aufrichtigen Willen zur Übung der Tugend ehelicher Keuschheit. Von diesen Prinzipien her ist es den Kindern der Kirche (!) nicht erlaubt, in der Geburtenregelung Wege zu beschreiten, die das Lehramt (!) in Auslegung des göttlichen Gesetzes verwirft.« Das »Lehramt«? Ist das plötzlich nicht mehr das Ökumenische Konzil, sondern das Diktat des Papstes? Unmißverständlich wird dies insinuiert durch den Verweis auf Pius' XI. Enzyklika »Casti connubii«, welche 1930 die katholische Kirche im Gegensatz zur anglikanischen in verhängnisvoller Weise auf die Ablehnung jeglicher Empfängnisverhütung festgelegt hat. Zum Überfluß noch ein weiterer Verweis auf die skandalöse, von meinem Lehrer Hürth verfaßte Hebammenansprache von Pius XII., von der bereits im Zusammenhang meiner Studienjahre die Rede war.

Und um es wie immer überdeutlich zu machen, daß Episkopat, Konzil und Kirche letztlich nichts und der Papst alles zu entscheiden hat, muß auf Druck der Kurie hinzugefügt werden: »Bestimmte Fragen, die noch anderer sorgfältiger Untersuchungen bedürfen, sind auf Anordnung des Heiligen Vaters der Kommission für das Studium des Bevölkerungswachstums, der Familie und der Geburtenhäufigkeit übergeben worden, damit, nachdem diese Kommission ihre Aufgabe erfüllt hat, der Papst eine Entscheidung treffe. Bei diesem Stand der Doktrin des Lehramtes beabsichtigt das Konzil nicht, konkrete Lösungen unmittelbar vorzulegen.«

Damit ist klar: Dem Konzil ist es nicht gelungen, sich in einer so entscheidenden Frage gegen die Kurie durchzusetzen, weil diese den Papst hinter sich hat. Kardinal Ottaviani und die Seinen, die in der Konzilsaula äußerlich als Verlierer erscheinen, werden schon im Jahr 1968, in dem Bernhard Härings obiger Kommentar erscheint, als Sieger dastehen: Paul VI., sich zu Unrecht auf das Konzil berufend, ja auch die von ihm eingesetzte päpstliche Kommission mißachtend, wird sich in der *Enzyklika »Humanae vitae«* klar gegen jegliche Empfängnisverhütung aussprechen und damit die katholische Kirche in eine Vertrauenskrise stürzen, die bis heute nicht überwunden ist. Für mich der Anlaß zum Buch »Unfehlbar? Eine Anfrage« (1970).

Eine traurige Geschichte, von der später die Rede sein muß, die hier aber provisorisch abgeschlossen werden soll mit einem Zitat von JOSEPH RATZINGER kurz vor »Humanae vitae« (1968): »Über dem Papst als Ausdruck für den bindenden Anspruch der kirchlichen Autorität steht noch das eigene Gewissen, dem zuallererst zu gehorchen ist, notfalls auch gegen die Forderung der kirchlichen Autorität. Mit dieser Herausarbeitung des einzelnen, der im Gewissen vor einer höchsten und letzten Instanz steht, die dem Anspruch der äußeren Gemeinschaften, auch der amtlichen Kirche, letztlich entzogen ist, ist zugleich das Gegenprinzip zum heraufziehenden Totalitarismus gesetzt und der wahrhaft kirchliche Gehorsam vom totalitären Anspruch abgehoben, der eine solche Letztverbindlichkeit, die seinem Machtwillen entgegensteht, nicht akzeptieren kann.« Ob Ratzinger auch den heraufziehenden *Totalitarismus der »amtlichen Kirche«* im Auge hat, dessen Hauptverteidiger er selber einmal werden sollte? Doch die jetzt zunächst wichtigere Frage: Hat sich das Konzil überhaupt gelohnt? Es wäre sicher falsch, sich zur Beantwortung dieser Frage auf das Problem der Empfängnisverhütung zu versteifen.

Erfüllte Forderungen

Was hat das Konzil gebracht? Am Ende der vierten Session geben wir Theologen uns Mühe, die *Ergebnisse des Konzils* zu sichten. Am Montag, dem 29. November 1965 treffen sich Daniel O'Hanlon SJ, Godfrey Diekmann OSB, Edward Schillebeeckx OP und ich mit englischsprachigen Konzilsbeobachtern und Journalisten. Für den folgenden Tag aber habe ich selber ein Dutzend Konzilstheologen in unsere Residenz, das Istituto San Tomaso di Villanova, eingeladen, um zur gegenseitigen Information und ausgewogenen Urteilsbildung vier Fragen zu behandeln: Welches sind die epochemachenden Resultate in den Konzilsdekreten? Und welche außerhalb der Konzilsdekrete? Was sind die Hauptschwierigkeiten in der Nachkonzilszeit? Und was die Hauptaufgaben? Eingefunden haben sich unter anderen: Gregory Baum (Toronto), Yves Congar (Straßburg), Henri Féret (Paris), Jorge Medina (Buenos Aires), Daniel O'Hanlon (Los Gatos/California), Joseph Ratzinger (Münster) und Edward Schillebeeckx (Nijmegen). Meinerseits habe ich die Möglichkeit, meine Eindrücke nachher im holländischen Dokumentationszentrum I-Doc, aber auch im deutschen und italienischen Fernsehen wiederzugeben und verarbeite die Ergebnisse in Artikeln für die »Frankfurter Allgemeine Zeitung«, die schweizerische »Civitas« und die italienische »Epoca«.

Am 8. Dezember wird das Zweite Vatikanische Konzil mit einer festlichen *Schlußfeier* auf dem Petersplatz genau um 13.20 Uhr mit dem »Ite in pace« Pauls VI. beendet. Was also hat das Konzil erreicht? Ich kann nur meine eigene Einschätzung wiedergeben. Leider weiß ich nur zu gut, was es nicht erreicht hat: Es gibt gewisse Dekrete – etwa das über die Massenmedien oder die Erklärung über die christliche Erziehung –, die kaum etwas in die Zukunft Weisendes enthalten, allerdings auch kaum schaden und daher bald vergessen sein werden. Es gibt andere, die sehr unausgeglichen, ja, an manchen Stellen zweideutig oder rückwärts gerichtet sind. Es gibt überhaupt kein Dekret, das mich und doch wohl auch die meisten Bischöfe ganz befriedigte. Vieles, was die Konzilsväter wollten, ist nicht in die Dekrete aufgenommen worden. Und vieles, was aufgenommen wurde, wollten die Konzilsväter nicht.

Fast überall fehlt mir gerade in den Lehrdekreten – die fast totale Abwesenheit der historisch-kritischen Exegese im Konzil habe ich oft als grundlegenden Mangel beklagt – ein solides exegetisches und historisches Fundament. Öfters sind gerade schwierigste Punkte wie Schrift / Tradition oder Primat / Kollegialität durch diplomatische Kompromisse überkleistert worden: Kompromisse, wie ich immer wieder sagte, zwischen einer überwältigenden Konzilsmehrheit, die im allgemeinen die ernsthafte und lebendige Theologie auf ihrer Seite hatte, und der winzigen kurialen Partei, die über die Macht des Apparates in den von Kurialen dominierten Kommissionen verfügte und sie bis zum Ende hemmungslos ausnützte. Die Mängel hatte ich von Anfang an gesehen und für die Zukunft stets meine Befürchtungen geäußert. Ich mahne immer wieder: »Der Episkopat und die Kirche werden wohl zusehen müssen, um manches Errungene nicht nachher auf kaltem bürokratischem Weg wieder zu verlieren.«

Aber trotz allem: Jetzt scheint es mir darauf anzukommen, daß man die unbestreitbaren Dunkelheiten, Kompromisse, Auslassungen, Einseitigkeiten, Rückschritte und Fehler nicht nur in rückwärtsgerichteter Manöverkritik als Mängel der Vergangenheit beklagt. Daß man sie vielmehr in vorwärtsblickender Hoffnung als Aufgaben der Zukunft ins Auge faßt und zu überwinden versucht, im Sinn des Konzils, das keine Türen schließen wollte. In etwa hat ja das Konzil, die eigentliche

Realisierung des Konzilsgeschehens, mit dem 8. Dezember 1965 erst begonnen.

Wie auch immer: Seit dem Vatikanum II ist das *Zeitalter der das Mittelalter restaurierenden Gegenreformation*, der Defensive, Polemik und der Eroberung für die katholische Kirche *abgelaufen* – trotz aller bleibenden Widerstände gerade im römischen Zentrum. Ein neues, hoffnungsvolleres Zeitalter hat für sie begonnen: ein Zeitalter der konstruktiven Erneuerung auf allen Gebieten des kirchlichen Lebens, der verständigen Begegnung und Zusammenarbeit mit der übrigen Christenheit, den Juden und den anderen Religionen, mit der modernen Welt überhaupt.

Was dies konkret bedeutet, zeigt eine Analyse jener sechzehn Dekrete, die das Konzil in vierjähriger Arbeit verabschiedet hat. Sie sollen die Stützpfeiler der nachkonziliaren Kirche werden. In diesem Sinne veröffentliche ich in der Zeitschrift »Epoca« eine reichillustrierte Titelgeschichte, die einen dokumentarischen Abschlußbericht zum Konzil gibt unter dem Titel: *»Die 16 neuen Pfeiler von Sankt Peter«*. Deutlich sage ich, daß diese Pfeiler verschiedene Tragkraft haben. Ist es ja ohnehin ein Wagnis, die wichtigsten Resultate dieser 16 Dekrete in Kürze ohne Präzisierung wiederzugeben. Manches an ihnen ist unvollkommen und wird sich als vorläufig erweisen, manches ist Blendwerk und Stukkatur aus der langen Geschichte der katholischen Kirche. Sie stellen jedenfalls allesamt *Dokumente eines kirchengeschichtlichen Überganges* dar, in denen trotz allem doch das Neue, Bessere deutlich zum Leuchten kommt. Die nachkonziliare Kirche, niemand kann das bestreiten, wird eine andere sein als die vorkonziliare!

Über die meisten Ergebnisse der Dekrete habe ich in diesen Lebenserinnerungen bereits berichtet und deutlich gemacht, wie etwa durch das Dekret über den Ökumenismus ein *ökumenisches Zeitalter* auch für die katholische Kirche unwiderruflich begonnen hat. Auch ist deutlich geworden, daß das Konzil eine ganze Reihe von zentralen reformatorischen Anliegen aufgenommen hat. Wie immer: Die *Hauptanliegen meines Buches »Konzil und Wiedervereinigung«* sind weithin *erfüllt* worden:

• das Ernstnehmen der Reformation als eines religiösen Ereignisses,
• die Hochschätzung der Bibel im Gottesdienst, in der Theologie und im ganzen Leben der Kirche,
• die Verwirklichung eines echten Volksgottesdienstes in Verkündigung und Abendmahl,
• eine Aufwertung der Laienschaft in Gottesdienst und Gemeindeleben,
• die Anpassung der Kirche an die verschiedenen Kulturen und der Dialog mit ihnen,

- die Reform der Volksfrömmigkeit,
- die »Reform« der römischen Kurie.

PETER HEBBLETHWAITE bestätigt in seiner Biographie Johannes' XXIII. (1984) diese Einschätzung: Der Autor von »Konzil und Wiedervereinigung« habe sich »als genauer und weitsichtiger Prophet« erwiesen: »Alle seine sieben Forderungen kommen, wenngleich in modifizierter Form, in den verabschiedeten Dokumenten des Konzils zum Ausdruck.«

Unerfüllte Forderungen

Bedeutet nun diese Bilanz, daß dies alles auch erfüllt werden wird? Wahrhaftig, ich war in Sachen Konzil nie naiv. Von einer Konzilseuphorie war ich weder vor noch während noch nach dem Konzil erfaßt. Und ich habe immer wieder auf die Grundspannung zwischen einer zur Reform drängenden Kirche und einer die Reform verhindernden Kurie aufmerksam und mich damit bei manchen unbeliebt gemacht.

Deshalb schreibe ich denn auch in meiner Konzilsbilanz vom 17./18. Dezember 1965 ganz unmißverständlich: »Eine ernsthafte Krise könnte nur – wie schon im Konzil – die Spannung zwischen einer reformfreudigen Kirche und einer reformunwilligen Kurie mit sich bringen. Sollten in Rom nicht wenigstens mit der Zeit die allerdings weniger zahlreichen Kräfte der Erneuerung die Überhand gewinnen (nicht zuletzt durch Neubesetzung höherer Kurienämter) und sollte man dort, wie zum Teil geäußert, versuchen, die vorkonziliare Situation wiederherzustellen, dann müßte dies allerdings zu einer großen *Vertrauenskrise* führen. Nur die Reform der Kurie in Personen und Strukturen kann eine solche Krise vermeiden helfen. Auch hier ist die Erneuerung des Geistes und die Bekehrung des Herzens das Entscheidende.«

Und dann formuliere ich in aller Deutlichkeit die Fragen, die auf dem Konzil nicht diskutiert wurden oder überhaupt nicht diskutiert werden durften. Was also sind »*die vom Konzil nicht gelösten Fragen*«?
- Geburtenkontrolle in persönlicher Verantwortung.
- Regelung der Mischehenfrage (Gültigkeit der Ehe, Kindererziehung).
- Priesterzölibat in der lateinischen Kirche.
- Struktur- und Personalreform der römischen Kurie.
- Reform der Bußpraxis: Beichte, Ablässe, Fasten (Freitag).
- Reform der Prälatenkleidung und -titel.
- Einschaltung betroffener Kirchengebiete bei Bischofsernennungen.
- Papstwahl durch die für die Kirche repräsentativere Bischofssynode.
.

Ich denke bei der Auflistung dieser Desiderata nicht zuletzt an Papst PAUL VI. selber, dem ich denn auch meine Bilanz in der »Epoca« zuschicken werde. Doch wenn ich jetzt nach Beendigung des Konzils nochmals an die Vorschläge in »Konzil und Wiedervereinigung« (1960) zurückdenke, die man damals vor fünf Jahren sehr wohl als extreme Forderungen ansehen konnte, so darf ich jetzt sagen: Das *Konzil* hat sich *trotz aller Enttäuschungen gelohnt.*

In der Tat: Wo stünden wir ohne dieses Konzil – in der Liturgie, der Theologie, der Seelsorge, in der Ökumene, in den Beziehungen zum Judentum, zu den anderen Weltreligionen, zur säkularen Welt überhaupt? Das Vatikanum II hat gewiß längst nicht alles tun dürfen, was es hätte tun können. Aber es hat bei weitem mehr erreicht, als die meisten erwartet hatten. Damals schrieb ich den Satz: »Das Konzil wird die Erfüllung einer großen Hoffnung oder eine große Enttäuschung sein. Die Erfüllung einer kleinen Hoffnung wäre – beim Ernst der Weltlage und der Not der Christenheit – eine große Enttäuschung.« Auch heute noch – in der Rückschau nach fast 40 Jahren – darf ich sagen: Das Konzil hat bei allen nicht kleinen Enttäuschungen die Erfüllung einer großen Hoffnung gebracht.

Was ich im Jahre 1965 schrieb, ist also auch noch im Jahr 2002 meine Auffassung. Allerdings haben sich leider auch meine Befürchtungen von damals bestätigt. Doch: zunächst muß ich, von Rom nach Tübingen zurückgekehrt, mich statt mit der großen Kirchenpolitik notgedrungen mit der kleinen Fakultätspolitik beschäftigen.

Fakultätsdrama in drei Akten

Kaum vom Konzil zurück, werde ich am 10. Dezember 1965 – mit erstaunlicher Einstimmigkeit – zum zweiten Mal zum Dekan der Katholisch-Theologischen Fakultät gewählt; während meiner Konzilsmonate hatte Prodekan Haag mich bestens vertreten. War mein erstes Dekanatsjahr höchst erfolgreich, so sollte mein zweites äußerst deprimierend werden. Hätte es nicht so viele Auswirkungen auf die weitere Geschichte der Katholisch-Theologischen Fakultät der Universität Tübingen gehabt, so würde ich davon lieber gar nicht berichten. Wie ich ja auch kaum etwas vom *normalen Universitätsalltag* berichtet habe: von all den Vorlesungen und Seminaren und ihrer Vorbereitung (den Großteil des Lebens am Schreibtisch), von den Fakultäts-, Kommissions- und Senatssitzungen (nicht immer sehr spannend). Auch nicht Geschichten wie die um die Neubesetzung des Lehrstuhls für vergleichende Sprachwissenschaft im Januar 1966, wo ich als Senatsberichterstatter in einem langen Plädoyer die Liste der Philosophischen Fakultät – mit schließlich 44 gegen 8 Stimmen und 10 Enthaltungen – umstürze und dem universal gebildeten und vielsprachigen, antifaschistischen Spanier Antonio Tovar, Ex-Rektor der Universität Salamanca, zum Tübinger Lehrstuhl verhelfe.

Der Leser wird verstehen, daß mich die großen kirchenpolitischen Auseinandersetzungen mit Rom emotional weniger belasten (sie gründen einfach in der Natur der Sache) als die in der eigenen Fakultät, die mir nun einmal näher liegt und bei der es mir von Anfang an so sehr auf gute persönliche Beziehungen ankam. Deshalb unter möglichster Schonung mancher noch Lebender eine knappe Zusammenfassung dieser jetzt folgenden kleinen »historia calamitatum«, dieser Unglücksgeschichte.

Akt I: Nach dem »Duft der großen, weiten Welt« bin ich hier plötzlich wieder, wenngleich anders als im Germanikum, in einem »piccolo mondo chiuso«, in der »kleinen geschlossenen Welt« einer Fakultät, damals noch gegen äußere Einsicht abgeschirmt durch das hochheilige »Fakultätsgeheimnis«. Der Konflikt bricht dort aus, wo oft in Fakultäten unterschwellige Spannungen explodieren: bei Neuberufungen. Die Situation ist die folgende: Nach dem Lehrstuhl für Dogmatik soll auch der für Moraltheologie verdoppelt werden. Und hier komme ich nun nicht umhin, Roß und Reiter zu nennen. Der Ordinarius für Moraltheologie JOHANNES STELZENBERGER will unbedingt seinen Schüler, den erst vor kurzem habilitierten Privatdozenten JOSEF RIEF, als seinen Kollegen auf dem neugeschaffenen Lehrstuhl für Moraltheologie und Sozialethik sehen. Eine an der Universität nicht geschätzte, vom Kultusministerium nur geduldete Inzucht (»Hausberufung«): Einer, der in Tübingen studiert, sein Examen gemacht, promoviert und sich habilitiert hat, soll zu guter Letzt in Tübingen einen Lehrstuhl auf Lebenszeit erhalten. Der Herr Ordinarius jedoch versteht im Fall eines Lieblingsschülers keinen Spaß.

Ich sehe als Dekan keine Veranlassung, gegen die Fakultätsmehrheit anzugehen. Zwar kann man der Meinung sein, ein Mann aus der Schule des Münsteraner Sozialwissenschaftlers Joseph Höffner verfüge über bessere Voraussetzungen in der empirischen Sozialforschung; Höffners Meisterschüler und späterer Nachfolger Willy Weber, mir durch sieben Jahre Germanikum und den Sozialzirkel eng verbunden, wäre diesbezüglich der bessere Kandidat. Und in der Tat melden im Großen Senat besonders Volkswirtschaftler ihre Präferenz für Weber gegen Rief an. Ich aber wehre als Dekan alle Kritik ab: Ohne die Verdienste des von mir hochgeschätzten Weber zu mißachten, wünsche die Fakultät doch zu Recht einen Kollegen, der bewußt von der Theologie ausgehe, um von daher in das Gespräch mit der Sozialwissenschaft einzutreten. Die Abstimmung ergibt eine große Senatsmehrheit für unseren lokalen Kandidaten mit nur vereinzelten Gegenstimmen.

Die Fakultät hat allen Grund, mit ihrem jungen Dekan zufrieden zu sein. Und alles wäre gut weitergegangen, hätte Stelzenberger nicht die unglückselige Idee gehabt, denselben Rief nur ein Jahr später unbedingt als Nachfolger auf seinem eigenen Lehrstuhl sehen zu wollen.

Akt II: Es gibt hervorragende Universitätslehrer, die unausgesprochen der Meinung sind, ein besserer könne ihnen ohnehin nicht nachfolgen, und die sich deshalb nur mäßig um ihre Nachfolge kümmern. Und es gibt andere, nicht immer hervorragende, die für einen Nachfolger aus ihrem Schülerkreis kämpfen, wie wenn es um ihren väterlichen Hof ginge. Auch Stelzenberger kämpft jetzt für seinen Schüler wie für seinen eigenen Sohn. Und zu seinem Unglück zeigt sich dieser freundliche Mann recht gefügig.

So entschieden ich mich für Rief in der ersten Berufung eingesetzt habe, so entschieden erhebe ich von Anfang an Einspruch gegen eine zweite. Ich könne doch unmöglich schon ein Jahr später erneut vor den Senat treten und nochmals verteidigen, wiewohl es schon bei der Berufung auf den Lehrstuhl Moraltheologie II Probleme gab, dieser Mann, der auch keine neuen wissenschaftlichen Leistungen aufzuweisen hat, sei für Moraltheologie I der richtige und einzige Kandidat. Mir geht es wie später auch in meinem eigenen Fach (Berufung Ratzingers nach Tübingen) schlicht darum, den Besten in Deutschland auf diesen so wichtigen Lehrstuhl zu holen. Ich denke in erster Linie an Professor FRANZ BÖCKLE aus Bonn (daß er Schweizer ist, hat für mich so wenig Relevanz wie das Faktum, daß Weber Germaniker ist). Böckle hatte sich jetzt, wo die Diskussion um Empfängnisverhütung und ähnliche Fragen dem Höhepunkt zustrebt, bereits intensiv in die medizinische Ethik eingearbeitet und sich kundig für eine neue Begründung der Ethik, eine »autonome« Ethik, eingesetzt. Für Tübingen zweifellos eine glänzende erste Wahl.

In zweiter Linie denke ich an Professor ALFONS AUER aus Würzburg, einen ebenfalls sehr bewährten Moraltheologen, den ich anläßlich eines Vortrags auch als recht sympathischen Menschen kennengelernt habe. Allerdings lehrt Auer dort die Moraltheologie noch recht traditionell im

Raster der sieben Sakramente und hält sich in den gefährlichen Fragen der Sexualmoral vorsichtig zurück. Aber wenn man sich auf Böckle nicht einigen sollte, dann würde ich mich – Herbert Haag ist der gleichen Meinung – auf Auer als Kompromißkandidaten einlassen: also an erster Stelle Böckle und an zweiter Stelle Auer (oder umgekehrt) und an dritter Stelle der vom Vorgänger gewünschte, weithin unbekannte Rief, der nur über den Kirchenvater Augustin und die Tübinger Schule publiziert hat.

Doch ich merke in der Fakultätssitzung (11. 1. 1966) sehr rasch, daß weder Auer noch Böckle der Mehrheit genehm sind. Böckle vermutlich, weil in Sachen Sexualmoral zu exponiert und überdies (ein dritter!) Schweizer, Auer vermutlich, weil zu sehr mit dem Rottenburger kirchlichen Establishment verbunden. Nein, allein Rief sei dieses Lehrstuhles würdig. Ich erkläre erneut, daß ich dies vor dem Senat nicht vertreten könne. Tage nach der Sitzung kommt ein Abgesandter der Mehrheit zu mir nach Hause in der Hoffnung, mich umstimmen zu können. Als ihm dies nicht gelingt, droht er mir mit freundlichem Lächeln: »Dann wird es wohl Krach geben ...«

Noch unerfahren auf dem Feld akademischer Intrigen, ahne ich nicht, welch ein Krach mir ins Haus steht. In der entscheidenden Sitzung wird sofort klar: Die Stelzenberger-Partei hat die knappe Mehrheit und gedenkt, ihre Macht auszunützen. Für mich persönlich kann ich bei dieser Auseinandersetzung nicht das Geringste gewinnen (dies ist mir immer ein wichtiges Entscheidungskriterium) und mit »Schweizer Seilschaft« (wie später in der Lokalpresse zu lesen) hat dies erst recht nichts zu tun. Außer daß sich wir zwei Schweizer und mit uns zwei Schwaben die Freiheit nehmen, in einer für die ganze Fakultät wichtigen Berufungsentscheidung nach bestem Wissen und Gewissen abzustimmen.

In der entscheidenden Sitzung (1. 2. 1966) mache ich den Kompromißvorschlag: 1. Auer, 2. Böckle, 3. Rief. Der Vorschlag wird abgelehnt, ja, der meines Erachtens bestqualifizierte Böckle überhaupt von der Liste gestrichen. Dann der überraschende Vorschlag der Stelzenberger-Partei: 1. Auer, 2. Rief, 3. andere. Ohne Angabe von Gründen Böckle eliminiert. Doch woher plötzlich das Favorisieren des ungeliebten Auer? Ich erfahre hinterher: Weil die betreffenden Herren bestimmt damit rechnen, daß er den Ruf nicht annehmen wird; hat man doch allerneuestens gehört, Auer habe soeben ein neues Haus in Würzburg fertiggebaut und würde dieses jetzt bestimmt nicht aufgeben. Wenn aber Auer den Ruf ablehne, gehe dieser automatisch – weil Böckle einfach gestrichen wird – an den gewünschten Zweiten, eben Rief. Sobald das Resultat für Rief feststeht, erkläre ich in aller Form, als Dekan könne ich diese Liste vor dem Senat nicht vertreten. Ich müsse aber, wird mir bekundet. Nein, ich müsse nicht. Dann aber der Prodekan. Das ist Herbert Haag, auch er weigert sich. Man insistiert. Vergebens. Konsternation. Eine schamlose Intrige! Sie macht eine weitere Fakultätssitzung (9. 2. 1966) notwendig.

Man hat nämlich Angst vor einem Sondervotum des Dekans und Prodekans im Großen Senat. Ich lege den Kollegen drei Möglichkeiten zur Regelung des Konflikts vor. Das bringt die »Mehrheit« in Verlegenheit. Antrag auf Unterbrechung der Sitzung. Ich unterbreche die Sitzung. Die auf Rief Eingeschworenen verlassen den Raum. Langes Konferieren im Gang. Dann kommen sie wieder und »begrüßen, wenn die Kollegen Haag und Küng auf Sondervoten verzichten würden ... und wünschen, daß der Dekan von der Sitzung des Großen Senats wegbleibt.« Gut so. Schließlich wird jenes Mitglied der Mehrheit, das mir den »Krach« androhte, dazu verdonnert, die Liste im Senat zu vertreten. Nach einigen Rückfragen passiert sie das ahnungslose Gremium. Die Fakultätsmehrheit triumphiert. Aber zu früh. Denn o Wunder: Auer nimmt den Ruf nach Tübingen an. Mir zur Freude. Das hätte man nun wirklich billiger haben können. Und Rief, blamiert, bleibt auf seinem ungeliebten Lehrstuhl sitzen.

Akt III: Diese ganze uns wochenlang beschäftigende Affäre hat die in meinem ersten Dekanatsjahr ausgezeichnete Atmosphäre auf längere Zeit vergiftet und mir sehr bittere Tage und manchmal auch Nächte bereitet. Denn die um den Sieg Gebrachten wollen keinen Frieden. Sie agieren nun als Machtkartell und sinnen auf Rache, in drei Richtungen:

Das Herbert Haag zugesprochene *Institut für biblische Kerygmatik*, gegründet besonders zur kritischen Untersuchung der biblischen Basis der Religionsbücher, wird einfach gestrichen. Einstimmig von der Fakultät beschlossen, einstimmig vom Senat approbiert und vom Ministerium bereits bewilligt, sollte es jetzt den Betrieb aufnehmen; der Assistent ist bereits angestellt. Doch »die Fakultät«, das Machtkartell, beschließt auf Antrag des Kirchenhistorikers Fink nach heftiger Debatte mit fünf Stimmen (drei Gegenstimmen und drei Enthaltungen): Das Institut wird aufgehoben, das bereitgestellte Geld könne nach Stuttgart zurückgehen. Wann hat man so etwas gehört?

Der seit langem beschlossene *zweite Lehrstuhl für neutestamentliche Exegese* (die Evangelische Fakultät hat drei!) wird ebenfalls torpediert. In meinem ersten Dekansjahr auf Platz 6 der Universitätsliste vorgerückt, wird er in meinem zweiten Jahr aufgrund meines Plädoyers – die katholische Exegese habe großen Nachholbedarf – auf den sicheren Platz 1 gesetzt. Doch jetzt neuer Beschluß der »Fakultät«, auch dieser Lehrstuhl sei nicht nötig. Man solle ihn in eine Wissenschaftliche Ratsstelle (ohne Stimmrecht in der Fakultät) umwandeln. Auf diese Weise bleibt die Stimmenmehrheit des Machtkartells erhalten. Für wie lange? Die *Habilitation meines Assistenten Dr. Alexandre Ganoczy* wird mit vier zu vier Stimmen und Stichentscheid des neuen Dekans Max Seckler, der den Kandidaten am Vorabend noch zu einer sehr freundlichen »Henkersmahlzeit« eingeladen hatte, abgewürgt. Ganoczy erhebt Einspruch. Doch ich muß nach weiteren unbeschreibbaren Fakultätssitzungen traurig zur Kenntnis nehmen, daß dieser bestqualifizierte katholische Calvin-Spezialist in Tübingen keine Zukunft hat. Deshalb trete ich mit dem mir von Rom her bekannten Reformationshistoriker Erwin Iserloh in Münster in Verbindung, der Ganoczys Arbeiten kennt und schätzt. Es ehrt ihn und seine Münsteraner Fakultät, daß sie Ganoczy ein Jahr später in Münster ohne jegliche Schwierigkeiten habilitieren. Bald erhält er einen Ruf als Dogmatikprofessor an die Universität Würzburg.

Das ganze Treiben dieses Machtkartells – vor der Öffentlichkeit und auch der Studenten- und Assistentenschaft versteckt durch »Fakultätsgeheimnis« (ich werde nach 1968 entschieden für dessen Abschaffung eintreten) und genau vorbereitet durch entsprechende Absprachen (»Telefonseelsorge«) – stößt mich derart ab, daß ich monatelang an keiner Fakultätssitzung mehr teilnehme, wo ich unter dem Dekanat meines Nachfolgers Seckler weitere wenig hilfreiche Beschlüsse ohnehin nicht verhindern kann. In den Sommerferien 1966 bin ich wieder glücklich in Sursee, jetzt in meinem Seehaus. Oft denke ich dort, das beste für mich wäre, überhaupt nicht mehr in diese Tübinger Fakultät zurückzukehren.

Aber nichts bleibt unter der Sonne, wie es ist. Einige Zeit später erhalte ich in Sursee die sensationelle telefonische Nachricht: Rief und jener Sprecher des Kartells werden sich von Tübingen verabschieden; sie haben beide einen Ruf an bayrische Fakultäten angenommen. Gottlob: das Machtkartell ist gesprengt! Aus mit der Provinzposse. Jetzt wieder eine Fahrt der Fakultät in ruhigeren Gewässern. Vor allem Haag, Auer, der erfreulich aufgeschlossene neue Kirchenrechtler Johannes Neumann (Heinrich Fries hatte ihn mir als Dekan empfohlen) und ich bemühen uns in den Sitzungen ohne konspirative Absprachen erfolgreich um Sachlichkeit und Kollegialität.

Eine österliche Überraschung

In der Osterwoche 1966 erreicht mich ein kleines Paket aus dem Vatikan. Tatsächlich: ein Ostergeschenk von Papst PAUL VI. Schön verpackt in eine Schachtel mit gelb-weißen Bändern und einem kleinen Palmzweig finde ich in Leder gebunden auf Samt geheftet zum Aufstellen eine vergoldete Plakette des auferstandenen Christus! Beigefügt ist ein vertrauliches Schreiben des Substituten des Staatssekretariats Msgr. Dell'Acqua mit dem Datum vom 16. April 1966 und der Protokollnummer 68844 (erfreulicherweise verschieden von der, die ich im Sanctum Officium besitze). Inhalt des Schreibens wörtlich:

»Der Heilige Vater hat mich beauftragt, Ihnen Seinen Ostergruß zu übermitteln. Schon seit einiger Zeit wünscht Er, Sie wissen zu lassen, welch gute Erinnerung Er an Ihren Besuch bewahrt, den Sie Ihm bei Abschluß des Konzils gemacht haben und daß Er, wenn auch nicht ganz ohne gewisse Vorbehalte, von Ihren Zeitungsartikeln in »Vaterland« und »Epoca« Kenntnis genommen hat. Der Heilige Vater möchte selbstverständlich nicht im einzelnen auf Ihre Darlegungen eingehen. Ist aber nicht die Frage berechtigt, ob man der Kirche wirklich einen echten Dienst erweist durch vorbehaltloses Behandeln von Fragen, die den äußern und innern Bestand und die Zukunft der Kirche berühren und dies in einer Art, die hier und da die notwendige verantwortungsbewußte Überlegung vermissen läßt? Könnte ein Theologe, der der Wahrheit und der Kirche dienen will, nicht vielleicht in mehr positiver Form einen Beitrag zum Konzil und zur immer tieferen Erkenntnis der katholischen Glaubenswahrheiten bringen?

Das ist es, verehrter Herr Professor, was der Heilige Vater von Ihnen erwartet bei der Hochschätzung, die Er Ihrer Begabung und Ihrer kulturellen Bildung entgegenbringt. In dieser Zuversicht erfleht der Heilige Vater Ihnen für Ihre wissenschaftliche und seelsorgerliche Tätigkeit den Beistand des Heiligen Geistes. Zugleich richtet Er an Sie die inständige und väterliche Bitte, die heilige Kirche zu lieben und bei Ihrem Bau tatkräftig mitzuhelfen und segnet Sie dazu von Herzen.

Indem ich Ihnen dies mitteile, darf ich Ihnen beiliegendes Geschenk des Heiligen Vaters überreichen und bin mit persönlichen guten Wünschen, Ihr sehr ergebener + A. Dell'Acqua.«

Also wieder Lob und Tadel, Liebe zur Kirche und Bitte um Mitwirkung an ihrem Bau ... In meinem Antwortschreiben vom 6. Juni 1966 an Erzbischof Dell'Acqua drücke ich meine Freude aus über »das wertvolle, feine Ostergeschenk des Heiligen Vaters«: »Ich bin sehr überrascht von dieser ganz unverdienten Liebenswürdigkeit, und ich erlaube mir, Sie zu bitten, dem Heiligen Vater meinen tiefempfundenen Dank zu übermitteln.« Und dann meine eigentliche Antwort:

»Es freut mich sehr zu hören, daß der Heilige Vater sich bei seinen sehr viel wichtigeren Beanspruchungen die Mühe gemacht hat, meine beiden Artikel zu lesen und daß er sie wohlwollend aufgenommen hat. Ich habe mich bemüht, die positiven Resultate des Konzils für die heutigen Menschen glaubhaft darzustellen.

Gerne folge ich der Anregung des Heiligen Vaters, in positiver Form einen Beitrag zur tieferen Erkenntnis der Glaubenswahrheit und der Kirche zu leisten. Ich werde weiterhin bemüht sein, meiner Liebe zur Kirche in meinen theologischen Werken aufrichtig Ausdruck zu geben. Für diese wohlwollende persönliche Sorge des Heiligen Vaters um meine theologische Arbeit bin ich ganz besonders dankbar.«

Ton und Inhalt dieses Briefes unterscheiden sich auch für Nicht-Insider sehr deutlich von all dem, was einer sagen würde, der in den Dienst der Kurie und in die Hierarchie einsteigen möchte. Daran denke ich nach wie vor in keiner Weise. Nochmals: nicht aus Hochmut, wohl aber aus dem Gedanken heraus, daß gerade ich nicht darum herumkäme, mich in das unreformierte römische System einzufügen. Hätte mich der Papst aufgefordert, an irgendeinem ernsthaften *Reformvorhaben* mitzuarbeiten, hätte ich genauso selbstverständlich mitgemacht wie in der Internationalen Theologischen Zeitschrift »Concilium«, bei Reform-Memoranden oder später im Rahmen des Weltwirtschaftsforums, bei Projekten der UNESCO oder der UNO. Aber mich in sozusagen »absolutem Gehorsam« auf eine Linie festzulegen, die auf Stabilisierung des modernisierten mittelalterlichen Systems ausgerichtet ist, nein, das kann und will ich nicht versprechen. Worauf hätte ich mich da alles einlassen müssen?

Kurz, ich bin und bleibe Professor der Theologie – das füllt mich ganz aus, gibt mir viele Möglichkeiten und macht mir Freude. Und ich bin dankbar, daß nun jenes Buch bald das Licht der Welt erblickt, das meine Auffassung von Kirche und Dienst in der Kirche in umfassender Weise deutlich macht und das mich in Konzils- und Nachkonzilszeit unendlich viele Tages- und Nachtstunden gekostet hat: *»Die Kirche«.*

Gegen meine sonstigen Gewohnheiten muß ich deshalb im August 1966 noch in Tübingen bleiben. Endlich, am 27. August morgens um fünf Uhr kann ich das Manuskript abschließen – total erschöpft und »ferienreif«. Ich schlafe eine gute halbe Stunde und fahre dann nach Sursee, da ich um 9.30 Uhr an einem schon vor Monaten festgesetzten

Kolloquium am anderen See-Ende mit wichtigen schweizerischen Persönlichkeiten teilnehmen muß. Dann endlich Ferien im Seehaus – einige unbeschwerte Tage mit meinen Freunden aus dem Germanikum Peter Lengsfeld und Josef Fischer. Zweimal bin ich in diesen Tagen auf Besuch bei Karl Barth. Das gut 600 Seiten starke Buch geht beim katholischen Herder Verlag in Freiburg sofort in Druck. Mit Datum Neujahr 1967 schreibe ich das Vorwort, und am 30. Januar erhalte ich das Imprimatur vom Bischöflichen Ordinariat Rottenburg. Jetzt, im April 1967, erscheint das Buch in deutscher und ein wenig später beim Verlag Paul Brand in niederländischer Sprache. »Alea iacta esto«, sagt der Römer, »der Würfel ist geworfen!«

Mein Dienst in der Kirche

Vor dem Konzil 1960 war mein Buch »Konzil und Wiedervereinigung« das konstruktive *Angebot eines Theologen an die Kirche* und ihre Leitung, den Weg in eine neue Zukunft zu finden. Das Angebot wurde angenommen: »Like it or not, in historischer Perspektive hat dieses Buch mehr als anderes getan, um das Konzil in Gang zu bringen«, schreibt der englische Dominikaner Fergus Kerr ein Vierteljahrhundert später. Ebenso ist nun nach dem Konzil 1967 mein Buch »Die Kirche« ein solches Angebot, um die großen Anliegen des Konzils zu verwirklichen. Konsequent vom neutestamentlichen Ursprung her begründet, wahrhaft katholisch (und gerade deshalb bisweilen abweichend vom gewohnt Römisch-Katholischen), habe ich einen Weg aufzuzeigen versucht: was die Kirche vom Ursprung her in schwieriger Gegenwart im Blick auf eine bessere Zukunft sein kann und soll. Wird auch dieses Angebot – das ist der von mir gewünschte »Dienst in der Kirche« – von Kirche und Kirchenleitung angenommen? 1960 wußte ich das Konzil und den Papst hinter mir – wen jetzt, 1967?

In Rom, hört man bald gerüchteweise, beschäftigt sich das *Sanctum Officium*, jetzt Glaubenskongregation genannt, mit dem Buch. Später erfahre ich, daß eine Aktion vorbereitet wird, die mir gefährlich werden kann. Ob man denn in Rom wirklich nicht zur Kenntnis nehmen wird, daß die Reaktion maßgebender katholischer und evangelischer Theologen trotz mancher Einwände im Detail erstaunlich positiv ist? KARL BARTH sagt mir nach der Lektüre: »Das ist ein tief evangelisches Buch.« Und ERNST KÄSEMANN erklärt in seiner Vorlesung nach einem Referat der Hauptthesen von »Die Kirche« im Festsaal der Universität

Tübingen: »Mit diesem Buch ist die Kirchenspaltung zwischen mir und Küng beendet.« Was für einen Segen, denke ich, würde es doch für die katholische Kirche und die gesamte Ökumene bedeuten, wenn man sich bei allen Korrekturen einigermaßen auf der Linie dieses Buches einigen könnte? Schon bald wird es in manchen katholischen wie protestantischen Seminarien als Lehrbuch eingeführt werden ...

Doch im »Heiligen Offizium« sieht man dies anders und wird in Bälde ein Inquisitionsverfahren einleiten, das zu einem Dauerkonflikt mit dem Vatikan führen und in den 70er Jahren im Streit über die Unfehlbarkeit seinen Höhepunkt erreichen wird. Dies nur zur Erklärung, warum ich mir hier – um zu den Denunzianten und Inquisitoren ein Gegengewicht zu setzen! – einige signifikante Zeugnisse für die Katholizität und Ökumenizität dieses Buches wiederzugeben gestatte:

Der Konzilstheologe YVES CONGAR OP: »Der konstruktive Beitrag Küngs zur Ekklesiologie ist ungewöhnlich reichhaltig. Noch niemand hat die Wirklichkeit ›Kirche‹ ähnlich umfassend und konsequent im Lichte des Evangeliums, so durchgehend in dessen Begrifflichkeit überdacht. Die dabei verfolgte bibelexegetische, historisch-kritische Methode führt weniger zu einer ›Theologie‹ der Kirche, insbesondere der ›Kirche, die geglaubt wird‹, als zu einer sehr vielfältigen Beschreibung der Urkirche, der paulinischen vor allem, wobei die Merkmale des ›Wesens‹ der Kirche kritisch auf ihr ›Unwesen‹ bezogen werden« (»Revue des Sciences Philosophiques et Théologiques«).

Der Konzilstheologe OTTO SEMMELROTH SJ: »Küng legt hier ein einzigartiges Buch über die Kirche vor. Das starke persönliche Engagement und die lebendige Sprache machen die Lesung des Buches zu mehr als einem nüchternen Studium ... Bei aller Ungewohntheit mancher Aussagen, die auch Schockierungen nicht scheuen, bietet das Buch eine durchaus katholische Ekklesiologie (»Theologie und Philosophie«).

HANS URS VON BALTHASAR: »Ein Buch der Leidenschaft, aber überlegen und kraftvoll im Aufbau, durchsichtig in der Linienführung, in einem harten, klaren, zum Teil rasanten, rhetorischen Stil verfaßt. Es bietet bewußt eine ökumenische Kirchenlehre, an deren Ende im Grunde jedes katholische Ärgernis für den Protestanten aus der Welt geschafft ist« (»Civitas«).

Der lutherische Theologe HERMANN DIETZFELBINGER: »Wer Küngs theologische Intentionen kennt, ist nicht überrascht, daß bei ihm die Bibel zu Wort kommt. Aber die Art und das Ausmaß, in dem dies geschieht, ist atemberaubend, Küng versteht es, das *ganze* Neue Testament abzuhören, und zwar mit einem bewundernswerten Fingerspitzengefühl für das Gewicht der einzelnen Autoren, je nach ihrer zeitlichen und sachlichen Nähe zum Ursprung des Evangeliums. Daß die katholische Exegese die Ergebnisse der historisch-kritischen Forschung übernommen hat, ist nichts Neues; aber eine systematisch-theologische Auswertung, die einzig darauf bedacht ist, daß die Bibel ihre Sache zu Ende sagt, ohne irgendwann irgendwelche herkömmlich-vertrauten dogmatischen Prämissen davor schützen zu wollen und ohne andererseits das exegetische Handwerk als l'art pour l'art zu betrachten – derartiges steht in der theologischen Literatur beider Konfessionen einzigartig da« (»Nachrichten der ev. luth. Kirche in Bayern«).

Der anglikanische Cambridge-Professor HUGH W. MONTEFIORE: »Beim ersten kurzen Durchblick des Buches sah ich, daß es gut war. Auf Seite 100 erkannte ich, daß es sehr gut war. Auf Seite 250 wußte ich, es war ein neues klassisches Werk über dieses Thema. Auf Seite 500 war ich zwar ein wenig außer Atem, aber in meiner Überzeugung nur noch mehr gefestigt. Wenn man das Buch durchgelesen hat, ist einem zumute, als habe man erfolgreich einen Marathonlauf hinter sich gebracht. Zweifellos braucht der Leser seine ›zweite Luft‹ (wie man im Sport sagt) auf Seite 458, wo er einen gelinden Schrecken bekommt, wenn er im Kleindruck unter Bezugnahme auf Küngs früheres Buch ›Strukturen der Kirche‹ liest: ›Das dort in den Kapiteln VI-VIII (S. 105-335) Dargelegte muß hier vorausgesetzt werden‹« (»New Christian«).

Doch genug des Rühmens, das selbst dem Apostel Paulus zur Verteidigung gegen »Überapostel« nötig erschien (vgl. 2 Korinther 11-12). Natürlich werden von verschiedenen Seiten auch sachliche Einwände im Detail gemacht, wird von einigen wenigen auch eine Ablehnung des Buches formuliert. Meine Schüler HERMANN HÄRING und JOSEF NOLTE werden die Diskussion in einem eigenen Buch umfassend dokumentieren: »Diskussion um Hans Küng, ›Die Kirche‹« (1971). Aufs Ganze aber hat sich die Diskussion gut angelassen und könnte zu einem positiven Ergebnis führen. Nicht zuletzt die Reaktionen aus dem Bereich der »Anglican Communion« zeigen mir, wie auf dieser Grundlage eine Versöhnung zuerst einmal zwischen Rom und Canterbury möglich wäre – ein Modell für weiteren Fortschritt in der christlichen Ökumene. Auf einen gleichaltrigen, gleichgesinnten und gleichfähigen Kollegen setze ich da besondere Hoffnungen: auf Joseph Ratzinger.

Joseph Ratzinger in Tübingen

Als mein Kollege in Dogmatik, Professor LEO SCHEFFCZYK, einen Ruf an die Universität München erhält, von der er herkommt, tue ich als Dekan alles, um ihn zum Bleiben in Tübingen zu bewegen. Aber ich kann mich seiner Argumentation nicht verschließen: das kritische geistige Klima Tübingens sei für mich die richtige Wirkstätte, meint er. Er dagegen würde sich in der konservativen Atmosphäre Münchens eher heimisch fühlen. Abgesehen von kleineren Reibereien (in Zusammenhang mit der Institutsgründung und einer Habilitation), im Fakultätsalltag kaum ganz zu vermeiden, waren wir ja nun gut miteinander ausgekommen. Und Scheffczyks Vorgänger und Förderer MICHAEL SCHMAUS ist so freundlich, mir die sechste Auflage seiner Gnadenlehre zuzusenden, welche die Anliegen meines Buches »Rechtfertigung« breit zur Geltung bringt. Scheffczyk würde da sicher ein guter Nachfolger sein können. Und so nehmen wir denn – anläßlich eines von ihm offerierten Essens in Bebenhausen bei Tübingen – am 5. November 1965 freundlich von ihm Abschied. Als perfekt romtreuer Neuscholastiker wird er später allerdings ein übles Pamphlet gegen meine Theologie schreiben und es zum Ehrendoktor der Opus-Dei-Universität in Pamplona/Spanien und mit fast 81 Jahren zum Kardinal (weil über 80 ohne Papstwahlrecht) bringen.

Wer aber wird sein Nachfolger? Für mich niemand anderer als JOSEPH RATZINGER, zur Zeit Dogmatikprofessor in Münster. Obwohl erst 37 Jahre alt, genießt er hohes Ansehen, wie seine bisherige Laufbahn zeigt. Er hat seine eigene Forschungsrichtung und besitzt zugleich eine große Offenheit für Fragen der Gegenwart – Voraussetzung für eine gute Zusammenarbeit. Zugleich hatte ich ihn zur Konzilszeit als menschlich sympathisch erlebt. So erscheint er mir als eine geradezu ideale Besetzung. Dies ist denn auch die Argumentation, die ich gegen alle Gewohnheiten gleich am Anfang der Sitzung meiner Fakultät vortrage. Als Dekan und zugleich Inhaber des Parallellehrstuhles sehe ich mich dazu berechtigt. Mit durchschlagendem Erfolg. Einstimmig akzeptiert man meinen Vorschlag: Joseph Ratzinger – und dies ist sehr ungewöhnlich – »unico loco« (also ohne einen Zweit- und Drittkandidaten zu benennen) auf die Berufungsliste zu setzen.

Vorher habe ich mich freilich bei Ratzinger abgesichert. Schon nach meiner Wahl zum Dekan hatte ich ihn der Fakultät für einen Universitätsvortrag am 8. Juli 1964 vorgeschlagen. Ratzinger schreibt darauf, er wolle dabei eines der »heißesten Eisen« der Eucharistielehre anfassen:

»Transsubstantiation: die Lehre von der Wesensverwandlung und vom Sinn der Eucharistie.« Der Vortrag, der zunächst durch des Referenten hohe Stimmlage befremdet, findet bei Kollegen wie Studenten viel Anklang. Am 2. Mai 1965 habe ich Ratzinger dann – nach einem Treffen katholischer und evangelischer Publizisten in Hardehausen – in Münster besucht und mit ihm über eine mögliche Berufung nach Tübingen gesprochen. In einem Brief vom 11. Mai habe ich ihn nochmals auf alles das hingewiesen, »was für Sie Tübingen anziehend macht: die wissenschaftliche Zusammenarbeit mit katholischen und evangelischen Kollegen an einem Ort großer freier Tradition, die ausgezeichneten Arbeitsbedingungen, die Nähe zu Ihrer Heimat usw. ... Ich meine also, daß alles das, was mich damals nicht von Tübingen nach Münster ziehen ließ, Sie dazu bewegen kann, von Münster nach Tübingen zu ziehen.« Unmittelbar vor der entscheidenden Fakultätssitzung sichert mir Ratzinger am Telefon zu, er würde einen von mir »unico loco« vorgeschlagenen Ruf annehmen.

Dem einstimmigen Beschluß der Fakultät folgt ein paar Wochen später der einstimmige Beschluß des Großen Senats. Ratzinger wird allerdings erst nach Ablauf seiner drei Jahre in Münster auf das Sommersemester 1966 nach Tübingen kommen. Bis dahin finde ich für ihn, was ich ihm und seiner Schwester, der er nicht zumuten könne, »hier endlose Zeiten allein im Norden zu sitzen«, versprochen hatte: ein schönes neues Haus zur Miete in guter Tübinger Wohnlage, in der Dannemannstraße.

Unser Fundamentaltheologe, MAX SECKLER, der sich möglicherweise auch Hoffnungen auf den Dogmatiklehrstuhl gemacht hatte, aber mit Ratzinger nicht konkurrieren konnte oder wollte, erklärt mir später, es habe auf die Fakultätskollegen großen Eindruck gemacht, daß ich meinen stärksten Konkurrenten geholt hätte. Es sei doch selbstverständlich, meine ich, daß man den Besten berufe. Nein, sagt er nachdenklich, das sei keineswegs selbstverständlich. Offensichtlich muß ich noch Erfahrungen sammeln, um gewisse Berufungsmechanismen zu verstehen: daß nur Starke starke Kollegen berufen, Mittelmäßige aber mittelmäßige. Und daß dies das Geheimnis ist, warum gewisse Fakultäten – und wahrhaftig nicht nur theologische – Mittelmaß bleiben.

»Ich freue mich riesig über Ihr Ja«, schreibe ich Ratzinger am 8. Juli 1965. Ob ich aber mit dieser Berufung nicht tatsächlich bestimmte Risiken eingehe? Ich bin mir bewußt, daß er mehr als ich der neuscholastischen Tradition verhaftet bleibt und mehr Gewicht legt auf die Autorität der Kirchenväter (und die Augustins besonders), der er auch

seine Antrittsvorlesung widmen wird. Doch unterschiedliche Akzentsetzungen und Forschungsrichtungen können nur von Vorteil sein.
Sein Lehrstuhl heißt ja auch »für Dogmatische Theologie und Dogmengeschichte« und der meine »für Dogmatische und Ökumenische
Theologie«.

Wichtiger ist mir die *Gleichgestimmtheit* im Sinn des Zweiten Vatikanischen Konzils: Ausrichtung auf die Erneuerung von Theologie und
Kirche und die ökumenische Verständigung. Dafür ist die *Freiheit in der
Kirche* grundlegend. Meinen jetzt als Theologische Meditation vorliegenden Vortrag habe ich Ratzinger schon früh zugeschickt. Seine Antwort: »Zunächst recht herzlichen Dank für die Übersendung Ihrer ›Kirche in Freiheit‹. Ich brauche Ihnen nicht zu sagen, wie sehr ich Ihnen
gerade in dieser Sache zustimme.«

Unsere Gleichgestimmtheit wird offenkundig im Geleitwort zu der
von ihm und mir herausgegebenen Reihe »*Ökumenische Forschungen*«,
die mit meinem Buch »Die Kirche« eröffnet wird. Da heißt es unter
»im Januar 1967«: »Die Zeit ist reif geworden für eine systematische
Bereinigung der theologischen Differenzen zwischen den christlichen
Kirchen. Mit der überraschenden ökumenischen Begegnung der verschiedenen christlichen *Kirchen* in den letzten Jahren hat die ökumenische Begegnung der verschiedenen christlichen *Theologien* nicht Schritt
gehalten. Und doch werden die christlichen Kirchen einander bestenfalls auf Rufweite näherkommen, wenn nicht die theologischen Blöcke
und manchmal auch Sandbänke, die zwischen ihnen liegen, ausgeräumt
oder überhaupt neue Wege der Begegnung gefunden werden, die – oft
nach Abwerfen unnötigen theologischen Ballastes – einen Austausch
ihrer Gaben möglich machen ... *Alle* Fragen zwischen den christlichen
Kirchen können nicht gelöst werden. Die kirchenspaltenden Fragen
aber müssen gelöst werden.«

Keine Frage, wir haben nun eine außerordentlich günstige Konstellation von Theologen in Tübingen, dokumentiert in der Universitäts-
zeitschrift »Attempto« vom Dezember 1968: von evangelischer Seite
schreiben Jürgen Moltmann über »Gott und Auferstehung« und Hermann Diem über »Öffentlichkeitsauftrag und -anspruch der Kirche«,
von katholischer Seite Joseph Ratzinger über »Tendenzen in der katholischen Theologie der Gegenwart« und ich über »Unfehlbares Lehramt?«. Der Herausgeber WALTER JENS dazu in der Einleitung: »Und
dann, dieser Glücksfall! Ein Grundsatz-Artikel aus Ratzingers Feder,
Fundament fortwirkender Überlegungen, daneben, kühn in die Lüfte
steigend, eine Rakete, abgefeuert in helvetischen Marken, nun über

Tübingen kreisend ... und in der Redaktion die Frage auslösend: sollte der Papst kein Leser von ›Attempto‹ sein – wie können wir ihm unsere Zeitschrift zugänglich machen? Ein Dank den Theologen ... ein *solches* Gunstgeschick erleben Redakteure nicht alle zehn Jahre!«

So mache ich mir begründete Hoffnung, daß wir in Tübingen, unterstützt von tüchtigen Exegeten und Historikern und in Zusammenarbeit mit interessanten evangelischen Kollegen, eine starke theologische Gruppe bilden können. Zugleich setze ich meine Hoffnung auf KARL RAHNER, mit dem zusammen ich nach Abschluß des Konzils in München am 9. Dezember 1965 eine Fernsehsendung unter der Leitung von Hans Heigert, dem Chefredakteur der Süddeutschen Zeitung, bestreite und den ich im Zusammenhang eines Vortrags in Tübingen zum Mittagessen eingeladen habe. Begleitet wird er von seinem tüchtigen und hoffnungsvollen Assistenten Dr. KARL LEHMANN, der aus dem nahen Veringenstadt bei Sigmaringen stammt, mir bereits aus dem Germanikum bekannt ist und der nun in brüderlichem Ton die Korrespondenz für Rahner führt – vor allem über dessen schöne Theologische Meditationen »Alltägliche Dinge« und »Im Heute glauben«. Merkwürdigerweise verlangt jetzt das bischöfliche Ordinariat Chur ein Gutachten (von mir!) für Rahners (!) Theologische Meditation. »Es ist lange her«, schreibt Lehmann, »daß jemand Rahner in das Imprimatur pfuschte ... Ich beneide Dich um Deine (wenigstens äußerlich) ruhigen Tage in Sursee. Hier (in München) geht es hoch her, weil das Lexikon für Theologie und Kirche Band X und das Handbuch der Pastoraltheologie Band II vor dem Abschluß stehen.«

Ja, das ist mein Traum: Rahner, Ratzinger und ich, unterstützt von den Nachrückenden Hermann Häring, Walter Kasper, Karl Lehmann, Johann Baptist Metz, Otto Hermann Pesch und möglichst viele andere – die Avantgarde einer erneuerten katholischen Theologie in Deutschland, dazu noch die Verbindung mit »Concilium«. Nur zu sehr bin ich mir bewußt, daß ich auf Bundesgenossen angewiesen bin. Ich war nie ein »lone wolf«.

In Rom, da bin ich sicher, schläft man nicht. Es ist bereits offenkundig: Die Kurie, und das Sanctum Officium im besonderen, tun zweifellos alles, um die durch das Konzil verlorenen Positionen so rasch und so vollständig wie möglich zurückzuerobern. Und in der Tat, ich werde nun ganz persönlich plötzlich mit der römischen Konteroffensive konfrontiert.

Roms Reaktion

Schon am 29. November 1967, so habe ich nachträglich erfahren, hatte im Palazzo des Sanctum Officium eine wie immer geheime Sitzung der Kardinalskongregation der Heiligen Kongregation für die Glaubenslehre – so ja jetzt der euphemistische Name der Inquisition – stattgefunden. Man ist über die Publikation des Buches »Die Kirche« besorgt. Die Kongregation beschließt folgendes *Dekret:* Das Bischöfliche Ordinariat Rottenburg soll wegen der Erteilung des Imprimaturs getadelt werden. Der Verfasser soll durch den Bischof von Rottenburg autoritativ eingeladen werden, das *Buch nicht weiter zu verbreiten* und nicht in eine andere Sprache übersetzen zu lassen, »bevor er ein Kolloquium geführt hat mit von dieser Heiligen Kongregation auszuwählenden Männern, zu welchem er nämlich bald eingeladen wird«.

Am 19. Dezember 1967 wird dieses wenig weihnachtliche Dekret ohne jegliche sachliche Begründung durch Kardinal Alfredo Ottaviani dem Bischof Carl-Joseph Leiprecht von Rottenburg mitgeteilt. Dort ist die Aufregung groß. Ich bin für die weihnachtlichen Festtage zu meiner Familie in die Schweiz gereist und empfange da in meinem Seehaus am 27. Dezember 1967 durch Eilschreiben an meine Schweizer Adresse (ein anderes geht an meine Tübinger) vom Bischöflichen Ordinariat Rottenburg dieses römische Dekret. Inquisition in Aktion. Ich bin zum Feiern mit meinen Eltern und Geschwistern in unserem alten Haus am Rathausplatz. Aber ich will den anderen die weihnachtliche Stimmung nicht verderben und lasse mir von meiner Sorge und Erregung nichts anmerken. Doch Eile ist vonnöten. Was tun?

Ich überlege: Auf diese infame Weise hat Rom unendlich viele Bücher unterdrückt – ich denke besonders an Teilhard de Chardins Werke und Congars Buch über die »Reform in der Kirche«. Soll ich mir die Freiheit zur Verbreitung in deutscher und anderen Sprachen nehmen lassen? Nein, das kommt für mich nicht in Frage – jetzt, nach der Konzilserklärung über Religionsfreiheit und Menschenrechte, die ja auch die Pressefreiheit einschließt, weniger denn je! Im Gegenteil: jetzt heißt es *entschlossen handeln,* wenn man sich nicht von vornherein geschlagen geben will. Und das heißt konkret: Sofort setze ich mich telefonisch mit meinen Verlagen in Paris, London und New York in Verbindung: die Herausgabe der französischen, englischen und amerikanischen Ausgabe ist zu beschleunigen! Den spanischen Verlag Herder in Barcelona benachrichtige ich durch den deutschen Mutterverlag Herder Freiburg: Ich insistiere grundsätzlich auf Einhaltung der Vertragsbedingungen und auf der weiteren Publikation des Buches auch gegen eventuelle Einschüchterungsversuche ...

Die Verlage machen mit: Sowohl die englische wie die amerikanische Ausgabe erscheinen bald, später folgen die spanische und italienische. In Chicago wird das Buch als »ausgezeichnetster Beitrag zur katholischen Literatur 1968« mit der Thomas-Morus-Medaille geehrt. Daß der Vatikan das alles nicht einfach hinnehmen wird, ist mir klar. Wir steuern auf eine größere Auseinandersetzung zu. Aber was wäre die Alternative?

Marsch durch die Institutionen?

Ein kleiner Brief an Papst Paul VI. persönlich hätte genügt, um die Aktion des Sanctum Officium zu beenden. Aber natürlich hätte ich in einem solchen Brief – ganz im Sinn des päpstlichen Wunsches in der Privataudienz und des österlichen Schreibens – *»ein Zeichen«* geben müssen, daß ich auf die römische Linie einzuschwenken gedenke. »Deve dar un segno« wird der Papst später auf meine Inquisitionsakte schreiben: »Er muß ein Zeichen geben.« Doch mit einem Zusatz, den sein polnischer Nachfolger nicht beachten wird: »Ma procedere con carità – aber mit Liebe vorgehen.« Was für das Sanctum Officium bedeutet: nicht mit disziplinarischen Maßnahmen.

Ja, was hätte ich da 1967/68 versprechen müssen? Ein Unterwerfungszeichen: und mich adaptieren, korrigieren, retraktieren ... Wenn nicht eine totale Kapitulation, so doch zumindest ein anhaltendes gehorsames Schweigen (»silentium obsequiosum«) in den umstrittenen oder tabuisierten Fragen. Wie man es in geradezu peinlicher Weise immer wieder bei Bischofskandidaten und Bischöfen beobachten kann, die sich von fortschrittlichen katholischen Professoren oder Seelsorgern zu konservativen bis reaktionären römischen Würdenträgern mausern. Mit anderen Worten: Ich müßte mich so – wenn schon nicht freiwillig, so doch jetzt auf römischen Druck hin – »in den Dienst der Kirche stellen«. Wie dies in wohlmeinender, aber eben römisch-eingeengter Sicht dieser Papst nun einmal von mir erwartet: nicht »nur« in den Dienst der *Kirche Jesu Christi*, in deren Dienst ich ohnehin stehe und die ich gerade eben in meinem Buch umfassend und detailliert zu beschreiben suchte. Sondern in den Dienst der *römischen Kirche*, genauer in den Dienst des *römischen Systems*, wie es seit dem 11. Jahrhundert von der Kurie dominiert und dirigiert wird. Dann hätte ich nicht nur keine Schwierigkeiten mehr mit dem »Sanctum Officium«, sondern könnte als »Römer«

mindestens so rasch wie andere meinen Weg machen zu irgendeiner wichtigen, privilegierten kirchlichen Stellung im Norden oder in Rom, vielleicht gar selber ins »Sanctum Officium« – wie ein anderer Tübinger Theologe, der, freilich kaum in Tübingen richtig etabliert, sich auch schon wieder verabschiedete: nach Regensburg am Ende des Sommersemesters 1969. Warum?

Immer wieder wird darüber gerätselt, wie ein so begabter, freundlicher, offener Theologe wie JOSEPH RATZINGER eine solche Wandlung durchmachen konnte: vom fortschrittlichen Tübinger Theologen zum römischen Großinquisitor. Ratzinger selbst hat dies immer als einen geraden Weg bezeichnet, den er da seit Tübingen gegangen sei. Was daran wahr ist, soll später einmal genau untersucht werden. Gewiß hatte mein bei aller Freundlichkeit immer etwas distanziert und unterkühlt wirkender Kollege schon in Tübingen sich so etwas wie einen unaufgeklärten »Herrgottswinkel« in seinem bayrischen Herzen bewahrt und zeigte sich allzu sehr geprägt von Augustins pessimistischer Weltschau und Bonaventuras platonisierender Vernachlässigung des Sichtbar-Empirischen (im Gegensatz zu Thomas von Aquin).

Professor HERMANN HÄRING, damals in Tübingen mein Assistent, zeigt in einer mehr als 200seitigen scharfsinnigen Analyse auf, wie sich »Theologie und Ideologie bei Joseph Ratzinger« (2002) von Anfang an ineinander verschlungen haben. Gewisse Fragen ließ er einfach nicht an sich heran, der modernen Exegese gegenüber war er stets skeptisch eingestellt und historischen Argumenten nur beschränkt zugänglich. In seiner Tübinger »Einführung ins Christentum« (1967) begnügte er sich mit einer Karikatur der zeitgenössischen Jesusforschung und zeigte ansatzmäßig schon hier, zu welchen Mißdeutungen, Unterstellungen, Verzerrungen und Aburteilungen er fähig ist, wie ich sie dann selbst, für mich sehr schmerzlich, schon sieben Jahre später in seinem Schmähartikel gegen mein Buch »Christ sein« erfahren mußte. Hermann Häring mag recht haben, daß ich die Kooperationsbereitschaft Ratzingers überschätzte, der sich letztlich gerne bedeckt hielt und direkter Auseinandersetzung auswich. Außer es ging nicht anders, wie in jener Fakultätssitzung 1968, wo er als Dekan ganz allein sich seinen Fachkollegen entgegenstellte, die allesamt ein solidarisches Eintreten für den angefeindeten Religionspädagogen Professor HUBERTUS HALBFAS (Reutlingen) beim Ordinariat Rottenburg wünschten. Verblüffend für mich die verquere Argumentationstechnik, mit welcher der rhetorisch gewandte Ratzinger jedes Votum für Halbfas abwehrte, ohne sich im geringsten um die Kohärenz seiner zum Teil widersprüchlichen Argumente zu kümmern.

Doch es war nicht etwa diese Diskussion, die sich angesichts der bald erfolgenden Heirat des Priesters Halbfas schließlich als zwecklos erwies, die für Ratzingers Abschied von Tübingen verantwortlich war, sondern die *68er Studentenrevolte*. Beide wurden wir mehr als einmal im Hörsaal durch Sit-ins von fachfremden Protestierern lautstark an der Lehre gehindert. Was für mich lediglich eine zeitweilige Verärgerung blieb, hatte bei Ratzinger offensichtlich eine dauernde Schockwirkung zur Folge. Kein Semester länger wollte er in Tübingen bleiben. Vor allem die Agitation einer revolutionären Gruppe innerhalb der Katholischen Studentengemeinde, die in einer neuen Satzung den Studentenpfarrer total der Gemeindeversammlung unterordnen wollte (was auf unseren gemeinsamen Widerstand stieß), hatte ihn tief getroffen. Bis auf den heutigen Tag zeigt Ratzinger seither eine Verkrampfung gegen alle Bewegungen »von unten«, ob Studentengemeinden, Priestergruppen, KirchenVolks-Bewegung oder Iglesia popular und Befreiungstheologie ...

Mit seinem Abschied von Tübingen nach drei zwischen uns beiden harmonischen Jahren und seinem Umzug nach Regensburg unter die Fittiche Bischof Grabers, des Rechtsaußen der Bischofskonferenz, hat zweifellos *Ratzingers Marsch durch die Institutionen* begonnen: Erzbischof von München und Kardinal (1977), dann Präfekt der Glaubenskongregation (1981). Geistliche Macht gibt sicher auch viel weltliche Befriedigung. Nur auf »ein Œuvre«, ein theologisches Gesamtwerk, beklagt er sich heute, mußte er um seiner Kirchenkarriere willen verzichten. »Tu l'as voulu, Georges Dandin, tu l'as voulu«, würde ich ihm mit Molière antworten. Zu hoffen bleibt, daß er trotz des fehlenden Œuvre nicht gar so rasch vergessen sein wird wie etwa der ebenfalls fast allmächtige Kardinal Merry del Val, Staatssekretär des Antimodernisten-Papstes Pius X., oder eben auch Kardinal Ottaviani, an dessen Namen trotz vieler Reden und Verlautbarungen sich heute selbst junge Theologen kaum noch erinnern.

Ob ich »auf dem Marsch durch die Institutionen« hätte mehr erreichen können? Immer wieder, wenn die Rede auf meine guten persönlichen Beziehungen zu Paul VI., die Privataudienz und den anschließenden Briefwechsel kommt, wird mir von Freunden die Frage gestellt, die wohl auch mancher Leser dieses Lebensberichtes auf den Lippen hat: Haben Sie nicht eine große Chance verpaßt? Deshalb ein letztes Mal: Ich bestreite keinen Moment, daß ich im kirchlichen Apparat einiges hätte leisten können, wie das ja dann nach Ratzinger mehr oder weniger auch die Theologen und späteren Kardinäle Dulles, Lehmann, Mejía, Kasper, Tucci und andere Freunde aus der Konzilszeit zeigten.

Und trotzdem galt und gilt für mich, daß ich diesen Weg durch die Institutionen unter den gegebenen Umständen auf keinen Fall hätte verantworten können. Neidlos glücklich bin ich darüber, daß ich meinem Gewissen gefolgt bin. Denn unterdessen ist deutlich geworden, womit meine Freunde »bezahlt« haben: Zu was haben sie alle samt und sonders Ja und Amen gesagt, Ja und Amen sagen müssen?

Zu allem Ja und Amen sagen?

Für mich stellte sich schon unmittelbar nach dem Konzil die nüchterne Frage: Soll, kann, darf ich mich mit all den päpstlichen Lehrdokumenten abfinden, die Paul VI. in alter römischer Selbstherrlichkeit – völlig unbekümmert um die vom Konzil feierlich beschlossene Kollegialität des Papstes mit dem Episkopat – »erläßt« und die ja nun auch zahllose Bischöfe und Theologen ärgern, erzürnen, bedrücken? Soll ich mich wie viele von ihnen mit privaten Unmutskundgebungen zufriedengeben und mich öffentlich einverstanden erklären? Soll ich eventuell mit Murren und Knurren und am Ende mit Hängen und Würgen zu allem Ja und »Amen« (hebräisch: »so geschehe es«) sagen:
• Ja und Amen zur Enzyklika »*Sacerdotalis coelibatus*« (1967) über den Pflichtzölibat? Diese bemüht in empörender Weise die höchsten Wahrheiten des Evangeliums, um gerade das nicht beweisen zu können, was zu beweisen wäre: daß eine nach dem Evangelium sinnvolle freie Berufung zur Ehelosigkeit von der Kirchenleitung zu einem verpflichtenden Gesetz gemacht werden dürfe, das die Freiheit aufhebt.
• Ja und Amen zum »*Credo*« des Papstes (1968)? Dieses wird von Paul VI. mit typisch römischem Identifikationsgebaren, ohne die Kirche oder auch nur den Episkopat zu fragen, zum »Credo des Gottesvolkes« erklärt; dabei wird die vom Vatikanum II festgestellte »Hierarchie der Wahrheiten« völlig vernachlässigt und werden problematische theologische Konstrukte römischer Tradition auf eine Stufe mit den zentralen Aussagen der biblischen Botschaft gestellt.
• Ja und Amen zur Enzyklika »*Humanae vitae*« (1968) über die Geburtenregelung? Sie macht auch für die erstaunte Weltöffentlichkeit die Schwäche und Rückständigkeit der römischen Moraltheologie und die Gefährlichkeit der Unfehlbarkeitsideologie offenbar und löst innerhalb der katholischen Kirche einen unerhörten Widerspruch und Exodus von Kirchengliedern und abweichende Erklärungen von Theologen, Bischöfen und ganzen Bischofskonferenzen aus.

• Ja und Amen auch zum bald folgenden *Mischehendekret* (1970)? Dieses offenbart hinter allen ökumenischen Beteuerungen die noch immer zutiefst unökumenische Einstellung der römischen Zentralverwaltung, deren Mentalität und Stil immer wieder von Kurzsichtigkeit, Sturheit und Anmaßung, manchmal geradezu von einem Überheblichkeitswahn, zeugen. Und so weiter ...?

Unendlich viel Leid haben gerade diese nachkonziliaren römischen Fehlentscheidungen (und entsprechenden Personalentscheidungen) über katholische Gläubige gebracht. Jeder Seelsorger kann zahllose Geschichten davon erzählen. Doch mit dem römischen System ist der Papst auch persönlich mitverantwortlich für die bis heute andauernde Kirchenmisere: rigorose Sexualmoral, Zusammenbruch der Seelsorge infolge Priestermangel, Verhinderung der ökumenischen Verständigung und Abendmahlsgemeinschaft, Versagen angesichts katastrophaler Bevölkerungsexplosion und Aidsepidemie ... Zu all dem also Ja und Amen sagen − nein, das kann ich *nach bestem Wissen und Gewissen nicht!* Mit dieser römischen Theologie und Politik kann ich mich als katholischer Theologe nicht nur nicht identifizieren, gegen sie muß ich in aller Loyalität zur Kirche und auch zum Papst opponieren. Gerade geistlicher Diktatur − mit verheerenden Folgen für ungezählte Menschen − muß widerstanden werden. Gerade kirchlichem Totalitarismus muß die Freiheit des Gewissens, die *Freiheit eines Christenmenschen* entgegengesetzt werden.

1968: dies ist für viele in der Kirche das Geburtsjahr der »Loyal Opposition of His Holiness«. Für JOSEPH RATZINGER nicht, im Gegenteil: »Eine steile Karriere. Und ein spektakulärer Seitenwechsel«, wird man zu seinem 75. Geburtstag im Jahr 2002 schreiben, »als Theologe und Frings-Berater gehörte er zu den ›jungen Wilden‹, die den Status quo der Kirche bekämpften, die Aversionen gegen die absolute Macht des Papstamtes nicht verbargen, für die Freiheit der Theologie eintraten, übertriebene Marienfrömmigkeit als Hindernis für die Ökumene beklagten und Tradition als etwas deuteten, das nicht ein für allemal gegeben sei, sondern im Zusammenhang mit Wachstum, Fortschritt und Glaubenskenntnis verstanden werden müsse ... ›Kollegialität‹ wurde zu einem Schlüsselwort der theologischen Avantgarde, die ihre Kritik auf Kardinal Alfredo Ottaviani, den streng konservativen Chef des damaligen Heiligen Offiziums, konzentrierte. Heute steht Joseph Ratzinger an dessen Stelle, sorgt sich wie vor 40 Jahren Ottaviani um die Identität des Katholischen. Hat der Bayer im Vatikan seine früheren Überzeugungen verraten?« (G. Facius in »Die Welt« vom 16. 4. 2002).

1968: Ich bin jetzt 40 Jahre alt und habe nach statistischer Voraussicht die Hälfte meines Lebens – oder vielleicht auch sehr viel mehr – hinter mir. 1968: nicht nur die Enzyklika »Humanae vitae« und der epochale Vertrauenseinbruch für Papst und Kirche, sondern darüber hinaus ein Einschnitt in der Menschheitsgeschichte überhaupt, Studentenrevolten von Kalifornien über Paris und Berlin bis Prag, eine »Kulturrevolution« fühlbar auch an der Universität Tübingen. 1968: ein Einschnitt, der mich meine Lebenserinnerungen hier unterbrechen läßt. Die jetzt einsetzende neue Periode auch meines Lebens, die neuen Kämpfe und schließlich eine dramatische Zuspitzung der Auseinandersetzung mit Rom will ich später in einem zweiten Band beschreiben. In meiner Tübinger Abschiedsvorlesung bei der Emeritierung im Jahre 1996 werde ich erklären: »Nicht nur um der *Freiheit* willen, die mir stets teuer war, sondern um der *Wahrheit* willen, die noch über meiner Freiheit steht, konnte ich einen andern Weg nicht gehen. Ich hätte, wenn ich ihn gegangen wäre, so sah ich es damals, so sehe ich es heute, für die Macht in der Kirche *meine Seele verkauft*. Und ich möchte nur hoffen, daß mein Alters- und Weggenosse Joseph Ratzinger, der den anderen Weg gegangen ist, daß er (und ich sage das ohne jeden Schatten der Ironie) im Rückblick bei allem Leid auch so zufrieden und glücklich ist wie ich.«

Am 16. April 2002 feiert Joseph Ratzinger im Vatikan unter Salutschüssen (nur Knallpatronen) von 400 Bayerischen Gebirgsschützen vom Tegernsee seinen 75. Geburtstag. Er hat damit die vom Konzil festgelegte Pensionsgrenze erreicht. Aber unbekümmert um Geist und Buchstaben der Konzilsregelung setzt man sich in der Kurie darüber hinweg. Man verschafft sich päpstliche Dispense, um weiter im Amt bleiben zu können, als sei man unersetzbar. Am 19. März 2003, nachdem ich 1996 meinen Lehrstuhl termingerecht mit 68 Jahren für einen Nachfolger geräumt hatte, hoffe ich meinen 75. Geburtstag in Tübingen zu feiern. Und ich versichere schon jetzt: Bei meinem Fest wird nicht geschossen. An Volk wird es nicht fehlen. UN-Generalsekretär Kofi Annan, mit dem ich zuletzt für das ihm und der UN-Vollversammlung bestimmte (eingangs dieser Lebenserinnerungen zitierte) Manifest »Brücken in die Zukunft« (2001) zusammenarbeiten konnte, hat meine Einladung angenommen und wird die Dritte Weltethos-Rede an der Universität Tübingen halten ... Alles, selbstverständlich, Deo bene volente.

Ausblick

Am 23. März 2002, dem Vorabend des Palmsonntags, stehe ich nach längerer Zeit wieder einmal in *Rom* oben auf der Terrasse des neunten Stocks in meinem alten Collegium Germanicum, eingeladen vom Rektor P. GERWIN KOMMA SJ. Anlass: mein Schüler, Kollege und Freund Professor KARL-JOSEF KUSCHEL wird hier morgen eine eindrückliche Bildmeditation zum Thema »Ecce Homo« halten und ich am Tag darauf in einer »Kollegsakademie« einen Vortrag, nein, nicht über Kirchenpolitik, sondern über »Weltpolitik und Weltethos. Das neue Paradigma internationaler Beziehungen«.

Schon bricht die Nacht über die Stadt herein und das mir so vertraute spektakuläre Panorama mit all den Kuppeln und Palästen liegt im intensiven römischen Abendrot. In Festbeleuchtung drüben wie ein Schmuckstück die renovierte Peterskirche. Früh am Morgen vor dem Besucherstrom wird uns ein Altgermaniker die wieder jugendfrisch strahlende *Capella Sixtina* kunsthistorisch kundig zeigen. Ein Wunder an Farben, Formen, Gestalten, Gebärden – so vieles bewegt mein Inneres:

MICHELANGELO, von Haus aus Bildhauer, hat sich hier nicht nur als genialer Maler offenbart, sondern auch als ein Christ, der nicht in erster Linie Päpste, sondern die ganze Heilsgeschichte präsent haben wollte, vom grandiosen Anfang der Schöpfung von Welt und Menschen bis zum gnädigen Jüngsten Gericht (die Hölle als drohende Möglichkeit, in die aber keiner eingeht!). Eine universale Schau, welche die Seherinnen der »Heiden« ebenso einbezieht wie die Propheten Israels:

Hochreflektiert gestaltet von ihm, dem Freund der Dichterin Vittoria Colonna, der er seine bedeutendsten Sonette gewidmet hat und mit deren Viterbo-Kreis er beim damaligen Ausbruch der Reformation katholisch bleiben und doch evangelisch gesinnt sein wollte. Mein Ideal.

Zusammen mit zahlreichen Humanisten, Theologen, Politikern jene »dritte Kraft«, die im 16. Jahrhundert verlor, aber im Vatikanum II wieder auflebte und Wirkung zeigt. Meine Richtung.

Bis heute ist der mit diesem Konzil einsetzende Jahrhundertstreit über die wahre Gestalt der katholischen Kirche, der Ökumene, ja, des Christentums überhaupt im Umbruch der Zeiten noch nicht entschieden. Mein Leiden.

Und niemand weiß, ob Kirche und Welt in ein paar Jahren nicht vielleicht doch besser aussehen werden. Meine Hoffnung.

Spüre ich Beklemmungen, fragt mich Karl-Josef Kuschel bei der Rückkehr in das Haus, in welchem ich sieben Jahre lang gelebt und gearbeitet, gelitten und gekämpft habe? Im Gegenteil: Ich fühle mich wie selbstverständlich wieder »zuhause«, betrachte neugierig, was in Haus und Gebräuchen geblieben und was sich geändert hat. Und freue mich schlicht, wieder einmal hier zu sein: ein anderer und doch derselbe, als der ich mich vor fast fünf Jahrzehnten verabschiedet habe. Und nach allem, was sich in der Zwischenzeit ereignet hat, freundlich aufgenommen von einer jungen Generation Germaniker, die meine großen Anliegen offensichtlich begeistert teilen. Eine Erfahrung, die ich überall in der Welt immer wieder neu machen durfte: daß ich in der großen christlichen Glaubensgemeinschaft, wie immer der Apparat und seine Administratoren darüber urteilen, meine geistige Heimat bewahrt habe. Ihr fühle ich mich genauso zugehörig wie im politischen Bereich der (ebenfalls viel mißbrauchten und geschändeten) Demokratie. Gerade so kann ich – in kritischer Solidarität – eine große Geschichte bejahen und aus ihr heraus mit so vielen anderen leben.

In der Tat, wie soll ich im Rückblick auf die nun bald 75 Jahre gelebten Lebens nicht *unendliche Dankbarkeit* empfinden? Dankbarkeit, daß ich die *Freiheit*, die mir aufgrund glücklicher Umstände sozusagen in die Wiege gelegt wurde, bewahrt habe? Daß sich diese bürgerliche Freiheit zur Gewissensfreiheit geläutert hat? Daß ich sie als die Freiheit eines Christenmenschen erfahren durfte? Daß sie sich als Freiheit in Kirche und Theologie bewährt hat? In aller Bescheidenheit, die ich in meiner Kindheit gelernt habe: Ich habe mich in Irrsal und Wirrsal der Zeiten als freier Mensch, Christ und Theologe behaupten können. *Erkämpfte und zugleich geschenkte Freiheit.* Kann man da nicht verstehen, daß ich das Lied »Lobe den Herrn« nie ohne Emotionen singen kann, wenn es zu den Worten kommt: »der mich auf Adlers Fittichen sicher geführet, der mich erhält, wie es dir selber gefällt. Hast du nicht dieses verspüret?«

Ja, gegen allen Augenschein habe ich die *Wirklichkeit Gottes* – das große Thema meines Lebens – immer wieder vertrauensvoll »verspüret«. Und habe mit all den Erfahrungen und Begegnungen, Leiden und Freuden bis 1968 vier Jahrzehnte ein erfülltes, ein reiches Leben leben dürfen. Und durch die Kämpfe und Konflikte, guten und schlechten Tage meiner zweiten Lebenshälfte hindurch wird es ein noch mehr erfülltes, ein unendlich reiches Leben sein.

Hätte ich mich damals in den 60er Jahren dem römischen System zugewandt und mich in den Dienst einer Weltkirche gestellt, so hätte ich mich auf die Kirchenwelt beschränkt und keinesfalls so intensiv auf die Themen Weltliteratur, Weltreligionen, Weltfrieden und Weltethos einlassen können, wie ich dies »Dei providentia hominum confusione – durch Gottes Vorsehung und der Menschen Verwirrung« – zu tun gedrängt wurde.

Von all dem soll in meinem zweiten Band die Rede sein, der, so Gott will, über Jahrzehnte berichten wird, in denen sich der Hauptakzent von der Freiheit immer mehr auf die *Wahrheit* verlagert: die Wahrheit, die, so meine tiefe Überzeugung, nur in *Wahrhaftigkeit* verkündet, verteidigt und gelebt werden kann und darf. Auf Wahrhaftigkeit werde ich in den nächsten Jahren ebenso getestet werden wie in den vergangenen auf Freiheit.

Zum Neujahr 2002 schreibt mir ein katholischer Schweizer Pfarrer vom Propheten Elia, der sich in der Wüste den Tod wünscht: »Auch für Sie wird wohl gelten, was dem Propheten Elia gesagt wurde: Steh auf, iß und trink, du hast noch einen weiten Weg vor dir. GOTT möge Sie dabei begleiten, stärken und aufrichten, wenn der rauhe Wind der Gegnerschaft, ja Feindschaft Ihnen entgegenweht. Propheten-Los!« Ach nein, das Professoren-Los ist mir genug.

Register

Bühlmann, J. 221
Bultmann, R. 168, 169, 291, 294,
    295, 296, 297, 298, 299, 314,
    486
Buonaiuti, E. 429
Buri, R. 60
Burns, T. 350, 395
Busch, W. 196
Butler, Ch. 281, 349

C

Cadotsch, A. 120, 128, 203
Caggiano, A. 370
Calderon 163
Calvin, J. 166, 167, 252, 296,
    404, 585
Câmara, H. 379
Campenhausen, H. 486
Campion, D. 468
Camus, A. 176
Canisius, P. 390
Capovilla, L. 239, 362
Caraffa, G. 162
Carey, G. 217
Carranza, B. de 209
Carroll, J. 409
Cäsar 89, 282
Casaroli, A. 430
Casper, B. 124, 289, 318, 444
Cassidy, E. I. 199
Cato 403
Ceram, C. W. 75
Cerfaux, L. 471, 486
Cesbron, G. 140
Chadwick, H. 353
Chaillet, P. 148
Chamberlain, N. 22, 25
Chenu, M.-D. 141, 142, 143,
    358, 370, 421
Chruschtschow, N. 176, 427, 431
Churchill, W. 25, 26, 62
Ciappi, L. 355

Cicero 89
Cicognani, A. 238, 393, 397, 434,
    440, 441, 470, 488, 503, 525,
    526, 527, 531
Ciriaci, P. 488
Clarizio, E. 476, 477, 535
Claudel, P. 61, 87, 148, 163, 176,
    244
Cogley, J. 380, 467
Cölestin V. Angelari 293
Colombo, C. 454, 455, 507, 508,
    510, 560
Colonna, V. 602
Congar, Y. 82, 104, 140, 141,
    142, 143, 144, 145, 146, 156,
    194, 227, 228, 229, 240, 249,
    250, 251, 341, 342, 358, 359,
    370, 373, 378, 390, 392, 395,
    400, 421, 438, 455, 460, 461,
    465, 477, 479, 486, 491, 508,
    509, 510, 511, 514, 526, 527,
    528, 529, 545, 561, 569, 576,
    589, 595
Contarini, G. 238
Coreth, E. 83, 203
Cotta, J. v. C. 287
Crosby, B. 148, 564
Cruzat, A. 551
Cullmann, O. 87, 178, 186, 230,
    294, 367
Cuoni, P. 58
Cushing, R. 377, 403, 404, 413,
    427

D

Dahrendorf, R. 51, 477
Damiani, P. 498
Daniel, Y. 139
Daniélou, J. 135, 162, 358, 395,
    412, 421, 506, 507
Dankl, W. 118, 156
Darwin, Ch. 338

Davis, Ch. 349
De Gasperi, A. 69, 70
De Gasperi, F. 136
De Sabata, V. 87
De Smedt, E. 396, 529, 549
De Vet, G. H. 395
Delannoye, G. 82
Dell'Acqua, A. 440, 586
Delors, J. 17
Delp, A. 123
Demmeler, J. 110
Denzinger, H. 280, 335, 572
Descartes 130, 173, 284, 285, 490
Dezza, P. 82, 449
Dhanis, E. 262, 345
Dibelius, M. 314
Dickens, Ch. 65
Diekmann, G. 384, 388, 400,
   414, 576
Diem, H. 180, 240, 289, 299,
   300, 301, 302, 341, 442, 446,
   486, 593
Dietzfelbinger, H. 542, 589
Dodewaard, J. van 489
Dollfuss, E. 20
Dombois, H. 253
Doms, H. 266, 575
Donizetti, G. 64
Döpfner, J. 80, 259, 260, 261,
   265, 266, 279, 311, 318, 340,
   341, 369, 370, 385, 467, 469,
   484, 542, 551, 553
Dossetti, G. 470
Dostojewski, F. M. 404
Drewermann, E. 488
Drey, J. S. 325
D'Souza, E. 440
Dubost, Ph. 175
Dulles, A. 105, 260, 350, 598
Dulles, J. F. 105
Dumont, H. 250
Dungan, R. 416, 419

Dupuis, J. 488
Dupuy, B. 322, 506
Dürrenmatt, F. 166
Dusen, H. P. van 351

E

Ebeling, G. 486
Eberhard im Bart 287
Ebneter, A. 191, 228
Eco, U. 14
Edelby, N. 508
Ehard, H. 86
Eisenhower, D. D. 105, 403
Eising, H. 243, 275
El Greco 207
Elchinger, L.-A. 440, 458, 528,
   538, 539, 545, 551
Elert, W. 486
Elgin, Th. B. 214
Eliot, T. S. 149
Elizabeth II. 215
Elizabeth Queen Mother 215
Ellis, J. T. 414, 415
Elsener, F. 289
Eltester, W. 329
Englhardt, G. 225
Erasmus von Rotterdam 278
Erbini, E. 46
Erhard, L. 85
Eschenburg, Th. 18, 328, 329,
   516
Escrivá de Bálaguer y Albás, J. M.
   210, 544
Evrard, J. 354

F

Facius, G. 602
Fallon, P. 537
Fanfani, A. 498
Feiner, J. 183, 185, 191, 253, 267,
   331, 358, 391, 525
Felici, P. 344, 358, 361, 366, 369,

377, 393, 397, 441, 469, 470,
478, 525, 526, 531, 541, 542,
551, 563
Fellini, F. 69
Fellmann, A. 190, 524
Feltin, M. 144
Fenton, J. 400, 401, 410, 548
Féret, H.-M. 141, 143, 528, 576
Fernandel 105
Fernández, A. 345
Fesquet, H. 467, 551
Fessard, G. 135, 148
Figl, L. 86
Filograssi, G. 113
Fink, K. A. 234, 290, 324, 516,
519, 584
Fiolet, A. 506
Fischer, B. 383
Fischer, E. 87
Fischer, J. 66, 70, 102, 113, 116,
121, 124, 161, 162, 174, 227,
588
Fisher, G. 330, 350
Flick, M. 171, 172
Folliet, J. 139
Fonck, L. 293
Ford, J. 563
Formigão, N. 212
Franco, F. 30, 145, 148, 209
Fransen, P. 506
Frantz, C. 85
Franz von Assisi 357
Frei, B. 48
Freire, P. 159
Freud, S. 45
Frick, M. 113
Fries, H. 240, 253, 262, 585
Frings, J. 92, 192, 317, 318, 369,
370, 385, 392, 492, 493, 494,
500, 513, 518, 551, 552, 574,
601
Frisch, M. 18, 19, 23, 32, 48, 166

Fröhlich, E. 289
Fuchs, J. 110, 111, 263
Fulbright, W. 401
Fürstenberg, F. v. 244

G

Galilei 405, 490
Gamma, H. 36
Gandhi, M. K. 523
Gandillac, M. de 186, 204
Ganoczy, A. 521, 585
Garibaldi, G. 68
Garófalo, S. 392
Garrigou-Lagrange, R. 114, 345
Garrigues, A. 415
Garrone, G. 370
Gassmann, L. 220, 262
Gaulle, Ch. de 25, 26, 145, 148,
175, 232
Gebhardt, G. 15
Geiselmann, J. R. 320, 326, 334,
345, 390, 391
George VI. 215
Gerlier, P.-M. 144, 232
Gestel, P. van 86, 115, 116, 117,
118, 122, 126, 135, 136, 154
Giacomelli, A. 264
Gibellini, R. 395
Gide, A. 176
Gilroy, N. Th. 370
Gleißner, A. 289
Godin, H. 139
Goethe, J. W. 287
Goethe, R. 169
Gordimer, N. 17
Göring, H. 27
Goya 206, 207
Graber, R. 598
Gracias, V. 533
Graham, R. A. 468, 489
Grasso, D. 127
Greco, B. 233

Greeley, A. 351, 414
Green, J. 148
Gregor VII. Hildebrand 236, 238,
428, 449, 458, 498
Gregor XVI. Cappellari 549
Grignion de Montfort, L. 113
Grillmeier, A. 476, 481, 482, 483
Groot, J. C. 395
Grootaers, J. 463, 464
Grünewald, M. 179
Guardini, R. 130
Guareschi, G. 365
Guerry, E. M. 370
Guiberteau, P. 185
Guinness, A. 401, 423
Guisan, H. 26, 28, 29
Guitton, J. 475, 512
Gumpel, P. 83, 98, 125, 153, 154,
170, 177, 181, 191
Gundlach, G. 67, 85, 109, 110,
118, 138, 145, 146, 147, 157,
160, 264, 436
Günthör, A. 151
Gut, W. 164, 212

H

Haag, H. 226, 227, 272, 273, 276,
290, 319, 320, 341, 445, 515,
517, 518, 535, 580, 583, 584,
585
Haarsma, F. 395
Hadrian VI. Florisz 503
Hahn, W. 517
Haible, E. 203
Halbfas, H. 597, 598
Hallinan, P. 385, 463
Hamer, J. 114, 162, 178
Hamilton, P. 149
Harenberg, W. 312, 462
Häring, B. 574, 575
Häring, H. 202, 590, 594, 597
Hartt, J. 351

Hasenhüttl, G. 521, 536
Hassan v. Jordanien 17
Hastings, A. 348
Hastings, C. 348
Haubst, R. 204
Hausammann, H. 24
Havel, V. 32
Haydn, J. 50
Healy, E. 109
Hebblethwaite, P. 422, 423, 424,
474, 502, 568, 579
Heenan, J. 349, 355, 573
Heer, F. 87
Hefele, K. J. 325, 326
Hegel, G. W. F. 102, 193, 203,
204, 205, 207, 220, 241, 248,
271, 284, 288, 300, 333
Heidegger, M. 37, 99, 295, 333
Heigert, H. 594
Heimann, S. 41
Heimann, W. 41
Heinrich III. 308
Heinrich IV. 498
Heinrich VIII. 215, 216, 277
Helbling, K. 514
Helbling, W. 514
Hemingway, E. 206
Hempel, Ch. 191, 313, 338
Hengsbach, F. 467
Henn, E. 15
Henrici, P. 203
Hentrich, W. 559
Hepburn, A. 174
Heppe, H. 294
Herder, H. 269
Herodes 145, 149
Hertling, G. v. 435
Hertling, L. v. 435
Hesse, H. 45
Heuss, Th. 34
Heyerdahl, Th. 75
Higgins, G. 463, 529, 548

Paulussen, P. 223
Pavan, P. 426, 549
Peck, G. 174
Péguy, Ch. 148
Pelikan, J. 412
Pesch, H. 85
Pesch, O. H. 192, 594
Pétain, H. Ph. 139, 145
Peters, H. 518
Pfister, E. 51
Pfyffer von Altishofen, A. 152
Philip, Herzog von Edinburgh
  215
Philipp II. 208
Philips, G. 249, 396, 459, 460,
  461, 464, 479
Piazza, A. G. 86
Picard, L. 149
Picasso, P. 206
Piechele, P. 70
Pieper, A. 136
Pilet-Golaz, M. 26, 28
Piolanti, A. 462
Pius IX. Mastai-Ferretti 112, 146,
  156, 211, 232, 237, 238, 256,
  371, 428, 432, 572
Pius X. Sarto 91, 226, 232, 429,
  451, 480, 490, 598
Pius XI. Ratti 79, 145, 211, 232,
  429, 575
Pius XII. Pacelli 67, 69, 70, 78,
  79, 80, 88, 91, 98, 104, 105,
  106, 108, 109, 111, 112, 113,
  123, 134, 135, 136, 137, 138,
  140, 144, 145, 146, 147, 151,
  154, 156, 169, 176, 179, 181,
  192, 220, 230, 231, 232, 233,
  234, 235, 236, 239, 240, 253,
  256, 257, 262, 263, 264, 272,
  319, 327, 332, 333, 335, 357,
  359, 362, 365, 373, 427, 428,
  429, 430, 434, 435, 436, 437,

438, 439, 470, 490, 504, 524,
  540, 548, 559, 561, 566, 569,
  575
Pizzardo, G. 101, 140, 147, 238,
  239, 412, 441, 488
Pla y Deniel, E. 370
Polanetz, H. 16
Pole, R. 162
Portillo, A. del 544
Portmann, L. 58, 214
Prenter, R. 486
Prignon, A. 460
Primeau, E. 413, 528, 548
Proudhon, P. J. 85
Prümm, K. 84
Przywara, E. 163

Q

Quadt, A. 192, 193, 318
Quinn, J. 529, 548
Quinn, R. F. 528
Quisling, V. 21

R

Radhakrishnan, S. 533
Raeber, K. 165
Rahner, H. 90
Rahner, K. 90, 123, 124, 150,
  167, 193, 194, 195, 212, 222,
  228, 240, 241, 250, 251, 261,
  276, 280, 284, 310, 320, 330,
  331, 332, 333, 334, 335, 336,
  337, 338, 339, 340, 341, 344,
  346, 356, 358, 359, 370, 373,
  378, 390, 394, 395, 396, 400,
  421, 438, 454, 460, 465, 466,
  471, 476, 506, 507, 509, 519,
  533, 551, 594
Ramsey, M. 217
Randegger, J. 46
Ratzinger, J. 108, 191, 194, 199,
  228, 247, 306, 308, 309, 322,

Bildnachweis

Die Seitenangaben beziehen sich auf die vier Bildteile:

Foto-Jung, Sursee: S. 1 oben, S. 30 unten.
Gesellschaft für Schweizerische Kunstgeschichte, Bern: S. 1 unten.
Manfred Grohe, Tübingen: S. 10 oben, S. 11 oben, S. 12 unten, S. 16 oben,
S. 25, S. 30 oben.
Matthias-Grünewald-Verlag, Mainz: S. 19 unten rechts.
Bernhard Moosbrugger, Zürich: S. 13, S. 14-15, S. 17-18, S. 19 oben, S. 20-
22, S. 23 oben, S. 24 unten.
Seerestaurant Bellevue, Sursee: S. 2-3 unten.
Universitätsarchiv Tübingen: S. 19 unten links (Signatur: S 35/1, Nr. 711),
S. 23 unten (Signatur: S 35/1, Nr. 622)

Die Karikatur S. 31 oben rechts stammt von David Levine (New York), das
Original ist im Privatbesitz von Hans Küng. Alle übrigen Bilder stammen aus
dem Privatbesitz von Hans Küng.

PIPER

Hans Küng
Spurensuche

Die Weltreligionen auf dem Weg.
317 Seiten durchgehend farbig bebildert. Geb.

Hans Küng hat sich aufgemacht, die geistige Substanz der
Weltreligionen fundiert und anschaulich zu beschreiben und
für jedermann verständlich zu erklären. Er lädt uns ein zu einer
spannenden Spurensuche durch alle Zeiten und Kontinente.
Mit der Kompetenz des großen Wissenschaftlers, aber ständig
an der lebendigen Wirklichkeit des Menschen orientiert,
beschreibt, erzählt und erklärt er das gesamte Spektrum der
Religionen. Der gewaltige Stoff gliedert sich in sieben Teile:
Stammesreligionen, Hinduismus, Chinesische Religion,
Buddhismus, Judentum, Christentum, Islam. Faszinierende
Bögen werden geschlagen: Vom Ayers Rock nach Mekka, von
einer Synagoge in New York zum tibetischen Kloster, von
Konfuzius zu Muhammad.
Hans Küng macht neugierig, bietet eine Fülle an Wissenswer-
tem, regt an, über die großen Religionen und ihre Bedeutung
für die Menschheit neu und anders nachzudenken.